장길산

4

4

장길산

황석영
대하소설

창비

제4부

역모

미륵
彌勒

1

　신천의 오계준(吳季俊)은 월정사 사당골의 모가비 임가와 더불어 한때는 해서뿐만 아니라, 경기도와 충청도의 해변에까지 출행을 다 녔던 가장 활동적인 패거리의 모가비였다. 계준이 모가비 짓을 그만 두게 된 것은 풍병 탓이기도 하였으나, 행중에 있던 그의 젊은 아내 와 자식의 원통한 죽음이 원인이었다. 오계준은 원래가 과묵하고 술 이나 몇잔 들어가야 흰소리나 한마디씩 던지는 위인이라 절대로 그 런 얘기를 자신이 꺼내어 지껄이는 법이 없었다. 그렇게 평소에 말 이 없는 계준이 일단 판에 들어가 신명이 나면 물 흐르는 듯한 맑고 고운 소리를 끝도 없이 풀어내는 것이었다. 계준의 재간은 소리뿐만 아니라 삼현육각을 다루는 데에도 그 어느 떠들썩한 악공들이 넘보 지 못할 솜씨가 있었다. 특히 계준은 해금의 명수였다. 그는 일찍이 연안에서 기루의 중노미 노릇으로 잔뼈가 굵었다는데, 주인이었던 퇴기가 풍류를 제법 아는 이라 소리도 하고 거문고도 탈 줄 안 모양이었다. 그 집에 드나들던 이들 중에 해서에서 가장 풍류객으로 알려진 피리의 명수 김공서라는 자가 있어 우연한 기회에 계준의 흥얼거리는 잡가소리를 듣고는 뛰어난 재질이 있음을 알고 음률을 가르치니 재간이 대번에 드러난 것이었다. 계준은 특히 해금을 좋아하여 틈틈이 연마하고 스스로 곡을 지어내기도 하였다. 김공서는 예전에 장악원(掌樂院)에도 있었던만큼 그즈음에는 악공을 폐하고 가산도 요족하여 밥걱정이 없으며 친분 있는 기생의 집에 놀러 다니거나 음률을 아는 이들끼리 모여서 조촐하게 놀곤 하였다. 계준이 김의 눈에 띌 만큼 재간은 있었으나 음악의 기초가 제대로 다져졌을 리 만무하였다. 하루는 김공서가 저희끼리 노는 자리에 계준을 불러들여서 해금을 켜보도록 하였다. 계준은 먼저 잡가 한 가락을 켜고 나서 스스로 지은 가락을 켜 보였는데, 가을날 슬피 우는 풀벌레의 울음과 암수를 서로 찾아 지저귀는 산새의 울음이며 깊은 밤 애간장을 끊는 듯한 두견의 울음소리 등을 흉내내었다. 김공서는 술잔을 상머리에 대고 두드리며 말하였다.

허, 재주가 아깝고나. 내가 듣기에는 이것은 음률이 아니라 손재주에 지나지 않는다만 저자의 시정배들은 아마 감탄할 것이다. 걸립하기에는 충분하겠지만 자리가 잡힌 가락은 아니다. 그러나 해금을 만진 지 반년 만에 이 정도라면 여기에 있는 우리들보다도 음감이 대단하구나.

그런 말을 들었으나 계준은 별로 개의치도 않았다. 중노미 노릇으로 기루에 빌붙어 굶주리지 않고 대궁밥에 식은 술로 살아 넘기는 신세에 자족하던 터였다. 소년 적에 세 해를 연안 기루에서 보낸 계준은 어느날 해금 하나를 달랑 꾸려들고 그 집을 나와서 대처 저자를 떠돌아다녔다. 그에게는 아악(雅樂)이네 속악(俗樂)이네 하는 구별이 따로 없었다. 어느 때 어느 곳에서나 새로운 가락이나 그가 못 배운 가락을 아는 이가 있으면 찾아가 간청하여 사나흘 만에 익혀버렸다. 그가 머리통이 커지고 체면상 헛상투라도 틀게 되면서부터는 어느덧 저도 모르는 사이에 자기 음률을 성취했던 것이다. 따지고 보면 모기의 앵앵거리는 소리, 파리의 윙윙대는 소리며, 장인붙이들의 뚝딱거리는 소리, 선비들이 글 읽는 개굴개굴하는 소리, 이 모든 천하의 소리가 모두 밥을 구하자는 것들이었다. 계준이 비록 저잣바닥에 나가 앉아 들병장수에게서 화주 몇잔 사먹고 장꾼들의 흥을 돋우어 양식이든 푼돈이든 구걸한다지만, 그의 음률은 남의 것이 아니라 바로 자신의 것이었다. 누구에게서 배워 똑같이 흉내내는 것이 아니라, 가락을 얻고 나면 잠잘 때를 빼고는 언제나 그 곡을 피나게 연습하여 묘한 음률로 다시 만들어냈던 것이다. 해금은 말총으로 활을 매고 송진을 칠하여 비사비죽(非絲非竹)으로 악기의 대접도 못 받는 것이, 그가 악공들에게는 비렁뱅이 풍각쟁이 취급을 받는 거나 매한가지였다. 계준의 손가락은 돌덩이처럼 못이 박혔고, 일단 해금에 통하자 어느 것을 잡든지 북이나, 장고나, 젓대나 그 격을 갖추었다. 계준은 저자에서 장꾼들을 상대로 양식이나 구걸할 뿐 그 이상의 것은 바라지도 않았고, 어쩌다가 그의 해금소리를 제법 알아보고 신통하게 여겨 회갑연이든가, 시회라든가 따위에 부르려고 청하여도 계준은 절대로 응하지 않았다. 그의 대답은 한결같이 이러하였다.

여기 앉아 내 소리를 하는 게 좋습니다.

그는 자기에게 음률을 깨우쳐주었던 김공서에게서 음악뿐만 아니라, 악공이라는 것이 어떤 자리인가에 관하여도 배운 터였다. 또한 그가 저자에 나갔던 초년에 몇번 겪어본 바이기도 하였다. 기술이 더욱 높아갈수록 그는 단순한 곡만을 하루종일 켜댔고, 자신이 지어낸 오묘한 곡은 절대로 남들 앞에서 켜지 않았다.

오계준은 저 좋아 걸립을 하며 사는 터에 괜히 해금을 망치고 싶지 않다는 것이었다. 구월산 행중이 지나다가 우연히 그가 빌어먹는 저자에서 함께 머물게 되었고 계준은 월선이란 사당과 눈이 맞았다. 그때에는 갑송이의 처가 되었던 도화라든가 백련이 등등이 아직 애송이 사당이던 시절이었다. 월선이는 경기도 어느 고을에서 종살이를 하다가 도망쳐서 행중에 끼인 여자였다. 그 무렵에는 임가도 중간쯤의 거사에 불과하였다. 지금은 저승패가 되어버린 모가비가 소리 잘하고 해금에는 명수인 오계준을 귀히 여겨 두말 없이 월선이와 짝을 이루어주었던 것이다. 몇해 동안을 사당패에 섞여 떠돌아다니던 계준과 월선이는 해주에서 행중을 떠나 강령으로 들어갔다. 때는 겨울이었으니, 아무것도 없이 양식자루만 달랑 짊어진 그들 부부에게는 행중에 있을 때도 그러했지만, 무서운 계절이었다. 월선이는 만삭에 이르러 있었고 아무도 그들 부부를 눈여겨보지 않았다. 계준은 강령 부민산 아랫녘에 움을 파고 물길이가 되어 아침마다 밥을 빌어먹었다. 그는 닭 울 녘에 맑은 샘을 찾아가 물을 길어서는 그에게 식은밥을 나눠주는 집에다 조달하곤 하였다. 간신히 연명하여 겨울을 넘기자 월선이는 몸을 풀었고 예쁜 딸을 낳았다.

이제 계준은 산에서 나무를 해다가 짊어지고 강령 읍내를 지나다니면서 외쳐 팔곤 하였다. 그의 재주를 아는 아내가 어찌하여 저자에 편안히 앉아 해금을 켜서 돈벌지 않느냐고 하였으나, 오계준은 답하였다. 나는 마누라와 여식을 정직하게 벌어먹이겠네. 해금을 켜는 일이 어째서 정직하지 못한 것이우? 하니까 계준은 다시 말하였다. 내 비록 천한 몸으로 세상에 나와서 다른 짓은 모두 사람다웁게 이루어놓은 바가 없으나, 다만 해금에 있어서는 제법 깊은 음률의 이치를 터득하였소. 한때에는 저자에 나가 앉아 짐짓 재주를 속이고 일부러 천박한 가락을 골라 타면서 양식을 구걸하였지. 마치 영감 할멈의 두 양주가 한탄하고 싸우고 웃고 지껄이는 소리도 냈고, 콩 죽 먹고 배가 아파서 어이어이 우는 시늉이라든가, 빠른 소리로 새 앙쥐가 장독 밑에 들어갔다고 외치는 소리라든가, 남한산성의 도둑이 이 구석으로 달아나고 저 구석으로 달아나는 흉내를 낸다든가 하는 따위를 꼭 그럴 법하게 하였지. 이게 모두 내가 이룬 가락을 욕되게 하는 짓이었고 속임수였으니 어찌 그런 사기로 약간의 쌀을 빌어 자네와 어린것을 먹일 수가 있겠는가. 오계준은 보퉁이 속에 깊숙이 감춘 해금을 꺼내어 켜는 적이 없었고, 언제든지 산에 올라가 나무를 해다가 팔아서 먹을 것을 사오고는 하였다. 어느 해 강령 일대에 마마가 창궐하여 계준의 딸도 병에 걸렸고 고열과 창으로 고통받더니 새벽 무렵에 죽었다. 부부는 여식을 거적에 말아다가 해변가에 내다버렸고 월선은 그 시신의 곁을 떠나지 못하여 사흘 밤낮을 애통해하며 붙어앉아 있더니, 돌연 이상스런 행동과 말을 하면서 간간이 정신을 잃고는 하였다.

마원(馬援)이 교지(交趾)를 정벌할 적에 정체불명의 두창(痘瘡)이 군사들에게 전염되어 지나 본부에까지 유포되고 종내에는 아조에까지 전염된 것이 마마라고 하였다. 그러므로 오랑캐의 병이라고도 하고 호구별성이라고도 하였으니 해마다 번지기도 하고 해를 건너 번지기도 하여 많은 어린아이들이 죽었던 것이다. 아이가 병에 걸리면 강남호구별성사기(江南戸口別星司旗)라는 글을 써서 문패 위에 달고 무당을 데려다가 그 신을 보냈다. 호구라고 하는 것은 마마가 매 호구를 따라 한 사람도 빠트리지 않고 모두 전염시킨다는 것이고, 별성이라고 하는 것은 그 신의 사명이 특별 객성(客星)이라는 뜻이었다. 항간에서 두신(痘神)을 손님이라 칭한 것은 바로 객성을 뜻하는 것이었다.

월선이 여식을 잃고 나서 홀연 정신이 흐릿하여지고 스스로 혼잣소리를 하더니, 그의 죽은 딸과 간간이 얘기를 나누는 형용을 취하였다. 혹은 미리 앞일을 짐작하여 일러주기도 하였고, 또는 지난 일을 말하는데 어떤 이든지 한번 보고는 줄줄이 외워서 꼭 맞히고는 하여 강령 일대에 소문이 나게 되었던 것이다. 태주가 붙었다고 하여 부녀자들이 계준의 움막에 무리를 지어 모여들기 시작하였다. 오계준도 여식을 잃고 애통하던 뒤끝에 아내까지 허랑한 태도가 되어 어찌할 바를 모르다가, 아내가 여식의 목소리를 흉내내어 말을 붙이고 재롱을 부리니 더욱 애간장이 녹는 듯하였다. 오계준은 어느덧 자연스럽게 아내 곁에 앉아서 북이나 장고를 잡아 무업을 도와주게 되었던 것이다. 원래가 사당이었던 월선은 가무음곡에 능하고 더욱이 태주의 영험이 몸에 들어 대번에 강령 인근에서 명무로 알려지게 되었으며 오계준은 자기도 모르는 사이에 박수가 되어갔던 것이다. 한 해가 지나기 전에 그들은 초가삼간이나마 삼신당을 조촐하게 지을 수 있었고, 일 년 해들이로 대굿도 벌이게 되었다.

강령 읍내에 사는 좌수 집에서 아이가 병에 걸려 월선을 청하여 갔는데 배송굿을 해달라는 것이었다. 중국으로부터 봉명 사신이 올 제 관사 오 리 밖에서 도로 양편에 황토를 군데군데 놓았으니, 무당이 역귀를 보낼 적에 이와 같은 제도를 그대로 본받게 마련이었다. 말과 마부도 형식으로 갖추었고 마치 관리의 행차를 전송하는 듯이 꾸몄다. 월선이 노래를 부르고 계준은 박자를 맞추면서 굿을 하였다. 온 식구가 목욕재계하고 소식을 하면서 굿에 참가하였는데 아이는 어찌된 일인지 굿의 효험을 보지 못하고 죽고 말았다. 좌수는 애통하고 분한 나머지 군의 토옥에 월선을 하옥시키고 계준을 매질하였다. 월선이 무병을 앓고 무당이 된 것은 그 여식의 죽음에 의한 것이었고, 뭐라고 딱히 말할 수는 없으나 신이 접한 것이 분명하였으나 좌수의 자식의 병에 있어서는 불능이었던 터이다. 그것은 오직 천수와 운명에 의한 것이라고 계준은 주장하였으나 좌수는 스스로 무당을 불러다 인근 사방의 백성들에게 알려지도록 굿을 벌였던 일이 창피하고 분한 모양이었다. 계준은 장형을 당하고 풀려났으나 월선은 토옥에 갇혀서 두어 달을 지내더니 돈과 무명을 인정으로 들이고는 간신히 풀려났다. 감옥 안에서 시름시름 앓던 월선은 집에 돌아와서 태주가 된 아이의 혼령과 끊임없이 헛소리를 주고받다가 어느날 숨결이 끊어졌다. 계준은 해금과 약간의 양식을 싸짊어지고 강령을 떠났던 것이다.

그는 전보다 더욱 말 없는 사람이 되었고 술에 취하면 해금을 꺼내어 구슬픈 곡조로 남의 애간장을 끊는 듯한 음률을 끝도 없이 타는 것이었다. 가끔씩 마을 부근의 야산이나 저자의 다리 아래에서 그가 켜는 해금소리가 들려오면 사람들은 계준이 왔다고 여기게끔 되었다. 그가 구월산 월정사로 찾아들어와 사당말에서 한겨울을 기식하던 때가 있었다. 일찍이 풍열스님은 그의 해금 솜씨를 몹시 사랑하여 암자로 가끔 부르고는 하였다. 그는 예전처럼 사당패의 행중을 따라 돌아다니지 않고서 은율 문화 일대의 굿판을 기웃거리며 잽이 노릇이나 시중꾼 노릇을 하며 돌아다니더니, 아예 무업을 세우게 되었던 것이다. 그가 길산의 양어미 안무당이나 사선골의 계화, 그의 남편 부엉이 박수 김승운 등과 잘 알게 된 것은 계준의 음률에 관한 솜씨가 뛰어나기도 하였으나, 굿의 주요한 몇대목쯤은 그가 능숙하게 연희할 수도 있었고 그의 아내에게서 배운 대로 쌀점도 신통하게 맞히는 영험을 보였기 때문이다.

신천은 산과 골짜기투성이인 은율 문화와는 달리 널찍한 어루리벌을 끼고 있어서 가세 부요(富饒)하고 한가한 집들이 많아서 소소한 푸닥거리에서부터 액막이 또는 기복 등등의 큰 굿에 이르기까지 잔치 겸하여 벌이는 집이 많았다. 때가 흉황이라 나라에서는 가무음곡을 금하여 드러내놓고 큰 굿을 벌일 수는 없었으되, 어려워지면 또한 병이 잦은지라 쌀말이나 생기는 굿이 많게 마련이었다. 오계준은 천사산이 올려다보이는 우산포 부근에 총각 하나를 수하로 데리고 살고 있었다.

밤이 이슥하여 먼 데서 밤새가 고즈넉하게 울고 있었는데, 계준은 언제나처럼 등잔을 돋우고 앉아서 해금을 한 곡조 켜고 있었다. 십리 길 밖인 읍내로 나갔던 아이가 내왕하는 사람들에게서 받은 약간의 미곡을 가지고 돌아왔다. 그는 해금 켜기를 멈추고 밖을 내다보았다.

"이제 오니? 읍내에는 별일 없더냐?"

무심코 물으니 아이는 자루를 내려놓기도 전에 다급하게 말하는 것이었다.

"별일이 뭡니까. 시방 큰 난리가 났다구 가는 데마다 사람들이 둘러앉아 수군대구 있습니다."

"난리라니……"

"아이구, 무슨 일인지 모군들을 오늘 새벽에 몽땅 데려갔구요, 관아의 군관들은 한 사람도 남김없이 병장기 들리어서 부처고개루 데려갔답니다."

"부처고개라면 구월산 남녘이 아니냐."

"그러믄요, 구월산 일대가 온통 어육이 되는 판이랍니다. 뭐 화적당을 토포한다는데 사람들이 떼죽음당했을 거라구 수군거립디다."

오계준은 안무당과도 잘 알았고 풍열스님이나 옥여스님이나 임가로부터 산사람들에 대하여 들어 구월산의 활빈도가 어떤 사람들인지 소상히 알고 있었던 것이다. 오계준은 탑고개의 안무당네 집에 갔다가 길산을 대한 적도 있었다. 그가 비록 입을 열어 말을 하지는 않았으나 지나간 반생에 비추어 굶주리고 천하게 목숨을 붙여오는 백성들에 관하여는 뼈저린 애정을 가지고 있었고, 그 반대로 월선의 죽음에서 비롯하였듯이 밥술이나 먹고 제 마음대로 천민을 다루는 양반 부호들에게는 깊은 원한이 있었던 것이다. 계준은 문득 탑고개와 사선골을 뇌리에 떠올렸다. 그는 상 위에 백지를 씌우고 앉더니 쌀을 집어서 몇번 뿌려보았다. 그는 다시 흩었다가 뿌리고 하기를 열두 번 거듭하였다. 쌀의 떨어진 모양으로 단(單) 쌍(雙) 종(縱) 횡(橫)을 삼아 점의 효(爻)로 정하는 것이다. 낟알의 외톨과 붙은 것과 바로 있는 것과 가운데 있는 것으로써 육효(六爻)를 지어 음양의 이치를 정하였다. 오계준이 구월산의 안위를 들어 점을 쳤는데 첫패가 나오기를, 양이 셋이니 천(天)이었고 음 하나에 양이 둘이라 택(澤)이 나와서 이(履)가 되었다. 즉 호랑이의 꼬리를 밟는 것과 같은 위험상태였다. 다시 사선골과 탑고개에 관하여 물으니 물이 둘이나 겹친 감위수(坎爲水)가 나왔다. 위험이 겹쳐 있는 사대 난괘의 하나였다. 소용돌이치는 물 가운데 빠져 있는 것과도 같은 수였다. 오계준은 떨리는 손으로 상 위의 쌀을 그러모으고는 밖으로 나가 뒤꼍 상석에 올라 옷을 벗고 찬물을 뒤집어썼다. 그러고는 안방 건넌방 사이에 신당으로 꾸민 마루에 나가 앉아 향촉을 켜놓고 공을 들였다.

토포군이 구월산 인근으로 짓쳐들어갔다면 많은 백성들이 죄 없이 살육을 당하고 마을이 불에 탔을 것이 뻔했다. 그는 관군이 어떤 짓을 저질렀을지 훤히 떠올릴 수가 있었던 것이다. 계준이 신당에서 기도를 드린 지 한참 지난 뒤에 삽짝이 열리면서 나지막한 소리가 들렸다.

"계준이, 계준이 있나?"

"거 누구요?"

오계준은 문을 밖으로 밀고 마당을 내다보았고, 마당에는 첫눈에 맨상투에 홑저고리 바람의 김승운과 그의 아내 계화가 서 있는 게 보였다. 계화는 온통 흙과 그을음으로 더럽혀진 무명옷에 머리는 거의 헤쳐져 산발에 가까웠다. 그들의 엉거주춤한 두 어깨 사이에는 뭔가 짐 같은 것이 길게 늘어져 있었다.

"아니…… 이게 웬 변고인가?"

계준이 황급하게 신발을 꿰며 내려서는데 계화는 맥이 다 빠졌는지 땅바닥에 스르르 주저앉아 울음을 터뜨렸고 김승운은 엉거주춤 서 있었다. 그들의 어깨 사이에 매달렸던 것이 땅에 풀썩 넘어졌다. 계준이 자세히 보니 옷이 찢기고 머리는 풀어헤쳐진 여자였다.

"이…… 이건 사람이 아닌가?"

"사람이 다 뭐야, 원향이야, 우리 만신 몸주 받은 원향이란 말여."

오계준은 달려들어 원향이를 일으키는데 몸은 차가웠고 맥이 간신히 뛰고 있는 듯하였다.

"이리 와서 거들어라."

아이가 마당귀에 보이자 계준이 불러서는 원향이를 끌어안다가 안방으로 들어갔다. 곧 아랫목에 자리를 깔고 뉘었으나, 원향이는 간신히 숨만 붙어 있는지 사지를 던지고 늘어져 있었다. 저고리는 풀어헤쳐졌고 치마는 다 뜯겼는데 드러난 맨살에는 긁히고 찢긴 상처투성이였다. 계준은 묻지 않아도 원향이 몸을 더럽혔음을 알아볼 수 있었고, 혼자 혀를 차면서 이불을 재빨리 씌워주었다. 방 안에 들어선 김승운과 계화는 차례로 무너질 듯 주저앉더니 벽에 기대었다. 김승운은 절로 스멀스멀 솟는 눈물을 닦지도 않고 입을 벌린 채 멍하니 앉았고, 계화는 연신 코를 들이마시며 어깨를 떨고 중얼거렸다.

"온 세상에, 세상에 이럴 수가…… 아이구, 세상에……"

계준은 그들을 둘러보며 물었다.

"사람 많이 죽었나?"

김승운은 그를 멀뚱히 바라보았다.

"어찌된 일인가?"

계준이 재촉하여 묻자 그제야 김승운은 천장과 벽을 다시 한번 둘러보고 나서 여기가 신천의 오계준네 집임을 확인한 모양이었다.

"지옥이 따로 없데. 관군이 야차처럼 달려들어 사선골을 결딴내구 말았어. 간신히 목숨 부지하여 살아 오는 길이야."

"탑고개는 어떻게 되었어?"

"탑고개? 흥, 사선골서 살아난 게 아마 우리뿐일걸. 탑고개는 구월산과 더욱 가까운 곳이라 아무도 살아남지 못했을 거야."

"월정사며 사당말은?"

"몰라. 간신히 살아서 모을산 굽이를 돌아 내고개까지 엎어지고 넘어지고 달아나며 보니까 하루종일 연기가 오르더군. 산협 백성들은 보따리 지고 남부여대하여 난피하느라구 법석이야. 오면서 보니까 군계의 길목마다 군교와 사령배가 나와서 지키구 빠짐없이 짐수색이며 호패를 조사하구 법석이야. 요로를 피하여 산길로 오느라구 죽을 고생을 했어. 지금 발가락이 감각이 없는 게 아마 얼음이 박혔을 게야."

"활빈을 하는 녹림당들 몇 사람으로 죄 없는 백성들을 그렇게 할 수가 있나."

계준이 분개하여 중얼거리자, 계화가 울부짖었다.

"우리가 어디 양민 축에나 드는 줄 알아. 길에 버려져 아이들 손에 찢기는 제웅보다두 못한 신세지."

김승운은 사선골서 살아남았을 때 하던 말을 다시 중얼거렸다.

"나는 다 봤어. 천인공노할 짓들이었어."

"그래요, 이 포한을 우린 안 잊을 거예요."

"어서 요기라두 해야지. 그리구 저애는 아직 잔맥이 남았으니 살아날 수 있겠지."

계화가 그제야 원향이 생각이 났는지 이불 옆에 다가앉아 흐트러진 머리카락을 쓸어넘겨주면서 말하였다.

"에이그, 가엾은 것. 제 몸이야 이렇듯 걸레 조각처럼 잔명이 붙어 살아남았건만 식구들은 모두 불에 타죽었으니 넋을 잃기가 그나마 다행이지."

서둘러 저녁을 지어 생존자들은 간신히 기운을 차렸고 원향이에게는 미음을 끓여 넘겨주었으나 입을 벌리지 아니하여 입가로 흘러넘칠 뿐이었다. 계화가 입을 벌려주고 승운이 숟갈로 흘려주어 간신히 미음을 조금 먹였다. 열이 오르더니 원향이는 곧 인사불성으로 불덩이가 되어 앓았다. 산간에서 약이 따로 없어 몸을 덥게 해주고 미음이나 넘겨줄 뿐이었고, 계화가 대강 더러운 몸과 얼굴을 씻겨주었다.

그들이 오계준네 집에 당도한 지 사흘이 지나서야 군병들이 돌아오고 모군들도 부역에서 놓여났다는 소식이 들렸다. 원향이는 열이 많이 내렸고 눈도 뜨게 되었으나 그들을 전혀 알아보지 못하였다. 계준이나 승운이 방에 들어가기만 하면 타는 듯한 분노의 눈초리가 되어 두 손을 허우적거리면서 일어나려고 애를 쓰는 까닭으로, 계화 외에 사내는 아무도 방 안에 범접을 못 하였다.

원향이 기동은 하게 되었으나 도무지 주위 사람을 알아보지 못하였고, 전혀 의미도 모를 혼잣말을 중얼거리기만 하였다. 양지바른 툇마루에 나와 앉아서 처마에서 고드름이 녹아 떨어지는 낙수를 넋 없이 바라보고는 하였다. 계화가 깨끗한 옷을 갈아입혔건만 아무 데나 주저않고 뒹굴어서 곧 흙투성이가 되는 것이었다. 그러잖아도 넉넉지 않은 홀아비의 집에 군식구가 셋이나 불어났으니 그들은 제각기 양식이라도 벌어야 했고, 계화는 어루리벌 인근 여러 마을을 돌아다니며 부녀자들을 방문하여 점도 쳐주고 작은 푸닥거리 일감도 얻어왔다. 오계준과 김승운도 번갈아서 신천 읍내로 나아가 경도 읽어주고 부적도 팔았다. 그래도 실성한 원향이와 철없는 사동아이만 두고 갈 수가 없어서 그들은 번갈아서 원향이를 돌보기 위하여 집에 남고는 하였다.

집에 남는 사람이 여자인 계화일 적에는 별 문제가 없었으나 아무래도 계준이나 승운이 남을 때는 골칫거리가 한두 가지가 아니었다. 대소변 가리지 못하는 것이 꼭 어린아이와 같아서 일일이 속곳을 끌어내려 뉘어주어야 하였고, 허탄한 말에 대꾸도 해주어야 되었던 것이다. 대개 원향이의 하는 짓이 이러하였다.

하루는 계화 승운 부부가 소굿에 불려가고 오계준 혼자 집을 보는데 툇마루에 앉아서 흥얼거리던 원향이가 갑자기 부르짖는 것이었다.

"우리 아버지도 죽이고 언니도 죽이고 엄마도 죽이고 준보도 죽이고 이번에는 누굴 죽이랴. 원향이를 죽일까 말까."

계준이 측은하여 방문을 열고 내다보다가 얼결에 대꾸하게 되었다.

"원향이는 안 죽인다. 너는 이렇게 온전하지 않으냐?"

원향이가 갑자기 공포로 일그러진 얼굴이 되어 계준이 쪽을 보며 손가락질을 하였다.

"흥, 내가 속을 줄 알구? 그러다가 아무도 모르게 잡아먹으려구. 불에다 구워먹을 거지? 불, 불, 아아, 뜨거워."

원향이는 두 팔을 허우적거리며 뒤로 물러났다. 계준이 진정시키려고 뛰어나와 원향이의 두 어깨를 잡으니 원향이는 금방 울상이 되어 두 손을 맞비비면서 빌었다.

"제발 살려주셔요. 창으로 찌르지 마셔요. 우리 준보두 살려주셔요. 시키는 대루 할게요."

원향이는 할 바를 모르고 섰는 계준의 발 아래 주저앉더니 스스로 치마를 위로 훌떡 걷어올리며 뒤로 발랑 눕는 것이었다. 비록 속곳은 입었으나 처녀의 무릎과 허벅지의 속살이 드러나 있었다. 계준이 민망하여 고개를 돌리니 원향이는 그의 바짓가랑이를 잡아당겼다.

"자요…… 살려달라니까요."

그러면서 원향이가 제 속곳을 풀어 끌어내렸다. 계준은 혀를 차면서 우악스럽게 원향이의 팔을 낚아채서 일으켰다. 다시 자빠지려는 원향이의 뺨을 후려치면서 계준은 꾸짖었다.

"네 이년, 아무리 고초를 겪어 실성했다지만 만신 몸주를 받았다는 년이 이렇게 심약하냐?"

불이 번쩍하도록 따귀를 얻어맞고도 원향이는 깔깔대며 웃었다.

그러고는 이내 목소리가 달라졌다.

"그래, 나는 덕물산 장군님 영을 받으련다. 느이들 군관들이며 벼슬아치들은 모두 내 칼 아래 추풍낙엽이 될 것이로다."

오계준은 일찍이 그의 아내가 실성할 때 겪은 바가 있어서, 원향이 정신을 잃은 것은 너무도 깊은 포한이 맺혀서인즉 그 포한을 한 곳로 모아주든지 아니면 풀어주어야 함을 잘 알았다. 그러나 원향이가 예전부터 겪은 원한이란 모두가 이 세상의 그릇된 제도로써 빚어진 것이라 이렇듯 모질게 맺힌 한을 풀어줄 길이 없을 듯하였다. 계준은 나름대로 꾀를 내었다. 원향이에게 용병놀음을 시켜서 분을 풀게 하려는 생각이 들었던 것이다. 그는 마루의 신당에서 신칼인 삼지창과 쾌자를 꺼내왔다.

"그래, 장군님 넋을 받아 못된 군졸들 양반들 모조리 몰아내라."

계준이 원향이에게 쾌자를 입혀주고 삼지창을 쥐여주니 원향이의 눈은 이상스레 번들번들 빛나고 볼에 홍조가 번져갔다. 계준은 문득 생각이 나서 절구통을 들어다가 마당 가운데 놓고서 그 위에 삿갓을 씌워놓으며 말하였다.

"자, 이것이 군졸을 보낸 해서 관찰사란 놈이다."

그러나 원향은 고개를 살래살래 젓는 것이었다.

"아니야, 감영 감사 따위는 아무 자리두 아니야. 우리 장군님이 그깟 놈에게 눈이나 돌리실까."

"그러하면 누가 맘에 차느냐?"

"임금이지."

계준은 순간 소스라쳐서 얼른 빈 마당을 둘러보고 나서 입가에 손가락을 갖다댔다.

"쉬이……"

"흥, 임금이란 것이 백성 알기를 벌레만도 못하게 여기더니 어디 우리 장군님 칼을 받아봐라."

원향이가 한손에 삼지창을 쥐고 번쩍 쳐들더니 어깨가 건들건들 고개는 좌우로 꺼덕꺼덕 차츰 흥이 오르는 것 같았다. 발이 땅 위에서 노닐기 시작하다가 경정대며 뛰어올랐다. 원향이가 무업을 받으려고 몇가지 사설을 계화로부터 배웠으나 그리 익숙하지는 않았는데 거침없이 가락에 실려서 나왔다.

"에에헤, 어부엽던 군웅(軍雄)이며 두렵던 군웅님이 동에 청제 들어오는 군웅, 남에 적제 들어오는 군웅, 서에 백제 들어오는 군웅, 북에 흑제 들어오는 군웅, 군웅님 맵시 호사 볼작시면 만산 천군 군웅님이 들어오는 것을 볼작시면 군웅 뒤에 수부가 없으리까. 상청 수부 중청 수부 하청 수부 문안 수부 문밖 수부, 기 들던 수부 영기 들던 수부님네 들어올 적에 상목은 쥐털 박어 수실 영띠 매고, 어부엽던 군웅이며 두렵던 군웅이며 거리 노중 군웅 산중 군웅님네 수부 군웅이며, 오방 신장 토주지신 가신 가택 놀러 오는 군웅, 문밖 군웅 문안 군웅님네 무섭던 군웅님네 상마 물려 질끈 매고 앞뒤 걸쳐 질끈 매고 너른 모 청색 옥색이 주라 줄목이 숱많은 의상이 고리비듬 색비단이, 무섭던 군웅이며 두렵던 군웅이며 거리 노중 군웅이며, 신수 사나우면 다 잽혀가는 군웅, 신수가 불길허면 주당고두 걸려가는 군웅, 신수가 해 불길하면 노중 고도 불려가는 군웅이며, 수부 군웅 주당 군웅, 노중 군웅, 무섭구 두려운 군웅님네 옛날 옛적부터 혼인길에 많이 따르고 환갑에도 가는 군웅, 노중에도 가는 군웅, 어디 사방 산천에 조선 팔도 팔만 장안에 억만 가구여 수많은 가중 수많은 정중에, 솔잎으로 뿌린 듯이 무섭구 두려운 군웅님네다, 그 힘으루 사는 사람은 어디를 가랴 허면 날 일진을 받아가지고 가고 함부로 가면 군웅질이도 제껴가구 수부 고에도 제껴가구 노중 고에도 제껴가구, 어쨌든지 환갑에도 제껴가구 혼인에두 제껴가는 군웅님네, 무섭구 두려운 군웅님네, 에헤 어 에헤이 허어.”

원향이는 어디서 그런 총기와 신명이 솟아나는지 삼지창으로 허공을 연신 찌르고 베면서 삿갓 씌운 나무 절구 주위를 춤추며 맴돌았다. 역시 계준의 생각은 들어맞아서 그때에 원향의 이리저리 갈라지던 생각들이 한곳에 모이는 듯싶었다. 원향의 뺨은 붉어졌고 이마에는 땀이 맺혔다. 쾌자자락은 참으로 마상에 올라 달리는 장군의 전복처럼 나풀거리고 삼지창은 햇빛에 번득였다. 원향이가 삼지창으로 절구를 똑바로 찌르듯이 하고서 외쳤다.

“어어허, 우리 덕물산 장군님 나가신다. 욕심 많고 새암 많고 인정 없는 임금의 목을 베러 백마 타고 나가신다. 이 장군이 뉘시냐. 옛날에 위화도 훌쩍 건너 요동 삼천리 정벌하던 장군이다. 어어허, 구월산 삼성사에 올린 장군이다. 배고파 죽은 영산, 맞아 죽은 영산, 찔려 죽은 영산, 갇혀 죽은 영산, 목매 죽은 영산, 복장이 터져 죽은 영산, 시름시름 앓다 죽은 영산, 모두 모아서 천군만마로 되어 질풍같이 짓쳐나온다. 헛쉬이, 쉬이.”

원향이가 다가들어 삼지창으로 거세게 찔러대니 절구가 우쭐우쭐 춤을 추더니 드디어 삿갓이 굴러떨어졌다. 원향이는 지체 않고 삼지창에다 삿갓을 꿰어 높이 쳐들었다.

“우리 천군이 마군의 목을 베었구나. 건곤이 바로 서고 천하가 태평이라. 이제야 팔도 백성 살겠고나. 에라, 이번엔 우리 아비 몫이다.”

원향이는 창에 꿰었던 삿갓을 내동댕이쳤다.

“이번엔 우리 어미 몫이다, 에잇.”

다시 창에 꽂아 동댕이치고,

"우리 언니 몫이다. 우리 준보 몫이다."

하고 나서 원향은 제 몫이라며 아예 삿갓을 제 머리에 얹었다.

"나라님이 따루 있느냐, 내가 나라님이지. 어어허, 군사는 몽땅 병장기 버리고 바다에나 들어가라. 어어허, 벼슬아치들 모두 산에나 들어가라. 얼씨구 좋다 절씨구나."

원향이는 삿갓을 쓰고 경정거리며 마당을 미친 듯이 돌아다녔다. 어디서 그런 기운이 솟아나는지 지칠 줄을 모르는 것 같았다. 한참이나 이리저리 뛰어다니던 원향이는 숨이 막혀오는지 가슴을 움켜쥐고 섰다가 쓰러졌다. 오계준은 그만 얼이 빠져서 한쪽에 비켜선 채 멍하니 바라보다가 원향이를 안아다가 뉘었다. 원향이의 뺨에서 홍조가 가셨고 깊은 잠에 빠졌는지 숨소리도 들리지 않았다. 계준이 진작부터 여러 무당의 굿하는 광경을 보아왔으나 이번처럼 서슬이 푸르고 엄숙하며 격렬한 굿은 보지 못하였다. 그는 안무당이 내림굿을 열어주면서 원향이 큰무당 될 자질이 있다던 말이 헛말이 아니었음을 비로소 실감하였다. 저녁때 계화 부부가 돌아왔고 계준이 낮에 있었던 일을 얘기하자 계화는 무릎을 치며 기뻐하였다.

"참 좋은 생각을 허셨수. 그렇게 거듭 놀다 보면 제 신명으로 정신이 돌아오게 될 거유. 우리 아예 제웅으루 군졸두 만들어줍시다. 원향이가 신칼로 썩썩 베어넘기게."

그러나 김승운은 뭔가 꺼림칙한지 입맛을 다시며 중얼거렸다.

"글쎄…… 정신이 돌아오는 건 좋지만 어느 관가 부스러기가 보면 탈이 날 게야."

"실성하여 입끝에 나오는 대로 지껄이는 소리를 가지고 언놈이 뭐라구 하겠나. 제발 포한이 풀려서 제정신이 돌아오길 바래야지."

계준은 승운이 불안하여 걱정하는 말을 막았고, 계화가 중얼거렸다.

"어쩌면 그럴지두 몰라요. 우리 원향이 데리구 대굿이나 한판 해볼까."

그러나 김승운은 커다란 부엉이눈을 껌벅이며 고개를 저었다.

"아니, 그러잖아도 세상이 어수선한데 공연히 사방의 구경꾼을 모아 원향이의 써늘한 헛소리를 들려주자는 게야 뭐야. 이를테면 사선골과 탑고개서 죽은 온갖 귀신들을 불러들여 푸념시키는 노릇이라, 혐의지기 꼭 알맞지."

"대굿을 벌일 필요는 없지. 하여튼지 원향이가 기왕에 몸주를 받았고, 이제 이 길로 들어섰으니 무업도 배울 겸 하여 실컷 놀게 해주어야지. 정신이 오락가락할 적마다 굿을 시켜보아. 평소에는 못 해내던 사설이며 소리도 큰무당 뺨치게 술술 읊어내더라니까."

계화와 김승운 부부가 원향이를 구명하여 오계준네 집에 온 지도 어언 한 달이 되고 있었다. 그들은 신천서 문화까지도 나가보게 되었고, 구월산 인근의 소문을 한 가지씩 얻어들을 수가 있었다.

토포군은 열흘 만에 물러갔고 많은 사람들이 해주감영으로 끌려갔다는 것이었다. 봉산 서흥으로 가는 나루터나 요로마다 군병들이 나와서 왕래하는 백성들을 치밀하게 기찰하는데 폐해가 자심하다고도 하였다. 소문은 뒤이어 소문을 낳아 구월산 인근 마을은 개미새끼 한 마리 살아남지 못했다는 둥, 아직도 산속에서는 싸움이 벌어지고 있다는 둥하여 놀라서 수십 리 밖으로 난피하였던 백성들은 길양식도 떨어지자 유리걸식을 하기도 하였다. 그러나 계준이네서는 비교적 소상하게 돌아가는 사정을 전해들을 수가 있었으니, 푸닥거리며 점을 하러 밥술깨나 먹는 집으로 돌아다닌 탓이었다. 대개 그런 집들이란 관에 연줄이 닿게 마련이라 향소나 길청에서 흘러나오는 소리를 가장 먼저 들을 수 있던 까닭이다. 재령 쪽에서는 구월산이 어육이 된 지 나흘 만에 정체를 알 수 없는 무리가 병장기를 들고 당나루를 건너 들어왔다가 검산서 하룻밤을 새우고 물러갔다고 하였다. 그러고는 훨씬 오랜 뒤에 토포군이 송화에서 나오는데 신천서 빠지는 길과 맞닿은 장호령 고개에서 작은 접전이 있었다는 것이다. 수를 알 수 없는 자들이 골짜기에 매복하였다가 군사들을 향하여 수십 방을 방포하여 많이 다치고 죽었다고 하였다. 관군이 전열을 수습해서 고개 위로 추적했지만 그들의 흔적조차 찾지 못하였다는 것이다. 토포군은 장호령 아래 사거리서 행군을 멈추고 송화와 신천에 파발을 놓아 요로에서의 기찰을 강화시키도록 하고 나서 학령을 넘어갔다는 얘기였다. 송화 은율에서 심사를 받았던 백성들 가운데 구월산 화적당과 직접 관련이 없는 자들도 풀려나지 못하다가, 풍천의 바닷가 쪽에 황무지를 정하여주고 개간하여 살도록 영이 내렸다고 하였다. 실로 탑고개와 사선골은 완전히 폐촌이 되어버린 것이다.

계화와 김승운 부부는 계준이 도량이 넓어서 제 집에 함께 살도록 해주고 있지만, 언제나 이곳은 그의 구역이라 인근에 나돌아다녀도 마음이 편하지를 않았다. 어떤 집에서는 계준이 와야 액땜이 되겠다고 그들을 물리치기도 했던 것이다. 하루는 계준과 김승운이 일을 나가고 계화가 원향이를 데리고 집에 남아 있었다. 총각도 계준과 승운을 따라 일을 나갔고, 계화는 원향이의 머리를 감겨주고 참빗으로 빗질을 깨끗하게 해주었다. 양지쪽에 나와 앉으면 제법 무릎이 다사로워지는 것이 봄기운이 가까워진 듯하였다.

"에이그, 우리 용녀 애기 얌전두 하다. 어느 대감님이 짝을 채우실지 이만허면 당을 모셔두 부끄럽지 않겠구나."

계화가 스스로 흡족하여 창백한 원향이의 뺨을 토닥여주며 중얼거렸으나, 원향이는 듣는 둥 마는 둥 퀭한 눈으로 먼 산만 바라볼 뿐이었다.

"너 내가 누군지 아직도 모르겠니?"

"울든 재이 짖든 재이 마루 아래 수캐부랄이 덜렁덜렁하아네."

계화의 물음에 원향이는 오히려 손가락질을 하며 상대를 웃기려 들었다.

"그래, 우습기두 하구나. 우리 탑고개 만신 성님이 계시면 네 얼을 찾아줄 텐데 어디 한번 놀아볼 테냐?"

계화는 문득 오계준이 일러주던 말이 생각나서 쾌자며 삼지창을 내왔다. 그러고는 원향이에게 입혀주었다.

"자 봐라, 너는 용녀야. 천군을 거느리고 사를 물리쳐야 한다."

다시 신칼을 한 손에 쥐어주니 원향이는 창을 물끄러미 내려다보다가 햇빛에 반사되어 번쩍이는 창날을 보자 부르르 떨면서 위로 치켜들었다.

"옳지 옳지, 그러고……"

계화는 오계준이 이른 대로 절구를 손가락질해주며 외쳤다.

"저게 나쁜 장수이니라. 저것의 목을 베어보아라."

원향이 우쭐우쭐 어깨를 들썩이며 마당을 한 바퀴 돌더니 갑자기 계화 쪽을 한번 돌아보고 나서 삽짝을 빠져나갔다. 때마침 우산포의 이정을 보는 자가 서리와 나졸을 뒤에 끌고 은정 쪽에서 내려오던 참이었다. 요즈음 인근 군마다 호적에 빠진 자라든가 유민이나 수상한 자들이 없는가 하여 호구조사를 시작하고 있었던 것이다. 계화는 그들이 오고 있는 길을 마주 달려가는 원향이를 보자 가슴이 덜컹 내려앉았다. 서리의 번듯한 갓이 눈에 띄었고 나졸의 더그레와 털벙거지가 멀리서도 알아볼 수 있었다.

"얘, 원향아, 이리 돌아오너라."

계화가 소리 지르며 뒤를 쫓아갔고, 원향이는 삼지창을 허공에다 찔러대며 뭐라고 중얼거리며 그들 쪽으로 다가서고 있었다. 원향이는 그제야 관리들을 보았는지 처음에는 주춤 서버렸다. 그러나 돌아서서 달아나지는 않고 그들이 가까이 올 때까지 못박힌 듯이 서 있었다. 그들이 가까이 이르자 원향이가 삼지창을 쳐들더니 곧바로 달려들었다.

"에잇 이 마군들, 신칼 받아라. 쉬잇, 너희 임금이 어디 있느냐? 우리 군웅님 신력을 빌려 목을 베어주리라."

새된 소리를 내지르며 달려들었으니, 워낙에 미친 사람의 독기 품은 행동이라 소름이 끼칠 정도로 놀랐을뿐더러 그 손의 삼지창이 날이 서지 않은 무구임에도 병장기로 알아 관리들은 혼비백산하였다.

"아이쿠, 나 죽네."

서리는 오금이 저린지 미처 피하지 못하고 그 자리에 털썩 주저앉았고 나졸은 엉겁결에 등을 돌려 달아났다. 사정을 아는 이정만이 길 옆으로 비켜났던 것이다. 원향이는 자지러지게 깔깔 웃어대더니 주저앉은 서리에게로 다가섰다.

"응, 네가 임금이로구나. 목을 베어 공을 세우리라."

원향이는 삼지창으로 그자의 번듯한 갓을 사정없이 찔렀다.

"아아, 사람 죽는다아."

서리는 목을 잔뜩 자라 모가지처럼 움츠리며 고개를 숙였으나 이미 때가 늦어 갓은 삼지창에 꿰어져 무참하게 일그러졌다. 마을 이정이 달려들어 삼지창을 쥔 원향이의 손목을 잡아 비틀었고 연이어

뺨을 호되게 갈겼다.

"이런 미친것이 감히 누구를 욕보이느냐?"

계화가 뒤미처 달려와 원향이를 가로채듯 얼싸안아서는 제 등뒤로 빼돌렸다. 계화는 두 손을 맞비비고 고개를 주억거리며 사정하였다.

"그저 실성한 것이 분별이 없어 그러하니 제발 덕분 너그러이 용서합쇼."

윗사람의 급한 지경을 버리고 달아났던 나졸도 이번에는 부끄러운 중에 결이 나서 되돌아왔다. 계화의 등뒤에서 손뼉을 치며 웃어대는 원향이의 머리채를 잡아 앞으로 이끌었다.

"이런 짐승만두 못한 년이 있나. 당장 관가로 끌고 가서 물고장을 내야겠다."

"짐승은 사람의 얼굴이라도 알아보지만 이것은 지금 넋이 없습니다. 한 번만 살핍시오. 제가 무슨 벌이든 받겠습니다."

계화가 뜯어말리며 사정하는데 원향이는 머리채를 잡혔는데도 잘 참고서 두 손으로 나졸의 얼굴을 더듬어 할퀴었다.

"아이구, 이년 안 되겠다."

나졸은 뒤로 잽싸게 물러섰다가 발을 들어 원향의 아랫배를 걷어차니 원향이는 숨이 콱 막혀 뒤로 나뒹굴었다.

"원향아, 우리 원향이……"

계화가 하얗게 질려 넘어진 원향이를 안는데 그제야 정신을 수습한 서리와 두 사내들이 둘러쌌다. 서리는 분노 때문에 붓 같은 수염이 달달 떨리고 있었다.

"고이헌…… 이것들이 분명 이 마을 것들인가?"

이정이 뒤통수로 손이 가며 조심스럽게 말하였다.

"한 달포 전에 알지 못할 고장에서 왔습지요. 지금 오계준이라는 박수의 집에 얹혀살구 있습니다."

"달포 전이라…… 그렇다면 혹시 구월산 명화적들과 내통된 것들인지두 모르겠군. 네 이년, 어디서 무엇 하며 살다 왔는지 바른대루 말하여라."

서리가 물었다. 계화는 애가 달아서 이정과 서리를 번갈아 올려다보며 말하였다.

"업은 다른 게 아니라 만신이올시다. 흉년에 먹고살 길이 없어 은율 송화 문화 등지로 떠돌다가 마침 일가뻘 되는 오박수가 잠시 춘궁이나 견디고 가라 하여 얹혀살구 있습지요."

"허허, 아직두 바른 말을 하지 않는구나. 저년들을 묶어라. 아예 모양을 내어 관가로 끌어다가 실토를 시켜야겠다."

서리의 말이 떨어지자마자 나졸은 허리에서 명주실 오라를 끌러 계화의 몸을 묶고 원향이를 묶었다.

"제가 무슨 벌을 받아두 좋으나 이 아이는 지금 실성했사오니 용서하십시오."

이정이 아무리 입장이 난처하기는 하여도 오계준과 그럴 수 없는 사이인지라 계화에게 물었다.

"계준이 지금 집에 있나?"

"마침 맞임개에 액땜굿이 있어서 오늘 식전에 나갔습니다. 어찌 이정어른께서 잘 말씀해주십시오."

서리가 곁에서 듣고 코방귀를 뀌었다.

"어림없는 수작 마라. 저년이 아무리 실성했다기로 할 말과 못 할 말이 따로 있거늘 임금의 목을 베겠다고 패설을 하였다. 너희 식구 전부의 몸으로도 때우지 못할 엄청난 발설이니라."

아전과 나졸은 사정없이 두 여자를 꽁꽁 묶어서 신천 관아로 압송하였다. 우산포에서 월당강 지류인 온정내를 따라 이십 리 길을 가는 동안 원향이는 뭐가 좋은지 여기저기 산천을 둘러보며 키득거렸다. 계화는 아전에게 계속 사정하는 것이었다.

"나으리, 한 번만 굽어살피십시오. 저것의 하는 양을 보셨겠지요. 금수와 다를 바가 없습니다."

아전도 길 가는 동안에 원향의 광태를 보고 알아서 자신도 어처구니가 없는지 별반 대꾸가 없더니 드디어 입을 떼었다.

"아무리 미친것이라 하지만, 너무도 엄청난 발설을 하여서 어쩔 도리가 없다. 사또께 나아가 아뢰면, 우리 안전께서는 워낙 사려분별이 깊은 분이시라 방송하여줄 것이다."

곁에서 나졸도 한마디 하였다.

"보아하니 참 딱한 몰골이네. 그렇지만 말이 하도 엄청나서 나중에 이런 일이 이웃 사람들 입에라도 옮겨져서 전해지면 자네들은 물론이요, 우리도 어육이 될 판일세. 저 어른이나 내나 향읍의 소리에 지나지 않으니 누가 감당을 한단 말인가. 잠시 고생이 되더라도 참아주소."

계화도 그제는 더이상 애원할 맛이 없어 키들거리다가 또 주저앉아 발버둥치기도 하는 원향이를 달래면서 관아로 갔던 것이다.

동헌 마당에 꿇어앉혀진 두 여자는 퇴청 시각이 가까울 무렵이 되어서야 나타난 신천군수에게 잠시 문초를 받았다. 먼저 아전이 안으로 들어가서 무엇인가 아뢰었고 집장사령이며 형틀도 준비하지 않은 채로 군수는 통인과 책방만을 대동하여 동헌에 나와 앉았다.

"그래 너희들이 은율 백성이란 말이지?"

"예, 사선골서 난피하여 나왔습니다."

"그렇다면 토포가 다 끝나고 각 고을의 수상자에 대한 심사도 모두 끝났는데, 어찌하여 본군에서 유민이 되어 남아 있느냐?"

계화는 묶인 채로 자꾸 일어나서 앞으로 나가려는 원향이를 끌어 앉히느라고 애를 먹었다. 자신도 묶인 몸이라 마음대로 되지 않아서 드디어 원향이가 벌떡 일어나 동헌 마루를 향하여 달려들었다.

"에익 쉬이, 잡귀들 물러가라. 우리 군웅 대감의 서슬 푸른 신칼로 네 목을 뎅겅 자르리라."

마루 아래 섰던 나졸이 앞으로 나서면서 원향이를 우악스럽게 잡아 떼밀어버렸다. 원향이는 다시 일어나려고 버르적거렸고 나졸이 그녀를 뒤에서 껴안고 힘을 쓰면서 내리눌렀다.

"사또, 차꼬를 채워둘까요?"

"괜찮다. 잠시 하옥시켜두도록 하여라."

뭐라고 외치면서 울기 시작한 원향이를 나졸들이 달려들어 거의 떠메다시피 하여 밖으로 끌어냈고, 계화는 못내 안타까워서 뒤를 돌아보았다. 계화가 용기를 내어 말하였다.

"대매에 때려죽인다 할지라도 저희는 입도 없고 할 말은 더욱 없습니다. 하오나 사선골에서는 화적당이거나 양민이나를 가리지 않고 마구 살상하고 불을 질러서 그런 지옥이 없었습니다. 저애는 부모형제가 그 난리에 목전에서 창에 찔리고 불에 타죽는 것을 보고 실성을 하였지요. 그러니 어찌 구군복을 보고 헛소리를 하지 않을 수가 있겠습니까."

"아무리 미친것이라 하나 상감께 차마 입에 올리지 못할 패설 흉언을 하였다니 필시 이것은 평소에 누군가가 말이나 행동으로 가르쳐준 것이 분명하다. 네가 그렇게 지껄이지 않았더냐?"

군수의 날카로운 질문에 계화는 소스라칠 듯이 어깨를 흔들었다.

"아이고머니, 아닙니다요. 천만부당한 말씀입니다. 저희는 그저 궁벽한 산골에서 신당이나 세워두고 남의 궂은 일, 좋은 일을 들어 주기도 하고 추수도 하여주며 양식이나 얻어다 근근이 먹구 삽니다. 물론 국은이야 나면서부터 두터이 입고 살았다 하나 천지간에 분별이 없어서 나라에 대한 일은 물론이요 관가에서 일어나는 일도 전혀 알지 못합니다. 하물며 임금님에 대하여는 입끝에 올린 적두 없습니다. 언감생심 저희가 팔천(八賤)의 하나로서 그럴 리가 있겠습니까."

군수는 다시 책방에게 무엇인가를 전해받더니 한참이나 들여다보았다.

"업복이라는 자를 아는가?"

"모릅니다."

"사선골은 구월산 화적들과 내통하여 살았던 동네로 알려져 있다. 네가 어찌 그자를 모른다고 하느냐?"

"가끔 산에 사는 사람들이 내려왔고, 저희 동네에도 구월산서 밥술을 얻어먹고 사는 집이 몇집 있긴 하였으나 저희는 그저 상관 않고 굿이나 하며 살았습니다."

"김기라는 자나 장길산이는 아느냐?"

"예, 두 사람 모두 저희 동네에 가끔씩 내려오곤 하여 얼굴은 압니다."

"그들이 지금 어디 있다더냐?"

"전혀 모릅니다. 산식구들끼리도 그런 말은 입 밖에 내질 않으니 저희가 어찌 알겠습니까?"

"자비령에 가 있다는 소리는 못 들었느냐?"

"글쎄요, 하기는 봉산서 가끔 사람이 다녀가기도 하는 모양이었습니다."

군수는 들고 있던 서류를 한 줄씩 짚어나가다가 갑자기 물었다.

"안무당이라는 것은 알겠군."

계화는 잠깐 사이를 두었다. 저 종이에 무엇이 씌어 있는지를 모르니 망설이는 것은 오히려 안다는 표시 이외에 아무것도 아니라고 계화는 생각했다.

"얼른 대답해라."

"예, 알구 있습니다."

"그것이 장적의 어미인가?"

"예……"

군수는 노한 듯이 발을 굴렀다.

"이런 고이헌 것이 있나? 장길산의 어미 안무당이라는 것을 잘 안다는 년이 어찌 길산이나 김기나 그들 혈당에 관하여 아무것도 모른다고 잡아떼는가?"

계화는 서슴없이 말하였다.

"사또께서는 도련님의 동접 되는 이의 아내가 어느 댁 규수이신지를 잘 아십니까? 이는 그와 같은 말씀이십니다. 쇤네가 안무당을 아는 것은 그와 직업이 같아서 자연히 인근 동네의 대소 굿에 동참한 적이 여러 번이라 자연히 알게 되는 것입지요. 아무리 그의 아들이 녹림의 수괴라 하나 저희가 굿을 하여 먹고 사는 일과 무슨 관계가 있겠습니까. 그러면 진작에 저두 제 서방두 무업을 걷어치우고 화적당에 들어갔겠지요."

군수로서는 감영에 올리는 여러가지의 장계 속에서 이미 백성의 곤경을 수차례 알렸고, 특히 구월산 인근 마을이 입은 관군으로부터의 피해는 깊고 광범위하여 흥황의 백성을 진무하기도 어려운데, 엎친 데 덮친 격인 거병의 폐해는 참상일 뿐이라고 적어올린 터였다.

군수는 이번 토포가 완전 실패였음을 알았고, 그것은 감영에서 책임을 져야 될 것으로 믿고 있었다. 사실 구월산 사읍 군수들의 견해로는 거병이 민폐만 극심하게 가져왔을지언정 백성을 다스리는 일에는 참으로 무익한 것이었다는 데 의견이 일치하였다. 이는 저들의 책임도 모면하게 되는 일이요, 토포한 당사자에게 넘겨버릴 수 있는 길이기도 하였다. 따라서 그들 사이에는 묵계가 이루어져 있었으니 본도 백성들의 참상을 낱낱이 조정에 아뢰고 이번 실패의 원인은 토포장의 경솔하고 무자비한 지휘에 있었음을 지적하려는 것이었다.

"그래, 저것의 부모는 무엇을 하고 살던 것들인가?"

"예, 원향의 아비는 원래 군관을 다니다가 일찍 죽었다고 합니다. 사선골에는 저애 어미와 어린 동생이 살았지요. 애 어미가 일찍이 월정사 큰스님의 도움으로 아사를 면하고 나서 절의 여러가지 일을 맡아 품을 주어 양식을 얻어다 살았습니다. 남정네라고는 씨도 없는 집이지요."

"어린 남매와 사는 과부를 죽이기까지 했단 말이냐?"

"그뿐이 아닙니다. 저희 동네에서는 어린아이들도……"

"아, 그만 해두어라."

군수가 손을 들어 제지하고 나서 장교에게 일렀다.

"이것들은 은율 백성들이고 적당의 마을에 살던 것들이니 본현에서는 더이상 물을 것이 없겠다. 그 박수라는 자도 함께 하옥시켰다가 은율군으로 넘기도록 하여라."

이렇게 되어 김승운과 계화와 원향이는 신천군 토옥에 갇힌 몸이 되었다. 김승운을 아닌밤중에 홍두깨 식으로 느닷없이 나졸들이 나타나 묶어가니 오계준이 아무리 이웃간의 정리가 있다 하여도 겁을 집어먹게 되어 그는 혼비백산 뒤뜰 장독대 사이에 숨어 있었다.

나중에 이정의 얘기를 듣고 사건의 자초지종을 대강 짐작하여 밤이 이슥해서야 계준은 총각아이와 늦은 밥을 지었다. 하루종일 아무것도 먹지 못한 계화와 원향이가 염려되어 그들은 바가지에 밥과 나물 등속을 담아가지고 읍내로 나갔던 것이다. 계준은 따로이 인정을 쓰려고 돈 열 냥을 준비하였다. 관문 밖 향청 부근에 있는 신천 옥으로 찾아가 옥사정에게 인정을 집어주니 받아 챙겼고, 그들과 마음대로 얘기를 하도록 버려두었다. 계준이 읍내와 관가 부근에서 들어둔 얘기가 있어서 계화 일행의 앞일은 별로 걱정이 되질 않았다.

"저녁 가져왔네. 어이구, 나는 어찌나 혼이 났는지 아마 사흘은 오줌도 못 쌀 게야."

"뭐 별일 없을 테지. 아무려면 사선골에서두 목숨 붙여 살아나왔는데, 난리 다 끝나구 죽기야 할라구."

평소에는 엄살이 심하던 부엉이 김승운도 아내와 함께 갇혀 있어서인지 제법 느긋하게 대꾸하였다. 계화는 제가 우선 밥 한술 떠넣고 원향이에게 먹여주곤 하는데 원향이는 전보다 훨씬 얌전해진 듯하였다. 계화가 떠넣어주는 밥을 새새끼처럼 납죽납죽 잘 받아먹는 것이었다.

"자, 물두 마셔가며 먹어야지."

계화가 물바가지를 입에 대주니 물은 싫고 밥을 달라는 시늉으로 밥바가지 쪽을 손가락질하면서 칭얼거렸다.

"너무 염려할 거 없네. 지금 은율서는 온갖 사람들이 하도 많이 관가 출입을 하여서 으레 그러려니 하는 모양이야. 어쨌든지 내가 노중에서 빼어낼 터이니 걱정 말어."

"까짓 거 그냥 놔두어. 죄 없는 우리 같은 백성을 죽일 테야, 때릴 테야. 정말 이렇게 못살게 들볶으면 작당하여 관가를 들이쳐버릴 테다.”

오계준이 말하자 김승운은 제법 결이 나서 두꺼운 눈꺼풀을 치
뜨며 중얼거렸다. 계화가 원향이의 입에다 밥술을 떠넣다가 참견
하였다.

“놓여난다구 해두 도대체 어디루 가서 어떻게 먹구 산단 말이
우?”

오계준은 잠깐 생각하였다.

“까막내가 어떨지……”

“까막내라면 갖바치 박서방 집 말인가?”

김승운이 되물었고, 계화는 펄쩍 뛰었다.

“안 돼요. 인근에서는 거기 마누라가 길산이의 누이인 줄을 다 알
구 있을 거예요. 그리고 탑고개는 사선골보다두 더욱 끔찍하게 당했
다는데, 틀림없이 관가에서 그냥 내버려두지 않았을 거예요.”

“허허, 하긴 그렇겠군.”

고개를 끄덕이고 나서 오계준은 다시 안을 내었다.

“하는 수 없지. 월정사로 찾아가 옥여스님이나 큰스님께 잠시 거
두어달라구 사정드려봐야지.”

계화가 원향이의 얇은 어깨를 안으면서 말하였다.

“그게 좋겠수. 우리네야 아무 데나 대처 가까운 곳에 가서 움이라
두 세우면 살아가겠지만 애라두 어디 마음 놓이는 곳에 부탁해야겠
어요.”

계준은 토옥의 통나무 칸살 앞을 떠나면서 승운에게 당부하였다.

“잠이나 푹 자구 가자는 대루 쫓아가게. 내가 오늘밤부터 손을 쓸
테니까.”

이튿날 등청 시각이 되자마자 형방은 계화 가족의 문초기록과 함

께 압송할 사령 두 사람을 차출하였다. 형방이 그들을 은율로 보낸다는 것을 신천군수에게 아뢰고 나서 삼문 밖에서 기다리고 있던 오계준을 만났다.

"어찌되겠습니까?"

계준이 벌써 간밤에 그의 집을 찾아가 무명과 돈을 건넨 터였고, 형방은 저들의 방송을 약속하였던 것이다. 형방은 자기가 빼온 문건을 계준에게 내주었다.

"은율의 형방 아무개와는 이런 일로 서로 빚진 게 많은 사이라, 내가 이 기록을 없애버리고 저쪽에서 잘 인수하였노라는 문건만 보내주면 되는 걸세. 사실 사또께서도 이런 하찮은 일거리는 쉬이 잊어버릴 테니까. 신천 군계를 벗어나서 압송하는 아이들께 다만 몇푼 주어 탁배기라두 사먹으라구 하게나."

"문화 어름이 어떨까요?"

"글쎄…… 문화는 고작해야 여기서 이십리지간이라 추산고개쯤이 어떨지. 거기서부터는 송화 군내가 아닌가."

오계준은 절을 꾸뻑 하였다.

"잘 알아서 하겠습니다. 다 끝나구 나서 다시 찾아뵙지요."

오계준은 따로이 그들의 새 옷가지와 길양식 등을 준비하여 총각과 함께 먼저 떠났다. 사령 두 사람이 계화 부부와 원향이를 오라로 묶어서 관가를 나섰다. 그들은 이미 형방에게서 지시를 받아 결박도 그리 단단하지 않았고 욕설도 내뱉지 않았다. 그러나 원향이만은 마음이 놓이질 않는지 꽁꽁 묶어서 앞선 자가 줄을 쥐고 끌고 갔다.

그들이 문화의 건지산 마루를 넘고 드디어 구월산의 남쪽 지류인 광대산의 아랫녘 추산고개에 이른 것은 정오가 넘어서였다. 뒤따르던 사령이 투덜거렸다.

"이런 제미럴, 다 놓아주기로 약조를 하였으면 어서 나타날 것이지 공연한 다리품을 팔게 하는구면."

"이 고개에서 만나기루 되었다니 어디서 기다리겠지."

그들의 주고받는 얘기를 듣고 계화가 사정하였다.

"여보시우, 기왕에 풀어줄 작정이라면 우리 오랏줄이나 먼저 풀어 주슈. 살이 배겨서 골병들겠수."

"에이, 모르는 말 하지 마소. 그러다가 누구 눈에라두 띄면 우리는 된경을 치게 되우."

사령의 대꾸에 김승운도 사정하였다.

"이 깊은 산중에서 누가 본단 말입니까?"

"그러지. 이 사람들은 풀어주고, 저 실성한 것은 안 되겠소. 저어기 어디 나무 밑에라두 가서 쉽시다."

의논이 되어서 계화와 김승운은 결박이 풀렸고 원향이는 묶인 채로 그들 옆에 시름없이 앉아 있었다. 사령 한 사람이 길가로 나가 오락가락하더니 드디어 고개 아래서 기다리던 오계준과 총각을 데리고 돌아왔다.

"여보쇼, 기왕 데려갈 것이면 고개 저쪽 아래서 기다릴 것이지, 여기까지 우리가 기어오르도록 한단 말이우?"

"미안허우. 그 고개 아래는 송화 군계가 아니라서 그리하였소. 혹시 문화 고을 관리들이라두 보면 말이 나겠지요. 하여튼 수고 많았습니다. 이건 얼마 안 되지만 탁배기라두 드시지요."

계준이 돈을 두어 냥 쥐어주었고 그들도 못 이기는 체 받아넣었다.

"자, 우린 갈 테요. 형방어른 말씀이 큰길은 피하라구 그럽디다."

"그런 걱정은 마시우."

신천의 관리들이 돌아가고 나서 그들은 원향이의 결박을 풀어주고 깨끗한 무명 치마저고리로 갈아입혔다. 계화 부부도 보통이를 끌러서 옷을 갈아입는다, 머리를 빗고 틀어올리고 얹는다, 미투리를 갈아 신는다 하면서 행장을 다시 수습하였다. 계준은 데리고 왔던 총각을 신천 우산포의 집으로 돌려보냈다.

"내가 월정사에서 한 사나흘 묵어갈 작정이니 집 잘 보구 있거라."

"예, 다녀오세요."

오계준과 계화 일행은 간단한 요기를 하고 나서 산길을 돌아서 들녘으로 나섰다. 곧 송화 무더리로 흘러내려가는 까막내의 두 갈래 개천이 나왔다. 들판에는 흰눈이 덮여 있었으나 개천은 녹기 시작하여 얼음 덩어리들이 여울의 이곳 저곳에 부딪치고 걸리며 흐르고 있었다. 그들은 온정말을 우회하여 내고개를 넘어 막바로 구구월로 들어갈 셈이었다. 광대산 아랫녘에 당도하니 짧은 산협의 낮이 기울고 으스름한 저녁이 되었다.

"가만있자, 여기서 까막내 박서방 집이 지척인데 내가 한번 슬그머니 들여다보구 올까?"

오계준이 말하자, 계화가 나섰다.

"아니에요, 오서방은 남정네이니 누구의 눈에 띄든 수상쩍게 보일 거야. 내가 한번 가보구 오지."

"그냥 아무 데서나 밤을 밝히구 가지."

김승운이 꺼림칙하여 반대하였으나, 저녁바람이 제법 쌀쌀하여 노숙은 어림도 없을 것 같았다. 계화는 그들을 들판에 남겨두고 혼자서 까막내로 내려갔다. 마을에서는 불빛이 반짝이고 있었다.

계화는 까막내로 들어서서 꼭 한 번 가보았던 갖바치 박서방네 집을 찾았다. 싸리 울타리 너머로 감나무가 빙 둘러가며 섰던 것이며,

낮은 움의 지붕 위에 말리고 있던 가죽과 도랑이 생각났다. 계화는 박서방 네 집 앞에 이르러 삽짝을 밀어보았다. 놋쇠방울이 딸그랑거렸고 안에서 게 누가 왔소, 하는 소리가 들리는데 박서방이 틀림없었다. 계화는 반가워서 다시 삽짝을 급히 흔들며 말하였다.

"날세, 사선골 작은무당이여."

"뭐라고요……"

아낙네의 목소리가 들리면서 방문이 덜컹 열렸고, 방에서는 두 양주가 마치 쏟아지듯 뛰어나왔다.

"살아 계셨구려."

삽짝에 걸린 나무 막대기 빗장을 뽑고 문을 열어주면서 박서방댁이 계화의 손을 잡았다. 계화는 얼른 집안으로 들어섰다.

"성님은 어찌 되셨어?"

계화가 안무당의 안부를 묻자, 박서방댁은 나직하게 울먹이는 투로 속삭였다.

"온갖 고초를 겪으셨어요."

"어디 계셔. 성님이 살아 계시다니."

계화가 마루에 오르기도 전에 건넌방 문이 열리고 안무당이 고개를 내밀었다. 이불을 젖히기는 하였으나 일어날 기운은 없었던지 문지방에 한 손을 받치고 엎드린 채였다. 머리는 흰 무명끈을 동여매고 있었다. 안무당은 볼이 움푹 꺼지고 초췌해 보였다.

"아이구, 우리 만신 성님."

계화가 무릎걸음이 되면서 안무당의 손을 잡고 울음을 터뜨리자 박서방댁이 겨드랑이를 껴안아 안으로 들이밀었다.

"바람이 차요. 안으루 들어가셔요."

안무당은 젖은 눈을 옷고름으로 찍어내며 벽에 기대어 앉았고 박서방 부부와 계화가 둘러앉았다.

"그 난리통에 용허게 살아 있었네."

안무당이 말하자 계화는 사뭇 울먹이는 목소리로 중얼거렸다.

"살아난 게 다 뭡니까, 성님. 우리 동네는 모조리 잿더미가 되고 사람들은 창에 찔려 죽었지요. 우리는 신천 오서방네 가서 얹혀 있다가 쫓겨오는 길이지요."

하고 나서 계화는 사선골에 관군이 들어올 때 숲 사이에 숨어 있던 일이며, 욕을 당하여 다 죽어가는 원향이를 살려낸 것이며, 오계준네서 살다가 원향이의 광증으로 관원에게 잡힌 일 등을 이야기하였다. 계화는 이어서 뒤늦게 생각났다는 듯 박서방에게 말하였다.

"요 너머 까막내 건너편에 우리 주인허구 오서방이 원향이를 데리고 기다리구 있어요. 내가 살펴본다며 먼저 왔는데……"

"어서 가서 데리구 오게. 얼마나 추위에 떨었을꼬."

박서방이 나가고 나서 안무당도 탑고개서 살아나온 이야기를 하였다. 물독 속에 숨던 일이며 집이 타서 주저앉던 광경, 학살당한 사람들의 참상, 기어서 까막내까지 달아나오던 데까지 이르자 안무당은 스스로 북받친 감정을 억제하느라 숨을 깊이 들이마셨다가 한꺼번에 토해냈다.

"헌데 어디 가셨수?"

"누구 말인가?"

"누구긴 누구요, 우리 큰박수 어른 말이지."

안무당은 차마 대답을 못 하는데 곁에 앉았던 박서방댁이 조그맣게 말하였다.

"돌아가셨어요."

"그 피눈물 나는 얘기를 어찌 다 할 수 있겠나."

안무당은 차마 말을 꺼내지 못하다가 장충이 죽어서 은율 관아 삼문 밖에 전시되어 늘어놓인 화적과 그 혈당들의 시신 틈에 끼여 있었다고 하였다. 관군이 사선골과 탑고개의 사람들을 심사할 적에 처음에는 명화적의 식구들도 동류로 다룰 듯이 엄하게 찾아내고 하다가 어찌 방침이 달리 감영서 내려왔는지 훨씬 누그러졌다고 하였다. 직접 화적당에 들지 않은 자들은 따로이 양민으로 살도록 입적도 시켜주고 살 곳을 정하여준다는 것이었다. 안무당은 장충의 시신을 거둘 생각만으로 스스로 관가에 현신하였고, 토포장이라는 자로부터 문초를 받았다. 의외로 토포장은 안무당을 정중하게 대해주었다는 것이다. 안무당은 그들이 길산을 길에서 얻어다 키워놓기는 하였으나 그가 화적으로 저지른 짓과는 아무 관련이 없음을 밝혔고, 토포장은 별로 대꾸가 없더니 그렇게만 말하더라는 것이었다.

그대의 양아들 장모에게 전하여라. 나는 최형기라는 사람이다. 비록 이번 거병으로 토포하는 일에는 실패하였으나 내가 살아 있는 한 반드시 그 목을 베고야 말 것이다. 그대의 양아들이 있는 곳이라면 최형기는 나라의 명이 없더라도 찾아갈 것이다. 비록 수십 년이 지나갈지라도 언젠가 한번 겨루어보기를 원한다고 전하라.

그가 특별히 명하여 안무당은 풀려났을 뿐 아니라 장충의 시신까지 거두게 해주었다. 관군은 사선골과 탑고개의 사람들 중에서 도적의 식솔들과 산과의 내왕이 잦았던 사람들을 가려내어 감영으로 압송하였는데 들리는 말에 의하면 그들에게 죄를 묻자는 게 아니라, 일단 구월산 적당들이 다시 일어날 뿌리를 뽑아버리고 그들을 양민으로 순화시키기 위함이라고 하였다. 즉 그들은 감영에서 직접 지시하는 일정 지역의 산간에 마을을 이루어 살게 될 것이라는 소문이었다. 일단 해서를 벗어나 타도로 넘겨버리려는 모양이었다.

"그래서 시신을 거두어 저 광대산 그전 재인말이 있던 들녘에다 모셨지. 나두 이젠 여길 떠나야지."

안무당이 말하였다. 계화는 자기도 어디론가 떠나서 거처를 정하여 살아갈 일이 막막하던 참이라 반기며 물었다.

"성님, 우리하구 함께 가십시다. 길산이를 찾아가보실라우?"

안무당은 고개를 저었다.

"그건 안 될 말이여. 이제 길산이는 내 혼자만의 자식이 아닐세. 어디 가서 촌사람들 쑥덕거리는 소릴 들어봐. 구월산 장군님이 신통력을 써서 못 살게 된 백성들을 구하러 올 거라구 수군거리지. 나는 그저 이런 난리가 있기 전에는 우리 아들이며 그 동무들이 나라에 큰 죄를 저지르고 세상에서 나쁜 놈 소리를 들어가며 사는 줄 알았어. 나는 나라가 무언지도 모르는 할멈이었지. 내가 길산이를 찾아가면 오히려 그 사람들 하는 일에 방해나 되고 거추장스럽겠지. 나는 내 아들을 다시는 못 만날 거야. 우리 주인의 생각도 그러셨을 게야."

"나두 평생 잊어버리지 못할 거예요. 그러면 어디루 가실라우?"

"여기선 더 못 사네. 그러잖아도 가끔 은율이나 송화에서 장교가 나와 동정을 살피고 가는데, 이것들이나 살게 해주어야지. 나두 탑고개 사람들이 나라에서 허가받았다는 동네루 찾아갈 생각이여. 이제는 노중에서 죽는다 하여도 별루 여한이 없다네."

밖에서 발걸음 소리가 들렸고 계화가 방문을 열었다. 박서방이 김승운과 오계준 그리고 원향이를 데리고 들어서고 있었다. 그들은 추위에 잔뜩 어깨를 웅크리고 방으로 몰려들어왔다.

"우리 만신님이 여기서 이게 무슨 꼴이오."

"다 몸주님 덕분이네. 그애 이리 앉히게."

안무당이 멍한 시선으로 앉아 있는 원향이를 이끌어다가 아랫목에 앉히고 어깨를 두 손으로 감싸안았다.

"에이그 가엾은 것, 내가 워낙에 큰 만신감이라 신장님들이 시련을 주시는 게다. 우리 용녀는 앞으로 큰무당이 될 게야. 내가 영력 있는 사람은 제법 알아볼 수 있느니라."

원향이는 얼이 없는 중에도 안무당의 따뜻한 말과 몸짓에 뭔가 느낌이 있었는지 얌전하게 품에 안기더니 흐느끼기 시작하였다.

"우리 힘으로는 어찌할 수가 없어서 월정사 큰스님께 보일 작정이우. 그리구 우리 두 양주도 어디루 떠나야지요."

김승운이 말하자 안무당은 고개를 끄덕였다.

"내일 나두 월정사엘 올라가봐야겠네. 그리구 나허구 함께 가세. 내가 자네들께 짐은 되지 않을 게야."

"그게 무슨 말씀이우. 성님은 해서 무당의 가장 큰 몸주를 받고 계신 분인데, 짐이 다 무어요. 우리허구 함께 사십시다."

박서방댁이 말하였다.

"어머니, 길산이가 지금은 경황이 없어서 아무 소식이 없지마는 곧 전갈이 올 겁니다. 여기서 사시는 게 불편하시면 길산이 있는 자비령으로 가시면 길산이가 다 알아서 편히 모시겠지요. 며칠만 기다려보셔요."

안무당은 안색을 고치고 말하였다.

"아니다, 길산이는 공연히 사사로운 정에 매여서는 안 될 사람이니라. 우리 같은 천생의 포한을 풀어주고 진인을 모셔 미륵세상을 세워야 한다. 그애가 데려간다면 이 에미는 차라리 치마를 둘러쓰고 절벽에서 떨어져 자진하는 게 나아. 너두 네 서방 모시고 다른 것에 정신 쓰지 말구 살아라."

계화는 원향이의 등을 토닥여주었다.

"그래 원향아, 미륵세상이 온단다. 우리 같은 상것들의 원이 쌓이고 쌓여서 도솔천 용화세상이 온단다. 어서 정신을 차려라."

그들은 관솔 등잔불빛 아래 서럽고 피맺힌 원한을 씹어가면서 새벽이 올 때까지 울고 또 웃었다.

이튿날 계화 부부와 원향이와 오계준과 안무당은 함께 내고개를 넘어 구구월로 들어갔다. 얼음이 녹기 시작하여 계곡에는 물소리가 가득하였고 봄을 준비하는 멧새들이 암수를 불러 우짖는 소리가 나뭇가지 사이에 가득 차 있었다. 월정사 아래 사당말에는 잿더미들이 말끔히 치워지고 새로이 움막들이 생겨나고 집터가 다시 다져지고 있었다. 사당패들은 봄의 출행에 나갈 준비를 하느라고 사당말의 너른 마당을 잡아 사물을 두드려 가락을 가다듬으며 춤사위로 몸을 풀고 있었다. 그들 틈에서 백련이가 계화와 안무당을 발견하고 뛰어왔다.

"어머님, 성님, 이게 꿈이요 생시요. 나는 모두 어육이 된 줄로만 알았어요."

"이젠 다 끝났다. 우리 용녀두 살아 있잖으냐."

백련이는 실성한 원향이를 보자 더욱 설움이 북받치는 모양이었다. 그들이 월정사의 문루로 들어서니 마침 옥여가 명부전에서 나오다가 황급히 다가왔다. 그는 침통한 얼굴로 안무당을 향하여 합장배례하였다.

"소식은 들었습니다만 얼마나 고생이 많으셨습니까?"

"제 고생이야 뭐…… 죽은 사람이 한둘입니까."

계화를 비롯한 김승운 오계준 등과도 인사를 나누다가 옥여가 뒤늦게 원향이를 알아보고는 깜짝 놀랐다.

"아니, 이건 원향이가 아니냐. 네 이 무슨 꼴이란 말이냐."

원향이가 어려서부터 제 어미 후례를 따라 월정사에서 자랐으니, 대뜸 옥여에게 농을 걸거나 웃음을 보여야 하건마는 시선을 먼 곳에 보내고 아무도 바로 보는 것 같지 않았다. 계화가 물었다.

"된목이골 장정들 가운데 살아난 이가 아무도 없습니까?"

옥여는 고개를 떨구고 땅을 내려다보았다.

"승려의 몸이 안타까웠지마는, 워낙에 관군의 토포가 급작스런 일이라서…… 마두령과 오두령도 죽었지요. 살아남은 사람들은 감영으로 압송되어 갔습니다. 꼭 한 사람이 무사했습니다."

"그게 누구요?"

"달마산 있던 업복이지요. 어제 월당나루를 건너 자비령으로 돌아가겠다며 떠났습니다."

안무당은 차마 길산의 안부는 입에 올리지도 못하고 돌려서 말을 꺼냈다.

"자비령에서는 아무 전갈이 없었나요?"

"말득이가 왔었지요. 어제 업복이와 함께 떠났습니다. 구월산 식구들이 당한 일이며 장충 어른이 돌아가신 것과 모친께서 까막내에 계실 거라는 얘기를 전했지요. 자비령에서는 모두들 죽더라도 문산고개를 지키든지 아예 감영으로 짓쳐들어가자고 의논이 분분했던 모양입니다. 김선비가 극구 말려서 주저앉았답니다. 저도 분한 노릇이긴 하나 하루이틀에 작은 싸움 한판으로 결판날 일이 아닌지라, 뒷날을 기다리자고 말을 전하였지요. 어서 들어가시지요."

안무당이 말하였다.

"큰스님께 뵈어야겠습니다."

"지금 그렇잖아도 죽은 이들을 위한 재가 올려지고 있습니다. 명부 전에 계시니 곧 나오실 겁니다."

옥여가 그들을 바깥채에 안내하였다. 승려들 몇이 왔다고, 살림을 맡아보는 보살들이 원향이가 실성하여 왔다는 말을 듣고 찾아와 눈물바람을 하고 돌아가기도 하였다. 풍열이 언제나 그렇듯 잔잔하고 온화한 미소를 머금고 방에 들어섰다. 일행은 모두 일어나 큰절을 올렸다. 풍열은 일행에게 한 사람씩 안부를 묻고 나서 안무당에게 말하였다.

"장노인이 돌아갔다는 말을 들었소. 평생 남에게 해악 끼친 바도 없고, 고생하여 살다 간 사람이니 극락에 들었을 게요. 불법이 행하여지지 않는 세상이라 어찌 부처님이나 산신 용왕님만 바라구 살겠소. 중생이 저토록 간난 가운데 있으니 보살이 몸을 드러낼 때가 왔소이다. 우리 길산이 같은 사람이 많이 나와서 법력이 세상에 드러나도록 해야 할 것이오. 승속의 구하는 바가 다르고 살고 죽음이 판이하지만 중생의 원하는 세상이 바로 부처님의 세상이오. 이제는 불도에 귀의하여 여생을 여기서 보내도록 하시지요."

안무당은 머리를 조아리고 말하였다.

"제가 아무리 만신 소리를 듣는 무당이라 하나 인간 세상의 복락을 걱정함은 부처님이나 서낭님이나 다르지 않지요. 스님께서는 우리 같은 것들에게도 언제나 넉넉하셔서 사당 광대이든 괴뢰배이든 노비든 가리지 않고 일체 평등히 여기시며, 산간 백성들에게는 수십년래 보시를 멈추지 않으시니 보살이 따로이 없는 듯합니다. 서낭님이나 우리 대감들이나 신장님들 또한 늘 그런 백성들의 환난고초 가운데 계시니, 제가 어찌 작은 소임이나마 버릴 수가 있겠습니까. 저는 길산이나 딸아이에게도 짐이 되기는 싫고, 또한 무업으로 만신 몸주를 섬기는 일을 그만둘 수도 없답니다. 이 사람들과 해서를 떠날까 하지요."

풍열은 잠잠히 듣고만 있었다. 그의 태도는 안무당의 말처럼 언제든 넉넉하고 평안해 보였다. 그러나 백성이 원하는 세상이 부처가 원하는 세상이고 보살이 일어날 때가 되었다고 할 때에는 눈이 빛나고 목소리가 명료해졌다. 그는 부처님을 모시지 않는 박수나 무당들에게도 군이 불법을 장광설하지 않았고, 그들의 믿는 대상을 존중하고 해량하는 태도를 취하는 것이었다. 그에게는 중생의 고통과 함께한 것은 무엇이든 부처가 가운데 깃들여 있으며 부처의 다른 모습일 뿐이라고 설한 적도 있었다. 풍열은 이윽고 종알거리며 알지 못할 노래를 읊조리는 원향이의 손을 잡아 가만히 쥐고서 혀를 찼다.

"세상의 악이 네 성을 앗아가버렸고나."

계화가 풍열에게 말하였다.

"사선골이 불에 타고 촌민들이 학살될 적에 저애는 관군에게 욕을 당하였습니다. 저희 부부가 간신히 구명해냈지요. 그 이후로 죽은 듯이 앓더니 몸은 회복되어서도 제정신이 돌아오지 않습니다."

김승운과 오계준도 신천서 원향이의 광증으로 관아에 잡혀갔다가 뇌물을 쓰고 놓여난 것을 말하였고, 백련이는 곁에서 눈물을 찔끔찔끔 흘리고 훔치고 하는 것이었다. 풍열은 한숨을 내쉬었다.

"네 빈몸은 곧 불법이 떠나버린 나라와도 같도다. 미친 나라를 어찌 구하겠느냐. 나라의 성을 구해내려면 악을 선으로 채워 청정하게 해야 되느니라. 예부터 대각을 얻은 이들은 스스로 살신하여 세상에 좋은 도가 퍼지도록 하였으니 어찌 그것이 맺힌 원한으로 되었겠느냐. 자비는 물과 같아서 뒤덮어쓴 티끌을 씻어주시고(慈悲若水洗滌塵蒙) 지혜는 칼 같아서 맺힌 원한을 끊어 씻어주시니(智慧如刀斷除寃結)

일체 중생을 사랑하는 마음 가운데 세상이 구해져야 하느니라. 나무 관세음보살."

풍열은 원향이의 손목을 놓고 일어나 좌중에 합장해 보이고 나서 백련이에게 당부하였다.

"자네가 꼭 붙어서 원향이를 돌보아주고 아침 저녁 예불 때마다 데리고 나오도록 하여라. 기도하는 사이에 본성이 돌아올 것이니라."

사흘을 쉬고 나서 오계준은 먼저 돌아갔고 안무당과 김승운, 계화 등은 월정사에 그대로 머물러 있었다. 옥여가 계속 간곡하게 말린 탓도 있었지만, 계화는 늙은 안무당을 모시고 먼 길을 나갈 엄두가 나지 않았다. 그래서 날씨가 풀리고 눈이 녹을 새달에나 하면서 그렁저렁 월정사에 얹혀지내기로 하였던 것이다.

구월산 토포가 있은 지 두어 달이 넘어서야 길산은 자비령을 떠났다. 그는 김기, 말득이 그리고 선흥이를 데리고 월당강의 지초나루를 피하여 밤중에 작은 여울을 건넜다. 그들은 안악의 부처고개로 하여 구월산 동남로를 타고 잠입하였다. 이제 슬픔은 이미 스러져버리고 가슴 가운데 옹이가 되어 박혀 있을 뿐이었다. 업복이가 돌아와 된목이골의 최후를 알릴 적에 길산이는 입을 꼭 다물고 얼굴을 위로 쳐들고 참다가 눈물만을 소리 없이 흘렸고, 말득이 선흥이는 주먹을 부르쥐며 당장 하산할 태세를 보였으며 홍복이와 선일이가 그들을 달랬다. 김기는 마루에 엎드려 통곡하고 나서 며칠 동안 산채의 자기 처소에 박혀서 나오지 않았다. 길산이는 그때에 처음으로 무사 최형기의 이름 석 자를 뇌리에 새겼다. 그때만 해도 길산은 최형기가 자기의 피맺힌 숙적이 되리라는 것은 알지 못하였다.

길산 일행은 아사봉 된목이골로 올라섰다. 동루와 남루는 불에 타버리고 검은 통나무 기둥 몇개와 주저앉은 지붕의 타버린 잿더미만 남아 있었고, 된목이골의 분지 가운데에도 역시 산채가 타버려서 주춧돌이며 숯기둥만이 서 있었다. 그들은 언덕 위에서 묵묵히 된목이골의 빈터를 내려다보았다. 그늘에 남은 눈이 아직도 두껍게 얼어붙었고 바람이 결을 이루어 한 차례씩 휩쓸며 지나갔다. 멀리 월정사 쪽으로 내려가는 조도의 위와 아래로 뾰족뾰족한 잣나무와 소나무의 울울창창한 숲 사이로 몰아치는 바람소리도 목이 멘 듯이 우우 하면서 우는 듯하였다.

길산은 천천히 아래로 내려갔고 다른 사람들도 그제야 정신이 났다는 듯 뒤를 따랐다. 김기의 눈은 붉게 충혈되어 있었으며 길산은 자꾸만 새파랗게 갠 차가운 하늘을 올려다보았다. 폐허 가운데서 길산은 이리저리 거닐다가 발에 툭 채는 물건을 집어올려보았다. 이가 여러 군데 빠진 사기 대접이었다. 길산은 대접을 들고 이리저리 돌려보며 서성거렸다. 어쩐지 낯이 익었다. 그와 감동이 만석이 등등이 둘러앉아 그 그릇에 탁배기를 따라 돌려 마셨을 게 틀림없었고, 그들의 지분거리는 농지거리와 높다란 웃음소리들이 귓전에 생생하였다. 어디선가 성님들, 하면서 두 팔을 벌리고 뛰쳐나올 것만 같았다. 선흥이가 울먹울먹하며 무엇인가 들고 다가왔다.

"성님, 이것 보슈. 만석이 것이 틀림없수."

선흥이는 혈조에 녹이 잔뜩 슬고 봉이 부러져나간 장창의 창날을 주워들고 있었다. 길산이도 창날을 보자 오만석의 얼굴이 생각났는지 공연히 코를 홀쩍 들이마셨다.

"어디 보자."

길산이는 선흥이에게서 창날을 받아 몇번 만지작거리다가 품안에 소중하게 집어넣었다.

"이 포한은 어떻게 해서든지 갚아줄 테다!"

말득이가 중얼거렸다. 김기는 사방을 둘러보고 돌아와서 모사답게 말하였다.

"역시 된목이골은 퇴로가 없었소. 스스로 심장한다 하여 우묵한 곳에 숨기는 하였으나, 마치 짐승의 굴혈 같아서 입구만 막으면 말 그대로 독 안에 든 쥐가 되는 셈이오. 그에 비하면 우리 자비령 산채는 골짜기가 서로 모이는 곳에 있어 유리합니다."

"풍열스님께서 기다리실 테니 어서 내려갑시다."

길산이 재촉하여 그들은 조도를 타고 월정사로 내려갔다. 만일을 염려하여 일행은 기다리고 말득이가 먼저 월정사의 후문으로 들어가 옥여를 만난 다음에 별일이 없어 그들을 데리러 와서 말하였다.

"성님, 모친이 여기 계십니다."

"뭐라구……"

길산이 반갑고 놀란 중에 마음이 급해져서 앞장서서 경내로 뛰어들어갔다. 길산이 온다는 말을 듣고 안무당도 바깥채에서 대웅전 앞마당으로 뛰쳐들어오고 있었다. 안무당은 뛰어들어오던 길산과 마주치자 멈칫 서버렸고, 길산은 달려들어 안무당의 어깨를 감싸안았다.

"어머니……"

"그래, 그래, 아버지는…… 얘기 들었지?"

"들었습니다. 저는 은혜를 모르는 천하에 불효자올시다."

"아니다, 내가 박서방하구 관가 출입을 하며 수습을 하여다가 재인말에 모셨다."

"저 때문에 얼마나 핍박이 심하였습니까?"

안무당은 정색을 하고 말하였다.

"네가 내 아들이라는 것이 자랑스럽다. 토포장이 그랬지, 너를 꼭 잡겠다구 그러더라. 너를 잡지 못한 것이 가장 분한 것 같더라. 나는 어찌나 고소한지. 아버지도 네가 예사 명화적당이나 되라고 그러신 게 아닐 게다. 넌 겪지 못했지만 토포군은 악귀보다 더하더라."

"어머니, 인제 염려 마십시오. 자비령 가서 사십시다."

"아니다, 까막내 네 누이한테두 말했다만 너는 우리 같은 식솔에나 얽매일 사람이 아니다. 대장부가 뜻이 있으면 곧장 가야지. 요즈음은 꿈에 서낭님이 나타나셔서 여러가지 일러주시기도 하고 황천이 보이기도 한단다. 아마 얼마 못 살 게야."

그들이 반기고 하는 중에 김기와 말득이 선홍이 그리고 옥여와 김 승운, 계화 등은 그들 뒷전에 서 있었다. 김기는 스스로의 감정을 누르지 못하여 소매를 들어 눈시울을 닦았다. 옥여가 곁에서 보기 민망하여 김기의 등을 밀었다.

"어서 들어가십시다."

길산이 뒤늦게 안무당과 떨어져 인사를 나누었다. 그는 김기가 노모와 아내를 탑고개에서 잃은 사실을 알고 있었으므로 곧 미안한 생각이 들었다. 먼저 자기 감정을 드러내기 전에 주위 사람들부터 보살피고 배려해야 될 그로서는 몹시 부끄러운 느낌이었다. 그는 자비령 산채에서 아무도 보고 듣지 않는 한밤중에 깨어 일어나 장충에 대한 사무치는 슬픔으로 가슴이 찢어질 듯하였던 것이다.

그를 손수 받아내어 이빨로 탯줄을 잘라주고 돌림젖을 얻어먹여 살려낸 장충이야말로 길산에게는 아버지 이상의 무엇이었다. 무동 노릇으로 소년기를 보낼 적에 장충은 어린 길산이 낯선 고장의 장터에서 양갓집 아이들께 구박받고 몰매를 당하고 나면 언제나 속삭이던 말이 있었다. 저것들은 우리보다두 더 천한 것들이다. 사람을 인정으로 대할 줄 모르고 밥술이나 겨우 먹는다고 자세하는 것들이니 얼마나 불쌍하냐. 그러면 길산은 참으로 복건에 까치등거리 입은 아이들이 장바닥의 각설이보다도 못해 보이던 것이다. 장충은 그에게 땅재주나 춤을 가르쳐주면서 택견의 기본 몸짓을 일러주곤 하였다. 생명과 생각과 재간 그 모든 것을 물려준 이였다. 안무당은 그에게 덤덤하게 대하였으나 그의 남편에게도 그러하였고 신딸인 봉순이를 길산과 짝지어 수복이를 손자로 보고서도 자상한 할머니는 못 되었다. 이제 길산에게는 한 분 남아 있는 한 맺힌 혈육이란 안무당뿐이었던 것이다. 그러나 길산은 곧 흥분을 가라앉히고 남자들끼리 따로 달마암으로 올랐다. 그들이 달마암에 오르니 풍열은 상좌의 전갈을 받고 마루 끝에 나와서 내려다보고 있었다.

"길산이 오느냐?"

길산을 위시한 김기 선흥이 말득이 등은 그 자리에 멈춰서서 합장 배례를 올렸고 풍열스님도 마주 합장하였다.

"어서 올라오너라."

그들이 방에 들어가 앉자 풍열은 따뜻한 시선으로 길산을 건너다보며 물었다.

"그래, 모친은 뵈었느냐."

"예, 방금 뵈었습니다."

풍열은 고개를 끄덕이고 다시 김기에게 말하였다.

"이번에 식구들을 잃었으니 얼마나 애통한 일인가. 그렇지만, 여덟 가지 환난 중에 가장 마지막 난리를 겪고 있으니 불법이 있기 전이나 불법이 멸한 뒤의 세상에 살고 있는 셈일세. 불법을 세우고 불법이 희게 빛날 세상을 준비하려면 우리가 가장 아끼고 애틋이 여기는 것들을 먼저 잃어버리고 보시하지 않으면 신념이 생겨나질 않는 게야. 더구나 김선비 자네는 글을 아는 자로서 살을 저미고 뼈를 깎는 고통 속에서라야 천한 백성들의 업고를 깨닫게 될 테지."

김기는 묵묵부답 고개를 떨구고 앉아 있을 뿐이었다. 강선홍이 볼멘소리로 대꾸하였다.

"쳇, 큰스님은 언제나 지당하신 말씀이나 하구 계시면 그만입니까. 바로 발치에서 죄 없는 사람들이 찔려죽고 타죽고 끌려가고 하는 판이었는데, 법당에서 공염불이나 외웠겠지요. 우리한테 부처에 대한 장광설을 펴지 마우."

말득이도 그 말에는 진실로 동감이라 입을 비쭉하며 옆으로 돌아앉았다. 풍열은 빙그레 웃었다.

"그래, 좋은 말이니라. 사선골과 탑고개가 타오르는 연기를 똑똑히 보았으며 방포소리도 들었느니라. 옥여를 시켜서 승병을 이끌고 나아가 관군과 싸울 수도 있었겠지. 총포와 갖은 병장기에 말에 탄 날랜 토포군 수백 명과 각 고을의 향군을 어찌 대적하겠느냐. 물론 의기는 세울 수 있었겠지. 관군은 구월산 토포가 거병의 과녁이었다. 나는 오히려 월정사 대중들의 분기를 가라앉히라고 타일렀다. 한판만 싸우고 말 것이냐. 저들은 고작 감영의 일개 도백의 영을 받고 나온 장수와 군졸에 지나지 않는다. 우리는……"

풍열의 눈이 번쩍 빛났다.

"왕궁을 쳐야만 할 것이다. 산속에서 수도하는 승려로서 가당치 않은 말을 한다고 여길지 모른다. 그러나 법을 이루는 길은 부드러운 말과 온화한 행실로만 되는 것은 아니니라. 청천에 뇌성인가 천봉이 화답하는도다(晴雷消息答千峯)."

풍열은 길산에게 말하였다.

"대성법주(大聖法主)를 잊었느냐?"

"대성법주라뇨……"

"갑송이를 벌써 잊었구나."

길산은 깜짝 놀랐다.

"잊을 리가 있겠습니까. 승속이 다르니 아예 접어두고 있었지요. 그 사람이 월정사에 왔습니까?"

"아니, 어쩌면 올지두 모르겠다. 며칠 전에 금강산에서 사람이 다녀갔다. 운부대사께서도 이번 일을 자세히 들으셨을 게다. 갑송이는 너희들 안부를 물어왔느니라."

길산이 탑고개를 떠나 운부대사를 찾아 입산 수도의 기간을 보낸 뒤로도 몇해가 지났으니, 실로 갑송이에 대한 기억은 어릴 적에 재인말에서 함께 뒹굴던 시절의 것이 더욱 생생하였다.

"갑송이가 아직도 금강산에 있습니까?"

길산이 물었고, 풍열이 말하였다.

"장안사에서 승병을 조련시키고 있다 한다. 이번에 운부스님께서 사람을 보낸 것은 일단 각처의 뜻있는 자들을 한데 묶어보자는 데 있느니라. 해서 서북 관북 관동의 사방에 흩어져 있는 이들이 한번 모여서 의견을 나누어보자는 것이지. 이제까지는 근기지방과 삼남은 연줄도 닿지 않았고 다만 산간 승려들의 운수(雲水) 행각에서 오고 간 풍문이 전해질 뿐이었다. 여환이란 승려와 이경순이란 사람이 경기도에서 오기로 되어 있다. 여환은 내 문하로 월정사에서 상좌를 지낸 아이인데 아마 자네들도 생각이 날 것이다."

길산이 물었다.

"여환수좌라면 언젠가 들은 적이 있습니다. 묘정 일여 옥여 스님과 함께 도반(道伴)이었다구요. 헌데 이경순이란 사람은 어떤 분입니까?"

길산이 우대용과 더불어 가어사 학선이의 도움을 받아 해주감영 옥을 탈옥하여 공수원에서 잠시 쉬어 갈 적에 만났던 괴승이 바로 여환이었음을 알지 못하였다. 더구나 이경순은 그가 때때로 잊지 못하여 긴긴 겨울밤에 이리 뒤척 저리 뒤척 돌아누울 적에 어둠속에 하얗게 떠오르던 묘옥, 그 사람의 남편이라는 것을 알 리가 없었다. 길산은 묘옥이 재인말서 자기를 찾아 해주로 떠났다가 다시 창기나 기루에 몸을 던진 것으로 알았다. 이 드넓은 세상에서 다시는 만나지 못할 사람이 되어버렸던 것이다.

"이경순이란 사람은……"

풍열이 말을 이었다.

"일찍이 관원을 여럿 살해하고 쫓기던 사람인데, 총포의 방포술은 물론이려니와 화포를 제작하는 데 신묘한 재주를 갖고 있다는 사람이다."

강선흥이 끼여들었다.

"대용이 성님이 여러 번 말해주었지요. 들은 적이 있습니다."

"자네들도 송도 박좌장과 우대용을 불러 함께 참석하도록 이르라. 장소는 구월산 인근은 워낙 환난을 겪은 곳이라 위험하겠고……"

하자, 김기가 안을 내었다.

"한 번 난리를 겪은 곳이니 더욱 안전합니다. 월정사로 하지 말고 달마암의 반대편 계곡에 자리 잡은 오진암(悟眞庵)으로 정하는 게 어떨까 합니다. 오진암은 계곡도 깊고 암자라지만 본사에 못지않게 경내도 넓고 법당도 큽니다. 회합을 가지기에는 아주 적당하지요."

"관가에서는 아직도 구월산 인근에 대한 경계의 눈길을 늦추지 않고 있을 텐데 정말 괜찮겠소?"

길산이 말하였으나 김기는 자신 있게 대꾸하였다.

"토포군이 물러간 지금, 관가에서는 다른 말썽이 생기는 것을 가장 꺼려합니다. 한 번 찾아본 곳은 다시 찾지 않는 게 정한 이치요. 구월산은 기실 자비령보다두 안전합니다."

"그럴듯한 안이다. 그러면 오진암에서 모임을 갖기로 통고해두지. 한 달 뒤 보름날 밤에 모이는 것으로 정하자."

풍열이 그렇게 단안을 내려서 더이상 반대의 의견이 나오지 않았다. 자비령에서는 길산과 김기가 오기로 되었고, 우대용과 박대근도 참석하게 되었으며, 금강산에서는 대성법주와 설유징이, 서북에서는 승려 도안이, 근기지방에서는 여환과 이경순이 참석하게 되었다.

"그런데 한 가지 빠진 것이 있습니다."

김기가 다시 말을 꺼냈다.

"경기도 어느 곳으로 끌려갔는지는 확인되지 않았으나 탑고개와 사선골에 살던 이들에게도 연결이 되어야만 합니다. 그들은 집과 살터전을 여러차례나 빼앗겼고 식구들을 잃었지요. 만약에 우리가 한양을 도모하게 된다면 큰 힘이 될지두 모르지요."

풍열이 빙긋 웃었다.

"무당 광대는 팔천(八賤)의 하나일세. 이제부터 해서, 경기 인근의 잡색들을 끌어모으는 일도 중요하지."

"제가 몇사람 천거할 수 있습니다."

나중에 들어와서 묵묵히 앉아만 있던 월정사 원주 옥여가 입을 떼었다.

"지금 월정사에 와 있는 무녀 계화 부부는 사선골이 생길 적부터 들어와 살았지요. 탑고개 괴뢰배들이나 광대들도 모르는 이가 없습니다. 그리고 신천의 박수 오계준이는 무업으로 해서 일대에서 모르는 무당이 없지요. 그가 해주에도 오래 있었으며 송도 무당들과도 잘 알 것입니다."

"그렇다면 오계준이를 참석시키도록 허지."

이튿날 새벽 동이 훤하게 터오자마자 안무당과 길산은 재인말에 묻힌 장충의 묘를 돌아보기 위해 월정사를 나섰다. 선홍이가 혹시 무슨 일이 일어날지 모르겠다며 엄파 쇠몽치를 차고 길산을 따라나섰다. 그들이 문루를 지나는데 뒤에서 말득이가 달려왔다.

"성님, 잠깐 기다리슈. 김선비께서 동행하시잖네."

"성묘하려는데 우하니 몰려갈 게 뭐 있겠느냐. 우리끼리 얼른 다녀오마."

할 제, 안무당이 말하였다.

"아니다, 너는 먼저 다른 사람들 생각을 해주어야지. 탑고개와 사선골을 둘러봐야 한다. 그러고 나서 재인말을 살펴보아라."

길산이 듣고 보니 안무당의 말이 맞았고, 차라리 장충의 묘는 살피지 못할지언정 김기는 위로를 해주어야 한다고 마음을 달리 먹었던 것이다.

"어머니, 정말 고맙습니다. 제가 부족하여 미처 생각하지 못했습니다. 그러면 성묘는 저 혼자 다녀오지요."

"그럼, 어디 있는지는 안 보고도 훤히 알아지겠지. 전에 우리가 출행 계회를 열던 마당 근처다. 잘 보아두었다가 나두 거기에 묻어다우. 박서방도 알구 있다."

길산은 모친을 들여보내고 선홍이와 함께 김기를 기다리고 있는데, 그는 옥여를 데리고 나타났다. 길산이 물었다.

"스님은 웬일이오?"

"허허, 나두 탑고개와 사선골에는 전에 지은 죄업이 많아서…… 염불이라두 외며 극락왕생을 빌어드려야지."

옥여는 가사를 어깨에 두르고 있었다. 김기가 길산에게 물었다.

"모친은 안 나오셨소?"

"우선 탑고개와 사선골을 둘러보구 나서 다시 수렛고개로 하여 광대산까지 나갈 참이라, 길이 멀어서…… 성님 재 올리는 일이 오늘 할 일이우."

"장두령, 공연히 나 때문에 번거로이 하는 듯하구려."

"아니우, 우리 식구가 거기서 몰사 죽음을 하였는데 어찌 다른 급한 일이 있을 수가 있겠수."

그들은 사당말을 지나 탑고개를 향하여 내려갔다. 늘 다니던 소로를 빠져서 나한암 바위넘이를 돌아 내려갔다. 계곡의 눈은 거의 다 녹아서 시냇물도 넘쳐흘렀다.

탑고개의 폐허는 한마디로 처참하였다. 시체는 모두 은율군의 백성들을 동원하여 치웠으나, 무너져내린 지붕과 잿더미며 타다 남은 기둥, 부서지고 깨어진 장독, 가재도구 등속이 어지러이 널려 있었다. 흙담은 군데군데 무너졌으나 그대로 인가가 있던 장소임을 나타내주었으며 타버린 싸리 울타리가 섰던 자리에는 재만 남아 바람에 불리고 있었다. 길산은 어디가 어딘지 종잡을 수가 없어서 멍하니 바라보다가 느티나무를 찾아내고서야 간신히 그가 살던 집의 흔적을 알아보았다.

"어머니……"

자신의 집터를 발견한 김기가 비틀거리며 걸어가 마당에 무릎을 꺾고 풀썩 주저앉았다. 바람이 불어서 검은 재가 뿌옇게 일어났고 길산과 선흥이는 눈을 가늘게 뜨고 묵묵히 서 있었다. 김기는 땅에 두 손을 짚고 엎드린 채 오열을 터뜨렸다.

"여보…… 내가 왔소."

그의 입신 출세를 바라고 갖은 고초와 욕을 당하면서 온갖 품팔이로 생계를 이어나갔던 아내는 이제 장원은커녕 대역무도한 화적의 식솔로서 죽어간 것이 아닌가. 옥여가 그의 곁에 가서 서더니 합장하고 나서 목어를 들었다. 그러고는 낭랑한 음성으로 경을 외우기 시작하였다. 사람은 언제든 태어나 한번은 죽게 마련이건만 뜻을 품은 자가 자기 생각으로 하여 가장 가까운 사람들이나 자식을 해치게 되는 일처럼 안타까운 일이 있겠는가.

길산은 등을 돌려 마을길로 천천히 걸어나가보았다. 그는 풍문으로 탑고개의 마지막 저항을 알았고, 그들의 장렬한 최후를 소상히 들었던 것이다. 그리고 괴뢰배 총대의 의연한 죽음을 알고 있었다. 관군의 말발굽 소리며 죽어가는 마을 사람들의 절규가 골짜기 가득히 사무쳐 오는 것만 같았다. 무심한 새떼들이 담이나 잿더미 사이를 포르릉 날아 오르내리며 지저귀는 소리가 요란하였다. 길산은 사금파리가 깔리고 군데군데 돌덩이가 수북이 쌓여 있는 마을 중심부에서 멈추었다. 나무에는 아직도 부러진 화살촉이 몇대씩 꽂혀 있는 게 보였다. 길산은 저도 모르게 무릎을 꿇었다. 그러고는 두 손을 합장하며 중얼거렸다.

"서낭님, 보살님, 미륵님…… 저들의 혼을 다시 일깨우소서."

길산은 뜨거워진 눈시울을 부릅뜨고 허공을 올려다보았다. 언덕과 산과 바위는 언제나처럼 그 자리에 있었다.

"백성들의 나라가 오기 전까지 죽지 않도록 해주소서."

"성님, 여기서 뭘 하는 게유?"

뒤따라온 선흥이가 길산에게 중얼거렸다. 그렇게 묻기는 하였으나 그도 역시 길산의 마음을 짐작하고 있었다.

"감사가 갈려가기 전에 한번 해주감영을 들이칩시다."

길산은 바지를 털며 일어섰다.

"감영이 아니라 한양을 들이쳐야 한다."

"최모라는 토포장의 목을 뱁시다."

선홍이가 으르대듯이 중얼거렸으나 길산은 조용히 말하였다.

"그자는 실로 가없은 꼭두각시에 지나지 않는다. 영달을 바라고 저지른 짓이지만 종내에는 그들 속에서 제거될 것이니라. 우리가 그의 모가지 하나 바라고 세월을 갈고 있는 건 아니야. 그는 내 목이 원이겠지만 나는 그런 따위 하급 무장에게는 관심도 없다. 내가 원하는 것은 오직 하나, 우리가 힘을 합쳐 세워야 할 백성의 나라이다."

그들은 탑고개를 떠났다. 사선골에는 읍에서 시오 리 지경이고 인근에 다른 마을이 있어서 눈에 띌 것이 염려되어 그들은 마을로 내려가지 않기로 하였다. 다만 사선골이 내려다보이는 사선대 부근에서 먼발치로 합장 묵념을 올렸을 뿐이었고 옥여는 다시 경을 외웠다. 일행은 구구월을 돌아서 구월산 서록을 타고 수렛고개를 지나 광대산으로 나아갔다. 멀리 온정말과 까막내가 보였고, 길산은 문득 어릴 제 자라던 눈에 익은 산천이 펼쳐지자 가슴이 뭉클하였다. 이미 몇해나 지나서 재인말은 얼른 찾아내기가 어려웠다. 당솔나무를 기준으로 하여 간신히 찾아냈고 그들이 계회를 벌이던 마당은 쉽게 알아볼 수가 있었다. 길산은 몇아름이나 되는 당솔나무의 둥치를 가만히 쓰다듬어보았다. 뒤로는 제법 키가 넘게 자라난 예전의 잔솔밭 사이로 지나는 바람소리가 물결치는 소리처럼 들려오고 있었다. 그렇다, 마지막 출행이 있던 전날 밤…… 묘옥은 땀에 젖은 그의 어깨에 고개를 묻고 있었지. 그는 아잇적부터 들어왔던 도솔천 미륵세상에 대하여 꿈결같이 중얼거렸다. 가슴을 헤치고 연비를 새겨넣어달라던 여자.

"묘옥이……"

어디선가 까치가 먼 곳에서 부르짖었다. 그는 그리고 선흥이의 목소리를 들었다.

"모이가 여기 있습니다."

선흥이는 마당 위편의 높직한 비탈을 뛰어내려왔다.

"성님, 저어기 새로 쓴 묘가 있수. 그게 맞는 것 같소."

길산이 앞장서기를 기다렸고 김기와 옥여는 그의 뒤를 따라 올라갔다. 나지막한 봉분이 보였다.

"저런."

김기가 짤막하게 중얼댔다.

봉분처럼 흙을 그러모아 높인 곳 위에는 둥그렇게 돌멩이들이 쌓아 올려져 마치 작은 탑이 세워진 듯하였다. 둥그렇게 떼가 입혀진 그럴듯한 무덤이 아니었다. 그러나 길산은 아무렇지도 않은지 오히려 주변에서 돌멩이를 주섬주섬 주워들더니 그 위에 빈틈없이 쌓아 올렸다.

"자리가 아주 좋은걸."

옥여도 심상하게 고개를 끄덕였다. 그는 비탈 아래로 보이는 마당이며 정면으로 까막내로 나가는 산길이 꼬불꼬불 흘러나가고 있는 것을 내려다보며 덧붙였다.

"수광대의 안식처로 아주 명당일세."

길산은 돌을 올려놓고 나서 넋풀이 가락을 아주 나직하게 천천히 읊조리기 시작하였다. 그의 넋이야, 넋이로다…… 하는 앞소리를 받아나갈 뒷소리의 박자를 기다리는 것처럼 그는 간격을 두었다. 길산의 귓가에는 얼른 행중 패거리들의 능숙한 뒷소리 가락이 들려오고 있었다. 길에서 죽은 광대의 장례가 눈앞에 펼쳐졌다. 청계씨로 되어져 고갯마루나 산길을 지키는 도깨비가 될 광대의 혼은 돌무더기 아래 잠든다. 길산은 굴러떨어진 돌을 집어서 다시 무더기 위로 조심스럽게 올려놓았다. 길산은 마음속으로 다짐하였다. 나를 받아내고 태를 이빨로 끊어낸 아버지, 세상에서 땅재주와 탈박춤을 가장 멋지게 해내던 수광대 장충 어른, 어느 향반이나 토호 못지않게 훌륭하고 넉넉하던 노인이시여, 나는 이 무덤가로 다시는 돌아오지 않을 것입니다. 내게는 여러 갈래의 길이 아니라 오직 하나의 길이 보이기 때문입니다. 나는 그 길을 걸을 겁니다. 왕궁의 문을 부수고 밀려들어가는 흰옷의 백성들과 그 함성소리가 들립니다.

2

일찍이 여환(呂還)이 해주를 떠나 경기도로 올라간 뒤에 정원태 황회 고달근 등의 검계 혈당과 중길을 비롯한 살주계원들과 연관이 맺어진 것은 양주에서였다. 그의 괴연(魁然)한 풍모와 언행은 사람을 모으기에 충분하였고 특히 무뢰배들을 가리지 않으니 별의별 잡색들이 모두 그의 동무가 되었다. 그는 양주 청송서 삼간초가를 짓고 민가 마을에 살았다. 그는 해주 송림방 사자암에 기거하던 때보다 훨씬 방일(放逸)하게 살아갔으니, 일찍이 그의 도반이던 해주의 묘정 수좌가 염려하던 대로였다. 그는 처음에는 완전히 걸승 노릇을 하였다. 아무 데서나 잠자고 이 집 저 집에서 찬밥술을 얻어먹었다. 양주 고을에서는 여환이 괴이하지만 속세를 사랑함이 지극하다는 소문으로 어느결에 저자 사람들의 혈육과 같이 되어버렸다. 여환은 범금에 피촉되어 장형을 맞게 된 사람 대신에 품삯도 받지 않고 대신 볼기를 맞아주기도 하고, 관가에 송사를 하게 되면 꼭 약한 백성들 편에서 소장을 대필하여주기도 하였다. 그가 며칠 보이지 않거나 하면 사람들은 모두 식구처럼 걱정을 하였고, 병이 나서 누우면 다투어 와서 음식을 주곤 하였다. 누가 옷이라도 주면 남녀의 의복을 가리지 않고 모두 이리저리 걸쳤다가 또한 누더기나 얇은 옷을 입은 저자의 유민들을 만나면 차례로 벗어주는 것이었다. 그는 향족이나 벼슬아치들에게는 건방지고 불평 많은 중이었으나 또한 우부(愚婦)를 만나면 다정하게 식구들의 안부를 물었다. 무거운 짐을 지고 가면 달려가 도와주어 힘을 덜어주고 행려병에 걸린 깍정이는 데려다 정성껏 간병하여 완쾌시킨 연후에야 보냈으며, 시체를 보면 몸소 염하여 짊어지고 가서 묻어주었다. 관음제석(觀音帝釋) 제석관음(帝釋觀音)이여 이 몸이 죽으면 완전히 지옥에 떨구소서, 하며 흥얼거리곤 하였다. 그의 노래 곡조는 농가(農歌)와 비슷해서 어린아이들이 즐겨 따라 부르곤 하였다. 이윽고 두어 해가 지난 뒤에 여환은 청송에다 산비탈 웅달진 곳에 움막을 세우고는 때맞춰 예불을 올리곤 하였다. 그때부터는 논두렁이건 장터가 됐건 가리지 않고 오륙 인이 모인 곳을 찾아가 틈틈이 설법하였다. 그의 설법은 뜬구름을 잡는 듯한 말이 아니라 짐승이나 나무나 돌을 들어 옛말하듯이 쉽게 하는 것이라서 어린아이들도 재미있게 듣던 것이다. 여환은 장꾼들이 어쩌나 보려고 탁배기라도 권하면 동이를 비우기까지 마셔버렸다. 장난치려고 쇠오줌이나 뜨물을 항아리에 담아주어도 꿀꺽꿀꺽 마셔버리는 것이었다. 한번은 개천을 치고 천렵을 하는 사람들 틈에 끼어서 어육과 화주를 어쩌나 맛있게 들던지 식자깨나 들었다는 이가 계율을 들어가며 그의 비도를 은근히 꾸짖었다. 그러나 여환은 껄껄 웃으며 대꾸하였다.

산채와 맑은 이슬만 먹고 마시는 자가 어찌 중생을 안다 하겠는가. 나는 스스로 부처가 되기를 바라지도 않으려니와 지옥에 떨어지기로 작정한 지 오래니 그곳에 오는 이는 누구나 나를 만날 것이다. 이 세상 사람들은 망령되이 사념을 일으켜서 이욕으로 서로 싸우며, 혹은 마음속에 포악함을 감추고 혹은 번뇌에서 벗어나지 못하니 명출가자(名出家者)도 또한 모두 이와 같아서, 고기의 향기로운 냄새를 맡고서도 침 흘리고 참으며, 아름다운 여인을 보고 음란한 마음을 바로잡으려 애쓰니 제 몸 청정하기에만 급급하여 세상의 고를 돌아볼 겨를이 없다. 나는 그와 달라서 맛을 가리지 않고 먹으며 미추를 마다 않고 여인을 취하여 물이 흐르듯 하고 흙이 구덩이를 메우듯이 하여 물건과 더불어 마음이 없고 사(私)도 모두 없기를 바라고 있다. 나는 여래를 원치 않고 반드시 한 보살이 되기를 바라니 여러분들이 내게 가르침을 주는 것이다.

여환은 청송 사람들의 도움으로 움이 있던 자리에 초가집을 짓고 법당을 세웠다. 법당이라고 해야 흙바닥 위에 삿자리를 깔고 돌멩이 두 개를 아이들의 눈사람 모양으로 얹어놓은 것이 고작이었다. 아이들이나 촌부들이 들여다보고 배를 잡고 웃었으니 둥근 돌멩이 두 개를 포개놓고 마주 앉은 여환의 꼴이 제법 중 티가 나서였다. 그게 무슨 부처님이냐, 눈도 코도 없고 형상은 없으니 차라리 벽에다 숯검정으로 그림을 그려넣는 게 어떠냐,라고 말들이 많이 나왔다.

절에 앉아 있는 수염 달린 금부처는 부처가 아니야. 공양 귀신 돈 귀신이야. 부처님 모양이 따로 있는 것이 아니거든. 그리구 이건 아직 안 오셨지만 앞으로 우리네 같은 천덕꾸러기들을 위해서 찾아오실 미륵님이야. 미륵님이 어떤 모양을 하구 있는지 아무도 본 사람이 없으니 이렇게 생겼을밖에. 이제 두고 보아라. 우리 돌미륵님의 영험이 알려지게 될 테니. 정과 성을 들이면 돌맹이는 한 돌맹이가 아니야. 피와 살이 생겨서 어느날 벌떡 일어나셔.

여환은 알 듯 모를 듯하게 중얼거리고는 낭랑하게 미륵경을 외우고 앉아 있는 것이었다. 어쨌든 달리 마음 붙일 데 없는 상것들이 여환의 이상한 암자로 찾아들게 되었고 아픈 사람이 생기거나 집안에 걱정거리가 있으면 여환을 부르게 되니 여환은 양주뿐만 아니라 파주 포천 교하 영평 연천 등지로 돌아다니게까지 되었다. 그는 특별히 절을 꾸며 사람들을 모으지 않았고 아무 데든 촌의 사랑이든 타작마당이든 법당으로 삼았다. 그가 정원태 등과 알게 된 것도 그 무렵이었다. 숙종 십 년의 팔도에 걸친 흉황으로 유민이 구름같이 대처로 흘러들고 길에서 굶어죽은 자들의 시체가 뒹굴어다니고 하던 무렵에 여환은 청송으로 갑자기 찾아든 해주 수양산 망해사의 묘정(卯定)수좌를 만나게 되었다.

달마산에서 강선흥에게 내쫓겼던 승려 출신의 화적 심백과 묘정과 여환은 처음에 수양산 망해사 보경 큰스님의 문하였다. 그러다가 심백은 그릇되어버렸고, 여환은 월정사에서 풍열과 함께 있으면서 평범한 중들이 말하듯이 사도로 들어섰으며, 묘정만이 유일하게 산문을 지키고 들어앉아 있던 셈이었다. 여환은 묘정과 헤어진 지 벌써 십 년 가까이 되었던 것이다. 어느 저녁 무렵이었다. 여환은 마당에 돌을 둥그렇게 쌓아 화덕을 만들고 오지 그릇에다 밀기울로 죽을 쑤고 있었다. 송홧가루로 한 끼를 때우고 하루에 한 번 먹는 식사였다. 사방은 어둑어둑하고 화덕의 불은 가물대며 잦아들고 있었다. 여환은 땅바닥에 질펀히 앉아서, 늘 뇌까리는 노래를 흥얼거리고 있었다.

세상 천지 만물 중에 사람밖에 또 있는가, 여보시오 시주님네 이 내 말씀 들어보소, 이 세상에 낳은 사람 뉘 덕으로 나왔는가, 석가여래 공덕으로 아버님전 뼈를 빌고 어머님전 살을 빌려 칠성님전 명을 빌고 제석님전 복을 빌려 이내 일신 탄생하니, 혼잣몸이 아니로다.

여환, 예불하는가?

그의 노래를 툭 잘라내듯이 누구인가가 그렇게 던졌다. 여환은 불빛이 가물거리는 화덕에서 시선을 떼어 뒤를 돌아보았다. 송낙을 깊이 눌러쓰고 장삼에 바랑을 걸머진 중이 마당에 서 있었다.

여긴 절이 아니외다. 박쥐가 사는 굴혈이오.

여환은 객승에게 대꾸하면서 그가 누구라는 것을 알아차렸다. 스스로 박쥐임을 자처하는 까닭은 그가 몸을 세속에 던져 계율을 저버리고 비승비속을 자처한 때문이었다. 여환은 다시 노래하듯 중얼거렸다.

공중에서 그림자 붙잡아도 우스운데, 세상 밖에 뛰는 게 무에 그리 장한가.

객승은 천천히 다가와 여환이 쭈그린 화덕 맞은편에 앉았다.

그래도 음식은 끓고 있구먼.

한 그릇에서 끓었으나 삭힐 뱃속이 다르군 그래. 부엌에 가서 사발 두 개와 수저를 가져와.

여환은 객승에게 말하였고, 그는 시키는 대로 하였다. 밀기울죽을 떠서 내밀며 여환이 물었다.

망해사에서 오는가?

아니…… 금화(金化)에서 오네.

그들이 함께 공양을 하는 가운데 주위는 캄캄하게 어두워졌고 화덕 속의 불이 벌겋게 보였다.

무슨 일인가, 내가 여기 있는 건 어찌 알았나?

여환이 물었다. 사실 그들은 한 스승 밑에서 불자가 되었으나, 수행하는 사이에 서로의 기질과 행동이 달라서 헤어진 뒤 수년이 지나갔다. 여환은 보경의 문하를 떠나 풍열에게로 갔고, 묘정은 보경이 열반하기까지 망해사를 지키며 남아 있었다. 묘정은 수행법이 단정하고 정(靜)하여 스스로 망해사의 산문 밖에 나선 적이 없었고 운수(雲水) 행각이나 만행 대신에 참선과 독경으로 날을 보냈던 것이다.

인거황천 명재가(人去黃泉 名在家), 자네의 소문이 해주에까지 자자하더군.

여환은 관솔불을 붙여서 종지에 얹어 방으로 들어갔다. 그는 뒤를 따르는 묘정에게 중얼거렸다.

허, 이러한 흉황에 굶어죽는 이의 명자보다 더 알려졌다면 죄업일시 분명하지.

사실은 월정사의 옥여수좌가 일러주어 찾아왔네.

자네가 옥여를 어찌 아는가? 그는 자네처럼 박학한 수도자가 아니라 나한 시늉을 내는 녀석인데, 내가 보살 시늉을 내는 거나 한가지야. 그렇지만 자네보다는 훨씬 그가 좋아.

두 승려는 흙냄새 나는 토방의 법당에 앉았다. 묘정은 법당 안에 포개어진 돌멩이를 바라보고 빙긋 웃었다. 벽 위에 찍혀진 돌멩이의 그림자는 등을 구부정히 하고 앉은 사람의 형체와도 같았고, 관솔불이 일렁거릴 적마다 흐늘대며 움직였다. 마치 방 안에는 세 사람이 앉아 있는 듯하였다.

지난해 하안거(夏安居)에 금강산에 있었네. 유점사의 일여가 인도하여 큰스님을 뵈었지. 운부라고 능히 종가(宗家)를 이룰 분이시데.

여환은 풍열스님에게서 운부의 얘기를 들은 적이 있었고, 일여는 강원도에서 겨울 한 철을 방을 함께 쓴 적이 있어 대뜸 알아들을 수가 있었다.

그래서 보살 서원이라두 했단 말인가? 운부가 나와 무슨 상관이야.

그이가 자넬 찾으니까……

묘정은 여환을 잠시 바라보다가 이어서 말하였다.

나도 예전의 내가 아닐세. 망해사에는 떠난 지 이태가 되도록 한 번도 돌아가지 않았네. 자네가 박쥐중[烏鼠僧]이라면 나는 까까머리[禿居土]일 뿐이야. 세간 백성들과 같은 일을[同事] 행하지도 못하면서 수도한답시고 경전에나 잡혀 있었으니 도대체 부처가 다 뭐란 말인가? 중생은 의지할 바 없고 믿을 곳이 없으며, 중생은 불성을 잘 따르지 아니하며, 중생은 가난하고 선근(善根)이 없고, 중생은 간밤의 생사에 유전하여 무명의 잠을 깨지 못하고, 중생은 불선법(不善法)을 행하며, 중생은 오욕(五欲)에 결박되어 있고, 중생은 생사의 바다에 빠져 있고, 중생은 질병에 매였고, 착한 일을 하고자 하는 마음을 잃었으며, 부처의 가르침이 닿질 않으며, 이런 것을 살피고 알아서 대비(大悲)를 일으키고 보살은 이런 마음으로 중생을 본다고[觀] 하였지.

묘정의 긴 이야기에 여환은 껄껄 웃었다.

까까머리를 지나서 이제는 참새중[雀僧]이 되어버렸군.

여환이 짐짓 발을 들어 모셔놓은 돌멩이의 머리 부분을 밀어내니 돌멩이는 굴러떨어져서 방 구석에 멎었다. 그림자는 다만 두루뭉술한 돌일 따름, 작은 돌과 큰 돌의 두 개가 되었던 것이다.

나는 걷어치울 테니, 자네가 대자대비하여 생불로 거기 앉도록 하게나. 또 재재거리면 자네의 대가리도 저쪽으로 굴려줄 테야. 우리

곡차나 한잔씩 드세.

여환은 밖에 나가 죽 퍼먹던 오지 항아리에 물을 가득 담아가지고 돌아와서는 듬뿍 떠서 들이켜고 묘정에게 내밀었다.

꽤 독할걸. 천지가 주먹만 하게 보일 게다.

그러나 묘정은 대꾸하지 않고 벽을 향하여 돌아누웠다. 그러고는 이내 잠들었다. 여환은 혼자 깨어서 항아리의 물을 계속 퍼마시며 스스로 지은 타령조의 노래를 흥얼거렸다. 새벽녘에 묘정은 예불하는 소리에 잠이 깼다. 실눈을 뜨고 바라보니 작은 돌멩이는 다시 제자리인 큰 돌멩이 위에 얹혀 있었고 여환은 그것을 향하여 단정하게 결가부좌하고 염불 중이었다. 묘정은 그의 예불이 다 끝날 때까지 모른 체하고 누워 있었다. 그가 일어서는 기척을 보이자 여환은 냉수에 송홧가루를 타서 아침공양이라고 내왔다.

금화 수태사(水泰寺)에 가면 대성법주라는 중이 자네를 기다리고 있을 걸세. 운부대사를 모시는 수좌인데 이번 하안거를 그 절에서 보낸다네. 운부 큰스님께서 전하시더군. 서천(西天)이 어디메뇨, 연기 나는 마을이다.

여환은 문득 눈을 크게 떴다가 다시 고개를 떨구었다. 그러고는 격자창이 훤히 밝아올 때까지 움직이지 않았다. 묘정은 조용히 바랑을 챙겨서 방문을 열고 나왔다. 그의 등뒤에서 여환이 말하였다.

금화에 가겠네.

묘정의 단정한 걸음은 새벽안개를 헤집으며 멀어져갔고, 여환은 창문을 열어두고 그쪽을 내다보았다. 정토가 어느 하늘 끝에 있으랴, 개 짖고 닭 울고 흐느끼고 껄껄대는 저 백성들의 살가운 살림살이에 있으니 정토의 처음 자락은 그 초입에서부터 밟아나가 이루어질 것이 아닌가. 그냥 함께 사는 것뿐만이 아니라, 정토를 이루어내야만 하는 강렬한 뜻이 거기에 있음에랴.

여환은 산간의 청년 승려들 사이에 어떤 변화가 일어나고 있었는지 처음에는 알지 못하였다. 금강산 유점사를 중심으로 뜻있는 승려들이 모여들었고 그들은 주위의 믿을 만한 수도자들을 서로 이끌어 운부의 무릎 주변에 모이게 하였다. 옥여 일여 묘정 같은 승려들도 일 년에 한 철씩은 강원도를 내왕하면서 뜻을 나누고 있었던 것이다. 묘정도 뒤늦게나마 운부의 가르침에 따르게 되었고, 이들이 얼마 안되는 사이에 서북과 관북의 청년 승려들과도 연결 짓게 되는 것은 임란 호란 이래의 승병의 전통 탓이기도 하였던 것이다.

그들은 외적으로부터 나라를 지킨다는 뜻에서 더욱 나아가 도를 잃은 지 오래인 조정을 갈아엎어야 한다는 데 의견이 모아지고 있었다. 말법(末法)의 시대가 왔다고 여긴 그들은 백성들을 살리는 길은 무턱대고 부처님께 합장 기도나 드리는 것이 아니라, 사람이 살 수 있는 세상을 이루어 법을 세워주어야 한다는 것이었다.

흉황의 폐해가 극에 달했던 그해 여름에 여환은 잠시 양주 청송의 토막을 떠났다. 금화는 철원 평강과 더불어 궁예가 스스로 미륵을 자처하여 후고구려를 일으켰다는 본거지였다. 궁예가 변을 듣고 도망하여 갑옷을 벗고 달아난 갑천(甲川)이 평강에 있고, 그는 금화와 평강의 계를 이루는 수우산(水于山) 천불산(千佛山)의 지류인 미륵산의 골짜기에 이틀을 숨어 지냈으며, 굶주림으로 보리 이삭을 손으로 비벼서 먹고 연명하다가 살해당하였다. 금화는 온통 산으로 둘러싸인 고장이라 산협 사이에 한촌이 드문드문 박혀 있는 곳이었다. 산이 고을을 포위하였다고도 하며 뽕나무와 산뽕나무 쓸쓸한 사이사이로 집이 몇채씩 박혔다고도 하였다. 쑥을 엮고 나뭇가지로 얽은 문에 잔약한 민호(民戶)가 남아 있다고 하였으니, 벽지의 한산한 곳으로 현이 이루어진 것은 해서와 경기에서 영동과 영북으로 가는 경유지인 까닭일 것이다. 여환은 영평까지 가서 배를 타고 곧은나루까지 올라가 수정산을 넘고 금화계로 들어섰다. 금화는 또한 금강산으로 가는 중간 길목이었다. 그는 뜻있는 청년 승려들이 운부를 중심으로 모여 하안거를 수태사에서 지낸다는 것을 알지 못한 채로 대성법주라는 중의 이름만을 외우고 갔던 것이다.

수태사는 금화 고을 북쪽 삼십여 리를 올라가 수우산 천불산과 연맥하여 있는 오신산(五神山)에 있었다. 검계 살주계의 혈당이 이루어지던 그해의 여름이었다. 여환은 오신산의 준령을 올라 골짜기에 은밀하게 처박인 수태사에 들어섰는데 숲 사이에서 에잇, 에라차 하는 우렁찬 고함소리가 들려왔다. 법당 앞 마당에는 햇볕이 내리쬐어 텅 비어 있는데 절 뒤편의 숲 그늘에서 들려오는 소리였다. 여환이 궁금하여 그쪽으로 들어서는데 뒤에서 느닷없이 묻는 소리가 들려왔다.

어느 절에서 오시오?

얼핏 돌아보니 마치 경계의 번을 서고 있었던 듯 젊은 중이 한손에는 참나무봉을 쥐고 있었다. 여환이 머뭇거리는데 그가 다그쳤다.

누굴 찾아왔느냔 말이야.

대성법주를 만나러 왔소.

누가 말해줍디까?

여환은 조금 짜증이 생겼다.

부처님의 댁에서 불자에게 용무를 묻는다니 알 수가 없소.

그러나 젊은 중의 엄한 표정은 풀어지지 않았다.

무슨 일인가?

우거진 나뭇가지를 헤치며 중 하나가 고개를 내밀었다. 참나무봉을 겨누고 으르딱딱거리던 중이 그에게 허리를 굽히며 말하였다.

덮어놓고 스님을 만나러 왔다길래……

그 중은 덩치가 컸고 어깨는 마치 바위처럼 탄탄해 보였으며 머리는 반들반들 배코를 쳤으나, 귀밑과 코밑, 턱밑에서 가슴팍에까지 까실까실한 털이 수북하였다. 눈은 부리부리하여 범의 눈이었고 코는 주먹덩이 같고 입술은 부어오른 듯하였다.

여환은 옥여의 꼬락서니가 생각나서 하마터면 웃음이 나올 뻔하였는데, 갑자기 그 얼굴이 전혀 다른 모습으로 변하였다. 부릅떴던 눈이 가늘고 길게 늘어났으며 입술은 양옆으로 쭉 찢어져 어긋난 이빨이 드러났는데, 꼭 장난꾸러기 아동의 모양이었다. 속세에서는 일찍이 재인말의 곤두쟁이 광대였고 길산의 어릴 적 동무이며 화적이 되었다가 스스로 아내 도화를 죽이고 출가하였던 이갑송이 바로 그 중이었던 것이다. 법주스님이 컬컬한 목소리로 말하였다.

내가 법주요, 뉘시우?

양주 있는 여환이라구 하오.

법주는 덥석 여환의 손을 잡았다. 그 큼직하고 두꺼운 솥뚜껑 같은 손이 여환의 여린 손을 완전히 덮어버렸다.

잘 왔수. 아주 안 오는 줄 알았구려.

이곳에 튼튼한 다리와 밝은 등불이 있다기에 찾아왔더니…… 어째 병장기 가진 역사들뿐이오.

여환이 다리와 등불을 들어 수태사의 하안거 모임을 암유한 것은 일찍이 보살행(菩薩行)을 밝힌 열 가지의 비유에서 연유한 것이었다. 첫째로 땅은 그 본성이 평등하여 온갖 중생을 업고 있건만 중생의 보은을 바라는 일이 없다. 보살도 저 땅과 같아서 마음이 평등하여 온갖 중생을 업고 있으면서도 중생의 보은을 바라지 않는다. 둘째로 물은 그 본성이 널리 침투하여 온갖 것을 다 적셔 무성하게 하지만 그들의 상대적인 보은을 바라지 않는다. 보살 역시 그러하니 자기 공덕으로 중생을 이롭게 하여 두루 편안케 하면서도 중생의 보은을 바라지 않는다. 셋째는 불이 온갖 과일을 성숙하게 하지만 그것들에 바라는 바가 없고, 보살은 자기 공덕과 지혜로 모든 중생의 선근의 과일을 성숙하게 하면서도 중생의 보은을 바라지 않는다. 넷은 바람이 온갖 약초의 씨를 자라게 하듯이 보살 또한 중생들의 법신(法身)을 늘이고 끌어내면서도 아무것도 바라지 않는다. 다섯은 공간이 무량 무변하여 장애도 없이 모든 것을 받아들이건만 그것들에 분별함이 없고 탐하고 집착함이 없듯이 보살행도 그러하다. 여섯으로 말하자면 명월이 공중에 빛나 깨끗하고 원만해서 보는 이가 즐거움을 느끼고 빛이 세상의 온갖 형태를 비춰 어둠에 더럽혀지지 않도록 하듯이, 보살이 세상에 나타나매 공덕이 마땅히 구족하며 모두가 즐거움을 느끼고 세간(世間)을 구제하여 저 세간의 법에 의해 더럽혀지지 않게 한다. 일곱째로는 해가 떠서 빛이 온누리에 어둠을 깨고 가림이 없어 모든 중생의 해야 할 일을 이루게 하듯이, 보살이 세상에 나타나 중생의 무명(無明)의 어둠을 깨고 지혜의 빛으로 널리 비쳐서 중생의 착한 본바탕을 넓혀나간다. 여덟째의 것은 배가 튼튼하고 널찍하여 깨어지지 않아서 중생을 싣고 큰 바다를 건네주건만 값을 요구하지 않듯이, 보살 또한 지혜로 견후(堅厚)를 이루고 중생을 싣고 생사(生死)의 바다를 건넌다. 아홉은 다리가 사나운 물이 흘러 여울이 세고 험난한 곳에 걸려 중생을 건너가게 해주건만 건네주는 일을 분별하는 생각이 없듯이, 보살이 건너기 어렵고 험난한 도중에 큰 다리로 걸려 중생을 평등하게 건너게 하여 해탈의 즐거움을 주면서도 구제한 것에 대해 분별하는 마음이 없는 것과도 같다. 마지막 열째로 말하니, 크나큰 등불은 방 안의 짙은 어둠을 다 밝히건만 제가 비쳤다느니 비친 것은 스스로의 작용이라느니 하는 생각이 없는 것과 마찬가지로, 보살은 무명의 어두운 방에 지혜의 등불을 켜서 중생을 평등하게 두루 비춰주면서도 내가 비친다느니 비치는 것은 내 작용이라느니 하는 마음이 없는 것이니라.

여환이 슬쩍 밀어보았으나 법주는 퉁명스럽게 대꾸하였다.

나는 경문은커녕 염불도 모르는 땡중이오. 공연히 내 앞에서 문자 쓰지 마우. 부처님에게는 설법할 세 치의 혓바닥이 있지마는 나는 밥 썩혀 나온 기운밖에는 없수.

법주는 그렇게 말하면서 여환의 팔을 잡아끄는데 손아귀 힘이 어찌나 억센지 팔의 중동이 끊어지는 것 같았다. 여환은 상을 잔뜩 찡그렸다.

지당한 소리나 지껄이구 앉아 있는 중보구 뭐라구 그러는지 알우?

여환은 서슴지 않고 말해주었다.

생불이라구 그럽디다.

부처에게 살고 죽은 것이 있을 수가 있으랴마는 덜 익어 선 것이라고도 하니, 선무당이 사람 잡듯 선중이 세상 도리나 꿰고 앉은 것이다. 생각해보면 세간에 나와 세간의 법도를 따르며 방편을 세워야 하는 자리의 중이 민생을 빼먹고 말해서는 안 될 것이다. 악에 대하여 꾸짖고 가련한 것에 슬퍼하며 불선이 행하여짐을 막는 짓을 실지로 해내어야 할 것이다. 공연히 크고 넓은 소리를 한다고 다 담아지는 것이 아닐 터이다. 아니, 오히려 광대무변한 하늘 가운데 몇 점의 별이나 소리내어 헤아릴까마는 마당 귀퉁이에 구르는 돌멩이들을 먼저 눈여겨볼 일이다. 독사가 사람을 물기 위해 대가리를 쳐들었을 때 독사의 식별법, 독사에게 안 물리는 법, 독사의 모양, 독사와 사람의 다르고 같은 점, 독사의 습성 따위의 잔소리나 늘어놓기보다는 얼른 독사를 죽이고 나서 물린 사람의 몸에서 독을 빨아내어주어야만 할 것이다. 풀섶에서 따뜻한 볕을 즐기며 또아리를 틀고 앉은 독사는 죽이는 독사가 아니요, 사람의 목숨과 생활을 해치려고 머리를 쳐들고 이빨을 내민 독사는 죽여야 할 독사렷다. 그러한 방편 가운데 살신의 보시가 나올 수도 있는 법이 아니던가. 불속에 몸이 타서 없어지는 한이 있더라도. 부처의 혀가 움직인다.

내가 과거세에 상인들과 보배를 얻으러 바다에 나갔다가, 많은 보물을 싣고 돌아오다가 풍랑으로 파선하여 더러는 표류하고 더러는 익사하였다. 그때 나는 작은 나뭇조각에 의지해서 무사하게 바다를 건널 수 있었다. 그런데 표류하던 다섯 사람이 내게 구원을 청해왔다. 부목은 하나인데 사람은 다섯이라 모두 함께 살아날 방도가 없었다. 그래서 나는 그들에게 말했다. 걱정 말고 모두 내 몸을 단단히 잡으시오. 그들은 내 등에 올라타기도 하고, 어깨를 안기도 하고, 더러는 다리를 붙잡았다. 이때 나는 차고 있던 날카로운 칼을 뽑아 내목숨을 끊었고, 그들은 내 시체에 매달려 험한 바다를 건너 육지에 닿을 수가 있었느니라.

잠깐 그늘에서 쉬시우. 우리는 오전 수도가 아직 끝나지 않았소.

법주스님은 여환과 더이상 콩이야 팥이야 대꾸할 생각이 없는지 그를 숲 가운데의 마당으로 안내하였다. 서른 명 가까이 되는 청년 승려들이 웃통을 벗어붙이고 봉술을 연마하고 있었다. 법주는 그들에게 돌아가 다시 기합소리를 내지르며 새로운 형과 자세를 보이고 나서 따라 하도록 시켰다. 승려들은 봉을 추켜들거나 찌르거나 휘둘러 때리면서 마당을 오락가락하였고, 법주가 열과 오의 사이로 다니면서 바로잡아주었다. 절에서 한 동승이 나와 죽비를 때리니 조련은 끝나고 중들은 모두 의복을 단정히 하고서 법당으로 들어갔다. 참선이 시작되는 것이었다. 여환도 오랜만에 결가부좌하여 참선에 들어갔다. 저녁공양과 예불을 마치고 나서 수태사에 내려온 도안화상과 더불어 법회를 가졌다. 도안은 중앙에 앉아 조용하게 논설하였다.

불자는 길을 잃은 중생에게 바른 길을 가르쳐주며, 길의 돌멩이들과 가시덤불을 치워주고, 건너야 할 물이나 험한 골짜기에 다리를 놓고 어두운 곳에는 등불을 달아야 할 것이다. 그대들은 앞서 길을 치우며 만들어갈 사천왕의 현신들이며 보살의 손과 발과 짓이고 불법의 수호자가 되어야 하느니라. 부처님께서 원하신 대로 세상 천지의 강물 줄기가 각각 다르되 바다에 들어가면 강의 이름이 없어지고, 사농공상(士農工商)의 차이가 있다 하나 사문(沙門)이 되어서는 일체 석종(釋種)이 되듯이, 불법 아래에서는 만백성이 계급 없이 평등한 나라가 세워져야 할 것이니라. 남을 천시하는 자 저를 해친다고 하였고, 천시하도록 버려두는 자 신심(信心)을 더럽힌다고 하였다. 이제 아조는 일찍부터 불도를 사도라 하여 내몰았고 안으로는 썩고 밖으로는 무능하며, 사대부는 백성 알기를 금수 초목보다도 더욱 업수이여겨 흉황에 굶어죽고 버려져도 돌보는 이가 없는 지경이 되었다. 양반은 대대손손 영화를 누리며 천민은 나고 죽음에 사람다웁지 못하고, 위로 하늘의 도가 사라졌고 아래로는 인륜이 시행되지 않는다. 또한 바깥 오랑캐들은 조정이 정도를 잃어 허약함을 틈타서 주인 노릇을 하니 왕권은 이미 저들의 노리개가 되어버린 지 오래다. 대저 하늘이 왕을 정하셨다 함은 무슨 뜻인고. 왕이란 영화롭고 강대한 세력을 행사하는 자리가 아니라, 백성의 부모로서 도리에 의거하여 사람들을 거두어 보호하여 편안하게 해주는 까닭에 왕이라 부르는 터이니라. 왕자(王者)가 설 수 있음은 백성을 위주로 하여 나라를 이루기 때문이라 민심이 정하여지지 못하면 나라가 위태로워지는 까닭이다. 그러므로 왕이 된 자는 늘 백성을 걱정하되 갓난애라도 생각하듯 마음에서 떠나지 말아야 할 것이다. 반대로 왕권을 빙자하여 주위의 몇몇 세력이나 만들어 비호하고, 탐람(貪婪)한 횡포로써 권세를 부리고, 다스린다고 하여 이목구비를 막고 빼앗아 백성을 짓누르고, 소수의 강자에게는 편한 세상, 다수의 약자에게는 무서운 세상을 만드는 자는 스스로 멸망을 등에 짊어진 것과도 같나니라. 아무리 왕권이 탐할 만한 것이라 하나 왕도에 어긋나게 취할 수는 없는 것이니, 얻어도 될 만하여도 시기가 적절치 않으면 취하지 않고, 세상의 불화 빈자의 고통 질병의 만연이 있을 적에는 선법으로 백성을 보호하여 자심(慈心)으로 취하지 않을진대, 모래 위에 석탑을 세운 듯하여 미풍에도 넘어질 것이다. 방일하고 자비가 없는 자에게 나라를 맡기는 것은 마왕에게 경서를 내주는 것과도 같나니, 무력으로 무력이 없고 해도 없는 사람을 해치면 가까운 장래에 열 가지 위난을 만난다고 하였다. 사나운 고통과 빠른 노쇠와, 몸의 부상이나 중병, 마음의 불안과 광란, 그 권좌의 위난, 엄한 쟁송, 친척의 파멸, 재산의 붕괴, 사고, 지옥에 떨어짐 같은 따위이다. 그러한즉 백성의 삶과 생활을 보살피는 자리의 막중함이 이와 같나니 가슴속에 도가 있어 널리 펼치지 못함도 옛 요순과 같은 이가 통탄하였거늘, 오늘과 같은 말법의 난세에서 세간을 다스리는 임금이 야심과 탐욕으로 권세를 지녔다면 벌써 스스로 화를 저지르고 있는 것이다. 그대들은 미륵이 밟고 오실 세상을 먼저 깨끗이 하고 닦아두기 위하여 이 도량에 모인 게 아닌가. 진인(眞人)께서 때를 준비하고 계신즉 그러한 때를 앞당겨야 하느니라.

수태사의 하안거는 실로 안거가 아니었고 수도에 참가한 젊은 승려들에게는 전 영육을 사르는 불의 번제와도 같은 기간이었다. 원하는 이는 금강산 유점사 뒤편의 운부암으로 불경을 공부하러 떠났고 대부분 각자의 절로 돌아갔다. 해마다 금화 수태사에서는 동안거와 하안거 동안에 그러한 수도가 준비되어 있었으며, 법주와 일여가 번갈아서 진행 예비하고는 하였다. 그때 여환은 법주와 더불어 사귀었고 길산에 대하여도 소식을 주고받게 되었던 터이다.

이제 어디로 가시려오?

법주가 물었고 여환은 답하였다.

양주의 내 법당으로 돌아가겠소.

너무 서두르지 마우. 금강산서 일여스님과 대사께서 오신다 하였소. 묘향산의 도안스님도 남아 계시지요. 아마도 월정사의 풍열스님과 옥여도 올 거요.

무엇 때문입니까?

한양을 도모하기 위해서지요.

어떻게 궁성을 도모할 수가 있단 말이오?

글쎄…… 그런 전갈이 왔을 뿐 우리가 어찌 자세한 것을 알겠소.

그런 일을 왜 소승에게 알리는 거요?

여환의 의아해하는 말을 듣고 법주는 잠시 말을 끊었다.

내 뜻을 모르지 않습니까?

여환이 말하자 법주는 씩 웃었다.

당신의 기행은 이미 묘정에게서 자세히 들은 바 있었고 우리 스승에게 말씀하신 것두 풍열스님이오. 우리 큰스님께서 이르시기를 백성 가운데 행하고 살기를 그 정도 힘쓴다면 우리가 뜻하는 바와 그리 멀지 않은 중이라구 합니다. 당신이 꼭 해야 될 일이 있어 부탁을 하려는 것이지요.

오신산에서 수우산까지는 여파령(餘波嶺)으로 이어져 있으니 산줄기가 동서로 달려 동쪽 끝은 금성계의 진포(鎭浦)나루에 이른다.

합곳강을 건너 통구까지 오르면 지척이 단발령이었다. 실로 금화는 해서와 강원도와 경기도 지방을 사통팔달로 서로 연락시킬 수 있는 지점이었던 셈이다.

수우산의 열한 봉우리에서 다섯째 봉우리를 이룬 천불산은 북으로 노루재와 닿았고, 서쪽에 미륵산을 내다보며 동으로 금성을 들여다보는 형세였다.

법주와 여환은 뒤늦게 천불산으로 올랐고, 도안스님과 수태사의 주승 명도스님은 하루 먼저 떠난 터였다. 그들은 오신산에서 일단 내려와 정자내의 상류를 따라서 곧장 수우산 천불봉으로 올랐다. 잎이 바래기 시작한 초가을이었다.

법주와 여환은 천불산의 계곡을 벗어나서 숲도 끊긴 바위와 반석들만이 둘러싸인 중봉으로 올랐다. 드러난 땅은 거의가 돌이 부스러진 왕모래였고 작은 나무들이 띄엄띄엄 틀어박혀 옹색하게 자라고 있었다. 메마르고 헐벗은 듯한 곳이어서 인적이 닿을 것 같지 않았다. 그들은 가파르고 높다란 왕모래의 언덕을 거의 미끄러지면서 간신히 올랐고 산의 능선은 거기서 돌연 끊겨서 널따란 바위가 정자처럼 놓여 있었다. 바위 아래는 까마득한 절벽이었고 노랗게 또는 불그레하게 물들기 시작한 나뭇잎들이 문루의 단청처럼 현란하게 벌어져 있었다. 그 아래로는 노루재에서 법수재까지의 산줄기가 연봉을 이루어 달음질치고 있었다. 법주가 앞장을 서더니 반석의 옆으로 두어 발 디딜 만큼 까내려간 계단을 조심스럽게 밟고 내려갔다. 발디딤을 서른 개쯤 거쳤을까, 이제는 발을 디딜 곳도 없이 아예 빤빤

한 바위가 낭떠러지 위에 간신히 걸려 있었는데 법주는 그쯤에서 저쪽의 안을 향하여 홀쩍 건너뛰었다.

어서 건너뛰시우.

묘하게도 방금 건넌 법주는 그 불쑥 튀어나온 바위에 가리워 보이지 않았고 목소리만 들려왔다. 여환이 내키지 않아하면서 연신 아래를 바라다보니 꼭 떨어져 죽을 것만 같았던 것이다.

어서 거기서 이쪽으로 뛰라니까.

법주가 재촉하여 여환이 벼랑의 끝까지 가서 발을 딛고 고개를 비죽 내밀어보니 간신히 발을 내어디딜 만한 자리가 보였다. 여환은 두 눈을 딱 감고 건너뛰었고 어느결에 법주의 곁에 서 있었다. 그곳에 이르자마자 여환은 깜짝 놀랐다. 웬만한 절의 대웅전이 있는 앞마당보다 훨씬 넓어 보이는 마당이 있었다. 위편에 걸린 반석은 마치 거대한 지붕의 처마끝 모양이라 아래로 오랫동안 떨어져내린 낙숫물로 하여 팬 자국들이 줄지어 있었다. 더욱 놀라운 것은 그 마당의 안쪽에 아래를 향하여 입을 벌리고 있는 암굴이었다. 암굴의 높이는 거의 열 길쯤 되어 보였고 사람이 올라가 매달릴 수 있을까 싶은 직벽 위에는 불상이 선명하게 부조되어 있었다. 여환은 저도 모르게 두 손을 모아 합장하였다. 젊고 아리따운 모습에 관을 쓴 동자로서 미륵의 얼굴이었다. 영측(盈昃)이라는 두 자가 크게 새겨져 있었다.

아래로 내려갑시다.

법주가 굴 안으로 내려간 뒤에도 여환은 멍하니 미륵상을 올려다보고 서 있다가 굴 안으로 들어섰다. 왕모래 틈에 굵고 작은 돌멩이가 있어서 딛고 내려가기에 맞춤하였다. 내려갈수록 굴 안은 넓어져서 다시 마당 같은 평평한 곳이 되었다. 안쪽 깊숙한 곳에 진흙으로 방처럼 온돌을 놓고 위에다 자리를 깔았는데 향냄새가 은은하였고 마치 절의 대중방과도 같았다. 여환은 여러 노장들과 속인이 둘러앉았다가 일제히 그들을 돌아보는 바람에 공연히 가슴이 두근거렸다. 위쪽에서 들어온 빛이 굴의 천장께서 훤하게 드리워져 있어 굴 안은 제법 밝은 편이었다. 굴은 차츰 좁아져서 방 비슷도 하고 평상 비슷도 한 온돌자리에서 왼쪽으로 훨씬 떨어져 시커먼 구멍이 되어 계속되고 있었다. 그 안은 캄캄하여 얼마나 어느 쪽으로 길게 뚫렸는지 가늠하기 어려웠다. 좌중의 사람들은 묵묵히 앉았다가 법주가 신을 벗고 오르자 비켜주었다. 여환은 뒤편에 섰고 법주는 가운데로 나가 넙죽 엎드려 절하였다. 법주는 두 손바닥을 펴서 이마 위에 모으며 큰절을 세 번 올렸다. 둥그렇게 모여앉은 사람들의 중앙에는 낡은 장삼을 입은 노승이 조는 듯한 표정으로 앉아 있었다. 조금 자란 머리는 완전한 백색이었고 푹 꺼진 눈두덩에까지 내리덮일 듯한 긴 눈썹도 하얀데, 깡마른 뺨과 턱은 가녀리게 보이면서도 입 근처가 주저앉지 않고 본모양대로 다부지게 다물어져 있어 나이보다는 훨씬 젊고 건강하게 보이는 것이었다. 어깨도 좁고 야위었으며 틀고 앉은 두 무릎도 앙상해 보였건만 앉은 자세가 어쩐지 완강하고 빈틈이 없어서 괴목 뿌리가 박힌 것 같은 느낌이 들었다.

대성법주가 이번 하안거에도 땀을 많이 흘렸다는구나.

노승은 법주의 문안인사에 대꾸인 듯 중얼거렸다.

생업에 힘쓰는 백성들에 견주기나 하오리까마는.

노승은 고개를 희미하게 끄덕여 보이고 말하였다.

그 뒤에 섰는 중은 누군고?

여환은 법주의 눈짓에 따라서 오르지 않고 그대로 서서 합장하고 대답하였다.

양주 사는 여환이라 하옵고, 중의 구실을 못 하는 가승입니다.

노승은 이번에도 고개를 희미하게 끄덕여 보였다.

어서 올라오너라.

노승이 웃는 얼굴로 말하였다. 여환은 올라가서 법주가 물러나 앉은 구석자리에 앉았다. 좌중을 둘러보다가 그는 뒤늦게야 월정사의 동문 옥여와 그의 스승 풍열을 발견하였다. 그들 외에도 수태사의 명도와 묘향산에서 온 도안과 유점사에서 운부대사를 모시고 온 일여와 청년 승려 셋이 있었고 속인은 두 사람이 있었다. 풍열이 말하였다.

그래 양주 살림이 어떠하냐?

풍열은 먼 고장에서 집에 다니러 온 아들에게 묻듯이 말하였다.

깨가 서 말이올시다.

여환이 말하자 운부대사는 나직하게 기침하였다.

방심하면 제자리를 얻지 못한다. 중 아닌 중은 중 될 소용이 없느니라. 중이라야 중으로 쓸 수 있지.

풍열은 대사의 말에 따라 빙그레 웃으며 여환을 바라보았다. 운부대사는 이어서 여환에게 말하였다.

저 사람에게서 네 말을 들었다. 네가 부지런하다지?

소승 한 몸 목숨 부지할 만은 합니다.

그래, 이러한 흉황과 역병 가운데 참으로 신통한 일이로다. 내가 네게 부탁할 것이 있어 보자고 하였다.

제가 할 수 있는 일이라면.

중이 못 할 일이 있느냐. 중질을 그만두는 게 어떠하냐.

여환은 갑자기 어리둥절하였다. 노승이 처음에 마음 놓지 말라 하던 것은 방일하면 정지(定地)를 얻지 못하니 중 노릇을 철저하게 해야만 할 일이 생긴다는 것이고, 그것이 중생을 위한다는 핑계로 되어져서도 안 된다는 경계의 말인 듯싶었다. 방일한 행동을 삼가라고 해놓고는 중의 짓을 그만두라는 것은 또 무슨 소리인지 애매하였다. 풍열이 말하였다.

달이 천강(千江)에 비친다고 하지 않더냐.

여환은 그제야 알아들었으니, 방편바라밀(方便婆羅蜜)이 바로 그것이다. 수단의 완성, 교묘한 방편에 의해서 교화(教化)의 저 건너편으로 건너게 하는 적극적인 소행(所行)이 그것 아닌가.

부처는 중생의 심성과 사정이 다름을 알아 거기 맞추어 교화하며, 그 마음의 소원을 따라 몸을 나타낸다. 모든 행위가 더러움이 없어 때에 따라 범부의 몸을 나타내고 혹은 생사를 혹은 열반을 나타내기도 한다. 세상사를 잘 살펴 여러 장엄사(莊嚴事)를 나타내 보이되 탐내어 집착하지 않고 중생이 업에 의해 생사를 반복하는 미혹의 세계에 몸소 두루 들어가 제도하니 이것이 수단의 완성이라고 하였다. 운부대사가 중의 소용을 강조하고 나서 중을 그만두라는 것은 불법을 지닌 채로 불법이 허용치 않은 일을 하라는 뜻이었다. 계를 지키며 계를 파하고 부처를 따르며 부처를 버리라는 뜻이었다. 운부는 처음 같은 어조로 말하였다.

임금을 죽이라.

예…… 무슨 말씀이온지.

한양 주변 백성들의 힘을 모으고 그들을 도와 궁궐을 깨뜨려라. 저 깊은 산간에까지 삼천리에 널린 백성들의 울음소리가 들려오는구나. 이때에 마땅히 중질하는 것들은 저들에게 하늘 대신 부처님 대신 소매를 떨쳐 나서서, 밥을 주고 옷을 주고 기쁨을 주고 헤어진 것들을 만나게 하고 병든 것들을 낫게 하고 갇힌 것들을 놓여나게 하고 죄진 것들을 벌주게 하고 다친 것들을 간병하여주고 죽은 것들을 묻어 달래야 한다. 우리 중질하는 것들 산 좋고 물 맑은 곳에 앉아 이밥에 나물 먹고, 목청 돋우어 염불하고, 중생의 고를 돌아보려 않고, 살찐 사대육신을 빌어먹이기에 이승이 멀고, 스스로 곱게 화장하고 가꾸어 손거울이나 들여다보며 성불한다 방긋거리는구나. 이제 차마 동네 언덕빼기 마을나무 그늘에 깃들인 작은 귀신 서낭에도 미치지 못하며, 샘가의 칠성당의 사신 하다못해 무당의 잡신 부엌 봉당의 조왕 도깨비보다도 백성의 생사에 근접을 못 하고 허튼 말, 빈 글만 남아 공양만 그득하구나. 불도가 세워질 초년에는 나라 일에 참견을 않고 제멋대로 가게 버려두어 마음이나 잡자는 것이 방편이요, 금시에는 나라도 바꾸고 불법이 널리 평등히 실현되게 하는 것이 또한 방편이다. 물에 빠진 자를 우선 구하고 맹수 만난 자를 살려내고 독화살 맞은 자에게서 화살을 뽑아주어야 하지 않겠느냐. 부처님 역시 작고 연약한 나라의 공자이시더니 저희 사람끼리 차별하여 부리고 억누르고 빼앗고 밟는 짓들을 어찌 용납할 수 있었으랴. 만왕의 코끼리가 창칼로도 석가가 번진 화평을 깨뜨리지 못했거니와 그것이 당시의 방편이다. 이제 우리 중질하는 것들은 왜란 호란 때에 병장기를 들고 산문을 나서서 바깥 도적을 쫓아냈거니와, 안의 도적도 몰아내주어야만 석종의 분임을 짓는 길이 될 것이다. 조정의 중신들과 양반 사대부들은 백성이 만난 재난이요 맹수요 독화살과 같다. 우리가 모두 지옥불 가운데 떨어질지언정 여기서 정토를 이루어내야만 하느니라.

　운부는 억양 없이 평지로 흐르는 얕은 물이 찰랑대며 흘러가듯 말하였고, 여환의 가슴속에는 알 수 없는 떨림이 조용하게 번져오는 것만 같았다. 여환은 머리를 조아렸다.

제게 가르쳐주십시오.

운부는 그때 처음으로 얼굴에 어린아이 같은 미소를 떠올렸다.

내가 들으니 너는 잘 알고 있더구나. 사방에서 가엾은 것들이 떼를 지어 산간으로 찾아와 숨고 의탁하니 잘 거두도록 해라. 서로 알고 지내도록 하여라.

풍열이 여환의 건너편에 앉은 속인을 바라보고서 말하였다. 그는 유건에 도포 입고 수염이 잘생긴 선비의 풍모였다. 여환이 합장 배례하였다.

소승 문안이오. 양주의 여환이라 합니다.

속인은 함께 합장하여 말하였다.

예, 잘 알구 있습니다. 광주 노적사 있는 정원태라구 하오.

나는 파주 사는 전생이우.

정원태 곁에 앉아 있는 자는 헐렁한 옷소매를 질끈 돌려 안으로 접어넣은 것으로 보아 외팔이인 듯하였고, 한쪽 눈도 감겨 있는 외눈박이였다.

황회라구 하오.

그 곁에 앉은 눈 큰 자가 말하였다. 정원태가 진관사 있을 적부터 해서로 나다닐 때 구월산 월정사에도 드나들었고 가평 현등사에서 옥여 일여를 만난 적도 있었으며, 그가 노적사에서 광대배들이나 거사 사당배들과 더불어 미륵당 비슷한 계를 짠 것도 이들에게는 자세히 알려져 있었던 것이다. 대충 인사들이 돌아간 다음에 검계 얘기며 장안 노속들의 살주계 얘기도 나오게 되었다. 여환은 양주에서 경기도 북방지역의 노속들을 검계와 살주계들에게 연결시켜주는 일을 맡도록 되었던 것이다.

여환은 그 뒤로 천불산에 두 번 더 갔었고, 검계와 살주계가 한양서 포도청의 추적을 피하여 은둔하고 나서는 양주 이북의 지역을 매우 중시하게 된 터였다. 그 무렵에는 여환은 이미 파주 문산포에 있던 이경순과도 알게 되어 승속을 벗어나서 교우를 나누게 되었고, 그의 처가 되어 있는 묘옥과도 해후를 하게 된 터였다. 여환은 장길산이 어떠한 인물로 성장하였는가를 소문을 통하여 자세히 알고 있었다. 그즈음에는 벌써 우대용도 문산포에 가끔 나타나게 되어 박대근 우대용 이경순 등등이 여환의 칠성암을 방문했다. 연계는 그렇듯 자연스럽게 이루어져가고 있었다. 운부가 해서 경기에서의 모든 일을 풍열스님에게 당부하여, 풍열은 구월산이 함몰된 뒤에 통문을 돌려서 오진암의 모임을 준비하였던 것이다. 여환이 통문에 접한 것은 모임이 있기 꼭 달포 전이었다. 여환은 이경순보다 열흘 먼저 구월산으로 출발하였다. 때는 정이월 다 간 삼월이라 초목에는 물이 오르고 멧새들은 짝을 찾아 우짖으며 날아다녔다. 여환으로서는 실로 다섯 해가 넘어 해서를 찾아드는 격이었고, 구월산 월정사를 떠나 만행에 나서던 일이 꿈만 같이 여겨졌다. 예성강의 콩깍지빛 같은 물은 수면에 금 하나 없이 잔잔한데 멀리 연백평야의 아득한 끝에는 비봉산 마루가 좌우로 문처럼 서 있었다. 나루터를 벗어나 뱀내의 모래밭을 오를 때 향그런 풀내음과 수초 냄새가 숨결 속에 묻혀들어왔고, 여환은 어느덧 삼십객이 되어 예전의 도량으로 되돌아가는 자신이 감개스러웠다. 이제 겨우 뜻한 바의 초입에나 이르고 있을 것인가. 그는 한양 종루 네거리에서 산지니의 최후를 지켜보던 생각이 났다. 일체세간불가락상…… 하며 미륵경을 외웠을 때 희광이들의 작두가 섬광을 그렸던 것이다. 그는 한 번도 본 적이 없는 구월산 혈당들의 죽음도 아프게 떠올렸다. 그에게는 이 봄의 소생이 다만 덧없어서 세상 가운데 가득 찬 질곡은 차츰 번성해가기만 하는 듯이 여겨졌다. 봄이여 또 한번 가라, 언 땅은 풀리고 뿌리는 소생할지라도 정토는 영영 움트지 않아 온 세상이 빈집인 듯 깜깜하고나.

여환은 삼월 스무날께에 신천 문화를 지나 내고개를 넘었다. 그가 내고개서 구구월을 들어서서 월정사의 붉은 산문에 이른 것은 마침 법고와 범종이 어우러져 은은히 울려퍼질 석양녘이었다. 그는 기운 장삼에 다 떨어진 바랑 걸머지고 일그러진 송낙 차림이라 흥황의 걸승 행색이 적실하였다. 여환이 경내로 들어서는데 마침 여인 하나가 맨발로 뛰쳐나오는 참이었다. 머리는 아무렇게나 넘겨 말 꼬랑지마냥 무명끈으로 한 묶음이 되도록 질끈 동였고, 옷은 중의 회색 바지저고리였다. 바짓가랑이는 그냥 걷어올려졌고 저고리 고름은 풀어헤쳐져 뽀얀 가슴이 드러나 있었다. 대번 보기에도 미친 여자임을 알아볼 수가 있었으니 눈의 촛점이 먼 곳에 있었다. 여인은 한 손에 나무 부지깽이를 들고 우쭐우쭐 춤추며 허공을 찌르는 흉내를 냈고 다른 중년 여자가 허겁지겁 쫓아오고 있었다.

"이것아, 거기 못 서겠니?"

여환은 미친 여자의 앞을 가로막고 섰다. 뒷전의 중년 여자를 도와 주기 위해서였다. 미친 여자는 눈썹을 곤두세우고 눈살을 찌푸리고는 작대기를 쳐들었다.

"비켜나라, 찌를테. 목을 베어줄테."

여환은 그때까지도 원향이를 알아보지 못하였다. 너무 자라 있었고 실성한 뒤로 예전의 곱고 순하던 표정이 사라진 때문이었으며, 무엇보다도 여환은 사자암을 떠난 뒤 양주 인근에서 보내던 수년 동안에 수도행자 시절의 기억을 거의 잊은 때문이기도 하였다. 원향은 그 낯선 객승을 정말 때리려는지 작대기를 쳐들었다. 여환이 송낙을 뒤로 젖히고 단정한 눈빛으로 바라보면서 중얼거렸다.

"목베기 장난이 하고 싶으냐."

어찌되었는지 원향이는 여환의 눈빛에 닿고 부드러운 목소리를 듣자 때리기를 잊었는지 작대기를 떨어뜨리고 그를 멍하니 올려다보았다. 뒤미처 따라온 중년 아낙이 원향이의 어깨를 잡았다.

"어이구, 이건 잠깐 한눈팔기만 하면 엉뚱한 짓을 저지르니 사람이 살 수가 있어야지."

혼자 푸념하고서 아낙이 여환에게 고개를 숙여 보였다.

"스님, 노여워 마시우. 얘가 실성한 아이라 큰 봉변 당하실 뻔했지요."

"괜찮소. 옥여스님 계시오?"

"예, 지금 대중방에 계십니다."

원향이는 계화에게 잡혀서도 여환만을 말끄러미 들여다보았다. 계화는 원향이의 흐트러진 옷매무새를 고쳐주면서 달래었다.

"우리 원향이 참 착하다. 어서 들어가서 밥 먹구 기도하러 가자."

여환은 그들 곁을 떠나 법당 쪽으로 가던 참이었다. 뭔가 그 미친 처녀를 바라보며 딱히 짚어낼 수는 없으되 낯이 익다는 느낌을 받은 터였다. 그런데 등뒤에서 아낙이 원향이라고 이름을 불렀을 적에야 마치 찬물을 맞은 듯 소스라쳤다. 원향이…… 그렇다, 저 눈은 바로 그 아이의 눈이었다. 여환은 다시 돌아섰다.

"이 처자의 이름이 뭐라고요?"

"원향이라우."

여환은 눈시울이 뜨거워졌다. 이렇게도 자랐단 말인가. 은율 장터에서 그애의 식구가 굶주림으로 쓰러졌을 때, 실성한 어미와 죽어간 아비의 시신을 지키고 앉았던 당돌하고 침착했던 계집아이의 얼굴이 무표정한 처녀의 얼굴에 겹쳐져서 떠올랐다. 여환은 몇걸음 다가들어 원향의 두 손을 잡았다.

"원향아…… 네가 이게 웬일이냐?"

원향이는 두 손을 맡기고 그저 표정 없이 여환을 바라보았다. 여환은 눈물과 먼지로 얼룩진 원향의 얼굴을 사당말의 냇가에서 씻겨주던 생각이 났다. 착하다 네 이름이 뭐니, 원향이, 나는 여환이라구 한단다, 나두 너만 한 누이가 있었다, 그랬었다. 어느 곳에 어린 노비로 팔려가 누구의 아이를 낳고 살지는 모르나 누이동생이 컸다면 이만이나 할 것이었다. 원향이를 데리고 산과 들로 쏘다니며 놀던 일이 생각났고, 은율장을 보러 풍열의 심부름을 나갈 적마다 쫓아오겠다며 떼를 쓰던 원향이, 엿을 사다 주랴, 떡을 사다 주랴, 여러가지로 꾀를 내어 떼어놓고는 달아났던 것이 아닌가. 그래도 못내 마음에 걸려서 한달음에 돌아오면 원향이는 제 어미 뒷방보살의 무릎에 쪼그려 잠들어 있고는 하였다.

"얘를 아십니까?"

계화가 의아하여 묻자 여환은 그제야 멋쩍어져서 잡은 손을 놓았다. 이제는 가슴도 커지고 달덩이 같은 처자가 되어버린 것이다.

"잘 압니다. 어쩌다가 이렇게 되었습니까?"

"지난번 관군의 구월산 명화적 토포 시에 사선골서 온 가족이 구몰당하였지요. 에이그, 하늘도 무심하시지."

여환은 준보와 원향의 어미 후례도 잘 알고 있었다.

"나무관세음보살……"

읊조리고 여환은 말하였다.

"나다, 여환이야. 네가 이렇게 되다니."

원향이는 이상하다는 듯 여환의 장삼자락을 잡아당겨보더니 다시 손을 찾아 잡았다. 그러고는 묘하게 입을 일그러뜨리고 비죽비죽 울기 시작했다.

"너 이 스님 알아보겠느냐?"

계화가 신통하여 원향의 어깨를 잡아흔드니 원향이는 여환의 어깨에 머리를 얹고 조용하게 울었다.

"나를 알겠느냐?"

여환이 다시 물었으나 원향이는 그러고만 있을 뿐 대꾸가 없었다.

"원 세상에 이렇게 얌전한 꼴은 처음 보겠네."

여환은 살며시 원향을 떼어놓고 법당으로 올라갔다. 원향이 그를 따라잡으려고 하였으나 계화가 막무가내로 이끌어서 안채로 끌고 갔다. 여환이 중문간을 들어서니 마루에 앉아 있던 옥여가 벌떡 일어섰다.

"어서 오게. 제법 이른걸."

"음, 통문 받고 좀이 쑤셔서 견딜 수가 있어야지. 여기야 내 본가가 아니던가."

"아직 공양 전이지? 시장하겠네."

옥여가 행자승에게 밥 한 상을 당부하고 나서 여환이 물었다.

"큰스님 여전하시지?"

"요새는 달마암에서 꼼짝두 않으시네. 관군이 왔다가고 나서는 산 아래엔 한 번두 안 내려가셨지."

"문안 올려야지."

"낼 아침에 올라가세."

여환은 묵묵히 앉았다가,

"들어오다 원향이 봤지."

불쑥 말하였고, 옥여는 우울하게 대꾸하였다.

"어떻게 알아봤군 그래. 직접 당하지 않은 사람들이야 사선골과 탑고개의 일을 어찌 알겠는가."

옥여는 덧붙였다.

"우리는 세상에 이렇듯 빚이 많단 말일세."

여환은 한숨을 쉬었다.

"사문은 정을 들이지 않는 법이지만 그 아이는 속세의 내 누이나 한가질세. 변한 모습을 보니 세상의 어지러움을 잘 알겠군."

"원향이의 식구는 창에 찔리고 불에 던져졌다네. 관군이 그애를 행음하고 길에 버린 것을 이웃 아낙이 구해냈다지. 나는 중이 되어 처음으로 예불을 올리며 속인처럼 울었네. 구월산 식구들은 내 가장 가까운 동무들이었어."

여환은 원향이가 난행당했다는 말에 가슴이 터지는 것만 같았다. 그가 월정사를 떠나오던 날 구구월이 내려다보이는 바위에서 소리질러 그를 부르던 원향이의 낭랑한 목청이 생각났다. 여환스님…… 처음 불렀을 때 뒤돌아서서 손을 흔들어주었고, 두 번 불렀을 때에는 애써 참으며 얼른 산모퉁이를 돌아버렸던 것이다. 다시 돌아보니 산굽이 저편으로 가리워져 원향이가 섰던 바위는 보이지 않고 그를 부르는 소리만이 들려왔다. 봄 뻐꾸기가 가까이 멀리 옮겨 날아다니며 울었다. 옥여는 관군이 월정사 문루에서 물러가던 얘기를 하였고, 구월산 마감동 오만석 등의 최후에 대하여 전하였다.

그날 밤 객방에 누운 여환은 늦게까지 잠을 이루지 못하였다. 숲을 지나는 바람소리에 섞여 소쩍새가 목메어 울었고, 계곡을 흘러가는 물소리가 뭐라고 저희끼리 두런대고 있는 듯하였다. 오누이는 높은 산으로 올라갔지. 산 위에서 두 손을 모아 하늘님께 빌었단다. 우리는 오누이라서 혼인할 수가 없으니 어찌하면 좋겠습니까. 오라버니는 수맷돌을 동쪽으로 굴리고 누이동생은 암맷돌을 서쪽으로 굴려보내고 나서 둘이는 산에서 내려왔대. 산을 내려와서 보니까, 이상하게도 해가 뜨는 쪽으로 보낸 맷돌과 해가 지는 쪽으로 보낸 맷돌이 만나서 합쳐져 있었다지. 그래서 오누이는 아, 하늘이 우리더러 혼인하라구 그러는구나 생각하고는 그렇게 했단다. 그래서 예전부터 사람들은 부부를 오누이라고 말하는 거야. 여환이 원향이의 머리를 쓰다듬으며 해주었던 옛날얘기 소리가 시냇물 소리에 섞여서 흘러가고 또 흘러 지나갔다. 나두 크면 스님한테 시집갈 테야. 그건 안 된단다. 어째서 안 돼? 전생 때문에 안 된다. 전생이 뭐야? 아하 과거세여! 여환은 벽을 향하여 돌아누웠다. 과거의 번뇌로 말미암은 여러 업을 지은 까닭으로 그 업에서 현재의 몸이 생겼거니와, 현재에도 다시 여러 업을 짓는다면, 내세에서 다시 거기에 해당하는 몸을 얻게 될 터이다. 모든 인연이 결합되어 씨에서 싹이 트듯이. 씨에서 싹이 트려면 인연이 필요하고 싹이 자라나려면 씨가 없어지지 않으면 안 될 테지. 씨와 싹을 보아라. 씨가 없어지는 것으로 보아서는 지속함이 없겠지만, 싹이 나는 것으로 보아서는 단절되었다고 할 수도 없다. 자아가 없으면서도 업보(業報)의 어김없음이 씨와 싹 같을진대. 내세에는 길 위에 구르는 돌멩이나 되거라. 그래서는 산천의 호젓한 길 위에 굴러 세간의 무상한 흥망성쇠를 지켜볼 것인가.

여환은 풍열스님에게 문안인사를 드리러 달마암에 올랐고, 풍열은 여환이 말을 꺼내기도 전에 물었다.

"원향이를 만났더냐?"

"어제 산문에서 잠깐……"

"네가 왔으니 그애가 넋이 돌아올지두 모르겠다. 애증의 원한은 지극한 사랑이 아니면 풀어지기가 어려운 법이니라."

"계화라는 여인과 더불어 아침 저녁 기도를 드리고 있는 것으로 아옵니다."

여환이 말하자 풍열은 혀를 찼다.

"한이 깊으니 기도로 풀어지지 않는구나. 차라리 저희들 식으로 실컷 노래하고 춤추는 굿이나 벌이면 모를까…… 그 아이가 어려서 부터 너를 따랐지?"

풍열이 이윽히 들여다보았고, 여환은 고개를 숙였다.

"스님과 유민을 구휼하러 나갔다가 제가 처음 그애를 수습하여 누이와 같았사옵기……"

"그래, 그동안에 속세에서 쌓은 법력으로 그애를 간병해보아라."

"법력이랄 것이 있겠습니까?"

"허허…… 양주 칠성암의 미륵이라는 네가 그깟 포한 들린 작은 계집아이의 가슴도 진정시키지 못하겠느냐."

풍열은 웃으면서 말하였고, 여환은 더욱 송구스러워서 고개를 들지 못하였다.

"제가 번민이 많아 그런 일은 못 합니다."

"예끼……"

풍열이 웃음을 거두고 갑자기 힐난하였다.

"작은 처녀의 실성도 다스리지 못할 터인즉 그러한 번뇌를 가지고 어찌 양주 고을서 동분서주하며 시늉만 하였더냐. 차라리 중질 못 하겠거든 원향이의 서방이나 되어서 중이 못 되겠다는 것을 세상에 알려주어야지."

"잘 알겠습니다."

여환은 쫓기듯이 달마암을 내려왔다.

그는 더욱 원향이와 마주치기가 두려워서 안채에 있는 문간으로
는 얼씬도 하지 않았다. 저녁께에 방 안에 결가부좌하여 고요히 앉
았는데 방문이 벌컥 열리는 것이었다. 원향이는 먼지와 흙투성이인
맨발로 뛰어 방 안으로 들어서더니 구석에 가서 쪼그리고 앉았다.
여환은 당황하여 일어났고 계화의 남편 김승운이 마당에서 두리번
거리는 것이 보였다.

　"스님…… 여기 우리 아이 안 들어왔습니까?"

　김승운이 기웃하여 여환은 고개를 돌려 가리켰다.

　"아이구, 마누라가 저녁공양을 준비한다고 저것을 내게 맡겨두었
으니 이건 어디 뒷간엘를 다녀올 수가 있나. 잠깐 한눈팔면 법당에
들어가 소피를 보고 산 아래로 마구 달려내려가고…… 애, 원향아,
이리 나온."

　원향이는 구석에 쪼그리고 앉아서 꼼짝도 않았다.

　"이리 나오라니까. 여기는 스님 혼자 계시는 방이다. 스님, 저애를
좀 쫓아내슈."

　"괜찮다면 그냥 두어보시지요. 내가 돌보고 있지요."

　"그래주시겠습니까. 이거 원 절에서 붙어살기두 미안한데 날마다
소동을 부리니…… 그럼 부탁하겠습니다. 나는 장작을 뽀개놓아야
하니까."

　김승운은 놓여나서 기쁜지 얼씨구나 원향이를 여환에게 맡겨두
고 사라졌다. 여환은 그렇게 말은 했으면서도 어찌해야 좋을지 도무
지 난감하였다. 그는 원향이 쪽을 힐끔 살폈다. 원향이는 구석에 무
릎을 세우고 앉아 무릎 위에 얼굴을 올려놓고 그를 빤히 바라보았
다. 여환은 공연히 가슴이 두근거렸다. 먼저 열어젖혀진 방문을 닫
았다.

"어디 보자, 저런……"

여환이 원향의 맨발을 살피니 발등은 터지고 발가락은 수없이 돌멩이를 차서 상처투성이였다. 원향이는 여환이 살피는 대로 두 발을 맡기고 있다가 상처에 닿자 안면을 찡그리고는 하였다.

"가엾은 것!"

여환은 상처투성이인 원향의 맨발을 살피며 차마 어쩌지 못하여 혀를 찼다. 얼굴은 그래도 계화가 스님들 뵙기에 민망하다고 아침마다 억지로 씻겨주어 볕에 그을리고 바람에 거칠어졌을망정 깨끗한 편이었다. 그러나 머리카락은 흙먼지로 더럽혀지고 빗기질 않아서 엉겨 붙어서 그야말로 미친년의 산발이었다.

"원향아, 이제는 아무것도 무서울 게 없다. 이 여환이가 너를 지켜줄 테야. 비록 어머니와 준보가 횡액을 당했다고는 하나 아무 죄 없이 죽었으니 극락왕생하실 게다. 네가 어서 정신이 들어야 우리 지난 얘기를 하지 않겠니."

여환은 원향이에게 타이르듯 말해주었다. 원향이는 고개를 갸우뚱하고 그를 한참이나 바라보았다. 그런 때에는 원향의 눈이 한곳에 모아지는 것 같았고 입술도 얌전히 다물어졌다. 여환은 이마와 뺨을 가리우고 흐트러진 머리카락을 귀 뒤로 쓸어넘겨주면서 말하였다.

"자, 말해보아라. 여환스님, 네 오라비 여환스님이다."

"여환……"

원향은 조그맣게 중얼거렸다. 그녀의 얼굴에 잠깐 사람다운 표정이 떠오르는가 싶었다. 여환은 처음으로 목소리를 듣고는 원향이가 완전히 제정신을 차렸는가 싶어서 흥분하여 말하였다.

"그래, 여환이다. 은율장에서 만난 여환이야."

원향은 멍하니 그를 바라보더니 살며시 손을 뻗어 여환의 얼굴에 갖다대는 것이었다. 여환은 여자의 가녀린 손가락이 닿자 갑자기 살이 경련하는 것 같았다. 그런 느낌은 곧 얼굴에서 가슴과 배와 그 아래로 빛처럼 번져갔다. 여환은 곧 뒤로 물러나 앉았다. 그러나 원향은 이번에는 두 손을 뻗치고 달려들더니 넘어지듯 그의 목을 끌어안으며 다가들었다. 여환은 원향이를 붙안은 채로 뒤로 벌렁 넘어졌고, 그녀의 몸은 여환의 몸에 찰싹 휘감겨 있었다. 여환의 가슴에는 원향의 부푼 가슴이 짓눌리듯 밀착해 있었고 배와 한쪽 다리는 그의 두 다리 사이에 파고들어 있었다. 여환은 문득 정신이 아뜩해지는 느낌이 들었다. 그는 하마터면 원향의 등을 꽉 끌어안을 뻔하였다.

"이러면 못쓴다."

여환이 원향의 몸을 밀어내고 일어나 앉자 원향이는 다시 그의 어깨를 안았고, 그는 여자를 뿌리치며 일어서버렸다. 그는 자신의 불덩이 같은 뜨거운 느낌이 두려워졌던 것이다. 원향이가 이번에는 그의 하반신을 붙안고 늘어졌고 여환은 두 다리를 잡힌 채로 탄식하였다.

"네가 어찌 약한 사문을 괴롭히느냐."

여환은 스스로 마군에 잡힌 듯하여 가슴이 울렁거리고 뺨은 달아올랐으며 정신이 혼미하였다. 가까스로 다리를 한쪽씩 뿌리치고 방문 앞에까지 물러서니 원향이는 다시 아까처럼 벽에 가서 쭈그리고 앉더니 흐드득 느끼고는 비죽이 울기 시작하였다. 여환은 가엾은 생각이 들었으나 어쩔 도리가 없어서 그냥 우두커니 내려다볼 뿐이었다. 저것이 실성한 중에도 어렴풋한 정의 끄트머리가 남아 나오는 짓거리이겠거니 싶었다. 여환은 중얼거렸다.

"아아, 사대육신이여, 어서 무너져라."

여환은 원향이를 내버려두고 방을 나왔다. 그는 자신의 마음을 진정시키기 위해 월정사 경내를 이리저리 거닐며 행선(行禪)하였다. 주위가 어두컴컴해져서 여환이 돌아가니 계화가 안채에서 나오다가 반색을 하였다.

"스님, 우리 원향이 돌보느라구 혼나셨지요?"

"예…… 아니오. 얌전하게 있습니다."

여환은 얼결에 얼버무리는데 혹시 계화가 눈치챈 것이 아닌가 하여 저도 모르게 얼굴이 화끈하였다.

"공양 때가 되었으니 세수라두 시켜야지요. 참, 그런데 원향이를 어디다 두고 스님은……"

하다 말고 계화는 갑자기 불안한 생각이 들었는지 여환을 앞질러 가서 방문을 벌컥 열어보았다.

"아이구, 어두워서 통 뵈질 않아."

이리저리 살피다가 계화가 나직하게 웃었다.

"참 별일이네. 저렇게 얌전하게 혼자 자는 꼴은 처음이구먼."

여환이 계화의 어깨 너머로 들여다보니 원향은 어두운 방구석에 돌아누워 잠들어 있었다. 조그맣게 웅크린 그녀의 야윈 어깨가 보였다.

"어떡허나, 밥을 먹여야 할 텐데…… 깨워야지."

계화가 쫓아들어가려는 것을 여환이 말렸다.

"오죽 곤하면 저러겠소. 그냥 놓아둡시다. 내 저애가 깨면 데려다 주겠소."

"아무래도 안 되겠어요. 지금 잠들었다가 괜히 한밤중에 깨어 자지 않구 보채면 더 고생이지요."

계화는 방으로 들어가 원향의 어깨를 잡고 사정없이 흔들어댔다.

"애야, 어서 일어나. 여긴 네가 올 방이 아니에요."

원향이는 부스스 일어나더니 계화의 얼굴과 마주치자 앉은걸음
으로 재빨리 물러났다. 그녀는 도리질을 하며 울기 시작했다.

"싫어, 싫어."

계화가 성난 목소리로 꾸짖었다.

"너 이년, 이렇게 매일 떼만 쓸 테냐."

하면서 원향이를 끌어내리려고 장삼의 앞섶을 잡아당기는데, 원향이
가 고개를 휙 돌리더니 계화의 손목을 끌어잡고 손등을 깨물었다.

"애그그."

계화가 죽는다고 소리치며 얼른 일어났고, 여환이 곁에서 말했다.

"그냥 두어보시오. 내가 간병하여보리다."

계화는 일어서서 원향이를 삿대질하며 야단을 쳤다.

"미쳐두 곱게 미쳐야지. 그렇게 우리만 괴롭히다가는 네년 정신
은 커녕 몸두 온전하질 않게 된다. 어이구, 우리두 이제는 지쳐버렸
다."

"내가 며칠 동안만 곁에 두고 보살피겠소."

여환이 말했으나 계화는 믿기지 않는지 펄쩍 뛰었다.

"저 가엾은 것에게 내가 공연히 화를 내는구려. 아무리 그렇지만
스님께서 어찌 저애를 곁에 두고 계시겠어요. 다 큰 애인데."

"염려 마오. 내게는 누이나 매한가지이니……"

"너 안 갈 테냐?"

계화는 내심 반갑기 그지없었으나 본인에게 묻는다는 식으로 원
향이에게 물었고, 원향이는 역시 도리질을 하며 완강하게 답하였다.

"싫어, 싫어."

계화는 한숨을 내쉬었다.

"그럼 하는 수 없군요. 저는 모릅니다. 옥여스님께만 일러두셔요."

"다 말을 해놓지요. 그리고 물이나 좀 데워주십시오."

"물은 뭘 하시게요?"

계화가 물으니 여환은 그답지 않게 머뭇머뭇 답하였다.

"원향이를…… 씻겨주려고요."

"스님이요?"

계화는 잘못 들었다고 여겼는지 되물었다.

"그애를 씻겨주어요?"

"예, 발에 상처도 많고 머리를 감은 지도 오래인 것 같더군요. 기도를 드리려면 정결해야 될 테니까."

여환이 이번에는 부끄럼을 타지 않고 계화를 똑바로 바라보며 대꾸하였다.

"아유, 그렇다면 오죽 좋아. 세수 한번 시키는데두 우리 두 양주가 송아지 받아내듯 한다오. 기운이 어찌나 센지 물박을 엎어놓기 일쑤라구요."

"이제부터 차츰 넋을 찾게 되겠지요."

"글쎄, 우리가 월정사를 떠나기 전까진 그렇게 되어야 할 텐데."

계화는 무엇이 우스운지 혼자서 벌쭉대며 중문간으로 사라졌다. 여환이 마루에 앉았는데 원향이가 부스스한 몰골로 눈을 비비며 방문을 열었다.

"배고파, 밥 줘. 배고파, 밥 밥."

꼭 서너 살짜리 아이처럼 원향이는 떼를 쓰는 투로 칭얼거렸고, 여환이 달랬다.

"어, 착하다. 조금만 기다리면 보살님이 밥을 주신댄다. 그동안 스님하구 놀자꾸나."

원향이가 알아듣기라도 하였는지 힘없이 방문가에 털썩 주저앉왔다. 계화가 나와 알렸다.

"스님, 물 다 데웠수. 응, 원향이가 저렇게 참하게 앉아 있는 건 또 이변일세."

"그러면 데운 물을 동이에 길어다가 광에 갖다주시오. 나는 애를 데리고 갈 것이니."

"그냥 샘가에서 시키지 않구요?"

"아직 날씨가 쌀쌀해서."

계화는 눈을 휘둥그레 떴다.

"모, 목욕 감기려우?"

"예, 기왕이면……"

계화는 하마터면 망측해라 하고 외칠 뻔하였다. 그렇지만 그녀는 부엌에서 물을 가득 채운 가마솥에 불을 때다가 공양도 끝났는데 뭘 하느냐는 옥여의 물음에 답하였던 것이다. 여환스님이 우리 원향이를 씻겨준답니다. 절에서 스님이 부녀자에게 그래두 되는 겁니까. 옥여는 빙긋이 웃고는 나는 안 되오마는 여환수좌는 됩니다, 하는 것이었다.

"어서 길어다 주시오. 힘들어 그렇다면 여기서 애를 지키구 있으시우. 내가 길어나를 테니까."

여환의 재촉에 계화는 하 어이가 없어져서 말이 새었다.

"아이구, 우리 서낭님두 그렇게는 안 허겠다."

"서낭이야 귀신이지만, 우리는 사람이 아니오?"

하면서 여환은 웃음을 지었고, 계화는 연신 중얼거리며 사라졌다. 잠시 후에 중문간에서 목소리만이 들려왔는데 자못 퉁명스러웠다.

"길어다 놨수."

여환은 맥없이 앉아 있는 원향의 손을 잡고 가볍게 당기며 말했다.

"자아, 우리 이제 씻으러 가자. 이 고운 몸에 이게 무슨 꼴이냐."

"배고파."

하면서도 원향이는 가축이 임자에게 그러듯이 고분고분 일어났다. 여환은 원향이의 손목을 잡고서 안채의 광으로 갔다.

마당을 건너지를 때 바라보니 계화는 부엌문 뒤에 숨어서 그가 저지르는 짓을 훔쳐볼 모양이었다. 머리가 밖으로 비죽이 나왔다가 여환의 시선에 부딪치자 잽싸게 숨는 것 같았다. 광문을 밀고 들어가니 안은 캄캄하였다. 문을 조금 열어놓고 보니까 희미하나마 구석에 쌓인 곡식섬이며 소금독들이 보였다. 바로 한가운데 물동이가 놓였고 동이 가운데 바가지가 떠 있었다. 여환은 광문 밖에다 대고 소리쳤다.

"보살님, 불이라도 좀 켜다 주오."

계화가 등잔에 불을 붙여서 조심스럽게 손바닥으로 가리우고 들어왔다. 계화는 여환을 똑바로 보지 못하고 얼른 대독 위에 올려놓더니 또 아뭇소리 없이 나가버렸다. 여환은 두리번거리다가 먼지를 뒤집어쓴 자배기를 들어다 놓고 물을 부어 깨끗이 가셔냈다. 물의 온기가 적당하게 따뜻하였다.

"이리 앉아라."

원향이는 물이 담긴 자배기 앞에 다소곳이 앉았다. 여환은 한 손은 원향이의 머리에 대고 다른 한 손으로 물을 움켜 낯을 씻어주었다. 원향이는 상을 찡그렸을 뿐 그대로 견디었다.

"아, 원향이 이쁘다."

이번에는 뒤통수를 눌러 고개를 숙이게 하고 나서 뭉치고 헝클어진 머리를 자배기 속에 담그도록 하였다. 여환은 손가락을 갈퀴마냥 벌려서 원향이의 엉킨 머리카락들을 훑어내렸다. 실성한 것에게도 시원한 기분은 있었는지 더욱 머리를 깊숙이 숙이면서 얌전히 쭈그리고 있었다. 물이 대번에 검게 되었다. 여환은 자배기의 물을 갈아 다시 한번 머리를 헹구고 나서 허리춤에서 무명 수건을 풀어내어 얼굴과 머리를 대강 닦았다. 여환은 잠깐 원향이의 훤해진 모습을 바라보더니 대뜸 장삼을 젖혔다. 여몄던 앞섶이 열리며 뽀얀 젖이 봉곳하니 드러났고 아래로 처진 바지춤 위로는 도톰한 아랫배와 배꼽이 드러났다. 여환의 손은 불이 센 화로 위에 들이댔을 때처럼 조심스러워졌다. 손가락 끝은 물고기에 닿은 듯이 민감하게 파들거렸다. 여환은 차라리 손을 펴서 원향이의 살에 꽉 눌렀다. 그는 바지춤을 끄르고 아랫도리마저 벗겨버렸다. 빈 자루처럼 허물이 주욱 발목에까지 흘러내렸고 원향이의 흰 속살은 물이 찰랑찰랑한 자배기 위에 소담한 백국(白菊)처럼 서 있었다. 여환은 떨리는 손으로 바가지에 물을 떠서 원향이의 어깨에 부었다. 물은 핥듯이 가슴을 타고 젖무덤을 넘어 아랫배로, 허벅지에서 발등으로 스쳐내렸다. 여환은 또다시 물을 끼얹었다. 등뒤로 타내린 물은 등마루를 지나 척추를 따라서 벌어진 볼기를 쓰다듬고 종아리를 때리며 떨어졌다. 원향이의 몸은 구석구석 젖었다. 여환은 물을 조금씩 부으면서 한 손으로 원향이의 육신을 문질렀다.

"지심귀명례(志心歸命禮) 사주지알표익 성승현옹자단의(四州之渴漂溺 聖僧現擁紫檀衣) 섬부지지음미 선녀화류금쇄골(陜府之止婬迷 仙女化留金鎖骨) 대비대원 대성대자 성백의 관자재보살 마하살(大悲大願 大聖大慈 聖白衣 觀自在菩薩 摩訶薩)."

여환은 관음보살께 바치는 법요를 외우며 원향이의 목덜미와 가슴께를 씻었다. 사주지알표익이라 함은 승가대사의 행적을 일컫는다. 승가대사는 서역 동북의 하국(何國) 사람으로 어려서 출가하였는데, 당나라 때 강회(江淮)에 이르러 유화(遊化)하였다. 여러가지 신기한 일이 많아서 다 전할 수는 없으되, 이러한 일도 있었다. 장안부마도위(長安駙馬都尉) 무유(武攸)가 병이 들었을 때, 조관(澡罐)에 물을 뿜어 즉시 나았다 하고, 그후에도 병든 사람이 있으면 버들가지로 털어주며, 돌사자를 씻어 먹이며, 물병을 던져주며 모두 병을 낫게 하였다 한다. 한편 비를 내려 가뭄을 구하고 사를 내려 죄수를 위로하였고 나한의 우물도 찾고 물에 빠진 배씨(裵氏)도 구했다고 한다. 표익(漂溺)을 막았다는 것은 아마 배씨의 사실인 듯싶다. 화제(和帝)가 만회대사에게 묻기를, 승가대사는 어떤 사람인가 하니 그는 관음보살의 화신입니다, 하였다는 것이다.

또한 당나라가 융성하던 때에 불도가 천하에 성행하였으나 다만 섬부(陝府)의 사람들은 활쏘기 말타기나 좋아하고 격투나 일삼으며 삼보(三寶)를 믿지 않았다. 그때 한 여자가 그곳에 나타났다. 풍모가 초연하고 자태가 아름다운데 아무 권속도 시종도 없이 오직 단신이었다. 그 여자는 말하였다. 부모도 형제도 없습니다. 시집을 가야겠으나 저는 재물도 필요 없고 오직 총명하고 현철하며 능히 내가 가지고 있는 경서를 외우는 사람이면 그를 섬기겠습니다. 이 말을 듣고 수많은 남자들이 모여들었다. 여자는 보문품(普門品)을 내주었다. 이것을 하룻저녁에 외우는 사람이면 내가 따라가겠습니다. 이튿날 아침 그 보문품을 외우는 자가 스무 명이나 되었다. 그 여자는 다시 말하였다. 나는 한 몸이요 우리 집안도 대대로 정결한 집이니 나 한 사람이 어떻게 여러 남자를 섬길 수 있겠습니까. 다른 것을 한 번 더 외워야 하겠습니다, 하고 나서 여자는 금강경을 내주었다. 이튿날 역시 십여 명이나 외우는 자들이 있었다. 여자는 다시 약속하고 법화경 일곱 권을 내주며 사흘 안에 외우라 하니 다만 마씨의 아들 한 사람이 통달하였다. 그 여자는 일렀다. 그대 여러 사람보다도 월등하시니 제가 따라가겠습니다. 그대의 부모님께 고하여 예를 갖추게 하소서. 혼인은 인생의 큰 예절이니 어찌 함부로 따를 수 있겠나요? 이리하여 마랑(馬郎)이 예를 갖추어 그 여자를 맞아 갔다. 잠시 후 여자는 몸이 괴롭다며 고요한 방에서 몇시각 쉬겠다 하였다. 그러고는 다른 방에 들어갔는데 하객들이 채 흩어지기도 전에 여자는 죽어서 벌써 썩기 시작한 것이다. 어쩔 수 없이 마랑은 여자를 장사 지냈다. 며칠 뒤에 한 노승이 지팡이에 장삼을 입고 찾아와 여자의 친척이라 하였다. 마랑은 노승을 여자의 묘지로 안내하였다. 노승은 지팡이로 무덤을 마구 파헤쳤는데, 그 며칠 사이에 여자의 시체는 이미 사그라져 노란 뼈 몇점이 되어 있었다. 노승은 그 뼈를 강물에 씻어서 지팡이 끝에 둘러메고 구경온 대중들에게 말하였다. 이 여인은 바로 성자이니라. 너희들의 업이 무거움을 불쌍히 여기고 방편을 부려 너희를 교화한 것이니라. 너희는 이 좋은 인연을 생각하여 고해를 면하라.

또한 연주(延州) 땅에서는 이러한 일도 있었다. 어느날 살결이 무척이나 희고 얼굴이 아리따운 한 부인이 홀로 시장을 떠돌아다니니 젊은이들이 따라다니며 친하게 놀기도 하고, 같이 자자고 유혹하기도 하였다. 그때마다 그 부인은 조금도 사양하거나 거절하지 않았다. 그러더니 수년 만에 홀연히 죽어버렸다. 그러므로 떠도는 인척 없는 여인의 시체는 길가에 묻혔다. 그후 당나라 대력 연간에 홀연 어떤 노승이 그 묘 앞에 좌구를 펴고 앉아서 분향하며 여러 날 동안 독경하였다. 그곳 사람들은 노승에게 말하였다. 이 여자는 아주 음란하던 여자이며, 죽은 뒤에도 거둘 이가 없어서 이렇게 길가에 묻혀 있거늘 화상은 어찌하여 이다지도 분향 독경하며 공경하십니까.

노승이 돌아보며 대답하였다. 이 여자는 큰 성인이 자비희사(慈悲喜捨)를 행하느라고 세상 사람들의 욕심에 순종하지 않은 적이 없었다. 이분은 쇄골보살(鎖骨菩薩)로서 인연을 순종하다가 인연이 다해진 성자이시다. 이내 그 묘를 파보니 뼈가 금색이며 뼈와 뼈가 서로 사슬처럼 걸려 있었다. 그곳 사람들은 죽은 여인을 위하여 제사를 베풀고 탑을 쌓아 뼈를 봉안하였다고 전해진다. 이는 모두가 관음보살의 현신이었다.

여환은 염불을 외우는 사이에 차츰 가슴이 진정되었다. 이제는 원향의 맨살에 닿는 손끝이 떨리기를 멈추었다. 원향이는 붙박인 듯이 벗은 몸을 맡기고 서 있었다. 여환은 원향이의 가슴에서 배로 다리로 씻겨내려갔고 자연히 무릎을 구부렸다.

"단염하광신영정(丹艷霞光身瑩淨) 소응월면모희기(素凝月面貌希奇) 관근두교불참차(觀根逗敎不參差) 설법이생함해탈(說法利生咸解脫)."

붉기는 놀빛처럼 고와서 몸이 맑고 깨끗하며, 희기는 월면이 엉긴 듯이 얼굴이 희유하고 기이하구나. 근기를 보아서 가르치심이 어긋나지 아니하고, 세상 누구라도 설법을 듣고 해탈을 얻는구나.

더운 물에 씻긴 원향이의 몸에서는 김이 무럭무럭 피어올랐고 여환은 이마에 땀을 흘리고 있었다. 드디어 그는 몸을 굽혀 상처투성이의 발등에다 물을 끼얹었다. 여환은 무명 수건을 내어 물방울이 돋은 원향의 육신을 닦아주었다.

"원공제중생(願共諸衆生) 동입금강계(同入金剛界) 귀의불퇴전(歸依不退轉) 대비보살승(大悲菩薩僧) 원공제중생(願共諸衆生) 동입금강계(同入金剛界)."

원컨대 모든 중생과 한가지로 금강계에 같이 들어가겠습니다. 퇴전치 아니하시는 대비보살께 귀의하옵나니 원컨대 중생과 한가지로 금강계에 같이 들어가렵니다.

원향은 여환의 염불을 알아듣는지 고개를 숙여 자신의 다리를 닦아 내리는 여환을 조용히 내려다보았다. 여환은 그녀의 허리를 안아 자배기 위에서 들어내어 바지와 장삼을 입혔다.

여환이 양주 칠성암에서 사방팔방으로 나다닐 때 곧잘 죽은 이들의 몸을 씻기고 수의를 갈아입히고 하였건만, 살아 있는 젊은 여인의 몸을 씻긴 것은 처음이었다. 더구나 정이 깃들인 원향의 색신(色身)이 아니던가. 그러나 생사의 구별이 있다 할 뿐 그 몸이 어떻게 다르랴. 연이 끊기면 모두 물이 되어 썩어 녹아 사라진다. 진심으로 바라건대 그대의 넋없음이여 나를 깨우쳐라. 그대의 몸이 무심하게 서 있었듯이 나의 목욕 보시도 무심하게 하여라.

"관세음보살."

여환은 원향이의 맨발이 다시 흙에 더럽혀지지 않도록 등에 업었다. 그러고는 중문을 돌아나와 제 방의 툇마루 위에 올려놓았다. 원향이는 스스로 방문을 열고 들어가더니 구석에 쪼그리고 앉았다.

여환은 등잔을 켜고 나서 잠자리를 폈고 원향이에게 일렀다.

"어서 자거라."

원향이는 얌전하게 자리에 누웠으며 여환의 팔을 끌어당겼다. 여환은 가벼이 뿌리치고는 가슴을 토닥여주었다.

원향이는 이번에는 여환의 목을 끌어안고 잡아당겼다. 두 사람의 뺨과 뺨이 맞닿았다. 여환은 눈앞이 아찔하였다. 그는 호흡을 크게 내쉬고 나서,

"함께 자려느냐?"

물었고, 원향이가 초롱초롱한 눈을 들어 마주 보며 고개를 끄덕였다. 여환은 자리 위에 원향이와 나란히 누웠다. 원향이가 돌아눕더

니 여환의 가슴속으로 파고들었고 그는 원향이의 고개 아래 팔을 넣어 베개를 해주었다.

"어서 자거라. 육신을 너무 괴롭히면 못쓴다."

그는 다시 원향이의 등을 토닥거렸다. 원향이는 몇번 흠칠거리기도 하고 벌떡 일어나 방 안을 둘러보기도 하더니 이내 여환의 품에서 안심한 듯 잠이 들었다. 여환은 잠이 오질 않았다. 풍열은 자기에게 새로이 중생을 깨닫게 하려고 원향이의 간병을 당부한 듯하였다. 그까짓 포한 들린 작은 계집아이의 가슴도 진정시키지 못한다면 어찌 번뇌를 안고서 중생을 돌본다고 하겠는가. 원향이 지각없는 중에도 그 나름의 꿈길은 있었던지 뭐라고 중얼거리며 잠꼬대를 하였다. 여환은 원향이의 등을 가볍게 두드리며 중얼거렸다.

"바르지 못한 모든 번뇌여 사라져라. 마음이여 이제는 가슴에 돌아오너라."

여환은 원향이를 꼭 껴안은 채로 어느결에 잠이 들어버렸다.

계화와 김승운은 서로 수군대고 의견을 주고받으며 밤늦게까지 잠들지 못하였다. 그들로서는 여태껏 원향이의 보호자였고 또한 월정사의 식객인지라 아주 난처한 입장이었던 것이다. 계화는 누가 들을세라 목소리를 낮추었지만 자못 분개한 어조였다.

"세상에…… 나는 도무지 모르겠수. 아니, 아무리 오누이 같은 사이라 하여도 남녀유별하고 승속이 다른데…… 글쎄 다 큰 것을 발가벗겨 목욕을 시켜?"

김승운은 제딴에도 쑥스러운지 입맛을 다시며 돌아앉았다.

"원 여편네두, 그럼 임자는 왜 그런 꼴을 훔쳐보구두 말리지를 못했나. 물은 누가 데워주었길래."

"나야 뭐 머리나 감기려는 줄 알았지 설마 정말 목욕을 시킬 줄이야 알았겠수."

"허허, 해괴하군. 그건 그렇다 치고 중놈이 다른 데두 아닌 절간에서 계집을 끼고 자빠져?"

김승운의 무책임한 말에 계화는 발끈하였다.

"아무렇게나 내지르면 말이여? 계집은 누가 계집이야. 그애는 우리 딸이나 마찬가지요. 만신 몸주를 받은 애기무당이라구. 가만……내 이럴 때가 아니지. 옥여스님께 가서 고해야지."

김승운이 계화의 치맛자락을 잡았다.

"허 이 여편네야, 뭐라구 고자질한단 말여. 그래 실성한 것을 제대로 간수 못 해 여기 중과 자구 있다구 그런단 말인가. 이따 새벽에 예불시간이 되면 그자도 일어날 테지. 그때 가서 소리 없이 데려오면 시끄럽지두 않구 그 사람두 덜 챙피할 테지."

계화는 못 이겨 주저앉기는 하였으나 이내 달싹거리는 것이었다.

"참 내가 아무리 불도에 못 미치는 무당이라지만 우리가 기도 한번 하려면 몸과 마음을 청정히 가지려고 엄동에도 얼음을 깨고 목욕재계하는데, 수행하는 중놈이 감히 저희 도량에서…… 에이그, 원향이, 가엾은 것."

계화는 김승운이 잡기도 전에 재빨리 일어나서 법당 뒤쪽에 있는 옥여의 방으로 쫓아갔다. 방에는 벌써 불이 꺼져 있었고, 옥여의 코 고는 소리가 드높게 들려왔다. 계화는 망설이다 부르지는 못하고서 부러 밭은기침을 터뜨렸다. 역시 곤하게 잠든 것 같아도 옥여는 월정사의 사천왕짜리라 금방 코 고는 소리를 멈추고 숨을 가다듬더니 나직하게 물었다.

"밖에 누구요?"

"예, 저 사선골 보살올시다."

"헌데……"

"스님, 급히 드릴 말씀이 있어서."

"말하시오."

계화는 잠깐 주저하였다. 옥여가 물었다.

"원향이가 어찌되었소?"

"예, 큰탈이 났습니다."

방문이 벌컥 열렸다.

"뭐요, 어디서 떨어졌나. 나가버린 건 아니겠지요."

"그게 아니라, 양주서 왔다는 그 중이 말이지요……"

옥여는 안도하며 말하였다.

"여환이가……"

"예, 여환이란 스님이 우리 원향이를…… 아이구, 하두 망측해서……"

옥여는 이내 어이없는 웃음을 지었다.

"그래, 여환의 일로 이 밤중에 깨우러 오셨소?"

"초저녁에는 물을 데워달래서 발가벗기고 목욕을 시키더니…… 시방은 데리구 한방에서 자구 있지 뭡니까."

"거 참 잘되었군."

"잘되다뇨?"

"여환이가 중질 그만 하고 아낙을 얻게 되었으니 잘된 일이지 않구."

"스님, 아무러면 절에서…… 그렇게 해두 되는 겁니까."

옥여가 이번에는 너털웃음을 터뜨렸다.

"여환수좌는 보통 승려가 아니오. 그것이 다 원향이의 넋을 들이기 위한 공력을 올리는 짓이니 고마워하우. 여환이 그렇게 애를 쓰는데 나는 편안히 잠만 잤군."

"공력이라뇨."

"나중에 굿 벌일 준비나 해두시오. 원향이는 며칠 안으로 정신이들 게요."

하더니 옥여는 방문을 닫았고 이내 코 고는 소리가 드높아졌다. 계화는 알 것도 같고 모를 것도 같은 알쏭달쏭한 기분으로 풀이 죽어되돌아갔다.

여환과 원향이 한 이부자리에서 같이 자고 일어난 다음날, 월정사의 보살들과 백련이 계화 등등의 여인들 사이에는 쑥덕공론이 한참오고 갔다. 여환은 대웅전서 드리는 예불 대신에 절 뒤쪽의 암벽이막힌 기도처로 원향이를 데리고 가서 소리 없이 기도만을 드렸다. 계화와 백련이는 안무당이 기거하는 명부전 옆의 보살 방에 찾아가미주알고주알을 다 까발렸던 것이다.

"글쎄 우리 원향이야 실성하여 자기가 아니지요마는, 그 여환이란 중은 생김도 멀쩡하고 수행도 깊다는 이가 세간도 아닌 대도량에서 뻔뻔하게 그럴 수가 있습니까?"

계화는 분하다는 듯이 혀를 차며 말하였다.

"흥, 옥여스님까지도 제 도반 수좌라고 편을 들지 뭡니까. 여환이원향이의 넋들임을 하노라구 애를 쓴답니다."

백련이도 거들었다.

"어머니, 아까 살그머니 뒷전 기도처에 가보니까 여환스님과 원향이가 얌전하게 나란히 앉아 두 손은 합장하고 눈을 감고 있습디다. 꼼짝도 않는 것이 스님이야 그렇다 치고 원향이 모습이 신통하던걸요."

안무당은 두통 때문에 머리에 무명끈을 동이고 누워서 그들의 애기를 듣더니 한숨을 쉬었다.

"너희들 모르는 소리 하는구나. 원래가 넋이란 것은 육신에 따르는 것이니라. 원향이는 아예 제 육신을 비우고 넋이 나가버린 것이 아니라, 넋이 상하여 변하였지. 상심이 지나치면 실성하는 것이 바로 그 이치다. 육신의 정과 마음의 정이 다른 것이 아니다. 여환스님은 먼저 그 몸을 달래고 상한 넋을 생생하게 하여 몸에 담으려는 것이다. 나도 미친 사람과 더불어 굿을 할 적에는 죄책으로 인하여 미친 사람은 풀리도록 때려주고, 정으로 하여 미친 사람은 함께 곡하여 달래주고, 육신으로 하여 미친 사람은 안고 쓸어준단다. 우리 원향이는 참으로 큰 무당이 될 터이니 여환스님의 정성이 어찌 고맙지 않겠느냐."

안무당의 말에 계화와 백련이는 더이상 씩둑거리지 못하고 곰곰 생각에 잠기는 것이었다.

여환은 바깥채 객방에 원향이와 함께 기거하였다. 원향이의 거동은 몰라보리만큼 차분해졌고 말 없고 다소곳한 태로 보아서는 전혀 미친 사람의 형용이 아니었다. 다만 이전에 알던 주위 사람들을 알아보지 못하는 것과 자기 생각에 잡혀 남의 말귀를 알아듣지 못하는 것으로, 아직 제정신이 돌아오지 않은 것을 짐작할 따름이었다. 원향이가 가끔 마당에서 계화나 백련이를 만나면 방긋이 웃기도 하였으니, 계화는 너무도 기뻐서 여환에게 가졌던 쑥스러운 생각도 어느덧 사라져버렸다. 여환은 밤에는 어린아이처럼 원향을 품고 자고, 낮에는 뒷전 석불 아래 찾아가 함께 기도를 드리는 것이었다. 여환이 하루는 기도를 마치고 일어서면서 보통때 늘 그러듯이 혼잣말 비슷하게 원향이를 향하여 중얼거렸다.

"네가 누구인지 오늘은 알겠느냐?"

그의 말이 끝나자마자 원향이는 방글거리면서 대꾸하는 것이었다.

"나는 만신 몸주를 받은 용녀라구요. 미륵님이 방금 말했어. 저하구 혼인하여 부부가 되어서 상구보리하고 하화중생하라던데."

여환은 얼토당토않은 말이나마 그에게는 처음으로 말문을 연 원향이가 하도 기특하여 다시 물었다.

"용녀말구 네 이름은 생각나지 않느냐?"

"왜…… 나는 원향이야. 저 산 아래 사선골 살던 원향이지."

말을 토해내자마자 원향이는 소스라치며 주위를 둘러보았다.

"엄마하구 준보가…… 불속에서 못 나왔어요. 그리구 군졸들이 나를 붙잡아서 아아, 무서워……"

"끼놈들, 썩 물러가거라!"

여환은 벼락같이 소리치며 허공에다 주먹질 발길질을 해 보이고는 원향이를 잡아일으켰다.

"자, 보아라. 내가 다 쫓아버렸다. 너는 긴 잠 자고 꿈을 꾼 거다."

원향이는 비로소 여환을 찬찬히 올려다보더니 소스라쳐서 잡힌 두 손을 뿌리쳤다. 그러고는 또 한번 주위를 둘러보았다.

"여기는 월정사란다. 여환이가 생각나느냐?"

원향이는 맑은 눈을 들어 여환을 한참이나 바라보았다.

"스님…… 정말 여환스님이어요?"

"그래, 옛말해주던 여환이다."

"왜 이제…… 오셨어요?"

"네가 아프다구 그래서 몇백 리 길을 달음질쳐서 왔단다."

원향이는 자기가 남자 바지에 중의 장삼을 입고 있는 모양을 스스로 살피는 양이었다. 나중에 원향이는 희미한 기억 속에서 사선골을 지옥으로 떠올렸고 자기가 미륵을 만나 몸을 씻기우던 일도 생각해냈다. 그녀는 날마다 미륵님의 품에 안겨서 잤다는 것이다. 원향이가 제정신을 되돌이킨 일은 경내에 다 알려지게 되었고 풍열스님도 기뻐하였다. 그러나 아직 온전한 것은 아니라서 가끔씩 원향이는 혼미한 세계로 돌아가려는 듯이 보였다. 여환이 안을 내어 원향이를 위한 큰 굿을 사당말에서 벌이기로 의논이 되었다. 옥여가 제반 굿에 드는 미곡을 대기로 하였고 사당말에서는 출행 나갈 액막이 겸하여 원향의 굿을 당굿으로 늘리기로 하였던 것이다. 굿하는 날에는 제반 절차에서 스님들은 제외되었으나 마지막에 여환이 독경해주기로 하였고 옥여와 풍열스님도 마을로 내려갔다. 사당말 빈터에는 굿마당이 마련되고 잽이들 중앙에는 안무당이 불편한 몸을 이끌고 나와 앉았으며, 계화와 백련이 그리고 김승운과 모가비 임가 등이 각종 사물악기 등속을 잡고 앉았다. 그들의 뒤편에 월정사 승려들이 끼여 있었다. 원향이는 전립에 전복 차림으로 쾌자자락을 날리며 춤추고 돌아가는데, 눈자위는 붉어지고 뺨에는 홍조가 가득 번졌으며 작게 오므린 입술에서는 사설과 타령이 연이어 흘러나왔다. 이마와 뺨에서 목으로 타고 흘러내린 구슬땀이 저고리 앞섶을 적셨고, 등뒤도 흠뻑 젖었건만 도무지 지친 기색이 보이질 않았다.

"어라, 이 혼백이 누구의 혼백이냐. 산에 올라 호환 맞던 혼백, 들에 내려서 객사한 혼백, 흉년에 굶어죽던 혼백, 만경창파에 고기밥 되던 혼백, 염병 앓다 땀 흘려 가던 혼백, 낳고 가고 배고 가던 하탈 혼백, 채어 죽던 혼백, 찔려 죽던 혼백, 맞아 죽던 혼백, 빌다 죽던 혼백, 미쳐 죽던 혼백, 불속에 타서 죽던 혼백, 총 맞아 죽고 화살 맞아 죽던 혼백, 칼에 죽고, 창에 죽고, 밟혀 죽고, 눌려 죽고, 엎어져 죽고, 자빠져 죽고, 기막혀 죽고, 숨막혀 죽고, 창 터져 죽고, 등 터져 죽고,

팔 부러져 죽고, 다리 부러져 죽고, 피 토하여 죽고, 웃고 죽고, 울다 죽고, 뛰다 죽고, 외치다 죽고, 달아나다 죽고, 앉아 죽고, 서서 죽고, 가다 죽고, 오다 죽고, 이 갈며 죽고, 한숨 쉬다 죽고, 남 혼백에 여 혼백, 아이 혼백, 늙은 혼백, 그저 많이 먹구서 좋은 데로 천도를 허소사. 이도 풀고 저도 풀고 사인 생인 가릴 없이 작별하게 협소사."

원향이가 사설을 읊조리며 돌 때 마당에 둘러앉은 사람들은 사선 골과 탑고개에서의 아비규환이 새삼 생각나서 어느결에 눈시울이 뜨거워졌고 안무당과 계화는 옷고름으로 눈물을 찍어냈다. 굿이 밤 늦게까지 계속되건만 계화가 간간이 뛰어들었을 뿐 원향이는 시종 대굿 열두 마당을 지치지도 않고 뛰었다. 안무당은 몇번 사설을 가르쳐주고 순서를 정하여주었는데도 원향이가 신묘한 총기로 그 수 많은 말과 동작을 뱉어내고 지어내는 것을 보고 몸주가 완전히 원향이의 작은 몸 안에 하강하였음을 느꼈다. 원향이는 과연 큰무당이 될 터였다. 백련이나 계화라면 아직도 먼 일이었다. 원향이의 굿은 어느 경험 많은 큰무당에 비해서도 결코 선 것이 아니었다. 그야말로 푹 익어 있었던 것이다.

"내 대감님네 거동 봐라. 한 나래를 툭탁 치면 일이나 만석이 쏟아지구, 또 한 나래를 툭탁 치면 억조나 만석이 쏟아진다. 밑에 노적은 싹이 나구, 위에 노적은 꽃이 피구, 부엉덕새 새끼를 친다. 금구렁이는 구불치구 업족제비는 꼬리를 물구, 도와를 주던 내 대감님네, 산으로 놀던 내 대감, 강으로 놀던 내 대감, 바다로 뜨던 내 대감, 청사초롱에 불 밝히구 계수나무 능장 짚구 이리 깜빡 저리 깜빡 동네 지키던 개비 대감, 얼씨구 좋다, 절씨구나. 나갈 적에는 빈 바리요 들어올 적에는 찬 바리구나, 얼씨구 좋다 절씨구나, 나무아미타불, 구월산 내린 줄기 아사봉 데리고 절을 짓구, 삼불제석님 모셔다가 낮이나 되면은 염불동참, 밤이나 되면은 수두설법이요, 아미타루 밭을 갈구 염주 닷 말루 씨를 던져 절 아래 보살님네 염주밭이나 매러 가세. 염주밭을 다 매고서 구월산 좋단 말 듣구 만인 중생이 구경을 가오, 산마다 인물이요 골마다 가인이로다. 어어 허, 우리 중생 바라 시주 내려와서 도와주고 섬겨주고 어어허, 모두 이렇게 타령을 허구 좋아서 논 게 아니로다, 화가 나서 놀았지, 얼씨구나.”

원향이는 온몸이 젖을 정도로 뛰고 춤추며 소리하였고, 안무당과 계화는 혀를 차며 감탄하였다. 원향이는 이제 완전히 제 본성을 찾았을 뿐더러 전보다 더욱 깊은 영험을 지닌 어엿한 만신이 되었던 것이다. 열 마당이 지나고부터 뒤의 동제까지는 계화가 이어받아 놀았는데, 역시 원향이만 한 힘과 신명을 보여주지 못하였다. 풍열스님은 시종 말없이 그들의 하는 양을 지켜보다가 초저녁에 암자로 올라갔고, 옥여는 모가비 임가, 김승운 등과 더불어 곡차를 흠뻑 마셔서 나중에는 거사들이 절까지 떠메고 갔을 정도였다. 굿이 거의 끝나고 나서 멋대로 무감에 나설 즈음하여 원향이가 탁배기를 표주박 그득히 따라 잽이들 틈에 끼여앉은 여환에게 올렸다.

“허, 내게 주는 잔이냐?”

여환이 머뭇거리며 말하니, 계화가 곁에서 눙치는 것이었다.

“아따, 남의 아이 데려다 품고 자며 계를 깨뜨릴 적은 언제고, 까짓 술 한잔에 남의 눈치를 보슈?”

“그러게나 말이야. 원향이 정신이 돌아왔기 망정이지 안 그랬으면 내가 사위를 삼아버릴라구 하였지.”

김승운도 껄껄대며 맞장구를 쳐주었다. 원향이는 자리 앞에 머리를 숙이고 앉아 두 손으로 표주박을 받쳐올렸던 것이다.

“제가 성귀(聖鬼)를 모시는 지성과 스님을 모시려는 마음은 같사옵니다. 어서 드십시오."

"그래······"

여환이 우물쭈물 술을 받아 마시자 김승운이 다시 한 바가지 떠서 내밀었다.

"내 것두 한잔 마셔보우."

여환이 이번에는 서슴지 않고 받아 마셨다. 안무당이 장고를 당기며 말하였다.

"자아, 우리 애기만신 배송(拜送) 한번 놀아라."

원향이는 다시 마당 가운데로 발을 차며 나아가 뛰기 시작하였다.

"가만, 가만······"

장고채를 잡았던 안무당은 뭔가 께름한 것이라도 있는 양 장단을 간간이 그치며 양미간을 찌푸리고 바르르 떨었다. 마치 으스스하여 소름이라도 느끼는 듯한 자세였다. 백련이가 얼른 눈치채고 물었다.

"왜요······ 어머니, 한번 노시게요?"

"아니야."

"성님, 공수 받는 거유?"

"아니······ 우리 영감이 보였어."

안무당은 부스스 일어나더니 무엇인가에 끌린 듯 마당으로 나갔다.

"비켜······ 비켜."

계화가 나직이 말하자 원향이는 가녘으로 물러났고 구경하던 사당말 사람들도 조용해졌다. 마당 양쪽에 피운 모닥불빛이 일렁거릴 뿐 장단은 모두 멈추어져 있었다.

안무당은 잠시 꽂힌 듯이 섰다가 어디선가 가락이 들려오는지 어깨를 움찔움찔 추스르며 팔은 늘어뜨린 채로 손가락을 움직였다. 몸은 선 채 그대로 있고 손가락들만 움직이는 희미한 동작에 지나지 않았으나 몸짓들의 움직임과 그치는 간격이 정확하여 저절로 장단이 흘러나오게 하는 것이었다. 김승운이 장고를 잡아 장단에 붙였다. 안무당의 눈은 벌써 허공을 쫓고 있었으며 발끝이 치맛자락 끝으로 살며시 오르는 중이었다.

깽쇠와 징이 어울려들었다. 안무당의 춤은 드높은 풍물소리 가운데 적막하게 시작되는 듯이 보였다. 마치 불어오기 시작한 강풍에 나뭇잎만을 떨고 섰는 묵직한 노송과도 같았다. 안무당의 춤은 매 동작마다 끊겼다. 그리고 발을 떼지 않고 정지한 사이에 조바심이 쳐질 만하면 다시 움직였다. 드디어는 뜀과 미끄러짐이 직선과 원형으로 이어지며 규칙적으로 변하여 일순 마당 가운데에서 딱 멎었다. 멎은 안무당의 얼굴로 땀이 비 오듯 흘러내리는 게 보였다. 계화가 중얼거렸다.

"기를 다 쏟으시겠네."

"말려야지."

김승운이 속삭였으나 계화는 장단을 놓치지 않으며 답하였다.

"저건 성님의…… 마감 판이우."

안무당이 움직이기 시작하는데 이번에는 사지에 더욱 힘이 생겨난 듯하였고 마치 장수가 천군을 이끌고 행진하듯 무섭고 위엄에 가득 차 있었다. 안무당의 눈은 위로 홉떠져서 흰창이 드러나 보였으며 입은 아랫입술을 깨물었다. 휘젓는 팔다리는 병장기를 쓰듯 하고 가슴은 갑옷을 입은 듯 억세게 벌어졌다. 뒷방에 엎드려 앓던 노파의 어느 곳에서 그런 힘이 솟았는지 알 수가 없었다. 안무당은 경정거리며 몸을 솟구쳐 뛰었다. 한참이나 온몸을 허공으로 찢어발길 것처럼 뛰더니 다시 몸을 풀어 낭창하게 늘어지며 동작의 선이 길쯤

해졌고 치맛자락을 끌면서 가녘을 돌아나갔다가 다시 흐느적 돌아왔다. 몸을 좌우로 흐느적거려서 앞으로 뒤로 넘어갈 듯하다가는 두 팔을 올려 안간힘 쓰듯 끌어올렸다.

"하아아, 아."

무엇인가에 눌려서 쓰러질 듯하다가 그것을 부여안고는 일어났다. 일어나서 어깨를 들썩이며 좌중의 원향이에게로 다가들었다. 계화가 원향이에게 일러주었다.

"받아, 받아."

원향이가 치마를 들치고 가랑이를 벌려 온몸으로 받는 시늉을 하는데 순간 무엇엔가 맞은 듯이 뒤로 벌렁 넘어졌다. 안무당은 그런 동작을 마치자 볕에 녹는 눈더미처럼 아래로부터 흐느적 무너져내렸고 대신 원향이가 발을 차며 마당으로 뛰쳐나갔다. 원향이의 방울 소리가 앙증맞게 울렸다. 그녀는 부채와 방울을 양손에 갈라들고 부들부들 떨었다. 안무당은 삿자리에 비스듬히 누워서 가냘픈 숨을 몰아쉬는 중이었다.

"성님, 괜찮우?"

계화가 안무당을 편하게 하려고 옷고름을 풀어주며 물으니 안무당은 처녀처럼 배시시 웃었다.

"응, 나 냉수나 한 대접 갖다주어."

계화가 다시 소곤거렸다.

"성신이 오셨습디까?"

"그럼 언제나…… 오시지."

안무당은 처음에 모닥불의 위쪽 캄캄한 하늘 가로 나직하게 드리워진 허연 장승의 모습을 보았고, 그를 마중 나갔던 느낌이 들었다. 그 뒤에는 그가 구군복에 환도를 찬 대감의 모습이 되어 불꽃과 더불어 휩싸여 보이더니 불빛 속에 녹아들어 안무당의 몸 위로 덮어 씌워졌고, 그녀는 온몸이 타는 것 같았다. 그러고는 정신이 없다가 몸에서 무엇인가 빠져나간 듯하여 쓰러졌던 것이다. 안무당은 춤추고 있는 원향이의 모습을 흐려진 눈으로 물끄러미 바라보며 중얼거렸다.

"헌 굿과 새 굿을 다 마쳤네. 내가 이제 곧 염라국으로 갈 거야."

안무당은 계화가 떠다 준 냉수를 달게 마셨다.

그날부터 안무당은 기운을 차리지 못하고 시름시름 앓았다. 정신이 맑을 적에는 백련이나 계화와 얘기도 주고받았으나 거의 온종일 혼수상태에 빠져 있었다. 이제는 정신을 차린 원향이가 부엌일이며 환자의 시중을 들어주어 계화는 놓여난 셈이었다. 원향이도 정신이 들고는 그간의 여러 얘기를 계화와 백련이에게서 들었는지 경내에서 여환과 마주치면 얼굴을 붉히며 달아나기에 바빴다. 그러나 원향이는 여환이 방을 비운 사이에 들어가 그의 봇짐을 뒤져 빨랫거리를 내오기도 하고, 그의 밥상은 제 손으로 차려다가 따로 내는 등 자신의 말대로 성귀를 모신 것과 같이 하였다. 여환 쪽에서도 원향이가 실성하였을 때에는 예전의 어린 누이를 대하는 마음 같더니, 이제 온전해지니까 갑자기 거리가 생기고 낯설어져서 원향이와 눈이라도 마주치면 사음계라도 범하는 듯 두렵게 여겼다.

통문에 지정한 날짜는 사월 열흘이니 바로 닷새 전이 되는 오 일 점심때쯤 하여 이경순과 우대용이 월정사에 당도하였다. 우대용은 전에 해주감영 옥을 탈출하여 길산과 함께 구월산에 오르기도 하였고, 몇번인가 혈당들의 모임에도 참석하여 월정사의 옥여스님이며 풍열 큰스님과도 구면인 처지였으나, 경기도 사람인 이경순으로서는 해서로의 행보 자체가 난생 처음이요, 구월산이며 월정사는 전혀 뜻밖에 오게 되었던 터이다. 우대용은 거침없이 대중방을 향하여 들어서는데 이경순은 이리저리 둘러보고 걸음을 멈추고는 하였다. 대용이 옥여스님을 찾으니 옥여가 반기며 뛰어나왔고 여환도 뒤미쳐 따라나왔다.

"어이구, 이거 해중거사(海中居士)가 심산에 오셨구려."

옥여가 예의 컬컬한 웃음을 웃으며 합장 대신 대용의 두 손을 덥석잡았고, 대용이도 빙긋이 웃었다.

"아직 열반하지 않은 걸 보니 구월산 곡차가 좋기는 좋은 모양이군."

"왜, 난 또 우두령의 배가 깨져 고래밥이 된 줄 알았지."

"허허, 저 중 큰일 날 소리를 하네. 내 먹은 고기가 바루 고래 등심이여."

이렇게 수작이 오가는데 여환과 이경순은 따로이 합장 예로 인사를 나누었다.

"먼저 왔습니다. 부인도 안녕하시고 아기도 별탈이 없는지요?"

"예, 덕분에…… 참 말만 들었지 구월산이 명산은 명산이올시다."

이경순은 그간 여러 모임에 자기 대신 전생이를 보내더니, 검계 난리 이후로는 전생이를 중길이에게 보내주고 스스로 나다니기 시작한 터였다. 파주 문산포의 주막은 이제 번창하여 집채가 네 채나 딸린 큰 여각으로 자라나 있었던 것이다.

"어서 들어들 가십시다."

옥여가 청하여 그들은 방으로 들어가 앉았고 낯을 모르는 이경순과 옥여가 인사를 나누었다.

"소승 문안이오. 본사 원주를 보고 있는 옥여라 하오."

"말이 중이지 저 생김새 좀 보슈."

곁에서 초를 치는 대용을 모른 체하며 이경순도 정중히 인사를 올렸다.

"파주 사는 이경순이라 하오."

"전에 금화에서 황거사와 전생이를 통하여 자세히 듣고 있었소이다. 그간 얼마나 고초가 많았습니까."

"뭐 별로 하는 일도 없지요. 다만 집사람이 이런 일에는 저보다 더 열심인지라……"

우대용이 곁에서 말하였다.

"참, 우리 형수씨께서는 예전에 이 근처 광대산 재인말에서 사셨답니다."

"아, 그래요…… 그렇다면 구월산 탑고개며 사선골 이들이 모두 거기 태생인데, 잘들 알겠구면."

이경순은 전후사정을 아내에게서 들어 알고 있으되 뭐라 달리 할 말이 없어 무뚜름하니 앉았고, 여환은 길산의 일을 아는지라 대용이 속없이 그런 얘기를 꺼내는구나 싶어서 얼른 말을 돌렸다.

"송도 박좌장은 어찌하고 두 분만 오셨소?"

"오다가 들러서 하루 묵었지요. 각 임방에 밀린 일이 있어서 당일에 오시겠다구 하더구면. 그리고 은율서 끌려갔던 사람들 삭녕인가 영평인가에 부락을 허가하였다는데, 대근이 성님이 차인들을 보내어 탐지하도록 하였으니 알아가지구 올 게요."

우대용이 그렇게 전하자 옥여는 허공을 보며 탄식하였다.

"우리는…… 관군의 구월산 토포를 잊지 말아야 합니다."

"저희 쪽에서는 한참 뒤에야 풍문에 접하였고 송도 박대인에게서 자세히 듣고는 통분하여 잠을 못 이루었지요."

이경순이 말하자 대용은 곧 고개를 떨구었다.

"감동이와 만석이가 죽은 소식도 들었소. 나허구는 조읍포에서 헤어진 게 마지막이 되었지요. 나는 하도 분하여 해주 용냉잇개로 배를 부려 감영까지 덮칠까 했었소. 토포장인가 했다는 최모라는 무장은 우리 형제들이 꼭 찾아서 없애버려야 하지요."

"최형기…… 한양서 종사관 해먹은 자요."

이경순이 말하였다. 그는 살주계와 검계가 깨어지던 전말을 소상히 알고 있던 터였다.

"우리 계에서 그자를 없애려고 종루 배오개 근처에 목을 잡고 숨어서 방포까지 하였으나 운 좋게 살아났지. 빈틈이 없는 자요. 살주계를 모조리 적발하여 검계마저 위험에 빠뜨렸었지. 그자가 서강 모서방의 계책에 말려들지 않았던들 검계는 완전히 포착되었을 게요."

옥여가 물었다.

"최모가 신감사를 따라와 만호자리에 있다는데, 이번 토포 뒤에도 감영에 머물러 있답니까?"

"아니오, 해주 송방서 탐문한 바로는 스스로 자리를 물리고 한양으로 올라갔다구 그럽디다."

대용의 말에 옥여는 혀를 찼다.

"야차 같은 중생! 무고한 양민의 원혼이 그냥 두지 않을 터……"

하고 나서 옥여가 방문을 열고 사람을 찾더니 손님들에게 점심을 드리라 일렀다.

"자, 공양 들구 나서 큰스님께 뵙고, 오진암에 올라갑시다."

그들은 먼저 달마암에 올라 풍열스님께 인사를 올리고 세상 돌아가는 얘기를 나누다가 오진암으로 올라갔다. 오진암은 후미진 곳이고 경내도 깨끗하고 정밀하여 이러한 모임에는 적합한 곳이었다. 암자에 오를 때 이경순이 뒤처진 여환에게 나란히 다가서더니 지나가는 말처럼 물었다.

"장두령도 오기로 하였소?"

"예, 올 겁니다. 처음 상면이지요?"

"그렇소."

이경순은 더이상 말이 없었고, 여환도 내색하지 않았다.

이튿날에는 장길산과 김기와 강선흥이 월정사에 당도하였다. 원래 통문에는 길산과 김기만이 지목돼 있었으나, 선흥이는 중이 되어버린 갑송이 온다는 말을 듣고는 자기도 따라가겠다며 앞장을 섰던 것이다.

길산이도 갑송이를 못 만난 지가 어언 일곱 해나 되었으니 이제 그가 대성법주라는 중이 되어 있는 꼴은 상상할 수도 없었다. 재인 말에서 광대로서 기쁨과 설움을 함께하며 자라났고, 땅재주며 춤이며 싸움질을 할 때에도 언제나 붙어다녔고, 해주서 명화율로 함께 쫓기던 때의 갖가지 생각들이 시냇물에 산천이 비춰 흐르듯 지나갔다. 그가 금강산으로 운부 큰스님을 찾아갈 제 동구 밖에서 그의 아내 도화와 간통하던 자를 붙잡아 혼내주던 것이며 스스로 탄식하였던 일 등등이 떠올랐다. 길산이 금강산에서 두 해, 낭림산맥에서 한 해의 수도를 마치고 구월산에 돌아왔을 때에는 갑송이는 이미 파가(破家)하고 산문을 찾아들어간 뒤였다. 다만 지나치는 풍문으로 그가 운부의 호종승이 되어 있으며 해마다 금화 수태사에서 승병을 조련시키며 여름을 보낸다는 것을 알았을 뿐이었다.

김기 또한 갑송에게는 깊은 애정과 감회가 없지 않았으니, 일찍이 그가 한양에 환로를 열기 위하여 갔다가 사기만 당하고 가산 탕진하여 돌아올 적부터 삶이 바뀌는 계기를 갑송이가 마련해주었던 터이다. 그는 갑송이의 우직한 말 몇마디로 문득 썩은 선비에서 백성들의 편에 서는 식자(識者)로 되었던 것이다. 김기가 주막에서 갑송이를 만나지 않고 목을 매어 죽었더라면 그는 헛된 공부로 더러운 세상의 파락호가 되어 묻혔을 것이다. 다시 김기가 유생 가문의 체모 때문에 식솔들과 숨어 있을 때 갑송이는 찾아와서 그를 질타하였다. 이제 김기는 녹림당의 모사가 되어 있음을 후회하거나 부끄러워하기는커녕, 떳떳하게 죽어간 노모와 아내처럼 어느 편에 서 있어야 하는가를 잘 알고 있었다.

그들은 활빈행을 계속해나가기로 하여 우선 자비령보다 더욱 안전하고 깊숙한 은신처를 몇군데 더 이룰 작정이었다. 만동이네 잠채업은 더욱 활발해져서 그들의 경비는 매우 요족하였다. 그들은 서흥 관아에 출몰한 뒤로 구월산의 토포가 있고 나서 좀체로 활동을 하지 않고 지냈다. 이제는 전국의 연계를 가지고 그 세에 호흡을 맞출 셈이었다.

길산은 월정사에 당도하자마자 안무당의 병환에 대해 듣고는 명부전 옆 보살들 방으로 뛰어갔다.

"어머니…… 저 왔습니다."

길산이 방문을 벌컥 열고 외치니, 계화와 백련이가 입에다 손가락을 대며 쉬이하였다.

"방금 정신이 혼미해지시더니 잠이 드셨나 보우."

길산은 안무당의 머리맡에 쭈그리고 앉았다. 피와 살을 준 친어머니는 아니지만 그를 태아로 받아낸 장충과 더불어 길러주신 분이었다. 그저 만신 섬기는 일 외에는 아무것도 모르리라 여겼던 분인데 구월산이 토포되고 지아비의 시신을 찾으러 가서 토포장과 대면했던 것이며, 그 의연함과 용기는 길산을 감동케 한 바 있었다. 더구나 그에게 대장부의 길까지 누누이 일러주지 않았던가. 길산은 저도 모르게 눈시울이 뜨거워지며 뼈만 남은 듯한 안무당의 잔약한 손을 잡아 그러쥐었다.

"어머니……"

"에이그, 어머니 고집두…… 까막내두 마다하시구, 또 장두령님께두 안 가시겠다더니, 여하튼 잘 오셨어요."

백련이가 혀를 차며 중얼거렸다.

"수복이 보구 싶다구, 정신만 드시면 염불하듯 외십디다."

안무당은 요 며칠 사이에 기력이 쇠잔하여졌는지 볼도 움푹 패고 눈꺼풀도 얇아 보였다. 길산이 고개를 숙이고 있으려니 계화가 말하였다.

"내가 노인네들 임종을 평생 보아와서 아오만, 성님 얼마 안 남으셨수. 그리구 당신두 아시구 막음굿 겸하여 노셨다우."

길산은 하릴없이 고개를 숙이고 안무당의 손을 잡고서 꿇어앉아 있었다. 손가락이 옴칠옴칠하더니 움직이기 시작하고 머리가 옆으로 움직였다. 길산이 반가워서 손을 꼭 움켜쥐며 부르짖었다.

"어머니, 저, 길산이 왔습니다."

안무당이 눈을 떴는데 이미 지난번 왔을 적의 총기는 걷혀 있는 것 같았다.

"응, 길산이로구나."

안무당은 배시시 웃으며 그를 올려다보았다.

"자비령에 가시자니까 이렇게…… 적막하게…… 용서하십시오."

"원 별소릴 다 한다. 너 자꾸 왕래하다 관에 포착되지 않겠느냐. 그저…… 자중해야 하느니라."

"제 염려는 마십시오."

"수복이 잘 있지야?"

"예, 할머니가 보구 싶다구 늘 그런답니다. 사람을 보내어 수복 에미랑 오라구 하겠습니다."

안무당은 눈을 살핏 감았다 뜨며 보일 듯 말 듯 고개를 저었다.

"아니다, 난 안 봐두 다 볼 수가 있어. 너희 아부지두 매일 만난다. 내가 아무래두 염라국으로 가려나 보다. 사자님이 지척에서 기다리시는 걸 잘 알지."

"어머님, 더 오래…… 사셔야지요."

"오래?"

안무당은 다시 배시시 웃었다.

"나는 이승 저승 간을 오가며 살아왔어. 오래 살아본들 무엇 하며 이제 간들 또한 무슨 미련이 있겠느냐. 나는 탑고개 살 적이 가장 좋았어. 느이 아부지 철마다 출행 나가지 않는 게 어찌 그리도 좋든지."

안무당은 말을 하기가 힘겨운지 다시 눈을 감으며 소곤거렸다.

"우리 길산이…… 가엾은 것."

안무당은 눈을 감더니 다시 호흡이 느려지며 잠시 후에는 혼미한 가운데 빠지는 모양이었다. 길산의 뺨 위로 눈물이 주르르 흘러내렸다.

"성님이 이래 보여두 달포는 버틸 터이니 맘 느긋하게 먹구 계슈."

"큰스님께서 진맥이라두 잡아보셨습니까?"

"응, 스님은 웃으시데. 아주 편안히 가시겠다구 그럽디다."

밖에서 선홍이가 조심스럽게 들여다보더니,

"성님, 풍열스님께서 올라오라십니다."

하여 길산은 겨우 일어났다. 달마암에 김기, 옥여와 더불어 오르니 풍열은 안무당의 심장이 얼마 가지 않을 것이라고 하면서 아예 여기서 장사를 치르고 갈 생각을 해두라는 것이었다. 오진암에 여환과 이경순과 우대용이 올라가 있다고 하여 길산과 김기, 선흥이는 함께 올랐다가 길산이만 내려와 지내기로 하였다. 길산은 여러가지로 마음이 착잡하였다. 이번 겨울부터 봄까지 그는 정겨운 사람들을 하나 둘씩 떠나보냈던 것이다. 옥여의 안내로 그들은 산길을 올라 물이 오르기 시작한 나무들이 빽빽이 우거진 암자의 어귀 오솔길에 이르렀는데, 경내 마당에서 서성이던 우대용이 마주 달려나왔다.

"얼마나 염려들을 했다구…… 이렇게 무사해서 다행이다."

"평안도 있다는 얘긴 들었지."

길산은 형제 의를 맺을 적에 대용이 아우뻘로 정해지기는 하였으나 언제나 그렇듯이 동무처럼 대하였다. 일찍이 그와는 해주감영에서 죽을 고비를 넘기고 함께 탈옥했을 뿐 아니라, 물과 뭍에서의 각기 다른 근거가 있던 까닭이었다.

"응, 강화에두 나가 있고 왔다갔다하지. 선비 성님…… 소식은 들었수."

대용이 김기에게 인사를 하며 말하였고 김기는 받았다.

"그렇게 되었네. 무엇보다두 마두령과 오두령이…… 아깝게 되었지."

"글쎄 말입니다. 나는 해주에 나가 있던 아이들에게서 소문으로 들었습니다. 처음부터 자비령은 괜찮을 줄 알았고."

하고 나서 대용은 선흥이의 등을 두드렸다.

"너 아들 봤다며? 늦장가에 재미가 솔솔 나겠구나."

"성님두 헛상투 풀고 이제는 장가를 드시우."

"그래, 감동이나 만석이나 서른 살이 다 되도록 장가도 못 가고 죽었구나."

길산이 중얼거리자, 대용이 빙긋 웃으며 한마디 하였다.

"장가는 뭐…… 갯것들은 그런 일에 별무관심이라."

그들은 암자에 들어 주승과 인사를 하고 둘러앉는데 우대용이 두리번거리며 물었다.

"헌데…… 우리 문산포 성님은 어딜 가셨을까."

암자의 주지가 껄껄 웃으며 말하였다.

"예, 산사에는 처음 오신다며 저 뒷봉우루 오르셨습니다. 거기서는 은율 안악 일대가 한눈에 내려다보이지요."

김기가 물었다.

"문산포 사람이 누군가?"

"아, 이경순이라고……"

대용이 덧붙이자 김기는 고개를 끄덕였다.

"큰스님께서 얘기하던 사람이군. 그 살주계 검계 일을 뒷바라지했다면서."

"우리 성미에 맞습니다. 그 사람 덕분으로 우리는 화포와 총포를 구비했수. 지난번에 흥복이한테 보낸 물건 받았어?"

길산이 고개를 끄덕였다.

"그래, 총 열 자루인데 왜총만큼 좋다구 하더라. 나는 어쩐지 맘에 안 들더군."

"뭐 어디 고장난 데라두 있데?"

"아니, 그런 게 아니라 칼 쥐고 뛰는 건 내키는데 바짝 엎드려서 부시 치고 노리는 것이……"

김기가 말하였다.

"그래서 구월산 식구들이 함몰된 거요. 관군은 으레껏 범사냥에도 멀리서 몰아가지고 방포하여 잡구 있소. 식구들 모두가 방포술도 조련해두어야 하오. 장두령도 배우시우."

우대용도 끄덕였다.

"요즈음은 수군뿐 아니라 감영에 가도 포수가 백여 명씩 있단 말이야."

그들이 한참 지난 얘기들을 나누는데 밖에서 기침소리가 들리며 갓 쓴 이경순이 문을 열고 고개를 들이밀었다. 그는 좌중을 한눈에 둘러 보았다.

"어서 들어오슈."

이경순은 우대용, 옥여 외에는 모두 초면의 사람들이었고, 그의 눈은 자연히 길산에게로 가서 멎었다. 김기는 갓 쓰고 도포 입은 차림이었고, 나머지 선흥이와 길산이었는데, 아무래도 선흥이에게서는 그가 막연하게 길산의 모습이 이러저러할 것이라고 여겨왔던 면모가 보이지 않은 때문이었다. 선흥이의 우람한 어깨와 억센 뼈대 그리고 너부죽한 턱이며 순진스런 눈동자에는 어떤 기민함이나 유연성이 엿보이지 않았다.

"뭘 그렇게 두리번거리구 있수."

우대용이 핀잔을 주었다.

"아니…… 사람들이 많기에."

이경순은 본심을 들킨 기분이 되어 우물쭈물 얼버무리고는 방 안으로 들어왔다. 대용은 속도 없이 다시 덧붙였다.

"주막 주인 초파일에 절 탓이라더니, 꼭 그 격이구려. 어서들 인사나 허시우."

김기가 먼저 상체를 굽신해 보였고 이경순도 마주 인사를 하였다.

"봉산 김기라는 사람이오."

"여주 이경순올시다."

"존함은 우두령에게서 진작부터 듣고 있었소이다."

김기가 다시 말하였고, 이경순은 대용이 쪽을 돌아보며 답하였다.

"벌써 만났어야 할 텐데 이거 인사가 늦었습니다."

하고 나서 이경순은 길산에게로 몸을 돌렸다. 길산이 먼저 양손으로
방바닥을 짚으며 고개를 숙였다.

"문화 장길산입니다."

이경순은 함께 머리를 숙였다.

"이경순이오."

그는 고개를 들며 다시 길산을 바라보았다. 기다랗고 가는 눈이
날카로웠고 광대뼈가 솟았으며 콧날은 오뚝하였고 꾹 다문 입술에
는 어딘가 위의가 있어 보였다.

그가 표정 없이 경순을 조용하게 마주 볼 적에 눈매는 부드러워져
서 눈 아래에 그늘 짙은 주름이 생겨나 있었다.

경순은 묘옥의 오른쪽 젖가슴에 연비로 찍힌 길(吉)자를 볼 적마
다 그를 수십 가지의 모습으로 떠올려보곤 하였고, 묘옥은 내색하
지 않았으나 다만 아들을 낳았을 때 지나는 말 비슷이 표를 냈던 적
이 있었다. 제 가슴의 연비는 한때 천첩의 정한이 깊어 병들었을 때
생겨난 것입니다. 하지만 이제 도장님의 아이를 낳게 되었으니 그때
의 정한이 없었다면 제가 어찌 창기를 벗어날 수 있었겠어요. 경순
이 문산포에서 떠날 때 묘옥은 그가 해서로 간다는 것을 알았고 구
월산에 오른다는 것을 알고 있었다. 경순이 저도 모르는 사이에, 당
신도 구월산에 가보고 싶지 않소, 하였더니 묘옥은 다만 아이를 추
슬러 경순의 턱 아래로 치켜주면서 대꾸하였다. 저 보구 싶으면 문

산포루 빨리 오셔요. 그때 묘옥의 눈은 흐려져서 눈물이 밖으로 넘칠 것 같았다. 그러나 묘옥이 길산을 잊었을 리가 만무하였다. 대용이 강화로 내려가던 길에 파주에 들러 하루이틀 묵어가고는 하였으니, 구월산이 함몰되던 소식을 상세히 알려준 것도 그였다. 우대용과 중길이와 전생이 그리고 이경순 등이 둘러앉아 서로 탄식하고 주먹을 부르쥐며 얘기를 주고받는데 갑자기 방 밖에서 요란하게 그릇 깨어지는 소리가 들렸다. 방문을 열고 내다보니 마침 술상을 차려들고 섬돌에 오르던 묘옥이 상을 떨어뜨리며 넘어지던 참이었다. 경순이 달려나가 부축하여 일으키니 묘옥은 안색이 파랗게 질려 있었다. 이경순은 묘옥을 사랑하는 그만큼 그러한 미세한 일에 언제나 부대꼈다. 이경순의 괴로움은 간혹 다른 모습으로 나타나기도 하였으니, 만취하여 들어와 어둠속에서 묘옥의 가슴을 슬그머니 어루만져보고는 하였다. 손끝에 연비된 묵흔(墨痕)이 만져질 리 없건마는 창호의 뒷면에 번진 듯한 글자의 모양이 전신으로 아프게 전해오는 것 같았다. 묘옥은 그런 때 분명히 깨어나 있었고 호흡이 가녀리게 바뀌거나 규칙적인 숨소리가 멎고는 하던 것이다. 어둠속에서 묘옥은 손을 뻗쳐 이경순의 손을 잡아 가만히 쥐기도 하였다. 묘옥은 일 년 중에 두 번을 꼭 잊지 않고 해내는 제사가 있었다. 여주 양화나루에서 군졸의 칼에 맞아 죽은 이경순의 아내 제사와 해주 주내방 사거리서 참수되어 바다에 버려진 것으로 알고 있던 화적 장길산의 제사였던 것이다. 그러나 그가 죽지 않았음을 알게 된 것은 얼마 지나지 않아서였으니, 구월산 자비령 녹림당들의 활빈행이 해서 각처를 휩쓸 적에 이미 장길산의 이름은 어린아이들까지도 외우고 흉내내어 놀음하게 된 터였다. 이경순이나 묘옥은 한 번도 길산에 관하여 드러내놓고 말을 꺼내지 않았다. 묘옥은 길산이 살아 있을 뿐만 아니라 장터에 와자하게 그의 활동이 알려진 다음에도 그 두 번의 제사를 잊지 않고 해내는 눈치였다. 경순이 묘옥의 괴이한 짓을 보고 이해하지 못하여, 지난번에 먹은 음식은 날짜로 알겠거니와 오늘 이것은 웬 음식인고, 당신 생일이 언제던가, 하였더니 묘옥은 말끝을 흐리지 않고 고개를 들어 분명하게 말하였다. 도장님과 저를 위해서지요. 연전에 은혜를 입었으나 그이가 이제는 영영 죽어 이를 잊지 않으려고 제사를 지내구 있습니다.

"장연 강선홍이우."

우람한 체구에 걸맞은 목소리로 선홍이가 인사하였고 이경순은 다시 황급하게 마주 인사를 하였다. 길산은 경순을 무심한 듯이 보고 있었으나 워낙 눈썰미가 빠른지라 상대가 자기를 건너다보는 시선이며 표정이 예사롭지 않다는 것을 첫눈에 느끼고 있었다. 어디서 보았던가. 그는 마치 경순에게 뭔가 받을 것이 있고, 장바닥에서 마주친 빚쟁이가 이쪽의 행동거지에 조심스러워하는 것과 같은 기색이던 것이다. 사람을 죽이고 관을 피하여 세상을 등지고 사는 자라더니 상대를 살피는 게 버릇이 된 모양이군, 길산은 그렇게만 여겼다.

"여기들 계시구먼."

하는 소리가 들리며 여환이 방문을 열고 들어섰다.

"이제 석종이 하나 더 늘었으니 나는 슬슬 계를 작파하고 곡차를 들어도 되겠구먼."

옥여가 술 생각이 났는지 아니면 이런 자리에서 맨숭맨숭하니 그들을 앉혀놓기가 미안하였는지 그렇게 농을 던졌다. 김기와 길산과 선홍이는 무뚝뚝하게 그 낯선 중을 돌아보았고 우대용이 길산을 바라보며 말하였다.

"허, 잊었군. 왜 감영서 학선이 도움으로 빠져나올 때 공수원에서 만났잖아. 생각이 안 나?"

"글쎄…… 공수원이라."

"소승 문안이오. 여환이라 합니다."

길산과 김기와 선흥이도 차례로 인사를 나누었고, 여환은 조용히 말하였다.

"인연이 전생에 엮은 줄이어서 사람의 마음대로 되는 게 아니지요. 이렇듯 장두령과 몇해 만에 이런 자리에서 다시 만나니 더욱 인연의 오묘함을 깨닫게 됩니다. 공수원에서 구월산 오는 안전한 길을 가르쳐드렸던 중이오. 그때 우두령과, 송도 산다는 이가 같이 있었지요."

여환이 새삼스럽지만 길산의 묵은 기억을 깨우쳐주느라고 말하니, 그제야 길산은 생각이 나는 모양이었다.

"아…… 내가 어째서 그걸 잊었던고. 해주 어느 암자에 계시다구 하셨지요."

길산은 저도 모르게 묘옥의 해사한 얼굴이 떠올라와서 뭐라고 얘기를 꺼내려다가 입을 다물었다. 너무나 오래되어 이미 퇴색해버린 얘기가 아니던가. 자신의 아낙을 자처하며 대시수의 참수형이 끝난 관문 밖을 헤매던 창기 묘옥, 그러고는 어두운 바다를 향하여 죽은 영혼을 달래는 기도를 드렸고, 여환은 그런 얘기를 공수원에서 전해주지 않았던가. 길산은 쓸쓸하게 중얼거리며 여환의 시선을 피하였다.

"참, 오래된 일이오. 세월은 유수가 아니라 저녁 구름처럼 덧없지요."

여환은 이경순이 고개를 떨구고 버선코에 시선을 박고 있음을 흘낏 돌아보았다.

"강산이 삼천리라 하나, 길은 하나요, 물은 모이게 마련인 듯하오."

우대용은 여환과 길산의 말 사이에 무슨 의사가 오가는지 알 법도 하건만, 돛의 용총줄같이 굵다란 사내의 신경으로 그런 자잘하고 미세한 심리사를 어찌 알겠는가. 여환만이 이경순과 길산의 가슴 가운데 일고 있는 작은 파문들을 가늠할 뿐이었다.

그날 저녁이 되어 길산은 안무당 때문에 월정사로 다시 내려왔고, 옥여와 여환도 밤늦게까지 얘기를 나누다가 오진암을 나섰다. 여환이 마당에 내려서는데 이경순이 슬그머니 따라나왔다.

"여환당……"

여환은 묵묵히 경순을 돌아보며 그가 먼저 얘기를 꺼내기를 기다리고 서 있었다. 경순은 잠시 사이를 두었다가 머뭇거리며 입을 떼었다.

"장두령에게…… 알려야겠지요?"

여환은 침묵하였다.

"내 아내가…… 그와 한마을 사람이오. 나는 알고…… 그 사람은 모르고 있어서……"

이경순이 말을 끝맺지 못하는데 여환은 잠시 기다렸다가 나직하게 되물었다.

"알려야 될까요? 자연히 알게 될 것입니다."

"부탁이오. 여환당이 넌지시 일러주시오."

여환은 그의 마음을 모르는 바 아니었으되 무심한 듯 말하였다.

"사대(四大)가 티끌처럼 흩어질 터인즉, 잊으시지요. 오진암에 회합하는 뜻을 잘 아실 테지요."

"잘 알기 때문이오. 나도 어느결에 그 사람과 한통속이 되었고……
어쩐지 불편하오. 여환당이 그렇게 해주는 게 홀가분하겠구려."

"그러지요."

이경순을 어둠속에 남겨두고 여환은 앞서간 옥여를 부지런히 따
라갔다. 옥여는 길모퉁이에서 여환을 기다리고 있었다.

"부세(浮世)의 업연(業緣)이 또한 뒤엉킨 가시덤불과 같도다."

여환이 밑도 끝도 없이 중얼거리며 내려오자 옥여가 껄껄 웃었다.

"가시가 아니라 유황불이라두 장가는 들어야지. 자네 중 노릇 하
기는 기왕에 틀렸고."

"어허, 이런 마군의 찌끄러기를 봤나."

여환은 옥여의 농을 털어내느라고 혀를 차며 핀잔하였다.

길산은 혼수상태에 빠진 안무당의 머리맡을 지키고 혼자 앉아 있
었다. 안무당은 미동도 않고 잔 숨결만 내쉬고 있을 뿐이었다. 길산
이 들어서자 계화와 백련이는 일찌감치 자리를 떴고, 원향이가 한번
들여다보고 갔다. 길산은 양모가 언제 운명할지 몰라서 아예 곁에
자리를 깔고 함께 지낼 참이었다. 밤이 제법 깊었는지 먼산과 앞 골
짜기로 서로 화답하는 쪽박새의 울음소리가 들려왔다. 밖에서 인기
척이 들리더니 문득 기침소리가 들려왔다.

"장두령, 여기 계신가?"

하는데 도무지 낯선 목소리라 누군지 짚을 수가 없었다. 길산은 방
문을 밖으로 빠끔히 밀어보았다.

"누군가……"

어슴푸레한 가운데 갓 쓴 머리가 보였다. 키 크고 마른 사람이
었다.

"날세."

"아니, 유학어른 아니시우."

길산은 밖으로 뛰쳐나갔다. 강원도의 설유징이 수염을 날리며 서 있었다. 길산은 유징의 내미는 손을 덥석 잡았다.

"고성서 헤어지고 몇해 만입니까."

"뭘 엊그제께 같은데."

"자, 들어가십시다."

길산은 돌아서다 말고 저편 객방 앞에 서 있는 송낙 쓴 중에 눈길이 멎었다. 설유징이 왔다면 그게 누구겠는가.

"저건, 갑송이…… 아닙니까?"

"아닐세."

설유징은 웃었다.

"들으니 여기 있다더군. 모친 병환이 위중하시다지? 저쪽으루 가서 어디 얼굴이나 보세."

설유징이 앞을 서고 길산은 따르는데 툇마루에다 바랑을 벗어놓고 서 있던 중이 송낙을 뒤로 젖히면서 앞으로 마주 다가왔다.

"길산아."

"가, 갑송이 아니냐."

설유징을 젖히고 나서는 길산에게 유징은 말해주었다.

"허허, 대성법주스님일세."

대성법주는 우람한 몸집을 우뚝 세웠고 길산이도 주춤 섰다. 역시 설유징의 말이 그의 뒤통수를 후려친 까닭이었다. 승속의 가운데 한 팔 거리가 벌어져 있었다. 그 거리를 길산이 먼저 짓뭉갰다.

"이 자식아."

누가 먼저였는지 모르게 대성법주와 길산은 서로 팔을 벌려 와락 껴안았다. 얽힌 팔뚝들은 강철과 바위 같았다. 그들은 함께 그 팔을 풀었다.

"어디 얼굴 좀 보자."

대성법주가 텁석부리의 얼굴을 들이대며 길산을 살폈다.

"어서들 들어오시게나. 이러다가 나는 정말 객줏집 중노미가 될 판이로군. 정신이 없단 말이야."

옥여가 방에서 나오며 그들을 맞았다. 여환은 목침을 치우고 일어나 앉았고 그들도 들어가 앉았다. 인사들이 오고갔다. 불빛에 서로 바라보니 초로에 접어든 설유징의 머리와 수염은 서리가 내린 듯이 희끗희끗하였고, 선비답지 않게 그을은 얼굴에는 주름살이 전보다 더욱 깊게 팬 듯 보였다.

"많이 늙으셨습니다."

길산은 먼저 설유징에게 던졌고, 설유징은 고개를 끄덕였다.

"하는 일 없이 그렇구먼. 자넨 그때와 다름없이 범 같네그려."

"산 정기 탓이지요."

"이놈아, 내게두 말 좀 시켜봐라."

대성법주가 길산을 툭 건드리며 말하였다.

이갑송의 험악하게 이글거리던 눈동자는 대성법주답게 안정되어 상대편의 미간을 뚫는 듯한 깊숙한 시선으로 바뀌어 있었고, 그는 눈꼬리와 눈 밑 누당(淚當)에 잔주름과 긴 주름이 잡혀 있었다. 법주 수좌에게서는 사나움이 전혀 엿보이질 않았으며 묘한 쾌활함이 사람의 마음을 놓게 하는 데가 있었다. 길산은 법주의 말투가 예전 같았으나 안색은 전혀 다름을 보고 빙긋 웃었다.

"이거, 부처님이 사람을 아주 버려놓았군."

옥여가 껄껄 웃었다.

"비구의 용모 단정하기로는 목련(目連)께서 처음이요, 비구의 용모 괴이하기는 소승 옥여가 처음이며, 또한 용모 추악하기는 우리 법주 아우가 마지막인 듯하구려. 법주가 출가하지 않았다면 천도(賤道)가 종내 그런 지탄을 벗어나지 못했을걸."

"허허, 여환수좌께 물어보우. 쌍언청이가 외언청이 타령하네."

법주는 여환에게로 농을 넘겨주었다. 길산이 말하였다.

"운부스님은 어떠시냐?"

"응, 여전하시지. 요즈음은 더 꼿꼿하셔서 도무지 틈을 주지 않으신다. 모두들 잘 있지?"

"김선비와 선홍이가 위 암자에 와 있고, 대용이도 왔다. 구월산 소문은 들었느냐?"

법주는 고개를 떨구며 끄덕였다.

"탑고개가 어찌되었다는 걸 자세히 들었다."

"아버님도 그 난리통에 돌아가시고, 김선비는 가족을 잃었다. 감동이와 만석이가 관군에게 죽었다."

"자비령 있다며?"

"만동이네 도움으로 산채는 열었다만 그리 좋은 곳은 아닌 것 같다. 더 깊은 곳으로 들어가든지 해야지. 식구들도 많이 늘었고."

"아주머니 별 무고하지?"

"그래, 애가 둘이다."

하고 나서 길산은 옛 동무의 눈가로 스쳐가는 그늘을 놓치지 않았다. 대성법주는 그런 것을 감추려는지 눈을 내리깔았다. 길산과 같은 날에 갑송은 도화에게 장가를 들었고 그날 길산과 아우들은 의형제를 맺었던 터이다.

"스님 얘기는 법주수좌에게서 여러 번 들었소이다."

설유징이 여환에게 말을 걸었다.

"법주수좌가 그런 말솜씨도 있었나요."

"양주가 한양서 반나절 상거라 하니, 도방 대처겠구려."

"장터가 제법 질펀하지요. 승려가 있기에는 번거로운 곳입니다."

"그래서 여환스님이 있는 게 아뇨."

"하긴…… 그렇습니다만."

설유징은 다시 말하였다.

"학이가 자네한테 한번 다녀가겠다구 그러던데, 장가두 들었지."

길산은 정학 형제를 떠올리며 반색하였다.

"신이와 노모도 잘 계시지요? 그리고 어계방 최서방은 지금 어떠시우?"

"최헌경이는 배를 여러 척 부린다네. 원산으로 드나들지. 명태철이 되면 고성 바닥서는 볼 수가 없다네."

대성법주가 예전 말투로 물었다.

"안무당 어머니가 병이 중하시다지?"

"며칠 못 가실 듯하여 아예 이 절서 눈치 보며 눌러앉았다가 장례 치르구 갈 참이다."

"재인말에는 가봤냐?"

"아버지를 거기 모셨다. 재인말은 이젠 집터도 다 없어져버렸다. 나무밖엔 낯익은 것이 없더구면."

"탑고개나 한번 나가볼까."

대성법주가 중얼거렸고, 옥여가 말하였다.

"거긴 뭣 하러…… 산성에 군졸들이 나와 번을 선다는데."

"내야 뭐, 행색이 중이라…… 먼발치서 보구 오지."

다른 이들은 알 리가 없건마는 길산과 옥여는 그가 탑고개로 뭣하러 가려는지 짐작할 수가 있었다. 바위넘이 위에 있는 그의 모친의 산소를 찾아보려는 것이겠고, 또한 그는 아내 도화를 바로 그 자리에서 찔러죽였던 것이다. 옥여는 혼잣말 비슷이 중얼거렸다.

"개천이 아래루 흘러두 갈래는 다른 법이어든 옛 터를 보면 무얼할꼬……"

길산과 법주는 나란히 누워 새벽이 될 때까지 여러가지 얘기를 나누었다. 그들은 활빈행에 관한 것들을 묻고 답하였으며, 여염의 생활에 대하여는 길산이 일부러 말끝을 흐렸다. 법주가 잠에 떨어지고 길산은 여러 생각으로 몸을 뒤척였다. 북풍에 먼지바람이 일어 모래알이 산지사방으로 날리듯, 그와 혈육 같던 사람들의 정겨운 사연들은 모두 하나둘씩 사라지고 말았다. 다만 가슴 귀퉁이에 그런 기억들이 금싸라기나 유리 먼지처럼 몇알 붙어 있어, 말끝의 침묵 가운데서 은은히 반짝거릴 뿐이었다.

이튿날 아침공양을 끝내고 나서 오진암으로 오르려 할 즈음에 한발 먼저 해주의 묘정수좌와 뒤이어 박대근이 당도하였다. 박대근과 길산은 금천 조읍포의 겁탈 이래로 처음 만난 것이지만, 대성법주가 되어버린 이갑송과는 실로 몇해 만이라 오히려 박대근 쪽에서 눈물이 글썽하였다. 대성법주는 반기는 안색이면서도 대근에게는 승속의 예를 고집하였다.

"소승 문안이오."

"이서방하구 헤어진 것이 탑고개였으니 벌써 네 해가 지났구려."

"그렇지요. 법명은 대성법주라, 산문에 든 비구이니 속명은 부르지 마십시오."

"허허, 그러십시다."

그러나 길산은 못내 이를 용납할 수가 없었다.

"원래 승속을 가릴 적에 혈육이나 동무를 만나도 중생으로 일반

대하는 것은 그 생각과 뜻이 다름에 있지. 이제 여기 큰스님의 통문에 따라 모였으니 승속이 동참하자는 게 아닌가. 법주수좌는 아무리 출가승이라 하나 예전 내 동무요 대근이 성님의 의제다."

법주는 문득 고개를 갸웃하더니 가사를 떨치고 일어났다.

"제가 모자랐습니다. 성님, 아우 절 받으슈."

박대근의 글썽한 눈에서 물기가 비치며 그제야 마음 놓고 법주의 손을 덥석 잡았다.

"그만, 그만 되었소. 이젠 내 마음이 후련하오."

"송도는 별일이 없지요?"

길산이 물었고, 박대근은 유쾌하게 말하였다.

"좋은 일이 있소. 인제 송상은 판도가 바뀌게 될 거요. 인삼 재배에 성공했소이다. 올해 그 첫 수확이 나올 게요."

"삼을 밭에서 거둔단 말인가요?"

"그렇지. 청과 왜에 얼마든지 팔 수 있으니 이제는 은자가 필요없게 되었소."

길산이 말하였다.

"성님, 큰일을 해냈소이다."

"상권의 판도가 바뀐다는 것은 장사뿐만이 아니라 우리 힘의 내실이 단단해진다는 얘기요. 이를테면 무과를 거친 무관 가운데, 출사하는 데 어려움이 많은 자들을 금력으로 뒤를 대어 병수사까지만 올려놓아도, 그 지역의 병력은 모두 우리 군사가 되는 게요. 까짓, 수년 안에 첨사 병사 진장 선전관까지 열 명쯤은 심어놓을 수가 있소."

"인삼의 무역은 국가에서 금단절목으로 못 하게 하고 있으니 잠상을 해야 되겠군."

그들이 얘기하는 중에 풍열스님이 오진암에 오른다는 전갈이 있어서, 그들도 서둘러 골짜기를 올라갔다. 오진암의 법당에는 승속이 모두 열세 명 모여앉았다. 자비령 쪽에서 장길산, 김기, 강선홍이 왔고, 기순에서 여환, 이경순, 서해로부터 우대용이 왔으며, 해주에서 승려 묘정, 송도에서 박대근, 그리고 금강산의 운부 큰스님이 보낸 승려 대성법주와 유학 설유징, 구월산에서는 승려 옥여와 풍열대사, 마지막으로 신천의 박수 오계준이 그 전부였다. 묘향산에서 승려 도안이 오기로 되었으나 아직 당도하지 않고 있었다. 제각기 모르는 사람들끼리의 인사가 끝나고 나서 풍열대사가 입을 열었다.

"일찍이 수년 전에 금강산에서 몇몇 뜻있는 승려들이 모여서, 아조의 도를 잃은 정치와 벼슬아치들의 탐학에 관하여 탄식하고 백성들의 참상을 그치게 하는 방도를 논의한 적이 있었소. 그때로부터 승단 내에 추상 같은 기운이 일어나 많은 젊은 수도자들이 뜻을 모아 무리를 이루게 되었고, 여러 곳에서 백성들의 뜻을 위하여 환을 당하고 난을 겪기도 하면서 이 같은 흐름에 합류하여 온 속인들도 많았소. 물론 승단 전체의 뜻은 아니지만, 훌륭한 법사가 되어 불도를 다음 세상으로 전해야 할 기량을 지니고 있는 승려가 있는가 하면, 그러한 도가 널리 퍼져 시행될 터전을 마련해야 할 승려들도 있는 것이외다. 우리들은 출가한 사문으로서 세간에서 행하여지는 일에 관여 없이 산간에 들어 앉아 고요히 아묵(啞默) 수도하고 있을 수만은 없게 되었소. 나라는 오랑캐의 속국이 되었으며 자고로 그 줏대를 세워 스스로 떳떳한 자주의 나라임을 밝힌 적이 한 번도 없었소. 또한 사대부는 제 혈족과 파벌의 이익만 도모하면서 진창의 개처럼 다투어 백성의 곤경을 돌아보지 않고 오히려 배신하였소. 글을 배운다는 자들이 사람이 되어 남을 돕겠다고 학문을 하는 것이 아니라, 어찌하면 과거를 하고 환로로 줄을 잡아 입신하여 백성의 고혈을 빨아낼까 하는 탐심으로 가득 차 있소. 지난 수년간의 흉황으로 전토는 피폐하고 역병이 돌아 수없는 사람들이 굶어죽고 병들어 죽었으며, 조정에서는 서로 다투어 쥐꼬리만 한 허울만의 명분으로 파리 잡듯 서로 죽여대고 엎치락뒤치락하는 판이오. 실로 이런 지경에 이르러 조정을 바꾸자는 자가 나온다 할지라도, 그것은 사람만이 바뀔 뿐 새로운 임금을 옹립한 자들은 공신훈적이 되어 더욱 못된 권세를 휘두르는 것이오. 반정도 그렇거니와 입국이란 도대체 무엇이오. 군사를 가진 강자가 나타나면 실세하여 낙백의 시절을 보내던 양반 음모가들이 그에 붙어서 헌 정권을 몰아내고는, 나라를 송두리째 중국에 들어 바치고는 천자의 윤허가 내리면 그제야 국본을 다 진 듯이 안심을 하오. 몇몇 고결한 선비나 맑은 마음을 가진 지사가 있어 가냘픈 주먹을 부르쥐고 글을 쓰거나 대들어보기도 하오. 또는 실세한 사대부들이 권토중래를 기약하고 패당을 모아보기도 하지만, 도대체가 백성들의 삶의 이로움과 해로움에는 애초 관심도 없어서 드디어는 저희끼리의 다툼에 그치는 게요. 그러니 중생의 뜻에 합당한 나라의 기틀이 이루어지지 않아 임진 병자 난리 적에 팔도에서 온갖 의병과 승병이 떨쳐 일어난 것은 이들에게 그러한 바탕의 힘이 있었던 까닭이오. 그 힘은 수숫대 같은 관군이 대적하지 못할 힘이외다. 우리는 이들 비옥한 토양 속에 뿌리를 내려야 하오. 우리가 하려는 일은 반정이 아니라 입국(立國)이오. 궁궐문 앞에 삿자리를 깔고 앉아 목을 늘이거나 붓을 날려 경계하거나, 몇몇 선비로 뜻을 모아 풍류 섞어 재담하는 것이 아니라, 저렇듯 땅속에서부터 들끓는 기운을 등에 지고 일어나려는 것이오. 백성은 저희 살아가는 일과 맞지 아니하면 오히려 우리를 저버리고, 효수된 외로운 목을 향하여 침뱉고 조소하리라. 이제 승속이 동참하여 여기에 모인 뜻은 한시바삐 한양의 조정을 뒤엎고, 도솔타천(兜率陀天) 용화세계를 이루어보자는 데 있소이다."

풍열이 말을 마치자 옥여가 입을 열었다.

"이 자리에서 우리는 지난 갑자년에 있었던 한양의 살주계, 검계에 관한 것이며, 지난 정월에 겪은 관군의 구월산 토포를 놓고 여러 가지로 논의를 해볼 작정입니다. 그러고 나서 어떻게 한양을 도모하는가 하는 안을 내어 논의하였으면 합니다."

설유징은 지필묵을 내놓고 오가는 말들을 빠짐없이 적어나가고 있었다. 옥여가 주위를 둘러보고 나서 여환과 그 옆에 앉은 이경순 쪽에 시선을 주고 말하였다.

"한양의 계에 대하여는 대강 들어서 아는 바가 있으나 직접 겪어본 일은 아니라 좌중에 알려주셨으면 하오. 경기도에서 오신 두 분이 말씀해주시오."

"도장께서 먼저 말씀하시지요."

여환이 이경순에게 권하자 경순은 머뭇거리다가 말을 꺼냈다.

"글쎄 사실은 제가 양주계를 맡고는 있었으되 직접 일해본 적은 없고 황거사나 아우가 왔다면 그 사람들이 한양 출입이 잦았으니 더욱 소상히 알 듯합니다."

이경순으로서는 해서에 온 것도 처음이요 승려들이라면 여환말고는 말상대도 해본 적이 없었고, 더구나 이런 모임은 난생 처음이었던 것이다. 황회는 정원태와 더불어 수태사 하안거 때에도 자주 내왕하였으며, 전생이는 양주계와의 연락차 경순을 대신하여 여러 모임에 참석하였던 터이다. 그가 저들과 연관되어진 것은 아내 묘옥의 예전 모가비였던 고달근이며 황회와 알게 되면서부터였고 우대용과의 친교는 그를 더욱 저들에게로 밀착시키는 원인이 되었다. 더구나 칠성암의 여환은 이경순의 집에서는 가장 반가운 손님이기도 하였다. 묘옥은 여환과의 기연이 있어서 그를 친척처럼 대하던 것이었다. 그가 다른 계원들처럼 등에 낙인을 지지고 미륵 서원을 올린 것은 아니었으나, 황회나 고달근이나 살주계의 와주 중길이 등도 이경순이 믿을 만한 혈당임을 믿어 의심치 않았던 것이다. 사실 이경순은 일찍이 여주의 아전과 장교를 쏘아죽인 살인 범죄인이었던 때문이다. 그가 주막을 열어둔 파주 문산포야말로 육로와 수로가 촘촘히 잇닿아져 돌아가는 물산과 인심을 정확하게 판단해낼 수가 있어서, 검계에서는 가장 요긴한 근거가 될 수 있었던 것이다.

"제가 알기로는 살주계와 검계는 몸은 한 몸이었으되 얼굴이 달랐습니다. 살주계는 한양 성내에 사는 벼슬아치나 권세가의 노속들이 서로 맺은 당이었고, 검계는 저자 장사치들과 범법하여 죄를 저지르고 피해다니는 자들이나 무뢰배들이 결당한 계였습니다."

계속되려는 이경순의 말을 끊고 김기가 헛기침하고 나서 말하였다.

"우리가 알구 싶은 게 있소. 그들은 어찌하였으며 무엇 때문에 결딴이 났고, 지금은 어찌하고 있는가 하는 점이오. 중요한 것은 그들의 어떤 점이 우리의 실리(實利)에 합당하고 어떤 잘못이 우리를 반성하도록 하느냐 그런 얘기를 듣고 싶소."

이어서 장길산이 이경순을 바로 바라보며 말하였다.

"나는 나라에서 이르기를 명화적이라고 하우. 그러나 백성들은 의적이라고도 하고 녹림당이라고도 부르며 또는 활빈당이라고도 불러줍디다. 우리 스스로 자처하여 활빈도(活貧徒)라고 부르지요. 우리는 이제부터 팔도 천민의 선봉군을 자처할 셈이오. 어찌 입국의 뜻을 가지고 모였다는 이들이 스스로 일컬어 관의 장계나 군관의 입술에 오르내리듯, 범법 죄인이라거나 무뢰배라 칭할 것이오? 나라를 등진 사람, 아니면 전토와 향리를 잃은 유민, 또는 혈기와 의기가 있는 장정이라 얘기할 수도 있겠지요. 그렇게 말하는 버릇을 들이지 못한다면 피아(彼我)를 구분할 수가 없고 뜻을 지닌 행동을 일으키지 못합니다. 우리가 어찌 말하든 관군이 이런 자리를 알고 우리를 잡으면 벌레처럼 발로 뭉개어버릴 것이오."

설유징이 붓을 멈추며 고개를 들었다

"그건 장두령의 말이 맞네. 그러나 이도장도 그리 틀린 건 아니라오. 무엇보다도 저이는 도방 대처의 객점주가 아닌가. 그런 말만을 쓴다면 대번에 기찰 장교나 포교의 눈을 끌게 될 게요."

"그렇다면…… 하물며 이런 자리에서는 말이 즉, 그 뜻입니다."

탑고개에서 온 가족이 몰살당한 김기의 말이었다. 대저 사람은 겪은 상황만큼의 진실에 이르게 마련이라 하였던가. 김기의 한마디는 그 때와 장소를 얻었다. 풍열은 말없이 고개를 끄덕였고, 좌중은 침묵하였다. 이경순은 한참 기다렸다가 다시 얘기를 계속하였다.

"제가 생각이 부족하여…… 그 안에 따르지요. 살주계가 오랫동안 포청에 적발되지 않았던 것은 계원의 모두가 성내의 권문 세도가에 몸을 붙이고 있었던 때문입니다. 그리고 오랫동안 눌려 살아온 포한으로 맺어져서 같은 종의 신분으로 혈족적인 의리가 강고하여 내부에서 발고하는 자가 한 사람도 나오지 않았지요. 저들은 낮에는 주인집에서 천예 노릇을 하며 보내다가 밤에만 모여서 행동하였습니다. 살주계라는 명칭대로 상전에 원한을 품은 노비들은 은근히 당에 들고자 하였지요. 그래서 누가 밀고한 것은 아니지만 노비들 사이에 소문이 퍼져나간 겁니다."

설유징이 붓을 멈추며 물었다.

"계가 어떻게 짜여 있었소?"

"혈기방자한 노속 삼십여 명에 그를 알아 도와주는 노비들이 백여 명 남짓 있었던 걸로 압니다. 그들은 다시 외거노비와 대솔노비로 구분되는데, 일을 이끌어간 것은 비교적 행동거지가 자유롭고 저자에 나가 난전을 쳐서 살기로 세상일에 밝은 외거노비였지요. 제가 보기에는 그들은 저희끼리만 똘똘 뭉쳐 있었던 것이 약점이올시다."

"검계는 어떻게 짜여 있었소?"

김기가 물었다. 여환이 이경순 대신 답하였다.

"맨 처음에 광주 근처에서 정원태라는 사람이 미륵당을 이루었소이다. 각처로 떠돌며 우리 사찰들과 관계를 가지고 있던 거사패들이 많이 엮어졌지요. 황회 거사도 실은 진관사 출신이올시다. 고달근이라고 지금 천마산에 있는 이도 원래는 안성 청룡사의 사당패 모가비였습니다. 여기에 경강을 중심하여 근근이 살아가던 유민들이며 장사치들이나 관을 피하려는 사람들이 모여들었지요. 광주 묘적사를 중심으로 정원태를 위시한 검계가 있었고, 경강에서는 서강의 모신이라는 객점주가, 그리고 양주에서는 여기 계신 이도장이 맡았고, 교하에서는 저 우두령의 아랫사람인······"

우대용이 말했다.

"홍천수라고 마포 동막과 칠패에서 거간하던 사람인데, 화수(和水)범법으로 우리 패에 들어왔지. 그도 역시 객점주요."

김기가 다시 물었다.

"검계는 그러니까 한양 인근에 퍼져 있었던 셈이고, 살주계는 도성 안에 심어졌던 셈이로군. 그렇다면 그들 두 계가 어찌 연계를 맺을 수가 있었소?"

"서강의 모신이란 사람 때문이었지요. 나도 몇번 만났는데, 정말 경강내기로 그의 시세에 처변하는 머리를 당할 사람이 없을 것 같습니다. 청파에 있던 살주계의 두령 중길이란 사람이 자주 내왕하였소."

이경순에게 김기는 이어서 물었다.

"가장 먼저 이들 계들이 무엇을 하였으며, 어떤 일이 실패의 원인이었다고 여기시오?"

"잘 아시듯, 갑자년 왜국 국서로 하여 민심이 흉흉한 가운데, 검계에서 먼저 지방으로 빠져나가는 양반들의 화물을 빼앗았지요. 그와 거의 같은 시기에 검계와 살주계가 협력하여 성내의 부잣집인 지사의 집을 야반에 털어냈고 한양 순라의 다섯 복처를 급습했다지요. 제가 알기로는 전 참판 목내선의 집 수노(首奴) 되는 사람이 발각되면서 계의 윤곽이 드러난 것으로 압니다. 또한 성내에 있었던 살주계의 근거들이 다 밝혀졌고……"

여환이 덧붙였다.

"급박한 시기에 살주계에서는 성내의 곳곳에 양반들을 위협하는 방문을 써서 붙이곤 했었지요. 그러나 다른 노비들이나 양민들로부터 아무런 도움도 받지 못했고 소문만 낭자했소. 그때 검계에서는 기찰이 번개 같다는 종사관 하나를 죽이기 위하여 근거지가 탄로나는 실수를 저질렀답니다."

박대근이 곁에서 끼여들었다.

"그 종사관이 바로 최형기요. 훈련원 제일의 검객이며, 좌포청의 얼음 같은 포도 종사관이지. 그리고……"

"구월산의 토포장이던 최만호라는 자가 아니오?"

옥여가 물으니 박대근은 고개를 끄덕이며 말하였다.

"동헌에서 가통인으로도 있었다는 한미한 출신으로, 우리와 가장 가까울 수 있고 우리 속내를 제 마음같이 아는 자요. 그자의 약점은 바로 줄을 댈 데가 없어 한때 김익훈의 호종 무사 노릇을 한 적이 있다는 것이지. 허나 그런 약점이 오히려 우리에게 가장 위험한 점이오. 무엇보다도 그자는 우리를 아니까."

설유징이 말하였다.

"자, 다시 검계와 살주계의 얘기를 정리하여야겠소."

김기가 말하였다.

"살주계는 노비들로 이루어진 당이었다. 따라서 저들은 특별한 별종을 이루었소. 마치, 성균관 유생의 당이나 과천 내시들의 마을처럼 말이외다. 더구나 사방에 때가 되면 철통같이 닫히는 사대문의 안에서 별종들끼리 모이고 흩어졌으니 무슨 기반이 될 만한 실한 일이 이루어질 리가 없지. 날마다 생업을 위주로 만나고 흩어지는 장삼이사(張三李四)들과는 애초에 별 무관계였지요. 비록 그와 같은 노비들이 여러 세가와 부가에 많다고 하나 오히려 무슨 신비스런 소문이 났지, 실제의 일에는 소용이 없었소. 내가 알기로는 그들은 계의 이름 그대로 '양반 노주(奴主)를 죽이고, 재물을 빼앗는다'고 약조하였다는데, 다만 그런 말로는 성내의 백성들을 납득시킬 수가 없었을 게요. 특히 중길이란 사람은 오랫동안 도망하여 다니던 사람이라하니, 혼자서 숨어다니다 보면 별의별 신통한 생각이 많게 마련이외다. 생각은 일하고는 조금 거리가 있는 거니까."

길산이 경순에게 물었다.

"검계에서는 부잣집을 털었다는데, 그뒤로 성내의 빈한한 백성들을 도와주는 일도 함께 했습니까?"

"못 했던 것으로 압니다."

"뜻이 밝혀지지 않았으니 백성들은 저들이 다만 사람이나 죽이고 재물을 탐내는 서적으로 여겼을 게 아니오?"

여환이 답하였다.

"그런 문제를 가지고 의논이 있었지요. 실은 그 무렵에 검계에서는 각 패거리마다 서로 강고히 결맹되었던 것은 아니라, 특히 묘적사와 솔부리에 근거를 두었던 정원태 도사며 황거사 같은 이들이 저희 무리의 세를 키워가는 데 너무 힘을 기울였고, 그들에 동참한 서강 모신이란 사람도 아무리 뜻이 있다 하나 천래의 장사치인지라 장물의 이득에 먼저 마음이 앞섰던 듯합니다."

김기가 말하였다.

"차라리 가장 노비들의 원성의 대상인 장예원의 관리나 옥사를 대상으로 하든지, 아니면 계에 해를 끼칠 자에게 먼저 힘을 보여주는 것이 순서요. 성내에 양반들을 위협하는 방문을 붙였다고 하나 그만한 위험이라면 차라리 말없이 직접 보여주는 게 낫소. 방문은 격하고, 다만 먹이 마르지도 않은 종이에 불과하니 계원들의 기만 달래준 격이외다."

풍열이 곁에 놓인 죽비를 두드려서 설왕설래를 그치게 하였다.

"자, 그러면 검계와 살주계의 활약이 우리에게 아무런 도움이 되지 않는다는 말인가. 내 생각으로는 취할 점도 많은 것 같은데……"

박대근이 말하였다.

"죽음을 무릅쓰고 결맹한 사람들 삼십여 명이 좌우 포청의 기찰을 완전히 마비시켰습니다. 또한 거처가 한양 성내의 대가들이라 바로 조정의 코 아래까지 다가갈 수가 있었지요. 그리고 사대문 밖에는 경기도의 사방 향리로 닿아 있는 검계의 근거가 있어 때에 따라서 외응과 내응을 늦추고 당기고 할 수가 있었습니다. 무엇보다도 종루시전이며 이현 칠패 청파 등의 난전과 마포 동막, 용산 삼개, 서강, 그리고 광주의 송파와 양주의 다락원 등지의 저자는 서로 덤불처럼 얽혀 있어서 온갖 풍문과 소식을 주고받는 곳이라 포청에서도 그곳을 중시하고 있소이다. 검계와 살주계가 완전히 잡히지 않은 잔여의 세력을 보존할 수 있었던 것은 그런 까닭인 듯싶소이다.”

김기가 말하였다.

“우리 글을 배운 자들의 생각은 늘 존왕(尊王)을 떨쳐버리지 못하고, 몇몇이 모여 대의와 명분을 세울 적에도 정(政)을 그 지식으로 삼아 이러쿵저러쿵합니다. 난(亂)이 입국에까지 이르는 데는 위의 두 생각이 없어져야 할 것이오. 처음에 큰스님께서도 밝혔듯이, 백성이 정(政)에 대한 무슨 지식이나 앞선 생각이 있는 것이 아니지만, 그들이 살려고 발버둥을 치는 일에 함께 해주는 것이 가장 앞선 정(政)이올시다. 탐학하여 원성의 대상이 된 자를 징치하고, 백성들의 살아가려는 생업과 이익에 해를 끼친 제도나 관부에 타격을 주어, 도와 덕을 회복하는 것이외다. 이를테면 흉년에 부정한 관리를 잡아내어 저자에 내놓아 솥에 찌던 고례는 통치술의 하나이지요. 선비들이 역률에 몰리는 경우가 허다하나, 늘상 한 줌에 지나지 못하는 것은 포부와 경륜은 태산 같고, 그 세(勢)는 저희들 동류에만 그쳐 실로 지푸라기와 같소. 향리에서는 가끔 있는 일이지만 중지에 의하여 관가의 창고를 부수고 곡식을 나누어먹는 일을 주동한 자보다도 힘이 없는 것이지요. 덕석몰이라는 삼남의 풍습이 있고, 한 마을에서 누가 보더라도 패악한 짓을 저지른 자를 마을 사람들이 판결하여 덕석에 말아 징치하고 쫓아내는 것이오. 그것은 거의 하늘의 뜻이므로 아무도 거역할 수가 없소이다. 천인공노가 바로 이런 힘의 원천이고 그 분함을 풀어주는 일에 앞장서는 것이 가장 실한 정(政)이외다. 고금을 돌아보아 이러한 공분에 움직이지 않는 민심이 없소. 위의 두 계는 공분을 모으는 것에 게을리하였으니, 아주 특별한 일이 되고 말았지요. 어느 때는 죄 없이 먹고살려는 착한 백성 한 사람의 죽음으로도 그런 공분이 일어나 조정이 무너지기도 하오. 선비가 공분을 모르고 정(政)만을 앞세우니 백성들이 무심하거나 기껏해야 형장으로 가는 수레 뒤에 물그릇이나 내밀 뿐이지요. 식자들은 어리석은 백성의 탓을 하나, 백성들의 도와 덕이 무엇보다도 그 생업을 바탕으로 하고 있음을 모른 것입니다."

여환이 말하였다.

"갑자년의 일로 또 한 가지 기억이 나는 것은 산지니라는 검계의 계원이 잡혔을 때, 그의 계속되는 심문을 그치게 하기 위하여 조정의 당파 분쟁을 이용한 일입니다. 득세한 당에 줄이 있는 듯이 공술을 시켜서 스스로 위험을 느낀 대신들이 포청에 압력을 넣어 죄수를 즉각 처형시켜버렸답니다. 즉 조정의 파벌과 내분은 저편의 약처이므로 언제나 소상히 알아둘 필요가 있습니다."

옥여가 말하였다.

"그러면 이번에는 해서감영의 구월산 토포에 대하여 그 득과 실을 가지고 의논하여보겠소."

설유징이 잠시 붓을 던지고 고쳐앉더니 제안하였다.

"구월산의 불운에 관하여는 나도 멀리서 자세히 전해들었소이다. 자비령에서 사람이 왔었지요. 여기에 함께 결의형제를 하였고 또 그 형제들을 잃은 사람들도 있고, 가족을 모두 잃은 사람도 있소이다. 우리에게 죽은 이들을 그리고 애도하는 글이 없을 수 없으며, 그들에 드리는 묵도나 조촐한 재를 올려야 할 겝니다."

"묵도는 할 수 있으나, 글은 회합이 끝난 뒤에 작은 재와 함께 써서 읽기로 하지요."

옥여가 말하고 나서 스스로 합장하며 중얼거렸다.

"나무관세음보살…… 승려는 승려대로 속인은 속인 식으로 잠깐의 묵념 묵상을 올리기로 하겠소이다."

열세 사람은 제각기 고개를 숙였다. 풍열을 위시한 승려들은 모두 합장하였고, 설유징을 비롯한 속인들은 무릎에 손을 얹고 고개를 떨어뜨렸다. 바람소리만 들릴 뿐 오진암의 법당은 갑자기 고요해졌다. 그들의 뇌리에는 죽어간 낯익은 얼굴들이 하나둘씩 겹쳐져서 스쳐갔다. 이곳 저곳에서 묵념을 마친 이들이 고개를 들었고 옥여가 확인한 뒤에 말하였다.

"구월산 토포에 관하여는 저도 자세히 알고 있습니다만, 관군이 이곳을 지목하여 감영 군사를 일으킨 것은 된목이골의 산채 때문이었으니 장두령이나 김선비께서 말씀을 해주시오."

"이번에는 내가 좀 묻겠소."

설유징이 길산과 그들 일행이 앉은 쪽으로 고개를 돌리며 말했다.

"관군이 구월산 토포를 결정한 데에는 까닭이 있을 게요. 도대체 무엇 때문이었다고 생각하오?"

길산이 말하였다.

"우리는 계해년 이후로 산채의 기틀을 잡았고 활빈행을 시작했었습니다. 특히 구월산과 자비령으로 패가 나뉜 뒤에는 서로 분담하여 해서의 곳곳에서 소문이 낭자한 곳부터 시작하여 토호와 고을 수령들을 징치했소. 벌써 이세백이 감사로 있을 때 저들은 자객을 보내 송화 무더리까지 들어왔지요. 마두령이 베어죽였으나 일단 감영에서는 구월산이 눈 속의 티와 같았던 겁니다. 우리가 조정에까지 알려지게 된 것은, 작년에 유민들과 힘을 합쳐 해서의 세곡이 모이는 금천의 조읍포창을 습격한 일 때문입니다. 갑자년부터의 흉황으로 백성들의 참상이 극에 달하였고, 재작년에는 정월부터 역병과 가축의 전염병이 창궐하기 시작하여 여름까지에는 많은 마을이 사라져 버렸지요. 피해는 팔도 가운데서도 해서가 가장 혹심하여 우리의 활빈행은 마치 단 솥에 물 붓는 것과도 같았소. 우리가 포창을 습격한 데에는 몇가지의 이유가 있었소이다. 하나는 그 지방의 가장 큰 부자인 유가라는 자가 사병을 만들어 유민들을 가혹하게 다루고 있었으며, 관과 결탁하여 세곡선을 부려서 막대한 거재를 쌓았던 것입니다. 그자의 재산을 털어서 해서의 남쪽에 모여든 유민들을 살릴 필요가 있었으며, 세곡의 조세창을 습격하여 그러한 흉황에 권분이나 눈곱만 한 구호미나 죽 몇사발로 구휼하는 시늉이나 내면서 여전히 수세를 하는 국가의 잘못을 백성들께 깨우쳐주기 위함이었지요."

설유징이 물었고, 박대근이 대답하였다.

"어떻게 조정에서 그 일을 주목하였다고 알았소?"

"전 관찰사 임규가 그 임기를 채우기는커녕 두 달 만에 쫓겨가고, 승지로서 임금의 무릎 아래를 떠나지 않던 신엽이 신관으로 부임한 것을 보아 알 수가 있었소."

다시 설유징이 물었다.

"그들이 토포군을 일으킨다는 것을 미리 알고 있었단 말이오?"

"그렇습니다. 저희 송방에서는 거의 토포군의 조련이 끝날 즈음하여 알아내고 군사 습련장의 모습을 확인하였소. 그러나 실수하였지요. 산채가 두 곳에 있었기 때문에 장두령의 활빈당으로 세간에 알려져 있어서, 그만 자비령이 토포지역인 줄 알았던 겁니다. 실수는 관군 쪽에도 있었지요. 이세백 이래로 감영에서는 해서 활빈당의 근거지가 구월산이라고 알려져왔던 겁니다. 관군은 호랑이사냥에 동원시킬 군사라고 소문을 냈었지요."

박대근이 자기 역할에 대하여 말하였고, 설유징이 다시 물었다.

"관군의 편제는 어떠했으며, 토포장은 어떤 사람이었소?"

옥여가 말하였다.

"칼 쓰고 말 타는 유군과 창을 가진 보병, 그리고 포수와 궁수 합하여 이백여 명이었다구 그럽디다. 그리고 저들은 구월산 인근 사읍에 비밀리 명하여 군병(郡兵)과 향리 민병을 동원하여 인성(人城)을 둘러 구월산의 퇴로를 막았소."

김기가 말하였다.

"특히 은율 안악과 송화에는 우리 식구가 내려가 주막을 하거나, 아니면 군의 향소나 장교 중에 복심을 심어두어 미리 관의 동향을 알아내곤 하였는데, 토포군은 이미 한 달 전부터 은밀히 기찰하여 저들을 모조리 잡아냈던 것이오. 내가 잘 알지는 못하나 아까 박좌장이 토포장에 대하여 잠깐 말했듯이 그는 매우 유능한 장수임에 틀림이 없소. 그자는 용병에 능하고 또한 기찰에 빈틈이 없소. 그러나 그자는 양반들의 도구에 지나지 않소이다. 그의 약점은 바로 아까도 말이 나왔듯이, 소신 있게 일을 해나가고 끝까지 밀어붙이는 데 뒷힘이 되어줄 세력을 조정 내에서 잡고 있지 못한 점이오."

"역시 그렇습니다. 그는 이번 토포의 실패에 책임을 지고 감영을 떠났지요. 아마도 다시는 같은 일을 수행하지 못할 거요. 그가 임시의 토포용에 지나지 않았다는 것은 등산곶 만호라는 직임이었는데도 줄곧 감영에서 군사 조련이나 습진에만 열중하였고 토포가 끝나자마자 상경한 것을 보아도 알 수 있습니다. 즉 신엽은 토포하는 일외에는 별로 최모를 믿지 않는다는 뜻이겠지요."

"토포가 어떻게 진행되었소?"

설유징의 물음에 옥여가 답하였다.

"그들은 대를 나누어 선진은 구월산 남록을 넘어 막바로 된목이
골 산채를 급습하고, 후진은 송화로부터 수렛고개를 넘어 산채의 정
탐처를 유린하고 산채와 연줄이 닿아 있는 사선골과 탑고개를 덮쳤
소. 먼저 사람들을 집에서 쫓아내고 조금이라도 저항하면 가차 없이
살해하였으며, 집에는 불을 지르고 모아놓은 사람 중에 산채와 관계
가 있는 사람들을 가려내어 심문하였지요. 토포는 해 뜨기 직전 미
명에 시작해서 정오 무렵에는 다 끝냈습니다. 기찰이 한 달, 군사 조
련에 한 달을 보낸 그들은 안개처럼 산 밑에까지 스며들어와서는 일
시에 덮친 것이지요."

"접전에서 이쪽이 불리했던 것은 급습을 받은 외에 또 어떤 것이
있소?"

옥여가 말하였다.

"총포가 없었던 점이지요. 그들은 먼 거리에서 숨어서 많은 사람
들을 쏘아 살상시킬 수가 있었으며, 이쪽에서는 단병접전 외에는 아
무런 준비도 없고 병장기도 없었소. 구월산 식구들이 혼자서 능히
관군 한 오를 감당할 수 있었다고 하지만, 방포술에는 아무런 대처
가 없었소. 또한 무엇보다도 세상에 활빈당의 은거지가 구월산이라
고 왁자하게 소문이 났으면서도 관군의 기습에 대하여는 전혀 마음
을 놓고 있었지요. 물론 관찰사가 갈려갈 때마다 미리 정탐하지 않
은 것은 아니로되, 관군이 한번 거병하려면 군비와 인마의 동원 등
으로 인하여 반드시 해서 일대가 떠들썩할 것이며, 이쪽에서는 자연
히 알게 될 것으로만 여겼지요. 그러나 토포장 최모는 그런 점까지
염두에 두어 조련받는 감영 군사들 자신도 그들이 범사냥에 나가는
것으로 알았소이다."

설유징이 다시 물었다.

"관군이 사선골과 탑고개를 먼저 급습해야 할 이유가 있었겠지요?"

김기가 답하였다.

"사선골과 탑고개는 유민과 재인들이 모여 이루어진 마을이었고, 산채 식구들이 더불어 살았소. 마을 사람들은 월정사와 산채를 뻔질나게 왕래하였소. 즉, 산채로 가는 소식이며 퇴로를 막고 끊으려던 것이지요. 일테면 사지를 잘라놓은 셈이올시다. 이제 와서 장두령을 비롯한 저희들의 생각이지만, 일정한 산속에 산채를 두고 식솔들이 그 근방에 살며 마을을 이루는 것은 마치 머리를 독사의 구멍 앞에 들이대고 누운 것과도 같소. 그리고 발목에 철환을 매어둔 죄수처럼 옴치고 뛸 수가 없지요. 여염 동네에 자연스레 스며들어 살게 하든지 아니면 산속에 두세 집씩 흩어져 살게 해야 됩니다. 산채는 산지 사방으로 맥이 닿은 큰 산줄기의 요소에 나누어두어야 할 게요. 내가 지난번에 된목이골에 올라 뒤늦게 지세를 살피니, 구월산이 마치 창천에 뜬 외기러기 같은 형세라 겨누어 살을 날리면 영락없이 떨어지게 되어 있소. 그뿐 아니라 된목이골은 안에서 얼핏 보면 천험의 요새와 같으나, 수가 적은 녹림당으로서는 힘써 싸워 지키는 수성군(守城軍)과는 유가 다른지라, 한번 둘러싸이면 물독에 든 고기와 같았소. 그러므로 자기를 드러내지 않고 여염에 녹아들어가 있다가 때가 되면 무리를 이루고, 불리하면 흩어져 숨으며, 빨리 치고 빨리 달아나며, 여러 대로 나뉘어 같은 목적의 일을 행하고 그 모두를 같은 부류로 널리 알리면 쉽사리 토포당하거나 근거를 알리지 않게 될 것이오."

장길산이 말하였다.

"나중에 들어서 알았으나, 우리가 배운 게 있습니다. 탑고개에서 관군은 마을 사람들의 강한 저항에 부딪쳤소. 비록 병장기도 없이 깨어진 옹기 조각과 돌멩이뿐이었으나, 모두 죽기를 한하고 싸웠지요. 탑고개 아닌 다른 어느 곳이라 할지라도 백성의 원한이 쌓이면 저렇듯 강한 힘이 나오니, 우리는 사방에서 백성의 맺힌 바를 소상히 살펴서 그들의 힘을 밀어주고 그들을 끌고 나가면, 마치 돛에 거센 바람을 받아 노도 삿대도 없이 큰 바다를 건너는 배와도 같을 것입니다."

김기가 다시 덧붙였다.

"그와 같은 일은 벌써 해서 도처의 활빈행에서도 겪었소. 굶주린 황민들의 뒤를 따라다니기만 하여도 토호들의 창고는 저절로 열렸지요. 활빈행에서의 주된 힘은 오직 굶주린 사람들 자신이어야 합니다. 우리는 다만 약간의 기량으로 그들의 행동이 훨씬 쉽고 적극적으로 되도록 도왔을 뿐입니다. 조읍포에서도 조세창을 털어낸 것은 다름 아닌 백성들 자신이었소."

설유징이 붓을 놓고 허리를 펴고 앉으면서 말하였다.

"그동안 여러 곳에서 저마다 다른 길을 걷고 있던 사람들이 이 자리에 모였습니다. 산간과 평야에는 우리와 같은 생각을 가진 백성들이 수없이 많소. 작은 개천이 모여서 대하를 이루듯이 이러한 갈래들을 한곳으로 합쳐야 할 것입니다. 한양을 도모하는 일은 그리 쉽지 않은 일이지요. 지방에서 변을 일으켜 감영을 점령한 뒤에 난민을 모아 세를 늘려가면서 상경할 수도 있고, 아니면 반정의 예에 따라서 사병(私兵)을 동원하고 사대부들과 결탁하여 궁을 직접 들이치는 수가 있소."

박대근이 말하였다.

"한양은 금위영, 훈련도감, 어영청 등의 이른바 삼군문(三軍門)이 지키는데 특히 금위영은 오 년 전에 설치되었을 겝니다. 사부(四部)로 나뉘어 윤번제로 지키니 대개 천이백칠십여 명이 궁과 성문을 지키는 셈이오. 각 지방에서 역을 진 군병이 올라와 한 달씩 근무를 합니다. 특히 농번기인 넉 달 동안은 수를 절반으로 줄여서 번을 들게 합니다. 그러니까 삼사월과 팔구월에는 군사의 수가 육백여 명에 불과한 셈이지요. 기껏해야 천여 명이 되지 못하고, 명목상의 숫자만 나와 있을 뿐, 임란 때에 어느 무장은 수하병 삼백을 구하지 못하여 사흘 동안이나 출발하지 못하였다가 단신으로 남하했을 정도로 군역이 실제로 쓰여지지 않는 실정이오. 지난봄에 마포 경강에 나가 있는 송방에서 올라온 소식에 의하면 별파진(別破陣)이라는 화포를 쏘는 별대가 생겼답니다. 모두 백팔십여 명인데 방포술을 익히고 열두 분대로 나뉜다고 합니다."

설유징이 말하였다.

"군사의 배치와 주변 향군의 병력도 자세히 알아두어야 할 게요. 아무래도 한양에 인접한 중요한 두 지방이 있으니 해서와 강원도일 것이오. 공홍도(公洪道)가 중요하기는 하지만, 경강 수로와 남한산성을 굳게 지킨다면 삼남의 군사는 자연히 기회를 잃고 군사를 물릴 것이오."

풍열대사가 중얼거렸다.

"급소는 바로 한양의 궁궐이지. 막바로 궁궐을 치고 나서 해서와 강원도에서 거병하여 지방군의 진격로를 끊고, 미리 대기하였던 민병이 남한산성과 강화를 점령해야 하오."

여태껏 잠자코 있던 대성법주가 말하였다.

"우리 강원도 쪽에서는 철원으로 하여 영평과 가평을 점령하여 동북로를 끊을 수 있습니다. 승병 오백이면 충분하지요."

"우리는 강화를 맡겠습니다. 성을 점령한 뒤에 수군진의 함선을 모두 불태워버리겠소."

우대용이 말하였다. 김기가 그들의 논의를 막았다.

"밥을 짓는 데도 준비와 그 역할의 분임이 있는 법이오. 쌀을 씻고 물을 맞추고 불을 때고 끓기를 기다리며 익은 뒤에는 뜸을 들여야 하지요. 우리가 이미 한양을 도모하기로 하였다면, 경기 근방에 있는 사람들이 불 때는 역을 맡아야 하며, 황해도와 강원도에서 쌀을 씻거나 물 맞추는 일을 해야 하며, 도성 내에 있는 사람들이 뜸들이는 역을 해내어야 합니다. 이미 검계와 살주계의 결당이 이루어져 있고, 일을 어찌하느냐에 따라서 한양 주위 수십리간에서 많은 혈당을 얻을 수가 있을 것이오. 내 생각으로는 한양 도모는 단 하루에 이루어지지 않으면 실패요. 아까도 설유학께서 예를 들었으나, 지방에서부터 세를 모으며 한양을 향하여 진격해 오르는 것은 십중팔구 실패할 것이외다. 왜냐하면 원래가 맨주먹인 백성들의 군사로는 지구전을 펼 수가 없기 때문입니다. 이 작은 산하에서 수천의 입에 양식을 넣어야 하고, 하나둘씩 공을 세우려는 지방 토반이나 풋내기 무장들을 의병이라는 이름 아래 모여들게 만들 것이오. 한양을 치기로 하였다면 오래 준비하여, 그날 미명부터 해질녘까지에 사대문 안의 모든 요새 문루 궁궐을 장악해야 될 게요. 장기 둘 때 외통에다 차를 들이대고 상과 말로 교란하는 것과도 같소. 물론 저들 조정의 도와 덕을 잃은 점을 지적하고 대의를 뚜렷이 세워야 할 것이오. 내 의견은 설유학께서 내놓은 두 안을 절충하자는 것이지요. 먼저 번개 같이 궁궐을 점령하여 임금과 조정 대신들을 사로잡고, 경기도 바깥에서 외응하여 관부를 점령한 뒤에 한양에 입성하는 것이오. 처음에는 반정이고 연이어 입국으로 나아가는 셈이지요."

여환이 물었다.

"그렇다면 저희들 쪽에서 도성을 점령하는 일을 해내야겠군요."

"일찍이 운부스님께서도 친민에는 교가 방편이다. 너는 칠성암의 미륵이 아니냐? 하셨지."

설유징이 풍열의 말에 이어나갔다.

"바로 그렇습니다. 검계와 살주계의 혈당들이 주축을 이루고, 미륵의 가르침을 전파하여 은밀히 마을 단위의 연계를 지을 수가 있을 게요."

박대근이 말하였다.

"제가 알아보았는데, 해서의 은율 송화 등지에 있던 유민들을 강령과 경기도의 삭녕 등지로 보냈다고 합니다. 물론 사선골과 탑고개에서의 생존자들도 그리로 갈려나갔지요. 아마도 거의가 삭녕으로 간 듯합니다."

김기가 말하였다.

"그들은 절대로 관에 협력하지는 않을 거외다. 원한이 뼛속에까지 사무친 의붓자식들이니까. 또한 그런 이들끼리야말로 그 연계가 마른 풀에 불 번지듯 조용하고 빠르지요."

길산이 말하였다.

"내 본시 창우 재인으로 자라서 잘 압니다. 전국에 수백여 대의 갖가지 재간을 익힌 광대배가 많으나, 우리는 대개 그곳에서 누가 제일인지 성품이 어떠한지도 모두 알구 있었지요. 그만큼 천한 것들끼리는 가장 가까운 속내를 주고받지요. 오박수가 여기에 있는데, 그에게 물읍시다."

오계준은 구석자리에서 고개를 띨구고 오가는 애기들을 귀기울여 듣고만 있었다. 그는 지적을 받자 좀 당황하였는지 얼른 말을 꺼내지 못하고 두리번거렸다.

"글쎄요, 제가 무얼 알아얍지요. 그러나 제가 해서에서 박수 만신하고 재간 팔아 사는 것들은 모두 아는 사이입니다. 사실은 저보다두 이런 일에는 재인말 살던 큰돌이가 적격입니다만, 지난번 난리에 송화서 잡혀죽었습니다. 해서는 물론이요 경기도 일대까지 제 동무가 많이 나가 밥 빌어먹구 있지요. 송도 덕물산 최영 장군 당에는 저하구 음률을 익히며 놀던 아이가 당주 만신이 되어 더부살이 중이올시다."

풍열대사가 말하였다.

"자네는 여환과 더불어 그런 이들을 미륵의 가르침에 따르도록 도와주어라."

하고 나서 그는 옥여에게 지필묵과 간지를 갖다놓도록 하였다.

"결맹서(結盟書)를 쓰겠소."

풍열이 붓을 들어 적어나가기 시작하였다.

"정묘(丁卯) 사월 초닷새 구월산 오진암에서 함께 회합한 사람들은, 뜻을 같이하여 썩은 나라를 뒤엎고 백성들의 새로운 나라를 세울 것을 죽기를 각오하고 맹세하며, 성사되기까지 서로의 나누어 맡은 일을 힘써 행하고 도우며 한시도 게을리하지 아니하고, 미륵의 도솔타천을 실현할 것을 결코 잊지 않으리니 천지신명은 이를 굽어살피사 도와주시며 등돌리는 자 천벌을 내리시라."

적는 대로 읽고 나서 풍열이 그 옆의 흰 여백 가운데다 크게 누를황(黃)자를 휘갈겨썼다.

"황은 대지요, 역사의 시원이며, 천하의 근본이고, 백성들이니라."

그러고는 그 아래로 풍열이라 조그맣게 적어넣고는 붓을 곁으로 돌렸다.

"사발마냥 둥글게 적어나가게."

옥여가 적어 왼편으로 돌려나갔다. 글을 못 쓰는 이가 강선홍, 우대용, 오계준이었고 대성법주는 천자문이라도 떼었던지 제법 제 법명을 써넣었다. 선홍이는 김기가 대신 썼고 우대용과 오계준은 박대근이 써주었다. 풍열에게로 결맹서가 되돌아가니 그는 다시 한번 읽어보고 나서 설유징에게 내주었다.

"운부 큰스님께 전하시오."

설유징이 두 손으로 받아 봉하여 품에 넣었다. 결맹이 끝난 뒤에 월정사 대웅전에서 구월산 식구들을 위한 재를 올린다 하여 모두들 오진암을 내려갔다.

그날 밤이 되어 손님들은 명일 출발을 약정하고 오진암에서 하루 더 묵게 되었는데, 월정사에는 길산이 안무당 때문에 내려와 있었고, 묘정, 대성법주, 여환, 옥여 등의 승려들은 모두 큰절의 대중방에 들었다. 안무당이 혼수상태에서 깨어나지 못하고 간신히 잠만 자는 형식이라 길산은 머리맡을 지키다가 밖으로 나섰다. 마당에는 신록에서 풍기는 훈향이 그득하였고, 처마끝의 풍경이 고즈넉하게 댕그랑거리고 있었다. 길산은 정원 가녘의 바위에 걸터앉았다. 신 끄는 소리가 들리더니 마당을 건너서 누구인가 그에게로 다가왔다.

"공양은 드셨습니까?"

하여 보니 여환이었다.

"예, 바람이 제법 훈훈합니다."

길산이 인사조로 말하였고 여환은 곁에 걸터앉았다.

"모친께서는 어떠신지요?"

"보살님들 말씀이 아침결에 잠깐 정신이 들었다 합니다. 워낙

노환이시라 예측할 수가 없지요. 한꺼번에 여러 환난을 겪으셔
서……"

여환이 잠시 말이 없더니 하늘을 올려다보았다. 별이 흩어진 하늘
을 바라보며 여환이 말하였다.

"참 묘한 일이지요. 저는 오래 전에 장두령의 넋을 달래는 기도를
벌써 드렸었지요."

"감사합니다. 덕분에 제가 별탈 없이 지내온 듯하오. 이다음에 어
느 깊은 골짜기에서 아무도 모르게 죽어 멧새의 먹이가 되어간다 하
여도, 기왕에 넋걷이 염불을 받아두었으니 극락왕생은 맡아놓은 셈
이지요."

길산은 털털한 기분이 되어 그렇게 중얼거렸다. 여환은 거기서부
터 뜸을 들이지 않고 계속하였다.

"제가 기거하던 암자로 장두령의 참형 소식을 듣고 달려온 아낙
이 있었습니다. 아시겠지만…… 문화 재인말서 함께 사셨다는……"

"알구 있소."

길산이 말하였다.

"기억할 거리가 많으면 수도에 지장이 있을 터인즉 스님도 대강
잊으시우."

"잊지 않는 이의 부탁으로 이러는 겁니다."

여환이 조심스럽게 대꾸하였다. 길산은 의아하여 그를 바라보았
다. 얼굴의 윤곽만이 떠올라서 그가 어떤 표정을 짓고 있는지 알아
볼 수가 없었다.

"스님…… 누굴 만나셨소?"

묘옥의 이름이 길산의 입끝에 나올 뻔하였다. 그러나 그는 거기서
그쳤다. 여환이 말하였다.

"그 아낙은 정처가 없어, 살기 위해 그 무렵 관시놀이에 왔던 사당패에 들었지요. 안성 청룡사 패거리였는데, 고달근이란 이가 모가비였소. 여주에서 도장 노릇으로 재산을 모은 이가 있어서 그 아낙을 은근히 좋아하더니, 자식이 없던 탓이기도 하였지요. 어느 때 행중이 시골 토호에게 피침당하여 곤경에 빠지는 바람에 그 사람은 살인 범법하게 되고 가산은 적몰하고 아내를 잃었지요. 여러가지 우여곡절 끝에 두 사람은 간신히 다시 만나 부부가 되었소이다."

하였다가 여환은 붙박인 듯이 꼼짝 않고 앉아 있는 길산에게 분명히 말하였다.

"그들은 지금 파주 문산포에서 객점을 하며 살고 있소이다."

길산은 도장이었다는 말이 나올 적부터 그가 누구임을 알았다. 그는 고개를 숙였다.

"내가…… 무슨 말을 하였으면 좋겠습니까?"

"아무 말도 하지 마시오. 그저 알고 계시라는……"

길산은 고개를 떨군 채로 말하였다.

"알려주어 고맙소."

여환이 슬그머니 일어섰다. 마당을 다시 건너가려는 여환의 등뒤에다 길산이 말하였다.

"사실 나는 그러한 사연을 알 자격도 없는 사람입니다. 정한이 다소 있었다 한들, 그렇게 모든 것을 다 잃은 이에 비하면…… 내가 아느니 모르느니 하는 말조차 비추지 말아주십시오."

"그러지요."

여환의 신 끄는 소리가 멀어져갔다. 길산은 그대로 앉아 있었다. 대장부가 아무리 세상의 굵고 큰 것만을 가슴에 품는다 한들 어찌 속에 감추인 가녀리고 작은 것을 잊을 수가 있으랴. 다만 그런 부분은 이미 해주 주내방 사거리에서 이름 없는 대시수가 목으로부터 시뻘건 피를 뿜으며 참수될 때 함께 죽어버렸을 뿐이다. 묘옥에게 자신은 벌써 죽어 황천에 가 있는 혼령일 뿐이었다.

사당패가 걷던 수없는 갈래의 길이며 물과 산과 골짜기와 그를 따르던 어느 사내와, 그들이 겪어왔을 슬픔과 고통은 살아 있는 현실 세계의 그것이었다. 어찌 죽은 것이 생생히 살아 있는 것을 당하랴. 저 쓰린 정한이라는 것도 봉순과 수복이와 구월이의 살 비빈 혈육에 비한다면 한갓 환(幻)것일 뿐이다.

더구나 이경순과 장길산은 이제부터 뜻을 위하여 함께 목숨을 건 결맹한 동당이었다. 그 밖의 사연은 샘 밑의 모래처럼 저 밑바닥 깊숙이 가라앉혀버릴 것이었다. 문득 길산의 뇌리에 수복이나 구월이 비슷한 또래의 아이를 안고 객점의 울바자 밖에 나와 서서 이경순을 기다리고 섰을 묘옥이 떠올라왔다. 이번 일은 한양 인근의 혈당들이 선봉이 될 것이며, 만약 그렇다면 길산은 한사코 이경순의 안전을 위하여 온 힘을 다할 생각이었다.

날이 새자마자 가장 먼저 떠날 행장을 차리고 오진암을 내려온 것은 설유징과 대성법주였다. 돌아가며 인사가 오가고 나서 법주스님은 길산을 찾아 안무당의 방으로 왔다. 안무당은 그날따라 새벽부터 정신이 맑아지며 이야기도 주고받고 하던 중이라 대성법주가 뒤늦은 인사를 올렸다. 안무당은 그를 미처 알아보지 못하고 월정사에 새로 온 스님으로나 여겼는지 이불깃을 여미며 송구해하는 안색이었다.

"저 갑송이올시다."

"뭐야……?"

"재인말 살던 갑송이요."

안무당이 갑송이를 코흘리개 적부터 모를 리가 없었다. 눈을 가늘게 뜨고 들여다보다가 웃음을 지었다.

"그래 그래, 우리 길산이 짝패이던 항우 같은 갑송이로구나."

길산도 안무당의 총기가 돌아와 갑송이를 알아보는 것이 흐뭇하여 법주스님과 마주 보고 싱긋이 웃었다.

"지금 금강산에서 수도 중이랍니다. 아주 신실한 수좌가 되었지요."

"응, 부처님께서 점지하신 이는 종내 중이 되구야 만다는구나."

갑송이가 일어나려 하니 안무당이 말렸다.

"강원도까지 길이 멀어서 곧 떠나야 한답니다."

안무당의 눈이 감기더니 나직하게 말하였다.

"암, 떠나야지. 재인말도 없어지고 탑고개도 없어지고…… 돌아가면 우리 수광대 어르신하구 내가 저승에서 만나게 염불이나 올려주어."

법주가 말하였다.

"먼저 가 계시면 다 만나게 되어 있습니다."

그는 일어났고 길산이 따라나섰다. 밖에서 설유징이 기다리고 있었다. 길산은 합장 대신에 대성법주와 손을 마주 잡았다.

"우리가 잃은 것은 모두 되찾아서 백성들에게 돌려주어야 한다."

"한양에서 만나게 되도록……"

승속은 헤어졌다. 설유징과도 인사가 끝났고 익숙하게 바랑을 짊어진 우람한 대성법주의 모습이 문루 밖으로 사라져갈 때까지 길산은 그 자리에 서 있었다. 법주는 그가 가정을 이루고 살았던 탑고개며 모친의 무덤과 그 곁에 묻힌 도화의 묘도 함께 둘러보겠다는 의사를 비치더니, 끝내 휘적휘적 떠나왔던 산문을 향하여 승려답게 돌아가고 말았던 것이다.

　아침공양을 마치고 나서 해가 높직이 뜬 뒤에야 김기 강선홍 이경순 우대용 박대근 등이 우르르 몰려내려왔다. 김기가 길산에게 말하였다.

　"장두령, 산채가 휑하니 빈 듯하여 어서 가보아야 되겠소. 강서방 하구 내가 먼저 가 있을 테니 모친의 병세를 보아서 며칠 더 있다가 오시지요."

　"글쎄, 좀 차도가 보이는 것도 같고 한 사나흘 보았다가 그저 그러시면 내 곧 뒤따라가리다."

　대근이 길산에게 다가서서 말하였다.

　"먼저 얘기한 대로 인삼밭의 소출이 되고 나면, 내가 산채를 도와 힘을 보탤까 하오."

　"전에 의논한 것처럼 호마가 필요합니다. 말과 총포가 있으면 관군은 얼마든지 쳐부술 수가 있소."

　"산채를 더욱 안전한 곳에 심장하여야겠더군. 산에 가기 전에 송도에도 좀 들러주오."

　길산은 그의 어깨 너머로 이경순을 바라보고 있었다. 길산은 그에게로 다가서서 먼저 허리를 굽혔다.

　"이번에 만나뵙게 되어서 정말 반가웠소이다. 도울 일이 있다면 언제든지 달려가겠습니다."

　"언제쯤 파주에…… 들르시겠습니까."

　이경순이 말하였고, 길산은 조금 비켜서 답하였다.

　"칠성암에 들르게 되면 여환스님을 통하여 전갈을 올리지요."

　이경순은 감사하다는 양인지 작별인사인지 허리를 굽혀 보였다. 옥여와 여환 등도 그들을 배웅하러 문루에까지 나갔다. 묘정도 함께 떠나갔다. 묘정은 문루까지 걸어가며 길산과 얘기를 나누었다.

"몇년 전에 제게 찾아오셨을 적에는 생각과 수행이 부족하여 허튼 소리를 하였지요."

"허튼 소리라뇨……"

길산의 반문에 묘정은 웃었다.

"여환을 사도라고 몰아붙인 일이 생각 안 나십니까?"

"그러셨지요마는 양주 사비의 소생이라고 스스로 거리낌 없이 말씀하셔서 저는 정을 느낀 생각은 납니다."

"아……"

묘정은 잠깐 걸음을 멈추었다.

"그때 금강산으로 떠나시던 길이었나요. 생부의 얘기를 하셨지요."

"추노를 피하여 입산하신 어떤 분에 관해 물었습니다."

길산이 담담하게 말했고, 묘정은 의아하다는 듯 그를 바라보았다.

"그런데……"

"대장부는 그 외에도 잊어버릴 일이 많고 기억할 일도 많은 듯합니다."

묘정은 고개를 끄덕였다.

"생부께서는 승려가 되셨다 하니, 그분도 그렇게 여기실 겁니다."

묘정과 길산은 합장을 나누었다. 손님들이 그렇게 한꺼번에 가버리고 월정사 경내에는 여환과 장길산과 오계준 셋만이 남아 있었다. 여환은 그가 머물며 커왔던 사찰이라 고향이나 다름없어 며칠 더 머무를 눈치였고, 오계준은 그와 가장 가까운 김승운 계화 부부와 헤어지지 못하여 한 사날 머물 모양이었다. 원향의 일로 계화 부부는 여환과 식구처럼 친해져서 그의 권유에 따라 함께 양주로 나가서 신당을 모시고 살아볼 계획이었다.

안무당은 그날 하루 총기가 되살아난 듯하더니 밤이 되자 길산에게 곁을 떠나지 못하게 하였고, 봄풀 같은 손으로 길산의 손을 잡아 꼼지락거리며 매만지는 것이었다.

"원향이 좀…… 불러주어."

하여서 길산이 보살들 방에 알리니 원향이뿐 아니라 계화와 백련이까지도 달려왔다. 안무당은 원향이를 머리맡으로 다가앉도록 이르고 숨을 몰아쉬며 천천히 말하였다.

"저어기 서해바다의 용왕님은 원래가 대국에서 오는 잡신들을 막아 지키시는 분이시여. 이 바다 내다보는 구월산 산신님과 더불어서 옛적부터 이 터전 하늘님을 모시고 단군 성조님을 보좌하던 분들이지. 네가 어미의 몸을 빌어 신을 받은 데가 풍천 바닷가요, 다시 한번 얼을 찾은 곳이 구월산이니 그 두 신을 잊지 말아야 한다. 북 묘향, 동 금강, 서 구월, 남 지리, 사방에는 이 땅의 골골과 산맥의 혈을 둘러 지키는 큰 산신님들이 계시느니라. 이 가운데 저어 아사봉에는 아사달 옛 터전 단군 성조님의 뜻이 새겨 있으니 너는 기중 가장 크고 깊은 신의 뜻을 이어받은 만신이 되어야만 한다. 내 무구와 요령과 신칼을 네게 내린다. 우리 수복 어미는 신심은 깊으나 영험이 깃들이지 않아 여염 아낙이 되었고, 내 이를 물려줄 신딸이 생기지 못하여 만신의 대가 옮겨가는가 하였더니, 우리 몸주께서는 이렇게 큰 뜻으로 너를 보내어 잇게 하실 줄을 미물인 내가 어찌 알았겠느냐. 원래가 박수란 몸주 받은 만신의 호위 시중이나 들게 마련이라 네가 서해 용왕님의 지시하신 용녀이고, 구월산 산신님의 몸주 받은 큰 무당이니라. 이 땅의 서편에서는 너보다 더 큰 성주를 모신 이가 없다."

안무당은 다시 큰 숨을 몰아쉬었다.

길산이 더이상 말씀하지 못하게 막고 싶었으나, 언중에는 그가 헤아리지 못할 깊고 간절한 뜻이 담긴 듯하여 만류할 수가 없었다. 양모의 천직이 무당이니 일생을 그것에 바쳐 정성을 들인 바에야, 이렇게 전하여줄 일만큼 중요한 것이 따로 있을 것 같지 않았다. 길산은 고개를 숙여 침묵하고 방바닥만 내려다볼 뿐이었다. 안무당은 계화와 백련이의 손을 끌어다 모아서 원향이에게 쥐어주며 당부하였다.

"자네들은 이제부터 해서의 가장 큰 만신의 시종으로들 알고 받들어 모시며, 정성덕을 입히도록 잘 보살피게."

"뉘 말씀이라 거역하겠수. 염려 마세요."

계화가 끄덕이며 말하였다. 안무당은 손을 휘저어 그들에게 돌아가라는 시늉을 하였고, 이제껏 얌전하게 고개를 숙여 듣기만 하던 원향이는 역시 만신이 점찍어 대물림한 큰무당답게 입을 떼었다.

"어머님의 무구를 잘 물려받아 이승에 있는 동안 아프고 병들고 맺힌 사람들을 어루만질 뿐만 아니라, 이 세상 모든 잡된 것들을 싸워 물리치겠어요. 이제 눈을 감으시면 황천을 건너기 전까지 부디 이 산중에 머물러 소요하시며 제가 드리는 공을 도와주시고, 저의 섬김을 받아들여 서낭님 산신님 용왕님들께로 맺어 안내해주시고, 그런 대사 끝난 뒤에 먼저 가신 만신님들같이 이 땅에 깊은 어둠 가운데 불로 살아 지켜보아주십시오."

안무당은 빙그레 웃음을 띠었다.

"내 딸…… 장하다."

원향이가 일어나더니 두 손을 이마에 모으고 큰절을 올렸다.

"어서……"

안무당이 다시 손을 내어 휘저었고 계화가 백련이와 원향이의 등을 두드려서 밖으로 나갔다. 그들이 모두 나간 뒤에 방에는 안무당과 길산만 남아 있었다. 안무당은 모로 누워 있다가 천장을 향하여 반듯이 눕더니 만족한 웃음을 입가에 띠었다.

"아, 이젠 안심이다. 내가 다시는 우리 몸주님을 대하지 못할 줄 알았구나."

길산이 안무당의 이불깃을 여며주며 말하였다.

"어머니, 쉬십시오. 이러다간 다시 병이 심해지십니다."

안무당은 또 빙긋 웃었다.

"길산아, 난 이제 갈란다."

"어머니…… 누님 불러올까요?"

길산이 그의 귓전에다 대고 나직하게 말했으나 안무당은 웃는 표정인 채로 대꾸하였다.

"네가…… 있잖으냐, 내 자식아."

표정이 지워지는 듯하더니 번갯불에 드러난 사물들이 찰나 가운데 떠올라 붙박혔다 사라지는 것처럼, 동공이 멎었다. 길산은 양모의 아직은 따뜻한 이마에 얼굴을 묻고 삭정이같이 여윈 어깨를 가만히 안았다. 이렇게 그의 구월산 시대는 모두 사라져버린 것이다.

방 안에는 촛불만이 일렁거려 길산과 긴 잠에 든 안무당의 그림자를 벽에다 붙여서 춤추도록 하였다. 길산은 한참 만에 고개를 들었다. 그는 눈가에 번진 물기를 소매끝으로 두어 번 훔치고는 조용히 방을 나왔다. 보살들의 방에는 불이 꺼져 있었다. 길산이 조심스럽게 불렀다.

"이모 보살님……"

"응, 성님이……"

아직 깊은 잠에 들지는 않았던지 계화가 얼른 대답하며 방문을 열었고, 김승운도 깨어 일어났다. 길산은 툇마루 앞에 서서 중얼거렸다.

"조금 전에 운명하셨습니다."

"아이구…… 그러게 우리를…… 내몰더라니까."

계화는 울먹이며 나서서 옆방의 백련이와 원향이를 깨웠고 김승운은 승려들을 깨우러 갔다. 길산이 안무당에게로 돌아가 이불을 머리 위까지 씌워드리고 앉았으려니 경내의 곳곳에 관솔불이 훤하게 켜졌고 옥여와 여환과 계화가 달려들어왔다. 김승운은 문간에서 칠성판으로 쓸 널판을 가져다놓고 말하였다.

"조금 있으면 날이 샐 텐데, 내가 까막내로 내려가 박서방네 알리구 와야지."

"그렇게 해주시렵니까."

길산은 칠성판을 안으로 들였고, 여환이 팔을 걷고 나섰다.

"내가 여염 동네에서 이런 일을 맡아두고 하였으니, 내게 맡기시우."

옥여는 불승의 다비라면 절차 격식을 잘 알지만 세간의 것은 잘 모르는지라 곁에서 여환의 하는 양을 지켜볼 따름이었다. 여환은 길산의 도움을 받아 안무당의 몸을 칠성판 위에 올리고 두 손을 모아 무명으로 묶어나갔고, 홑이불을 머리 위까지 씌워서는 널판 아래 정석을 받쳤다. 병풍을 내다 치고 향을 피워 빈소가 마련이 되었다. 서로 내왕하고 문상할 사람도 없으니 장의는 조촐하게 치러지도록 길산이 안을 내어서, 까막내의 누이와 자형이 당도하면 하룻밤 새운 연후에 재인말 터에 있는 당나무 근처 장충의 무덤 옆에 새로 쓰기로 하였다. 원향을 비롯한 무당들은 저희 나름대로 초혼제를 지내느라고 안무당의 헌옷가지들을 내갔다.

까막내 식구들이 온 다음에 함께 밤새우고 동이 부옇게 틀 즈음에 중은 옥여와 여환이 따라오고 속인은 김승운 오계준과 계화 백련이 원향이 그리고 상주인 길산이 재인말 옛터를 향하여 출발하였다. 상여는 꾸밀 엄두도 못 내어 관 위에 상목을 싸고 색댕기로 묶어 늘어뜨려 치장하였다. 길산과 자형 박서방이 상수의 밧줄에 봉을 꿰어 목도를 메었고 하족은 김승운과 오계준이 메고 따랐다. 여인네들은 각기 음식과 주찬이 담긴 함지를 이었다. 만장도 만가도 없는 행렬이었다.

세상을 피하여 사는 이들의 장례인지라 오히려 초군이나 나그네의 눈에 띌 것을 염려하여 수렛고개로 나아가지 않고 산등성이를 타고 가려니 고생이 이만저만이 아니었다. 광대산 아랫녘으로 갈 적에도 김승운이 먼저 가서 동정을 살피고 온 뒤에야 내려갔다. 작은 돌무더기의 장충의 무덤에는 이제 새로운 풀들이 돋아나기 시작하고 있었다. 길산은 안무당의 관 위에 정겨운 재인말의 붉은 흙을 떨구면서, 새삼 연안의 봉세산 기슭 꽁꽁 얼어붙은 땅에 묻힌 젊은 여비의 주검이 떠오르는 것이었다.

안무당의 장례가 끝난 다음날 길산은 곧 월정사를 떠날 채비를 차렸다. 안무당이 누워 앓던 방에는 박서방과 누이가 묵고 있었다. 그들도 까막내로 돌아가지 못하고 있었던 것이다.

"인제 언제나 송화 땅에 발을 들이려느냐?"

비록 피를 나눈 남매간은 아니었지만 박서방댁에게 길산은 하나뿐인 동생인 셈이었다. 그녀는 길산이 짐을 챙겨 패랭이 쓰고 건너온 양을 보고 떠나려는 것을 알고는 금방 눈물이 글썽해졌다. 길산은 그저 마루 끝에 걸터앉아 있었고, 갓바치 박서방은 곰방대를 빼끔댔다.

"글쎄 우리가 봉산이나 아니면 서흥에라도 이사 갔으면 좋겠지만, 내야 잘 아다시피 신 꿰어 먹고 사는 처지라 단골도 그렇고 저자도 그렇구먼. 거 길산이두 이제는 처자도 거느리고 하였으니 그만 산에서 내려와 살지."

박서방이 조심스럽게 말하였으나, 길산은 그저 빙긋하였을 뿐이다. 까막내댁이 말하였다.

"아버지와 어머니를 나란히 함께 모시게 되어서 정말 다행이다. 너희는 언제까지 세상을 피해서만 살 테냐. 나두 재인말서 크고 시집가고 하였지만, 철마다 식구가 흩어지고 늘 관가의 기찰에 쫓기고하지 않더냐. 화전갈이를 하여도 그게 맘이 편한단다. 탑고개와 사선골을 봤다."

길산은 짐을 한쪽 어깨에다 걸치며 일어났다.

"걱정만 끼쳐드려서 두 분께 할 말이 없습니다. 나중에 화전 갈며 살 테니까 염려 마세요."

까막내댁이 마루로 뛰쳐나와 길산의 손목을 두 손으로 잡았다.

"아니…… 이렇게 그냥 헤어질 거냐. 안 돼, 오늘 우리하구 같이 내려가서 하루라두 묵어가야지."

"남들 눈이 있잖아요."

길산이 중얼거리자 박서방은 잽싸게 말하였다.

"허, 그건 그래. 하루가 멀다고 풍헌이 들러서 들여다보기도 하고 이웃에 물어보기도 하는데……"

"다 살다 보면 만날 때가 있겠지요. 제사는 제가 지내겠습니다."

까막내댁은 눈물바람이었다. 길산이 뒷걸음질치자 누이와 자형은 마루 끝에 섰다. 길산은 허리를 숙여 인사를 올렸다.

"좋은 시절이 되면 오며 가며 삽시다. 부디 유복하게들 사시우."

"너두 그래라. 수복 어미께 안부 전하고, 무엇보다도 네 한 몸이 성해야 처자는 복이 있는 게야. 몸조심해라."

"활빈당두 이젠 그만두어."

부부가 한마디씩 당부하였고, 길산은 마당을 건너서 바깥채로 나가 옥여와 여환을 만날까 하다가, 풍열스님께 먼저 하직인사를 하고 내려오는 것이 순서일 듯하여 달마암으로 오르는 골짜기 샛길로 향하였다. 암자 앞에는 분홍의 철쭉이 만개하였고 목련은 이미 지는 중이었다. 계곡으로 굽이쳐 흐르는 물소리가 투명하게 들려오고 있었고, 저 너머 아사봉 위로는 안개가 너울처럼 걸려서 흐느적대고 있었다.

"스님 계십니까."

길산이 법당 앞에서 찾으니, 왼쪽의 미닫이가 열리며 상좌가 나와서 들어오라는 시늉을 하였다. 마루에 오르니 벌써 차 끓이는 쇠주전자의 김 빠지는 소리가 송림을 헤집는 구월산의 메마른 바람소리처럼 들려왔다.

"길산이 오느냐?"

안에서 풍열스님이 내다보며 건넸고 길산은 미닫이를 뒤로 닫으며 공손히 꿇어앉았다. 그 맞은편에는 도안이라는 풍열 같은 연배로 보이는 노승이 앉아 있었다.

머리는 풍열처럼 희끗희끗하였고 기골은 떡벌어진 것이 젊을 적에는 힘깨나 쓴 것 같았다. 코가 뭉툭하나 입은 작고 눈도 작아서 어린아이처럼 오종종한 인상이었다. 도안은 엊그제 분향 염불할 때에 빈소에서 얼핏 길산과 인사를 나누었던 것이다.

그가 이번 오진암 집회를 바라고 왔으나 이미 집회는 끝난 뒤였고, 엉뚱하게 길산의 어미 안무당의 장례에 참석한 격이 되었다. 길산은 그가 맨 처음에 구월산을 떠나 해주에 갔을 적에 묘정이 이르던 보경스님의 얘기를 기억하고 있었다. 신계 사람 보에 관하여 대사께 물어보아라, 하며 장충은 그의 출생담과 함께 일러주지 않았던가. 그러나 길산은 묘정에게도 그런 소리는 일부러 피하였다.

"장사는 잘 치렀느냐?"

"예, 염려해주시고 경내에서 여러가지로 보살펴주신 덕분인 줄 압니다."

"재인말 옛 터에 모셨겠지?"

"아버님을 지난번 난리 때에 모셨기로, 함께 모시게 되어 다행이지요."

"음, 그게 다 그이들의 분복이다. 길에 묻힌 재인들도 많았으니까. 너희 모친은 참 훌륭한 보살이셨다. 생전에 적선을 많이 이루었으니 틀림없이 좋은 곳에 가셨을 게야. 특히 당신께서 모시는 몸주님께 들인 정성이야, 우리네가 부처님을 생각하는 것과 무엇이 다르겠느냐. 모두 한길로 통해 이루어지느니라. 이번에 가게 되면 한양의 일이 무르익기 전에는 서로 만나기 힘들 것이야. 아마, 거사할 무렵이 되면 한양에서 통기를 해줄 것이고 우리는 거기에 일을 맞추어나가면 될 듯하구나. 그전에 조련도 시키고 준비를 해두어야겠지."

"예, 말씀드린 대로 저희는 총포를 더 장만해야 되겠습니다. 된목이골 동무들처럼 되지는 않을 겁니다."

풍열은 도안에게로 시선을 주며 말하였다.

"드디어…… 우리가 금강산에서 운부스님을 모시고 겨울을 나던 때의 결심이 조금씩 실현되고 있네."

도안은 고개를 끄덕였다.

"그래, 하지만 나는 첫술에 배가 부를 게라고는 믿지 않네. 아마도…… 궁성은 잠시 점거할지 모르지만…… 사대부의 뿌리를 뽑기는 어려울 걸세. 통기가 오기만 한다면 우리 향산의 승병은 관서의 각처를 교란시켜서 평안감영의 군사가 남진하지 못하도록 날짜를 끌어볼 작정일세. 우리 관서 승병은 왜란 때부터 그 용맹을 떨쳐 명나라까지 알려진 군사일세."

길산은 도안이 얘기할 적에 동안의 유순해 보이던 눈동자가 꼿꼿이 긴장하여 빛나는 것을 보았다. 도안은 저도 모르게 향나무 염주의 알을 꽉 움켜쥐고 있었던 것이다.

"스님께서는 향산 어느 절에 계십니까?"

길산이 묻자 도안은 말하였다.

"보현사(寶賢寺)에 속한 윤필암(潤筆菴)에 있소."

"거기 계신 지 오래되셨습니까?"

도안 대신에 풍열이 곁에서 말해주었다.

"해주 수양산 망해사의 원주로 계시다가 진작에 떠났었다. 그때 큰스님이 보경선사이셨느니라. 사노비로서 그이가 거둔 승려가 많았지. 여환도 그분을 거쳤고 묘정 또한 그러하다."

길산은 공손히 말하였다.

"알아 모시겠습니다. 승병은 얼마나 되는지요?"

도안은 잠시 생각하고 나서 답하였다.

"글쎄…… 향산과 약산(藥山) 이산(耳山) 검산(檢山) 등 영변부(寧邊府)에서 천여 명을 모을 수가 있겠고, 개천(价川) 덕천(德川) 안주(安州) 태천(泰川) 박천(博川) 희천(熙川) 운산(雲山) 등지에서 천여 명을 더 모을 수가 있을 게요. 그뿐 아니라 평안도의 대처로 알려진 의주 정주 강계 등지에서는 일반 백성들과 유민들을 삽시에 끌어모을 수도 있겠지요. 만약 한양의 도성이 일단 함몰되었다고 알려진다면 그들은 곧 관군에 대적하여 조군지로(漕軍之路)를 끊어줄 것이오."

길산은 듣고 나서 말하였다.

"북의 고원지대가 무인지경이나 다름없으니 실로, 새로운 군사를 기르기에는 그보다 더 좋은 곳이 없지요."

"어디를 다녀보았소?"

"예, 낭림산맥을 타고 한 두어 해 다녀보았습니다."

"전인미답의 황무지나 같소. 향산에는 온 적이 없던가?"

"예, 명산으로 알고 있으되 아직 가보지 못하였습니다."

하고 나서 길산은 잠시 사이를 두었다가 도안스님에게 물었다.

"스님께서는 이번에 논의한 첫번 거사가 실패한다면 어찌하실 의향이십니까?"

도안스님은 풍열을 돌아보았다.

"글쎄…… 운부 큰스님의 말씀처럼 대답할 수밖에 없구먼. 군사를 키워 변방에서부터 거병하여 요충을 점령하면서 회동하여 오는 무리를 받아들여 세를 불리면서 쳐올라갈 방도가 있겠지. 그러나 실패란 것은 실상 없다고 생각되오. 비록 거사를 일으켰다가 몇몇이 잡혀 역률로 죽는다 하여도, 그만큼 백성들 사이에는 씨를 뿌려놓는 셈이 되니까."

풍열이 말하였다.

"나무아미타불…… 좋은 말씀이네. 이번 거사는 철벽의 틈을 뚫고 나가는 첫 번째 파도가 될 게야. 일단 흐름이 생기면 뒤를 이은 다른 물결이 끊임없이 일어나 몰아치게 될 것이고, 드디어는 철벽이 무너지겠지."

길산의 얼굴은 밝아졌고 두 노승의 눈에는 따스한 빛이 담겨 그에게로 전하여지고 있었다. 범람한 물이 마른 땅 위로 넘쳐갈 때 그 물길의 선두는 스스로 골을 찾고 감돌아나가게 되나니, 뒤이은 물줄기가 이미 이루어지고 찾아낸 길을 따라서 흐름을 얻게 되는 법이 아니던가. 대저 역사를 논할 때, 도도한 물결의 끝없는 흐름은 잊고서 잠시 암벽에 걸려 돌아가거나 웅덩이에 괴는 흐름의 한끝만 보고서 꺾였다느니 멈추었다느니 하게 마련이지만, 높은 데서 낮은 데로 흐르는 것이 물의 본성이자 섭리인 것이다. 사람의 일은 늘상 그러하여 나아가게 되어 있으며, 전혀 없던 일을 시작하는 일에 실패란 없는 것이며, 그만큼 이루어진 것이 아니랴.

실로 풍열이 그들의 입국에 관한 뜻을 세운 일을 물길을 여는 것에 비유한 것은 적절하였다. 이러한 원류(源流)가 오랜 세월에 걸쳐 흐르면 드디어 장강대하(長江大河)가 되어 산천을 변화시킬 것이다. 보에서 터진 물줄기가 광야를 향하여 달음질쳐 흘러가기 시작할 것이다.

"제 생각에는…… 이제 월정사는 스님이 계실 만한 곳이 못 되는 듯합니다."

길산의 말에 풍열은 고개를 끄덕였다.

"음, 이번 일을 보아서 옥여와 나는 떠나련다. 세간에 소문이 낭자하여 한 번 피한 재난을 두 번 피하기는 어려울 것이다."

"해서는 자고로 극적(劇賊)이 많이 나온다고 벼슬아치들이 수군거린다네. 일부러 험한 곳에 있을 이유가 없지."

도안이 덧붙였고 길산은 말하였다.

"저희도 팔도에 알려진 녹림당이 되어 사방에서 우리와 함께하려는 산림처사들이 결맹하고자 사람을 보내옵니다. 말득이를 보내어 묶어나가고 있으니 수가 자못 불어나겠지요. 때를 보아 산채를 흩트리고 이러한 결탁만을 베 짜듯이 맺어놓을까 합니다."

"우리 중이야 별로 그런 일이 없으나, 장가들고 처자 거느린 자네들은 백성들과 더불어 여염생활을 해야 할 테니 그게 걱정이로구나."

풍열의 말에 길산은 답하였다.

"뭐 송방에 나간 송상들은 섣달 그믐이나 되어야 귀향하여 처자를 만난답니다. 그래서 그 무렵에 생겨난 아이들이 많다지요. 저희들도 행상단처럼 때가 되면 이합집산(離合集散)을 자재로 하여 관이 포촉하지 못하도록 할 작정입니다."

"장두령의 활빈행은 관서지방에서도 널리 알려져 있소."

도안이 말하였다. 길산은 머리를 조아려 도안에게 감사하였다.

"오늘에사 스님을 뵈어 많은 것을 배웠으니, 마치 젖먹이가 태산을 오르고 초동이 장강을 건넌 듯합니다."

하고 나서 길산은 저도 모르게 말을 꺼내었다.

"스님께서 보경선사를 모시고 계시다가 묘향산으로 옮기신 것이 몇해나 되었습니까?"

도안이 풍열과 마주 보며 웃음을 지었다. 도안은 풍열에게 되물었다.

"산사에서 바람소리와 차 끓는 소리만 들어서 그러한지 세간의 일월을 헤이지 못하겠구먼. 풍열이 내 도반이라, 금강산에서 모인 것이 언제던가?"

풍열은 손가락을 짚어 헤아리는 시늉이더니 혀를 차는 것이었다.

"효종(孝宗) 임진년(壬辰年)이었으니, 그해 정월에 팔도 승군을 제도(諸道)에 나누어, 정하여 대를 이루게 하였던 해였느니라. 네가 태어나기 삼 년 전의 일이다. 네 이제 서른셋이니 실로 서른여섯 해가 지났구나. 허허, 우리도 한창 기가 팔팔하던 수좌시절이었지."

길산은 다시 물었다.

"혹시…… 그 무렵에 보경선사께서 승려를 만드시고 도안스님께
로 보낸 사람이 없었습니까?"

"무엇을 묻고 있느냐?"

풍열이 눈을 가늘게 뜨고 길산을 건너다보았고, 길산은 말이 나온
김에 아무런 감정도 드러내지 않고 말하였다.

"제 생부에 관해 여쭙고 있습니다."

길산의 출생담을 잘 알고 있는 풍열은 속으로 헤아려보는 듯하더
니 도안의 기억을 일깨워주었다.

"아마, 효종 연간 갑오(甲午) 말께나 을미(乙未) 초가 될 걸세. 네가
을미생이지?"

"예, 생모께서 운명하시기 전에 생부가 망해사에 소식이 닿는다
구 하셨답니다."

도안은 한참 기억을 더듬는 듯하였다.

"을미년이라…… 그러니까 그해에 추쇄도감이 열리고 노비들을
마구 잡아들이던 때가 아닌가. 옳지, 그해에 보현사를 수리하였지.
출가한 행자들이 많아서 일이 빨리 끝났다네. 누가 누구인지 알 수
가 있나. 가만…… 망해사에서 보낸 이라면 셋이 있었지. 혹시 그이
의 속명을 아오?"

길산은 가슴이 두근대기 시작하였다.

"역노질 다녔답니다. 신계 사람이구 이름은 보(步)자를 쓴다 하였
지요. 보돌이라 불렀겠지요."

"허, 그…… 명근(命根)스님 아닌가."

도안이 깜짝 놀라면서 말하였고, 길산은 말을 잃었다. 도안은 염

주 만지기도 잊은 듯 연신 허허, 소리만 내었다.

"그래, 그 무렵에 보경선사에게서 행자 한 사람이 왔지. 신계 사람으로 역노였는데 달아났다더군. 우리는 한 형제나 마찬가지야. 명근은 안심사(安心寺)의 주승으로 있지."

풍열은 쏘는 듯한 시선으로 길산을 관찰하고 있었다.

"안심사의 주승이라면…… 나도 예전에 향산에서 동안거를 보내면서 만난 적이 있네. 계행이 높은 승려였어. 길산아, 뭘 생각하느냐?"

"예……?"

길산은 펀뜻 정신을 차리고는 동요하는 마음을 감추기 위하여 머리를 숙여 방바닥을 내려다보았다.

"공연히 쓸데없는 말을 하였군. 우리 도안스님은 중생의 사는 사정에는 맹목(盲目) 스님이로다. 이미 문안과 문밖으로 갈라지기 삼십여 년인데 뭘 하러 아는 체를 하는가."

풍열이 도안을 은근히 꾸짖고 나서 정색을 하고 길산에게 말했다.

"생부이든 사부이든 그분은 이미 그러한 인연을 떠난 선승이시다. 생각해보면 이러한 세상이 이만큼의 취산(聚散)의 인과를 지어낸 것인즉, 사람으로 태어나 짐승처럼 각처로 팔려 혈육의 정이 끊기는 비리를 없애야 한다. 길산아, 너 혹시 향산으로 찾아가려거나, 혈연임을 앞세워 그분에게 사실을 얘기하려거나 해서는 안 될 게야."

"아닙니다."

길산은 단호하게 말하였다.

"하지만…… 언젠가는 일이 있어 뵙게 되면…… 어머니가 돌아가시던 얘기는 꼭 해드릴 생각입니다."

도안은 옆으로 돌아앉아 딴청을 피우며 모른 체하는 양이었다. 풍열이 조용히 말하였다.

"어서 내려가봐라."

길산은 자리에서 일어나 두 분 스님께 하직인사를 올렸다. 풍열은 말없이 내려다보았고 도안은 공손한 합장으로 예를 보였다. 길산은 머뭇거리지 않고 얼른 달마암을 나섰다.

길산이 떠나간 뒤에 남은 것은 여환과 신천 박수 오계준과 김승운 계화 부부 그리고 원향이었다. 백련이며 다른 사당들은 모가비 임가를 따라서 관서로 출행을 나갔던 것이다. 지난해부터 나라에서는 송엽(松葉)을 권유할 정도로 흉황은 계속되고 있었다. 월정사 사당패들은 메조나 기장도 심고 하여 간신히 봄을 넘겼으나, 관군 토포가 있을 때 온 마을에 스스로 불을 질렀기 때문에 그 복구하는 일로 봄철 출행이 늦어졌던 것이다. 어쨌든 여름을 넘기고 늦가을 찬바람이 불어야 돌아오게 되어 있었다. 한 대는 위로 올라 순안 법흥사 패거리와 함께할 것이었고 다른 한 대는 아래로 내려가 진관사 청룡사 패거리들과 해변을 돌 모양이었다. 이제 월정사에는 승려 외에 속인은 그들뿐인 셈이었다. 오계준은 어루리벌과 나무리벌 일대에서 무업을 하면서 미륵당을 이루어보기로 하였으니, 임가네 월정사 사당패는 해서를 돌면서 자기네와 같은 천류들을 묶어나가기로 하였던 터이다. 오계준은 옥여와 의논하여 월정사와 상관없이 그가 중심이 되기로 하였다. 여환이 양주로 떠나기 전날 그들은 모두 바깥 객방에 모여앉아 있었다. 계화 김승운 부부와 오계준 원향이 등이 늦은 저녁을 먹고 있었고 여환은 대중방에서 건너온 참이었다. 계화가 머뭇거리며 말을 꺼냈다.

"저어…… 우리는 인제 사선골두 없어졌으니 가서 살 데도 없고, 스님만 믿고 따라가렵니다."

"아따, 스님께서 벌써 그렇게 허락하셨는데 어린애처럼 자꾸 보채기는……"

김승운은 여환이 행여 딴소리라도 할까봐 조바심이 나서 앞질러 그렇게 말하였다. 여환은 웃으면서 대답하였다.

"삭녕에 예전 마을 사람들이 많이 모여 산다던데 양주서 삭녕이야 반나절 길이지요."

"아니…… 우리는 양주 대처로 갈라오. 무당질하려면 농투성이들보다는 그래두 장사치들의 행하가 후하니까."

여환은 내막을 아는 계준을 마주 보며 눈짓하였고, 계준이 일렀다.

"공연히 작은 암자 한 채 짓고 공부하시는 스님의 수도나 훼방 말어. 가까운 사이일수록 자주 내왕하는 것보다는 간격을 남겨두어야 하는 게여."

계화는 여환이 은근히 눈치를 보이는 것 같아 기분이 나빴다. 더구나 오계준은 아예 그들 식구가 여환의 짐이 될 것이라고 못 박아 말하고 있는 것이다. 계화는 입을 비쭉거리며 받았다.

"흥, 뭐 양주 바닥이 월정사 앞마당만 한 줄 아나베. 정 그렇다면 이쪽 말 저쪽 말루 따로 떨어져 살면 되잖어."

그러고는 방에 걸린 괴나리봇짐을 내리더니 탈탈 털어내 뵈는 것이었다. 엽전을 꿴 작은 꿰미가 있었고, 무명도 몇필 지닌 듯하였다.

"자아, 이것 봐. 우리가 뭐 당장 남의 신세를 질 줄 알구 그래? 오십 냥허구 상목 두 필이여. 이거면 객줏집 들어두 몇달은 좋이 먹구 살지. 우리는 가자마자 오막살이라두 지어서 신당 먼저 모실 거라구. 신당이 있는데 성주님이 우릴 먹여살리지 않을 것 같어?"

계준은 뭐라고 말을 덧붙이지 못하였고, 여환은 부드럽게 말하였다.

"그 보퉁이 넣어두시우. 제가 별루 도움이 될 것 같지 않아 미리 말씀드린 것이니 고깝게 생각 마오."

"그래두 스님, 저…… 원향이를 봐서라두 그러시는 게 아니우."

말없이 구석에 쪼그리고 앉아 있던 원향이가 불쑥 중얼거리는 것이었다.

"나는 여기 있을 거예요."

"뭐라구?"

계화는 못 알아들었는지 원향이의 말을 되뇌었다.

"여기 있다니…… 뭣 허러?"

"만신 어머님 말씀도 있고…… 큰무당이 되려면 그냥 시늉으로는 안 되지요."

계화는 원향이의 큰무당이란 말이 고까운 모양이었다.

"저거 봐라, 덩더꿍 하자마자 영험 탓만 한다더니, 이제 겨우 내림받은 년이 벌써부터 만신 타령하누나."

"명검도 벼르기 나름이고, 좋은 새는 나무를 가려 앉는다지요. 제가 안무당 어머님께 신딸 점지를 받았으나, 한 번도 기도드린 적 없고 구월산 아사봉에 공 올린 적두 없어요. 몸주님과 완전히 접하기 전에는 구월산서 안 떠날 거예요."

원향이는 계속되려는 계화의 말을 단호하게 끊어버리듯 말하였고, 김승운은 뾰족한 수염만 내리쓸었고, 오계준은 아주 타당한 말이라는 시늉으로 천천히 고개를 끄덕끄덕하며 암, 암, 혼잣소리로 중얼거렸다. 계화는 제풀에 사그라들어서 희미하게 대꾸하였다.

"그거야…… 뭐 사람의 맘대루 되는 일이냐? 맘대루 해여. 우리는 떠날 테니까……"

원향이는 잔뜩 비틀린 계화의 마음을 달래듯 말하였다.

"제가 여환스님 도움으로 넋을 찾았고, 안무당 어머님의 마지막 당부까지 받았으니 아무리 어린것이라 하나 소견이 없겠어요. 신명이 깃들이고 영험이 실린 만신이 되어 이모님 은혜두 갚겠어요."

"그래, 그래라……"

계화는 안무당께는 아우뻘이요, 또한 딸 같던 원향이가 무가의 촌수를 따져 깍듯이 이모님이라 부르니 섭섭한 중에도 대견하여 금방 울상이 되었다.

"구월산 만신의 계를 이은 네가 어딜 가겠냐."

원향이는 슬그머니 일어나더니 밖으로 자리를 피하였다. 여환은 묵묵히 앉았다가 계화 부부에게 일렀다.

"내일 새벽에 떠날 것이니 일찍들 자두시우. 오박수는 나 좀 봅시다."

밖으로 따라나온 오계준에게 여환은 말하였다.

"금년 말까지 해서에서 혈당이 이루어지면 칠성암으로 찾아오시오. 해서에서 할 일은 감영을 점거하는 일이니까, 서로 거사 기일을 맞추어야 하오. 망해사의 묘정스님과 통해두시오."

"벌써 논의가 이루어졌습니다. 미륵님께서 신통력으로 도우실 텐데 안 되는 일이 있겠습니까."

"명년 봄에는 한번 거사의 대습련을 가져보십시다. 오박수도 경기도로 와서 같이 굿도 벌이고 기도도 드리고 합시다."

"인원 동원이 잘 이루어진다면 거사에두 자신이 서겠지요."

여환은 말머리를 돌렸다.

"저…… 그리고 부탁이 있소. 원향이를 자주 찾아보고 돌보아주었으면 하오."

오계준은 어리둥절하였다.

"원향이는 이제 나와 같은 무당입니다. 조카나 한가지인데요."

"풍열스님이나 옥여스님도 조만간에 월정사를 떠날 거요. 원향이는 하늘 아래 혈혈단신 아니오?"

여환의 속내를 조금은 알 것 같은 계준이 빙긋이 웃으며 말하였다.

"기도가 끝나면…… 스님이 데려가오."

여환은 자기 방으로 돌아와 누웠으나 잠이 오질 않았다. 수태사하안거부터 이번 오진암의 회합에 이르기까지 자기가 얼마나 변하였는가를 실감할 수 있었다. 해주 사자암에서 양주의 칠성암에 이르기까지는 실로 무엇이라 짚어내지도 못한 채 만행의 연속이었으며, 다만 온 세상의 사문과 등을 돌리는 한이 있더라도 보살행을 실천하여가겠다는 막연한 생각뿐이었다. 중으로서 세간에 몸을 던지기는 하였으되 아직은 그 의미를 스스로 깨닫지 못하고 있었던 것이다. 뜻을 세운 뒤로부터 연계는 착실하게 이루어져왔으나, 사실 궁궐을 장악한다는 일은 바위를 삼키려는 짓만 같이 여겨지기도 하였다. 그렇다, 까짓 그렇게 커다란 바위라 할지라도 귀퉁이부터 조금씩 쪼아나가다 보면 가루가 되어 허공중에 뿌려버릴 수도 있으리라. 무엇보다도 사람들의 마음을 잡아야 하고 잡은 마음들은 놓치지 말고 모아야만 하였다.

"의술을 익혀야 한다……"

그는 돌아누우면서 중얼거렸다. 시절이 흉황이요, 백성들은 지치고 병들어 자빠지고 코 깨진 격이 되어서 그들의 마음을 붙일 데가 없었다. 병든 자를 치료하고 상한 마음을 달래주어 같은 처지의 사람끼리 서로 도와야 살게 된다는 것을 가르쳐주고, 돕는 가운데 힘이 생겨남을 가깝고 쉬운 곳부터 시작하여 스스로 터득하게 할 일이었다. 작은 일부터 실현할 수 있다는 것을 분명히 깨닫게 하려면 작료의 제도를 고친다든가, 관을 믿고 자세가 심한·자의 행패를 여럿이서 바꾸어준다든가 해야 될 것이다. 그러한 바탕 위에서 초승달이 만월로 익어가듯 일은 점점 드넓게 뚜렷하게 자라날 것이 아닌가. 한번 마련되는 바탕은 결코 잃어버려서는 안 된다. 세가 불리하면 그 바탕을 꽉 움켜쥐고 유지시켜나가는 일도 귀중하다. 여환은 이번의 월정사 방문이 그의 마지막 발길이라는 것을 잘 알았다. 풍열스님과 옥여가 떠나고 나면 사당패들만이 남아 옛날을 기억할 것이었다. 그는 잠을 이루지 못하여 여러 번 깜빡하다가는 흠칫 깨어나곤 하면서 예불 때까지 뒤척였다. 범종소리가 들리기 시작하였고, 그는 일어나 앉아 잠깐의 선정(禪定)에 드는 데서 나아가 방문을 열고 법당으로 향하였다. 종소리가 들리는 가운데 법당 안에는 옥여와 다른 수좌 두엇이 단정히 앉아서 예불을 올리고 있었고, 여환도 그들 틈에 끼었다. 여환의 염불소리는 그들 가운데 기중 낭랑하여 섞이지 않고 위로 뛰어올랐다. 옥여가 때리기 시작한 목어소리가 맑게 퍼져나갔다. 예불이 끝나고 나서 다른 승려들은 절 주위를 돌며 염불을 계속하였고, 여환과 옥여는 나란히 걸어 옥여의 방에 들었다.

"어이구, 졸려…… 공부고 뭐고 다 집어치우고 잠 좀 자야겠어."

옥여가 하품과 기지개를 한꺼번에 터뜨리며 중얼거렸다.

"나 오늘 떠나려네."

여환이 말하자 옥여는 평소처럼 또 농을 던졌다.

"저 중 말하는 것 좀 보게. 가면 가고 오면 오고…… 죽으면 죽는 게지."

"자네와의 악연이 끊기질 않으니 어쩌나."

"허허, 악연이지."

옥여도 소리는 내었으나 웃는 기미는 전혀 없이 진지하게 받았다.

여환이 말하였다.

"부탁이 있네. 저 원향이가 사선골 보살과 함께 떠나지 않겠다고 고집이라, 천상 월정사에서 거두어야 할 걸세. 안무당에게서 내림을 받은 입장이고 보니 자기 소견에도 책임감이 있어서겠고, 식구와 살던 곳을 뜨기가 싫겠지. 다른 데로 가지 못하게 만류하고 절 식구로 데리고 있어주었으면 하는 부탁이야."

"이건 언제든 꼭 되찾아갈 듯이 얘기하는구먼. 옛날에도 자네 이 절 떠나며 어린 원향이 얘기를 하지 않았나."

옥여의 말에 여환은 머리를 저었다.

"지금은 그때와는 다르네."

"다르기는 뭐…… 꼭 같지."

"아니야, 그때는 아예 정을 끊자는 것이었고 지금은 자네 말처럼 되찾아가려고 하는 걸세."

옥여는 여환의 말이 얼른 이해가 가지 않는다는 표정으로 그를 바라보았다.

"뭐에 쓰려나?"

여환은 빙긋이 웃었다.

"장가를 들어야지."

"어…… 이 중 큰일 났구먼!"

"우리는 부부가 되어야만 하네. 전생에 우리는 오누이였는지도 모르지. 칠성암에서 함께 살 거야. 그러나 잊지 말게. 나는 사음계는 절대로 범하지 않을 테니까."

옥여가 말하였다.

"나보구 새색시 수행하라구는 않는가?"

"성례란 세속의 일이니 승려가 앞장설 수야 있나."

"까짓 거 사음계란 다 무어야. 그냥 살게. 그렇지만 거사에 방해가 된다면 일찌감치 큰스님께 말씀드리고 저 멀리 남도나 북관으로 빠져 버리는 것이 나을 게야."

옥여는 화내지 않았지만 냉정히 말하였고, 여환도 침착하였다.

"더이상 농하지 말아. 원향이는 분명히 영험 있는 무당일세. 우선 부녀자들의 마음을 잡을 수가 있고 나는 원향이를 앞세워 장정들을 끌어모을 수가 있지. 그리고 의술도 익히려네. 그동안 양주 있으면서 간병도 많이 하였고, 사자암 있을 적에 부적도 그려서 쌀됫박이나마 벌어먹기도 하였지. 자네 말처럼 사음계란 뭐 말라비틀어진 것인가. 설령 원향이와 내가 접하여 아이를 낳은들 어떻겠냐마는, 우리는 서로 그렇게는 되고 싶지 않네. 내생에서는 여염의 부부로 되어 열심히 일하고 서로 아끼며 자식 낳고 살게 될지도 모르지."

옥여는 여환의 말을 팔짱을 끼고 앉아 말없이 듣기만 하였다. 여환이 다시 물었다.

"이러한 생각에 티끌만 한 것이 아니라 주먹만 한 음심이 끼여 있다손 치더라도, 나는 역시 사문의 길을 갈 걸세. 자네 무슨 말 좀 해주어."

옥여가 말하였다.

"언제 데리러 오겠나?"

"글쎄…… 금년 말쯤에."

"그런데 큰스님과 나는 여길 떠날지도 몰라. 그러나 자네가 바라는 것은 내가 알고 큰스님이 아시기를 바라는 게 아니던가. 이젠 되었어."

여환은 옥여를 남겨두고 일어났다.

"와선(臥禪)이나 하게."

그러나 옥여는 제 머리를 두드리며 중얼거렸다.

"번뇌 때문에 수마(睡魔)가 싹 가버렸는걸. 자네 병이 옮은 모양일세."

여환은 이어서 풍열대사를 뵈러 달마암으로 올라갔다. 풍열은 어슴푸레한 박명 가운데 행선 중인지 암자 앞마당을 천천히 거닐고 있었다.

"오늘 가렵니다."

여환이 합장 배례를 올렸고 풍열은 그에게로 돌아섰다.

"음, 내가 할 말이 있다. 잠깐 들어가지."

그들은 방으로 들어갔고 여환이 먼저 말하였다.

"이번에 사선골 무당 부부도 함께 가기로 하였습니다."

"계화 말인가?"

"예, 원향이는 구월산을 떠나지 않겠다고 하여……"

풍열은 고개를 끄덕였다.

"그들은 우리 거사의 내용을 알구 있느냐?"

"아직 모릅니다. 그렇지만 나중에는 알게 되겠지요."

"미리 알려서는 안 되느니라. 내가 네게 이를 말은 다른 게 아니라, 이번에 오진암에서 있었던 모임은 속으로 꾹 삼켜 씹어넘겨야만 한다는 얘기다."

"명심하겠습니다."

"오서방에게도 그런 주의를 주도록 옥여에게 일러두었다만, 나중에 경기도에서 연계를 짤 때에도 검계의 계원들이나 미륵당에 끼인 사람들에게도 절대 함구하여라. 이 모든 일은 네게 달렸느니라."

여환은 고개를 숙이고 잠깐 기다렸다가 말을 꺼냈다.

"제가 일을 그르쳐서 잡힐 경우에는 몸이 이기지 못할까 걱정입

니다. 이제부터 소승에게는 이쪽의 소상한 일의 진행을 알리지 마옵
소서."

"알겠다. 매달 삭(朔)마다 양주로 사람이 갈 것이니 그편에 소식을
전하고 받고 하여라."

여환은 이제 마지막이 될지도 모르는 사승(師僧) 풍열을 향하여 세
번 절하였다. 풍열은 합장으로 마주 예를 차렸다.

"평안하옵소서."

"평등한 도가 널리 퍼지고 아름다운 생활이 시행되는 도솔천에서
만나기를."

여환이 문을 뒤로 닫고 나설 때까지 풍열은 그린 듯이 앉아 있었
다. 벌써 일어나 살림살이를 시작한 심산의 날것들이 재빠르게 알
수 없는 음률을 주고받으며 계곡 위를 어지러이 날아다녔다. 산 아
래로는 안개가 차츰 걷혀가는 중이었고 비껴 떠오르는 햇살이 아직
은 불그레하였다.

여환이 월정사에 내려가니 계화 부부는 이른 공양도 끝내고 길양
식도 마련하는 등 대강의 행장을 차려두고 있었다. 계화는 새로운
고장으로 떠나는 것이 불안한 가운데도 기쁜 모양이었다.

"에이그, 성주님께서 다 보살펴주시겠지만, 만신이란 제 터전을
떠나면 손님 받기가 쉽지 않은 법인데, 우리는 그저 스님의 법력만
믿겠수."

그들이 드디어 월정사를 나서는데 옥여와 오계준과 원향이며 살
림하는 절의 보살 등등이 따라왔다. 옥여는 여환과 나란히 걸으며
아무 말도 하지 않았다.

"큰스님 잘 모시게."

여환이 당부하였다.

"아마 내가 찾아가거나, 오박수나 다른 이가 번갈아 들를지두 모르네."

하고 나서 옥여는 여환에게 말하였다.

"지금은 자네가 먼저 가지만, 나도 곧 그쪽 길로 뒤따라갈 걸세."

옥여가 산문 앞에 멈추어 합장하였고, 여환도 마주 돌아보며 합장하였다. 옥여는 문루 밖으로 나오지 않았다. 오계준과 원향이만이 계속해서 그들 뒤를 따랐다. 은율로 나가는 길이 내다보이는 바위가 높직한 언덕까지 따라나온 원향이는 예전에 여환이 월정사를 떠나던 날과도 같이 느꼈다. 그때에 여환은 돌멩이를 주워 이합회별(離合會別)의 덧없음을 알려주려고 애썼던 것이다. 그런데도 이번에는 그가 자꾸만 원향이 쪽을 돌아다보았다. 아무 연유도 모르는 계화는 원향이의 손을 마주 잡고 말하였다.

"에구…… 널 두고 떠나려니 마음이 영 내키지를 않는구나. 하지만 어쩌느냐, 여기선 대들보를 뽑혔으니 아무 데라두 옮겨가야지. 부디 성님에 못잖은 큰만신이 되거라."

계화의 눈에는 벌써 벌겋게 충혈이 돌고 눈물이 흘러내렸다. 원향이는 정신이 들고부터는 아예 여러 삶을 살아온 여인처럼 말수가 적고 눈은 안정되어 보였으며 도량 넓게 푸스스 웃고는 하였다.

"가서 잘 사세요."

계화가 코를 풀었고, 김승운은 곁에서 헛기침을 하며 거들었다.

"성신께서 다 보살펴주실 것이니 염려 마라. 오박수도 있는데 뭐 걱정이 있겠어."

김승운이 아내의 어깨를 두드려 재촉하며 먼저 언덕을 내려갔고, 여환은 오계준과 뒤미쳐서 천천히 걸었으며 원향이는 바위 위에 가서 쪼그리고 앉아 있었다. 여환이 계준에게 말하였다.

"자주 만날 것으로 알고 있소. 해서에 있을 오박수만 믿겠습니다. 여차직하여 그르치면 오박수의 몸 이상 번져서는 안 될 게요. 잘라야 합니다."

계준은 무심한 듯 대꾸하였다.

"저두 음률을 고르다가 줄이 늘어져 가락이 변하면 곧 끊고 다른 줄로 잇습니다. 그쯤은 안심 놓으시우."

"나두 금년 안으로 해서에 오게 될 겁니다."

"그동안 나는 사람 많이 모아 치성이나 열심히 드릴 테요."

여환은 바위 옆을 지나치려다가 잠깐 원향이를 올려다보았다. 그들의 눈이 마주쳤다. 원향이의 시선은 깊숙하고 평온해 보였다. 골짜기를 스쳐온 맞바람이 가리마를 흩뜨려서 그녀의 이마 위에다 흩날려주고 있었다. 여환은 위쪽에 조그맣게 무릎을 꿇고 뭉쳐 있는 듯이 앉은 원향이에게 말하였다.

"원향아…… 곧 다시 만나게 될 게다."

"알아요."

원향이는 무릎 위에 턱을 괴고 그를 내려다보았다. 여환은 더이상 할 말이 없었다. 여환이 계화 부부의 뒤를 따라서 내려갈 때 원향이는 바위 위에서 꼼짝도 하지 않았다. 여환은 길이 굽어지는 저 아래 모퉁이에서 한번 뒤돌아보았고 원향이는 그냥 앉아 있었다. 그들이 굽어진 모퉁이를 돌아 사라지자 원향이는 천천히 일어났다. 오계준이 말하였다.

"나두 내일은 신천으로 가야겠다. 날 따라가려느냐?"

"아니오."

원향이는 그렇게만 답하고서 뒤편에 우뚝 치솟은 아사봉을 올려다보았다. 성주께서 그를 부르고 계신 것이었다.

3

초여름에 접어들었건만 작년에 이은 금년도 흉황이어선지 그 번잡하던 파주 문산포도 한산하였다. 더구나 며칠째 궂은비가 추적추적 내리고 있어서 임진나루에는 배를 타고 건너는 도강객마저 뜸하였다. 이경순은 안채의 사랑에서 미닫이를 열어두고 마당에 떨어져 몰려내려가는 빗물을 내다보고 있었다. 그의 객점은 문산포에서 가장 크고 자리도 좋았다. 마방이 바깥쪽에 십여 칸짜리가 달려 있었고 안으로는 술청과 봉노가 길게 연이어 있었으며 다시 살림집과의 경계에는 광이 수십 칸 지어져 있었다. 살림집은 안방 건넌방 마루가 달린 본채와 툇마루에 널찍한 방 둘이 붙은 사랑채의 두 초가로 이루어져 있었다. 그리고 살림집 뒤곁에는 풀뭇간이 있었는데 근년에는 별로 작업을 하지 않아서 찬광으로 쓰고 있었다.

중노미 하나와 세마 놓을 때 따라가는 마부 두엇이 봉놋방에 기거하였고 이제는 훤칠한 청년이 된 송파장의 깍정이 장쇠가 실제 객점 주나 다름없었다.

장쇠의 할미는 손자와 함께 묘옥을 따라와 이 문산포 주막에서 살다가 이 년 전에 저승으로 떠났던 것이다. 전생이는 집에 붙어 있는 날보다도 솔부리에 나가거나 양주를 나다니는 일이 많아져서 이경순의 사랑채 아랫방은 늘 비어 있었다. 어린아이의 키득거리는 웃음소리가 마당 저편에서 들려오고 있었다.

이경순은 곰방대를 입에서 뽑으며 바깥채에다 대고 외쳤다.

"여문이 어디 갔느냐?"

아이를 업은 묘옥이 사랑채 마당에 나타났다. 묘옥은 서른의 나이에도 처녀처럼 가녀린 태가 있어 보였다. 객점 주인의 아낙답게 수수한 검은 무명 치마에 흰 저고리 입고, 머리는 댕기 없이 바짝 땋은 얹은머리를 하였는데, 비록 창기생활을 보내고 사당까지 했으나 안색은 말끔하고 청수해 보였다. 다만 눈가에 어린 푸른 기와 가늘게 이어진 눈꼬리에 비친 방금 울고 난 뒤와 같은 그늘은 지워지지 않고 남아 있었다.

묘옥은 아이를 업고는 제 등뒤에 우삼(雨衫)을 쳐들어 비를 가리고 있었다. 기름 먹인 우삼에 떨어지는 빗소리며 제 어미가 가끔씩 우삼을 들치며 고개를 돌려 깜짝, 놀릴 적마다 아이는 까르르 웃곤 하는 것이다.

"어허, 그러다 고뿔이라두 걸리면 어쩔려구 그러오."

이경순은 잠시 안채 마당으로 들어서서 처마밑과 한데를 들락거리는 묘옥에게 핀잔을 주었다.

"요것이 선잠을 깨고는 어찌나 밖에 구경 나가자고 보채던지, 장쇠 삼춘이 한참을 데리구 놀았다우."

"어서 이리루 들어오라니까. 어서……"

이경순은 애가 타 두 팔을 벌리며 애소하듯 말하였다.

"어이구, 여문아, 느이 아부지 숨넘어가실라."

묘옥은 아이를 어르느라 상기된 얼굴에 피식 웃음을 떠올리고는 마당을 건너왔다. 묘옥은 툇마루에서 얼른 우삼을 젖혔고 이경순은 어미의 등뒤에서 무를 뽑듯 아이를 훌쩍 끄집어올렸다. 아이는 이경순에게로 옮겨가자 곧장 상을 찡그리더니 울음을 터뜨렸다. 이경순은 은근히 부아도 나고 아이를 놓기는 싫어서 제딴에 달래는 헛소리를 내보았다. 그래도 아이는 울음을 그치지 않았다.

"사내자식이 걸핏하면 울기만 하느냐……"

이경순은 아이를 다시 어미에게로 내어주기가 못내 섭섭한지 몇 번 더 달래보려 하였다.

"금자동아, 은자동아."

좌우로 흔들며 어르다가 경순은 체모에 맞지 않게 호들갑을 떨며 두 눈을 크게 부릅떠 보였다. 아이는 문득 울음을 그치고 멀뚱하니 바라보다가 얼굴을 돌리며 다시 울음을 터뜨렸다. 묘옥은 그들 부자의 꼴이 우스워서 입을 가리며 웃음을 참았다. 이경순은 어찌할 바를 모르다가 그만 어미에게로 아이를 다시 내밀어주었다.

"울려거든 아예 천지가 떠나가도록 울든지……"

경순은 아이를 바라보며 살가운 표정을 지우지는 못하고서 불평하였고, 묘옥은 입을 비쭉해 보였다.

"여문아, 느이 아부지가 공연히 우리한테 시샘이 나서 저러신다."

그에게는 여문이가 늦자식이자 유일한 한 점 혈육이라 잠시도 곁에 두고 보지 않으면 애가 달아하였다.

"점심상 들일까요?"

묘옥이 아이를 안고서 토닥이며 물었다. 경순은 다시 곰방대를 물고 뻐끔거리면서 중얼거렸다.

"으응…… 그런데 오늘이 며칠이던가……"

"초이틀이어요."

"가만있자…… 전생이가 어제 돌아오기루 되었던가?"

지난 스무날께에 나간 전생이가 솔부리에서 양주를 거쳐 문산포로 오게 되어 있었던 것이다.

"그래요, 초하루에는 뱃사람들과 송도 사람들이 온다며 꼭 돌아와야 한댔어요."

"그쪽에서두 아무도 안 왔지?"

"뱃사람들이야 물길로 오니까 꼭 정한 날짜를 지킬 수는 없겠지요."

하면서 묘옥은 고개를 주억거리며 손가락으로 짚어보다가 얼른 손뼉을 쳤다.

"에구, 내 정신 좀 보아. 할머니 대상날이 며칠 안 남았어요."

묘옥이 할머니라 일컫는 사람은 물론 가족과 같았던 장쇠의 조모를 말하는 것이었고, 여문이 쪽 항렬로 따져서 큰삼촌은 전생이, 작은삼촌은 장쇠를 말하는 것이었다.

"벌써 그렇게 되었나."

경순이 고개를 끄덕였다. 묘옥은 잠든 아이를 살며시 안아올리며 말을 꺼냈다.

"저어…… 이번에 작은삼촌을 제주로 하여 넋굿이라두 하면 어떨까요?"

"그래, 송파에서 고생만 하시다가 겨우 이곳에 안돈이 되시고는 곧 돌아가셨으니 장쇠가 얼마나 속으로 한스럽겠는가. 쌀섬이라도 내어 굿 한판 해주어야지."

묘옥은 웃음을 지었다.

"아이, 언제나 제 말에 끄덕이지만 마시구요. 뭐든지 제가 하자는 대루만 하실 작정이셔요?"

"임자 하는 일에 조리가 닿지 않는 점이 어디 있던가."

"그럼 양주 사람들 청하실라우?"

"물론 그래야 굿을 하지. 아무래두 이번에 한번 모여야겠다구 벼르고만 있었거든. 제 동무들이 모여들게 되었군."

묘옥은 공연히 신바람이 났다. 그 여자에게는 아직도 사당시절의 신명이 몸의 구석구석까지 깊이 배어 있었다.

묘옥은 계화 부부와 여환스님이 경기도 각처로 돌아다니며 불공과 굿판을 벌이고 있음을 전생이에게 들어서 알고 있었다. 묘옥은 놀이 판의 흥청거리는 활기를 못내 잊을 수가 없었다. 그렇다고 하여 그녀가 곧 실절(失節)할 만큼 여염 아낙네의 정숙함을 지니지 못한다는 뜻은 아니었다. 오히려 그런 점에서는 칼로 벤 듯하여 아무리 여각의 안주인이라 하나 내외의 법도에 어그러짐이 없었던 것이다. 다만 가무음곡과 신명은 묘옥의 기질에 맞는 바가 있었달 뿐이었다. 묘옥이 그러한 기색을 보이니 경순은 정이 가득 담긴 눈으로 아내를 바라보았다.

"좀이 쑤시는 모양이지⋯⋯."

"원님 뵙고 환자 타기라면서요?"

묘옥은 살짝 눈을 흘기고는 품안에 잠든 여문이를 살그머니 감싸안고 일어났다.

"방에 누이고 점심상 들일게요."

"장쇠 들어오면 먹지."

"아녜요, 곧 들어온댔어요."

묘옥은 여문이를 안방에 살그머니 뉘어놓고 나왔다. 부엌에서 솥 안에 그릇째 들여놓았던 주발을 꺼냈다. 손끝이 따가울 정도였다. 비가 추적추적 내리는 을씨년스러운 날씨라 컬컬하겠거니 싶어서 뒤란에 나가 술을 한 병쯤 걸렀다. 젓과 나물을 놓고 연평 굴비 굵은 놈을 노릇노릇하니 구워 올려놓았다.

"어이구, 비린내가 온 동네 풍기겠네."

어쩌고 하면서 이제는 떠꺼머리가 다 된 장쇠가 비 오는 마당을 건너왔다.

"올라오너라, 밥 먹자."

"이건 뭐 되지두 않는 철에 비나 내리구 심심해서 죽겠네."

바깥채 객점을 보던 장쇠가 길거리 내다보는 일도 싫증이 난 모양이었다.

"얘, 그래두 아무리 흉황이라지만 금싸라기 같은 비다."

"올 농사두 다 망했다는데 이깟 한줄금으로 되겠어요?"

"또 아냐? 몇년 망한 거 벌충하게 될지."

묘옥은 두 사람에게 웃어 보이며 상을 마루에 갖다놓았다.

"당신두 같이 하지."

"아, 나는 이따 먹지요."

"누이두 하십시다."

묘옥은 이날까지 이경순과 겸상을 해본 적이 없었다. 그것은 송파서 주모로 겪어온 생활의 버릇이기도 하였고, 어쩐지 경순이 어려워서였다. 그런 어려움은 신분에 차이가 있었다거나 그냥 이십 년 가까이의 나이 차이가 있다는 단순한 것이 아니라, 어떤 죄책감 비슷한 데서 오는 것이었다. 묘옥은 일찍이 정인을 찾아서 길에 나섰고, 그 죽음의 소문으로 하여 스스로 사당으로 자신을 내쳤던 것이다. 이경순은 묘옥을 행중에서 건져내느라고 드디어는 조강지처까지 횡액을 당하고 패가하였던 터이다. 묘옥은 물론 지금은 다 사그라져 버린 재와 같이 흔적도 없지마는 목숨을 다하여 한 사내를 그리워했다. 재는 풍편에 날아갈지라도 화인은 남듯이, 지금 그녀의 가슴팍에는 아직도 연비의 검은 자취가 선명하게 남아 있었다. 여문이가 태어나면서 그 불씨는 까무룩하니 꺼져버렸건만, 잊혀진 것은 아니었다. 이경순은 묘옥에게는 은인이었고 한 점 혈육을 낳게 한 분이며 그에게 새생활을 가져다준 존경할 어르신네였다. 그랬다, 계집이 사내를 목숨을 다하여 그리워하는 일도 있고, 그런 것이 변하면 이렇게 살아가는 따스한 정으로 자라나는 모양이다.

마루가 반들거리도록 걸레질하고, 놋그릇을 수세미로 닦아내고, 설거지를 하고, 하얗게 빤 빨래를 포구의 강언덕에 널어 말리고, 여문이를 젖먹이고 재우고 어르고, 그리고 등잔을 돋우고 창가에 앉아 바느질하고…… 이 모든 나날들이 참으로 고즈넉하였다. 바람소리도 천둥 번개도 없이 아득하게 먼 데서 들리는 빨랫방망이 소리며 늦도록 여문이를 위하여 부르는 자장 노래며 묘옥은 자신의 숨소리조차 들리지 않는 것만 같았다. 그것은 밤에 잠이 까무룩하게 들기 직전에 얇은 눈까풀 안쪽으로 춤추며 흘러가는 것 같기도 하고 너울대는 것 같기도 한, 소리는 빠진 동작들의 고즈넉한 연결이었다.

입가에는 침묵의 미소 비슷한 것이 어렸으나 그럴듯한 감정의 실마리도 집어낼 도리가 없다. 모든 것은 저절로 절제되었거나 생략되어 있다. 사무친 골짝을 지나면 어찌하여 이렇게 막막한 빈터로 나오게 되는 것일까. 이 빈터에는 안락하고 따사한 햇볕이 가득하고 모든 움직임은 살풀이의 무명 수건처럼 고즈넉하다. 꽃가지 따위가 여울 기슭에서 물결에 부대껴 쉬운 부분은 이것저것 하나둘씩 씻겨가고 어려운 부분만 꼭 그만큼 남은 것 같구나. 이제 묘옥에게는 남에게 표나는 구석이 없어졌다. 그녀는 여문이에게 가진 바와 똑같은 정을 가지고 그 아비인 이경순을 바라보고 말하고 웃었다.

묘옥은 이담에 죽어 남편 곁에 묻히기가 원이고 넋으로 나란히 앉아 여문이의 제사를 받게 되기가 원이었다. 사는 것이 슬픈 것도 맺힌 것도 아닌 그저 수수한 꼴이 아니랴. 신당에 올린 종이 연꽃처럼 한 장 두장이 겹치고 모여 정형이 되면 시들지도 이지러질 것도 없다. 그러나 어쩐지 묘옥은 이러한 정이 경순에게는 죄송한 듯 여겨졌다. 묘옥이 여주 강변에서 죽은 그의 아내를 위하여 빠짐없이 제사를 지내는 것도 세상 도리에는 맞을지언정, 재인촌을 떠나던 때의 그러한 열기와는 다른 것이었다. 한편으로는 경순이 없이 어찌 길산을 알게 되었으랴. 재인촌에서의 길산은 불완전하고 희끄무레하여 형체뿐이었고, 경순을 통해서 기억들은 차츰 또렷하게 완성되었던 것이다. 여문이의 울음소리가 들린다. 묘옥은 발을 재게 놀려 방으로 들어가 칭얼대는 여문이의 입에 젖을 물리고 비스듬히 눕는다. 밖에서는 장쇠와 남편이 점심을 먹으면서 주고받는 소리가 들려왔다.

"시동이 성이 어영청 군졸이 되었답니다."

"허, 그 참 부지런하군. 누가 그러더냐?"

"지난번에 중길이 아저씨가 그러던데요."

"전생이가 이거 또 늦는구나."

"이렇게 비가 오는데 뭣 허러 길에 나서겠어요."

"돌아올 날짜가 지났어. 무슨 일이 생긴 게 아닌가."

밖에서 두런거리는 소리가 들리더니,

"이 집은 장사 폐했나. 야, 장쇠야."

하는 굵직한 목소리가 들렸고 비를 맞아 흠뻑 젖은 이가 건너편 객점의 청에 들어선 것이 보였다. 패랭이테에서는 빗물이 뚝뚝 떨어지고 있었다.

"응, 홍서방 왔나?"

이경순이 수저를 놓고 일어났고, 장쇠는 아예 밥먹기를 치우고 신을 꿰었다.

홍천수가 말하였다.

"포구에 배 왔다. 짐 부릴 말이나 내어라."

"무슨 태산 같은 짐이라구 말을 내우?"

"부담 세 짝에 피륙이 두 짐이다."

홍천수는 장쇠에게 쾌활하게 일렀다. 장쇠도 활기 있게 말을 끌고 나갔고, 천수는 마루 끝에 나와 내다보는 이경순에게 인사하였다.

"평안하슈, 도장어른."

"어서 오게. 요즈음 평안도에서는 왕래가 잦은가?"

"이제부터 바람불 철이라 좀 뜸한 편이지요."

"자네가 호통을 지르는 걸 보니, 이번엔 당화(唐貨)인가?"

"예, 의주 부근에서 잠상을 덮쳤답니다."

"얼른 옷 갈아입구 밥 먹어야지."

"밥은 고사하고 으슬으슬하니 우선 장국에 한잔 걸쳐야겠수."

"헌데 송도 식구들은 아직 안 왔구면."

"물때 맞추는 놈들이 원래 제 날짜에 대는 법이지요."

홍천수가 사랑에 오르고 묘옥은 임진강 쏘가리로 탕을 끓이고 술도 걸러서 상을 들여왔는데, 장쇠와 뱃사람 물치가 말에 짐을 싣고 안마당으로 돌아 들어왔다. 물치가 굽신하였다.

"안녕하셨습니까?"

"그래, 우두령도 안녕하신가?"

"예, 모두들 무고합니다. 이번에는 비단을 양주서 쓰라고 보내왔습니다."

"우두령이 먼 데서 양주를 잊지 않는구면."

모두 방에 들어와 상머리에 둘러앉는데 홍천수가 수저를 들며 불평하였다.

"이건 뭐 갯가에 붙어 살자니 어딜 가나 비린 것만 먹는군."

묘옥이 마루 아래서 대꾸하였다.

"솔부리서 우리 큰삼촌 돌아오면 천마산 송이며 산채를 맞나게 무쳐드릴게요."

홍천수가 물었다.

"전생이가 언제 당도합니까?"

"음, 원래 어제 온댔는데 좀 늦는군."

경순의 대답에 천수가 술잔을 소리 나게 내려놓으며 말하였다.

"에라, 요즈음은 객점두 한산한데 송도에 풍류놀이나 나갈까."

"안 되우, 나는 바람만 좋으면 낼 새벽에라두 배를 띄울 작정이우. 곧 큰 바람 불면 평안도 가기가 당나라 가기보다두 어렵수."

물치가 고지식하게 버티었고 홍천수는 가만히 꼬드겼다.

"허 이 사람아, 날씨가 이렇게 궂은데 내일 강화루 돌아가기두 쉽지 않겠어. 그리고 자네 데리고 온 아이들도 강화에서 며칠쯤 쉬어야지."

물치는 코방귀를 뀌었다.

"크, 강화야 뭐 볼 게 있나. 어계방서 투전이 고작이겠지. 우리 식구들은 대처 맛을 봐도 아주 짭짤하게 본 사람들이우. 평안도서 의주, 평양이면 한양 성내 못지않은 대처라오."

우대용의 수적 일당들은 일찍이 초도를 떠나 선착지를 대동강 어귀의 가도(椵島)로 옮겼고, 마지산(馬池山) 부근에 어촌 비슷이 마을을 이루었던 터이다. 그들은 해서에서 활동하다가 수군과 부딪치면 얼른 관서 경계로 넘어갔고, 위로는 의주로 하여 압록강 기슭에까지 진출하고 있었다. 대동강을 타고 거슬러오르면 평양이요, 급수문에서 남으로 꺾어지면 월당강에 닿으니 동선령과 자비령의 발치에 이르는 셈이었다. 그들은 평양의 여각에도 정탐꾼을 두었고, 강화에는 홍천수의 여각이 있어 임진 수로와 경강 수로를 연결하고 있었다. 우대용의 일당들은 관서에서 모아진 장물을 송도로 먹일 때는 문산포 이경순네 객점을 이용하였다. 또한 한양으로 가는 물건은 경강 모신에게로 보냈다. 이경순은 일부를 떼어 솔부리패와 바꾸기도 하였고, 솔부리패는 주로 도성 주변의 난전꾼들을 장악하고 있었던 것이다. 천마산 솔부리 일당은 위로는 포천 송우점(松隅店)과 도봉산 아랫녘의 다락원(樓院), 그리고 남으로는 광주 송파(松坡) 삼전나루 저자에까지 식구들이 풀려나가 있었다. 그들은 대부분이 검계의 계원들이었는데 칠패와 배오개에도 그들의 식구가 있었다. 그들은 퇴계원에 예전의 돌곶이 주막과 같은 거점을 마련하고 각처의 패거리들과 연결하였다. 전에 도봉 부근에 있던 중길이네 살주계의 남은 사람들은 서쪽으로 나아가 혜음령에다 터전을 잡았고 그들은 벽제(碧蹄)와 새원(新院)과 미륵산 너머 분수원(分手院) 사거리를 근거로 삼았다. 문산포는 바로 강 건너에 송도를 바라보며 이들의 손길이 가장 쉽게 닿는 곳이기도 하였다. 난전의 연줄은 문산포를 거쳐서 송도와 긴밀하게 연결되었던 터이다.

저녁이 되어 비는 뿌연 안개로 변하였고, 홍천수와 물치는 따뜻한 봉노에서 등을 지지며 단잠에 빠져 있었다. 앞의 점방으로 오지 않고 막바로 안채로 통하는 사립문을 밀치면서 박거사가 들어섰다. 그 뒤에는 전생이가 따르고 있었다. 둘 다 온몸이 흠뻑 젖었고 등짐을 짊어지고 있었다. 전생이의 상투는 젖어서 착 달라붙어 얼굴 위로 물이 흘러내리고 팔 없는 왼쪽 소매는 걸레쪽처럼 허리 아래 뭉쳐져 있었다. 장쇠가 얼른 달려나가 전생이의 등짐을 내려주었다.

"이런 날씨에 하루 묵어 오지 않구 웬 고생들이람."

이경순은 마루로 나와서 그들이 광에다 짐 부리는 것을 내다보았다.

"솔부리에서 곧장 오는 길이냐?"

전생이는 언제나 그렇듯 씩 웃기만 하였고, 박거사가 답하였다.

"아뇨, 어제 양주 칠성암에서 하루 묵었지요. 솔부리서 일이 빨리 끝났거든요."

박거사는 동의를 구하듯 전생이를 돌아보았고, 전생이는 느릿느릿 말하였다.

"황회 거사님이 양주 나오는 길이라 동행하여 오느라구 일찍 내려왔습니다."

묘옥은 무명 수건을 내다주었고 그들은 비에 젖은 머리와 얼굴을 대충 닦았다. 이경순이 말하였다.

"기왕에 일이 빨리 끝났으면 그냥 올 것이지, 양주서 여기가 반나절 거린데 쓸데없이 묵어 오느냐?"

"스님이 자꾸 잿밥 먹구 가라구 말리는 바람에 그리되었습니다."

이번에는 박거사가 답하였다. 묘옥은 전생이의 등을 밀었다.

"어서 안으로 들어가요. 내가 장국 말아줄게."

그들이 들어가 앉고 홍천수와 물치도 뒤늦게 사랑으로 건너왔다. 묘옥이 저녁상을 들여왔는데, 솔부리서 보내온 산채며 버섯무침을 올려놓았다. 전생이와 박거사만 국밥을 허겁지겁 떠넣었고, 다른 이들은 속이 더부룩하다며 산채를 안주로 술만 먹었다. 묘옥이 박거사에게 물었다.

"칠성암서 무슨 일이 있었수?"

묘옥은 박거사와 안성 청룡사 행중시절부터 같은 식구였던 터라 아저씨처럼 대하는 투였다.

"무슨 일이라니……?"

"잿밥을 드셨다면서요."

"응, 묘한 일이 있었지."

박거사는 그렇게만 말하는데, 전생이가 코를 훌쩍하더니 말을 꺼냈다.

"혼례를 올려준다구 하던데요."

"누구…… 솔부리 식구가 장가라두 들었나."

이경순이 무심히 지나치며 중얼거리니 전생이가 다시 말하였다.

"아뇨, 죽은 사람의 혼령을 맺어준답디다."

"죽은 넋을 맺어준다니 그게 무슨 얘기유?"

묘옥이 되묻자 전생이는 빙긋이 웃었다.

"낸들 알아요? 이름 쓴 지방을 태우고 옷을 태우고 그러던데요."

박거사가 덧붙였다.

"그전에 그 검계 혈당에 들었던 산지니라구…… 종루저자에서 참수당한 아이 생각나시우?"

"음, 벌써 네 해나 되었군. 그때 중길이네 식구들도 많이 잡혀 죽었고, 검계에서는 그 총각 한 명이었지?"

"형조의 관문 밖에서 저희 누이가 목을 매어 자진했지요."

이경순은 박거사의 말을 들으며 그때의 일들을 떠올리는 듯한 안색이었다.

"색시 넋은 또 누구요?"

묘옥이 다시 물었고, 박거사가 말하였다.

"재작년 흉황이 오죽 심했나. 그때 중길이네 식구들이 견디다 못하여 혜음령으루 이사하였지. 작년에는 또한 염병으로 아예 폐촌이 되어버린 동네두 많았소."

"지난 두 해를 어찌 보냈는지 모르겠어요. 우리두 작년까지는 죽으로 끼니를 때우다시피 했어요. 이젠 곡식두 나돌구 장사도 다시 되니까 한시름 놓았지만……"

"아직도 유민들은 각처로 몰려다니구 있지. 헌데 중길이네 식구들은 서로 단단히 뭉쳐 있어서 집털이도 하고 상고의 보따리도 뒤져서 근근이 넘긴 모양이더군. 작년에는 곡식이 귀하여 무명이나 은자를 가지고도 낟알 한 톨을 씹기가 어려웠거든. 그래두 도성 안의 대갓집 가노들과 연줄이 있어서 땟거리는 끊이지 않고 간신히 대었다더군. 그 무렵에 비명횡사한 처녀가 있답디다. 왜 그 중길이가 늘 어머니라구 부르던 아주머니 생각나지요?"

이경순이 잠깐 생각해보더니 고개를 끄덕였다.

"쌍이문방에서 바침술집을 하던 모녀 말인가?"

"그렇습니다."

"그 여자가 남의 손금이나 상을 잘 본다구 그랬던가."

"예, 맞습니다. 바로 그 아주머니 딸이지요."

"그래, 딸이 있었지. 아마 살았다면 꽤 과년했을 게야."

"중길이네는 차례를 두어 성내로 들어가거나, 곡식을 감춘 부잣집에 방물을 가져다 헐하게 바꾸어 오거나 하면서 식구들의 양식을 대었던 모양입니다. 그 처녀와 몇몇이 교하에 나가 메조 두어 되를 바꿔서 새원까지 왔다지. 처녀가 자루를 가지고 있었고, 일행들은 먼저 산굽이를 돌아가는데 아무리 기다려도 처녀가 쫓아오지를 않더라나. 그래서 허겁지겁 오던 길로 달려가보니까, 처녀가 피투성이가 되어 넘어져 있고 곁에는 다른 행인들 몇이 쓰러져 있었다지요."

이경순은 박거사의 말에 한숨을 몰아쉬었다.

"그때는 그랬었지. 어미가 제 자식을 잡아먹을 시절이었으니까."

"곡식 두 되라면 능히 사람을 몇이라도 죽일 때가 아니었습니까. 서로 뺏고 뺏기고 하노라니 고갯마루에서 돌로 치고 박아 서넛이 쓰러졌는데, 아직도 저 아래에서는 유민들의 무리가 자루를 빼앗으려 이리저리 몰리면서 달려내려가더랍니다."

이경순은 짧게 허공을 바라보며 웃음소리를 냈다.

"미륵의 세상을 이루겠다며 죽은 산지니의 넋과 백성들의 아귀지옥 다툼에 죽은 넋이 혼례를 올린 셈이로구나."

전생이가 고개를 떨구고 있더니 혼잣말처럼 중얼거렸다.

"여환스님이 그럽디다. 백성들을 위하여 죽은 산지나, 백성들에게 죽음을 당한 그 처자나 모두가 산 것들 때문이랍니다. 일테면, 혼례도 산 사람들을 위해 올려준다지요."

묘옥이가 눈물이 그렁그렁해지더니 일어서며 말하였다.

"세상에 사는 모든 것들이 다 죽은 것들 덕이라지요."

물치가 눈치도 없이 전생이에게 농을 걸었다.

"자네 같은 산 놈들두 장가를 못 가는데 그 총각 죽어서도 호강일세."

"글쎄, 산지니같이 살다 죽으면 그때에나 좋은 연분이 생길지……"

묘옥은 얼른 돌아서더니 이내 방문을 열고 나가버렸다. 이경순은 모른 척하고 있었으나 묘옥의 감정의 변화를 너무도 잘 느끼고 있었다. 어째서 이렇게 시시껍절한 여염의 생활을 해나가는 아낙네로서 수수하게 되어지지 못하는 걸까. 젊어 죽은 넋들의 혼례는 그녀의 가슴 어느 구석을 건드렸던 것인가. 이경순은 미간을 찌푸리고 혀를 찼다. 아무도 그들의 기분을 알아챈 것 같지는 않았다. 묘옥이 안방으로 건너간 뒤에도 남정네들끼리 오랫동안 이런저런 얘기가 오가더니 밤이 이슥해서야 그들은 바깥채로 물러갔다.

이경순은 혼자 사랑에 남아 곰방대를 물고 생각에 잠겨 있었다. 이제 자신과 묘옥이 지어낸 문산포에서의 삶의 자취가, 갑자기 덧없는 바람이나 수면의 파문처럼 스러져버릴 것만 같았다. 그러한 자취나 짓이 일어난 것은 안개 자욱하던 여주 강변에서 숨져가던 아내의 비명으로부터 비롯된 것인지, 아니면 청룡사에서 달근네 행중을 따를 적부터였는지 몰랐다. 또는 묘옥이라는 창기가 해주 바닷가에서 참수 죄인의 넋과 이별하고 남녘으로 정처 없이 떠나올 적부터였을까. 아니, 여문이는 분명히 자신들의 살과 뼈로 이루어낸 생명이었다. 그런데도 경순은 무슨 까닭인지 이것이 자꾸만 현실이 아닌 듯 여겨지는지 모를 일이었다. 어쩐지 훅 불면 허공중에 흩어져버릴 연기처럼 이 생활이 믿어지질 않았다. 혹시 그들 두 사람에게서 모든 것을 빼앗고 나머지로 주어진 생활은 아니었던가.

그는 아까부터 묘옥이 안방에서 뒤척이는 듯한 소리를 듣고 있었다. 그는 불을 껐고 미닫이를 열었다. 캄캄한 가운데 차츰 마당이며 삽짝이며 먼산의 거뭇한 모양이 눈에 익어왔다. 풀벌레가 울고 들녘에서는 요란한 개구리 울음 가운데서 맹꽁이들이 사이사이마다 장단을 넣고 있는 듯하였다. 벗겨지는 구름 사이로 한두 점씩 별이 가물거렸다. 맹꽁이는 흉황에 굶어죽은 어린것들처럼 울다가는 그치고 그쳤다가는 다시 생각난 듯이 울었다. 저렇게 모든 살아 있는 것들을 남기고 세상에 무수히 널려 있는 정한들이 별수 없이 스러져가고 있는 깊은 밤이었다.

경순의 등뒤에서 마루로 통한 미닫이가 살그머니 열렸다. 치마 스치는 소리가 멎었다. 이경순은 그대로 밖을 향하여 묵묵히 앉아 있었다. 묘옥이 잠시 그의 뒤에 섰는 듯하더니 스르르 주저앉아 경순의 등에 얼굴을 기대었다.

묘옥은 이제는 없어진 버릇이지만, 예전에는 단둘이 있게 되면 저도 모르게 경순을 도장나으리라고 부를 때가 있었다. 지금도 그녀는 하마터면 말의 첫마디에 도장나으리라고 부를 뻔하였다. 이경순은 곰방대를 놋재떨이에 소리나게 두드렸다. 요란한 소리가 울리니까 그제야 어둠속에 묻혔던 집과 방과 기물들이 제자리를 얻는 것 같았다. 이곳은 그들의 가정이었다.

"여문이는 자나?"

경순은 예사롭게 그렇게만 말하였고, 묘옥은 잠시 경순의 등에 기대어 있다가 물러나 앉았다.

"저는 어째 그런지 모르겠어요. 죽은 이들 얘기만 나오면……"

경순은 아무 대답도 하지 않았다. 묘옥은 이어서 말하였다.

"차라리 저승이 없었으면 싶어요."

경순은 어깨를 좌우로 천천히 흔들면서 대꾸하지 않았다. 그것은 묘옥의 감정과 느낌에 관하여 알고는 있으되, 모른 척하고 있겠다는 표시이기도 하였다. 나는 다 안다, 그러나 그것이 무슨 소용이 있겠는가 하는 몸짓이었다. 더 나아가 시조라도 한 수 읊조리면 되겠건만, 차마 소리내지는 못하였다. 묘옥이 나직하게 말하였다.

"저는 천성이 사내를 안분(安分)치 못하게 하는 바가 있는 듯해요."

경순은 그제야 뒤를 돌아보았고, 묘옥의 작고 동그란 어깨를 감싸안았다.

"누구 탓이 아니오."

경순은 잠시 사이를 두었다가 말하였다.

"여문이를 잘 길러야지."

경순은 자기 말에 확신이 없는 채로 그렇게 중얼거렸다. 자기가 아직도 여주의 이도장이었더라면 거의 틀림없는 말이 될 것이지만, 일찍부터 세상을 등져온 삶이 아니던가. 처음에 여주를 떠나 안성으로 묘옥의 출행을 따라갔을 적부터 그의 생애는 정해져버렸던 것이다. 입으로는 그렇지 않다고 말하고 있으되, 묘옥은 그를 범상한 세속의 삶에서 뿌리째 뽑아내었던 것이 아닌가. 묘옥은 경순을 넋마저 뒤흔들 사내로서 사랑하는 것이 아니었다. 묘옥이 경순에게 품은 것이란 깊은 존경과 육친의 따뜻한 정 같은 것이었다. 그들의 생활은 묘옥의 꺼진 불꽃이 이미 체념에 이르렀을 즈음하여 시작되지 않았던가. 이경순은 누구보다도 잘 알고 있었고, 묘옥이 쪽에서도 그러한 경순의 어딘가 모자란 듯한 빈 마음을 짐작하였다.

경순은 구월산에서 만났던 길산의 어렴풋한 인상을 떠올렸으나, 확실하지는 않았다. 묘옥이 그리워하였던 젊은 광대는 그 흔적이 없었으나 경순과 묘옥은 영영 그러한 처음의 마음으로 되돌아가지는 못할 것이었다. 그것은 길산의 탓도 이들 두 사람의 탓도 아니었다. 그저 인생이 그러한 까닭이다.

"주무셔요."

"그래, 잡시다."

묘옥은 자리를 깔고 여문이가 자는 안방으로 가지 않고 경순의 곁에 누웠다. 이경순은 묘옥과 나란히 누워서, 이 집채가 문산포의 격랑을 따라서 먼바다로 한없이 흘러가고 있는 듯이 느꼈다.

홍천수와 물치가 다녀간 뒤에 닷새쯤 지나서 문산포에서는 예정대로 장쇠 조모의 대상을 치를 겸 하여 굿을 벌이기로 하고 그 준비에 분주하였다. 혜음령에서 중길이네 식구들이 오기로 되었고, 양주에서는 여환스님과 계화 부부가 온다는 약조가 되어 있었다. 이경순이 장쇠 할미 탈상하는 일에 무슨 아랑곳할 바가 있으랴만, 그동안 시절이 어려워서 그야말로 하찮은 푸닥거리 한번 치르지 못하여 묘옥이 못내 섭섭해하는 눈치였던 것이다. 또한 묘옥이 장거리의 깍정이었던 장쇠와 송파저자에서 만난 인연도 귀한 것이라, 묘옥은 장쇠를 친오랍동생처럼 여기고 있었다. 장쇠는 며칠 전부터 나무를 져나른다 떡을 친다 하면서 신이 나서 묘옥의 준비를 도왔고, 이경순은 여문이를 독차지하여 데리고 놀다가 기저귀도 갈아주곤 하였다. 전생이는 이 소식을 알리러 혜음령에 다녀왔다. 사실 이경순으로서는 구월산에서 집회가 있고 나서 처음으로 여환의 일에 손발을 맞추는 내색을 하게 된 셈이었다.

음식을 지지고 볶는 냄새가 한창인데 먼저 혜음령 식구들이 들이닥쳤다. 중길이는 패랭이에 등짐을 져서 꼭 보부상 행색이었다. 이경순은 사랑문을 연 채로 아는 체하였고 전생이가 나가서 맞아들였다. 중길이는 비슷한 또래의 맨상투잡이를 데리고 왔으며, 쌍이문방 살던 연천댁 아주머니도 동행이었다. 중길이는 부엌에서 나물을 버무리던 묘옥에게 꾸벅 하고 나서 등짐을 내렸다.

"변변찮지만 맛 좀 보시지요."

내미는데 장정 팔뚝만이나 한 연평 굴비 한 두름이었다.

"이거 연평 굴비 아녀요?"

"길목이 좋아서 벽제서 구하였지요."

"어디…… 내가 뭐 도울 일이 없나."

연천댁이 소매를 걷으며 봉당으로 들어섰고 묘옥은 반겨 맞았다.

"그렇잖아도 전을 지져야 하는데, 여기 포를 떠놓은 것이 있고 기름 종지는 저기에……"

"술이 아직 덜 되었군."

설왕설래하는데 그런 법석이 없었다. 포구의 이웃 주막에서 일손을 도우러 온 아낙들이 뒤꼍에서도 떡시루에 불을 땐다 술을 거른다 하는 중이었다. 중길이는 사랑에 들어 이경순에게 큰절을 하고 나서 용삼이와 다른 식구도 인사를 시켰다.

"요즈음 산살림은 좀 어떠한가?"

경순이 물으니, 중길이는 머리를 긁적이며 대꾸하였다.

"뭐 살림살이랄 게 있습니까. 기실 한양 주인댁에들 있을 때보다는 고생이지요."

"그야, 편하기로는 오뉴월 개팔자, 잔치 전의 도야지 아닌가."

"도장어른 말씀이 맞습니다. 사람이 남에게 매여 사는 것은 짐승보다두 못한 노릇입지요."

중길이는 곁에 앉은 낯선 자를 돌아보더니 말을 꺼냈다.

"지난번에 새로 들어온 식구올시다. 여환스님과 어르신께 인사 올리려고 데리구 왔지요."

"음, 그러한가. 자네 이름이 무언가?"

나이는 서른 안팎쯤 되어 보였고, 뼈대가 억세고 입술이 두툼하였는데, 힘깨나 쓰게 보였다.

"영길(永吉)이라구 허우."

"전 참판 댁 가노였으나, 도망하여 저희에게 들어왔습니다."

"왜 도망하였누?"

중길이가 작은 목소리로 속삭였다.

"예, 사람을 죽였답니다."

이경순은 중길의 말에 별로 놀라지 않았다. 자기 자신이 이미 그러한 경로로 패가하였던 처지인 때문이었고, 검계 일당과의 교유에 의하여 산지니와 같은 이들이 어떠한 경로를 거쳐서 세상을 등지게 되었던가도 잘 알았던 것이다.

"왜, 죽였나?"

"죽일 만하여 죽였수."

영길은 두툼한 입술의 꼴대로 별로 말끝이 이어지질 않았다. 그대신 중길이가 옆에서 거들었다.

"한양서 우리 살주계 얘기가 노비들간에 파다하게 소문이 나 있었지요. 지금도 그렇답니다. 이 사람두 진작부터 우리 얘기를 듣고 당에 들기를 원하였지만 줄이 닿질 않았습니다. 이 사람은 같은 댁에 있는 수노를 때려죽였답니다. 같은 처지에 있는 놈이 수노라고 하여 무슨 큰 벼슬이나 따낸 듯이 다른 행랑것들에게 침학이 심하였던 모양이지요."

"식구는 없었는가?"

"열 살에 뿔뿔이 흩어졌으니, 어디서 사는지두 모릅니다."

다시 중길이가 말하였다.

"영길이는 전에 있던 주인댁에서 아침 저녁으로 행차를 배행(陪行)하여 검을 배웠답니다. 환도를 아주 잘 씁니다."

"좋은 식구를 얻었구면."

"저하고는 이름도 그럴듯하여 참말 죽은 아우가 살아온 것이나 진배없습니다."

밖이 왁자지껄하더니 삽짝 안으로 회색 장삼 걸친 여환이 들어섰고, 그 뒤로는 무구와 옷보따리를 짊어진 김승운과 무당 계화가 들어섰다. 또한 황회도 젊은 아낙과 동행이었다. 이경순이 먼저 여환에게 합장을 하며 인사하였다.

"이거 지척지간에 찾아가 뵙는다면서도 쉽지가 않습니다."

"도장어른은 우리 양주 미륵도의 사천왕이시니 관문을 지키고 계신 셈이지요."

하고 나서 묘옥에게도 합장을 하였고, 묘옥은 홍조까지 띠며 반가워하였다.

"제가 스님이 뵙구 싶어 이렇게 큰 재를 올리자구 졸랐어요."

"고서방은 안 오구 어찌 자네 혼자 오는가?"

이경순이 황회에게 말을 던지니 그는 딴청을 하였다.

"참, 이거 우리 내자올시다. 성님께는 기별두 못 하구 그냥 작수성 례하였수."

마당 위라 그냥 다소곳이 머리 숙여 보이는데, 또래는 묘옥이만이나 하였다. 얼굴이 가무잡잡하고 오종종한데 눈매가 길고 가는 것이 성깔깨나 있어 보였다.

문산포에서는 제법 내로라 하는 여각인 이경순네 안마당에 어깨가 서로 부딪칠 정도로 사람들이 모여들었던 것이다. 원래의 뜻은 장쇠 할미의 대상에 있었으나 기실은 양주 어름에 사는 이들끼리 모여서 술잔이라도 나누자는 데 있으니 제사 기분은 제대로 나질 않았다. 하여튼 포구에 사는 이들까지 모여들여 삼사십여 명이 마루 위와 마당에 차일 펼치고 멍석 깔고 둘러앉았다. 때는 초여름이라 모깃불로 쑥 태우는 냄새가 가득 차고 곳곳마다 관솔 횃불이 밝혀졌다. 먼저 장쇠를 상주로 하여 제사를 올린 뒤에 고인의 넋을 저승으로 보내드리는 풀이가 나오는 순서였다. 만신 계화가 홍철릭에 고깔 쓰고 방울부채 들고 나와 길닦음을 하는데, 황회의 처라는 젊은 무녀가 징을 잡고, 김승운이 장고 잡고, 묘옥은 소복 차림으로 상주 뒤에 가서 서 있었다. 계화가 마당을 몇바퀴 돌고 나서 대를 잡았고 신이 올랐는지 종이술 달린 신칼을 쳐들고 부들부들 떨기 시작하였다. 계화는 장쇠에게로 달려들어 전혀 다른 목소리로 부르짖는 것이었다.

"아이고 내 새끼야, 사고무친 혈혈단신으로 할미는 떠나고 너는 남으니, 이 일을 어찌할까. 세상에 살아생전 목숨이 모질어서 네 걸립으로 할미가 연명하였으나, 그때는 그래도 함께 있어 좋았구나.

이 할미가 북망에 간들 내 손주를 잊겠느냐. 너를 두고 못내 설워 아직도 황천을 못 건너고 있으니 오늘에사 떠날란다. 내가 가고 나면 네 장가는 누가 들어주겠느냐."

어쩌고 하면서 계화는 그럴듯이 엮어내리는데 벌써부터 입을 비쭉거리던 장쇠가 울음을 터뜨렸고 묘옥도 옷고름으로 눈시울을 닦아냈다.

"우리 맘씨 고운 안성댁, 그저 어미같이 누이같이 저것을 보살펴주고, 먹여주고 입혀주어 저만치나 장성을 하고 이 못난 것 저승길까지 닦아 보내주니 이런 정성 덕으로 큰복 받으리다. 그저 이 집 안팎으로 복이 가득 차고 형통하고 평안하여 성귀께서 받들어주시리다."

계화는 묘옥에게 치하를 드리고 나서 굿에 참례한 이들 가운데 적절히 골라내어 인사를 하고는 저승길 닦음을 계속 이어나갔다.

"서낭당 뻐꾹새야 너는 어이 우느냐, 속 비신 고염나무가 새잎 나라고 우짖느냐, 새잎은 이울어지고 속잎이 날까, 서낭당, 성수를 베어 월죽마루에 배 띄워놓고, 임진강 여울 여울 띄워놓고, 힘들고 공드신 망제가 건널까, 박산 산에를 올라 장단 여울을 굽어보니, 천리소 만리소 하니 장단 여울이 소위로다, 장단소 열세 위 하니 한데로 몰까, 오시는 길에 가얏고로 다리를 놓고, 가얏고 열두 줄인데 어느 줄 받아 내려오나, 줄 아래 덩기덩 소리 노니라고, 천수경 법화경 하니 시왕세계루 살으소사 연화대루 살으소사."

이어서 만신 계화는 사람의 넋을 잡아가는 저승차사마당인 사제삼성(四諦三性)을 읊조렸다.

"밤이면은 산을 넘고 낮이면은 들을 타고 십대왕에 분명 났소, 채판관에 소지 났소, 성명 삼 자 적어 들고 우수에다 철판 놓고, 쇠창

옷을 젖혀 매고, 오라 사슬 비껴 차고, 쇠패랭이 숙여 쓰고, 붕어눈을 부릅뜨고, 삼각 수염 거스리고, 유자 뺨을 뒤흔들리고, 곰배팔을 꼽아 들고, 전통 같은 팔뚝지에 무쇠 같은 주먹이요, 흑각 발톱 대못 다리 뛰던지며, 활동같이 굽은 길을 설대같이 다다라서, 닫은 대문 박차 여니, 수문장이 산란하구, 마루 대청 때구르니 성주왕신 산란하구, 닫은 방을 박차 열구 방 문설주 바로 잡고 성명 삼자 외쳐대니 망제님이 하는 말씀, 그 뉘라서 날 찾나 친구 벗님 많다 해도 날 찾을 이 전혀 없네, 일곱 사자 거동 보소, 어서 나오 바삐 나오, 채판관에 소지 났소, 저승도 이승 같소 만조상을 뵈러 가세, 실낱 같은 목에다가 오라 사슬 걸어놓고, 한 번 잡아 낚아채니 맑은 정신 간 곳 없고, 두 번 잡아 낚아채니 열 손 열 발 맥이 없고, 삼세 번을 낚아채니 혼비백산 간 곳 없고, 정신 차려 들어보니 처자 권속 많다 해도 등장들이 전혀 없네, 하릴없이 나설 적에 자던 방을 비워놓고, 신사당에 하직하고 구사당에 재배하고, 저승길이 멀다 해도 대문 밖이 저승일세, 문신은 문을 열고 길신은 길을 섬겨, 산신은 산을 섬겨, 어사지옥 대사지옥, 아미타불 열두 고개 넘어서서 극락세계.”

이어서 말미마당이 벌어졌다. 계화는 어른거리는 관솔 불빛 아래서 이리저리 거닐며 사설을 읊조렸다. 아조 아무대왕께옵서 혼인하여 아들을 보려 하였으나 줄줄이 딸만 일곱을 낳았다. 참다못하여 일곱째 딸을 서해 용왕께 진상이나 보내리라 하고는 옥함을 짜게 하였다.

“대왕마마 하신 말씀, 버려도 버릴 것이요, 던져도 던질 것이니 바리공주 지으시고, 금거북 금자물쇠 흑거북 흑자물쇠 채워내어 계하에 신하 불러들여 어주 삼 배 먹인 후에, 탑전을 안고 들쳐서 아미타불 염불이요 대세지 고개 넘어서니 앞으로는 황천강 뒤로는 유사강이요, 애옥 여울 피바다에 한 번 던지니 용솟음하시고, 두 번 던지니 재솟음이요, 세 번 던질 적에 하늘 아는 자손이라 금거북이 받아지고 이렇게 될 즈음, 석가세존이 삼천 제자 거느리시고 사해도 구경하고 인간 제도하옵시려 나옵시다가……"

옥함을 보고는 돌배를 저어서 건져다가 황천에 갖다놓았다. 옥함에 아무 대왕 칠공주라 새겨 있어 여자라 제자도 못 삼고 공덕할미와 공덕아비에게 분부하여 키우라 하였다. 세월이 흘러 아버지 대왕이 점을 쳐보니까 그들 부부가 아무 날 아무 시에 죽을 괘라 바리공주를 찾아야 산다고 하였다. 왕이 근심에 빠져 있으려니 한 동자가 찾아와 바리공주를 버린 죄로 대왕 부부가 죽게 되어 삼신산 불사약과 봉래방장 무장승의 약수를 얻어서 마셔야 살 수 있다고 하였다. 대왕 분부받은 신하가 천신만고 끝에 겨우 바리공주를 찾아가 아뢰었다. 바리공주는 부모를 구하려고 미륵님의 약수를 구하러 나섰다. 무쇠 주령을 한 번 휘둘러 짚으면 천 리요, 두 번 짚으면 이천 리를 가는 것이었다. 삼천 리를 가서 석가세존을 만나 길을 물으니 가르쳐주었다. 칼산지옥 불산지옥 독사지옥 한빙지옥 구렁지옥 배암지옥 물지옥 흔암지옥 무간 팔만사천 지옥을 건너고, 무지개를 타고 건너니 무장승이 있었다. 무장승은 키가 하늘에 닿고, 눈은 등잔 같으며, 얼굴은 쟁반 같고, 발은 석 자 세 치였다. 바리공주가 약수를 원하니 무장승은 길값 약값 대신 함께 살자 하여 구 년 동안에 아들 칠형제를 낳아주고 약수를 얻어냈다. 바리공주는 칠형제를 데리고 약수를 병에 담아 집으로 돌아오는데,

"피여울 피바다에 줄줄이 떠오는 배에 염불 송자하고 아미타불 공부하여 사방에 피어 있고 거북이 받들고 청룡 황룡 끌고 오는 배는 어떤 배인고, 그 배에 오는 망제는 세상 있을 적에 다리 놓아 만

인 공덕, 원을 지어 행인 공덕, 절을 지어 중생 공덕, 옷을 벗어 시주하고, 배고픈 사람 밥을 주어 부엌 공덕, 염불 공부 만인 시주하옵시고, 극락세계 연화대로 소원성취하러 가는 배로구나, 그 뒤에 오는 배는 풍류도 열락하고 화기가 만발하여 웃음으로 열락하여, 고운 향기가 가득하여 맑은 기운 띄워 오는 배는 어떤 배인고, 그 배에 오는 망제, 세상 있을 적에 부모에 효성 있고 동기간에 우애 있고 일가에 화목하고 동네 사람들께 구순하고 가난한 사람 구제하며 선심으로 평생을 살아, 초단에 사제삼성 진오기 받고, 이단에 새남 받고, 삼단에 법식 받아, 선왕제 사십구재 백일재 바다 극락세계 시왕세계 왕생천도하여 가는 배로구나, 또 그 뒤에 오는 배는 활 든 이, 총 든 이, 창 든 이, 머리 풀어 산발하고 의복도 벗고 울고 결박하고 살기 충천하고 모진 악기 가득하여 오는 배는 어떤 배인고, 그 배에 오는 망제는 세상 있을 적에 부모에 불효하고 동기간에 우애 없고, 일가에 살이 세고 동네 사람에게 불순하고, 시주도 못하고 남의 음해 잘하고 남의 말 엿듣고, 억지 흥정하고 이간질하여 쌈 붙이기와 사람 죽이기와 탐이 많아 작은 되로 주고 큰 말 되로 받고, 짐승 많이 살생하고 만법 공수에 비방한 죄로 하탕지옥 칼산지옥으로 가는 배로구나, 저기 돌 위에 얹혀서 불도 끄고 닻도 없고 임자 없이 얹혀 있는 배는 어떤 배인고, 그 배에 있는 망제는 무자귀신과 해산길에 간 망제와 선왕제 사십구재와 사제삼성과 진오기 새남도 못 받고 길을 잃고 세계를 몰라 임자 없이 얹혀 있는 배로구나, 우여라 슬프다, 아무 망제 정성 받으신 자취에 바리공주가 천도하여 선상하여 가는 배 위에 올라, 아미타불 지장보살님 염불 받아 극락세계 시왕세계 연화대로 왕생천도하소서."

도중에 부모님의 상여와 부딪치게 되었다. 바리공주가 부모님 시신을 내어 입가에 약물을 흘려넣으니 모두 소생하였다.

"에우 설어 설어 엊그제게 살았던 몸이 넋이 되고 혼이 되어서 영실(靈室)이란 말이 웬말이냐, 우리 착한 효부 자손들아, 나는 오늘 극락 가고 시왕 가신다, 모두 큰일을 했으니 내가 도와주마 내가 받들어주마, 내 삼 년 곱게 나고 나 죽은 석 달 편안하게 도와주고, 우리 금 같은 자손들 높이 되고 귀히 되고 아무쪼록 내가 늘려주고 불려주마, 염려 마라 나는 모두 자손 덕에 극락 가고, 부처님의 기자 되어 훨훨 날아서 나는 극락 가고 시왕 가신다."

하며 넋을 보내고 나니 뒷전을 거쳐서 모두 끝이 났다. 묘옥은 상주인 장쇠와 함께 계화의 굿을 받으면서 몇번이나 가슴이 저리도록 감동을 느꼈다. 그것은 저 이상스런 힘을 가지고 엎어지고 허우적대면서 지옥을 헤엄쳐 지나가는 바리공주의 환난고초 때문이었다. 무지개를 건너서 지옥을 헤쳐나와 캄캄한 죽음의 장막 위에다 생명의 물줄기를 퍼붓는 지장보살이 보일 듯하였다. 굿판의 열기는 새벽이 가까워올수록 더욱 끓어넘치는 것 같았다. 굿판은 끝났으나 무감 차례가 되어 문산포 동네 사람들이 홍에 겨운 사람들 차례대로 판에 휩쓸려들어가 한바탕 흐드러지게 춤추고 놀았다. 다음에는 황회의 마누라 무당이 판을 끌어갔고, 이어서 계화의 남편 김승운이 간드러진 목소리로 읊조리는데 제법 화랭이 같았다. 화랭이란 무부(巫夫)를 일컫는 것이지만, 미륵님을 받드는 용화향도(龍華香徒)라는 의미도 있었으니, 까마득한 옛적부터 미륵님을 받드는 자들을 화랑이나 향도라고 부르던 까닭이다. 황회나 정원태 등이 시작한 검계는 물론이려니와 중길이네 살주계도 실상은 전국적으로 퍼지고 있었던 향도계(香徒契)의 다른 이름에 지나지 않았던 터이다. 김승운은 구월산 일대의 화랭이들 사이에 잘 알려진 창세가(創世歌)를 풀었다.

"미륵님의 세월에는 섬들이 말들이 잡수시고 인간 세상이 태평했으며 석가님이 내려와서 이 세월을 빼앗자고 마련하와, 미륵님의 말씀이 아직은 내 세월이요 네 세월이 아니다, 석가님 말씀이 미륵의 세월은 다 갔으니 내 세월이 분명하다, 미륵님 말씀이 네 내 세월인 줄 알겠거든 내기를 시행하라."

하고 나자, 여환이 일어나더니 염불을 외웠다.

"지심귀명례(志心歸命禮) 현거도솔(現居兜率) 당강용화(當降龍華)."

중길이를 비롯한 혜음령 식구들과 황회 부부, 계화 부부, 그리고 이경순 묘옥 전생이 장쇠 등등이 합장하며 뒤를 이었다.

"자씨미륵존여래불(慈氏彌勒尊如來佛)."

그들은 다 함께 절을 하였고, 문산포 사람들 중에서는 따라 하는 이들도 몇몇 있었다. 여환의 송경과 회중의 절이 세 번까지 계속되었고, 그들이 무릎 꿇고 합장한 동안에 여환은 혼자서 송경하였다. 송경을 마치고 나서 여환스님은 마당의 한가운데에 앉았고, 조용해진 좌중을 죽 둘러보았다.

"여러분, 미륵대성은 지금 우리와 함께 계십니다. 아까 노래에서도 나왔으나, 미륵님은 아주 우리 곁을 떠나버리신 것이 아닙니다."

여환스님은 잠시 사이를 두었다가 어느 아낙네에게 물었다.

"미륵님이 어떤 분이신지 아십니까?"

"기도하고 공들이면 원을 이루어주시는 분이지요."

"미륵님은 어떤 분입니까?"

이번에는 맞은편 늙수그레한 사공에게 물었다. 그는 머뭇거리다가 답하였다.

"부처님 뒤에 오시는 새 부처라구 그럽디다. 중의 부처가 아니라 상것들 부처라구 그러기두 하지요."

여환은 빙그레 웃었다.

"네, 그렇습니다. 두 분 모두 맞는 말씀이십니다. 미륵님은 저 산 위 절에만 계시는 게 아니라, 여러분이 새벽에 정화수를 길어다 비는 집안 뒤뜰에도 계십니다. 어째서 우리 어버이 할아버지 그 이전 오래 전부터, 온 백성들이 하소연할 데 없어 답답할 때, 의원 못 불러 아플 때, 억울하고 슬플 때, 집안경사로 기쁠 때, 우리 미륵님만을 찾고 빌어왔는지 알 수 없지요. 어째서 미륵님은 저 들판 가운데 밭고랑이나 동구 밖에, 산모퉁이 길가에, 엇비슷한 돌멩이에 대충 도끼로 쪼아져서 아무렇게나 계시게 되었는지 모르지요."

여환은 어느 아낙의 가슴에 안긴 채 잠들어 있는 아기를 보자, 가만히 손을 뻗어 그 조막손을 쥐었다. 이곳 저곳에 부모를 따라와 굿을 구경하던 아이들이 어미의 무릎과 품에서 쌔근쌔근 잠들어 있는 것이 보였다. 여환은 아기의 손을 잡고 만지작거리면서 낮은 목소리로 속삭였다.

"쉬이, 이 사바세계로 돌아오게 해서는 안 됩니다."

그는 어린아기의 손을 놓았다. 사람들은 영문을 모르고 그 아기를 물끄러미 보았다. 여환이 말하였다.

"여러분, 아까 어느 향도께서 노래한 것처럼 석가님은 미륵님보다 앞서서 세상에 나타나셨습니다. 어느 때 부처님께서 수천 보살 스님들 남녀노소의 신도들 마왕 야차 용 잡신들까지 있는 자리에서 장광설을 펴셨는데, 거룩한 보살의 길고도 오묘한 자비의 법을 말씀하셨습니다. 대중 가운데 있던 미륵보살은 부처님의 말씀을 듣고 그 자리에서 백만억의 법문을 대번에 얻으셨습니다. 미륵님은 원래 석가님의 젊은 제자로 두 분은 서로 깊이 사랑하셨습니다. 석가님은 미륵님을 일컬어, 아일다야 너는 가장 완전한 부처를 이루리라 하셨지요. 그러자 어떤 사람이 의아하여 석가님께 물었습니다. 아일다는 이렇게 범부의 몸 그대로여서 비록 출가를 하였으나 선정을 닦지 못하여 번뇌를 끊지 못하였는데, 부처님께서는 이 사람이 틀림없이 성불할 것이라 하셨으니 그게 무슨 말씀입니까. 그는 장차 어느 곳에 태어나 어떤 중생들을 어떻게 교화하게 됩니까. 그랬더니 부처님께서 대답하셨지요. 이제부터 자세히 듣고 잘 생각하여라. 너희들에게 더이상 없이 가장 옳게 모든 깨달음을 이루어낼 미륵불에 대하여 말하리라. 미륵은 나보다 먼저 목숨을 마치고 반드시 도솔천에 왕생할 것이니라. 도솔천 오백만억의 천자들은 멀지 않은 내세(來世)에 가장 완전한 부처로 이루어질 미륵을 위하여 온갖 준비로 공양을 드리게 될 것이다, 그렇게 말씀하셨습니다. 여러분, 석가님과 미륵님은 조금 전의 이 천도(薦度)와 잠든 아기님과의 처지와도 같습니다. 석가님께서 그 전생에 사바세계에 태어나기 전부터, 즉 도솔천에 계실 적부터 석가님과 미륵님은 스승과 제자 사이셨습니다. 석가님께서는 법문을 펴시고 어지러운 세상을 다 제도하지는 못하고 가시지만, 미륵님이 오실 적에는 이 세상의 모든 고통이 끝나게 되어 있습니다. 부처님께서는 어지럽고 더러운 악세(惡世)에 나타나셔서 꾸짖고 어루만지며 법문을 폈으나 다 이룰 수는 없어서, 다만 뒤에 미륵님을 만나도록 내세의 인연만을 심어주신 것입니다. 미륵님과 만나는 인연에는 여러가지가 있지요. 어떤 이는 경전을 읽고 외고 남에게 알려주며 법을 지니게 한 공덕 때문이요, 또 어떤 이는 옷과 음식을 남에게 베풀고 계행과 지혜를 닦은 공덕으로써이고, 어떤 이는 부처님께 봉공 공양하여서이며, 승가에 공양하고 자비를 베푼 덕이며, 어떤 이는 중생이 괴로움당하는 것을 보고 깊은 자비심을 일으켜 스스로 그 괴로움을 대신 받고 저들에게 즐거움을 돌려준 공덕으로 말미암은 것이고, 인욕(忍辱)과 계행(戒行)을 지킨 공덕, 법회를 열고 강설한 공덕, 대중에게 공양을 올린 공덕, 이러한 공덕이 있어 미륵님과 만난다는 것입니다. 그러나 공덕을 쌓지 못한 우리 같은 힘도 없고 가진 것도 없는 백성들은 미륵님과 만나지 못한다는 것인가요. 아닙니다, 미륵님과 만나는 인연 가운데 가장 귀중한 인연이 있습니다. 그래서 그 말씀은 가장 마지막 구절에 적혀 있지요. 재난과 횡액, 가난과 외로움의 고통을 받는 사람, 다른 사람에게 종이 된 사람, 속세의 법률에 속박을 받거나 형벌을 당하여 죽게 된 사람, 여덟 가지 재난의 업을 지어서 큰 괴로움을 받는 중생들을 보고 저들의 고통을 구제하여 벗겨준 사람, 서로 이별하고 패를 갈라 싸우고 송사를 일으켜 고통받는 중생들을 좋은 방편으로 화합시키는 사람, 이런 이들이 미륵님과 만날 인연을 가지고 있습니다. 미륵님의 이름만 듣고도 스님뿐 아니라 남녀노유의 백성, 용, 마왕, 귀신, 야차, 아수라, 미물까지도 악도에 떨어지지 않는다 하였습니다. 미륵님이 오시는 것은 말법(末法)의 때라 하였으니, 악과 고통이 세상에 가득 차는 때입니다. 여러분, 재작년부터 작년에 이르기까지 온 나라의 참상을 겪어 잘 알겠지요. 과연 법도가 서 있는 태평성대라고 하겠습니까. 마을마다 굶어죽고 염병에 죽어서 산촌에 텅 빈 마을은 얼마나 되었으며, 한여름에 제비가 얼어죽고, 봄에 우박이 떨어지고 바다에서는 해일이 덮치고, 어미가 자식을 먹으며 부모가 자식을 버리고, 가장이 식솔을 버렸으며, 시체의 옷을 다투어 벗기고, 벼슬아치들은 백성의 참상을 돌아보기는커녕 유민이다 명화적이다 하여 백성을 함부로 남형 살상하고, 조정은 패가 갈려 서로 잡아죽이고 서로 쫓아냈고, 위로 오랑캐와 아래로 왜적의 동태가 심상치 않아 병란이 일어난다는 소문이 들끓고, 사방에서 하리와 백성들이 벌떼같이 일어나 지방 수령과 양반을 도모하고 있습니다. 해서뿐 아니라 영남과 호남에서는 골골마다 작당한 녹림당들이 활빈을 자처하고 있습니다. 이미 아수라의 세상이요 말세가 되었으니 미륵님이 오실 때가 된 것이지요. 여러분, 일찍이 지장보살님은 서원을 하기를, 육도 중생계에서 중생의 고통이 가장 심한 지옥으로 가서, 그 가운데서도 가장 끔찍하고 혹독한 지옥의 계로 내려가, 그들 지옥에 떨어진 중생들과 괴로움을 함께하다가 그들이 모두 고통을 끝내고 부처를 이룰 때까지 마지막까지 남았다가, 맨 나중에야 성불을 하겠다고 하였습니다. 지장보살께서 중생이 고통을 당하면서도 성불해야 할 것을 스스로 가르쳐주신 것이라면, 미륵보살께서는 말법의 때가 될 적에 당신이 오실 것을 우리 만백성의 실행으로 예비하라는 것이요, 그때에 비로소 미륵님은 이미 우리와 함께 계시지만 우리의 실행이 없고서는 부처님도 용화세계도 이룰 수가 없습니다. 당래하생(當來下生) 당래교주(當來敎主)이신 미륵님은 우리 백성들이 이런 말법의 세상에서 맥없이 고통만 당하다가 나중에 죽은 뒤에야 극락에 가도록 하시는 분이 아닙니다. 바로 이 세상을 바꾸어놓으라 하셨고 그때 오셔서 함께 이루겠다는 것입니다. 역달중생공(亦達衆生空)하여 본성상여실(本性相如實)이요, 영경무우고(永更無憂苦)하며 자비무연(慈悲無緣)이로다."

여환은 합장하면서 설법을 끝냈다. 이곳 저곳에 졸고 있거나 쓰러져 자는 사람들도 있었고, 반 이상은 여환의 말을 주의 깊게 듣고 있는 듯하였다. 어떤 사내가 물었다.

"스님, 세상을 바꾼다니 무슨 천지개벽이라두 일어난단 말입니까?"

"미륵을 열성으로 믿고 따르면 개벽이 일어나지요."

한번 말문이 터지자 사람들의 질문이 뒤를 이었다.

"양반들도 미륵님이 보살펴줄까요?"

"잘못을 뉘우치고 미륵님의 가르침을 따르면 되겠지요. 비록 양반이라도 미륵님께서 개세(改世)하였다고 들으면 반드시 마음을 돌릴 것입니다."

"미륵님을 믿으면 병고도 없어지고 복도 생기나요?"

"복이니 병이니 하는 따위가 모두 마음에서 일어나는 것입니다. 다른 백성들과 더불어 용화세상을 이루겠다는 생각으로 사사로운 욕심을 버리면 병도 없어집니다. 세상이 병들어 우리가 병에 걸린 것이요, 세상이 박복하여 우리가 복이 없는 것이요, 세상이 아수라장이 되어 우리가 아수라가 되어버린 것이지요."

"스님께서는 미륵님을 만나보았습니까?"

"예, 만나뵈었습니다."

여환은 거침없이 대답하였다. 물었던 사람은 어이가 없어져서 멍하니 바라보는데 여환이 앞질러 말하였다.

"언제 어디서 뵈었느냐고요? 소승은 언제든지 미륵님과 만납니다. 저 뒤에 계십니다."

여환은 사람들에게 똑바로 손가락질을 하였다. 사람들은 수군거리며 서로 돌아보기도 하고 이리저리 살피다가, 뒤에 있다는 말이 생각나서 모두들 고개를 돌렸다. 어두운 하늘 저쪽에 부연 빛이 번져가고 있었다. 어느결에 날이 새어 동녘이 트고 있었던 것이다.

"미륵님은 하늘에 있는가요, 해가 미륵님인가요?"

제각기 물었으나 여환은 웃으면서 말하였다.

"이제부터 여러분의 마음속에 새로 올 것은 모두 미륵입니다. 여러분이 새로워지면 미륵님은 반드시 현신(現身)하십니다."

"미륵님은 귀신입니까?"

"아니오, 미륵님은 분명히 사람으로 현신하실 것입니다."

"그러면 만신이 모시는 귀신은 무엇이어요?"

계화가 뒷전에서 대답하였다.

"내 비록 영험한 성귀를 모시기는 하지만, 단군 성조님이나 임장군신이나 최영 장군신이라 할지라도 용화세계를 예비하려고 계십니다. 서낭당이나 칠성당이나 산신이나 하다못해 부엌 봉당의 조왕신이라 할지라도 인간 세사를 좋게 도와주시고 덕 입혀주시고자 계신 것이요 해코지하려고 굿 받아 잡숫는 것이 아니라오. 미륵님이 오시는 용화세계에 이르면 미물까지도 법을 깨친다는데, 귀신 성령이 어찌 다름이 있겠나요. 잉어와 흑어가 천년을 기다려 이무기로 변신하고 이무기가 또한 수천년을 기다려 용으로 변신하여 승천하는 것인데, 하물며 인간 세상이 천지개벽을 이룬다면 어찌 사람의 정성이 귀신에 통하지 않겠어요."

주위는 물을 끼얹은 듯이 잠잠하였고, 사람들은 서로 힐끗힐끗 바라보며 고개를 끄덕였다.

"정성을 들이려면 어찌해야 되나요?"

그것은 묘옥의 목소리였다. 여환이 묘옥을 돌아보며 말하였다.

"이미 예전부터 알구 있지 않습니까. 진인도(眞人道)를 따라서 행하는 것입니다. 미륵은 참 인도요, 인도에 어긋나는 것은 미륵이 아닙니다. 백성은 곧 미륵입니다. 진인도를 거역하면 승려도 부처도 양반도 상한도 사대부도 조정도 나라도 온 세상 삼라만상이 그릇되게 됩니다. 그릇됨을 바로잡기 위해서는 이 몸을 던져서라도 실행하는 것이 용화 향도가 할 일입니다. 언제나 이를 잊지 말고 마음을 굳건히 지켜야만 합니다. 용화세계를 생각하면서 늘 염송하면 병고와

업이 사라지고 미륵님과 언제나 함께 있을 수가 있지요. 따라서 염송하시오. 나무현거도솔미륵존불(南無現居兜率彌勒尊佛) 나무당래교주미륵존불(南無當來敎主彌勒尊佛) 나무삼회도인미륵존불(南無三會度人彌勒尊佛)."

좌중에서 그의 목소리에 뒤이어 염송하는 소리가 일어났다.

"아프고 괴로울 적마다 마음을 지켜 외우시오."

여환은 다시 몇번을 되풀이하였고 좌중에서는 외우고 또 외웠다. 이미 관솔불은 다 꺼져버렸고 새벽의 냉기가 써늘하였다. 마을 사람들은 하나둘씩 자리를 떴으며, 묘옥과 아낙네들은 남은 자리를 정리하고 설거지도 하느라고 다시 분주하였다. 혜음령 식구들과 양주 사람들은 한데 어울려 이경순의 사랑에 몰려들어가 앉았다. 장쇠와 전생이는 묘옥을 돕느라고 방 안에 들어앉을 틈이 없었다. 연천댁은 울었는지 두 눈이 충혈되었고 눈두덩이 퉁퉁 부어올라 있었다. 황회가 말하였다.

"아주머니, 인제 굿이나 법회에는 따라다니지 마시우. 그러다가는 아예 장님 되시겠수."

"왜, 이렇게 한바탕 울구 나야 가슴이 후련해지지. 포한이 맺힌 채로 그냥 품고 있어두 죄가 되는 게여."

"맞습니다."

여환스님이 연천댁 편을 들었다. 중길이 말하였다.

"스님, 저희 식구 인사 받으십시오."

그는 영길이에게 눈짓하였고, 엉거주춤하고 있던 영길이 벌떡 일어나더니 궁둥이를 쳐들고 어색하게 큰절을 올렸다. 여환은 공손하게 마주 합장하였고, 중길이 소개하였다.

"이번에 한양서 새루 왔습지요. 저희들께 시킬 일이 있으시거나 한양에 통기할 일이 있으면 이 사람을 통하여 하시면 됩니다."

"여환이라 하오."

"영길이라구 합니다."

황회가 중얼거렸다.

"그 참 잘되었군. 자네 계 식구들은 얼굴이 많이 알려져서 도성 출입이 그리 쉬운 일이 아닌데……"

이경순이 말하였다.

"오늘 스님 설법을 듣고 보니 문산포에서도 향도가 많이 나오게 생겼습니다."

"처음에 잠깐 도가 든다 할지라도 꾸준히 닦아주지 않으면 또 쉽게 잊어버립니다. 대개 몸이 아픈 이들은 병 고칠려구 일구월심하다 보면 신실해지기는 하던데."

계화가 의견을 말하였고, 황회가 말하였다.

"이 사람도 도를 깨친 것은 얼마 안 됩니다. 그래두 포천서는 이름난 점쟁이였지요. 지금은 미륵도의 보살 구실 하노라구 사방으로 다니며 시주도 받고 법회도 열고 합니다. 이 댁에도 여문이 엄마 같은 훌륭한 보살이 계신데 무슨 염려할 게 있소?"

이경순은 말이 없는데, 계화와 연천댁이 맞장구를 쳤다.

"아무렴, 신통력이 뭐 별것인가. 신명이 그만한데 성귀께서 내버려두실 리가 있나."

"보살이지, 아 그만하면 대를 잡아도 족허지."

여환도 말하였다.

"오는 칠석에는 칠성암에서 크게 재를 올릴 모양이니 두 양주 모두 문산포 사람들 데리구 오셔야지요."

"이 댁 마누라님은 그렇다 치고 도장님은 늘상 양주 와서도 뒷전에만 맴돌다 가시니, 그러다간 계두성에 못 들고 처자와 이별하시겠수."

계화가 이경순을 들어 농을 하니 경순은 껄껄 웃었다.

"허허, 그렇다면 이거 처자 덕으로는 갈 수가 없는 모양일세."

"대신 살아달랄 수야 있나."

황회가 말하자 경순은 시원스럽게 말하였다.

"마누라를 보살로 빼앗기느니 아예 내가 집에다 신당 배설하고 향도들을 모아야겠군."

"거 좋은 얘기요. 장단 파주까지만 닿아도 임진 남녘은 모두 미륵 향도 일색이 될 게요."

황회가 기뻐하였고 계화도 신이 났다.

"향도만 모아놓아요. 내가 오든지 스님이 와서 주재할 터이니."

장쇠의 조모 대상을 빌미 삼아 벌였던 넋굿은, 의외로 문산포 주막에 미륵님의 신당을 모신다는 데로 진전되어버렸다. 전생이는 진작부터 천불산 법회에도 다녀오고 검계의 계원으로도 활약하였으므로 굳건한 미륵향도의 당이었고, 장쇠도 계기가 좋아서 향도로 되기가 원이었던 터이다. 이경순은 비록 검계 살주계에도 깊이 관여하였고 지난번 풍열스님이 주도한 구월산 모임에도 갔었으나, 자신이 진정한 미륵당이라고는 생각하지 않았다. 다만 그는 시세에 민감한 상인 출신으로서 그들의 개혁하려는 뜻에 동조하였고, 그는 여주에서의 패가하던 일이며 아내를 잃던 일이며를 잊을 수가 없었다. 이러한 세상은 반드시 뒤바뀌어야 한다는 것은 그도 분명하게 생각하고 있었으며, 목숨까지도 흔쾌히 내던질 각오가 되어 있었다. 다만 경순은 이러한 자신의 뜻이 박대근이나 우대용 같은 이들과 통하는 것이요, 미륵이건 성조님이건 석가건 그것은 방편에 불과하니 별로 문제될 것이 없다고 생각해왔다. 그러나 묘옥은 달랐다. 그녀는 한때 청룡사의 사당이었고, 몸속에 흐르는 신명의 피를 어찌할 수가 없었으며, 여환은 그녀에게 진작부터 의미심장한 삶의 가치를 전하여주었던 것이다. 해주 송림방 바닷가 절벽 위에서 묘옥이 바다로 뛰어들려고 했을 적에 여환은 그 소매를 붙잡고 말해주었다. 목숨이란 돋는 햇빛에 스러지는 이슬과 같은 것이지만 영롱하게 초목을 적시듯 아름답고 귀한 것이오, 부처님께 마음을 의지하고 병든 아이를 간호하는 일처럼 제 인생을 사시오, 건강하게 살 수 있게 되면 다른 사람들에게도 그것을 나누어주어야 하오. 묘옥은 미륵을 얘기하는 여환의 열띤 설법 속에서 자신의 전생에서 찢긴 상처들이 따뜻하게 어루만져지는 듯한 감동을 느꼈다. 묘옥에게는 천상과 지옥이 몇겹이듯이 두 겹의 전생이 있었다. 한 겹은 길산을 만나기 전의 삶이었다. 중화에서 집을 뛰쳐나와 색상에게 팔려가고 창기가 되어 광산과 갯가를 흘러다니던 때의 아득한 기억들은 묘옥에게는 이승의 삶이 아닌 듯이 여겨졌다. 또 한 겹의 전생은 길산이 죽은 것으로 알던 날 밤 송림방의 말바위 위에서 자진하려던 순간부터였다. 묘옥은 그때에 죽었고, 이경순과 만나서 가정을 이루면서 다시 되살아났던 것이다. 묘옥은 사내들이 무엇을 생각하고 어떤 뜻을 가졌건 알 바가 아니었다. 다만 그녀는 살아가는 것의 가엾음을 품안에 넣어 녹여주시는, 끝없이 크고 넓은 미륵님의 작은 아기가 된 것만이 소중하였다.

양주 청송면 대탄(大灘)은 읍치로부터는 북쪽으로 칠십여 리나 떨어져 있었으니 원래 양주목 경내의 생김새가 긴 자루마냥 남북으로 뻗어나간 때문이다. 이를테면 대탄은 북쪽의 끝인 셈이었다. 임진강 상류의 근원은 두 갈래였다. 하나는 영평현(永平縣) 백운산에서 나오고 다른 하나는 강원도 철원의 체천(砌川)에서 나와 합류하였다. 이를 한탄강이라 하니 대개 큰 여울이란 뜻이다. 강은 연천 영평을 지나 서남쪽으로 굽이쳐서 파주 문산포에서부터 조수와 만나면서 임진강 하류를 형성하였다. 대탄은 영근산(嶺斤山) 일대와 산내(山內)를 좌우에 두고 남쪽으로 거의 읍에 이르기까지 뻗어간 초촌내(哨村川)에 닿아 있었다. 대탄은 동으로 영평 동남으로 포천(抱川) 북으로는 연천(漣川)과 삭녕(朔寧) 서쪽으로 장단(長湍) 파주(坡州)에 통하였고, 그 사방에서 거의 중간에 위치하는 지점이었다. 초촌내 좌우로는 너른 들판이 산줄기 사이로 펼쳐져 있고 대전리(大田里) 부근은 그야말로 오방의 길이 만나는 곳이었다. 또한 바로 심곡산이나 천보산 고개를 넘으면 송우(松隅) 난전이었다.

여환의 칠성암은 대탄의 영근산 아랫녘에 있었다. 북쪽으로 강 건너 가사벌이 아득하게 펼쳐져 있고 한탄강의 강물은 속의 자갈이 떠 있는 것처럼 해맑았고 강원도 방향에서 흘러내리는 체천이 만나서 물살이 거세게 굽이쳐갔다. 초촌내는 바로 칠성암 지척에서 흰 포말을 드러내며 콸콸 흘러내려가고 있었다. 무덥게 찌는 불볕더위였지만 칠성암 부근은 느티나무와 밤나무 은행나무 떡갈나무로 짙은 숲이 이루어져 있었고 강바람이 끊임없이 불어왔다. 숲 아래 큰 바위들이 탑처럼 우뚝우뚝한데 오솔길을 따라 오르면, 새로 지은 제법 널찍한 초가가 나왔다. 토담 위에도 짚이엉을 둘렀고 껍질도 벗기지 않은 소나무 기둥 위에 칠성암이란 현판이 걸려 있었다. 아직 담벽의 황토흙이 마르지 않은 것처럼 붉었고 대들보와 기둥에서는 송진 냄새가 나는 듯하였다. 칠성암은 기역자의 집인데 법당 겸 대청을 가운데 두고 양쪽에 방이 있었고, 부엌과 여환의 방이 있었다. 단청은 물론이요 불화 영정 하나 보이질 않았으며 불상도 모시질 않아서 사찰이라고 할 만한 것이 없었다. 실상은 이전의 초가삼간 자리에다 방 두 칸을 늘려 지은 것이었다. 법당으로 쓰는 마루 가운데는 상을 놓고 촛대와 향그릇을 올려두었는데 자씨미륵존불(慈氏彌勒尊佛)이라 쓴 목패를 중앙에 올려두었을 뿐이다. 대탄과 대전리 중간 어름의 산내 등성이가 두 팔처럼 벌려진 곳에 시내비골(五十老洞)이 있었는데, 시동이네가 수년 전에 진관사 아랫녘에서 이사 와서 살고 있었다. 계화 김승운 부부는 은율서 여환만 믿고 따라왔다가 처음에는 시동이네 헛간에 방을 들여 살더니, 칠성암을 늘려 짓게 되자 그리로 옮겨갔던 것이다. 황회와 정원태가 가끔씩 방문하기도 하였고, 계화는 여환과 함께 부근의 궁벌리 초성리 오동나무골 등지로 향도를 얻으러 다녔고, 차츰 혼자서 내문면 인목면 동면에까지 나다녔다. 늘상 칠성암에 향도들이 모여드는 것은 아니었는데 초하루와 보름에 원하는 이들이 모여서 기도를 올렸다. 따로이 수도를 원하는 이들에게는 사나흘씩 칠성암의 기도방에 머물도록 하였다. 계화나 황회는 향도가 되기를 원하는 사람들을 일단 칠성암으로 데리고 왔다. 여환은 처음에는 용화세계라든가 미륵의 출현에 대한 얘기는 꺼내지 않았고, 보름에 한 번씩 있는 수도회 때에나 잠깐 비칠 뿐이었다. 계화가 데려오는 사람들이란 거의가 인근의 농사꾼들이나 겨우 먹고 사는 행상들이거나 부녀자들이었고, 정원태와 황회가 인도한 사람들은 예전 겸계의 행수답게 지방 하리들이나 중인층들도 많았다. 그들은 따로이 약조하기를 때가 무르익기 전에는 절대로 뜻을 드러내지 않기로 하였으며 교세를 늘려 믿음이 굳건한 향도가 천여 명이 되기 전에는 되도록 설법의 대집회는 피하기로 하였던 것이다. 계화는 가끔 환자를 위하여 가호마다 방문하여 굿을 해주었고, 여환이 찾아가 밤새도록 독경을 하는 적도 있었다. 칠성암의 미륵인 여환에 대한 소문은 인근 사방에 차츰 퍼져나가서 그는 매우 영험이 있는 것으로 알려지기 시작하였다.

칠성암을 싸고 있는 높다란 나무에서는 철을 만난 매미들이 다투어 울어대고 법당은 고요하게 가라앉아 있었다. 법당 마루에는 남녀노유 십여 명이 앉아서 여환스님이 나와 착석하기를 기다리고 있었다. 반신불수가 되어 입이 비뚤어진 노인이며, 정신병에 걸린 아낙네, 속병 앓는 남자, 각종 고질병에 시달리는 사람들, 또는 잦은 우환으로 절망에 빠진 사람들이었다. 이러한 사람들이 입에 입을 건넌 소문을 듣고 줄을 이어서 칠성암을 찾아왔던 것이다. 이제 갓 선무당이 되어 영험을 받으려는 이들도 있었으며, 여러 군데의 불사를 찾아다니다가 실망한 이들도 있었다. 그들 모두가 세상살이에 지치고 붙잡을 데 하나 없는 이들이 대부분이었다. 계화가 가호를 방문하여 행여나 하고 찾아온 이들도 있었고, 이웃집의 권유를 받고 온 사람들도 있었다. 여환은 법당에 사람들이 모두 모여앉은 뒤에도 계화가 가르쳐준 주문을 외울 때까지 기다렸다. 계화가 말하였다.

"성신을 맞기 위해서는 먼저 마음을 비워야 해요. 여기 온 이들은 세상 잡것들에게 온통 시달림을 받아 마음이 어지러워져 있지요. 향도가 되려면 먼저 미륵 주문을 외우면서 마음을 한곳으로 모아야만 합니다. 나무현거도솔미륵존불, 나무당래교주미륵존불, 나무삼회도인미륵존불."

한 구절의 염송을 할 적마다 합장을 풀고 절하였고, 삼배를 드린 뒤에 입속으로 되풀이 염송하면서 통령(統靈)에 들어가는데 잡념의 갈래를 자꾸 끊으면서 주문에만 집중하도록 하였다. 지치고 곤고한 사람들이라 처음에는 귀찮은 생각도 들고, 다른 절에서도 늘상 하던 일이라 별반 기대 없이 따라서 하였다. 여환도 아랫방에서 두 손을 모으고 영기를 끌어모으듯이 묵념하고 있다가 사람들의 마음이 제법 가라앉았다 싶어지면 법당으로 나왔다. 여환은 먼저 좌중에 합장하여 인사를 올리고 나서 중앙의 미륵존불 위패를 바라고 예를 올렸고 계화의 지시에 의하여 좌중 사람들도 예를 올렸다. 여환은 그제야 일일이 사람들을 바라보며 물었다.

"왜 여기 오셨습니까?"

"예…… 저…… 보살이 어제 집에 와서 여기 오면 잡병이 다 낫는다기에……"

더듬거리는 사람은 풍병에 걸려 얼굴이 비뚤어지고 왼손 왼발이 구부러진 노인이었다.

"어디 사시는 뉘십니까?"

"임기동(林己同)이오. 시내비골 삽니다."

"여기서는 모든 업고를 스스로 바로잡고 고쳐야만 합니다. 아무도 도와줄 수가 없소이다. 먼저 이제껏 살아온 모든 일을 미륵님께 고하시오."

노인은 영문을 몰라서 여환을 물끄러미 바라보았다. 여환은 다시 맞은편의 노인과 비슷한 연배로 보이는 사람에게 물었다.

"어째서 칠성암에 오셨소?"

그는 곁의 노처를 돌아보았다.

"이 사람이 신병(神病)이 들어서……"

노인의 아내는 몸이 가랑잎처럼 여위었고 눈은 충혈되어 있었으며 입술은 까맣게 죽어 있었다.

"지금은 괜찮습니까?"

"예…… 미리 알 수가 없지요. 아무 때나 발작을 합니다."

"어디 삽니까?"

"시내비골이오. 저 임서방과 이웃간이지요. 저는 이응남(李應男)이라구 합니다."

여환은 다시 다른 이들에게도 그런 식으로 묻고 나서 말하였다.

"세상살이의 어려움이 우리 마음과 몸을 병들게 하였고, 마음을 건강하게 갖지 않으면 몸의 병도 낫질 않습니다. 칠성암에 오셔서는 누구든지 여태껏 살아온 기쁘고 슬픈 일을 미륵님과 향도들이 있는 자리에서 거짓 없이 털어내어, 맺힌 바를 풀고 위무받고 새로운 마음으로 바뀌어야 합니다. 그런 연후에 부지런히 수도하면 병은 쉽게 낫지요."

원래가 병이 있어 굿을 하려는 이는 무당의 신들린 푸념을 빌려 자신의 포한과 아픔을 풀고 달래려는 것이니, 여환이 병 낫기를 원하여 찾아온 이들에게 포한을 털어놓으라는 것 또한 그와 다름없는 이치였다. 실제로 몸도 건강하여지고 쾌활하게 일하는 마을 사람들이 있어 그들은 칠성암 미륵의 권능을 의심할 수가 없었던 것이다.

"저는…… 연천서 남의 고공살이로 컸습니다."

풍병 걸린 임노인이 더듬거리며 입을 떼었고, 사람들은 모두 방바닥에 시선을 주고 그의 말을 들었다.

"호란의 병화가 가시질 않아서 부모들이 저를 길에다 버렸기 때문이지요. 법에 따라서 저를 거둔 집에서 다섯 살부터 잔일과 나무하기로 밥을 빌어먹었습니다. 부모가 찾으려고만 했다면 곡식을 배상하고 돌려받을 수도 있었겠지만 목숨이 산 것만도 다행이지요. 버려져서 길러준 집에 매인 몸이라 그쪽의 성을 따라 입안이 되었습니다. 다행히 양민이라 사천(私賤)은 모면하였는데 명색이 그 집 자식이고 실상은 머슴이었습니다. 그러니 새경은 한 톨도 못 받았지요. 스물세 살이 되어서 그 댁에서 나와 처음에는 포천서 머슴을 살았습니다. 새경을 받아서 논 두 마지기를 장만할 수가 있었고 지금의 아내를 만났습니다. 아내도 저와 비슷한 처지라 관가에서 물 긷고 빨래하며 잡일을 하는 급비였지요. 우리는 부지런히 일하여 그런대로 굶지 않고 살았습니다. 슬하에 자식을 셋이나 낳았지요. 예전 경술년 큰 흉년이 있을 때 우리도 남들처럼 먹을 것이 없어서 갈라진 논밭 팽개치고 대처를 찾아나섰습니다. 읍내마다 죽이나 끓여서 명맥을 겨우 이을 정도로 주는데, 죽솥 앞에서 그릇을 든 채로 죽는 사람들이 많았지요. 저는 그때 우리 부모가 난리통에 어떤 참경을 겪었는가를 알았습니다. 저도 길에 버려졌지마는 제 아내도 젖먹이를 숲에다 던졌습니다. 울고 보채고 하는데 업고 다닐 기운조차 진해버린 것이지요. 사람들은 이리저리 몰려다니며, 공연히 들판의 먼지 나는 메마른 땅도 파보고 나무껍질도 벗기고 했지요. 아내와 저는 일시 헤어졌다가 양주에서 다시 만났습니다. 그때에는 아이들은 모두 노중에 버려지거나 병들어 죽었습니다. 우리 부부는 다시 시작을 했지요. 불곡산 아랫녘에서 남의 땅을 부치다가 이곳 대탄으로 나와 강변의 묵정밭을 개간하였습니다. 관가에 올리고 밭 닷 마지기와 논세 마지기를 장만하였습니다. 우리는 다시 아이를 낳았는데 딸 둘에 아들이 둘이었습니다. 딸 하나는 죽고 하나는 출가를 시켰고 아들둘은 갑자년 흉년에 떠난 뒤 소식이 없습니다. 재작년에 산으로 송엽을 벗기러 갔다가 버섯을 따왔는데 그것을 삶아먹고 풍병이 들었습니다. 아내는 며칠간 앓다가 일어났으나 저는 어찌된 것인지 그로부터 사지를 바로 쓸 수가 없습니다그려. 농사일도 못 하고 있습지요. 절에 가서 물었더니 우리 두 양주가 허욕과 탐심이 많아 죄를 받았기 때문이랍니다. 내 평생에 손에서 농구를 놓은 적이 없고 일없이 넘긴 밥알 한 톨이 없는데 무슨 죄를 많이 지었다는 것인지 모르겠습니다. 저야 별로 큰 원도 없습지요. 그저 두 부부 한날한시에 죽어 양지바른 곳에 함께 묻히는 것과, 우리 죽기 전에 유민이 되어 떠나간 자식놈들이 돌아와 만나게 되면 더이상 바랄 게 없습지요. 이까짓 풍병쯤이야 그래두 지난 시절에 비한다면 아무것도 아닌 셈입니다. 얼마 전부터 이곳 칠성암 미륵님이 영험하시다는 소문을 듣고 오려고 별렀더니, 오늘은 아내가 보살님도 뵀다고 자꾸 가보라고 하여 왔습니다."

임기동 노인의 세상살이에 대한 이야기는 그들 자신들이 그렇게 살아왔고 또 흔하게 겪는 일이라서인지 아무도 감정의 변화가 없는 양이었다. 그런 정도의 고초 간난이라면 온 조선 천지의 백성들 누구나가 겪고 있는 삶이었던 것이다. 여환이 말하였다.

"노인께서 열심히 근로하여 남부끄럽지 않게 부지런히 살아온 것을 누구나 알고 미륵님은 더욱 잘 아십니다. 그러나 부역은 또한 얼마나 무거우며 조세는 사정이 없지요. 이렇게 힘든 세상에서 참되게 살아가노라고 죄는커녕 눈 돌릴 틈도 없는 이들에게 탐욕과 죄를 뒤집어씌우는 것은, 포악한 수령이나 간교한 양반들처럼 더욱 꼼짝못 하게 지배하려는 잔꾀올시다. 혹세무민의 악귀나 재물만 아는 부처는 죄로 사람을 묶어 지배하려고 하지요. 다만 미륵님께서는 노인의 진실을 알고는 있으시되, 깨우치지 않은 것을 탓하십니다. 이렇게 자생하여 끈질기게 살아온 것처럼 자력으로 병도 고치고 좋은 세상도 이루어내야 합니다. 지금부터 전념하여 주문을 외우고 마음이 비워지면 다른 이들에게도 눈을 돌릴 수 있도록 스스로 힘을 내어야 합니다."

여환은 그에게 염송하도록 이르고 자기도 함께 염송하면서 한참이나 노인의 경직된 안면을 쓰다듬었다. 여환은 성심으로 노인을 생각하면서 쓰다듬었고, 남을 용서하는 마음과 삶을 사랑하는 마음과 미륵의 끝없는 자비의 마음으로 노인의 얼굴을 어루만졌다. 염송하고 있는 노인의 얼굴이 벌겋게 달아오르고 땀이 구슬처럼 떨어지더니 일그러졌던 안면 근육이 차츰 바로잡히기 시작하였다. 사람들은 숨을 죽이고 그들을 바라보았다. 여환은 계속해서 노인의 목덜미를 주물렀다. 노인의 머리는 바로 돌아오고 비뚤어졌던 입도 가지런해졌다.

"나무 현거도솔 미륵존불."

사람들은 제각기 큰 소리로 염불을 외웠다. 임노인은 믿어지지 않았는지 몇번이나 자기 턱을 움직여보고 입을 벌려보고 하였다.

"날마다 경을 염송하고 미륵님께 예불하시오. 그러면 손과 다리도 온전해질 것입니다."

여환은 소매로 땀을 씻으며 물러나 앉았다. 이번에는 광증이 있다는 처를 데리고 온 이웅남 노인에게 말하였다.

"미륵님께 고하시오."

그는 제 눈으로 임노인의 굳어졌던 얼굴이 풀리는 것을 보았고, 좌중의 사람들은 모두들 두 손을 모아 경을 염송하고 있어서 감히 입을 뗄 수 없도록 엄숙한 분위기였다. 이노인은 그 아내의 옆구리를 찔렀다. 그 여자도 움찔하면서 고개만 푹 숙이고 있었다. 보다 못한 계화가 말해주었다.

"아픈 사람이 스스로 고해야 합니다."

이노인의 아내가 머뭇거리다가 입을 열었다.

"저는 계하에서 전장이 수십 마지기나 되는 부농에서 호강하며 자랐습니다. 열일곱에 진군 장교로 다니던 주인과 결혼하게 되었지요. 진의 장교란 외관만 그럴듯하였지 군문의 녹봉은 보잘것이 없어, 이리저리 옮겨다니며 거의 남의 집 삯일로 밥벌이를 했어요. 주인께서 일시 군영을 떠나 마전(麻田)에서 시집살이를 하였는데, 홀시어머니 밑에서 고생하면서 우리는 미곡 행상도 하고 소작도 지냈습니다. 식구가 아홉이나 되어 입에 풀칠하기도 힘에 겨웠지요. 시동생들이 올망졸망 넷이나 되었고 또 우리 슬하에는 아들 딸 둘을 보았지요. 결혼하고 사 년 만인 무신(戊申)년에 팔도에 역질이 번져서 시어머니가 돌아가시고 시동생 둘과 저희 딸이 병에 걸려 죽었습니다. 제 딸은 그때 네살박이였는데 어쩌나 영리했던지 주인도 그애가 남자로 태어나지 못한 것이 한이라고 하였지요. 그때에는 성한 장정들이 집집마다 찾아다니며 역질을 앓고 있는 환자는 두말 없이 끌어냈습니다. 환자들은 따로이 동구 밖으로 쫓아내어 거기서 꼼짝도 못하게 하였지요. 죽은 사람의 시체는 기다릴 것도 없이 불에 태워버렸지요. 딸아이가 역병이 들어 온몸이 열에 끓으니 보다 못한 남편이 그애를 이불에 둘둘 말아서 안고 나갔습니다. 저는 울며불며 매달렸지요. 그랬더니 그 어린것이 오히려, 엄마 다 나아서 혼자 걸어올 테니까 염려 말어 하지 않겠습니까. 남편은 그애를 이불에 싸서 그 위에 새끼줄로 동여매어 동구 밖 감나무의 높은 가지 위에다 친친 매어놓고 왔다지요. 그렇게 해서 역질을 떼고 살아난 사람도 있긴 있었지요. 저는 밤마다 우리 그애가 부르는 듯하여 공연히 뒷산을 맴돌았습니다. 그해부터 저는 헛소리를 하며 시름시름 앓곤 합니다. 가끔은 그 어린것이 글쎄 색동 저고리에 붉은 치마를 곱게 입고 아장아장 걸어서 대문간에 들어서는 헛것이 보입니다. 저는 그때마다 달려나가지만 곧 쓰러져 까무러치고 말지요. 점도 쳐보고 굿도 벌이고 부적도 써붙이고 집에는 신당도 모셔보았습니다만, 헛것이 보이고 온몸이 쑤시는 병은 낫질 않았습니다."

여환스님은 이노인 아내의 손을 잡고 말하였다.

"여식의 죽음이 너무 애처롭고 안타까워 병이 되었으니, 이제는 그 아이를 정토로 보내줍시다. 부인의 병은 곧 나을 것이오."

계화가 다시 일렀다.

"미륵님의 패를 적어줄 테니 집에 모시고 늘 기도하세요. 만병이 다 물러갈 거요. 다음 수도회 때에는 건강하게 나오실 수 있을 거예요."

칠성암 수도회는 하루종일 계속되었는데, 여환은 신도들에게 자기 자신의 원력이 가장 중요하다는 점을 가르쳤다. 따라서 암자의 주승인 여환이 수도회를 끌고 나가는 것이 아니라, 신도들 스스로가 자기 고통을 말하게 하고 병을 낫겠다는 성심을 가지고 염송만 부지런히 하도록 일렀다. 무슨 독경이나 설법도 없었다. 원하는 사람에 따라서 기도가 사흘 밤낮 또는 열흘씩이나 계속될 때도 있었는데, 신도들 중에는 미륵을 여러가지의 모습으로 만나는 이들이 있었다. 짙은 먹구름 사이로 찬란하게 비치는 빛처럼 보이기도 하였고, 이른 봄의 새 풀이 돋아난 넓은 들판같이 보이기도 하였으며, 만개한 꽃송이처럼 나타나거나, 오색의 띠가 되어 바람에 하느작거리기도 하였다. 직접 말소리를 전해듣는 이들도 있었고, 삼천세계를 날아다니다가 먼 곳에 도솔천의 따사한 양광과 봄바람 같은 훈풍이며 노래하고 춤추는 이들을 보았다는 신도들도 있었다. 어쨌거나 이들은 여환의 안내에 의하여 마음의 평안을 찾을 수가 있었고 스스로의 고통을 벗어날 수가 있었던 셈이다. 그들은 각자 흩어져 집에 가서 생업을 꾸려나가면서도 하루 세 번의 염송기도를 하게 되어 있었는데, 한두 번 수도회에서 마음의 평안을 찾은 이들은 한 번도 빠짐없이 재가(在家) 기도를 올리는 것이었다. 여태까지 고해 같은 세상에서 전혀 잊혀졌던 각자의 삶에 대한 사랑이 한번 깨우쳐져 확신이 생기게 되자, 그들은 참으로 아무것도 두려울 바가 없는 꿋꿋한 백성으로 변하여갔던 것이다. 재가 신도들은 인근에 용화향도들이 여러 명 생겨나자 저희끼리 작은 회를 만들게 되니 사흘에 한 번씩 모여서 기도회를 갖는 것이었다. 여환네서는 일단 몇몇 믿음이 굳은 신도만 생겨나면 전도라든가 모임을 그들이 주재하여 끌고 나가도록 하였다. 사람의 마음을 잡는다는 일은 이처럼 그들 스스로의 노력에 의하지 않고서는 확실하지도 않을 것이고, 전파되지도 않을 것이기 때문이었다.

대탄 영근산 아랫녘 칠성암 부근에 있는 시내비골에는 여환네가 써준 미륵님의 위패를 모시고 있는 집이 열세 집이나 되었고, 그들은 모두가 열성 향도들이었다. 그들 가운데 자기들끼리의 모임을 이끌어 나갈 상좌를 뽑았는데, 시동(金時同)의 아버지인 김돌손(金乭孫) 노인이었다. 이웅남 임기동 노인 외에도 시동이네 이웃에 사는 방의천(方儀天) 등이 시내비골에서는 가장 신심 깊은 향도들이 되었다.

4

진관사 아랫마을서 황회가 화주(化主) 노릇을 할 적부터 시동이는 떠꺼머리로 그를 따라서 나다녔다. 그의 형 시금(時金)이와 더불어 시동이네 삼부자는 벽제서 서소문 밖으로 드나들며 청파를 잇는 해물(海物) 장사치의 일원이었다. 김돌손 노인은 젊을 적부터 청파와 종루시전에서 잔뼈가 굵은 행상이었고, 두 아들이 장성하면서는 말도 두 필이나 사서 규모가 더욱 짜임새 있게 되어갔다. 그러나 시동이는 천성이 느긋하게 장사를 하여 원행의 다리 품앗이로 박한 이윤이나 남겨먹는 일에는 맞지를 않았다. 그가 한때에 걸립패를 따라다닌 것도 워낙에 행상 다니기가 지겨웠던 까닭이었다.

시동이는 처음에는 황회나 고달근처럼 우연히 나라를 등지게 되었고, 죽은 산지니나 이경순과 같이 범법자로 시작하여 어느결에 낡은 세상을 뒤엎겠다는 생각으로 나아가게 되었던 터이다. 노적사에서 정원태, 복만이 식구들과 어울려 검계를 이룰 적부터 시동이는 어느 계원보다도 더욱 철저한 혈당이 되었다. 그는 한양의 검계 살주계의 난리 때에도 산지니 중길이와 더불어 위험을 무릅쓰고 가장 큰 활약을 벌인 계원이었다.

그는 계에 위협이 되는 종사관 최형기를 제거하기 위해 숨어서 방포하기까지 하였던 것이다. 무엇보다도 시동이의 마음을 송두리째 흔들어놓은 것은 산지니의 죽음이었고, 그들이 검계의 활동을 그치고 각기 깊은 골짜기에 은거해버린 뒤에도 다른 계원들을 계속 확보하여 혈당들의 결속을 늦추지 않았던 것도 시동이었다. 시동이가 고달근 황회와 다투게 되었던 것도, 저들이 솔부리의 게딱지만 한 산채에 만족하며 명화적으로 머물고 있다는 시동이의 공격 때문이었다. 물론 황회는 시동이와는 생각이 달랐지만 고달근과 의견이 같았던 것은 아니었다. 달근이는 예전처럼 실리와 실속이 없는 짓은 어떠한 명분으로도 하려 들질 않았으나, 황회는 여환과 내왕하며 강원도와 해서 출입도 하더니 갑자기 자기가 무슨 경천동지할 경륜이라도 있는 도인처럼 행세하려 들었다.

정원태는 계에서 모두들 대덕이라고 부르고는 있었으나 황회와는 생각이 달랐다. 어쨌든 아직까지는 생각에 큰 거리가 있는 것은 아니었으나 시동이는 그런 점을 민감하게 느끼고 있었다. 정원태는 계속하여 검계의 활동을 해나가야 한다는 주장이었으나, 황회와 여환은 우선 교세가 확장되어야 한다는 주장이었다. 정원태는 한양 성내에 중인층으로 계가 짜여져야 하고 적어도 조정과 밀접하여 내막을 훤히 아는 내관이나 벼슬아치 가운데 그들을 밀어줄 자들을 찾아내어야 하고, 아전이나 서리라든가 장교들 가운데서도 계원을 심어야 한다고 주장하였다.

여환과 황회는 그전에 먼저 경조(京兆) 인근의 백성들 가운데 광범위한 향도 조직이 생겨나야 하고 고을마다 기도처가 하나씩 생기며 그것을 이끌어갈 상좌로 뽑히는 이가 모자라도 오백은 되어야 한다는 것이었다. 솔부리의 정원태 고달근 황회 김복만 박거사 김시동 등은 팔도의 기근이 한창이던 작년 병인(丙寅) 겨울에 일단 산채를 나누기로 하였고, 황회는 포천으로 나왔다가 영평에 주저앉아 지금의 무당 처와 성혼이 되었고, 시동이는 그냥 솔부리에 머물러 있기도 하고 시내비골에 아버지와 형을 만나러 내려오기도 하였다. 결국 정원태는 산채의 일에 대하여는 관여하지 않았으니 고달근과 김복만이 두령이 된 셈이었고, 달근이도 천마산에 있기가 심드렁한 눈치여서 복만이의 뜻대로 이루어진 셈이었다.

지난봄에 구월산 월정사에서 풍열대사의 통문이 돌아 오진암 집회가 있고 나서 검계에서도 자체 모임이 있었던 것이다. 근기지방에서 구월산에 갔다온 사람은 여환과 이경순뿐이었다. 처음에 검계가 짜여지고 살주계와의 연계가 이루어질 적에 천불산에서는 운부스님께서 직접 참석하신 집회가 있었으니, 그때에 이쪽에서는 정원태와 황회와 이경순 대신에 전생이가 다녀왔던 터이다. 그때까지만 하여도 갑자년 난리 이전이라 그들 사이에는 의견의 차이가 없었다. 살주계와 검계의 뿌리가 드러나고 구월산이 토벌된 뒤부터 조금씩 틈이 벌어져가고 있었다.

그것은 지난 사월에 구월산에서 이경순과 여환이 돌아온 뒤에 가졌던 예전 검계의 계회 때에 시작되었다. 여환은 검계 살주계의 활동이 실상은 다른 백성들과의 체결이나 연루가 이루어지지 않고서, 몇사람의 노비와 울분을 품은 장정들이 양반들에 대하여 포한을 풀어본 것에 지나지 않았다는 점을 지적하였고, 검계는 보다 광범위하게 용화 향도를 얻기 위한 포교의 계를 이루어야 한다고 말하였다. 검계를 끌고 나갔던 정원태와 모신과 황회 고달근 이경순 가운데서 경순은 참석치 않았고, 황회만을 제외한 모든 이가 오진암 집회의 결정에 반발하였다. 정작 피를 흘리고 고생하며 계를 이끌어온 사람들은 우리가 아닌가, 한양 도성의 곳곳마다 그 강약처를 잘 알고 있으며 앞으로 어떠한 기병 거사가 있더라도 선봉은 우리라는 것이었다. 오늘 모였다가 내일 흩어질지 알 수도 없는 불확실한 오합지중을 모을 때까지 기다릴 수도 없고, 그들을 이끌고 궁성을 들이친다는 것은 더욱 믿을 수가 없다는 게 검계원 대부분의 주장이었다. 그들은 소수의 믿을 만하고 용기 있는 계원의 확보를 주장하였던 것이다. 그때 여환이 절충안을 내놓게 되었다. 검계는 그대로 예전처럼 식구를 모으며 활동을 하되 시기가 무르익을 때를 기다려 미륵 향도들의 결행과 보조를 맞추어달라는 것이었다. 미륵 향도들의 세가 확장될 때까지 서로 도우며 기다리자는 얘기였다. 설사 궁성을 점령하게 된다 할지라도 외방으로부터 관군의 협공을 당하면 버티어낼 수가 없다는 것은 일찍이 이괄의 난리 때를 보아도 분명한 일이었다. 모신이 의견을 내었다. 계원들 가운데 누군가가 한양의 도성과 궁궐을 지키는 군사로 들어가 그 편제며 지휘며 방위의 내력을 소상히 알아내야 한다는 것이었고, 장교나 집사들 중에도 끌어들일 자가 없

는가 알아보고, 경기도의 각 군현에 있는 아전 서리들 중에서도 계
원으로 심어놓을 자를 구하며, 특히 한양의 오영(五營)은 반수 이상
이 지방에서 징집된 상번병(上番兵)이라 그들을 향도나 계원으로 삼
아야 한다고 모신은 주장하였다. 모신의 그러한 의견은 가장 이치가
그럴듯하고 실질적인 말이라 아무도 이의를 내놓지 못하였고, 정원
태와 김시동은 그 일을 우선 실천하기로 하였던 것이다. 그래서 김
시동이 자진하여 군영에 입대하기로 하였다.

한양에는 왕성과 근기지방을 방위하기 위한 중앙군 위주의 편제
가 이루어져 다섯 군영이 있었으니, 총융청(摠戎廳) 수어청(守禦廳) 어
영청(御營廳) 금위영(禁衛營) 그리고 훈련도감(訓鍊都監)이 있었다. 그
중에 수어청과 총융청은 한양의 외곽방어를 맡았으며, 도성을 직접
방위하는 것은 어영청과 금위영과 훈련도감의 삼군영이었다. 훈련
도감의 군졸은 모두가 급료병(給料兵)이었으나 어영청과 금위영의
군졸들 반 이상은 징집된 상번병이었다. 지방 군현에서 상번의 영을
받은 장정은 이삭상번(二朔上番)으로 두 달 만에 교체가 되거나 육삭
상번(六朔上番)으로 여섯 달 만에 끝나기도 하였고, 농번기 넉 달 동
안에는 매삭상번(每朔上番)으로 달마다 교체가 되었다. 김시동은 양
주목에 나아가 진영에 군적을 넣고 징번에 응하였다. 서로 안 나가
려고 하는 판에 번병으로 고하니 차례를 기다릴 것도 없었다. 양주
진영에서는 양주목사의 보장(報狀)과 치신장(致身狀)을 내주었고 군
복은 스스로 갖추었다.

시동은 호패(戶牌)를 지니고 한양의 오위도총부(五衛都摠府)를 찾아
가 점고(點考)를 받으면 되었다. 경기도의 진영 군사는 경성의 궁성
을 지키게 되니 송도 양주 광주 수원 장단의 상번병이 입역하였다.
상번병은 금위영과 어영청으로 배속이 되는데 시동은 어영청으로

군령이 떨어졌다. 어영청은 동부(東部) 연화방(蓮花坊)에 있었는데 그에게는 실로 감개가 깊은 장소이기도 하였다. 바로 지척의 배오개 누릉다리께에 종사관 최형기네 집이 있었고, 그가 숨어서 방포하였던 느티나무도 그대로 서 있었다.

내수사 노비였던 옹장이 노인네 집은 점방으로 변해 있었다. 시동이에게는 도성의 곳곳이 제 손바닥 들여다본 듯 훤하였다. 어영청 상번병이 하는 일은 입직(入直)과 시위(侍衛) 순라(巡邏)의 직임이었는데, 삼군영의 구역이 다르달 뿐 맡은 일은 모두 같았다. 시위는 임금이 성 밖으로 거둥할 적에 각 영이 나누어 어가를 호위하고 또는 빈 궁성을 파수하는 일이었다. 군병의 수는 그때마다 병조에서 책임구역을 분담하여 지시가 내려졌다. 임금이 성내를 행행(行幸)할 때에는 금위영과 어영청에서 각각 좌우로 나누어 담당하였고, 성내의 어느 곳에 머무르거나 행차 중일 때에는 고봉척후(高峯斥候)와 통로복병(通路伏兵)을 세웠다.

또한 임금의 성 밖 행차에는 급료병이며 경군인 훈련도감의 정예가 전담하였다. 척후와 복병은 장교 한 명과 병졸 네 명씩이 파송되었다. 성내에 머무를 적에는 척후가 각 성문루와 구릉 산협에 열네 군데였고, 복병은 여섯 군데에 있었으며, 호위할 때에는 임금의 동가(動駕)는 경군의 창검군이 직접 시위하고 금위영과 어영청 향군들은 척후를 다섯 군데에 서고 복병은 일개 요소에만 섰다. 종묘 거동과 사직 거동 등에는 척후 칠개 처와 복병 삼개 처였고, 사신 행차가 있을 때에는 수문 파수와 노상 시위, 그리고 대궐문 밖에서부터 경군 삼십, 향군 백으로 구획하여 늘어서곤 하였다.

궁성 호위 때의 어영청의 담당구역은 홍화문에서 집춘문까지였으니 임금이 창덕궁에 있을 적이고, 경희궁에 있을 때는 무덕문에서 숭의문까지였다. 이때 상번군들은 주로 성문의 파수를 맡았다. 도성을 지키는 데에 있어 각 군영은 다섯 부처로 나누되 전좌중우후(前左中右後)로 하였고 훈련도감의 군기는 노란색, 금위영은 푸른색, 어영청은 흰색으로 부처와 계(係)를 쓰도록 하였다. 경조오부(京兆五部)가 동부는 배오개에서 문묘와 숭례문 혜화문에 이르는 구역이요, 중부가 종루 운종가를 포함하여 종묘 창덕궁과 다시 안국방에 닿는 구역이며, 북부가 삼청동에서 사직과 흥화문에 걸치고, 서부는 광통방에서 돈의문 소의문 숭례문에 이르는 지역이며, 남부는 숭례문에서 회현방 목멱산 일대를 지나 남소문 하도감까지를 대체로 나누어놓은 것이다.

어영청은 주로 동부를 중심으로 한 구역을 맡았다. 어영청은 집춘영과 동영 군사가 궁성의 담 밖을 지켰고 대개 밤 사경과 오경에 순라를 돌았다. 삼군영은 각각 사흘마다 근무 교대가 되었다. 상번병의 급료는 달마다 쌀 아홉 되와 여비 한 냥과 자장전(資裝錢) 여덟 냥이 나왔으나 전량이 제대로 나오는 것은 고사하고 밀리거나 떼어먹히기가 일쑤여서 대개는 자비로 충당하는 상번 입역자가 많았던 것이다. 면포를 내어 빠지거나 관가에 실낱 같은 연줄이라도 있는 자는 군역에서 모면하기가 쉬워서 군졸의 수는 서리들이 문서상으로만 채우는 때도 많았다.

김시동은 신영(新營)의 영문으로 찾아가 요령대로 신고하였다.

"양주 상번군 정병 김시동이 영전 대령하였소."

집사가 문안의 왼편에 가서 점고를 받으라면서 우선 시동의 기를 죽이느라고 뺨부터 한 차례 갈겨댔다.

"이 자식 번 들러 처음 와봤느냐. 대가리에 종루 인경을 매달았니. 왜 군례를 안 드려."

시동은 성 밖이나 솔부리의 길목에서 만났더면 대번에 달려들어 마빡을 깨든지 코를 터뜨려놓겠지만, 어영 병졸이 되자는 속셈이라 그만 눌러 참았다. 그는 얼간이처럼 입을 헤벌리며 그저 볼따구니를 내리쓸었다.

"양주서 농사짓던 놈이 군문에는 처음이라 용서허우."

"농투성이가 어디 네놈뿐이냐. 번 들고 돌아간 너희게 동무들이 그런 것 하나 일러주지 않데?"

집사는 영문 안 마당에 운집한 자들을 돌아보고 나서 시동의 아래위를 훑고 봇짐을 뚫어지게 노려보았다.

"좌우지간 너희들의 상번 두 달 동안 생살여탈권을 가진 사람은 바로 나여. 내 붓대 하나로 천상과 하계가 맴돌이를 한다 그 말이다."

진관사 시절부터 오늘에 이르기까지 주로 한양 인근에서 장터 밥을 먹고 봉노 잠을 자며 자라온 종루 토박이 시동이가 집사의 그런 거동을 눈치 못 챌 리가 없었다. 말하자면 놈에게는 오늘이 소경 초하룻날이라 대목을 잡는 날인 모양이었다. 시동이가 두말 없이 괴춤에서 엽전이라도 몇푼 내든가 상목이라도 끊어낼 일인데, 하도 같잖아서 슬슬 까슬러볼 양이었다.

"허, 그런 환술에 능하시면 큰돈을 벌 것이오. 내가 주선할 터이니 우리 재간을 팔러 저자로 나갑시다."

시동이가 눈을 휘둥그레 뜨고 정말로 믿는 꼴을 지어 보이자, 군영 집사는 이건 아주 모자라기가 칠 홉 송장에다 흐리멍덩하기가 염병 앓고 설나은 놈으로만 여기고는 제풀에 속내를 다 드러내어 말하였다.

"애애, 너를 어느 영으로 보내주랴. 사대문 수문직은 장사치 상대가 많아 인정전이 그득하고, 도성 파수는 민가에서 먹고 자니 집이나 다름없고, 순라로 나가면 색주가 기찰에 주효가 흔천이요, 군기 엄하고 고되기만 한 궁궐 금문으로 가서 걸핏하면 장교에게 볼기를 맞겠느냐, 말썽 많고 먹을 것 없는 공궐직이나 묘직이나 능직에 가려느냐, 청계천 오간수 개천 치는 공사를 하려느냐, 산에 올라 척후를 서려느냐, 무너진 성벽 보수공사에 가려느냐, 노량진과 안암골에 습진조련을 나가 교련관에 시달리겠느냐. 봇짐 속에 무엇이 들어 있는지는 모르겠다마는 사람은 다 자기 할 탓이니까."

시동이는 타이르듯이 주워섬기는 집사를 향하여 히쭉 웃고 나서 봇짐에서 짚신 한 짝을 꺼내어 내밀었다.

"옜수, 오늘 같은 흉년에 촌에서 뭐 할 일 있소? 마른 짚덤불 모아다가 이렇듯이 신을 삼아 죽이라도 먹는다오. 한 켤레 가지슈. 한 보름은 넉넉히 신을 테니 그쯤 되면 어느 영문이 될지 시작이 반이라 두 삭이 휘딱 가겠수."

집사는 시동의 짚신을 손끝으로 집어올려 문안으로 집어던지며 중얼거렸다.

"어디 한번 견디어봐라. 다음……"

영문 안에서 쭈그려앉아 장교를 기다리는 자들 사이에서 웃음소리가 시끌덤벙 일어났다.

시동이는 실실 웃으면서 그가 동댕이친 짚신을 주워서 무릎 위에다 탈탈 털어서는 봇짐 속에 넣어버렸다.

"원주 양주는 저쪽이오."

하고 누군가 시동이에게 가르쳐주었다. 그들은 열의 후미에 앉아서 영문으로 점고받으러 들어오는 자들을 보며 희희낙락하는 꼴이었다. 시동이는 그가 손가락질한 곳으로 가서 두리번대며 물었다.

"칠번 군이 이 줄이오?"

"시동이 너 웬일이냐?"

하며 바짓가랑이를 잡아당겨 엉거주춤 앉아보니 그는 바로 시동이의 작은삼촌 경립(敬立)이었다. 시동의 외삼촌은 둘인데 위가 오계원(吳戒元)이고 연천서 농사짓고 있었으며, 경립은 농사일을 돕기도 하고 행상으로 나돌기도 하였다. 일찍이 시동이와 함께 그 아버지 김돌손을 따라서 해물 행상을 다녔는데, 시동은 열여섯부터 아예 진관사 행중으로 들어가 황회를 따라다니게 되었던 터이다. 오경립은 시동과 같은 또래였는데 진작부터 그가 수상한 자들과 당을 이루어 다닌다는 것도 알고 있었고, 누님 댁이 밥술이라도 놓치지 않고 사는 것은 솔부리에서 양식을 날라다 먹기 때문이라는 것도 형 계원을 통하여 어슴푸레하니 듣고 있었다. 갑자년 살주계 검계 난리로 소문이 수상하게 들끓을 적에도 경립은 시동이가 혹시 그런 패거리와 어울렸는가 하여 양주에까지 발길이 뜸하였던 터이다. 그래왔으니 군문에 입역하러 나타난 시동이를 보고 놀랐던 것이다.

"왜, 나는 상번 들지 말라는 나라법인가. 흉년에 요미라두 얻을까 하여 치신장을 냈수."

경립은 껄껄 웃었다.

"성인이 무덤에서 놀라 일어나겠다. 네가 국은을 갚으러 상번 들러 오다니."

"국은이 따루 있수. 배부른 게 국은이지……"

"저 군복 꼴 좀 보게."

시동이가 걸친 검은 더그레는 맞질 않아서 소매가 잔뜩 팔꿈치 가까이 올라갔고 벙거지는 꼭대기가 푹 주저앉았으며 질끈 동인 노끈은 나달나달해져 겹겹으로 매어져 있었다. 시동이가 물었다.

"강화에 계신다더니 여긴 웬일이우?"

"글쎄, 해물장사야 가을이 제철이니 이번엔 납세 않고 몸으로 때우러 나왔지. 요새는 시내비골 산다며?"

"예, 집에 있었지요."

경립은 마르고 잽싸게 생긴 몸집에다 얼굴도 행상답지 않게 해끔한 인상이었다. 그의 형 계원은 몸집이 크고 성미도 유순한 편이지만, 경립은 평소에는 얌전해 보여도 화가 났다 하면 제 집에 불이라도 지를 정도로 철저한 구석이 있었다. 그도 형 시금이보다는 싸돌아다니며 자란 시동이를 더 좋아하여 어쩌다 만나게 되면 밤늦도록 얘기를 시키고는 하였다. 경립이 제 곁에 쭈그린 사람을 툭 치며 말하였다.

"여보게, 내 작은조카야. 언제 얘기했지……"

그는 광대뼈가 툭 불거지고 눈이 작고 뼈대가 굵게 뵈는 사내였는데, 아까부터 두 사람의 오고 가는 얘기를 실실 웃으면서 듣고 있었다.

"나 영평(永平) 사는 정만일(鄭萬一)이우."

"양주 김시동이우."

"해물 하러 연평 갔다오다가 만난 동무다. 아마 서로 배포가 맞을걸."

경립이 거들어주었다.

"총을 잘 놓는다면서 화포군(火砲軍)인 별파진(別破陣)에 갈 것이지 여긴 뭣 하러 왔수?"

경립에게서 시동이가 방포할 줄 안다는 얘기를 들었던지 정만일이 물었다.

"화포군에 들면 날마다 조련이요 낙점하면 상체(相替)도 안해주고, 고작해야 남소영(南小營) 화약고나 지킨다니 그런 일을 두 달이나 한단 말요. 내가 총 놓는단 소리 아예 입 밖에 내지 마슈."

시동이 제 본색이 드러날까 염려하여 주의를 주니 오경립은 만일의 자랑을 하였다.

"정서방 형제는 영평서 모르는 이가 없다. 큰정서방은 힘이 좋고, 이 사람은 활을 잘 쏜다. 우리는 전초(前哨)요 여긴 중초(中哨)지만 이 사람은 대장(隊長)이다."

"잘 부탁허우."

시동이는 그저 시큰둥하니 중얼거렸다. 경립이 말하였다.

"번이 끝나도록 갈라지지 말고 함께 지내자. 정서방은 교련관이나 기패관들을 하구두 잘 아는 사이니까 별 고생 없을 게야."

한 초가 백이십칠 명으로 오 초가 징번되었으니 경기도 일대의 향군 장정이 육백여 명 모인 셈이었다. 다른 오 초는 강원도의 향군으로 편성되어 그들과 함께 두 달 동안 군무를 보게 되는 셈이었다. 일초에는 삼 기(三旗)가 있고 일 기에는 다시 삼 대(三隊)가 있는데 일개대는 정군(正軍) 십 명과 화병(火兵) 일 명 마군(馬軍) 일 명의 편제로되었다. 정만일이 대장이라 하니 열두 명의 우두머리인 셈이었다.

"내가 영문 초입에서부터 집사와 티격태격하였으니, 필시 저놈이나를 못살 데로 내칠 게요."

시동이가 말하니 정만일은 코웃음을 날리는 것이었다.

"본영에서는 큰소리를 치나, 헤치면 두 달 동안 서로 코빼기 보기도 어려운데 제가 우리를 어찌할까. 염려 놓으소. 우리 대가 되어서어디 수문직이나 나갑시다."

"수문직이 괜찮은가요?"

"궁궐은 귀찮고 사대문은 번거롭고, 광희문이나 혜화문 쪽이면 한가하고 통행인도 적당히 있어서 지낼 만하오."

정만일이 착실하게 징번에 나온 사람답게 말하였고, 시동은 다시 물었다.

"시위(侍衛)는 설 수 없나요?"

"얘, 말두 마라. 사방에 높은 사람이요 눈에 띄느니 궁것들이니 우리들이야 사람 취급도 안한다. 군기는 또 보통 엄해야지."

경립이 말렸고 시동은 중얼거렸다.

"저놈이 나를 그리로 내치겠군."

"아니오, 아마 성의 수축공사나 준천(濬川) 일에나 내보낼 거요. 어깨뼈 부서질걸."

하고 나서 정만일은 시동을 빤히 바라보며 이르는 것이었다.

"우리가 도성을 하루이틀 드나드는 게 아니고 상번하러 한두 번 온 게 아니오. 도성 군사의 내막은 내 손바닥 보듯 잘 알지요. 성미 급한 줄은 나두 잘 아오만……"

시동은 이놈이 누굴 찔러보는가 하여 속으로 뜨끔하였다. 슬며시 고개를 숙이는데 정만일이 다시 덧붙였다.

"우리 언니가 배포 크기로는 영평서 제일이오. 한번 집에 놀러 오우."

시끌거리고 앉았는데 각영의 장교들이 장정의 징번 명부를 가지고 나와 초와 대를 나누기 시작하였다.

어영청의 군사는 집춘영(集春營)과 동영(東營)으로 나뉘어 구역을 맡게 하였으니, 집춘영은 함춘원(含春苑)의 북쪽 문 앞에 있었고, 동영은 창경궁의 선인문(宣仁門)과 개양문(開陽門) 아래 있었다. 슬며시 앞줄로 나갔던 정만일이 군관에게로 가서 뭐라고 얘기하더니 서기가 호명하는데 김시동은 집춘영의 파수(把守)로 떨어졌고, 초관의 인솔에 따라 근무처로 갔다. 나중에 보니 정만일 외에도 그와 같은 영평 사람이며 먼 일가뻘이 된다는 정대성(鄭大成)이란 사람도 같은 부대 소속이 되어 있었고, 시동이 경립이도 그의 대에 들었다. 만일이가 장담하던 대로 그들은 한 오에 들게 되었으며 혜화문 수문직이 떨어졌다. 수문직은 모두 일 대가 두 오로 나뉘어 오장 한 명에 다섯 명의 향군이 배치되어 두 번 교대를 하였다. 정만일은 혜화문의 수문장인 셈이었고 열두 명은 그의 수하에 있었다. 그는 위로 기패관과 초관의 지시를 받게 되어 있었다. 그들은 먼저 궁궐 파수나 대문 파수를 하고 나서 행순(行巡)하는 대와 바뀌게 되어 있었다. 즉 순라군이 되어 성내외를 돌아다니며 야범(夜犯)을 단속하는 것이다. 정만일 정대성 오경립 김시동 외에도 삭녕에서 왔다는 이시흥(李時興)이 있었고, 김성남(金聖男)이 있었다. 시흥은 삭녕의 장포(場浦)에서 숯막도 하고 농사도 짓고 하여 사람과 사귀기도 잘할뿐더러 순박하였다. 성남은 그의 이웃에 산다는데 역시 농사꾼이었다. 정대성의 직임이 원래는 기병(騎兵)이라 전령을 맡든가 임금의 거둥이나 능행(陵行)에 호위하는 일이었으나, 정만일을 따라서 대문 파수꾼으로 나왔던 것이다. 집춘영은 열여섯 칸짜리 막사인데 반은 머무르고, 반은 근무에 임하였다. 혜화문은 수유재를 넘어서 곧바로 양주에 통한 길이라 시동이는 아는 이들을 날마다 만날 수가 있었다.

대개 낮에는 둘씩 양쪽에 창검을 들고 지켜 서 있었고 마지막 조가 연이어 문을 닫고 나서 여섯이 지킬 때까지 파수하며, 어영청의 야순 시각인 오경에 교대하여 순행에 나선다. 실상 둘씩 파수하고 나서 남은 시간에는 자는 일이 첫째지만 요령이 생기면 요미를 팔거나 군포를 팔아 성 밖의 난전에서 물건을 떼다 행상하여 이문을 남기기도 하였다. 기중 손쉬운 것이 건어물 등속이었으니 북어나

굴비나 미역이나 하는 따위는 문밖 다락원에만 나가도 종루나 배오개보다는 서너 푼 쌌던 것이다. 시동은 그러한 요령도 정만일에게서 자세히 배웠다. 또는 근무하기가 싫거나 몸이 불편하면 성내에 나가 대군을 사서 자기 자리에 세우는 요령도 있었다. 영의 직속 장교는 가끔씩 술잔이라도 사주면 입직 장관고찰(將官考察)에 걸리지 않는 한 눈감아주었다. 황혼녘이나 새벽에 대문을 늦게 또는 일찍 나가려는 자들에게서 인정전이 떨어지기도 하는데, 도성 출입이 엄금된 중이나 무당 판수도 있었고 장사치나 난전꾼들도 있었으며, 밀도살한 고기라든가 밀주라든가 하는 온갖 금령에 묶인 범금품이 드나들었다. 한양을 드나드는 상고들이 말짐을 부리고 가는 때도 있는데 구린 데가 없어도 으레껏 인정비가 있게 마련이었다. 그렇다고 흥인문이나 숭례문같이 규찰이 심하고 번거롭지 않아서 시동은 그야말로 상번군의 고참인 정만일의 덕을 단단히 보는 셈이었다. 오경립이야 삼촌이라서 두말할 것도 없었지만 시동은 특히 영평의 두 정서방과 친척처럼 가까워지게 되었다.

하루는 이런 일이 있었다. 오경립, 김시동, 이시흥, 김성남, 정만일, 정대성이 한꺼번에 성문 파수에 서는 것은 문이 닫히고 나서 다음 오가 나오는 오경 무렵까지였는데, 어쨌든 밤에는 파수나 순행 때에 한 오가 되어 모일 수가 있었다. 한 달 이상이나 같이 먹고 같이 자게 되니 그야말로 단짝패가 되어버렸다. 처음 같으면야 혹시나 입직 장교의 도순(都巡)에 적발될까 하여 꿈쩍도 못 하고 번을 들고 서 있겠지만, 요령이 생겨서 전원이 근무하지는 않게 되었다. 즉, 규찰이 있는 때는 대개가 파루(罷漏) 직후거나 순행 돌기 직전의 사경 무렵이었다. 그래서 그맘때에만 문루 위와 아래를 지켜섰고, 슬슬 타락산(駝駱山) 아랫녘 객점으로 내려와 탁주도 걸치고 다른 수성 군졸들과 투전도 벌이며 시간을 때우고는 하였다. 일테면 혜화문 파수 열두 명과 금위영 서영의 입직 스무 명이 손님인 셈이었다. 타락산 아래 우물집이라면 대개 상번병들이 빨래도 갖다 맡기고 인정으로 치러진 잡물 등속을 넘겨주기도 하는 집이었다.

"오늘은 우리 차롄가?"

정대성이 창대를 누마루 위에 누이면서 하품을 하였다. 비가 부슬부슬 뿌려대는 을씨년스러운 밤이었다. 정대성과 이시흥이 문루에서 내려왔다.

"참 오늘 같은 날은 못 해먹겠군."

김성남도 어두운 성문의 처마밑에서 몸을 부르르 떨었다. 오경립은 아예 장창을 성벽에 기대어 세워두고 쭈그리고 앉아서 곰방대를 빠는 참이었다.

"우리 대장은 어디 기신가?"

"여? 네."

환도를 찬 정만일이 소피라도 보았는지 바지를 추스르며 어둠속에서 나왔고 시동이는 문루의 반대편 계단으로 내려왔다. 그들은 이런 날씨에 우물집으로 가서 노닥거리게 된 시흥과 대성을 부러워하였다.

"젠장맞을, 이런 날 구중궁궐 깊은 곳에는 꽃 같은 궁녀들이 예서 팔딱팔딱 제서 꿈틀꿈틀할 텐데…… 비단 금침에 향밀초 밝혀두고 이 잔을 받으소서 또 한잔 받으소서……"

오경립이 호들갑을 떨었고 정만일이 짜증을 냈다.

"어 시끄러, 그렇게 급하거든 지금 당장에 월담해라."

"이 사람 멸문의 화를 당할 사람일세. 그게 바루 역적질이여."

"잘 알면서 궁녀 타령은 왜 하누?"

"한양 성내에 수만 채의 지붕마다 제 계집 끼고 따스하게 늘어져 자는 판인데…… 그러고 보면 별것두 아냐."

김시동이 넌지시 내밀어보았다.

"뭐가?"

만일의 묻는 말에 시동은 천천히 말하였다.

"우리 여섯이 월담하면 죽기 똑 알맞지만, 이런 날 육백 명만 들어가면 사대문이 끝장나겠지."

모두들 그 말이 하 엄청나서 입을 다물었고 만일이는 기침을 하는 척하였다. 시동이는 얼른 어조를 바꾸었다.

"날씨가 나쁘니까 벼라별 농이 다 나오네."

"하긴 뒷전의 욕이 아닌가베."

"자, 어서 싱숭생숭하게 만들지 말고 쉬었다 와."

그들은 서로 떨쳐내듯 하여 이시흥과 정대성의 등을 밀어서 쫓아버렸다. 그들이 성벽을 따라서 어둠속으로 멀어져간 뒤에 정만일이 뭐라고 혼자 투덜거리더니 시동이의 등을 두드렸다.

"제미랄 거 못 해먹겠군. 이건 뭐 장비 포청에 갇힌 꼴이라. 우리 두 가세."

"괜찮을까…… 도순에 걸리면 경치네."

"까짓 인왕산 호랑이가 목멱산 삽살개 무서울까."

정만일은 침을 퉤 뱉고 나서 시동의 앞을 질러가며 말하였다.

"내가 대장이니 물고장은 내가 쓰지. 아마 인정 치고 얼마 안 되었으니까 파루 전에 와 있으면 별일 없겠지."

"어이, 우리 없는 대신에 병장기 쳐들고 문 옆에 꿈쩍 말고 서 있어. 내일 우리도 자네들 몫까지 서줄 테여."

"연좌율은 아니니까 일진에 맡겨."

이렇게 수작이 오가고 나서 김시동과 정만일도 문을 떠나 우물집으로 내려갔다. 초여름 궂은비가 어느결에 그들의 땀내에 전 구군복을 흠뻑 적셔버렸다.

"주모, 팔팔 뛰는 공덕골(孔德洞) 화주 한 병 주오."

정만일은 우물집에 들어서기가 무섭게 호통을 내질렀고 먼저 가서 옷을 벗어 빗물을 쥐어짜던 이시흥과 정대성은 놀라서 일어났다.

"아니 이거…… 혜화문을 온통 비운 게 아닌가?"

"도총부 마당에 효시감일세."

그들이 걱정하는 것도 무리가 아니었다. 별무사나 당상관이나 초관이나 규찰하는 도순이 오면 대문에 둘이 섰다가 군호를 내질러 수하하고 다시 위를 부르면 문루에서 적당히 답하는데, 대개 꼼꼼한 관장이 아니면 누 위로 올라와 살피지는 않았던 것이다. 그런데 둘만 남기고 모두 이탈해버렸으니 시흥과 성남은 가시방석에 앉은 심정이었다. 주모는 늘 있던 일이라 깎은 밤처럼 매끈하고 쌩쌩한 얼굴로 반겼다.

"에구, 우리 수문장님 오셨네. 아무리 술 구하는 재주 가진 한양 토박이라지만, 요즘 시절에 화주가 어디 있수. 공덕골 화주나 옹막(瓮幕) 소주는 은밀하게 양반 사대부가에 관혼상제감으루 들입지요. 괜히 그러시지 말고 안암골 습진장에서 유명짜한 우리집 탁배기나 드시우."

"흥, 언청이가 옥통수 부는 격이라 그건가? 옜소."

정만일이 손바닥에 침을 퉤, 하더니 허리춤의 전대에서 명주에 꼬불쳐두었던 은가락지 두 쌍을 꺼내어 툇마루에다 딱 때려엎었다.

"이거면 충분하지?"

아낙은 가락지를 잽싸게 집어올려서 입으로 깨물었다가 손바닥에 떨구었다.

"내 그럴 줄 알았지요. 포천 송우점의 목구녕을 딱 틀어잡고 앉은 분인데 어련하시겠수. 반촌(泮村)에 입납할려구 둔 것이 꼭 한 병 남았지요."

반촌이란 어영청의 관할구역이나 성균관이 있는 구역이라 군졸이 드나들지 못하는 곳이었다. 상번병인 그들에게는 자못 기분이 좋은 말솜씨였다.

"자아, 오늘 파수는 이것으로 파루까지 우물집에서 입직한다."

정만일은 큰 소리로 개다리소반을 탕탕 두들기며 즐거워하였다. 이윽고 화주와 너비아니가 나오는데 시흥은 얼른 두리번거리고 나서 방문을 닫았다.

"누가 보겠는걸……"

"왜 겁나냐?"

시동의 말에 시흥이는 순한 얼굴을 일그려 웃음을 지었다.

"겁나지."

"도순이 여기엔 안 온다."

"그게 아니라…… 화주 한 병에 군입들 따라붙을까봐 그러지."

"말 난 장에 도야지 끼우면 쓰나. 아예 문 닫아걸고 먹지."

정대성도 한마디 뱉으며 방 문고리를 안으로 닫아걸었다. 정만일이 잔을 치는데 벌써 술냄새가 코끝에 짜릿하니 감돌았다.

"목젖이 팔팔 뛰는고나."

탁 털어넣은 만일이가 다시 거푸 한잔을 따르고 시흥이도 입술을 핥았다.

"삼 년 전에 파주 양반댁에서 일 거들고 한번 먹어보고는 이번이 처음일세."

"비는 구죽죽히 오것다, 술맛 좋것다, 구들장군이 천하장군이여."

을씨년스러운 밤에 사대가 맞아 한두 잔 하던 술이 탁주를 동이로 들여다 마시고는 넷이 모두 취해버렸다. 삼경이 지날 무렵 시흥과 대성은 벽에 기대어 잠들었는데 시흥의 코 고는 소리에 문풍지가 달달 떨릴 정도였다.

"상번은 좋은 법이 아닌가. 상것 팔자에 일 년 내 굽신거리며 환자나 겨우 타다가 죽 쑤어 먹고 농사짓는 판국에, 이렇게 한양 올라와 군복 입으면 목구멍에 먼지라두 털 수 있으니 말이야."

"그렇게 털벙거지가 좋으면 포청에라두 들어가지 그래."

시동이는 빈정대듯이 말하였다.

"나그네? 거 못 할 짓이야. 나그네 동무 삼지도 말란 얘기 들었지. 급하면 아무나 엮어가야 하거든."

"그럼 무과를 하든지……"

정만일은 그제야 시동이가 이죽거리고 있음을 눈치챈 모양이었다.

"이 사람 시방 누굴 뜨물 먹은 당나귀로 아는 건가. 우리 따위가 거자(擧者) 등록이 되는가. 적과자(賊科者)는 절도의 노예로 한다지 않아."

"두어 달만 상번해봐두 다 안다니까. 농사짓고 장사하고 다 헛지랄이지. 벼슬이 좋지 인물 따루 있다던가."

"우리 사촌언니는 정말 아까운 사람이지. 영평서 정서방이라면 호마를 들어 던졌다구 유명짜하다네."

"뭘 해먹구 사나?"

정만일은 픽 웃었다.

"청송면(靑松面) 면주인(面主人)이라네. 난이라두 일어나면 우리 형제가 공을 세워 입신을 할 터인데……"

"태평성대에 난을 바라나?"

만일과 시동은 언간에 어물쩍하며 속내 얘기를 주고받고 있었다.
시동이 중얼거렸다.

"두더지 마누라는 두더지가 제일일세."

어떤 두더지 한 마리 고혼(高婚)을 택하는데 처음에 헤아리기를 하
늘이 가장 높으신 이라 하여 드디어 이를 하늘에게 구하였다. 하늘
이 이르기를 내가 만유(萬有)를 겸포(兼包)하되 일월(日月)이 없으면
내 덕을 나타냄이 없으리라 하니 두더지가 이번에는 일월에게 구하
였다. 일월이 이르기를 내가 비록 널리 비추나 오직 구름이 나를 가
리니 구름이 내 위에 있다 하거늘 두더지가 다시 구름에게 구하였
다. 구름이 이르기를 내가 일월로 하여금 빛을 잃게 하나 바람이 나
를 흩어지게 하니 바람이 내 위에 있다 하여 두더지가 바람에게 구
하였다. 바람이 이르기를 내가 능히 구름을 흩어지게 하나 오직 전
간석불(田間石佛)만은 넘어뜨리지 못하니 그가 나보다 위에 있다 하
거늘 두더지가 다시 석불에게 가서 구하였다. 석불이 이르기를 내가
바람을 두려워 않으나 오직 두더지가 내 밑을 뚫으면 곧 넘어지니
그가 나보다 나으리라 하니 두더지가 이에 비로소 오연자약(傲然自
若)하여 이르기를 천하의 높은 것이 동류(同類)보다 나은 게 없다 하
고 두더지와 혼인하였다.

"나는 본시 농사꾼이라…… 일 않구 밥 먹는 이들 못 믿네."

만일은 충혈된 눈으로 시동을 건너다보았다.

"그러한 백성들만 있으면 살기 좋지. 나두 원래가 땅 없는 농사꾼
자식일세. 소싯적에 때려치웠지만…… 동류끼리만 산다면야 칠 년
대한이 무서울까. 양반이 기중 무섭지."

정만일은 아직도 시동에게서 눈길을 거두지 않았다.

"군포로 납세하여도 될 것을 뭣 하러 다 늦게 징번에 응하였나?"

"응, 한양 구경이나 할려구⋯⋯"

"거짓말 말어. 오서방한테서 좀 들었지. 무뢰배 동무들이 주위에 많다며?"

시동이는 속으로 끝내 망설이면서 눈을 아래로 떨구었다.

"어려서 굶주리고 고된 일 하기 싫어서 거사패를 따라다녔네. 난전꾼들 하구두 어울리구."

시동이는 웃는 얼굴로 되물었다.

"자네나 나나 우리 삼촌 같은 이가 술 한잔 먹구 지지벌겋게 되어 장터에서 가락이나 뽑으면 왈짜 무뢰배지 뭐 별것인가?"

"세상에 마음을 잃은 자들이 녹림에 많이 숨어 있다네. 그런 데나 찾아갈까."

"번이 끝나면 이제 자주 만날 테지. 청송이라면 시내비골서 지척이야."

시동이는 아직은 정만일에게 틈을 보이지 않으려 하였다. 정가 형제와 같은 사람들이 더욱 많이 계원이 된다면 사실 정원태의 말처럼 도성 궁궐은 이삿집 들어가듯 손쉽게 들어앉을 수가 있을 것이었다. 갑자기 밖에서 발걸음 소리가 들리더니,

"시동아, 시동아, 어디 있냐?"

다급하게 부르는 오경립의 목소리가 들렸다. 시동이가 문고리를 벗기자마자 오경립의 여윈 얼굴이 쑥 내밀어졌다.

"크⋯⋯ 큰일 났다. 별순(別巡)이 왔네."

정만일은 술이 확 깨는지 눈을 번쩍 떴고 시동이는 이시홍과 정대성을 깨웠다.

"아이고, 내 이럴 줄 알았다."

이시홍은 털벙거지를 머리에 얹으면서 한 손으로는 젖은 채로 방구석에 꿍쳐두었던 더그레를 주섬주섬 챙겼고, 대성이는 아직도 졸음이 덜 깼는지 그냥 맨상투로 툇마루로 뛰쳐나가고 있었다. 오경립은 안달이었다.

"출번초관(出番哨官)이 나와서 모두 잡아오라고 난리가 났네."

주모가 내다보며 애걸하였다.

"에구, 나는 술 안 팔았수. 그렇잖아도 금령이 내려서 버젓이 술 파는 집은 하나두 없는데…… 이번에 걸리면 우리 식구는 도성 밖으로 쫓겨날 게유."

그러나 정만일은 곧 침착해졌다.

"초관이라면 괜찮아. 가재는 게 편이 아닌가? 당상관의 도순에 걸렸다면 이 길로 군복 벗어던지고 줄행랑을 치겠지만…… 어떻게 될 게야. 자네들은 염려 말고 내가 다 감당을 할 터이니 내가 이른 대로 따랐을 뿐이라고만 하게."

"자네 혼자 떠메고 나서면 벌이 중해질 게야. 우리 조금씩 나누어 지기로 하지."

김시동이 안을 내었다.

"정서방과 내가 처음에 적경을 받고 먼저 나왔네. 와보니 초상집에 싸움이 나서 뜯어말리고는 탁주 한잔 얻어 마셨어. 그러다가 시간이 지체되어 이서방과 정서방이 우리를 찾으러 왔다가 주인의 간곡한 청을 못 이기어 탁배기를 두어 잔씩 얻어먹었는데 별순이 왔다는 전갈을 받았노라고…… 어떤가?"

"우리가 먼저 왔는데?"

이시홍이 고지식하게 되물었으나, 정만일은 시동의 안에 따라서 결정하였다.

"기왕지사 이렇게 걸렸으니…… 수문장인 내 책임일세. 벌을 받기는 마찬가지라 김서방과 내가 감당을 함세."

그들은 다시 한번 말을 맞추어보고 나서 혜화문으로 내려갔다. 장교가 영군 다섯을 인솔하여 문 앞에 대기하고 있었다.

"저놈들을 모두 결박하라."

영군들이 우르르 달려들어 정만일 이하 네 사람을 꿇리고 오라를 지웠다.

"대장이 누군가?"

"예, 저올시다."

정만일이 고개를 들고 답하였다. 장교는 그를 꾸짖었다.

"오늘 입직 장관께서 일기가 부조하니 군병들이 직임에 소홀한 자가 많을 것이라 하여, 근래 상번병들의 사기가 진작되어 그러한 일이 추호도 없을 것이라 아뢰었거늘, 네 감히 이 문이 어떤 문이라고 도피 이탈하였느냐?"

"어찌 도피할 마음이 있었겠습니까? 조금 아까 이경 무렵 저희 관내에 있는 타락산 아랫말에서 악소패들이 싸움을 벌여 민가의 집기를 부수며 소동한다기로, 그것이 포청 포졸이나 순라의 일임을 아오나 민원이 급박하여 제가 군사 한 명만을 내어 출동하였습니다. 가서 본즉 악소패의 싸움이 아니라 인근 상가에서 밤샘을 하다가 언쟁이 있어 그리되었다 하옵기 내처 돌아오려는데, 상주가 나와 이르기를 날씨도 궂은데 번병으로 수고가 많겠다며 잠시 탁주로 몸이나 덥히라 하거늘 두어 잔 마셨소이다. 그리고 지체를 하는 동안에 저희를 부르러 다시 두 사람이 내려온 사이에 별순께서 당도하신 모양이오니 선처하여주소서."

장교는 아무 말 없이 이시흥의 앞으로 다가서더니 턱을 한 손에 받쳐 위로 쳐들고는 얼굴을 가까이 댔다.

"고이헌 놈들, 입에서 단내가 푹푹 풍기는 것이 동이술깨나 비운 모양이다. 금령을 어기고 주육을 판매하는 집이 어디인가? 내가 그런 것도 모르는 줄 아느냐? 내 비록 훈련도감의 초관이라 하나 너희 영의 초관과는 같은 군관배로서 처벌을 받게 하고 싶지는 않다. 만약에 내가 아닌 높은 어른들의 도순에 걸렸다면 너희는 모두 죽은 목숨이려니와 너희 초관과 나는 옷을 벗고 도형(徒刑)에 처해졌을 것이다."

정만일은 장교의 말을 이해할 수가 있었다.

"군령을 어겼으니 처분에 맡길 따름입니다. 하오나, 대(隊)의 모든 책임은 소관에게 있으니 다른 자에게는 죄를 묻지 마십시오."

"그것은 네가 상관할 바가 아니다. 너희 셋은 교대가 올 때까지 문루를 지키고, 나머지는 이들을 영으로 압송한다."

초관은 인솔한 군사를 나누었고 그들을 앞세워 집춘영으로 들어갔다. 입직 장교는 마침 자다가 깨어나 이들을 맞았고 별순에 걸린 것을 알고는 일단 가슴을 내리쓸었다. 두 장교는 서로 잘 아는 사이라 일단 크게 문제 삼지는 않을 것 같았으나, 영의 군기가 엄정함을 다른 대에게도 보여줘야 한다는 데에는 의견이 일치한 듯하였다. 훈련도감의 출번 초관은 본영 장교에게 인계하고 돌아갔고, 아직 제 차례가 아닌 대가 투덜거리면서 일어나 수문 근무를 하러 나갔다. 장교는 곧 군령을 어긴 정만일 일행을 영의 앞마당에 꿇어앉히고 날 새기까지 처벌을 기다리도록 하였다. 젖은 땅에 꿇어앉아 있기가 고역이었으나 시동이는 어쩐지 기분이 나쁘거나 초조하질 않았다. 정만일이 워낙 느긋하고 여유가 있었기 때문이고, 이시흥이나 정대성도 우는 기색은 전혀 없었다. 정만일이 말하였다.

"설마 죽이기야 할라구. 우리 같은 착한 백성들 상번병까지 끌려와서 높은 나으리들 편한 잠 주무시게 지키노라구 벌써 몇해째던가. 까짓 거 군율의 최고 수형이랬자 효수감밖에 더 되겠나. 도깨비가 되어서 날마다 궁성 밖에 나타날 참이거든."

"힛, 참말 이상하네. 내 석삼 년째 상번 올라왔어도 군령에 걸리기는 이번이 처음인데 왜 그런지 후련하단 말이야."

이시홍이 킬킬 웃으면서 말하였고 정대성은 주의를 주었다.

"이 자식아, 말이야 목소리가 크니 하는 수 없지만, 그 웃음소리 좀 낮춰라. 이럴 줄 알았으면 내 본색인 기병을 찾아들어 슬슬 전령이나 다니고 거동할 때 앞이나 설걸."

"어이구 졸려, 무슨 기척이 있으면 깨워주어. 온 삭신이 노곤한데."

이시홍은 뒤로 묶인 채로 스르르 모로 넘어졌다. 만일이는 픽 웃었고 대성이가 발로 궁둥이께를 건드렸다.

"고뿔이 들든지 허릿병 걸릴라. 아무리 윗목에서 똥 싸고 아랫목서 밥 먹는 놈이라두 이런 판국에 물바다 속에서 잠을 자냐?"

"그냥 두어."

김시동이 말렸다. 아니나 다를까, 잠깐 사이에 이시홍의 코 고는 소리가 높다랗게 들려왔다. 이윽고 날이 밝아 각처로 나갔던 군사들이 돌아오고 교대하느라고 부산스러운데 초관이며 기패관이며 대장들이 모여들었고 군사들이 정렬한 가운데 군령이 집행되었다. 집춘영의 영장이 입직 장교에게서 상세한 전말을 듣고 나서 상번병들에게 주의를 주었다.

"궁성과 각 문의 입직 파수는 변방의 방비보다도 더욱 엄중해야

함을 상번병인 그대들은 잘 알고 있을 것이다. 요사이 군기가 해이해져서 직임 처소를 무단 도피 이탈하는 자가 많은데, 난리 중의 군진이라면 즉결 참수하여도 그 죄가 오히려 가볍다 하겠다. 성문 수직에 있어서 둘이 모두 결근한 경우에는 장(杖) 육십과 도(徒) 일 년형에 처하고, 하나가 결근한 경우에는 장 팔십에 처한다고 군령에 정하여 있다. 원래가 초관 이상은 각 처벌에 한 등을 가한다고 되어있으니 입직 장교는 물론이요 본영의 영장인 나까지도 책임을 모면할 수가 없는 것이다. 훈련도감의 별순에 적발되었으니 병조의 처벌은 면했다 하나 본영의 처벌은 남아 있는 셈이다. 모든 장졸은 이러한 범률이 없도록 각별 신칙하라."

영장의 말이 끝나자 입직 장교가 나와 판결을 내렸다.

"우선 수직 처소를 이탈한 네 명 모두에게 장 육십을 가한다. 그리고 특히 먼저 이탈하였던 대장 정만일과 정병 김시동은 하도감(下都監) 영창에 보름간 유치한다."

하고 나서 장교가 명하였다.

"시행하라."

영을 받은 군사들이 우르르 달려들어 그들을 형틀에 묶어 올리고 볼기를 까내렸다. 두 명의 군사가 한 조가 되어서 번갈아서 매를 휘둘러 쳤다. 김시동은 이를 악물고 참았으며 정만일은 끙끙 소리를 냈고 정대성은 헉헉 큰 숨을 토했고 이시흥은 마음 턱 놓고 아이고 데고 소리를 내질렀다. 그들이 아무리 한창때의 장정들이라고는 하나, 그야말로 매에는 장사 없고 매가 튀는 몸이 따로 없으니 곤장 육십도에 피범벅이 되었다. 그래도 집장 군졸들이 모두 한솥밥을 먹는 집춘영 동료들이라 에라차, 기합소리만 컸지 실은 반쯤 보아주는 매였음에도 살이 터지는 것은 어쩌지 못하였다. 이시흥과 정대성은 동료 군사들이 양쪽 겨드랑이를 부축하여 막사로 데려갔고, 정만일과 김시동은 잠시 그늘에 두었다가 장교들이 모두 청으로 물러간 뒤에 전초(前哨)에 소속된 대장 몇이 와서 상처를 씻고 고약을 붙이고 무명베를 싸주었다. 시동과 만일은 정오가 되기 전에 영에 따라서 하도감으로 인수되었다. 하도감은 남부 명철방(明哲坊)에 있었으니 집춘영에서 누렁다리를 건너 연화방의 어영청 신영(新營)을 지나 종루 초교(初橋)를 건너야 하였다. 초교란 흥인문서 들어오다 첫 번째 다리이니 그 건너편이 하도감이었다. 오간수문(五間水門)과 이간수문(二間水門) 사이에 있는 삼백구십 칸짜리 대병영이었는데 그 안의 영창은 군사들간에 흑방(黑房)이라 하여 군기가 엄하기로 소문나 있었다. 하도감 흑방의 옥리들은 귀졸이라고 알려질 정도였다. 형조 관할인 서린방 전옥서는 일반 백성들이 가는 감옥이라 포도청 옥과 마찬가지로 가족들의 음식 차입이 허용되지만, 병조 관할인 하도감 영창은 유치기간이 두어 달인 관계로 일체 잡인의 접근이 허용되지 않았다. 그러니 하도감 흑방의 하루는 서린 전옥서의 열흘과 같다고 할 만큼 괴로운 곳이었다.

정만일과 김시동이 비록 산전수전을 다 겪은 대처 도깨비라고 하나, 볼기살이 터진 위에 소문에도 썰렁한 하도감 흑방으로 끌려오니 코가 석 자가웃이요 고기눈이 희번덕하였다. 그들을 데려온 동료 군사들도 그 어두컴컴한 영창으로 들어서더니 인수가 끝나자마자 줄행랑을 놓아버렸다. 하도감 흑방이란 높다란 장광 같은 옥사인데 바로 처마밑쯤에 창살이 나 있고 양쪽으로 굵은 칸살목이 계속되어 있었다. 그 칸마다 군 죄수들이 들어 있는 모양이었다. 사정으로 보이는 자는 옥사의 입구에 평상을 놓고 앉았으며, 저쪽 끝과 이쪽에 옥리 두 명이 왕래하고 있었다.

"흠, 입직 처소를 이탈하여 음주한 놈들이군."

그는 잠깐 호적지와 성명 등을 확인하고 나서,

"소지품은 없는가?"

물었고, 정신없이 압송되어온 시동과 만일은 영문을 몰라서 바라보았다.

"이대로 끌려오는 길이올시다."

"허, 괘씸한 놈들, 여기가 무슨 다방골 화초방인 줄 알았더냐. 공으로 먹여주고 재워주는 데가 아냐."

김시동이 얼른 눈치채고는 필요없이 고생하기는 싫어서 옥사정을 꾀었다.

"지금이라도 영에 통기를 하면 됩니다."

"그래, 느이 멋대루 영에 심부름을 시켜먹는단 말이지. 우선 조련부터 시켜야 군기가 서겠구나."

하며 사정이 손짓하자 통로에 섰던 옥리 둘이 달려나오더니 불문곡직 휘두르는데 쇠좆매였다. 그들은 시동과 만일의 등짝을 사정없이 후려쳤는데 철푸닥 하는 소리와 함께 가슴께가 질리면서 바닥에 나뒹굴 정도의 타격이었다. 대여섯 대를 정신없이 맞고 나서 목에 짧은 칼을 쓰고 옥으로 들어가니 한칸에 십여 명씩 앉았는데 모두가 생선두름 엮이듯 하였다.

두 줄 또는 세 줄이 되어 앉았는데 모두가 목에는 짧은 칼을 쓰고 발에는 족쇄가 달린 기다란 통나무에 칠팔 명씩이 달려 있었다. 정만일은 앞줄에 김시동은 뒷줄에 달렸다. 옥리는 돌아서서 나무 칸살에 쇠를 지르고는 사라졌다. 시동이 그래도 총기가 살아서 전후좌우를 곁눈질로 살피는데 모두가 군율을 범한 군사들이나 포도청 포졸이나 군노 사령배들이었다.

"여보, 그래두 운이 좋았소. 홍동지에 걸렸으면 거품 물고 들어왔을 게여."

시동의 곁에 있는 자가 소곤거렸다.

"그게 언놈이요."

"시방 비번인 것 같소. 꼭 씹어뱉은 대추씨처럼 생긴 옥사정이 있는데 조심허우."

시동이 앞쪽을 바라보니 그쪽에도 죄수들이 줄줄이 앉았는데 자기 꼴은 볼 수가 없어 모르겠더니, 이제 보니 참으로 가관이었다. 꼭 방축 양지쪽에 남생이 늘어서듯 대가리 모으고 두 발 모아 쪼그렸는데 때가 새카맣게 낀 상판대기에 두 눈알만이 반짝이는 꼴이었다.

"댁두 상번병이오?"

시동이 물으니 그는 한숨지어 답하였다.

"징번당했으니 끌려온 게지, 누가 집 떠나 한양 와서 이런 수모를 겪겠소. 나는 금위영 정병이우. 집은 공홍도(公洪道)인데 대리 상번을 시켰다가 이 꼴이 되었소."

"그러면 이 옥사 전부가 똑같은 사람들뿐이오?"

"아니지요. 저어 가장 끝 쪽에 있는 두 칸은 장교들과 돈푼깨나 있는 사람들의 옥이지요. 그 칸에선 칼도 족쇄도 채우지 않는답니다."

"그 앞에 조용허우. 공연히 연대로 처벌당하리다."

누군가가 뒷전에서 주의를 주었다. 시동이 힐끗 곁눈질하니 뒷자리에 편하게 벽에 기대앉은 자인데 목에 칼을 쓰지 않았다. 시동이가 입술을 오물거려 누구냐는 시늉을 하니까 곁의 사내가 소곤댔다.

"간장(間長)이우. 아마 곧 나갈 거요."

시동은 대략 눈짐작으로 옥사 안에 칠팔십여 명의 죄수가 있을 것이라 생각하였다.

"밥은 안 주나요?"

"하루에 두 번 주는데 풀떼죽 같은 서속덩어리에 장을 박았소. 그래두 여기서 죽는 사람은 없어요. 정 못 견딜 만할 때 나가게 되니까. 흥, 죽을래야 죽을 겨를이 있어야지."

시동이 노곤하기도 하고 무엇보다도 매 맞은 상처가 쑤셔서 견디기 힘든 중에도 어느덧 앓는 소리를 내며 졸기 시작하였다. 자세가 흐트러져서 갑자기 상처를 심하게 자극할 때는 얼결에 애고지고 하면서 눈을 떴다가는 다시 쏟아지느니 잠이었다.

얼마나 잤을까. 옥사 안이 두런대는 듯하여 눈을 뜨니 옥리가 통로로 지나가며 외웠다.

"석식 들여라."

간장이란 자가 일어서더니 간살 앞에 가서 대기하였고 옥리가 문을 따주었다. 각 칸에서 나간 자들이 통로의 초입에 갖다놓은 광주리를 들고 왔다. 과연 익은 곡식 냄새가 풍기고 있었다. 죄수들은 모두 짧은 칼 위로 두 손을 모으고 어미의 부리를 기다리는 새새끼들처럼 위를 바라고 앉아 있었다. 간장은 광주리에서 밥덩이 하나씩을 내어 그들 손 위에다 올려놓아주었다. 시동이 입으로 가져가려는데 정만일이 보고 씩 웃었다. 모든 죄수들이 밥을 먹는데 칼 위에 두 손을 모아들고 입에 대고 먹는 모양이 꼭 다람쥐나 쥐 꼴이었다. 죄수들은 식사를 출입구에서 받아다가 날라다 주는 다른 칸의 간장들에게 속삭이는 소리로 한마디씩 하였다.

"여보게, 한 덩이만 더 주게. 내가 닷새 뒤에 나가면 무명을 들일 터이니."

"왜 내 것은 반이나 모자라게 작은가. 다른 걸루 주어."

"장 좀 더 주게나."

그러나 사실 이런 말들은 하나도 보탬이 될 것이 없고 간장이라 할지라도 제 마음대로 급식할 수 없음을 누구나 알고는 있었다. 하도 허기가 져놓으니 기분이라도 나아지려고 밥때마다 한마디씩 보태는 격이었다. 때로 간장은 주먹밥이 몇덩이 남는 것을 확인하고는 자기 몫을 남기고 나머지는 안면을 알 만한 이들에게 한두어 덩이 더 주는 요행수가 생기기도 하였다. 그래서 으레껏 밥때가 되면 옥내가 술렁거렸다. 죄수들은 아무리 작은 소리로 소곤거린다 할지라도 입 가진 이마다 한마디씩 하니 옥의 나무 칸살 앞은 작은 북새통이 일어나는 것이었다. 갑자기 꽥 하는 고함소리가 나더니 옥내가 온통 소나기 갠 뒤처럼 잠잠해졌다. 시동이가 주위를 둘러보는데 홍동지, 홍동지 하는 소리가 들리고 모두들 밥을 덩이째로 아귀아귀 틀어넣고들 있었다. 옥내의 통로 사이로 누군가가 천천히 걸어와서 중간쯤에 섰다. 시동이는 뒷줄이라 그자가 보이지 않았으나, 맞은편 칸의 앞줄에 앉은 죄수들의 표정과 행동거지로 그자가 사천왕과도 같은 놈인 것을 짐작하였다. 죄수들은 모두 바쁘게 밥덩이를 삼키느라고 눈을 감고 껄떡거렸고, 어떤 자는 목이 막혔는지 몇번이나 고갯짓을 하고 간장들은 눈을 부라리며 꿈쩍 말고 있으라는 시늉을 하였다. 홍동지라는 옥사정이 소리를 질렀다.

"군령을 어기고 처벌을 받는 놈들이 여기가 종루시전인 줄 아는가. 너희게서 잔치 벌였니? 여기가 어디냐?"

"흑방이오."

죄수들이 목청을 합쳐 외쳤다.

"하도감 흑방이란 곳이다. 여기는 너희처럼 군기가 해이한 놈들을 정병으로 조련시키는 진영 중의 진영이다. 싸움터에서라면 너희들의 죄는 십중팔구가 참수 효시형을 받을 놈들이다. 이런 시절에 시원한 그늘에 앉아 주는 밥이나 얻어먹으니 개골산 풍치를 즐기러 나온 줄 아느냐. 이제부터 습진 조련을 한다. 어린진(魚鱗陣), 열(列)!"

홍동지가 호령하자 죄수들은 발목이 장목에 일렬로 달린 채로 옥의 칸살 위에 발을 걸쳤다. 앞줄은 칸살 바로 앞이라 등을 대고 누운 채로 몸을 새우처럼 구부려 발을 밖으로 내밀었고, 뒷줄은 앞줄 사람들의 사이로 똑같은 모양으로 내밀고, 맨 뒷줄은 앞사람들의 머리 위로 발을 뻗어 보다 높은 칸살 위에 발을 걸쳐 내미는 것이었다. 많은 사람들이 장목에 발목이 묶인 불편한 몸이라 각 칸마다 맞을 리가 없어서 툭탁거리는 소리가 제가끔 들렸다. 홍동지는 혀를 끌끌 찼다.

"진퇴좌우를 명령대로 따르지 않은 자는 어떻게 하는가?"

"참수요."

"목을 베지는 않고 너희 모두를 용서해줄 터이다. 그대신 염라국 귀녀에게 장가나 가거라."

시동이가 들으니 다른 죄수들은 그 벌이 어떠한가 잘 아는지 한숨을 쉬고 놀란 눈을 들어 서로 돌아보았다.

먼저 옥사의 입구 쪽에 있는 칸에서부터 철썩이는 소리가 들리며 어이구데이구 하는 신음이 번져왔다. 시동이가 곁에 앉은 공홍도 상번병에게 소곤소곤 물었다.

"이건 또 뭔가?"

"염라국에 장가 보낸다고 발바닥을 쇠좆매로 치는 것이지."

보아하니 옥사정과 옥리들은 지켜보기만 하고 밖에 번으로 나가 있던 간장들이 치는 모양이었다.

"저 옥사정이 아까 말하던 홍동지란 놈인가?"

"오죽하면 별호가 홍동지가 되었을까. 별감배로 다니다가 포흠진 일로 귀양 갔다 와서 하도감 옥사정의 자리로 떨어진 모양인데 심보가 개차반일세. 저놈만 입번하여 들어오면 온통 물 만난 개미구녕이 되어버리지."

짧은 칼을 쓴 채로 구부렸으니 목은 나무에 아프게 걸쳤고 발이 허공으로 쳐들려서 궁둥이만 땅에 간신히 걸친 자세였다. 시동이는 비록 베를 대고 고약은 붙였으나 군영에서 곤장을 맞은 뒤라 하반신의 상처가 눌려서 진땀이 바작거릴 정도로 고통스러웠다. 속으로 울화가 치밀어 견딜 수가 없었다. 비록 계의 안이 한양 수직 군영의 내막을 염탐하기 위하여 상번에 응소하기로 되었지만 시동이는 당장에 뛰쳐나가서 군관들과 서리들의 목을 베어버리고 싶었다. 바로 옆칸에서 철썩이는 소리가 들리더니 쇠좆매를 든 간장이 앞으로 다가섰다. 그는 웃통을 벗고 죄수들의 발바닥을 치며 나오는데 가슴과 이마에 땀이 흘렀다. 뒤에 따라오며 지켜보는 옥사정의 얼굴이 그제야 보이는 것이었다. 시동의 상상으로는 몸집도 크고 두꺼비 같은 얼굴에 눈알이 불거진 험상궂은 놈이려니 했더니, 의외로 딴판이었다. 몸집은 작고 배가 뚱뚱하게 불거졌으며 볼도 아이처럼 통통한데 역시 목자는 불량하게 흰창이 보이는 눈알딱지를 하고 있었다. 코와 볼이 붉어 보이는 것이 아마도 별호가 그 덕인 듯하였다. 옥사정은 잔뜩 흥이 나서 제 말대로 산천경개 구경이라도 나온 듯이 뒷짐을 지고 열 중에서 매 맞는 죄수들을 들여다보았다. 어이쿠 애고고 하는 소리들이 황새 물 건너오듯 전해지는 중인데 시동이의 입에서도 빠짐없이 신음소리가 나왔다. 불이 화끈하는 듯한 느낌이 허벅다리를 타고 뒷구멍까지 치밀어 올라왔다. 사정없는 매였다. 맞자마자 시동이가 소리를 질렀다.

"야, 홍동지인가 뭔가 너 이 자식아."

매가 문득 멈추었다.

"내가 나가기만 하면 네 배때기에 대못을 박아서 숭례문 처마에 매달아 올릴 테다."

잠시 침묵이 흐르고 나서 홍동지가 머리를 칸살 가까이 들이밀며 침착하게 물었다.

"언놈이냐?"

"나다, 이 너구리 좆알만 한 놈아."

"허허, 그놈 아주 입이 걸기가 사복(司僕) 개천이로구나. 너 암만해도 자는 범에 불침 놨다."

홍동지가 눈을 빛내면서 이죽거리는데 또 한 소리가 나간다.

"네 어찌 산중 왕을 자처하느냐. 생겨 처먹은 몰골이 가뭄 끝의 쥐참외 꼴이다, 이 자식아."

옥사정은 이놈들 봐라, 하며 놀란 얼굴로 재차 소리나는 곳을 향하여 눈길을 더듬으며 얼굴을 들이미는데, 쇠줄 소리가 절걱이더니 어느 발인가가 보기 좋게 면상을 질러버렸다. 정통으로 콧잔등이를 걷어채고 뒤로 발랑 까졌던 홍동지가 어릿어릿 두 손으로 코를 감싸 쥐고 일어나 앉는데, 손가락 사이로 물기가 주르르 흘러 떨어졌다. 두 손을 펴본 홍동지는,

"어, 코피 나네."

하고는 발딱 일어서서 외쳤다.

"어서 저것들을 끌어내. 아주 곤쟁이젓을 만들어놓을 테니까."

간장들을 젖히고 옥리들이 달려들어 쇠를 따고는 나직한 칸살문을 열었다. 어둠속에서 똑같이 칼을 쓰고 똑같이 장목에 족쇄 채워져 발을 걸치고 있으니 평소에 안면 있던 놈이라도 누가 누군지 모르게 되어버렸다. 칼을 안 쓴 간장에게 옥리가 물었다.

"어느 시러베아들놈이 그랬느냐? 잘못 건드렸다. 우리들 달달 볶게 생겼어."

"글쎄 그것이……"

간장이 알면서도 그들이 워낙에 대차게 나온 판이라 오금이 저렸는지 얼버무리는데, 시동이가 머리를 좌우로 흔들어 보이며 말하였다.

"내가 그랬다 왜."

옥리가 불문곡직 달려들며 우선 머리통을 한번 지끈 밟고 나서 족쇄를 풀어 일으켜세웠고, 만일이도 앞줄에서 떠들었다.

"느이들 똑같은 것들끼리 이러기냐. 내가 발루 찼다."

"저 자식이다."

다시 옥리들이 만일이를 쥐어박고 장목에서 끄집어올렸다. 옥내가 술렁대기 시작하는데 코피를 닦은 홍동지는 잡혀나온 둘을 쓱 훑고 나서 옥에다 대고 말하였다.

"모두 해진(解陣)."

죄수들은 우르르 발을 내리고는 각 칸마다 홍동지의 코피를 터뜨린 장본인을 보느라고 머리를 칸살에 비비며 법석이었다. 홍동지는 앞서서 옥사의 입구 쪽에 있는 그들의 입직소로 가더니 벽에 기대어두었던 고무래 정(丁) 모양의 장판(杖板)을 발로 차서 바닥에 늘어뜨려놓았다.

"응 그렇잖아도 요즈음 궂은 날이 많아서 온 삭신이 저리는데 오랜만에 몽둥이춤이나 추어볼까. 치도곤(治盜棍)을 내어라."

옥리가 병장기를 세워둔 선반에서 다섯 가지 몽둥이를 추리더니 기중 가장 굵은 치도곤을 골랐다. 치도곤은 길이가 다섯 자 일곱 치에다 넓이는 다섯 치가 넘고 두께는 한 치나 되는 버드나무 몽둥이였다. 싸움판 대소 수십 전에 안 가본 대처가 별로 없는 시동이가 눈치가 없겠는가.

기왕에 대차게 나왔으면 끝까지 가야 저쪽의 기가 꺾이고, 한번 꺾이면 사화를 붙여도 이쪽이 당당한 법이라 저질러놓고 보자는 게 시동이의 생각이었다. 시동이는 으악, 소리 내지르며 벼락같이 달려들어 선반에 세워둔 장창을 잡아 그대로 창끝을 홍동지의 목줄에다 겨누었다.

"그 몽둥이 못 내려놓니?"

옥리들은 슬금슬금 곁눈질하더니 몽둥이를 내려놓았다.

"정서방⋯⋯"

시동이가 눈짓하니 멍청히 보고 있던 만일이도 그제야 제정신이 나서 얼른 환도를 잡아 칼을 빼어들고 옥리들에게 칼짓하며 말하였다.

"얌전히 꿇어앉아라."

"하도감 흑방은 인제 우리 거다. 열쇠 끌러내."

정만일이 시동이 이르는 대로 옥리의 허리춤에서 열쇠꾸러미를 낚아챘다. 만일이 먼저 시동의 칼을 벗겨내고 시동은 만일의 칼을 벗겨주었다.

"꿈쩍 마."

시동이는 그들을 구석에 몰아넣고 창을 홍동지의 뚱뚱한 배에다 대고 지그시 눌러보았다.

"내 뭐라데? 대못을 박는다구 했잖아. 이건 참 아주 큰 대못이다. 인마, 내가 누구냐 응? 내가 누구여?"

홍동지는 눈의 흰창을 더욱 크게 까고 제 배를 내려다보며 중얼거렸다.

"모…… 모르오."

"것두 모르는 자식이 하도감 흑방의 홍동지냐. 망할 자식, 내가 누 군고 하니 시동이다. 너 별감 다녔다지? 예전에 별감 다니다 난전꾼 으로 몰려서 경친 천수 알어?"

"홍천수 말이우."

"그래 이 자식아, 그 아이가 내 동무다. 저어 시전이나 배오개나 청파나 동막 삼개 나가서 누구나 붙잡구 물어봐라. 이게에서 누가 기중 독장군이오, 하구 말이지. 그럼 그놈을 골라서 시동이 아느냐 구 해봐라. 너 이런 왕가뭄 흉년에 탁주잔이나 얻어 걸칠 게다. 내가 일찍이 한강물 거꾸루 떠먹구 자란 놈이여. 어이구우, 이걸 단창에 꿰어서 산적꽂이루 구워먹을까. 이 자식아, 내가 뭐 너처럼 세도 살 려구 군영에 들어온 줄 아느냐? 우리 아저씨가 북병사루 북관에 나 가실 때 따라가 비장이라두 해먹을려구 벙거지 물이나 먹어보려는 거다. 내 상번두 이제 한 달이구, 영창은 보름이면 풀린다. 눈 딱 감 구 참자 했더니 자가사리가 용을 건드려?"

시동이는 다시 옥사정의 뺨에다 대고 슬슬 을렀다.

"콧구멍을 쑤셔주랴, 눈구멍을 넓혀주랴? 네깟 놈이 어째 홍동지 냐? 그 별호는 동막서 명자깨나 있던 천수의 별호지."

별감 다니다 저자로 풀렸던 홍천수는 한양서 힘깨나 쓴다는 놈이 면 대개는 아는 체 고개를 끄덕이게 마련이라 옥사정의 야코를 그냥 뭉개놓는 격이었다.

"내 말을 알심 있게 들었느냐?"

"예……"

"우리가 옥마다 문 따주고 풀어내놓으면 물론 우리는 죽지 않을 정도로 경을 치고 삼천리 유배 가겠지. 너는 어찌되겠느냐? 우리하구 함께 형을 받고 다정하게 동행이렷다? 저어 극변에 가면 널 야금야금 씹어서 먹어버릴까."

"자…… 잘못되었으니 노염을 푸시우."

"가만있어. 이 정서방은 누군고 허니 백삼십 걸음 밖에서 화살 열다섯 대를 일렬로 꽂는 사람이다. 잘 보아두어라. 시절을 못 만나 밭고랑에 묻힌 옥이되 너 같은 잡놈이야 마음만 먹으면 느이 집 모퉁이에 섰다가 온 일가를 유엽전 한 대에 줄줄이 꿰인다 그 말이여."

옥사정은 눈을 희번덕이며 정만일을 치켜보았다. 시동이는 창을 슬며시 늦추어주며 말하였다.

"자아, 그러니 공연히 장판 깔고 으름장 놓지 마라. 장기판 싹 쓸어버릴까, 빅장 부를 틈을 줄까?"

시동이가 외우니 옥사정은 무슨 말인지 얼른 알아듣지 못하고 눈을 멀뚱하니 뜨고 올려다보기만 하였다.

"우리는 이대로 옥에 들어가 푹 쉬고 싶으니까, 네 버르장머리만 고친다면 없던 일로 하겠다는 소리다."

"예…… 저 윗간으로 가시우."

옥사정은 다급하게 말하였고, 시동이는 장난기 있게 씩 웃었다.

"힝, 옥사정, 우리가 장난이 좀 심했소이다. 군영에 들어와 흑방에까지 들어온 백성들 너무 들볶지 말고 사정 좀 보아주시우. 술이 되나 쌀이 되나 인정이란 것이 가고 오고 하는 게 아닙니까."

하니, 여러 옥에서 기웃하고 있던 죄수들이 모두들 입을 모았다.

"아무렴, 그렇지요."

시동이가 먼저 창을 툭 내던졌고 정만일도 시동이를 본떠서 환도를 절그렁 내던졌다. 시동이가 고개를 내밀었다.

"칼 씌우시우."

옥리들이 멈칫거리다가 칼을 집어드는데 옥사정이 퉁명스럽게 내뱉었다.

"그만둬. 윗간에 넣어둬라."

시동이와 만일이는 옥사정에게 꾸뻑해 보이고는 흑방의 맨 끝으로 앞장서서 걸어나갔다. 죄수들은 양쪽 칸살에서 그들을 자세히 보려고 서로 머리를 내밀며 다투듯 하였다. 이름을 대며 인사를 트려는 사람도 있었고, 시원하다는 사람, 더 혼을 내주지 그랬냐는 사람도 있었다. 아무튼지 시동이와 만일이는 하도감 흑방에 들어오자마자 표를 내고 만 격이 되었다. 그들이 윗간에 있는 동안은 칼이나 족쇄도 차지 않고 지냈는데 이튿날 비번이었던 오경립과 이시흥이 찾아와 무명을 인정으로 썼으므로 윗간의 장교들과 함께 석식을 주막에서 대어 먹을 수가 있었다.

그들의 징변이 끝난 뒤에 시동은 삼촌 오경립은 물론이고, 정만일, 정대성, 이시흥, 김성남과 형제처럼 친해져버렸다. 경립은 형의 농사일을 거들고 나서 어물을 하러 떠나야 한다면서 바삐 연천으로 돌아갔고, 이시흥과 김성남도 나중에 만나기로 약조하고 삭녕 장포로 돌아갔다. 시동은 드디어 만일에게 속내를 내비치게 되었는데, 그는 나라를 뒤엎는다는 데까지는 이르지 못하였으나 양반들을 혼내주고 부자들의 재물을 빼앗는다는 일에는 눈을 빛내면서 찬동하였다.

정대성도 정만일과 한가지로 혈당에 넣어달라는 것이었다. 시동은 아직 검계의 회합이나 또는 한양의 장물와주 모신에게는 데려갈 필요가 없지만, 기왕에 귀향길이라 일단 포천의 송우점에 들러보기로 하였다. 얼마 전까지 황회와 고달근은 송우점 난전에다 객점을 열어두고 있더니 황회가 장가들고 영평으로 넘어간 뒤에 고달근이 혼자 객점주 노릇을 하고 있었다. 난전꾼들 가운데는 예전 거사패 출신들이 많이 있어서 고달근은 가끔 예전 그의 터전이었던 안성 여주 등지로 출타하기도 하였다. 천마산에는 복만이가 이름만의 두령 노릇을 하고는 있었으나 역시 졸개들은 고달근과 황회를 더 따르는 편이었다. 황회와 정원태는 천마산에서 내려올 때 제법 재물을 나누어서 갈아먹을 만큼의 전장을 마련하였던 터이다. 정원태는 영평 양문골에서 작은 글방을 내고 훈장 행세를 하며 파묻혀 있었다. 황회는 백호천(白湖川)이 갈리는 금화산 아랫녘에 살았는데, 대탄 칠성암까지 이십 리 길이었다. 결국 검계의 집회처는 송우점 달근네 객점이었던 것이다.

5

삭녕(朔寧) 동면(東面)의 흥성산(興盛山)은 철원의 배이산 줄기가 마룡내로 뻗어나간 곳에 있었는데, 위로는 강화벌(江華坪)을 바라보고 바로 앞으로는 철원의 고암산에서 비롯되어 손청탄(孫廳灘)으로 흘러가는 강화내가 굽이치고 있었다. 삭녕은 황해도와 강원도에 인접하고 있어서 결국은 경기도의 꼭대기인 셈이니 삼도의 경계가 만나는 고장이었다. 산이 깊고 골짜기가 여러 갈래며 징파강은 강원도에서부터 황해도를 돌아서 임진강으로 흘러드니 군계만 하더라도 일곱 고장이나 넘게 걸쳐 있었다. 예로부터 이천(伊川) 안협(安峽)과 토산(兎山)과 더불어 삭녕 철원 일대는 숨어 사는 자들이 많고 국가의 행정력이 고루 미치지 않아서 일찍이 명종조에 임꺽정의 잔여 산채들이 두루 흩어져 있던 곳이었다. 해서감영의 구월산 토벌이 있은 뒤에 사선골과 탑고개에 살던 유민들은 감영에서 면밀히 분류가 되었고, 직접 구월산 혈당들과 관계 있던 식구들은 다시 명화율에 의거하여 한양으로 압송되었다. 그리고 나머지 사람들은 두 군데로 나누어졌다. 즉 예전 문화 재인촌서 탑고개로 옮겨갔던 광대들은 강령(康翎)진의 둔전을 개간시키기 위하여 뱀내(蛇川)에 정착시켰고, 탑고개에 살던 괴뢰배며 거사패들은 사선골 사람들 일부와 함께 삭녕으로 옮겨졌던 것이다. 물론 그들에게는 따로이 갈아먹을 땅이 주어진 것도 아니었고 그나마 개간하라는 곳도 못 쓸 갯가나 돌밭이었다. 그들은 어디엘 가나 천성을 숨길 수가 없어 아녀자들만 집에 남고 남정네들은 다시 재간을 팔러 출행을 다니기 시작하였다. 강령에서도 가까운 해주로 송도로 나다녔고, 삭녕에 머문 이들은 홍성산에 있는 장군사(將軍寺) 인근에 의탁하여 양주 포천 송파 등지의 난전으로 나다녔다. 그들은 절 아래 마을을 이룬 대신에 행하로 받은 전량의 일부를 불사에 보태기로 하였던 것이다. 괴뢰를 놀리는 놀이라든가, 땅재주나, 줄타기, 소리 같은 재간이라 거사패들처럼 남녀가 떼를 이루어 다닐 필요가 없었고, 멀리 출행을 나가지도 않았다. 왜냐하면 포천 송우점이나 양주 다락원 광주 삼전도 송파 등지에서 광대 물주가 그들의 연희를 사러 오곤 하였던 것이다. 어떤 때에는 고달근의 예전 행중이었던 안성 청룡사의 거사 사당패와 합류하기도 하고 복만이네 식구였던 동작나루 패거리와 같이 놀기도 하였다. 역시 해서 재인이라면 그들간에도 알아주는 재주를 갖추고 있어서 지난봄부터 여름이 시작되는 단오까지 쉴 새 없이 경기도 일대를 돌아다녔다. 다른 때 같으면 이런 여름철에는 농번기를 피하여 바닷가로 어선을 찾아들어야 할 판이었다. 그들에게는 강화나 남양 방면이 구역이 되겠으나, 무엇보다도 순 재간뿐이요 사당 오입 같은 짓은 팔지를 않으니 다른 행중에 붙어봤자 고깃점이나 얻어먹을 따름이었다. 처음에 홍성산에 옮겨왔을 적에 탑고개 사람들은 모두 합하여 십여 가호 남녀노소 합한즉 삼십여 명이었고 그나마 그해 봄을 나면서 늙은이와 아이들이 고생을 이기지 못하고 죽어갔다. 해서감영의 토포군이 탑고개를 쓸어버릴 때 저항을 하였던 그들의 반수 이상이 죽었고, 직접 녹림당과 혈연이 있던 이들이 따로 압송되어 가버렸으며, 그들은 이제 생활의 작은 끄틀만을 움켜쥐고 모질게 살아가고 있었다. 가을 서리 속에 앙상한 가지 꼭대기에 간신히 달린 홍시와도 같은 생활이었다.

그들 중에서 처자를 잃은 사람도 있었고 아내나 남편을 잃어버린 사람도 있었는데 전성달(田成達)은 난리통에 처자를 모두 잃은 사람이었다. 그는 원래 총대 노인에게서 괴뢰놀리기를 배웠고 탑고개에서는 기중 재간 있고 팔팔한 축이었다. 그는 일찍이 마감동과 이갑송이 탑고개로 들어와 살기를 부탁했을 때 가장 먼저 나서서 반대하였고, 나중에 풍열스님과 옥여가 중간에 들어 타이르는 바람에 고집을 꺾었던 터이다. 전성달은 재인말 사람들과 구월산 녹림당의 가족들이 들어온 뒤에는 김기와 이갑송을 삼촌이나 친언니 대하듯 하였다. 선뜻 구월산 패거리에 들지는 않았으나 먼 데로 출행을 나가서 좋은 풍문이라도 들리면 곧바로 큰돌이나 변두령에게 알려주고는 하였다.

탑고개가 어육이 되던 날 그는 총대 노인과 함께 끝까지 괭이를 휘두르며 저항하였고 총포에 맞아 쓰러졌다가 깨어났다. 탄환은 그의 허벅지에 박혀 있었다. 그는 총대 노인의 마지막 말도 또렷이 기억했으며 길산의 아비 장충의 졸사도 목격했던 것이다. 그들이 개처럼 감영으로 끌려가는 가운데도 몇몇 부상 입은 이들이 노상에서 죽었으나, 아직 감영의 신병 인수가 끝나지 않아서 그들이 떠메고 가야 되었다. 전성달은 노숙 중에 나뭇가지를 꺾어 모닥불에 태워서 상처를 지지고 그 뾰족한 끝으로 손가락 하나 깊이로 박힌 탄환을 후벼냈다. 그는 가슴이 흠뻑 젖도록 땀을 흘렸을 뿐 손끝 하나 떨지 않았다. 그는 아직도 제 살에 박혔던 탄환을 간직하고 있었다. 그는 가끔씩 밤에 잠자기 전에 문득 생각이 나면 선반 위를 더듬어 담배 쌈지에 간직한 탄환을 꺼냈다. 그러고는 손가락 사이로 만지기도 하고 입안에 넣어 혀끝으로 이리저리 굴려도 보았다. 탄환의 녹은 떫고 신 듯한 맛이 났다. 죽은 이들의 얼굴과 목소리가 생생하게 그의 뇌리에 되살아오는 것만 같았다. 전성달은 자신이 이미 그때 탑고개에서 죽고 없다고 생각하였다. 그는 반드시 크게 씌어질 자신의 목숨을 아껴야 한다고 수백 번 다짐하였다.

그들이 홍성산에 들어오기 전에는 군에서 정하여준 대로 자릿재 아래 동대천 부근 갈밭에다 움을 지었다. 그러나 개간도 할 수 없는 땅이었고 물난리만 만나자 향리에게 사정하여 홍성산으로 옮겨갔던 것이다. 처음에는 지치(紫草)와 송이버섯(松蕈)을 채취하여 장에 내어 양식을 구하더니 다른 약초도 캐게 되어 송도에까지 내다 팔았고, 동절에는 덫을 놓아 피물을 모았다가 송도 전가에 넘겼다.

차츰 형편이 풀리면서 다른 고장에서 흘러들어오는 이들도 있었으니 거개가 흉황을 만난 무전지민(無田之民)들이었다.

그들은 또한 소작지를 얻어서 인목면(寅目面)이나 내문면(乃文面)으로 나가기도 하였다. 여환과 계화가 송우점에 나갔던 탑고개 사람들에 닿아서 방문하게 되었고, 계화는 오랜만에 고향 사람들을 만나더니 우선 눈물바람이었다. 진작부터 숨어 살던 이들이고 관으로부터의 환난을 당했는지라 앞뒤 자르고도 얘기가 통하였다.

여환이 시내비골에 돌아가 뭐라고 전했는지 황회가 오더니 홍성산 골짜기에 있는 장군사에 올라 주승을 만나고 돌아왔다. 전성달은 자세히 들은 바 없으되 그 중이 여환과도 예전부터 잘 알고 솔부리의 황회네 식구들과도 안면이 있는 듯하였다. 전성달은 황회의 안내로 가끔씩 약초를 캐러 산에 올랐다가 먼발치서 보던 암자를 찾아갔던 것이다.

"영평 거사 황서방 왔소이다. 스님 계시우?"

앞장선 황회가 절 마당에서 이르니 부엌 쪽에서 한 중이 나오는데 온몸을 절룩거리고 있었다. 오른발은 질질 끌고 있었으며 오른손은 구부러져서 허리께에서 흔들렸는데 같은 편의 볼을 계속 일그리고 있었다. 머리를 깎고 회색 물들인 옷차림이라 중인 것은 알겠는데 몰골이 괴이하여 황회는 잠깐 그의 아래위를 훑어보았다.

"법호스님 어디 기시우?"

그는 성한 손을 들어 절 뒤편을 가리킬 뿐이었다. 황회는 전성달에게 가자는 눈짓을 하다가 걸음을 멈추었다.

"혹시…… 여환스님 아시우?"

말을 거니 그는 흠칫하는 것 같은 표정으로 황회를 올려다보았다.

"나는 여환스님과 동기간 같은 사이지요. 스님 얘기를 많이 들었습니다."

중은 물끄러미 섰더니 성한 손을 불편한 손에다 갖다붙이며 고개를 구부려 보였다. 황회도 그제는 합장하지 않을 수 없었다. 전성달과 황회가 절 뒤로 돌아드니 채소밭에서 김을 매는 중의 송낙 쓴 머리가 보였다. 그들이 다가가자 중은 고개를 들고 송낙을 벗었다.

"어이구, 먼 데까지 오셨소이다."

키 작고 머리가 큰 중의 잔뜩 쉰 것처럼 낮고 갈라지는 목소리였다. 그는 먼저 황회에게 말을 걸면서도 눈길은 날카롭게 전성달을 살피고 있었다.

"제가 전에 얘기하던 해서 사람을 데려왔수."

"아…… 진작 오시지 않구."

"스님, 문안이오."

전성달과 중이 인사를 나누었다.

"방금 여환스님이 말하던 그 스님을 뵈었습니다. 칠성암에 들렀더니 그 스님 걱정을 하고 우십디다."

"아마…… 그럴 테지요. 그이들은 함께 도반(道伴) 사이니까."

법호는 고개를 숙였다. 그들은 암자의 법당에 들어가 앉았다. 장군사라고는 하여도 초가삼간이니 법당은 토방에 자리를 깔고 중앙에는 나무로 쫀 불상 하나 모셔져 있을 뿐이었다. 법당과 방 한 칸과 부엌이 그 전부였다. 법당 윗방에는 몸이 성치 않은 아까의 그 중이 있는지 간혹 밭은기침 소리가 들려왔다. 이들은 바로 불타산에서 예전에 강선흥이네 패로부터 쫓겨난 심백과 법호 그 사람들이었다. 불타산 천불사의 목감원과 용두원을 끼고 천왕 노릇을 하던 시노(寺奴) 소생 심백은 첫봉이네 밀상을 훼방놓고 원한을 사서 선흥이에게 산채를 내어주고 말았던 것이다. 심백이 일찍이 여환 묘정과 더불어 보경선사 밑에서 수행하였거니와 그들 중에서는 가장 비뚤어지게 성장하여 태자원에서 살인하고는 산문을 떠났던 터이다. 법호는 아직도 두통 발작증을 앓고 있었는데 실상 두 사람은 서로 보살피며 함께 살아오던 중이었다. 그들은 해서를 떠나 처음에 양주로 왔다가 더욱 큰 산채를 차리겠다고 작정하였으나 수월히 보았던 심백의 부상이 깊어지고 살에 깊은 독이 들어 고약을 붙인다 탕을 달여 먹는다 하며 치료하는 중에 심백은 아예 몸을 망쳐버렸던 것이다. 법호의 정성은 지극하여 그를 부처님 모시듯 하였는데, 그가 청송 직사(直寺)에 있을 적부터 양주의 두 걸승으로 법호와 여환은 저자에서 마주칠 때가 많았고 여환도 직사의 골방에서 병구완을 받고 있는 심백을 만나러 갔었다.

먼 길을 돌아서 여기 와 만났네그려.

앙상한 심백의 손목을 쥐면서 여환은 그의 귓가에 대고 말하였고, 심백은 얼굴을 일그리더니 고개를 돌렸다.

그래 난세(亂世)의 맛이 어떻던가. 자네나 나나 죄 많은 육근(肉根)이여. 사승께서는 자네 몸이 망가졌으되 불심은 돌아올 것으로 아셨네. 묘정수좌가 말한 적이 있어. 자기는 똑바로 가다가 문득 벼랑을 만날 것이고, 여환이란 놈은 길 아닌 곳을 허우적거리며 헤매다가 벼랑을 만날 것이고, 심백이 자네는 벼랑에서 떨어지다가 벼랑을 만날 것이라 하였다네. 묘정과 나는 진작에 한길로 들어섰고 이제 자네까지 만났으니 벼랑은 멀지 않은 셈이로군.

심백은 다시 천장으로 고개를 바로 세웠다. 그는 여환의 손을 툭툭 두드렸다.

조카, 뭐 말하구 싶은 게 있나?

법호가 물으니 심백은 고개를 간신히 끄덕여 보였다. 법호가 그의 손을 끌어다가 제 손바닥에 놓으니 심백은 성한 손으로 뭔가 끼적였다. 법호가 말하였다.

자기 대신 큰스님께 재나 올려달라고⋯⋯

여환은 그때에 심백이 정말로 큰스님의 말씀처럼 자신과 다시 만나게 된 것을 느낄 수가 있었다. 법호는 그뒤에 삭녕으로 옮겨와 홍성산에다 장군사를 지었고, 심백은 다시 예전의 허심스님으로 돌아가 있던 참이었다. 여환이 먼저 삭녕에 오게 된 구월산 재인들에 대한 당부를 법호에게 하였는데, 법호는 예전에도 그런 경험이 있는지라 쾌히 응낙하였으며, 전에도 진관사에 오락가락하던 황회가 나서서 일을 주선하기로 하였던 것이다. 전성달이네도 절을 건립한다는 명목으로 다시 재간을 팔 수가 있는지라 등을 댈 곳이 있어서 다행이었다. 그리고 또한 황회는 전성달에게 미륵의 향도를 끌어모을 것이며 그가 신당을 모시고 상좌가 되어주기를 부탁하였다.

"지금 계시는 골이 어디쯤 됩니까?"

법호가 물었고 전성달이 답하였다.

"예, 이 아래로 쭉 내려가다가 철원으로 나가는 산줄기 밑입니다."

"그렇다면 아주 적합하군요. 읍내서 들어오는 길과는 반대쪽이 되니까요."

전성달은 머리를 조아리며 감사하였다.

"이제 마음 놓고 재간을 팔러 다닐 수가 있겠습니다. 호적 없는 저희 같은 것들은 절에서 보를 서주지 않으면 출행은커녕 걸립도 못합니다."

"절의 공사는 장하게 할 것이 없습니다. 나도 여환스님의 뜻과 같으니, 기도 모임에 쓸 큰 방이나 한 칸 들이면 되겠지요."

의논이 되어 탑고개 사선골의 잔민들은 출행을 나다니게 되었고 전성달은 근기 일대와 해서의 오계준 등이 엮어온 미륵당들을 연결하는 일을 맡았다. 미륵의 용화향도들은 각 지방의 상좌들이 기도를 이끌었고, 이들은 황회나 계화나 여환이 번갈아 방문하여 지도하였으며 한 달에 한 번씩 큰 법회가 열리도록 되어 있었다.

장군사 법회에는 전성달을 비롯한 예전 탑고개 재인들은 물론이요, 황회의 조카이며 지금 안협(安峽) 상수리에 사는 이정명(李井明)도

참례하였으니 그의 형 이원명(李元明)이 양주 익담(益淡)에 살고 있어 내왕이 잦아 연결하기에 편리한 때문이었다. 즉 황회는 정명 형제가 혈친이라 믿을 수 있었고 전성달은 호적 없는 역민이라 더욱 그러하였다.

또한 정원태, 모신을 비롯한 검계에서는 미리 논의가 되었던 것처럼 용화향도로 입교가 된 사람들 가운데서 그 핵이 될 만한 사람을 골라 검계 계원으로 뽑았다. 주로 김시동이 매매행상을 나다니며 계원 뽑는 일을 맡았고, 안협의 이정명은 나이 서른의 농민이라 혈기 왕성하였고 병역에 들어 있어 당연히 검계원이 되었다.

천마산 솔부리패들이 검계의 일원으로서 혜음령과 벽제 새원을 근거로 한 살주계와의 긴밀한 연관 아래 있었는데, 정원태는 솔부리를 내려와 주로 포천 송우(松隅)에 자리 잡고 있었다. 송우는 광주의 삼전(三田)나루 송파(松坡)와 더불어 한양 외곽의 검계의 주요 활동 근거지였다. 시동이는 주로 배오개 칠패에서부터 송우점 다락원 송파 삼전 퇴계원을 괴나리봇짐 차림으로 뻔질나게 내왕하였다. 파주에서도 이경순네 주막의 전생이와 장쇠가 번갈아 양주와 각 난전을 내왕하기도 하고 송도의 박대근에게 소식을 전하고는 하였다.

송우점의 왕방산(旺方山)이 마주 보이는 저잣거리에 솔부리패가 열어놓은 객점이 있었으니 열 칸짜리 널찍한 마방이 딸린 초가였다. 때가 마침 추석을 앞둔 한가위 장이라 흉황을 갓 벗은 철임에도 도성 안에서 나온 장사치들이며 원산 강화 등지에서 올라온 지방의 물주들이 북적거렸다. 고달근도 솔부리에서 내려와 있었으며 정원태는 시동이와 함께 저자로 내붙인 툇마루에 걸터앉아 누구인가를 기다리던 참이었다.

"어…… 닭이 천에 봉 하나라더니, 이건 나 혼자 가랑이 밑이 써늘

허군."

곁꾼들에게 북어짐을 지워 안으로 들어가던 고달근이 한가하게 앉은 두 사람을 보고 농을 던졌다.

"꽹매기가 앞잡이 아닌가. 우리 솔부리 살림을 자네 아니면 누가 하나?"

고달근이 정원태에게는 뭐라지 못하고 시동에게 핀잔을 주었다.

"이 자식아, 우린 시방 북어에 눌려 죽을 지경이다. 후딱 날르구 와서 중화상에 끼여앉아야지, 맨입에는 냉수도 없는 게야."

"까짓 거, 아저씨가 눌려 죽으면 원산 말뚝의 중군장(中軍將) 표신이나 마빡에 새기고, 한양 봉물짐의 으뜸으로 내가 져다 팔 테니까 염려 놓으슈."

"저런 버르장머리 없는 자식……"

"이리 앉아 좀 쉬지 그러나. 우린 새로 오는 계원을 기다리느라구……"

정원태가 점잖게 말하니, 고달근은 그제야 소매로 이마를 닦으면서 슬그머니 궁둥이를 걸치는 것이었다.

"요새 그런데 황가는 뭐가 그렇게 바뻐. 상판을 못 본 지가 여러 달된 것 같소."

"그 아저씨 도인 다 됐습디다. 그 댁 아주머니허구 삼각산에 백일 기도 드리러 갔다던데."

시동이가 말해주니 고달근은 못마땅한지 엄지를 세워 코를 힝하니 풀어서 땅에다 획 뿌리쳤다.

"글도 들은 풍월이 더 요란하고, 무당도 선무당이 사람 잡는다더니…… 우리는 귀신하구 아예 담을 쌓아서 그런지 눈만 감으면 쇠만 보이더라."

"우리 계의 두령님이 그게 무슨 소린가?"

정원태가 말하였고, 고달근은 혀를 끌끌 찼다.

"검계두 이젠 다되었소. 하다못해 시골 부잣집 내실에서 패물뒤짐이라두 하는 게 낫지, 이제는 아예 비린내 쓰고 난전꾼이 되어버렸으니……"

시동이가 평소 같았으면 참지 않고 고달근에게 면박을 주었겠지만, 이제는 솔부리 산채는 온통 그와 김복만이 꾸려나가는 터라 모네 윷이네 끼여들고 싶지가 않았던 것이다.

"계의 줄이 있으니까 이제껏 솔부리가 무사했지요."

시동이는 은근히 달근을 몰아넣었다.

"줄이 끊어지면 아저씨두 무사하지 못할걸."

"그게 무슨 얘기여."

고달근이 어리둥절했다가 알아채려는 얼굴인데 정원태가 슬쩍 끼였다.

"아아, 고두령 때문에 계가 잘 지탱해왔다는 얘기 아닌가."

"글쎄, 알쏭달쏭한데. 굴비두름으로 줄줄이 달린 신세가 된다는 겐지……"

"셋이 올 테니까 가가방에는 곁꾼들 들이지 말라구 이르게. 그리고 우리 보살에게 점심 준비시키고."

"아저씨두 함께 대면하십시다."

고달근은 시큰둥한 표정으로 안으로 들어가버렸고 시동이가 정원태에게 말하였다.

"나는 저 사람 안 믿습니다. 산지니두 그랬어요. 여차직하면 솔부리에 숨어서 쏴버리든지……"

"그래두 황거사하구 고거사는 우리 계를 노적사에서 처음부터 일으킨 사람들 아닌가."

"너무 실리만 따지고 시속 눈치만 보아요."

"반대로 자네도 단처는 많다는 얘기가 되는구먼."

그때 시동이가 마루에서 벌떡 일어섰다. 장꾼들 틈에서 이리저리 두리번거리면서 지나가는 키가 껑쩡하고 팔이 기다란 사내를 보았던 때문이다.

"이서방, 여길세, 여기!"

얼른 상대편에서 김시동을 보고는 씩 웃으며 달려왔고, 그 뒤에는 중년과 청년의 두 상한이 따라왔다. 청년은 해물을 가득 얹은 지게를 지고 있었고, 중년은 그냥 봇짐을 졌고, 이서방은 쥐고 있던 나귀 고삐를 중년에게 넘겼다. 나귀 등에는 바릿짐이 그득히 얹혀 있었다.

"거 무슨 봇짐이 그렇게 많은가, 자못 대상부고로군."

"응, 대목 아닌가. 이게 내 업인걸."

시동이가 머뭇거리며 정원태를 바라보니 그는 고갯짓을 하면서 일렀다.

"전방으루들 들어가지."

"예, 저 나귀는 마방 앞에다 매어두고 짐은 안에 가져다 둡시다. 어서 들어가게."

시동이가 낯모르는 이서방의 동행들을 대충 훑어보며 말하였고, 그들은 시동이가 이른 대로 수걱수걱 따라 하였다. 이서방이란 바로 삭녕서 행상과 숯막을 하던 이시홍이었다. 김시동이 상번병으로 한양에 올랐을 때 그의 작은삼촌 오경립을 통하여 알게 된 동무였다. 시동이가 가장 친했던 사람은 역시 하도감 흑방에서 같이 고생하였던 영평 읍내의 왈짜 정만일이었으나, 이시홍과도 돈독한 우정이 생겨나 있은 터였다. 그것은 물론 그를 검계원으로 끌어넣으려고 시동이가 남다른 공을 들인 덕이기도 하였다. 시동이는 삭녕 장포(場浦)의 시흥이네 숯막에 달포가 멀다고 드나들었으며 그와 함께 남양이나 강화로 해물을 사러 나다니기도 한 터였다. 아직은 그에게 미륵도나 검계에 관하여 자세한 이야기를 한 적은 없으나, 서로 상조하며 살자면 난전을 중심으로 한 장사치들끼리 계를 짜두는 것도 매우 유리할 것이라고만 일러두었던 것이다.

어찌 보면 시골의 작은 행상에다 숯막 같은 임시 숙식업을 하고 있던 시흥이고 보면, 배오개 다락원 송우 송파 등지의 큰 장사치들과 연줄이 없어서 한이었다. 또한 시동이가 그런 이들과 안면이 넓을 뿐 아니라 기개도 있고 울뚝 성미도 어지간하여 사내자식으로는 그만한 성품이 없다고 느꼈던 시흥이었다. 김시동은 진작부터 검계의 대덕 행세를 하였으며 실질적으로 계를 꾸려가고 있는 정원태에게 그를 소개하리라고 작정하고 있었다. 정원태는 우선 그에게 어슷비슷한 장정들을 끌어들여 상조의 계 비슷하게 엮어넣어보자고 일렀고, 김시동은 이시흥에게 그런 얘기를 비치며 날짜를 약조해두었다.

"어유, 송우가 대처는 대처로군. 물화가 쌓인 것이 문안 뺨치겠데."

이시흥은 옷의 먼지를 털며 감탄을 하였고, 시동이가 받았다.

"뭘, 흉황 뒤에 대목이라고 오랜만에 시끌덤벙하니까 그런 게지."

정원태는 이미 방 안에 들어가 자리 잡고 앉아서 말하였다.

"어서들 앉읍시다."

"예 예, 뭣들 허나, 어서 들어가지."

이시흥이 동행들을 재촉하여 방 안에 들어와 앉았고, 시동이 시흥을 정원태에게 소개하였다.

"전에 말하던 삭녕 사는 동뭅니다. 상번 가서 사귀었죠."

"이시흥이라구 헙니다."

"정원태요. 김서방이 여러 번 얘기합디다."

"어이구, 뭘 얘깃거리두 못 되는데……"

"김서방은 노총각이라 저렇게 가상투를 틀었으니 그렇다 치고, 이서방은 식구가 어찌되오?"

"예, 저도 여태 미장가올시다. 노부모 봉양허며 살지요. 말씀 낮추십시오."

"음, 같이 온 동행들은……"

두 중년과 청년이 함께 꾸뻑하였다.

"문안 올립니다. 장포 사는 조무인이라구 허지요. 주로 행상을 다닙니다."

"저두 장포 같은 말 사는데요, 이두완이라구 헙니다. 남의 땅을 부쳐먹습니다."

"허, 그러면 모두가 우리 김서방마냥 징번에 들어 있는가?"

정원태가 지나치는 듯 물으니 이시흥이 말하였다.

"그믄요. 저는 아병이고, 조서방은 기병이고, 그리고 이 사람은……"

"저는 상번은 않고 향군역을 지구 있습니다."

이두완이 시흥을 앞질러서 답하였다. 인사가 대충 돌아가는데 정원태의 아내가 몸소 상을 들어다 방 문턱을 넘겨주었고 시동이 받았다.

"탁주는 좀 있다가 장군사 전거사님 오시면 들여오겠어요."

"장군사 총대가 대목은 안 보구 저자 마실은 또 웬일이오?"

시동이 물으니 원태가 말하였다.

"임진 수로를 따라 파주까지 출행을 나갔다가 양주 거쳐서 다락원 퇴계원 다 놀고 여기 송우점 들러 영평 철원 놀고는 삭녕 돌아가서 한가위 쇠고, 강령 옹진 패거리와 합대하여 가을걷이를 따라서 들로 나가 걸립을 돌게 되지. 여기가 마침 지나는 길목일세."

"대덕님은 어찌 그리 소상히도 아시우?"

시동이 또 물으니 원태는 빙긋 웃었다.

"내가 거사패나 괴뢰배 같은 재인 광대 뒤치다꺼리를 노적사에서 몇해나 한지 모르나?"

"장군사 식구들은 이제 자리를 잡아 농번기에는 줄창 산속에 틀어박혀 약초나 캐다 팔더니, 때를 만난 셈이군요."

"자아, 밥 먹세."

조를 나우 섞었으나 그래도 제법 백미가 희끗희끗한 고봉밥이 상위에 그득하였고 송우 제일의 객줏집답게 북어찜이며 보쌈이며가 맛깔스러웠다. 시흥이는 나물 등속을 붓고 장을 썩썩 문대어 조밥을 비벼서는 한 숟갈 그득히 퍼넣는다.

"헹, 이거 우리 생일 만났네그려."

"올부터 민생이 좀 피나 보우."

"물산이 모이는 근기 제일의 난전이니 그렇지 산간에 가보아. 먹는 둥 마는 둥이 대부분이고 벽촌서는 집 떠난 이가 한무리려."

그들은 제각기 지껄이며 밥을 먹었고, 상을 물릴 즈음하여 왁자거리는 소리가 들리더니 한 무리의 재인 패거리들이 달려들어왔다. 워낙에 버나라든가 살판이나 어름 등의 재간을 파는데, 특히 괴뢰배라 하여 덜미를 주로 재간 삼아 다니던 탑고개 사람들이라, 사당은 따로이 끼우지 않았다. 문화의 재인말 광대들과도 다른 것이 그들은 탈놀음도 놀았고 소학지희도 벌였으며 늘난봉가나 배따라기 같은 타령소리도 하고 주로 여럿이 시끌덤벙하여 재간들이 출중하였으나, 탑고개 괴뢰배는 인형놀림을 주업으로 삼았던 것이다. 풍물잡이 대여섯 명과 버나꾼 살판꾼 어름꾼 도합 열 명이 넘을까 말까 하였으니, 오히려 저자서 난전 트기는 그런 패가 맞춤하여 재인 물주들도 연희패를 사자면 괴뢰배를 환영하였던 것이다. 정원태가 문을 열고 내다보니 마침 전성달이 안성 사당패 모가비 출가비 고달근에게 문안인사를 올리고 있었다. 정 없고 차갑기로 알려진 고달근도 웬일로 저들 재인 광대들에게는 마음이 통하는지 술밥도 사고 노자도 쥐여주곤 하던 터였다.

"처음 상면이던가?"

"아이구, 첨이라뇨. 대덕님 안녕하셨습니까."

말대꾸와 문안인사를 정원태에게 한꺼번에 올리면서 전성달이 말하였다.

"저희는 조선팔도에 흩어져 있어두 석삼 년만 이 짓 하고 돌아다니면 모두 알게 됩니다. 해주 관시놀이도 있고 연평 조기철에 용왕굿이 있는데, 거기서 남녁 분들을 모두 뵙게 되지요. 안성 청룡의 모가비님을 저희가 모르겠습니까?"

"어서들 들어오시게."

고달근은 웃는 낯으로 전성달의 등을 밀어주고 나서 홍성산 장군사 식구들께 점심상 올리라고 호기 있게 외쳤다. 전성달도 남의 밥 얻어먹는 예절이 있어서 살림 맡은 탁발에게 일렀다.

"찬이야 여기서 내오겠지만 양식은 우리 걸 꺼내어라."

그러나 고달근이 손을 내저었다.

"허, 누가 공밥 먹여준댔나? 송우에서 저자에 깔린 것이 모두 구경꾼인데 한판 휩쓸어보아야지. 화주(化主)는 길양식 아낄 생각 하게."

하여서 웃고 들어와 앉았고, 시동이가 전성달을 몇차례 본 적이 있어서 아는 체를 하였다.

"진작에 오시든가 하실 것이지…… 이제 상 다 물리고 배꼽이 팽댕그레한데 술 먹기도 때를 놓친 것 같수. 재담이라두 돌려서 목젖을 칼칼하게 말려두어야 짜르르 넘어가겠는걸."

"헛, 그 참! 술 꼬이는 말이로군."

이시홍을 비롯한 삭녕 장포 사람들과 전성달의 대면은 이렇듯 이루어졌으며 그것은 처음부터 계획된 노릇이었다.

정원태 김시동 전성달은 조정에 대한 생각이나 백성이 무엇이라는 것쯤은 또렷하게 아는 편이었고, 그들이 겪은 세월 또한 바람과 구름의 그것이어서 갓 쓰고 도포 입은 양반만 보아도 명치께가 울컥할 판이었다. 그러나 이시홍과 그의 동행들은 워낙 상민으로 체념하여 살아온 지가 오랜 세월이라 막바로 얘기의 중핵으로 질러들어갈 수는 없었다. 시동이가 대강 행상이나 저자의 객점주나 공장이들간에 상조의 뜻으로 계가 짜여졌음을 설명하였고, 생업에도 많은 보탬이 될 것이라고만 던져두었는데 이시홍과 그의 동행들은 서로 계원이 되련다고 입을 모았다.

"그런 계가 있다면야 무슨 걱정이 있겠습니까? 염장에 가도 염간들의 행패가 자심하여 패거리 없고 연고 없는 소매 행상들은 소금한 섬에도 선계의 천도를 구하듯 합니다. 또한 작당이 되어 어물을 구입하면 선주와 유리한 흥정을 할 수가 있건만 저쪽에서 넘기려는 가격에 매이고야 맙니다."

"그런 일이 한두 가지가 아니지요. 송상이란 게 뭐 별 재주가 있어서 송상인가요? 짜임새가 있고 합심합력이 되니까 팔도의 향시를 틀어쥔 것이지요. 우리 기순 일대의 난전과 소매상들이 계를 이루어 작대가 되면 서강이나 마포 동막 용산 삼개의 경강아치들도 후릴 수가 있습지요."

이두완은 행상이 아니었으나 그에게도 좋은 생각이 있었다.

"우리네는 살림 가용을 위하여 빨래몽치도 만들고 싸리비도 만들고 무엇보다도 징파강(澄波江)에서 나오는 왕골 갈대로 짠 자리가 잘 알려진 명품입지요. 대부분 공납하거나 시전에 먹이니 제값을 받나요. 땅 부쳐먹기야 관례가 정해져 있으니 반타작이라지만, 우리도 계가 짜여지면 훨씬 이득이 있습니다."

어쨌든 이해 실리가 백성의 마음을 보는 급소라던 정원태의 말은 일단 맞는 얘기가 되었다.

"계가 뭐 별다른 게 아니라, 서로 돕고 함께 살자는 얘기요."

하고 나서 정원태는 입을 떼었다.

"그런데 무턱대고 이윤만 쫓아 움직이는 것 또한 직심이 오래가지 못할 터인즉 우리 계는 교를 믿어 마음을 올바르게 해나갈 규칙을 세웠지요."

조무인이 어리둥절하여 되물었다.

"교라니요, 절 말씀인가요?"

"절은 절입니다만……"

전성달이 홍성산 장군사에 기댄 걸립패라 스스로 나섰다.

"부자들께 공양미 실컷 받아 처먹고 그들만 위하여 목탁 때려 기원하고, 돈이나 양곡 한 줌 바칠 길 없는 우리네 상것들에게는 눈이나 흘겨대는 그런 절이 아니지요."

이두완이 말하였다.

"그런 절이 있다면야 부처님의 본마음이 기신데 왜 저희가 마다 합니까. 우리네야 믿을 데가 없으니 절에는 생각도 못 하고 기껏 서 낭당에 축수나 올리고 무꾸리도 하고, 노인네들은 뒤란에 정화수 떠 놓고 미륵님께 빌지요."

"바로 그…… 우리 계가 마음을 지켜나가기로 정한 분이 미륵님 이 올시다."

정원태가 말해주니 조무인은 그제야 마음이 놓이고 미륵님쯤이 야 우리도 벌써…… 하는 표정이 되었다.

"난 또 무슨 공맹의 하늘 같은 도통이 있어야 될 줄 알았더니, 미 륵님이라면 진작 어릴 적부터 모친께서 애들 하루거리나 고뿔만 들 어도 찾고 빌어놔서 귀에 굳은살 배길 정도루 들었소이다."

"진작부터 우리 계에서는 법회도 가지고 수도기간도 정하여 모임 을 끌어왔소. 마침 김서방이 한양에 상번 갔다가 돌아와 새 동무들 이 생겼다며 계에 끌어들이기를 청하니 주변에서 모두들 승낙이 된 것입니다. 연천 삭녕이 임진강 북로 징파강을 통하여 지척이니 장포 사람들은 모두가 삭녕계에 속합니다. 마침 그곳 법회의 상좌 되는 이가 여기 전거사로 오늘 출행의 귀로에 송우에 들르게 되었으니 인 연이 든든합네다."

여기까지 말하고 나서 정원태는 앞쪽에 앉은 이시홍 일행을 슬그 머니 살펴보았다.

"세 분이 모두 장포 분이시고, 향리에 가시면 친지들도 많겠지요. 원래가 미륵님의 뜻이라 하면 온 세상에 차별이 없고 질병이 없으며 상극이 없는 상생의 세상을 널리 펴자는 것이지요. 그런즉 장군사에 의탁한 전거사로 상좌를 삼은 뜻도 잘 아실 겝니다."

전거사가 스스로 말하였다.

"저 같은 천출 재인이 어찌 여러분처럼 양민이니 상인이니 할 수가 있겠습니까. 허나 대덕님 말씀처럼 미륵님의 뜻이 차별 없는 상생의 도에 있은즉, 종사(宗師)께서 제게 삭녕 미륵도 상좌의 임을 맡기셨습니다."

"아, 그러믄요. 요새 누가 저자에서 재간 팔았다고 능멸하는 이가 있니까. 양반도 굶주리면 들병이 술장수가 되는 세상인데, 벼슬아치 빼놓고는 온 천지가 천것들인 셈이오. 더구나 절에서 미륵님 모시려면 하다못해 염불 비나리도 우리보다야 댁네들이 능숙하겠지요."

이시흥이 유쾌한 어조로 말하여 잠시 머쓱하던 자리가 편하게 풀어졌고, 전성달이 말하였다.

"달포에 한 번씩 홍성산 장군사에서 종사님을 모시고 법회가 열립니다. 이번 보름은 명절이라 그믐과 초하루 겹쳐서 대탄 칠성암에서 큰 재가 올려집니다. 시주는 해도 그만 안 해도 그만이올시다."

"그게 다 정성 아니오?"

"정성껏 하면 되는 게지."

조무인이 걱정스레 말하였다.

"기왕에 믿는 일이라면 병도 고칠까요?"

"죽을 병도 살리지요."

김시동이 자신만만하게 말하였고, 조무인 대신 이두완이 말하였다.

"이 아저씨 아주머니는 속병이 나서 미음이나 죽으로 연명한 지가 오래되었습니다."

"우리 삼촌네도 늘 질환이 떠나질 않습니다. 무슨 병이든 다 낫는단 말이오?"

이시홍은 믿기지 않는지 전성달과 정원태를 번갈아 뚜릿거리며 바라보았다. 김시동이 고개를 크게 끄덕여주었다.

"우리 미륵도의 종사님이나 만신님은 물론이고 신심 깊은 상좌들도 병을 고친다구. 역병으로 다 죽어 거적에 싸다 내다버린 사람도 살려내시는 걸 이 두 눈으루 똑똑히 보았으니까. 믿기지 않으면 대법회 큰 재 때에 참석해보아. 거기 그 사람이 나온단 말이야."

"어이구, 살다 보니 별 신통한…… 그런 조홧속이 있다면 이는 필시 우리 백성들의 가엾음을 아신 하늘이 정토를 이루려는 모양일세. 나는 계에 드는 것은 말할 필요도 없거니와 우리 아는 이들도 모두 끌어올 작정이우."

이시홍도 조무인과 이두완도 방바닥을 치며 뒤늦은 입교를 탄할 정도였다. 그들은 파장 전에 장포로 돌아갔고 며칠 뒤에 전성달이 이시홍의 숯막을 방문하기로 약조가 되었으며 거기서 다시 시홍의 친지들과 상면하기로 되었다.

시동이는 대탄 시내비골로 가서 한가위를 지냈고, 그의 외삼촌들인 오계원과 오경립이 번갈아 다녀갔는데 벌써 이시홍과 동행하여 삭녕 홍성산 장군사에 다녀왔다는 것이었다. 삭녕 장포 사람들과 연천 사람들은 이제 장군사를 중심으로 교세가 늘어날 모양이었다. 시동이와 정원태의 의논으로는 시동이의 혈친으로서 가장 믿을 만한 오경립을 검계의 장포 계주로 삼기로 하였던 것이다. 전성달은 미륵도의 삭녕 상좌이니 황회에게 일임하면 될 것이고, 그들은 미륵도를 내세워 계를 확장하고 그 가운데서 검계의 핵심이 될 만한 인원을 가려 뽑을 셈이었다.

지난번에 송우로 찾아왔던 이시홍 조무인 이두완은 병역으로나 나이로 보나 검계에 들 만하였고, 영평 쪽에서는 시동이의 권유대로 기개 있고 호방한 정만일 정호명 형제를 계로 끌어들이기로 하였던 것이다.

대탄 시내비골에서 영평 읍내까지 삼십 리가 채 못 되는데 강변을 따라서 서쪽으로 곧장 나아가면 멀리 불곡산 머리가 보이고, 드문드문 마을이 나타나기 시작하였다. 정원태는 김시동의 안내로 정만일에게 찾아가는 길이었다. 김시동과 정만일은 지난번 한양에서 보낸 상번의 군영생활과 하도감 흑방에서 함께 이탈죄의 벌을 받은 뒤부터 죽마고우 같은 사이가 되어 있었다.

시동이가 세 번이나 영평에 놀러 갔었고, 정만일은 제 형 호명의 집에 다니러 왔다가 시내비골 시동이에게도 들렀다. 그들은 밤이 이슥하도록 살기 힘들고 천대받는 세상살이에 대하여 포한을 주고받았고, 시동이가 실상 자신은 녹림당과 한패라고 밝혔다. 위험을 무릅쓰고 거기까지만 발설해보았는데 예상대로 정만일은 놀라기는커녕 시동이의 손을 마주 잡으며 반기는 것이었다.

사내 대장부로 태어나 뜻이나 재주도 펴보지 못하고 촌구석의 무지렁이로 끝날 바에야, 화적이든 무뢰배든 간에 대적이 되어서 살다 간 흔적이라두 남겨야 할 게 아닌가.

시동이는 검계와 살주계의 남은 자들이 미륵도의 교세에 힘입어 조정을 뒤엎는다는 계획은 밝히지 않았으나, 그에게 말의 책임이라도 지우려고 넌지시 물었다.

대적이 되었다가 일을 그르치면 참형을 당할 것이오. 무리가 커져서 관군과 맞서면 역적이 될 터인데 일가 구몰하여도 좋단 말인가.

정만일은 껄껄 웃더니 갑자기 안색을 바꾸어 선반에서 단검을 내려 시동의 목에다 겨누었다.

네가 의기를 나눈 동무 사이라더니 감히 누구를 떠보고 희롱하느냐. 지금 관가로 달려가 고변하기 전에 내 칼을 받고 죽어라.

정만일은 단검을 쳐들어 찌를 기세를 보였고 김시동은 다급하여 그의 쳐든 손목을 잡으며 말하였다.

자네 갑자년의 검계지변을 알고 있는가. 내가 바로 그 계를 짰던 사람이여.

정만일은 단검을 쳐들고 그를 물끄러미 바라보았다. 그러고는 픽 웃으며 칼을 내렸다.

진작 그럴 것이지. 자네가 여간내기가 아니라구 알구 있었어.

하고 나서 정만일은 얼굴 하나 일그러지 않고서 손가락을 베어 흐르는 피를 술잔에 떨구었다.

맹세를 어찌하는지 모르지만, 이렇게 하지.

정만일이 내주는 단검으로 시동이도 손가락을 베었고, 그들은 같은 잔에 섞인 피를 조용히 마셨다.

정만일이 잔을 들면서 말하였다.

홍길동과 임꺽정의 이름을 빌려 맹세한다. 서로 배신하지 아니하고 사는 것과 죽는 것을 함께한다.

나중에 시동이가 그가 중얼거린 말 가운데 길동과 꺽정이란 또 무어냐고 물으니, 정만일은 경기도 일대의 난전 무뢰배들 사이에 널리 알려진 맹사(盟辭)라고 가르쳐주었던 것이다. 시동이도 소싯적에 노인들의 한담 가운데 여러 번 들었으며 나중에 경강이나 배오개의 봉놋방에서 투전을 벌이거나 술 한잔 먹으며 옛말 삼아 나오는 얘기들을 들었던 터이다.

해서 대적 장길산이는 아는가.

시동이가 모른 척하고 물으니, 정만일은 더욱 아는 체를 하였다.

요즈음 길산이 이름 모르는 자가 어딨나. 관군이 구월산을 이 잡듯이 토포했어도 못 잡았다던데. 금강산에서 수도하여 축지법도 쓰고 신병(神兵)을 부린다더군.

시동이가 황회와 정원태에게 들어서 길산에 대하여 알고는 있었으되 내색을 할 수는 없었다. 정만일은 한숨 쉬어 탄식하며 말하였다.

이 손바닥만 한 땅덩이에서 티끌보다두 못한 몇명의 벼슬아치들이 저희만 살아야겠다고 억누르고 쥐어짜고 지랄들이니, 이제는 찍소리라도 지르고 가야 할 판이야. 우리도 예전 선조 기축 대동계(大同契) 난리 때에 사돈의 팔촌까지 적몰되어 간신히 산간으로 피했던 집안 자손이지만 모두 부지런하여 근실하게 살아왔다. 이 골 상리 사는 대성이두 우리 먼 친척뻘인데 궁장토의 작인으루 포함이 많지. 그리구 내가 언제 얘기했지? 청송(靑松) 사는 호명이 언니는 내 사촌인데 나보다 한 살 위지. 그 골서 어린아이도 잘 아는 장사야. 호마를 들어 던졌다니까. 옛날처럼 국란이 있었다면 평지 돌출하여 이름난 장수 노릇을 했을 걸세.

시동이는 진작부터 검계의 계주 노릇을 하는 정원태와 정만일을 만나게 할 작정이었으나, 삭녕의 일이 채 끝나지 않아서 추석을 넘기고 말았던 터이다. 정만일의 집은 백호천 건너 마전(麻田)서 오는 길가에 있었으니 읍내의 서쪽 외곽인 셈이었다. 그들은 만일의 집에 들어서기도 전에 들에서 손짓하는 그를 만났다. 그는 한창 나락을 베는 중이라 동네 사람들과 함께 두레일을 거드는 참이었다. 시동이가 말하였다.

"허허, 내가 본시 농투성이면서 행상으로 떠돈 지 오래되어 농번기를 몰라봤구먼."

"농번기가 따루 있어? 땅 파먹구 사는 놈들이 늘 바쁘지. 이거 어쩌나 동동 팔월이랬으니 자네들도 일복 터졌군."

"뭐 잘되었소. 보아하니 결속(結束) 일인 모양인데 부슬비라도 내렸다가는 낭패 아니오?"

정만일이 정원태를 바라보고는 다시 시동이에게로 눈길을 돌리니,

"우리 대덕님일세."

인사를 시켰고, 정만일은 두 손 모으고 공손히 절하였다.

"존함은 여러 번 들어 모셨습니다. 먼저 올라가 기십시오."

"아니오, 기왕에 여기 왔으니 오랜만에 들일 좀 해봅시다."

정원태와 시동이는 만일이네 두레 사람들과 더불어 추수하는 일을 도왔고, 저녁에 볏단을 묶어 논두렁에 널어놓고 돌아올 때는 이미 서로 검불을 털어주는 친숙한 사이가 되었다.

고된 일을 하고 나니 밥은 입안에서 오래 머물지를 못하였고 고봉으로 먹고 나니 모두 온몸이 녹적지근하였다.

만일은 건넌방에서 원태 시동이와 이마를 맞대고 앉아서 비로소 계의 이야기를 꺼내었다.

"본현은 원래 작은 고을인데 전지가 비옥하여 대개는 다른 곳보다 궁기가 덜한 고장이지요. 뚜렷하게 세간에서 환로에 나가 출세했다는 사람도 없고 거의가 산간의 농군들입니다. 삭녕의 시흥이나 연천 사는 경립이는 그래도 매매 행상으로 대처에도 나다니고 하여 물정을 알지만, 여기서는 계원이 될 만한 자가 뚜렷이 없다고 생각됩니다."

정원태는 만일이의 얘기를 듣고 고개를 끄덕였다.

"다른 방법도 있소. 미륵도를 펴나갑시다."

"그렇게 한다면 우리 읍내서 땅 많고 부자인 이철신(李哲信)이를

넣는 것이 유리할 겁니다. 나하구 동갑내기인데 명당이라면 혹하지요. 그는 부농이지만 양반 못 된 것이 한이라고 하는 자입니다. 그렇지만 철신이만 우리 패에 든다면 본현의 아전들은 한 손에 주무를 수가 있지요. 철신이네 사랑이 바로 그자들이 모여서 한담도 하고 투전도 노는 곳이지요."

"음, 그런 사람이라면 우선 내가 명당 얘기나 역학 얘기로 인사를 트고 나서 여환스님을 대어 용화 향도를 삼으면 되겠군."

원태의 말에 시동이는 일어나려고 하면서 말하였다.

"쇠뿔은 단 김에 뽑으랬다고 지금 가서 만납시다."

"아니야, 정서방이 먼저 언질을 주고 나서 내가 못 이기는 체 찾아보는 것이 낫지."

원태의 의견에 만일이도 찬동하였다.

"예, 원래가 촌부자라는 것들은 타관 사람들을 잘 믿지 않습니다. 혹시 재물을 탐하여 곡식이라도 축내려고 꾀를 쓰는 것이 아닌가 의심할 것입니다. 내가 먼저 우연히 놀러 간 듯이 하고서는 산을 잘 보는 이가 있다더라고 운을 떼겠습니다. 필시 이가는 현달한 조상이 없어 애가 달아 있는 판이라 선산을 보아달라고 조를 것입니다. 그때에 대덕님이 오셔서 몇마디 하시면 쉽게 마음을 잡을 수 있겠지요. 처음에 저는 전혀 소문만 들었지 서로 모르는 척하겠습니다."

"그게 좋겠군."

"장군사 대법회 때에 영평 사람들도 좀 참례토록 할까요?"

시동이가 물었고 원태는 잠시 생각하였다.

"글쎄…… 워낙 거리가 멀고 오히려 여기서는 대탄 시내비골이 더욱 가깝잖은가. 그리고 지척에 황거사도 살고 있으니 그의 처를 시켜 따로이 법회를 갖도록 하는 것이 좋겠네."

"이러면 어떨까요, 철신이가 가세가 부요한즉 마음만 내킨다면 틀림없이 그의 집안에 신당을 차릴 수가 있을 겝니다."

정만일이 말하였다.

"그의 집에 차려도 괜찮고 아니면 저희 집도 좋지요."

"철신을 보고 나서 정하도록 하세."

"한 번 더 오셔야 되겠습니다."

"한 번만 오겠나, 자주 와야지."

원태와 만일이 주고받는데 시동이가 말하였다.

"자네 내일은 바쁘겠지."

"눈코 뜰 새가 없다네."

"그러면 사흘 뒤에 어떠한가?"

"무슨 일인데?"

"자네 사촌언니를 만나봐야지."

만일이 웃는 얼굴로 대답하였다.

"뭐 내가 없어도 청송 가서 정호명이네를 찾으면 다 안다네. 내가 보냈다면 반색을 할 것이고……"

"우리가 뭐 하룻밤 유숙을 청하러 들르는 나그네인가. 마음을 통하자는 것인데 서로 믿지 못하면 말문도 열리지 않는 법일세. 자네가 다리를 놓아야지."

"까짓 그러면 낼 저녁에 가세나."

"추수는 어떡하고?"

"모레 중화참까지 돌아오면 되겠지. 그대신 우리집서 참을 내기로 하면 두레에서두 불만들은 없겠지."

세 사람은 저녁 늦게까지 얘기하는 중에 갑자년의 검계와 살주계 얘기가 나오게 되어 시동이는 여러가지 사건들을 설명하였다. 그는 특히 산지니의 얘기도 해주었고, 최형기를 맞히려고 그의 집 앞에서 매복하던 얘기도 해주었으며, 한양 역관의 집을 들이치던 얘기들을 하였다. 정만일은 신이 나서 연신 그래서를 연발하였고 산지니 등의 계원들이 참수되던 대목이며 그의 누이가 자진하던 대목에서는 눈물을 흘리며 비분하였던 것이다.

이튿날 정원태와 김시동은 대탄으로 일단 돌아갔다가 저녁에 청송 정호명의 집에서 정만일과 만나기로 하였다. 시내비골로 들어가는 길에 영근산 아랫녘 칠성암에 찾아가니 여환스님과 계화가 반가이 맞이하였다. 시동이는 대충 이제까지의 진행과정을 말하였고, 여환은 벌써 홍성산 장군사의 대법회 때에는 장포 사람들과 연천 사람들이 많이 참석하리라는 것을 알고 있었다.

"이번에 마침 황거사의 작은조카로 안협 사는 이가 우리 도에 들게 되었는데, 이정명(李井明)이라고…… 해서에서 오는 소식은 그쪽으로 기별해주기로 되었소."

"이 골 익담 사는 원명이 아저씨 아우 말인가요?"

시동이도 그의 형 원명은 황회와 함께 만난 적이 있어서 말하니, 여환은 그렇다고 고개를 끄덕였다. 시동이가 다시 물었다.

"전거사와는 서로 아는 사이인가요?"

"아직 모르오. 나중에 차차 알게 되겠지. 장군사 괴뢰배들은 진작부터 해서 구월산 토포 때에 쫓겨난 이들이라, 해서로부터의 연락을 직접 받는 것이 합당하지 않소. 그보다는 안협이 해서와 접하여 있고 평산 신계와 지척이니 이정명의 집이 해서에서 오는 손이 들기에 맞춤하겠지요. 전상좌는 기별이 있을 때 그 집으로 찾아가 해서 오박수의 연락이나 큰스님들 하달을 받으면 되겠지."

정원태가 여환에게 물었다.

"황거사는 삼각산에서 내려왔습니까?"

"예, 진작에 내려왔지요. 오늘 이원명 향도의 집에 들렀다가 이리로 온다고 했습니다."

"아, 그러면 잘됐군요. 황거사가 오면 저희는 오늘 저녁에 청송 면주인 집에 있겠으니 꼭 들러달라고 전해주십시오."

"아, 그 소요산 아랫녘 산다는 장사 말이군요."

"그는 우리 계에 필요한 사람이 아닌가 합니다."

여환은 잠깐 고개를 숙이고 있더니 내키지 않는 듯이 말하였다.

"필요하겠지요……마는 서두르면 안 됩니다. 우선 무엇보다도 충실한 믿음을 지닌 향도가 되어야만 합니다."

청송 면주인이라 함은 양주목의 관할지인 포천 영평 등지의 하리들과 파주 적성 장단 등에서 오가는 관원들을 숙박시키는 소임으로 관문에 입역하는 것을 말한다. 원래는 일반 숙박인은 받을 수가 없지만 양주 관아에서 눈감아주어 따로이 보행 객점도 겸하고 있었다. 경주인들이라면 지방관의 봉물짐에서부터 은밀한 축재를 거드는 일을 담당하고, 신관에게 빚놀이도 하고 현지의 토색질한 관리의 물품을 전매하는 수지도 맞추는 법이다. 그러나 면주인이란 사실은 상대하는 것들이 벼슬아치들이 아니라 고작해야 세리나 아전 또는 양주를 지나치는 지방관아의 연락을 맡은 기패관 장교 하리 따위가 고작이었다. 그러므로 해먹을 것도 없고 세의 부담도 없었으며 일정기간에 양식과 부식류를 양주 관아에서 타다가 쓰게 마련이었고, 그 이를 조금 남겨 식구들의 밥이나 얻어먹는 격이었다. 그러고는 숙박업을 따로이 할 수 있는 이점이 있어서 시골서는 그래도 밥술깨나 먹는다 할 만하였다. 그의 집은 바깥채와 안채를 따로이 지어두고 지방리가 오면 안채의 자기 사랑을 내놓았고, 바깥채에는 술청과 큰 봉놋방 두 칸을 내어 일반 행객을 받았던 것이다. 호명은 그 사촌 아우 만일이가 표현한 대로 의기남아라고 일컬을 만하였다. 키는 구 척에 가까운 장신이요, 검붉은 얼굴에 눈썹 짙고 가지런한 수염이며 목소리가 굵고 부드러웠다. 그는 한때 양주 관아의 장교로 다닌 적 도 있었는데 구군복 차림의 그를 얼핏 보고 누구든 선전관쯤은 되는 인물로 알았다. 소싯적에는 씨름에 능하여 양주는 물론이요, 임진강 북쪽에서도 호명을 꺾을 자가 없으리라 하였다. 특히 장창을 잘 썼 고 몽둥이 하나만 지니면 수십 인을 당한다 하였다. 이제 병역은 면 주인의 입역으로 제외되었으나, 요즈음도 도봉이나 오봉 혜음령 일 대에 호환이 일어나서 향군을 발동하게 되면 패두가 되어 일패를 거 느리고 나가도록 되어 있었다. 대개는 그를 모르는 하리가 청송서 묵는다 치면 그 고을 아전은 호명의 얘기를 해주고, 그는 대장부이 니 면박하거나 홀대하여 부리려 하지 말라고 당부해두는 것이었다. 이는 대개 호명의 성격이 아래로 천하고 가난한 이에게는 봄바람 같 으나, 위로 거만하고 부요한 자에게는 그 약점이 보이면 추상같이 용서함이 없는 까닭이었다. 어떤 때엔 모부사의 부임행차에 다른 군 뢰배(軍牢輩)의 무리가 묶게 되었는데, 마필을 제대로 돌보지 않았다 하여 녹양역에서 차출되어 온 역졸이 채찍에 맞는 꼴을 호명이 보았 다. 그는 비장짜리나 되는 자를 먹살 잡아 말에서 끌어내려서는 코 가 연시가 되도록 두들겨버렸다. 동행한 장교들이 그냥 보고만 있을 리가 없어 와자하니 일어나는데 정호명은 웃통을 벗어붙이더니,

내가 일일이 너희들 상대로 주먹다짐을 하기가 귀찮으니 내게 덤 비면 어떤 꼴이 되는가 보여주리라.

하고는 강건하기가 쇠 같다는 오류 호마(胡馬)의 배 아래로 기어붙어 한 팔은 배를 받치고 또 한 팔로는 앞다리를 움키어 그대로 힘을 써

서 들어 던졌다는 것이다. 말은 휘청 넘어가며 다리를 분지르고 나뒹굴어버렸고, 모두 어이가 없어 구경만 하고 섰었다. 부사가 군마 살상죄를 들어 삼문 밖에서 쳐죽일 수가 있었으되, 그 힘과 기개를 보아서 장형 팔십 도에 말값을 물어내는 것으로 처결이 났다는 것이다.

이렇듯 정호명은 한 인재이었음에도 백두에 행전 치고 숙박업이나 하는 면주인에 지나지 않았다. 정호명은 그의 성격이 호방한 대로 봄 가을에 열심히 장사하고 동절에는 매사냥도 다니고 제 사촌아우 정만일과 더불어 호협한 시골 장정들과 사귀기를 즐겨하였다. 마침 한가위 지난 뒤라 행객도 뜸하고 지방 관리들의 출행은 아직 조세철이 아니라 호명은 무료하던 판이었다. 시절이 좋을 때는 한양에 들어가 안면 있는 자들과 화초방 출입이라도 하겠건만, 때가 흉황 뒤끝이라 모든 세간 인심이 각박하였다. 그저 끼니 안 놓치고 식구끼리 밥상 받는 것만도 대견한 일이었다. 저녁상을 받는데 마당으로 들어서는 것이 바로 정만일이었다.

"어, 니가 웬일이냐?"

대청에 앉은 채로 호명은 심드렁하게 내지르면서도 속으로는 의아하였다. 시방 철이 추수할 시절 아닌가. 마당에 부지깽이가 걸리적거리며 한몫한다는 바쁜 때에 그가 수십 리 길을 저녁에 온 것이다.

"아이구, 나 밥 좀 주우."

"원 자식두, 느이 논에 나락은 다 가을 멸구 만났냐? 여기 와서 밥 찾게."

"석삼 년 흉황이라더니 이 집 밥상을 보니 거짓말이로군."

호명의 아내가 아이들 사이에다 밥그릇과 수저를 놓아주며 배시시 웃는다. 아이들도 꾸뻑 인사들을 하는데, 만일이는 다시 물었다.

"사랑에 올 손님 없지?"

"너 잘 방 없을까봐 미리 맞추냐. 요샌 관것들 나다니지 않는 철이다."

"잘되었군. 오늘 내 손님 좀 받우."

"우리 업이 객점인데 네 손님 내 손님 가리겠니."

하면서 정호명은 무언가 낌새가 다르다고 느꼈다. 그가 공연히 동무들과 만나서 놀려고 농사일 다 팽개치고 수십 리를 달려온 것은 아니리라 싶어졌기 때문이다.

"사랑방 좀 치워두지."

아내에게 그저 이르고는 호명은 사촌아우에게 더이상 묻지 않았다. 그들은 상을 물리고서 단둘이 사랑방에 앉게 되어서야 이야기가 오갔다.

"손님이 온다니…… 어떤 작자들야?"

"내가 한번 얘기한 적 있지. 지난번에 한양에 한번 올라갔다가 마음에 맞는 놈 사귀었다구."

"그래, 이 골에 산다구 그랬던가."

"맞아, 시내비골 살지."

"거긴 모두 드난살이들 아니면 타처에서 떠들어온 것들이나, 아니면 행상아치들이 살 터인데."

정만일은 정색을 하고 말하였다.

"호명 언니, 그래 언니 같은 대장부가 이러한 말단 입역으로 남의 집 시중이나 들며 평생을 마쳐야 옳단 말이우?"

"온 별 시러베자식 보겠네. 야, 인마 너 그따위 소리 지껄이려면 우리집서 처먹은 밥값 내구 얼른 영평골루 내쳐라."

"내가 지금 농하자는 거 아니우."

"나두 아냐. 아닌 밤중에 종주먹질이라고 공연히 남의 부아를 돋구는 거냐, 뭐냐. 그럼 어떡허냐, 이 짓이라두 안 허면 누가 새끼를 거저 먹여준대. 내가 속내를 다 알고 하는 말이지만, 현감은커녕 찰방 만호 한자리라두 얻어나가는 놈치고 쇠도적 아닌 놈 못 봤다. 그래 그 시내비골 산다는 네 동무놈이 무슨 벼슬아치 끄나풀이라두 된다더냐."

"끄나풀이 아니라 범 잡는 담비라고 양반 잡는 상놈이우."

만일이가 대꾸하니 호명은 같잖은 농인 줄 알고 코방귀를 날렸다.

"홍, 그 녀석 제 명에 못 죽겠고나. 양반을 잡기는커녕 삿대질 한 번 하여도 제 고장서 사면초가가 되는 판이니…… 녹림에 들면 모를까."

"바로 맞았수. 그 아이가 녹림당이우."

정호명은 사촌아우의 말에도 별로 놀라지 않았다.

"그러면 그렇겠지. 대장부 자처한단 놈들 가는 길이 종국에는 도적놈 아니더냐. 그러니까 핏줄 따라서 언놈은 무과에 들고 언놈은 화적이 되는 거야. 그래, 그 화적놈들이 우리집엔 무슨 공밥을 먹으러 온다든?"

정만일은 형의 시큰둥한 태도를 보고 좀 놀라게 해주려고 질러들어갔다.

"한양서 갑자년에 상놈 난리가 일어난 애기 들었지?"

"갑자년이라면…… 무슨 종놈들 계와, 수상한 도적놈들이 혈당을 이루어 일어났다는 소문은 여러 번 들었지. 그런데 만일이 너……"

정만일은 고개를 끄덕였다.

"바로 그 계의 와주 되는 이들이 온단 말여."

"거, 검계 말이냐?"

"검계."

정호명은 되묻고 나서 비뚜름했던 앉음새가 꼿꼿해지고 눈꼬리가 빳빳해졌다. 그가 아무리 촌구석의 면주인에 지나지 않는다 하여도, 그 당시에 백성들 사이에서 활기 있게 퍼져나갔던 검계에 관한 소문은 그의 가슴을 뛰게 하였던 터이다. 한양 성내에서 이름난 부호의 집을 털었고 관군과 맞붙었으며 벼슬아치들을 괴롭혔고 종내 혈당이 밝혀지지 않은 채로 검계는 경기 일대의 백성들 가운데 실로 귀중한 것을 심어놓고야 말았다. 그것은 이 세상이 장차 반상의 구별이 없는 천한 것들의 세상으로 변모하려고 천지개벽의 조짐을 보이기 시작하였다는 느낌이었다.

"시내비골 사는 놈이 검계의 와주냐?"

정호명은 가라앉은 어조로 물었다.

"와주는 아니지만…… 가장 먼저 계를 짰던 이들 가운데 하나요. 검계는 여느 녹림당과 달라서 두령 와주가 따로 없고 모든 계원이 형제와 같다는군."

"한데 어째서 그이들이 날 만나러 오니?"

"내가 언니 얘기를 했지."

정만일은 사촌형을 똑바로 쳐다보았다.

"나 언니 맘 다 알우. 그 속에 뭔가 불덩이가 들어 있는 걸 다 안다구."

정호명은 아우의 눈길을 피하듯이 방바닥만 내려다보고 앉아 있었다. 호명이 고개를 들지 않고 물었다.

"너두 들었냐?"

"들었지."

하자마자 정만일은 뭔가 번쩍하여 고개를 들고 옆으로 비스듬히 넘어졌다. 정호명이 힘껏 따귀를 올려붙였던 것이다.

"이런 밥쇠 같은 자식!"

장사가 마음먹고 후려갈겼으니 손바닥으로 쳤는데도 만일의 볼때기 속살은 터지고 코는 비틀어져 코피가 흘러내렸다. 정만일은 그러나 침착하게 대꾸하였다.

"내가 사람을 잘못 봤군. 언니는 제법 심지가 큰 인물인 줄 알았더니, 역시 평생 길가의 밥장사나 하며 아전붙이들께 허리 굽혀 연명할 벌레 같은 목숨이로군."

"그러는 너희들은 무슨 수가 있느냐. 고작해야 남의 재물이나 노리는 도적놈이 되든가 기껏 쇠꼬챙이 휘두르며 협기나 달래겠지. 나는 그따위 짓을 할 바엔 밥장사가 제격이다. 진인(眞人)을 만나 입국을 하지 못할 바에는 좀도적은 싫단 말이야."

정만일이 형의 멱살을 틀어쥐고 흔들며 부르짖었다.

"우리두 도적질이나 하자구 작당한 패거리가 아니야. 언니처럼 관가에서 던져주는 낟알에 목구멍이 간질려서 노중에 코 박고 엎드러져 되지 않는 포부만 키우고 있는 이들이 아니야. 모두들 제 목숨은커녕 온 식구의 명줄을 걸어놓구 여러 해를 이리 뛰고 저리 뛰며 지낸 사람들이야. 좋아, 언니가 제 안위 때문에 내가 혈당이 된 것이 두렵다면 지금부터 상종 않고 혈연을 끊자구."

만일은 호명을 밀쳐내고는 벌떡 일어났다. 그가 방문을 열려는데 호명이 저고리 뒷자락을 불끈 잡았다.

"좀 앉거라."

그는 벽에 걸린 무명 수건을 집어 만일에게 내밀었다.

"상판이나 닦아."

정호명은 다시 털썩 주저앉았다. 정만일도 호명에 못지않은 왈짜요 힘도 있건만, 말의 내용이 워낙 엄청난 것이라 제 형을 받아치지도 못하고 수습도 못 한 채로 엉거주춤 따라앉았다. 그는 그제야 코피가 터져서 턱을 따라 가슴팍에까지 흘러내린 걸 알았다. 만일이 얼굴을 닦고 앉자 호명은 먼저 담어서 몇번 빨던 곰방대를 그에게 내밀었다.

"피워, 니가 날 얼마나 놀라게 했는지 알겠지."

정호명은 이어서 말하였다.

"너도 알다시피 우리는 수대 전에 대동계 난리로 구몰된 집안의 자손이다. 이제는 누가 누군지도 분간이 안 되는 세월이 흘렀지만, 해서와 경기도로 흩어진 혈족들은 입은 봉한 채로 대개들 그런 사연을 안다. 나는 말리지는 않아. 다만 믿기지 않아서 이러는 것이지. 내가 고변은 않으리라는 걸 너두 알겠지."

"고변? 흥, 그러면 우리가 잡히기 전에 언니는 먼저 죽어."

"이런 벽창호 같은 녀석, 죽기는 다 매일반이다. 씨름판에 가봐. 메쳐서 이기거나 넘어져서 지거나 둘 중에 한 가지밖엔 없어. 그러니 이겨야 할 것이 아니냐."

정호명은 잠깐 생각하고 나서 말하였다.

"네 동무들이 오면 내가 말을 건네보고 나서 결정을 하겠다. 내가 안 들기로 작정하면 그때부터 너는 나하구 사촌의 의를 끊고 상종하지 않고 지낼 것이고, 들기로 한다면 이제부터는 그냥 혈족이 아니라 결의동지(結義同志)가 되는 셈이다."

"좋아."

그러고 나서는 둘은 아무 말도 주고받지 않았다. 등잔불만 까물거리고 있었으며, 그들의 그림자도 방 양편에 늘어져서 꼼짝도 하지 않았다. 이윽고 개 짖는 소리가 들리더니 삽짝 밖에서 기침하는 소

리가 들리고,

"주인 계시오?"

하는 시동이의 목소리가 들렸다. 호명이 일어섰고 만일도 뒤따라 나섰다.

"들어오시오."

마루에 서서 호명이 말하자 마당 안으로 시동이와 정원태가 들어섰다.

"시동이 오는가?"

"만일이 먼저 와 있었군."

시동과 만일은 서로 반겼다.

그들이 방에 들어서자 정호명은 먼저 정원태에게 엎드려 절하며 인사를 청하였고 원태도 황망히 마주 절하였다.

"정호명이라구 합니다."

"포천 사는 정원태요. 정서방에게서 사촌형의 얘기를 여러 번 듣고 꼭 한번 상면하고자 하였소."

"언니, 이 사람이 내 동무요."

정만일이 시동을 소개하여 이번에는 반절을 하며 인사를 나누었다.

"요 너머 시내비골 삽니다. 김시동이라구 허지요."

"아우가 늘상 노형의 얘기를 합디다."

호명이 비록 만일의 사촌형이기는 하나 나이 차이라야 한두 살인지라, 시동이와는 동갑내기인 셈이었다. 다만 시동이가 아직 미장가로 헛상투를 튼데다가 얼굴도 동안인 반면에, 호명은 기골이 장대하고 수염이 잘나서 훨씬 위인 듯 보여 겉으로는 중년인 정원태와 비슷한 또래로 보였다. 시동이가 곁에 앉은 만일에게 눈을 돌려 끔벅

해 보이니, 만일은 고개를 끄덕하였다.

"지난번에 상번 올라가서 만일이와 의기투합이 되었고 진작에 형의 얘기를 들어 만나뵈려 하였으나 차일피일하던 사이에 이렇게 늦어졌습니다."

김시동은 넌지시 말을 꺼냈으나 호명은 묵묵부답이었다.

"저녁들은 드셨는지……?"

딴청으로 한다는 소리가 이러하였고, 호명의 물음에 정원태가 말하였다.

"방금 시내비골에서 먹고 오는 길이올시다."

"우리집이 비록 구차하기는 하여도 면주인 집이라, 보통 객점과는 다르지요. 술이 끊길 날이 없소이다."

정호명이 방문을 열고 안에다 이르니 그의 아내가 술 한 동이와 장떡이며 침채 등속을 소반에 올려 들여주었다. 말없이 술잔이 오고 가는데 동이가 반쯤 비워지니 자연히 잔질의 사이가 뜨게 되었다.

"내가 무에 꺼릴 바가 있어 교묘하게 말을 돌리거나 회피를 하겠소. 댁네들의 내막은 아우에게서 소상히 들었습니다."

호명이 기다렸다는 듯이 시원스럽게 말을 꺼냈고 정원태가 만일을 돌아보았다.

"무슨 말씀을 하셨는지……"

"계의 얘기를 하였고, 제가 계에 들었다고만 하였습니다."

만일의 설명을 듣더니 정원태는 고개를 갸웃하였다.

"글쎄…… 그 얘기뿐이라면 소상하게 말씀드린 것은 아니외다."

"나는 아우의 말을 듣고 오히려 꾸짖고 힐난하였소. 검계의 소문이 근간에 사방 저자에 낭자하였으나, 내가 듣기로는 화적당에 지나지 않으니 대장부가 심곡에서 굽히어 숨어 살지라도 어찌 뜻 없는 무리에 들겠소이까. 비록 동당 입계하지는 않아도 관가에 발고하지는 않을 터이니 마음을 놓으시우."

호명은 서슴지 않고 말하였다. 시동이 참지 못하여 욱하고 대들었다.

"우리 계가 화적당 같고 뜻이 없는 무리라니 어떻게 보고 하시는 말씀이우?"

정호명은 껄껄 웃었다.

"노비들이 제 주인을 죽여 포한을 풀겠다고 당을 이루었다는 살주계나, 그와 체결하여 양반을 없앤다는 당신네 검계가 무슨 경륜이 있다는 게요? 저지른 일이란 부잣집을 겁탈하거나 노상 강탈을 자행하고 포도 군사 몇명을 살상한 외에 또 무슨 일을 하였소? 대저 큰일을 도모함에는 대의명분이 없어서는 성사하지 못하는 법이거늘, 한양의 노비 몇사람과 백두의 상한 몇몇이서 양반을 죽여 포한을 갚자는 것이 어찌 명분이 되겠소. 그깟 일이라면 이 말단 향임으로 밥 얻어먹고 사는 호명이가 진작에 혈기 있는 아이들 모아 산간에 들어가 개호랑이 노릇이라두 하였겠소. 내가 아우 만일이를 보아 호걸 대접으로 술 한잔 내는 것이니 이 술 마시고 돌아가우."

정호명은 기개 있게 말하고는 단숨에 죽 들이켰다. 정원태가 다시 잔을 쳐주며 말하였다.

"그러면…… 조카는 이조가 이 땅에 가장 가합한 왕조로 입국되었다고 믿으시오?"

"가합치 않으면 어쩔 것이오? 승즉군왕(勝卽君王)이요, 패즉역적(敗卽逆賊)인 바에 이태조가 이미 고려를 패망시키고 대명(大明)에 복속하여 누백년의 사직을 누려오지 않았소?"

"명은 오랑캐인 청에게 중원을 내주고 패망하고 말았지요. 삼라

제1장 미륵 325

만상이 그러하듯 나고 자라고 멸하는 이치인 고로 세상에 사람이 지은 것으로 세세무궁하는 것은 없는 법이외다. 더구나 전조가 퇴폐하고 늙고 병들어 망할 시기가 되었다고는 하나, 저 삼한 이래의 비원이던 요동과 부여의 옛 땅을 정벌하겠다던 최영의 뜻은 이태조의 회군으로 꺾였지요. 중원으로 향하던 웅비의 큰 뜻이 창끝을 제 집 울안으로 돌린 자에 의하여 비굴한 신하의 소국으로 바뀐 것이오. 송도 덕물산에서 최장군의 원혼을 받들어 모시는 까닭은 다 그러한 백성들의 안타까움 때문이오. 우리도 덕물산 큰굿에 가면 언제나 성계육(成桂肉)이라 하여 돼지비계를 나누어 씹지요. 요사이 사대의 명분을 말하는 자들이 대명이 망했으니 북벌을 해야 한다고 저마다 주장들을 하나, 청이 광야에서 몸을 일으켜 후금으로 중원을 도모한 사실은 잊고 있소. 이제 양란을 겪고 수차례의 흉년을 치러 아조의 다스림에 도와 덕과 인의가 말라버렸음을 아는데도, 오히려 백성들이 한 줌도 안 되는 사대부들에 눌려 살아 있으니 이는 천지가 제자리를 지키지 못함과 같고 봇물 막힌 물줄기와 다름이 없으며, 바람이 거꾸로 부는 듯하오. 이를 바꾸어 천민의 나라를 이루어야 제자리가 이루어질 것이오. 우리 검계는 미륵의 도를 구하며, 미륵께서 세간에 나타나 눌린 자들의 도솔천을 이루어주실 때를 준비하며, 드디어는 썩은 것과 낡은 것을 쓸어내고 용화세상을 이 땅에 세울 작정이오."

호명은 원태의 말을 듣고 있더니 조용히 일어나 절하고 앉았다.

"소인이 견문이 없어서 큰 잘못을 저지를 뻔하였습니다. 청컨대 저를 장수로 삼아 크게 써주십시오."

정원태가 정호명의 손을 잡고 나직하게 말하였다.

"이제 보아하니 정서방은 실로 심지가 굳은 사람이오. 우리가 비로소 역성혁명과 입국의 뜻을 밝혔으니 추호도 의심치 마시오."

"그렇게 믿어주시니 더욱 감격할 따름입니다. 나는 평소에 늘 최영 장군을 홀로 흠모해왔더니 오늘에사 그 신령께서 내게 진작부터 임해오셨음을 알겠습니다."

호명의 말에 시동이 맞장구를 쳤다.

"정장사를 계에 들일 때, 따로이 최장군의 넋에 붙여 굿을 하여 공수받도록 하십시다."

"그 참 그럴듯한 말이로군. 최영 장군께서 우리들 가운데 인도환생하신 것이니, 억눌리고 천대받는 백성들 가운데로 어지러운 세상을 뒤바꾸러 오신 게 아닌가. 미륵이 오실 적에는 또한 상천에 들지 못하고 백성들의 온갖 영산들과 더불어 캄캄한 하천의 암흑 허공을 떠도는 관운장이나 최장군 같은 이가 앞장서서 길닦음을 하지 않으랴. 정장사가 최영 장군의 혼령을 공수받는다면 나는 포은 선생의 넋을 받으려네. 일찍이 이조가 세워질 때, 정몽주와 최영이 원한의 피를 흘려 아직도 그 자취가 지워지지 않고 있네. 보게나, 사대부들은 대를 이은 원수지간이 되어 서로를 참살하고, 왕족은 골육상쟁으로 궁궐에는 살과 피가 서로 물고 찢는 비명으로 가득하고, 천재지변으로 흉년과 역병이 파도의 굽이처럼 차례로 세상을 덮고 있으며, 산곡마다 시체요 저자마다 유걸이고, 어미가 자식을 먹는 참경이 벌어지고 있잖은가. 이는 태조 이래의 국운이 이미 다하였음을 알리는 전조일세."

그들이 얘기를 나누는 가운데 문득 삽짝 밖에서 주인 계시오, 하는 굵직한 목소리가 들렸다. 정호명이 눈을 빛내며 일어서는데 김시동이 먼저 미닫이를 열고 되물었다.

"게 누구요?"

"어, 시동이로구나. 나 황거사여."

칠성암에서 전갈을 듣고 찾아온 황회였다.

"우리 향도올시다."

김시동이 정호명과 함께 마루로 나아가 마당으로 들어서는 황회를 맞았다.

"칠성암 들러서 오슈?"

"응, 여기 있다기…… 삼촌도 여기 계시다며?"

"예, 대덕님하구 같이 왔지요."

황회가 들어오니 정원태가 반가워하였다.

"부인하구 삼각산에 올라갔다더니 뭐 수도에 진전이 있었소?"

"차차 말씀드리지요. 이번에는 저두 성신을 몸에 받은 느낌이올시다."

시동이는 황회의 그러한 말에 떨떠름해진 얼굴이었고, 정원태는 그를 부추겼다.

"황거사 부인께서는 영평서 잘 알려진 성무이시니 부창부수가 된 셈이로군."

김시동이 정만일과 정호명을 황회에게 인사시켰고 그들은 맞절을 하였다. 인사를 하자마자 시동이가 다시 말하였다.

"고거사는 너무 저자의 속리를 밝히고 황거사께서는 이제 구름 속으로만 다니려 하니 우리 검계는 가랑이가 찢어질 지경이우."

황회는 시동이의 비아냥거리는 말뜻을 얼른 알아듣지 못하고 대꾸하였다.

"고달근이는 천생이 장바닥서 재간 팔아 반평생을 보낸 사람이니 그러려니 해라."

"성님은 재간 안 팔았수? 나두 성님 따라 난장 트러 다녔수. 내 애기는 두 성님들이 하나는 골에 빠지고 하나는 위로 치솟았단 말이우. 그러니 보통 길바닥으루 무리지어 돌아다니는 우리 같은 무지렁이들은 어쩌란 말이냐 하는 얘기요."

황회는 그제야 김시동의 옆구리를 지르는 말뜻을 알아들었다. 그는 잠시 고개를 끄덕이더니 초면인 정만일과 정호명을 돌아보았다.

"우리…… 식구가 되었소."

정원태가 웃으면서 말하였고, 황회는 입을 떼었다.

"나두 여환스님 뜻과 같소. 검계 가지곤 안 됩니다. 우선 포교가 넓게 이루어져야 할 것이오. 대덕 말씀대로 석가의 세월이 진하여 미륵존불께서 마땅히 세상을 주장하게 된다면, 그를 믿는 이들이 더욱 많이 생겨나야 하고 백성들 가운데 드넓은 개심이 일어나 개세할 바탕이 생기게 되겠지요. 심지어는 양반들까지도 미륵이 세상을 이미 바꾸었음을 알게 되면 그들도 스스로 마음을 돌릴 것입니다."

"앞뒤가 바뀐 얘기유."

시동이 퉁명스럽게 황회의 말을 끊었다.

"이것 큰일이로군. 전에는 성님이나 스님께서 그 둘을 함께 해나가자더니 어느 겨를에 선후를 두어 개세할 의논은 뒷발로 차던지구 말았네요. 오진암 법회 때 결정된 안과도 달라졌수."

"달라진 게 아니라니까. 그러나 지금은 우선 교세를 확장해야만 할게야. 검계의 계원들을 상좌로 삼아도 좋겠지."

정원태가 김시동을 바라보며 희미하게 고개를 끄덕여 보였으나 황회의 말을 막지 말라는 표시였다.

"황거사의 말은 내가 듣기로는 이전에 솔부리서 모였던 계회 때에 꺼냈던 안과 달라진 바가 없구먼. 여환스님이 절충안을 내지 않았던가. 검계는 식구들을 모으며 시기가 오는 것을 기다리고 미륵

향도들은 교세를 확충하면서 검계의 씨앗을 두껍게 싼다는 얘기였지. 내가 보기에는 김서방이나 황거사가 모두 같은 뜻임에도 자기의 일에 대하여 자만심이 생겨난 탓인가 하오. 떡을 하려면 떡메로 치는 사람도 필요하고 물칠을 하는 사람도 소용이 되는 법이지요. 그런 말싸움은 그만들 하고 어디 황거사 산에 올랐던 얘기나 들읍시다."

"내가 본시 진관사에서부터 드난살이로 타관을 이리저리 떠돌다가 정대덕을 노적사에서 만난 뒤로 미륵존불을 들어 알게 되었소. 그러니 나와 소싯적부터 형제나 다름없는 시동이나 달근이가 내 아무리 성신에 접한다 한들 그럴싸하게 여길 리가 없지요."

그 말에는 시동이도 픽 웃음이 나와서 황회와 마주 보며 웃었다. 시동이가 황회에게 말하였다.

"성님인지 거사님인지 똑바루 얘길 허시우. 우리네야 원래 먹을 것 없고 힘도 없어 절간에 의탁하고 걸립도 돌고 행상도 다니고 급기야는 몽둥이 들고 화적당이 되었지. 그러나 산지니나 나두 어른이 많이 되었수. 흐르는 물처럼 인간사가 바뀌는데 성님이라구 거사님 안 되란 법이 있수?"

"맞았소. 내 별호가 원래 사당 거사패 동무들이 불러주어 대덕이지, 우리 마누라도 보살이고. 허나 이제 모두 미륵님 앞에 다 같은 용화향도이니 너무 주장하지 마시오."

정원태도 그렇게 말하자 황회는 우선 술 한잔을 죽 들이켜고는 말을 이었다.

"아내와 내가 원래는 삼각산에 오를 때 백일기도를 작심하고 갔지요. 그러다가 마흔한 날을 채우고 내려오게 된 까닭이 있었소이다. 우리는 삼각산 북편의 멀리 도봉이 내다보이는 암굴에 자리를 잡고 날마다 목욕재계하고 분향하며 기도를 하였소. 내가 처음에 영험에 접한 것은 기도처에서 밥을 하여 바위에 얹고 나서 실물(失物)을 겪은 것이올시다. 아내와 나는 새벽부터 기도하고 해가 오른 참에 비로소 중화 겸하여 밥을 지어 천신드린 뒤에 먹고는, 또한 저녁에 남은 것을 죽 끓여 먹고서 잠들 때까지 기도를 하였지요. 기도를 드린 지 보름이 되던 날에, 그날도 중화를 지어서는 우리가 공을 들이던 암벽 아래의 반석에다 올렸지요. 바로 지척에 산에서 흘러내리는 실개천이 있었고 개천 건너편에는 우리가 기거하는 암굴이 있었습니다. 반석 위에다 밥을 천신하고서 그 자리에 엎드려 삼배를 드리고 일어나 보니까 밥주발은 그대로인데 밥이 말끔히 비워져 있더란 말이지요. 나는 놀라서 주발을 들어 살폈습니다. 밥알 한 알 남기지 않고 물로 씻어낸 듯이 싹 비워져 있었습니다. 뭔가 짐승이 물어 갔다면 찌꺼기도 흩어졌을 것이고 소리도 들렸을 텐데 절 세 번 하는 사이에 없어졌으니 도무지 귀신이 아니고야 될 법이나 한 일입니까. 아내가 신명께서 우리를 받아들일 모양이라며 기뻐합디다."

"원래가 실물이란 것은 신이 내리고 나서 두 번째로 오는 영험이요, 도중에 잡기가 끼이거나 만신 스스로가 수행을 게을리하면 영험은 그치게 마련이지."

정원태는 진작부터 안다는 듯 고개를 끄덕였다. 황회가 말하였다.

"한데 그날 밤 꿈에 나는 흰 수염에 도포를 입은 세 노인을 보았소. 나중에 아내가 삼신님이었다고 일러줍디다."

"삼신(三神)은 우리 조상 신령님들이시지. 환인 환웅 단군 할아버님들이 그이들이오."

"삼신께서는 제게 이릅디다. 뒤에 제석께서 이르실 것이니 잘 모시라구 그랬지요. 아내가 이르기를 십이 제국(諸國)의 조상신들 위에 삼십삼천의 주인 되시는 이가 제석(帝釋)이라 하였더니, 지난번에 여환스님이 그분이 바로 도솔천의 미륵님이라고 하십디다. 여환스님과 은율 만신은 제각기 미륵님을 뵈었다지요. 미륵님은 눈이 화등잔 같고 몸에는 금수복(錦繡服)을 떨쳐입고 징을 치면서 북방에서 현신하여 용을 타고 남북을 오르내린다고 합디다."

"즉 북방은 물[水]이요 만물을 생겨나게 하는 근본이고, 검은색은 현무(玄武)이니 천지의 조화를 이름이요, 물과 상극하나 지나치면 음을 내포한 채로 불이 되는 남방은 청룡(靑龍)이라 자비와 인(仁)을 이름이지요. 이는 개벽의 조짐을 스님께서 비유를 들어 풀이한 모양이오."

황회는 정원태의 말을 듣고는 이어서 답하였다.

"마흔한 날만 채우고 내려온 것은 천불산에서 신서(神書)가 와서 스님께서 우리를 급히 불렀던 때문입니다."

"신서라니?"

"삭녕 장군사에 의탁한 전서방 아시지요?"

"탑고개 꼭두각시패를 이끈 전성달이 말이오?"

"예, 그 사람이 시방 삭녕 미륵도의 상좌요."

김시동이 덧붙였다.

"성님 작은조카 되는 정명이가 안협 상수리 살지요? 해서의 전갈은 그쪽을 통하여 전서방에게 닿도록 되어 있습죠."

"응, 정명이가 제 형 원명이와 함께 왔더라. 여환스님께서는 그것이 물론 큰스님들께서 보낸 것인 줄로 알고 깊이 공부를 하시고 이번 칠성암 큰재 때에는 신서를 나누어주시고 함께 법문도 나누기로 하였소. 내가 대강 보았는데 언문과 진서가 섞여 있어서 뜻이 간추려지지 않아도 금당개세(今當改世) 미륵출래(彌勒出來)라는 구절이 있습디다."

정호명의 집에서 정만일과 김시동 황회 정원태는 밤을 새우며 얘기를 나누었고, 사촌아우의 뒤를 따라 검계와 미륵도의 향도로 들게 된 정호명은 최장군이라는 별칭을 얻어듣게 되었다.

칠성암 큰재 때에는 그들이 늘 말해온 대로 미륵도라는 과육(果肉)을 검계라는 중핵(中核) 위에 거죽을 싼다는 격식이 갖추어졌다. 여환이 미륵도의 종사(宗師)를, 만신 계화가 수보살, 그리고 황회가 대덕(大德), 정원태가 대덕을 맡았고, 혜음령 중길이네 살주계 식구들이 보낸 최영길은 혜음령 상좌를, 정호명이 양주의 상좌, 정만일이 영평의 상좌, 전성달이 삭녕 상좌 등을 맡았으며, 파주의 묘옥이 이경순에 대신하여 수보살이 되었다. 시내비골 사람들 모두와 파주, 양주, 적성, 영평, 연천, 삭녕 사람들이 재에 참례하니 소문을 듣고 몰려든 인파가 거의 천여 명에 이르렀다.

칠성암의 주봉은 감악산(紺岳山)이니 영근산은 그 한 지맥인 셈이었다. 감악산을 풍수로 살펴도 그 조종(祖宗)이 귀하고, 그를 둘러싸고 호종하는 산이 두텁고, 앞뒤가 상응(相應)하고, 봉우리가 단정하며, 한탄강의 푸른 물을 굽어보니 징파와 합수(合水)되어 복룡(福龍)이 되는 셈이라, 예로부터 송도의 덕물산과 더불어 성산(聖山)으로 알려져왔다. 영근산의 구름을 넘자마자 감악산 주봉을 중심으로 마차산(摩次山) 설마치(雪馬峙) 옥돌산(碍磧山) 등의 능선이 울타리 치듯 둘러선 가운데 아늑하게 내려앉은 들이 시오 리쯤 펼쳐져 있었다. 이쯤의 솔밭 아무 데나 멍석 차일을 치면 수백 명이 눕고 일어나고 뛰어도 흔적이 보이지 않을 만하였다.

칠성암 큰재는 암자에서 모두 치를 수가 없어서 아예 감악산 들로 나아가 노천에다 솥을 걸고 차일을 치고 하였다. 만신 계화, 황회의 아내인 영평의 금방울 만신, 계화의 남편 박수 김승운 등이 굿을 벌이는 것을 처음으로 하여 여환스님이 미륵님께 치성을 드리고 설법하였고, 만신들과 장군사의 전성달네 광대패들이 뭇 향도들과 어울려 한바탕 질펀하게 무감을 놀았다. 그동안에 정호명과 정원태는 재에 참례한 사람들의 거주지 성명을 일일이 적어두었으니 천여 명이나 되었다. 재가 끝나고 나서 각 지역의 상좌들과 검계의 핵심이 모여앉아 여환이 언문 토를 단 신서에 대한 설명을 듣고 나누어가지게 되었다.

호남 간지에 깨알처럼 써내려간 신서의 첫머리에는 금당개세미륵출래라고 씌어 있었다.

시속이 승불경불(僧不敬佛)하고 속즉경불(俗則敬佛)하니 이 같은 때에는 용이 아들을 낳아 주국(主國)하는데 풍우부조(風雨不調)하고 오곡이 불성(不成)하여 민인(民人)이 모두 굶어죽고 미륵이 현신한다.

이와 같이 미륵이 꼭 나타나게 될 금세를 밝혀놓고 나서 감결(鑑訣)을 적어두었으니, 이는 왜란과 호란을 전후하여 여러 지방에서 책자가 나돌아다녔고 뜻을 알고 모르고 간에 널리 베껴서 백성들의 손에 옮겨졌던 터이다.

천지(天地)에는 음양(陰陽)이 먼저 주장되는도다. 곤륜산(崑崙山)으로부터 온 맥(脈)이 백두산(白頭山)에 이르고 원기(元氣)가 평양에 이르렀으나 평양은 이미 천 년의 운수가 지나고 송악(松岳)으로 옮겨져서 오백 년 도읍할 땅이 되나 요망한 중과 궁녀가 난을 꾸미고 땅 기운이 쇠패(衰敗)하고 하늘 운수가 비색(否塞)하여지면 운수는 한양(漢陽)으로 옮길 것이다. 전쟁은 평정되지 않고 충신은 죽었으니 건곤(乾坤)이 긴 밤중이로다. 내맥(來脈)의 운수가 금강산으로 옮겨 태백산 소백산에 이르러 산천의 기운을 뭉쳐서 계룡산(鷄龍山)으로 들어갔으니 정씨(鄭氏)의 팔백 년 도읍할 땅이니라. 어린 임금이 단신으로 의지할 데가 없어서, 가가인삼(家家人蔘)이요, 촌촌수저(村村水杵)요, 인인진사(人人進士)일 것이니 세상 사람들이 다 알 것이요 재물은 알고 몸 있음을 모른다. 한강물이 붉은빛으로 사흘간 끓고 피가 궁중에 흐르고 해와 달이 서로 싸우고 검은 구름 안개가 이레 동안 하늘을 덮으면 진인(眞人)이 남해도(南海島)에서 나와 계룡산에 창업한다. 사자(士者)가 횡관(橫冠)하고 신인(神人)이 탈의(脫衣)하고 주변(走邊)에 기(己)를 비꼈다가 성인휘자(聖人諱字)에 가팔(加八)하고 계룡산 돌이 희어지고 청포(淸浦)에 대[竹]가 희어지고 초포(草浦)에 조수(潮水)가 생겨 배[舟]가 다니고 누른 안개와 검은 구름이 사흘 동안 가득 차 있고 혜성(彗星)이 진성(軫星) 머리에서 나와서 하간(河間) 혹은 북두(北斗)에 들어가고 자미원(紫微垣)에 범하고 두미(斗尾)에 옮기고 두성(斗星)에 이르고 남두(南斗)에 끝마치면 대중화(大中華) 소중화(小中華)가 함께 망할 것이다. 삼각산(三角山)이 규봉(窺峯)이 되고 백악(白岳)이 주산(主山)이 되고 한강(漢江)이 허리띠같이 두르고 계락산(稽絡山)이 청룡(靑龍)이 되고 안현(鞍峴)이 백호(白虎)가 되고 관악(冠岳)이 안산(案山)이 되고 목멱(木覓)이 남산(南山)이 되었도다.

네 도둑이 들어와 도둑질하나 두 번 반드시 중흥(中興)할 것이요 관악산이 안산(案山)이니 왕궁이 세 번 화재를 당할 것이요, 단우(丹宇)에 불꽃이 일어날 것이요, 위에서는 근심하고 아래에서는 흔들릴 것이요, 아전이 태수를 죽이고 삼강오륜이 영영 없어질 것이니라. 뒷사람들이 만일 지각이 있으면 먼저 십승지(十勝地)에 들어갈 것이니 가난한 사람은 살고 부자는 죽을 것이다. 부자는 돈과 재산이 많기 때문에 섶을 지고 불로 들어가는 것 같고 가난한 사람은 일정한 산업이 없으니 어디를 간들 가난하고 천하게 살지 못하랴. 그러나 조금이라도 지각이 있는 사람은 그 때를 보아서 행하여야 한다.

만일 말세에 이르면 아전이 수령(守令)을 죽여서 조금도 기탄(忌憚)이 없고 위와 아래의 분별이 없어지고 강상(綱常)의 변이 잇달아 일어나서 필경은 임금은 어리고 나라는 위태하여 대대로 국록을 먹는 신하는 죽음이 있을 뿐이다. 말세의 재앙은 아홉 해 큰 흉년에 백성들이 나무껍질을 먹고 살 것이요, 사 년 동안 인명이 반은 덜릴 것이요, 사대부의 집은 인심에 망하고 벼슬아치의 집은 이익을 탐하는 데서 망할 것이다. 세간(世間)은 장구하지 못하리니 임금이 무사(無嗣)에 명산에 기불(祈佛)하니 종금 이후론 마땅히 이을 자가 있을 것이요, 이제 인간당경탕(人間當傾蕩)이라 십이 제국이 마땅히 진함(盡陷)할 것이니 신병(神兵)이 장구입성(長驅入城)하리라. 비결(祕訣)에 이르니 기사(己巳)에 쥐처럼 훔치는 도적이요 경오(庚午)에 용이 울고 신유(申酉)에 군사가 사방에서 일어나고 술해(戌亥)에 사람이 많이 죽고 자축(子丑)에 오히려 정하지 못하고 인묘(寅卯)에 일을 바야흐로 알 수 있고 진사(辰巳)에 성인이 나오니 오미(午未)에 즐거움이 당당하리라. 무기진사(戊己辰巳)에 어지러운 용이 합문(閤門)에서 일어난다. 세 전내(奠乃)가 내응하여 나라를 멸하리라.

그해가 정묘(丁卯)년이요, 무진(戊辰)년은 바로 돌아오는 명년이라 뜻을 잘 모르는 향도들도 공연히 가슴이 두근거렸다. 여환은 신서를 덮으면서 말하였다.

"명년에 국운이 크게 변할 것을 선인들은 이미 기록하여 남기고 있소이다. 미륵의 세상으로 개세(改世)되리라는 것을 이 신서로 보아 알 수가 있습니다. 이제 때는 무르익었으니 손을 뻗쳐 따기만 하면 됩니다. 나무 헌거도솔 당래교주 미륵존불……"

칠성암 큰재가 끝나고 나서 여환은 계화와 더불어 인근 미륵도들의 지역 법회를 방문하였다. 각 지역 상좌들의 보고로는 차츰 향도가 늘어나고 있었으며 여환의 안찰(按擦) 무마로 병이 나은 백성들 사이에는 성인이 나왔다는 소문이 낭자하였다. 신민(新民)에는 교(教)가 방편이요 교를 넓히는 데에는 다시 의통(醫通)이 법방이 된다던 얘기가 맞았다.

6

시월에 접어들자 만산홍엽(滿山紅葉)이라 산천은 샛노랗게 누렇게 또는 갈색 혹은 다홍 자주 등의 색깔로 물들었고, 구월산은 이름 그대로 가을 산이 되어서 골골이 옥수요 봉봉이 불붙은 듯하였다. 원향이는 여환 계화와 작별한 뒤에 일단 월정사를 떠나기로 하였다. 사당말 백련이며 옥여스님이 말렸지만 원향은 자신의 수도를 위해서도 혼자 지내는 것이 나을 것 같았다. 박수 오계준은 자기와 함께 신천으로 가자고 하였으나 원향은 단군 성조님을 몸주로 모시었으니 구월산 인근을 떠나기가 싫었다. 원향은 정신이 들고 나서 처음으로 사선골 옛터를 찾아가보았다. 사방은 적막한데 길이며 타버린 집터며 마당의 분간을 못 하도록 키 넘은 잡초가 자라고 있었고, 타버린 서까래가 비바람에 씻기었으나 검은 숯의 형적은 그대로였다. 깨어진 장독, 무너진 돌담, 타다 남은 초가지붕들이 잡초들 사이에 흉측한 도깨비처럼 숨어 있었다. 바람이 골짜기로 스쳐지날 적마다 예전과 다른 소리로 변하는 듯하였다.

어머니, 준보야······

불 가운데서 외치던 모친의 비명이 들리는 것만 같아서 원향이는 흠칫, 사방을 둘러보고는 하였다. 마을 뒤편 둔덕에는 떠나던 생존자들이 시신 수습하여 이루어놓은 묘지들이 양지녘에 옹기종기 모여 있었다. 아직은 떼가 이루어지지 않아 벌건 흙이 마른 채로 듬성드뭇하였다. 딱히 어느 뫼랄 것도 없이 그것들을 한데 싸잡아서 원향이는 중간쯤을 어림짐작하여 바라고 섰다. 그러고는 엎드려 절을 삼세번 올렸다.

고이 잠드소서.

돌아서서 마을을 내려다보니 골짜기 안쪽에는 불이 미치지 않았던지 성한 집이 두어 채 보였고, 원향이는 아예 사선골에서 신당을 차리고 자리를 잡을 생각을 하게 되었다. 그러면 이 터전서 떠도는 원혼들이 자기의 비나리를 받아 정토로 돌아갈 것이며 그들의 비원을 자신의 몸에 깃들이도록 해줄지도 몰랐다. 원향은 여환이 언젠가는 찾아오리란 기약을 진심으로는 믿지 않았다. 또 어느 십수 년이 흘러가게 될 것인가. 안무당의 내림굿 해주시던 정성이며 그녀가 내려준 신물은, 바로 이 구월산에서 가장 큰 만신으로 공을 이루라는 막중한 소임을 물려준 것이 아니었던가. 원향은 안무당의 마지막 말이 잊혀지지 않았다.

아사달 옛 터전 단군 성조님의 뜻이 새겨 있으니 너는 가장 크고 깊은 신의 뜻을 이어받은 만신이 되어야만 한다. 네가 서해 용왕님이 지시하신 용녀이고 구월산 산신님의 몸주 받은 큰무당이니라. 이 땅의 서편에서는 너보다 더 큰 성신을 모신 이가 없다.

원향은 등짐으로 져온 요령과 신칼 그리고 징과 바라를 이전 안무당의 낡은 철릭에 함께 싸서 눈여겨둔 집으로 가져다가 선반의 먼지를 털고 얹어두었다. 마당의 잡초를 뽑고 샘에서 물을 길어다 툇마루에 켜켜로 앉은 먼지를 닦았고, 방에는 우선 마른 짚을 펴서 깔아두었다. 사람의 손이 가니 제법 귀신의 형용은 사라진 듯하였고, 습기를 말리느라고 아궁이에 불을 때어 매캐한 청솔 타는 연기가 주위에 가득하니 제법 폐촌에 인적이 생겨난 것 같았다. 봇짐에 가져온 곡식이 말가옷 되었으니 한 되 남짓은 덜어내어 신당 차릴 선반에 얹고 향촉은 준비가 없어 그대로 지내기로 하였다. 낯익은 샘에 찾아가니 역시 쑥밭 잡초 덤불인데 왕개구리들이 놀라서 이리저리로 투덕거리며 뛰어 달아났다. 원향은 돌 위에 올라서서 옷을 차례로 벗었다. 석양이 나뭇잎 사이에 발긋거리는데 물은 차갑고 투명하였다. 깨어진 옹기로 물을 담뿍 떠서 목덜미께에 부었다. 머리끝이 쭈뼛하고 시린 느낌이 등골을 타고 내려 발뒤꿈치까지 뻗쳐내려갔다. 다시 가슴에 부으니 젖을 타고 흘러내려 아랫배를 지나 무릎으로 흘러 떨어졌다. 원향은 샘물로 온몸을 정히 씻고 머리를 감고 다시 이리저리 널린 세간을 정돈하여 이 빠졌으되 형체는 그대로인 흰 사기 대접을 내어 옥수(玉水)를 떠서 신당 앞에 바치고 예전처럼 기도를 올렸다. 정신이 한곳으로 쏠리면서 차츰 사위를 잊어갔고, 눈앞에 무수하게 흰옷 입은 영산들이 흘러 지나가는 게 보였다. 그들은 얼굴도 없었다. 다만 허연 자취뿐이었다. 그들 가운데 준보와 모친이 섞여 있을지도 몰랐지만 이미 무덤들 앞에 섰을 때와는 달랐다. 그것들과 원향의 사이에는 엷은 안개 같은 것이 막처럼 가로 쳐져 있었고 원향이도 그 안으로 생각이 쏠리거나 넘나들지 않고서 그저 부동하여 흘려보낼 따름이었다. 다시 깊은 어둠이 계속되었다. 얼마나 되었을까, 눈앞이 다시 부옇게 되더니 밖에서 홀연 자기를 부르는 소리가 들렸다. 원향아, 내 아기 원향아. 문살 틈으로는 어느결에 떠올랐는지 달빛이 새어들어 방 안이 훤하게 밝아 있었고, 원향이 문을 밀자 바로 허공에 웃음을 머금은 듯한 봉우리의 하얀 얼굴이 기다리고 있었다. 사황토월(思皇吐月)이었다. 구월산의 제일봉인 사황봉 위에는 단군 천왕당이 있었으며 만신들뿐 아니라 인근 백성들은 아직도 새봄이 되면 풍년을 비는 재를 올렸으니 하눌님을 그린다 하여 사황봉이다. 사황토월은 동천에 높이 솟아오른 달빛을 받은 봉우리가 인자한 하눌님의 얼굴로 나타나 뵈는 모양을 일컬은 것이다. 원향은 어릴 적부터 그 모습을 우러러뵈어왔으나, 이제 문득 자기를 부르는 소리와 더불어 대하니 산 전체가 고개를 수그리고 웃으면서 얼굴을 가까이 들이대는 것만 같았다. 온몸이 짜릿하며 불이 몸속에 들어오는 듯하였다. 오너라, 아가야. 산은 우렁우렁하는 소리로 원향을 부르고 있었다. 원향은 저도 모르게 풀과 잡목을 헤치고 눈에 익은 비탈을 오르기 시작하였다. 정곡사(停穀寺) 가는 길을 휘돌아 용못골로 올랐다. 돌 사이로 엇갈리며 부딪쳐서 흘러내리는 물소리가 어둠 가운데 가득 찼는데 먼 데서부터 용연(龍淵)의 폭포소리가 바람결에 뒤섞여서 쏴아 하는 고함을 내지르고 있었다. 큰 고함에 간간이 또랑또랑 쿨럭쿨럭 보콤보콤 하는 물소리가 부르고 답하며 원향을 지나쳐가고 있었다. 용연에 이르니 달빛에 반사된 폭포수는 하늘에서 내리꽂힌 신칼처럼 번뜩이고 물 위에는 부서진 달빛의 조각들이 흩어지고 있었다. 원향은 다시 그 자리에 엎드려 자신을 점지하였다는 용왕님께 빌었다. 탑고개 만신께서 처음 원향을 보자마자 용녀(龍女)라고 불러주지 않았던가.

원향은 폭포의 원류를 따라서 올랐고, 그 위에는 넓은 바위 위로 맑은 물이 잔잔히 넘쳐나고 있었다. 이곳이 알 자리라 용신께서 알 낳는 곳이어서 원향은 다시 기도를 드리고 사황봉으로 올랐다. 길이 차츰 가팔라지고 험해져서 원향은 무릎이 깨지고 손바닥이 벗겨졌다. 밤새껏 기어올라 봉우리 꼭대기에 오르니 달은 벌써 져서 사방은 캄캄칠흑인데 구월산 상상봉은 자못 넓고 편편하였다. 원향은 동남쪽의 바위 끝에 가서 앉아 숨을 돌렸다. 그러고는 합장하여 일어나 천왕당 자리에다 대고 절하기 시작하였다.

홀연히 바람이 일어나는가 싶더니 그녀의 치마폭을 한껏 날리면서 불어오기 시작하였다. 원향은 입을 반쯤 벌리고 바람을 마음껏 들이마셨다. 바람은 원향의 머리털을 날리고 뺨을 어루만지고 몸을 스치면서 다가왔다. 그러나 아무 소리도 들리지 않았다. 어둠 가운데서 길다란 놀의 띠가 나타나고 있었다. 새벽바람과 더불어 빛이 번지고 있었다. 이 터전 백성들의 자리를 살피시던 단군 할아비의 눈길이 지금 트여가고 있는 것이 아닌가. 그 바람은 바야흐로 원향의 고향 풍천(豐川) 여기포 갯가에서 해를 맞아 들이쳐오는 바람이 아니던가.

어쨌거나 날은 밝고 있었다. 놀의 띠는 차츰 번져나가 치마폭에 떨군 꼭두서니 물감처럼 아니면 구월산 철쭉의 분홍에서 아기 무당의 볼에 번진 익은 복숭아의 도홍으로 이리 점점 저리 뭉클 번지고 뻗치고 새어나오는 참이었다. 바다며 하늘의 위는 아직은 야청과 쑥색, 그리고 놀이 번져가면서부터 그 근처는 보라였다. 구름도 익고 어둠을 벗기 시작하는 봉우리들도 무르무르익는다. 드디어 빠알간 해가 구월산 동편 드넓은 어루리벌의 실개천과 강줄기들을 물들이며 떠올라왔다. 아득하게 구름 사이로는 연두와 진초록의 숲이 보이고 뒤로는 이제야 빛을 받기 시작하는 검은 바다 위로 빛의 반점이 번지기 시작한다. 낙엽송과 잡목들은 햇빛 속에 너울대고, 저 아래 할아비께서 승천하신 단군대와 장재이벌의 너른 가슴팍이 보였다.

아사봉 단군대 사황봉, 기중에서 이 자리는 성조께서 나라의 터전을 잡기 위해 등람(登覽)하신 곳이다. 산은 봉봉맥맥이 꿈틀꿈틀 휙 돌아져 삐쳤다가는 스을쩍 굽어져 흐느적이다가 다시 가파르고 또 흘러 축 처지면서 들판으로 숨는다. 동남향으로 안악 신천 재령의 어루리벌 장재이벌 나무리벌이 펼쳐 있고 서북으로는 황해와 대동 강 어귀가 바라보인다. 원향은 두 손을 합장하고 섰다가 문득 눈앞 이 아찔해지면서 온몸이 허공에 둥실 떠오르는 것만 같았다. 그녀는 입을 벌리며 뒤로 넘어졌다. 얼마나 지났을까, 사위는 고요한데 바 람도 그치고 그저 환한 대낮이 산정에 내려앉아 있었다. 원향은 비 칠거리며 산을 내려왔다.

원향은 사선골에 마련한 신당을 그대로 둔 채 사황봉과 단군대와 아사봉을 번갈아 오르내렸다. 자신의 몸주가 되는 단군 성조님께서 낳으시고 살으시고 승천하신 영처(靈處)를 좇아 더욱 강한 힘을 물려 받으려는 것이었다. 원향은 사황봉 바로 근처에 바위절벽이 처마끝 처럼 비죽이 솟은 곳에다 수도처를 잡았다. 원향은 샐 녘에 칠성을 살피고 일어나 먼저 알 자리에 찾아가 목욕하고 사황봉까지 올라 해 맞이를 하였다. 그러고는 바위 아래 고요히 앉아 합장하고서 마음을 모았다. 어느 꿈결에 수염이 하얀 노인이 나타나 원향에게 책을 주 었고 그 뒤에 섰던 이들이 차례로 나오는데, 청룡을 타고 오는 서해 용왕은 여의주를 주었으며 백호를 타고 오는 구월산신은 염주를 걸 어주고 말에 탄 최장군님은 청룡도를 내려주었다. 만신 할머니가 연 꽃으로 치장한 가마에 타고 앉아서, 네 소임이 중하고 또 중하다, 모 든 신명들의 인정을 받았으니 두려워 말아라, 하고는 사라졌다. 원 향은 신어머니를 부르며 두 팔을 젓다가 깨어 일어났고, 아래쪽에서 는 숲을 흔들고 있는 폭포소리뿐이었다. 백일기도를 드리는 사이에 가을이 저물어갔고 서리 내릴 무렵하여 원향은 그 사선골 폐허 가운 데 있던 신당 차린 오막살이로 돌아왔다. 이따금씩 약초 캐는 이나 나무꾼 또는 버섯 따는 아낙들이 지나다가 새로이 생겨난 처녀 무당의 기도처를 보고 들르기 시작하여, 은율과 송화의 산촌에서 시골 아낙네들이 곡식을 가지고 찾아오기 시작하였다. 차츰 큰굿을 청하는 여자들도 많았으나 원향은 굿만은 아직 사양하였다. 거의가 병이나 환난을 액막이해줄 비나리 고사가 대부분이어서 이른바 선무당인 셈이었는데, 신통하게도 원향이 아픈 이의 몸에 손을 대어 넋두리하면 금방 나았다.

오계준은 오진암 법회 이후에 여환과 약조하였던 대로 우선 월정사 사당말의 임가며 백련이 등과 더불어 관북 관서 쪽으로 흘러가는 동급들 가운데서 믿을 만한 광대패들을 찾았다. 먼저 평양 강계 의주로 나가는 패와 원산 함흥 등지로 나가는 패들이 있었으니 그들은 주로 갯가 어부 선상들 또는 극변지의 군졸이나 만상(灣商)을 상대로 하였고, 대도회라면 역시 평양 의주가 으뜸이었다. 내륙으로는 운산(雲山)과 희천(熙川) 등지의 광산으로 나가는 패들도 있었다. 이들은 다시 연희철이 끝나면 거의 평양 근교나 원산 외곽에서 모이니 겨울철에는 휴면하는 까닭이었다. 맞임개에서 조운선을 타고 월당강을 빠지면 이내 대동강이어서 내왕에 수월하였다. 오계준은 천직이 박수이니 간단한 무구(巫具) 챙겨 지고 해서의 곳곳을 돌아다닐 수가 있었다. 그는 자비령 길산내 산채에도 갔고, 평산서 안협을 여러차례 오르내렸다. 즉 안협 이정명네를 통하여 홍성산 장군사에 의탁한 탑고개 유민들과 연락하였으니 전성달은 이를 받아서 다시 해서 관서 쪽의 소식을 여환에게 전하여주었던 것이다. 역시 해서에서는 감영(監營)이 있는 해주(海州)가 요지였으므로 강령에 떨어진 구월산 유민들과 송화 문화 신천 재령 등지의 천민들을 묶는 일이 중하였다. 주로 무업 또는 광대질 또는 행상 또는 산간의 승려들이었는데 대략 손쉽게 꼽아서 서른 남짓은 될 듯하였다. 이들이 다시 삼사십씩의 대를 이루면 천여 명 가까이 될 것이고 감영은 쉽게 점령할 수가 있을 것 같았다.

오계준은 진작부터 원향이 무업을 벌인 것을 알고 있었으나, 워낙에 소메(牛山浦)와는 팔구십 리 길이라 성큼 발길이 가지 않았던 터이다. 은율 조산틀에도 동당이 될 사람들이 많았는데 그들은 은근히 장길산이나 구월산 녹림당이 찾아와주기를 바라는 눈치였다. 그도 그럴밖에 구월산 인근 사읍은 물론이요 멀리는 재령 서흥 신계 평산에서까지 저들의 활빈행이 있어서 일반 백성들은 모두 그들 편이었던 것이다. 누구나 드러내놓고 말하지는 않았으나, 그들이 봉산 근처에서 은거하고 있음은 대개들 아는 눈치였다. 오계준이 막바로 나라를 뒤집자는 말은 못 꺼냈지만 그저 벼슬아치들의 횡포를 막기 위하여 풍류계(風流契)를 짜서 서로 굿이나 동제를 지낼 적에 협조하고 관의 침탈이 있으면 미리 방비하자 하였더니 우선은 무당 박수들이 너도나도 들었고 이어서 각 촌락의 동제 맡는 이정이나 집사 맡는 이들도 서로 들었다. 그 짜임새는 굿패와 광대패들이 밑받침이 되었으니 연결은 그물코와 같고 내밀하기가 참빗 틈새와도 같았다. 동제를 지내려면 적어도 그 지역에 사는 박수 무당은 거의 동원되어야 하고 서로 다른 구역으로 조력하러 넘나들기도 하였는데 이러한 조정을 모두 오계준이 하였던 것이다. 그는 굿패의 총대로뿐만 아니라 한 풍각쟁이의 잽이로서도 그의 음률과 가락을 따를 자가 없어 기능이 모자라는 조무(助巫)들은 그에게서 며칠씩 밤새워 배우고 성무가 되곤 하였다. 당굿이나 풍어제나 산제나 하여간 어느 고장이든 제 바닥에 걸맞은 동제를 지내려 하여도 우선은 신천 소메의 박수 총대 오계준을 찾아와 논의를 하게끔 되었다. 그러면 오계준은 대강의 굿

절차를 협의하고 나서 그 지역과 가까운 곳에 있는 풍류계의 무당잽이들에게 통기하고 그는 굿하기 며칠 전에 가서 제 비용이나 사례를 따지고 나서 그를 균등히 나누어주고는 하였다. 오박수가 들어서면 공연히 행하를 가지고 티격태격하는 일도 없어지고 무당잽이 곁꾼들에게까지 혜택이 골고루 돌아가게 되므로 그는 눈코 뜰 새가 없이 불려다녔다. 어떤 때에는 말썽을 조정해달라고 그를 부르는 촌락이 있을 정도였다. 그의 별호는 소매 큰박수였다. 오계준은 아직까지는 그와 절친하고 가까운 무당 박수나 여염의 양민 동무들께 속마음을 털어놓지는 않았다. 그러나 일단 때가 무르익으면 처음에는 셋 중 하나는 나설 것이고 오히려 성사될 듯싶어지면 그 열 배로 늘어나리라고 믿고 있었다. 오계준은 자신들의 계를 위한 큰굿을 구월산에서 열리라 작정하고 있었고 이번에 원향의 단풍맞이굿을 열어줄 작정이었다. 무당이 몸주를 받아 내림굿을 하고 나면 그 영험의 성장을 위하여 한 해에 꽃맞이와 단풍맞이 두 차례의 굿판을 열게 되는데, 판에서의 새 무당의 놀이 실력을 보아 그 영력의 성장도를 판단하는 것이었다. 오계준이 원향을 해서의 큰만신으로 올리려는 데에는 까닭이 있었으니, 그가 길산의 양모 재인말 큰만신 안씨의 신딸이며 장차 미륵도의 종사스님인 여환과 맺어지게 된다는 것이다.

오계준은 여느 때처럼 맨손에 봇짐도 없이 중치막에 방갓 쓴 차림으로 집에서 나왔다. 가는 데마다 계원 집이니 숙식은 한두 끼 걱정이 없었다. 그리 바쁜 길도 아니라 까막내 길산네 누이 집서 하루 자고 이튿날 구구월(口九月)의 사선골로 올라갔다.

늦가을에 접어들어 단풍 물든 나무들도 잎을 떨구기 시작하였고 마른 풀에는 서리가 뽀얗게 끼었다. 오계준은 실로 오랜만에 사선골에 가는 길이라 폐촌 된 꼴을 처음 보았다. 갈대가 흐드러지게 피어

나 바람결에 날리고 있었으며 드문드문 산국이 취월(翠月)색으로 피
어 한들거렸다. 이리저리 무너진 돌담과 타버린 집터를 지나 마을의
안쪽으로 들어가는데 연기 나는 집이 문득 보이는 것이었다. 계준은
새로 두른 청솔 울바자를 돌아서 마당으로 들어섰다.

"원향이 있느냐?"

마침 신당을 차려둔 안방에서 기도 중이던 원향이 소스라치게 놀
라 뛰어나왔다.

"삼촌께서 웬일로 원행이십니까."

"그래 수도는 진전이 많더냐?"

"아직 들인 공이 없지요."

오계준이 원향의 안색을 살피더니 고개를 끄덕였다.

"음, 얼굴에 신기(神氣)가 깃들인 것을 보니 이 당이 명당인 모양이
다."

"구월산 정기 탓이지요."

계준이 보기에 원향에게서는 여인의 자색이 사라졌고 어딘가 냉
랭하고 살기가 깃들여 보여서 감히 범하지 못할 분위기가 감돌았다.
눈빛은 쏘는 듯하고 얼굴은 무표정하며 마치 백지에 그린 것처럼 인
상이랄 것이 없어 뇌리에 남지 않았다. 그가 좋은 말을 하여도 입가
에 희미한 미소가 지나가는데 표정은 역시 같을 뿐이었다. 아마도
사선골서 관군의 손에 죽은 착한 백성들의 원령이 신통한 영력으로
그 여자에게 깃들였는가.

"안으로 드시지요."

원향이 청하여 오계준은 들어가서 신당을 마주하고 앉았다. 화상
도 없고 향촉도 없으나 나지막한 선반 위에 안무당이 내려준 요령과
신칼 그리고 징과 바라, 다 낡아서 퇴색한 홍철릭 한 벌이 차곡차곡

정리되어 얹혀 있고 바가지에 정갈하게 담은 쌀 한 되가 있을 뿐이었다. 오계준은 방 안을 한 바퀴 둘러보고 말하였다.

"날 따라서 소메로 나가지 않은 게 오히려 네게는 좋은 일인 것 같구나. 나는 어느 당이든 안 가본 데가 거의 없으니 만신의 영험은 살에 끼치는 감으로 대번에 안다. 원향이가 성신과 함께 있는 것이 분명하구나."

"어찌 오셨는지요……"

"응 그래, 네가 재인말 큰만신께서 내려준 내림굿을 했으나 이제는 진작(進爵)을 할 때다. 마침 우리 해서 계원들도 꽃맞이를 못 하였으니 이번에 단풍맞이로 축신(祝神)굿을 해야겠다."

오계준은 잠깐 사이를 두었다가 계속해서 말하였다.

"너도 아직 세상이 어떠함을 모르는 연소한 아녀자라 하나 대충 어찌 돌아가는지 눈치는 있을 터이다. 내가 듣기로 네 가족은 풍천 살 적부터 침학을 받아 유리하다가 월정사 풍열스님에게서 건져졌다지. 구월산의 활빈당이 모두 토포되고 인근에 살던 백성들은 죄도 없이 죽고 다치고 쫓겨났다. 네 신어머니 되시는 안무당도 그런 포한을 지니고 돌아가셨다. 네가 일찍이 계화 부부에게 구원되어 신천에 찾아왔을 때 나는 네 실성한 꼴을 보고 수십 번 입술을 깨물었느니라. 너는 비록 그 당시 실성했었다지만 여환스님을 비롯한 우리들의 결의를 눈치챘을 것이다."

"명심하구 있어요."

오계준의 장황한 이야기를 자르는 것처럼 원향은 조용하게 대꾸하였다.

"우리 무당들의 계에 대하여도 조금은 알지요."

"그래, 네 말을 들으니 내가 미리 염려하지 않아두 되겠구나."

"저는 몸주님 되시는 단군 성조님께 맹세하였습니다. 천지를 개벽하는 일에 제 작은 몸을 던지겠다고요. 저는 장차 여환스님과 함께 한양의 경조 인근으로 올라갈 것입니다. 그러려면 우선 외응할 군사 노릇을 하게 될 해서의 장정들을 알아두어야만 할 거예요. 맞이굿을 해주신다니 좋은 기회입니다. 비용은 아끼지 마셔야 할 거예요."

"월정사에 가서 옥여스님이나 풍열스님께도 아뢰고 의논을 드려야겠지."

"아니어요. 그이들이 비록 우리와 뜻을 같이하는 분들이라 할지라도 이 일은 전혀 우리들의 일이지요. 미륵님은 한 미륵님이시지만 우리에게는 상제님도 제석님도 하눌님도 되시지요. 뜻이 같다 하여도 예는 다를 수가 있어요. 그래야만 우리의 둘레로 들어오는 백성들의 연계가 튼튼해질 거예요."

오계준은 자기도 모르게 자세를 바로 하였다. 그도 크게 고개를 끄덕이며 감탄하였다.

"오, 이제 보니 원향이는 어린 아녀자가 아니라 큰만신께서 이르신 대로 용녀로구나."

그리고 그들은 굿터에 대하여 의논하였는데 구월산 시루봉〔甑山〕에 있는 단군대(檀君臺)에서 열기로 하였다. 수십 길의 절벽 위에 많은 사람들이 운집할 만한 천연의 석대(石臺)가 있는데 옛적에 성조께서 그곳에 오르셔서 국도가 될 곳을 전망한 곳이라 하였다. 시루봉 아래 패엽사(貝葉寺)가 있었는데 그 절 주승은 바로 풍열스님을 따르던 아우뻘 되는 스님이라 의탁하기도 편하였으나 원향의 의견을 따라서 그냥 사선골서 준비를 해가지고 산에 오르기로 하였던 것이다. 오계준은 원향과 함께 월정사에 올라가보았다. 옥여스님이 반가이 맞는데 풍열스님은 얼마 전에 강원도로 떠나셨고, 옥여는 여환스님을 기다린다 하였다.

"동짓달에 온다고 하였으니 여환당과 동행하여 금화(金化)로 갈 예정이오."

"지난번에 말득이가 송도 가는 길이라며 들렀더군. 요즈음 은광 잠채 일에 몹시 바쁜 모양이던데. 장두령과 강선흥이는 노상 산채를 비우고 김선비와 최흥복이가 지키구 있다구 합니다."

"저희는 시루봉 단군대에서 금년맞이굿을 열까 합니다. 원향이 만신맞이굿 겸하여 저희 계원들이 한번 모여보려구요."

오계준이 말하였고 옥여도 반가워하였다.

"이건 뭐 되지도 않는 중노릇 하느라구 오박수 혼자 계를 짜는데 도와주지도 못하였구려. 모두 얼마나 될 것 같소?"

"글쎄요, 여기 임거사 백련이하구 원향이 저, 그리고 사당말서 잽이들하고 우리 안무당 식구만 하여도 열 가까이 됩니다. 이런 식구들이 십여 대가 모일 것이라 백 명은 족히 됩니다. 하긴 뭐 단골들이나 동제 식구들에게까지 알린다면 온 해서가 들썩들썩할 것입니다."

"나도 이 구월산의 생각 있는 승려들과 참례하려오. 암자를 빼고도 십구 사(十九寺)가 되는데 한 도문으로는 이십여 인이 되오."

"스님만 오시지요. 승속이 다르고 허니……"

오계준이 원향을 힐끗 쳐다보며 말하였다.

"음, 딴은 그렇군. 차라리 그전에 여환수좌가 온다면 그가 참례하는 게 낫겠구먼. 자아, 그러면 우리는 공양미나 조금 내리다. 성조님이나 제석님께 바치든 미륵님께 바치든 모두 중생을 위한 것이라 석존께서두 시샘은 않으시리다."

옥여가 이렇게 말을 하여 셋은 모두 웃었다. 그들은 휴면 중이라 모두들 출행을 쉬고 있는 사당말에 내려가 오랜만에 여러 사당 거사들과 만났다. 그들도 맞이굿에는 여럿이 나와 일손을 돕기로 되었다.

오계준이 우선 송화에 들러 까막내 박서방댁을 통하여 장연 은율 문화 등지에 퍼진 안무당의 신딸 신아들 등께 알리도록 해두고, 자신은 얼른 소메로 돌아가 풍류계의 통문(通文)을 돌렸다.

이 소식은 곧바로 안협의 이정명에게 전해졌고 곧 삭녕 홍성산의 전성달에게 닿았다. 전성달은 탑고개 괴뢰배의 총대라 해서의 재인 무당패를 모두 알고 있어서 여간 반가운 일이 아니었다. 그는 황회와 여환에게 해서의 맞이굿판에 대하여 알렸다. 원래 단풍맞이굿이라는 것이 날짜가 늦어진 셈이기는 하였으나 원향의 기도가 끝나는 철을 잡아 맞이굿하는 핑계를 대는 셈이어서 이미 날짜는 입동을 지나 대설이 다가오는 십일월 초순에 잡혀 있었다.

여환은 기왕에 동안거를 들어가기 전에 구월산에 들러 원향을 만나려던 참이었고, 그맘때에 찾아가겠노라고 원향이뿐만 아니라 옥여에게도 약조를 해둔 터였다. 여환은 미륵도의 남은 일은 계화에게 맡겨두고 황회 전성달과 함께 십일월 초사흗날에 구월산을 향하여 떠났다. 삭녕 거쳐 평산으로 하여 곧장 서북로를 타고 신천 소메의 오계준네 집으로 찾아들어갔다.

"오박수 계시우?"

전성달이 먼저 삽짝 안으로 들어서며 부르자 오계준이 뛰어나오며 반겼다.

"어이구…… 이게 누군가. 아니 여환스님도 오시고."

여환은 계준의 집에는 처음이라 이리저리 둘러보았다. 초가삼간이었건만 뒤뜰에는 솔가지와 갈대가 더미로 쌓였고 마루도 반들거리며 윤이 났다. 아낙이 없는 살림인데도 박수란 또한 세심하기가 이러하여 절간의 조촐함에 비할 만하였다. 방 안에 앉아서 여환이 황회를 소개하였더니 저희끼리 연줄을 캐고 하는 것이었다.

"음, 그러고 보니 우리 황대덕이 일찍부터 진관사에서 의탁하던 재인이었소. 부인도 영평서 무업을 하시고."

여환이 거들어주자 황회가 계준에게 물었다.

"전상좌에게 들으니 전에 월정사 사당패에 들었다던데 혹시 안성 청룡사나 동작진패를 아시우?"

이를테면 그 줄에서는 오계준이 까마득한 성님 격이라 빙긋 웃었다. 사실 그는 초로에 접어들고 있었던 것이다.

"글쎄요…… 구월산 식구 총대로 있는 임서방이 새파랗게 젊었을 적이니, 내가 알던 이들은 모두 저승패가 되었을 게요."

"고달근이나 김복만이 생각이 납니까?"

"예, 모두 알지요. 연평 조기철에 몽구미에서 함께 놀았던 일이 있습니다."

"모두 제 동무들입니다."

"따져보니 한식구들이구먼."

전성달은 까마득한 아우뻘이 되어도 이런 수작이 오가는 것이 즐거운 모양이었다.

"굿은 거의 준비가 되었나요?"

여환이 계준에게 물었다. 계준은 반닫이 속을 뒤적여서 책 한 권을 꺼냈다.

"거기 점고된 것이 이번에 굿에 오기로 응낙한 계원들입니다."

여환이 대강 눈으로 짚어보니 재령과 신천이 평야지대라 물산이 많아 그런지 십여 명이 넘었고 평산 신계 서흥 봉산에서도 각각 십여 명, 그리고 안악 문화 은율 송화 장연 등지에서 오륙 명, 끝으로 강령 배천 연안이 한꺼번에 이십여 명이 되었다. 전성달이 아는 체를 하였다.

"성명을 보아허니 예전 사선골 살던 동무들이로군. 그래서 머릿수가 많은 모양이우."

"맞소, 사선골 살던 이들이 시방 강령에 몰려 살지요. 동절이라 예전 살던 곳도 찾아볼 겸 하여 서로 식구가 온통 나서겠다는 것을 실제 계원으로 쓸모 있을 만한 이들로 추린 것이지요. 배천 연안서 오는 이는 예전에 나와 함께 해주 교방밥을 먹던 잽이 동무들이고……"

"그이들이 일대에서 모두 신도들을 이끌고 있겠지요."

황회가 말하고 오계준이 답하였다.

"그렇지요. 대개들 작으면 동네 서넛을 맡고, 크면 대처나 군이나 동네가 열 군데는 되겠지요."

여환이 속으로 대강 추려서 짐작해보는데, 백여 명이 조금 못 될 듯하였다. 이들 무계(巫契)는 거의 해서 전역에 걸쳐 있는 연계였다. 한양이 뒤집어졌다는 통문만 전해지면 그들을 동원하여 군과 감영을 점령하기란 손쉬운 일이었다. 진인(眞人)께서 이미 한양 성내에 자리를 잡았다는 소문이 나고 보면 천민들은 제각기 자기 고을에서 양반들을 들이칠 것이고, 저들은 서로 향병을 일으킬 틈도 없게 될 것이다.

이튿날 식전에 여환 황회 전성달은 소매를 나섰고, 오계준은 재령 계원들과 봉산 계원들이 오는 것을 기다려 뒤에 사선골로 찾아오기로 하였다. 그들은 은율 내고개를 넘어서 이미 노루꼬리만 한 겨울

해가 지고 나서야 사선골에 당도하였고 깊은 골짜기에는 불빛 한 점 보이지를 않았다. 동네에 들어서자 전성달은 예전부터 탑고개서 사선골로 자주 마실을 다녔으니 길이 눈에 익어야겠는데 도무지 사위를 분간할 도리가 없었다.

"이거 원, 이렇게 달라지다니. 길이 있어야 갈 게 아닌가."

그도 그럴 것이, 길은 마른 풀과 갈대로 뒤덮였고 돌담은 무너졌으며 집의 형체를 알아볼 수가 없었다. 먼 데 산에서는 밤새가 울었고 스산한 바람이 골짜기 속을 스쳐왔다. 여환은 이리저리 살피는데 먼 데서 뭔가 불빛 한 점이 보이더니 움직이기 시작하였다. 여환이 그쪽으로 나서면서 일행을 끌고 갔다. 황회는 발을 헛디뎠는지 앞으로 고꾸라져서 무릎이 깨어졌다. 이런 낭패가 없었다.

"어이."

하고 입가에 손나발을 대고 여환이 외치니 불빛은 일렁이며 다가왔다. 그들은 잠시 어둠 가운데 주저앉아 있었다.

"거기 누구셔요?"

원향의 목소리였다. 여환은 치켜올려진 관솔 횃불 아래로 흰 소복을 입은 원향의 모습을 보았다.

"나다…… 여환이다."

원향이 그제야 잽싼 동작으로 갈대를 헤치고 다가들었고 세 사람은 엉거주춤 일어섰다.

"거기는 개천 자리여요. 겨울이라 물이 말랐지요. 이리루 올라오셔요."

원향이 내민 손을 여환이 잡았다. 손은 따뜻하였다. 여환은 위로 올라섰고 이어서 황회와 전성달을 끌어올렸다. 올라서고 보니 길이 있던 자리라 평탄하였는데, 갈대에 가려서 전혀 보이지 않았던 것이다.

"어찌 알고 나왔느냐?"

"아니 그저…… 혼자 앉았는데 조바심이 일어나서……"

원향은 그 무렵쯤 하여 여환이 온다는 것을 오계준에게 들어서 알고 있었다. 저녁에 밥을 짓는데, 아궁이 앞에 앉았으려니 부지깽이를 잡은 손이 자꾸 떨리고 명치 아래가 간질거려서 도무지 봉당에 앉아 있기가 불안하였다. 내 신명이 왜 이다지 방정을 떨고 있는가 하여 원향은 저도 모르게 벌떡 일어나 마당으로 나갔다. 울타리 너머로 어둑어둑 저문 하늘이 보였고 갈대의 꽃은 하얗게 남은 빛을 던지고 있었다. 원향은 저 비스듬히 하늘을 가르고 지나가는 구구월의 연봉과 고개를 바라보고 있었다. 그제야 원향은 알았다.

"양주서 그이가 오시나 보다."

그렇지 않고서야 자기의 신명이 이렇게 깨어 일어나 안달을 일으킬 리가 없었다. 원향은 불을 대충 빼어 다른 쪽 아궁이에다 잠재우고 소롯이 남은 밑불에 뜸을 들이면서 신당 차린 방에 들어가 일심을 모아 기도하였다. 그러나 귓바퀴에서는 연상 밖에서 갈잎을 스치며 지나가는 바람소리가 발걸음 소리처럼 들려왔다. 죄받을라. 이런 안달을 하다가는 내림굿 받은 영험을 다 거두어가실라. 원향은 밥도 먹지 못하고 어둠 가운데 두 손 합장하고 앉아 있었다. 눈앞에 뭔가 퍼뜩하는데 스스로의 가슴 복판에서 착 가라앉은 소리가 들리는 듯하였다. 님이 오신다, 네 오라비, 네 남편이 오신다. 원향은 하, 숨을 내쉬더니 눈을 감았다. 두 손 모으고 고개 치켜든 원향의 눈에서는 눈물이 스르르 흘러서 뺨을 타고 내렸다. 슬픈 까닭이 아니었다. 마음의 둥그런 곳에 여러 구석이 있건마는, 이제는 이리저리 부딪치며 떠서 흘러다니지 않고 가운데에 고요히 머물러 있는 줄로 알았다.

그 마음 한쪽에 상한 데를 잊고 있었거늘 느닷없이 자신의 혼백이 상흔에 닿아 다시 이리저리 부딪쳐 흐르고 있었다. 마치 작은 샘 위의 표주박처럼. 이 무슨 인연이랴. 여환의 손길에 닿았던 바로 그 상처 난 마음자리가 여환을 부르라고 거칠게 뛰고 있었다. 원향은 비로소 밤이 이슥해졌음을 알고 관솔불을 밝혔다. 원향은 불을 밝혀들고 몇번이나 마당을 서성거렸고, 이어서 꿈결에서인 듯 사람의 외쳐부르는 소리를 들었던 것이다.

여환과 황회 전성달은 방에 들어가서 한숨 돌렸고 원향은 서속에 쌀을 나누 섞어서 저녁을 지었다.

"어이구, 하마터면 길 잃고 산속에서 얼어죽을 뻔하였네."

전성달이 중얼거렸고, 황회는 얼굴을 찡그리고 바짓가랑이를 걷어올렸다.

"그래두 무릎이라 다행이군."

불빛에 살피니 황회의 무릎이 돈짝만 하게 벗겨져 피가 맺혀 있었다. 여환이 말하였다.

"세상이 이와 같이 명명(冥冥)하거늘 신불(神佛)은 언제나 이루어질 것인가."

전성달과 황회는 그 말에 문득 서로를 쳐다보았다. 조금 아까 완전히 그들을 꼼짝도 못 하게 붙잡아두었던 암흑이 새삼 다르게 여겨졌던 것이다. 바로 길을 찾으려고 수많은 백성들이 넘어지고 비틀거리며 구렁을 헤매고 있는 것이다.

원향이 저녁을 들여오는데 소반 하나 없어서 왕골로 엮은 채반 위에다 받쳐들었다. 그래도 서속밥이긴 하나, 사발 그득하고 마른 나물 등속에 버섯국이며 장이 놓였다. 그릇이 모자라서 대충 표주박과 나무 그릇이 끼여 있었다. 황회가 다가앉으며 힐끗 원향을 올려다보왔다. 머리를 틀어얹지 않았고 그렇다고 귀밑머리로 땋아늘이지도 않았으며 목 뒤에 흰 끈으로 삼단 같은 머리를 잘록이 매어두었으니 처자가 분명은 하였으나, 여환과의 사이가 애매하여 난처하였던 것이다.

"어, 이거 인사두 없이 그냥 먹을 수도 없고, 처자에게 내외하기도 뭣하고."

황회가 두 사람을 번갈아 바라보며 중얼거리니 여환은 말이 없고 전성달이 얼른 나섰다.

"옹, 다 조카뻘이고 식구 같고 그러면 되지 뭘. 내야 사당말서 어릴 적부터 보아와서…… 이이는 저어 영평 사는 황거사님이시고 안댁이 만신이라네."

원향이 윗목에서 다소곳이 앉은 채로 허리를 굽혀 보였고, 황회가 돌아앉으며 마주 꾸벅하였다.

"공양하였나?"

전성달이 여환 대신 물었다.

"예, 어서 드십시오. 먼 길 오셔서 시장하실 텐데."

원향이 권하자마자 그들은 제각기 밥을 들어 수저질을 시작하였다. 원향은 윗목에서 조용히 앉아 있었다. 상을 물리니 군불을 따뜻이 넣은 방구들 탓인가, 식곤증인가, 셋은 몸이 녹적지근하게 내려앉았다. 황회가 어깨를 두드리기도 하고 장딴지도 치면서 하품을 하였고, 원향이 얼른 일어났다.

"편히들 주무시지요. 저는 저 윗방으로 건너가겠습니다. 이불이 한 채뿐이라 덮고만 주무셔요."

"아닐세, 우린 그냥 구들목 짊어지고 자면 되어. 봉노에서 자던 버릇이 배어 덮으면 답답해 못 자네."

전성달이 말하였지만, 원향은 더이상 대답 없이 윗방으로 건너갔다. 여환은 잠시 앉았다가 방 윗목 고리짝 위에 얹힌 뻘이불을 안아 들더니 마루를 건너갔다.

"불은 넣었느냐?"

여환이 이불을 내려놓고는 방에다 손을 대보았고 원향은 이불을 밀어내듯이 하면서 말하였다.

"아이, 손님들 덮으시게 그냥 두시잖고……"

"우린 괜찮다. 헌데 이제 맞이굿을 하면 백여 명이 들이닥칠 터인데 어디서 묵고 어디서 밥을 지으려느냐."

"동네가 반나마 부서졌다고는 하여도 이 윗골 쪽에는 토방이 성한 집이 여러 채니까 군불만 넣으면 되어요. 그리고 정곡사에서 가마솥을 여러 개 빌려올 것이구요."

여환은 더는 뭐라고 건넬 말이 없어져서 머뭇거리다가 말하였다.

"자거라……"

"주무셔요."

여환은 다시 신당방으로 돌아왔고 황회는 벌써 코를 고는 중이었다. 전성달이 말하였다.

"왜 건너오시우?"

여환이 대꾸 없이 그의 곁에 누우니 성달은 다시 말하였다.

"내가 오박수에게서 듣기로는 두 사람이 가약을 맺기로 하였다는데 뭘 우물쭈물허시우."

여환은 돌아누웠다가,

"불 끌까요?"

하고는 일어나서 관솔불을 불었다.

새벽인가. 멀리 정곡사에서 치는 범종소리가 구구월의 골짜기 가운데로 날아가고 있었다. 여환은 눈을 떴다. 윗방에서 미닫이를 여닫는 소리가 들렸고 원향의 발소리가 나더니 신당방 앞에 와서 섰다. 여환은 슬며시 일어나 방문을 열었다. 원향이 작은 목소리로 말하였다.

"스님, 이리 나오셔요."

여환은 대답 없이 밖으로 나섰다.

"기도드리느냐?"

"예, 신당에서 드리지만 오늘은 스님이 오셨으니 제가 모시고 갈 곳이 있습니다."

원향이 앞서서 걷기 시작하는데 여환은 뒤를 따라나섰다. 새벽공기가 차갑게 코끝에 끼쳐왔다. 그들은 사선골 오른쪽으로 돌아서 골짜기 위로 올랐다.

"어디로 가느냐?"

여환이 물으니 원향이 뒤돌아 기다려주면서 답하였다.

"제가 수도하던 곳엘 찾아갈까 해요."

"어디…… 정곡사 근처인가."

"아뇨, 용연에 가는 거예요. 저를 점지하신 성신이 서해 용왕이고 저는 용녀가 아닌가요. 몸주님은 단군이시고 구월산에 내리시지요. 용의 몸을 받아 사황봉에 밝게 뜨는 해를 혼백으로 태어났다지요."

여환은 원향의 뒤를 따르기만 하였다. 두 사람은 원래 산간에서 자라 별로 힘들이지 않고 정곡사로 들어가는 일주문 앞에 당도하였고 그 옆길로 빠져서 계속 올라갔다. 용연비폭(龍淵飛瀑)이라 하나 절벽 가녘으로는 얼음이 하얗게 얼어붙어 기둥처럼 섰고 그 가운데 좁아진 물줄기가 마치 명주 수건처럼 휘날리는데 물 떨어지는 자리는 그대로요 못의 주위는 얼어붙었다. 여환이 두리번거리니 멀리 동이 트고 있었으며, 폭포가 마주 보이는 병풍 같은 바위에 두 사람은 서 있었다. 원향이 두 손 모으고 비나리를 하였고 여환은 나직하게 염불하였다. 드디어 컴컴한 하늘이 부옇게 밝아왔다. 그들이 각각 염불을 그쳤을 때 원향이 말하였다.

"저를 데리러 오셨나요?"

"그래, 내가 온다구 하지 않았더냐."

"전생의 오누이가 아니라 부부 화합하는 것인가요?"

"지어미 지아비가 되어야지."

"아이를 낳게 되나요?"

"동남동녀(童男童女)로 살지."

"그럼 우리 여기서 목욕재계해요."

원향은 앞장서서 용알 자리로 올라갔다. 여환이 뒤를 따라서 올랐는데, 그는 어찌된 셈인지 실성한 원향을 간병하던 때와는 달리 심신이 차분하였다. 그들은 옷을 벗었다. 새벽의 냉기가 맨살에 와닿았다. 원향과 여환은 나란히 얼음 위로 걸었다. 맨발이 떨어지는 것 같았다. 그들은 반석 위에서 손으로 흐르는 물을 떠서 몸을 닦았다. 살갗이 찢어지는 듯하였다. 그들은 서로의 어깨 위에 물을 부어주었다. 떠오른 햇살에 얼음 같은 물방울은 살아 있는 생명처럼 반짝이며 부서져갔다. 여환은 장삼자락으로 원향의 젖은 몸을 닦아주고 자신도 몸을 닦았다. 옷을 입고는 왔던 길을 되돌아 내려왔다. 여환의 차가운 손을 자신의 차디찬 손으로 움켜쥐며 원향이 말하였다.

"우리는 이제 부부예요."

내려오는 동안에 그들의 몸은 다시 더워졌다. 사선골로 돌아오니 신당 안에선 아직도 전성달과 황회가 잠에서 깨어나지 않고 있었다.

맞이굿을 이틀 앞두고 전성달과 황회는 사선골의 빈집들을 대강

치웠고 월정사에서는 옥여가 사당말의 거사들과 백련이를 비롯한 사람 몇을 데리고 사선골로 내려왔다. 그들은 미곡 한 섬과 장을 가져왔다. 정곡사에서는 가마솥이 내려왔고 아낙네들은 장정들의 도움을 받아 돌 위에 솥들을 걸었다. 옥여와 여환은 원향이네 옆집에 치워진 손님방에 앉아서 오랜만의 회포를 풀었다. 옥여가 말하였다.

"자네를 기다리고 있었네. 풍열스님께선 지난 가을에 오진암을 떠나 금화 천불산으로 가셨어. 한양에서의 거사를 기다려 근기 일대의 사찰로 다시 옮기신다구 하셨지. 나도 이번 동안거는 천불사에서 보내고 구월산에는 다시 돌아오지 않을 작정일세."

"미륵도의 교세는 차츰 자라나고 있네. 지난번에 천불산에서 신서(神書)가 와서 모두들 다시 적어 나누어가졌지."

"신서라니…… 경문 말인가?"

"감결(鑑訣)이라네. 선조조부터 널리 퍼져 있었던 괴서일세. 불가에서 볼 제는 취택할 바가 없으나, 우리가 역성혁명을 도모하려면 백성들께는 꼭 필요한 책이 될 게야."

여환은 그러한 책이 산문에서 흘러나오지 않았으리라는 것을 잘 알았다.

"천불산에서 보냈다고는 하나 나는 이 책이 고성(高城)의 설선비가 적은 것이라 여겨지는군."

"그럴 테지. 운부 큰스님께선 그러한 세간의 참서(讖書)가 매우 유용하다고 생각하시니까."

하고 나서 옥여가 말하였다.

"믿을 수 있다든가 없다든가는 아무런 문제도 아니야. 말세에 이르러 약하고 가난한 백성이 살아남고 탐욕스럽고 인의 없는 권세가와 왕조는 멸망한다는 예언이 우리가 취할 점이거든."

그러나 여환은 웃지 않고 말하였다.

"나는 저들 백성들처럼 그 사실을 굳게 믿네."

"허어, 아무렴. 자네야말로 양주의 산 미륵이신데……"

"여기 오던 날 새벽에 원향이하구 나는 혼례를 올렸지."

옥여가 말하였다.

"드디어 사음계를 범하였는가?"

"우리는 용의 못에서 물로 가약을 맺은 셈일세. 동남동녀의 부부가 되기로 하였지. 나는 이제 동녀인 원향과 연을 맺으면서 미륵으로 환생하려네. 건도(乾道)에서 곤도(坤道)로 가는 새세상인 셈이지. 보살을 거치지 않고는 어미를 통하지 않고는 태극(太極)을 통하지 않고는 조화의 개벽은 이루어지지 않을 게야. 원향은 단군 성조를 몸주로 받아 수도하는 가운데 스스로 깨쳤던 게야."

"자넨 이미 불가를 떠났군."

"아닐세, 내 한 아비의 혼백을 가지고 미륵에게로 나갈 테여."

옥여는 그렇게 말하고 있는 여환을 물끄러미 바라보았다. 여환은 계속해서 말하였다.

"올해가 정묘(丁卯)년이고 내년이 무진(戊辰)년일세. 세상에서는 무진년에 양반은 상사람이 되고 천민은 양반 된다고 유언(流言)이 낭자하다네. 일찍이 단군께서 아사달에 무진입국(戊辰立國)하지 않으셨나. 우리는 명년에 반드시 거사를 일으켜야 하네."

옥여가 말하였다.

"무슨 해가 되었든 거사는 해야지. 자네가 소식만 주면 우리는 사방에서 벌떼같이 일어나 산문을 박차고 나가게 될 걸세."

구월산 인근 사읍인 은율 송화 문화 안악 등지에서는 전날 오전부터 사람들이 올라와 굿 준비를 거들었고, 오후가 되자 오계준이 신천 재령 사람들을 데리고 떼지어 몰려들었다. 사선골은 구구월의 가장 깊숙한 골짜기요 때가 초겨울이라 관의 기찰은 없는 눈치였다. 설령 있다 하여도 해서의 무계가 모여서 뒤늦은 맞이굿을 한다는데야 별 까탈이 있을 것 같지는 않았다. 해서 무계의 총대 격이 오계준인지라 먼저 와 있던 사람들은 모두들 밖으로 나와 인사하였다. 남자들이 쓰기로 한 원향이네 옆집 초가의 안방에는 각 지역의 나이 많은 박수들과 스님들이 있었고 건넌방에는 젊은 화랭이들이나 거사들이 모여 있었다. 그들은 반 이상이 무부(巫夫)였다. 저녁참이 되어 평산 신계 서흥 봉산 사람들이 몰려왔고 봉산 사람들 틈에는 강말득도 끼어 있었다. 아마도 김기가 이쪽의 되어가는 사정을 보려고 보낸 듯하였다. 저녁을 먹고 나서 날이 저문 뒤에야 강령 배천 연안 사람들이 모여들었는데 황회와 전성달은 전의 경험도 있고 하여 동네 어귀의 길초입에다 화톳불을 크게 피워서, 밤에 오는 사람들이 길을 잃지 않도록 해두었다. 강령 패거리들이란 모두가 사선골서 쫓겨났던 구월산 난민들이었고 배천 연안 장연 등 감영이 있는 해주 근처 사람들은 오계준이 예전에 교방밥을 먹으며 해금으로 날리던 시절에 사귀었던 악사 잽이들이었다. 사선골 살던 강령 사람들이 들어서자 원향이는 마주 달려나가 서로 손을 맞잡고 울었다. 백련이와 임거사도 그들과 서로 안부를 물었다.

"여기가 얼마나 좋아. 구월산 소나무 잣나무 냄새에 절로 가슴이 후련해지는구먼. 강령이야 갯가라서 온통 뻘바탕이라 물은 짜지, 바람은 끈끈하지, 나무는커녕 갈대 물풀만 키 넘게 자라는걸. 그저 굴 따고 조개 주워먹는 맛으로 낙 붙여 살지."

사선골 살던 광대의 아낙 하나가 눈물을 찍어내며 말하였다.

"그래, 원향이 자네가 탑고개 만신네 뒤를 이었다니 이런 경사가 어디 있나. 겸사겸사하여 우리게서는 죽은 이들 넋걷이라두 해주려구 이렇게 몰려왔지. 우리네야 동절밖엔 어디 집에 붙박여 있을 수가 있어야지."

"저 혼자 동네로 돌아와 이 골 혼백들 모셔놓구 신당에 빌었지요."

"그래 고맙다. 원혼들이 얼마나 피눈물을 흘렸을꼬."

"맞이굿하기 전에 가장 먼저 해원(解冤)굿부터 해줍시다."

"가만있자, 이 집이 누구네 집이었지. 옳아, 그러고 보니……"

아낙네는 울음을 먼저 터뜨렸다.

"얼룩댁 집이 아녔어. 그 집 식구가 길로 나오다가 칼에 맞아 질질 끌려갔다지."

울음을 터뜨린 것은 아마도 얼룩댁이라는 광대의 식구들 때문이 아니라 집 잃고 가족 잃은 원한 때문일 것이다. 옆에 섰던 이들이 제각기 등을 두드리고 달래면서 방으로 데리고 들어갔고, 전성달도 사선골 패들과 인사를 나누었다.

"살아 있었구먼. 하긴…… 우리두 얘기는 들었네. 이쪽이야 갯가라지만 그래두 해서의 울안인데 자네들은 삭녕까지 끌려갔다니 얼마나 고생이 되었나."

"고생이야 뭐 팔도 어딜 가든 고생길이지요. 저희는 이제 자리를 잡았습니다. 거기 장군사라고 절에 의탁이 되어 걸립도 돌고 행상도 다닙니다."

"어디 두고 보세. 우리가 이대로 늙어죽나 저희들이 망하나. 여기 살 제 우리두 어엿하게 역을 진 백성이었어. 오랑캐나 왜인들에게는 꿈쩍도 못 허구, 갯가에 황당선이라두 와보게. 쌀 달라면 쌀 주고 물 달라면 물 주고, 그뿐인가. 당왜화를 주고받으니…… 그저 우리네

같은 천덕쇠들은 함부로 때려죽이고 내쫓아도 된다 그 말이지. 제
식구나 새끼들 때려잡는 가장(家長)치고 밖에 나와 사내 구실하는 놈
못 봤네."

전성달도 하는 수 없이 강령서 온 광대를 달랬다.

"자, 아저씨, 그러니까 우리가 옛말두 하구 포한두 갚아보자구 이
렇게 모이지 않았습니까."

"암, 갚아야지. 갚아야 하구말구."

"저어기, 풍류계 총대하는 오계준이라구 전에 구월산서 모가비하
던 아저씨 아시죠?"

"아다뿐인가. 오박수 해서에서 모른다면 아예 쟁인이 아니지."

그들은 떠들썩하게 여기저기서 아는 체를 하면서 손님방으로들
들어갔다. 아낙들은 국밥을 날라주느라 정신들이 없고, 오계준은 계
의 좌장들과 굿 준비들을 하느라고 정신이 없었다.

역시 주무(主巫)는 오계준이 하기로 되었고 맞이굿의 주무는 원향
이 서기로 하였으며 조무(助巫)는 각 지역의 만신 박수들이 제판을
한 대목씩 맡아나가도록 하였으며 바라지와 잽이들은 주로 광대 거
사패들이 하기로 되었다.

밤에 곳곳마다 화톳불이 피워지고 우선 사선골의 원혼들을 저승
으로 천도하기 위한 해원 수왕굿이 시작되었다. 계준이나 원향은 나
서지 않고 사선골 사람들이 주동이 되고 산청굿 초부정 칠성굿에서
조상 수왕 마당굿으로 이루어진 열두 마당이 한밤중까지 계속되었
다. 사선골과 월정사 사당말 사람들은 간간이 서로 부여잡고 울기도
하였고 사람들이 말리기도 하였다. 그들의 정경을 보아온 해서의 천
민들은 그들의 형제가 구월산에서 어떤 일을 겪었는가를 훤히 알 수
가 있었다. 그들을 서방 정토로 배송하고 나서 한동안 분위기는 침

울하였다. 연이어 맞이굿이 시작되는데 계준은 잽이석에 앉아서 해금을 켰다. 오랜만에 듣는 오박수의 음률이라 하여 한동안 굿보다 풍악이 먼저 계속되었다. 홍치마에 전복 입고 띠를 매고 머리에 꽃갓 쓰고 왼손에 삼지창, 오른손에 요령과 부채를 쥔 원향이 굿판 가운데로 걸어나왔다. 울긋불긋한 옷과 원향의 젊은 맵시는 불빛에 일렁여서 연꽃이나 모란이 피어난 듯하였다. 좌중에서 서로 묻고 대답하는 소리가 퍼져나갔다.

"저 만신이 어디 만신이래?"

"여기 사선골 살았다더군. 어미와 동생이 창에 찔리고 불에 타죽었다지. 그뒤로 신이 내렸다더군."

"허어, 맵시 한번 곱다."

"나이는 어리고 저래 보여도, 해서 만신 중에 가장 연로하고 영험 있다던 그 안무당 만신의 내림을 받았다데."

"안무당이라면 그 뭣인가…… 구월산 된목이골의……"

"왜 아닌가. 활빈도를 이끌던 장장군님의 수양모친이지."

"큰무당이었지. 내가 어려서 어머니를 따라 구월산에 단군제 지내러 와서 뵈었네. 떡시루를 물고 두어 식경이나 경정춤을 추는데 기운도 천하장사여."

이 같은 소리가 퍼져나가 원향이가 해서 만신의 가운데 기둥이 되는 소임을 내림받았다 하여 다른 지역의 선무당들이 나와서 빌었다.

원향의 맞이굿은 새벽녘이 되어서야 마감이 되었다. 원향은 몇번이나 기절했다가 다시 깨어났고 시루를 입에 물고 춤을 추어 안무당의 영험이 깃들여 있음을 보여주었다. 오계준을 필두로 하여 모든 사람들이 남부여대하여 구구월의 능선을 타고 시루봉[甑山]의 단군대를 향하여 올라갔다. 구월산성을 돌아 패엽사의 뒷길로 하여 수십

길의 낭떠러지가 깎인 듯 섰는 시루봉 처마바위에 이르니 동이 트는 중이었다. 처마바위 밑은 수십여 명이 서 있을 만하였고 그 아래 사궁석(射弓石)이 있는 활터는 가히 백여 명이 모일 만하였다. 단군대에서 바라보니 멀리 아득한 곳에 장재이벌의 너른 평야가 펼쳐 있고, 부처고개 돈산 건지산 천사산과 추산 광대산 등의 구릉이 점점이 보였다.

오계준과 황회 전성달 여환과 원향 그리고 몇몇 박수와 무당들이 참례하여 단군대에 제물을 마련하고 산제를 올렸다. 바람은 시루봉을 맴돌라 쏜살같이 퍼져나가더니 그들의 제사에 응답이라도 하는 양 빽빽한 송림을 파도처럼 휩쓸어갔다. 수억 천만의 솔잎 사이로 새어나가는 바람이 결결이 합쳐서 상제(上帝)의 신장(神將)들이 목청을 모아 궁음(宮音)의 목구멍 소리로 낮고 길게 부르짖는 것 같았다. 구름이 짙고 어둡게 깔린 초겨울의 하늘 끄트머리에 붉고 노란 광명이 번져나가면서 해가 떠올라왔다. 오계준이 먼저 징을 잔잔하게 두드리며 나직하게 시나위를 창하였다.

구름이 이리저리 찢어지면서 빛은 사방으로 번지고 새어서 땅 위를 적셨다. 단군께서 여기 앉아 이 땅의 백성들이 살 터전을 살피시던 자리의 바위와 하늘과 시루봉은 여전하건마는 그때의 화평은 조선 천지에 찾을 데가 없다. 제 조상을 잊고 조상 대하기를 헌 짚신짝처럼 여기는 것들은 제 백성과 자식에게도 그러하니, 이제 저 벌판 아득히 먼 데까지 미쳤던 이 땅덩이의 신명들은 어찌할거나.

활터에서는 오계준의 구월산 당제가 시작되었고, 각종 잽이들의 무악이 연주되었다. 부정거리에서부터 가망청배를 하고 본향 바람으로 신의 공수를 받는데 부채와 방울 들고 홍철릭에 주립을 쓰고 먼저 단군대를 향하여 세 번 절하고 다시 사방에 절을 올리니 방울이 울리면서 신이 들어서기 시작하였다. 삼지창과 언월도를 휘두르면서 오계준은 경정거리며 춤을 추었다. 그 뒤로 계속 춤이 이어지고 십여 거리가 지나서 모든 계원들이 활터에 얽히고 설켜서 미친 듯이 춤을 추었다. 그들의 몸은 땀과 열로 젖고 뜨거워졌으며 어느덧 기나긴 굿거리가 끝날 즈음에는 하루 해가 저물고 있었다. 계원들은 사선골로 내려왔는데 신바람이 과한 사람들은 아직도 기운이 펄펄 남아 있었지만, 대부분은 시래기처럼 늘어져버렸다.

손님 방에는 오계준 황회 전성달 여환과 각 지역계의 좌장들이 둘러앉았고 구월산 만신으로 인정을 받은 원향이 참석하였다. 오계준이 자리를 둘러보아 아는 이들이 빠짐없이 있는가를 살피고 나서, 굿에 소요된 제수 비용이며 정곡사와 월정사에서 들어온 제물이며 각 지역에서 바친 미곡과 건어물 등속 은율 장림에서 사온 돈육 등등을 밝히며 확인하였다. 그리고 오계준은 해서 무계인 풍류계를 짜게 된 연유를 말하였다.

"우리가 모두 한 신어머니 신아비를 모셔온 식구는 아니되, 이렇게 계를 이룬 것은 밥벌이 때문이 아니올시다. 관가에서뿐 아니라 유생이네 좌수네 향반에 토반입네 하는 것들에게서 침학을 받거나 괄시받은 이가 어디 한둘이겠소?"

계준이 둘러보니 모두들 떠들었다.

"허허, 우리게서는 산신각을 때려부쉈어. 그것두 인제 막 책씻이를 한 초립동이들이 말일세."

"나는 지난번에 마누라가 향교 근처의 서낭당에서 사물을 잡혔다고, 유생들께 끌려가 대신 장형을 당했수."

"우리 동네 두레패들이 백중날 호미씻기를 하구 나서 동제를 지내다가 좌수에게 혼쭐이 났지."

계준이 다시 말을 이었다.

"이와 같이 양반들은 저희끼리 구름같이 높고 높은 생각과 성인처럼 고매한 학문을 주고받아, 일찍이 오랑캐를 면하여 대국인과 같이 된답니다. 그래 양반 사대부가 우리에게 가르쳐주고 내려준 것이 무엇이오. 약한 놈에게서 빼앗고 어리석은 자 후리고 논밭에 엎드려 거름 주는 농투성이 업신여기고, 흉황에는 멀건 죽사발이요, 외침 때에는 저희는 도망가고 우리는 산천을 지키거나 아니면 적의 천예가 되라 하오. 이러한 난세의 고난 중에 마음도 몸도 붙일 데 없이 그저 병들어도 약 한 첩 못 쓰고 의원 모실 돈도 없어 비나리 고사에 푸닥거리가 고작이오. 바다에 빠져죽고 못 먹어 부황나고 아귀같이 다투다 죽고 애 낳다 죽고 맞아죽어도 그저 수왕굿이나 오구굿이 고작이니, 이 천한 백성은 누굴 믿고 살란 말요. 양반은 저희끼리 모두가 밖에서 떠들어온 것으로 젠척하고 안 척하며 말의 끝마다 씨마다 도깨비놀음 하는 격으로 모를 소리만 지껄입니다. 그래도 백성들은 나무에 서낭, 산에 가서 산신님, 바다에두 용왕님, 부엌에 조왕님, 집터에 터주님, 다 받들고 이 터전서 발붙이고 맘 붙인 생각만 믿구 있단 말이우. 이런 백성들을 오히려 능멸하고 음풍이다 사교다 미신이다 하여 내치며, 이제 더욱 누천년이 되어 이 터전에 얼크러진 삼불제석님 부처님까지도 업신여기니, 우리 단군 성조님 때부터 이 터전 지켜오고 이 백성 살펴온 우리 무당 만신이 남은 백성들 마음을 보살펴야 하오. 사선골이나 탑고개같이 관재(官災)에 빠지거나, 지난 병인년처럼 흉황 역질로 생지옥이 벌어지면 언제든 힘을 합쳐서 물리치자는 것이오. 그래서 우리 계는 사천(四賤)뿐만 아니라 땅 없는 숱한 작인들, 행상아치, 유민, 갯가의 사공, 어부 모두 한식구로 알고 저들을 한마음으로 잡아야 합니다."

여환은 자신이 나설 자리가 아니라 입을 다물고는 있으되 과연 오계준이 해서 무계의 총대가 될 만한 인물이라고 생각하였다. 이를테면 무계원 모두가 보살행을 이루자는 뜻이 아니냐.

"우리 계에서는 시주나 걸립을 받아 아껴 쓰고 남겼다가 그러한 이들을 활인(活人)하는 데 쓰지요."

전성달이 말하자 모두들 입을 모아 계에서 비용을 거두자고 다투어 말하였다. 원향이 말하였다.

"박수님들보다는 부녀인 저희 만신들이 가가호호 방문하여 백성들 속사정을 잘 압니다. 계의 비용은 각 고을마다 젊은 만신이 주동이 되어 거둬서 좌장들께 전해놓도록 하십시오. 그랬다가 철철이로 구월산 맞이굿에 오실 때 여기 와서 모으면 될 거예요."

모두들 그것이 좋겠다고 찬성이었고, 그뒤에 의논은 다음에 좌장들만이 여는 작은 계회를 어디서 갖느냐는 것이 되었다. 무계(巫契)의 모임이 모두 파하자 사선골은 갑자기 저승처럼 적막강산이 되었다. 전성달과 황회는 평산 가는 이들과 토산 거쳐서 삭녕으로 가겠다고 동행하여 먼저 떠났고 원향과 여환 두 사람만이 남았던 것이다. 이미 용연의 물로 가약이 맺어졌다고는 하나 둘만 남게 되니 뭐라고 부부의 행세를 할지 난감하였다. 여환은 쓰다 달다 말이 없이 신당방에 앉아 있었고, 원향은 물을 긷는다, 마당을 쓴다, 마루를 닦는다, 굿판의 뒤처리를 하느라고 부산하게 우왕좌왕하였다. 여환과 눈이 마주치자 원향은 그저 배시시 웃었다.

"시장하시지요? 내 얼른 중화 지어 올릴게요."

여환은 이러한 여염의 부부가 하는 짓거리가 천지 조홧속임을 느꼈다. 이렇게 살면서 살도 섞게 되고 아이도 생겨나고 늙어가고 죽어가고 세상의 영고성쇠를 만들게 되는 것이렷다.

원향과 마주 겸상하여 중화를 드는데 여환은 밥을 먹다 말고 물끄러미 바라보았다.

"뭐요…… 뭐 묻었나요?"

"아니다, 네가 내 아낙인 것이 하도 신기하여 그런다."

"그러면……"

원향이 머뭇거리며 말하였다.

"하게로 하셔야지요. 우리는 부부가 되었으니."

"이 길로 나를 따라서 금화 들러 양주로 나가겠느냐."

원향은 고개를 숙였다.

"아니어요. 부부 일심동체라 하니 비록 떨어져 있어도 저는 당신의 아낙이고 당신은 제 남편이십니다. 이제 우리 부부가 미륵의 세상을 이루려 하면서 어찌 육근의 탐욕이며, 한시인들 게을리하겠어요. 우선 저는 구월산에서 오박수 아저씨와 함께 계를 짜는 일을 할 것이니 당신은 양주에서 미륵대도를 이루셔야 합니다."

여환은 가라앉은 목소리가 되어 물었다.

"그러면, 우리는 아예 살도 섞지 않고 정이나 그리움도 없이 이렇듯 돌멩이처럼 산단 말이냐?"

"저승에 가면 이승의 모든 연은 하나같이 물거품이 된다구 합니다. 심지어는 모친을 찾아 저승에 찾아간 효자가 천신만고 끝에 그 어미를 잡고 반겨 울어도 모른 척했다지요. 새로 연을 맺고 새로이 부부가 되며 다른 삶을 살아간답니다. 우리 거기 가서 다시 성혼해요. 먼저 전생에는 오누이, 이번 전생에는 겉만 부부, 다음 후생에 속까지 부부, 그리고 아주 먼 후생에는 연리지 한 뿌리의 한 몸이 되어 없어지지 말아요."

여환은 빙긋 웃었다.

"우리가 꼭 마른 나뭇등걸로 섰는 음양의 장승 같구나."

"그렇잖아요."

원향이 눈시울이 그렁그렁하여 여환의 손에 수저를 쥐여주었다.

"나는 아무래두 명이 짧을 것만 같아요. 만신 어머님두 그러셨어요. 우리가 갈 때는 꼭 한날한시가 될 거예요."

그들은 밥이 식도록 먹지를 못하였다. 여환과 원향은 나란히 누워서 봉창이 완전히 어두워질 때까지 꼼짝도 하지 않았다. 여환은 가만히 여보라고 아내를 불렀다. 원향은 피곤했는지 그의 한 뼘 옆에서 잠들어 있어 그 말을 이미 들을 수가 없었다.

여환이 금화 천불산에서 동안거를 지내고 온 뒤부터 용화 향도들의 세는 갑자기 불어나기 시작하였다. 수태사에서는 여전히 대성 법주가 승병들을 조련시키고 있었으며, 천불산 동안거 때에는 운부는 오지 않았고 오진암 집회 때처럼 풍열스님이 주도하였다. 오진암 집회 때와 거의 비슷한 사람들이 모였는데 이경순과 길산이 빠졌다. 여환은 설유징에게서 다시 신서에 관하여 자세히 얻어듣게 되었으니, 무진입국의 뜻도 중요하지만 주상이 장씨 성 가진 궁인에게 빠져서 조정에 풍파가 일고 있다 하며, 삼남에는 흉황 뒤끝의 역질로 관민이 경황이 없어 좋은 기회가 될지도 모른다 하였다. 여환과 계화가 칠성암에서 각 고을의 용화 향도들을 이끌어갈 때, 황회도 또한 그의 아내와 더불어 근기 일대의 상좌들 집을 중심으로 교세를 넓혀나갔고, 시동이와 정원태는 그 미륵도의 내부에 검계의 계원을 점찍어나갔다. 칠성암과 직결된 집회소는 역시 시동이네가 사는 시내비골(五十老洞)이었고 그 상좌는 시동의 아버지인 김돌손 노인이었다. 시동의 형인 시금이도 아버지와 함께 미륵도의 신심 깊은 향도였다. 황회의 두 조카들인 이원명과 이정명은 형제였으나, 양주 익담에 사는 형은 미륵도였고 안협 상수리에 사는 동생 정명은 검계에 뽑혔다. 그는 특히 해서와 강원도 쪽의 연결을 맡았다. 양주 청송사는 정호명은 영평읍에 사는 사촌 정만일과 더불어 검계원이 되었다. 그리고 혜음령의 살주계 중길이네 식구였던 최영길(崔永吉)은 파주와 송도의 연락을 맡아서 칠성암에 드나들었는데 시동이와 호형호제하였다. 또한 정만일의 소개로 들게 된 노비 말립이가 오계준이 찍어준 해서의 외거 노비들과 연결하는 일을 맡았다. 중길이와 영길과 말립이 모두 기본은 살주계로 굳게 다져져 있었던 것이다. 영평 상리 은현촌에 사는 정대성은 검계원이 되었으니 읍내의 정만일과는 같은 향군의 대에 들었던 것이다. 시동이의 작은삼촌 오경립은 큰삼촌 오계원과 더불어 미륵도에 들었으나 병역을 가지고 있던 경립은 시동의 권유로 검계에 들게 되었다. 그들은 연천에 살았다. 이와 같은 이들은 모두 미륵도의 중심을 이루었다. 그 외에도 시내비골의 이웅남 임기동 방승남 방의천 등등은 연로한 신도들의 모임을 끌어나갔다. 전성달은 법호와 심백이 있는 삭녕 홍성산 장군사의 구월산 유민들과 더불어 미륵도를 이끌어나가는 상좌가 되었으니, 그는 해서의 오계준과 장길산 활빈도와 닿아 있었다.

삭녕에는 일찍이 시동이 만일이와 함께 한양 가서 상번병이 되었던 이시홍이 주막 주인을 하고 있었으니 그가 속으로는 검계원이었고 미륵도의 삭녕 상좌가 되었다. 다시 영평에는 황회와 정원태가 거주하였고 정만일과 정대성이 살았으니 그들은 만일의 안에 따라 부농인 이철신(李哲信)을 상좌로 삼을 수가 있었다. 따라서 철신의 사랑 손님이던 형방(刑房) 전시우(田時雨) 예방(禮房) 허시만(許時萬) 도훈도(都訓導) 정영(鄭永)과 철신의 소작인들인 민호길(閔好吉) 이득견(李得堅) 이득내(李得乃) 등이 도에 들었다.

그중에서 봉수꾼인 이응화(李應化)와 정영, 민호길, 이득견 이득내 형제는 검계원이 되었다. 그리고 위의 사람들 밖에도 일반 신도들은 두껍게 그 거죽을 싸고 있었으니 임진강을 상하좌우로 하여 교세는 재빨리 번져나갔다.

해를 넘겨 그들이 되뇌던 무진(戊辰) 여름이 되었다. 오계준으로부터 소식이 왔으니 해서 풍류계는 이미 거병할 준비가 끝났다는 것이었고, 전성달에 의하면 강원도에서도 승병의 집결이며 거병 준비가 끝났다는 것이었다. 여환은 한시바삐 원향과 함께 있고 싶었다. 시기가 무르익었으니 원향이 한양 인근에 있는 일은 매우 중요한 것이 되었다. 즉 원향은 해서에서 가장 큰 만신이며 구월산 단군대의 정기를 받은 이라, 해서의 군병이 쳐들어올 때 그들을 근기 일대의 군병과 합대시킬 수가 있기 때문이었다. 해서와 장길산의 부대는 원향을 표적 삼아 내응과 외응을 할 수가 있는 것이었다. 바람과 조화의 진년(辰年) 용의 해라, 원향은 그에 알맞게 용녀(龍女)의 별호를 가지고 있었으며 그 임무가 곧 병의 집결에 있었던 것이다. 미륵도의 회의처였던 칠성암에서 여환 계화와 황회 전성달은 원향을 데려오는 일을 놓고 의논하였다. 그것은 곧 여환과 원향의 혼례로 방편을 정하였으나 여환으로서는 이미 원향과 아무도 몰래 사선골 그녀의 신당에서 부부의 가약을 맺었던 터이다. 황회 전성달이 전도(前導)를 자처하였고 계화는 매파로서 새색시의 수종을 들기로 논하였으며, 영평의 노비 말립이가 마교(馬轎)의 견마를 책임지기로 하였다.

그들은 유월 초에 양주를 출발하였다. 사선골에 당도하니 그래도 지난 겨울처럼 도깨비가 나올 듯이 을씨년스럽지는 않았다. 높은 나무 위에서는 매미가 한창 울어대고 숲은 무성하였으며 계곡의 물은 시원스레 흘러내렸다. 원향의 처소에 이르니 원향은 마침 신당 안에서 기도 중이다가 반색을 하여 달려나왔다.

"이모, 여기까지 웬 행보예요?"

"용녀부인 수종 들러 왔지요."

계화는 전과 달리 공손히 말하였고, 원향은 그녀의 손을 잡고 흔들었다.

"아이, 왜 이러셔요?"

전성달과 황회는 지난 겨울 이래로 원향과는 구면인 셈이었다. 전성달이 말하였다.

"해서 수만신이시니 그러지요. 우리 미륵도의 자당이 되시는 셈입니다."

여환은 그저 무덤덤한 듯이 뒷전에 서 있었다. 방에 들어가 앉자 먼저 계화가 두 손을 모으고 다시 일어나며 원향에게 말하였다.

"용녀부인께 문안 올립니다. 절 받으시지요."

계화는 깍듯하게 존대말을 쓰면서 살포시 큰절을 올렸고, 원향이 쪽에서도 하는 수 없이 맞절을 올렸다. 계화가 단정히 앉아서 말하였다.

"전에 돌아가신 큰만신님께서도 제게 당부하셨습니다. 이제는 전에 제가 알던 원향이가 아니옵고, 구월산 이서의 수만신이십니다. 그러니 이것은 우리 무도(巫道)의 법도입니다. 제게 일을 이르시고 영험도 내려주시기 바랍니다."

원향도 계화와 다른 이들의 엄숙함에 좌석을 흩트릴 수가 없어서 단정하게 앉았을 뿐이었다. 여환은 딴전을 하며 묵묵히 수수방관하였는데, 다시 황회와 전성달이 일어났다. 황회가 말하였다.

"우리 향도의 자당님께 뵙입니다."

그들은 원향에게 넙죽 절하였다. 원향도 이번에는 침착하게 일어나 맞절을 하였다.

"오박수께도 전갈을 하였으니, 아마 곧 올 겝니다."

황회가 말하였다.

"용녀부인께서는 앞으로 소임이 막중하십니다. 이제 양주로 돌아가시면 인근 사방의 향도들 집도 방문해야 하고 대소의 관혼상제마다 집례를 하셔야 될 겝니다."

그러자 원향은 정색을 하고 말하였다.

"제가 어린 아녀자라고는 하여도, 오진암 법회의 뜻은 조금 알고 있지요. 어찌 제가 만신의 직임에만 그치겠습니까. 향도님들 하시는 일을 팔 걷고 나서서 도와야지요."

"잘 말씀하셨소. 부인께서는 구월산의 양민 참살을 잊지 않으셨겠지요. 우리 탑고개 사람들은 모두 가족을 잃은 사람들입니다. 비록 삭녕의 궁벽한 골짜기에 숨어 살고 있으되, 그 포한을 잊은 이는 하나두 없지요."

전성달의 말에 원향은 고개를 숙이며 답하였다.

"명심하겠습니다."

성달이 원향에게는 아저씨뻘이 되나 이렇듯 예를 갖추어 간곡히 말하니, 원향의 눈가에도 물기가 맺혔다.

이튿날 함께 길을 떠나 송화에서 갈려 신천 소매로 갔던 말립이가 오계준과 그 계원 두 사람을 데리고 사선골 신당에 당도하였다. 또한 월정사 쪽에서도 임거사와 백련이 등의 거사패 몇사람이 왔고, 먼저 작수성례로 여환과 원향의 혼례를 하고 나서 그저 술밥으로 대충 치르기로 하였던 것이다. 소반에 정화수 떠놓고서 여환과 원향이 맞절을 하였고, 이어서 계화와 백련이가 사당말에 준비했던 탁주를 내었고 남녀가 한데 둘러앉아 밥이며 술을 먹었다. 상은 따로이 없어 술만 소반 위에 올려놓고 밥과 나물 등속은 그냥 토방 위 삿자리 위에 늘어놓았다. 제각기 흥이 나서 장고장단에 잡가가 앞뒤를 마주치고 가락이 낭창거렸다. 황회 전성달 계화 등등은 어차피 함께 떠날 사람들이라 건넌방에서 잘 요량을 하였으나 월정사 사당말 사람들은 어정어정하는 사이에 밤길을 갈 수 없는 시각이 되었다.

"아니…… 남의 신방두 생각들 해야지 여기 무슨 색주가가 열렸나. 어서들 파흥하고 돌아가요."

계화가 핀잔을 주었더니 임거사는 제가 지고 온 탁주에 스스로 취하여 장고를 놓지 않고 맞받았다.

"젠장, 스님이 장가갔으면 천복을 얻어 극락에 사는 셈인데, 오늘 하루 미룬다고 월로(月老)가 맺어준 인연줄을 다시 푼다구 그럽디까? 너무 그러지들 마시우."

"저 말하는 솜씨 좀 보게. 우리 종도사님하구 용녀부인께선 월로의 인연이 아니라 미륵존불의 점지라구. 그러니 극락이 아니라 서방 정토엘 가셔야지."

계화도 농반 진반으로 넘기는데, 여환이 말하였다.

"이 뒷집에도 토방이 깨끗하니 우리가 그리루 나가리다. 염려 말구 노시우."

"허허, 아주 미리 저희들만 꿀맛 보기로 작정을 하였구먼."

방 안에서 오고 가는 농지거리들을 들으며 원향은 부엌에서 공연히 그릇만 달그락거리고 있었다. 때마침 길고긴 여름해가 기울어 하늘에는 저녁놀이 구름 사이에 비꼈는데, 산새들은 이리저리 지저귀며 저녁 숲을 찾아드는 중이었다. 원향의 앞에는 이제 새로운 삶이 시작되고 있었다.

세간을 대충 정리하여 버릴 것은 버리고 백련이가 달라는 것은 내어주니 원향이 챙긴 것은 징과 바라, 신칼과 요령, 그리고 낡은 철릭이었는데 모두 큰만신 안무당의 물림이었다. 또한 원향의 집터에서 골라내어 써오던 이빨 성한 사기 그릇이며 소반은 정든 물건이라 말립이가 봇짐을 꾸려 가져가기로 하였다. 오계준과 그의 동행이었던 계원 두 사람과 황회 전성달 여환은 따로이 집 아래 계곡의 물가에 내려가서 의논을 하였다. 오계준이 말하였다.

"여기서 양주가 수백 리 길이라 마실 다니듯 왕래하기가 어려우니, 큰일은 물론 세밀한 데까지 미리 약조가 되었다가 다시 급주를 보내 서로 연락을 해서 일을 맞추어나가야 하겠습니다."

"근래에 강원도 쪽에서는 별 전갈이 없던가요?"

황회가 물었고 오계준이 답하였다.

"예, 우리 계에도 신서 수십 권이 와서 나누어가졌습니다. 뭐 우리네야 글을 모르니 어디 보겠습니까. 그저 향임들이나 훈장하는 이들께 넌지시 내밀어 뜻을 물어볼 뿐이지요."

"그래, 반응이 어떻던가요?"

"깜짝 놀라며 당장 갖다버리라는 이도 있고, 풀이를 해주고는 베낄 것이니 빌려달라거나, 아예 자기를 달라는 이들도 있습니다."

오계준의 계원이 대신 말하였고, 계준은 고개를 저었다.

"내가 본 바로는 그런 책이란 별로 쓸데가 없는 듯합니다. 그보다 지난번 동안거 때에 우리 계에는 해서감영이 맡겨지지 않고, 막바로 송도에 집결하였다가 같은 날짜에 한양으로 입성하게 된다는 전갈을 받았을 뿐입니다. 헌데 해서의 민병이 모이려면 아무리 적어도 이삼천은 되어야 할 터인데, 무슨 수로 그 많은 사람들을 이끌고 한양까지 간단 말입니까?"

황회가 말하였다.

"젊고 팔팔한 장정들로 삼백에서 오백 인만 모아도 됩니다."

"장길산 활빈도가 자비령을 떠나 철원에서 대기하고 금화에서 집결한 승군 오백여 명이 그들과 철원에서 합류하여 남하할 것입니다."

전성달은 그가 삭녕에서 받았던 강말득의 전갈을 다시 알렸고, 여환이 말하였다.

"천불산 쪽의 생각으로는 무엇보다도 한양 도성이 먼저 점령되어야 한다는 것입니다. 그러고 나면 각처의 승병과 민병들이 일어난다는 거요. 해서에서도 대를 나누어 일대가 먼저 근기로 잠행하여 오고, 나머지는 감영을 도모하도록 합니다. 송도에서도 일단 한양 번복이 되고 나면 거병이 있을 것이며, 관북과 삼남은 맨 나중이 될 것이오. 여하튼 남쪽은 일단 남한산성이 떨어지면 막아낼 수가 있습니다. 산성에는 이미 유점사 있던 일여(一如)라는 우리 도반 승려가 가 있고, 묘정도 곧 그리로 옮길 것이며 풍열 큰스님은 가평 현등사로 내려가 계시다가 이 모든 일을 통괄할 것입니다. 철원으로 집결하는 오백 승병을 통솔하는 이는 대성법주입니다. 장길산 활빈도는 비록 백여 명에 지나지 않으나 모두 단병접전에 뛰어난 일당 백의 녹림당들이오."

오계준이 다시 물었다.

"좋습니다. 우리 계가 송도까지 가서 집결할 핑계는 많지요. 무엇보다도 덕물산 최영 장군 당산제를 지낼 수가 있으니까요. 그러면 한양에서는 어찌할 작정이오?"

여환이 오계준의 물음에 답하기 전에 그의 계원 두 사람을 번갈아 바라보았고, 계준은 곧 눈치를 채고는 말하였다.

"이 사람들은 어제 스님께 소개하였듯이 재령 문화의 우리 계원들이고, 전에 구월산의 마두령이나 오두령과도 잘 알던 사이입니다. 이들은 저와 함께 계원들을 이끌고 상경할 사람들이니까요."

"예, 그렇다면…… 양주에서는 일단 대를 나누어 한양 점령과 동시에 양주목을 들이치게 되어 있습니다. 한양 인근에서 가장 가까운 등뒤가 되는 양주목이 먼저 점령되지 않으면 임진강 북로가 모두 끊기기 때문입니다. 도성의 북문이 가장 유리하니 험산과 협곡으로 인적이 끊겨 있으며 백악과 인왕의 줄기를 타고 그대로 도성에 들어올 수 있기 때문입니다. 도성 안에는 이미 살주계의 내응세력과 검계가 요소마다 깔려서 혁명군이 들어오기만 기다릴 것이오. 해서 군사는 파주로부터 연결을 받아 그대로 오르면서 혜음령의 살주계와 합대하고 그들의 안내를 받으면 될 것입니다. 한편 장길산의 일기병과 승병들은 철원에서 천마산 솔부리까지 나온 다음에 해서 군사와 발을 맞추어 흥인문을 지나 훈련원을 점령할 것이오. 양주 방면을 떠난 검계원들은 혜화문으로 들어갈 것입니다. 그리고 도성 밖의 주요새는 남한산성과 강화 방면이나, 산성은 수직 승군들이 일의 진행을 보아 그대로 선수를 쳐서 점령할 것이고 강화는 우두령과 그 이하 송도 쪽에서 감당을 할 것입니다."

"한양이 떨어진다 하더라도 안돈이 되려면 시일이 걸릴 텐데요."

오계준이 말하였고 황회가 다시 설명하였다.

"우리는 넉넉잡고 열흘은 견딜 수 있습니다. 벼슬아치의 혈족들이 모두 한양에 살고 있고, 궁인 왕족들은 모두 우리 수중에 있을 것이니 삼남의 지방군과 북관의 군사들은 함부로 움직이지 못합니다. 백성들 사이에 방방곡곡 연계가 짜여진 것은 아니지만, 이미 세상이 바뀌고 양반들이 역성 혁명군의 수중에 떨어졌다 하면 토호나 지방 세가들도 마음을 돌릴 것입니다. 실상, 관서 관북 백성의 인심은 우리 손에 들어온 것이나 다름없습니다."

오계준이 흡족한 얼굴이 되어 말하였다.

"우리는 칠월칠석에 큰 계회가 있으니 그 무렵이 좋겠습니다."

여환과 황회도 잇달아 그 안에 찬성하였다.

"천불산에서도 진년인 올 여름을 지목했지요. 그리고 일이 어긋나면 올 시월 초에, 그러고도 어그러지면 내후년인 경오년(庚午年)을 준비하기로 되었습니다."

"어정 칠월이라 하니 그때가 백성들로서 아직 일없이 어중된 철이지요. 그 다음에는 역시 추수 끝내고 빈둥거리는 철인 시월 초가 제격입니다."

전성달이 말하였다.

"오박수의 계원들과 강원도 장길산 일기병들의 합대는 용녀부인이 그 표적이 될 것입니다. 그리고 거병하여 도성을 들이치는 것은 군호로 대우(大雨)라고 되어 있습니다."

"예, 그것도 천불산에서 결정되었지요. 저희들 외에는 일반 향도들에게는 천변이 일어나 큰 폭우가 내린다고만 할 작정입니다. 소승의 내자가 용녀부인이 되어 그러한 천지조화를 일으킨다는 소문을 낼 것입니다."

여환의 말에 오계준은 끄덕였다.

"신서보다는 그것이 훨씬 적합한 방법이지요. 우리 조카 만신이 군복을 입고 군병을 이끌면 더욱 신이하게 보일 것입니다."

"천도(天道)를 실행하려는 미륵의 군병이 백성을 위하며 일어섰다 하면, 아무도 두려워하거나 뒤로 빼지 않을 것이오."

여환은 말하고 나서 합장을 하였다.

"나무 현거도솔 당래하생 당래교주 자씨미륵존불······"

그들도 따라서 합장하였다. 그들이 모임을 끝내고 집으로 올라오니 계화와 원향이 등은 신행 떠날 채비를 마치고 그들을 기다리고 있었다. 원향은 그냥 무명 치마저고리에 무구(巫具)를 싼 보퉁이를 소중하게 끌어안고 있었다. 말립은 꾸린 세간을 멜빵져서 등에 걸머졌다.

오계준이 말립에게 송화 나가서 그의 계원 아무개를 찾아가 그에게 부탁하여 세마를 내고 마교(馬轎)를 준비하도록 일러주었다. 계준은 그들을 따라서 구구월까지 나오며 시종 원향의 곁을 떠나지 않았다.

"이제 가면 일이 성사되어 한양에서나 너를 만나볼지…… 아니면 구천에서 만나게 될지 알 수가 없구나. 그러나 이것은 속연이 아니라 전생의 연이니, 여환스님은 곧 네 육신이자 혼령이니라. 잘 도와드려라."

"그분 곁에 있으면 칼산지옥을 헤매더라도 괜찮습니다. 오히려 우리는 내생을 기다리고 있답니다."

"우리 모두가 내생을 기다리는 사람들이 아니더냐. 잘 가거라."

"곧 찾아뵙게 될지도 몰라요. 아저씨, 한양서 못 뵈면…… 가는 길에 소메에 들르지요."

"그런 말은 하는 게 아니니라."

오계준도 눈앞이 흐려져서 얼른 외면하였다. 조산틀 어귀에 당도하여 계준은 문화 방면으로 가야 하므로 거기서 여환 일행과 작별하게 되었다.

"용녀부인 잘 보살펴드리구, 승운이한테두 안부 전해주고."

오계준이 계화에게 인사하니 계화도 못내 섭섭하여 중얼거렸다.

"미적미적하지 말구 얼른 장가두 들구 해야지. 우리 신오라비는 언제까지 처량한 홀아비 신세로 지내려누."

황회 전성달과 일일이 인사한 뒤에 계준은 여환에게 당부하였다.

"칠월이면 이제 한 달포 남았소. 거사 준비가 끝나면 날짜를 알려주시오."

"칠석 어름이 될 것입니다."

하고 나서 여환은 말하였다.

"일단 날짜가 정해지면 우리 미륵 향도들은 비록 외응이 없어 어육이 되더라도 거사를 할 것입니다."

오계준은 들판머리에 서 있었고 그들은 논두렁길을 따라서 걸었다. 여환이 한참 걷다가 뒤돌아보니 아득한 들판 저 멀리서 오계준이 그냥 서서 바라보고 있었다.

그들은 계준의 준비대로 송화에서 마교를 세내어 말립이 견마잡고 원향을 태웠다. 말 위에 가마를 얹었으니 타고 보면 편안하였으나 처음에 오를 때엔 아슬아슬하여 원향은 몇번이나 사양하다가 올라앉았다. 원향이 볼일이 있을 때엔 계화만 알아듣도록 가마의 발을 들치고 좀 쉬자고 하였고, 계화가 마교를 세우고 말립은 깍지 낀 팔 위에 원향을 들어 내리고는 하였다.

그들은 해주 연안 송도를 거쳐서 사흘 만에 중화 때쯤 하여 파주 문산포 이경순네 여각에 당도하였다. 전생이와 장쇠가 그들 일행을 먼 발치에서부터 보고 달려나왔다. 묘옥은 여문이와 마루에서 놀다가 반가워하면서 그들을 맞았다. 묘옥은 첫눈에 원향이가 새댁인 것을 알아보았다. 여환과 황회 전성달은 이경순의 사랑으로 들어가고 계화와 원향은 묘옥의 안내를 따라 안방으로 들어가 앉았다.

"우리 도의 수보살님이시우. 이번에 여환스님과 성혼하신 용녀부인이십니다."

계화가 두 사람을 소개하여 묘옥과 원향은 앉은 채로 인사하였다. 묘옥은 여환스님이 부인을 데리고 온다는 것은 얼마 전에 들어 알고는 있었으나 원향에 관하여는 전혀 아는 바가 없었다. 갸름한 얼굴에 눈빛은 거센 편이었고 안색은 창백하였다. 이마가 도톰하고 둥글고 해맑아 보였다. 계화가 틀어올려준 얹은머리 아래로 작은 귀와 여린 귀밑 살과 목이 드러나 있었다. 묘옥은 단정히 앉은 원향을 이윽히 바라보았다. 여리고 애처로운 느낌을 주는 여자라고 묘옥은 생각하였다. 가만있어라, 꼭 이 여자는 누구한테든지 오래 전에 잃은 누이동생으로 보이겠다. 묘옥이 어느 길 모퉁이에서 원향을 만나면 예전에 중화에다 남기고 온 동생들이 생각나서 걸음을 멈추어 한참이나 돌아보게 될 듯하였다. 계화가 잠깐의 침묵이 거북스러웠던지 묘옥에게 말하였다.

"참, 우리 수보살님두 구월산 기신 적이 있다구 그랬지요?"

묘옥은 대답 없이 눈으로만 웃는 시늉을 하였다.

"용녀부인은 구월산 만신님의 큰 내림을 받았으니 덕물산 만신보다두 더욱 크고 영험한 만신입니다."

계화의 호들갑에 원향은 조용히 꾸짖었다.

"이모님, 그만두셔요. 안무당 어머님의 영험을 좇으려면 저는 아직 멀었어요."

하고 나서 원향이 묘옥에게 말하였다.

"저를 용녀라고 지어준 이는 해서 큰만신 안무당 어른이십니다. 저는 아무것두 모르는 햇것이어요."

묘옥이 물었다.

"안무당이라뇨…… 재인말 사시던……"

"그것 보슈. 구월산 사셨다더니 우리 성님을 알지 않우?"

계화가 말의 실마리가 풀리는 게 신기하여 손뼉을 두드렸다. 묘옥은 고개를 숙였다. 길산이 그이의 양모가 안무당인 것은 너무나 잘 알고 있었던 터이다. 묘옥은 눈을 감고서도 그 집의 마당에서 부엌의 작은 세간까지 모두 떠올릴 수가 있었다. 장충 노인도, 그리고 불타는 집에서 미처 나오지 못하여 돌아가셨다는 총대 손돌 노인도, 그 기침소리, 까막내의 물소리, 구월산에 떠오른 달, 먼 데서 들리는 꽹매기의 맑은 소리, 이런 모든 것들이 묘옥의 머리 꼭뒤를 어루만지며 지나쳐 갔다.

"재인말 사셨나요?"

원향이 물었고 묘옥은 고개만 끄덕여 보였다.

"저희 신어머니를 아셔요?"

"예…… 하두 오래 전 일이어서……"

하면서 묘옥은 저도 모르게 원향의 손을 꼭 쥐었다.

"여환스님두 그전부터 알지요."

"어디, 월정사 계실 적예요?"

"아뇨, 해주의 작은 암자에 계실 때……"

원향은 예전을 생각하듯 위를 올려다보았다.

"아, 그러면 만행을 떠나신 뒤군요. 저는 그때만 하여도 철이 없어서 저분이 주워준 조약돌이 무슨 의미인지 몰랐지요. 그 암자의 신도였나요?"

묘옥은 원향의 손을 놓았다. 그러고는 가볍게 웃었다.

"어떤 이가 참수당하여 바다에 버려졌다는 말을 듣고…… 자진하려다가 만났답니다."

"혈친이었나요?"

묘옥은 더이상 원향의 곧은 물음에 답할 수가 없었다. 미닫이가

열리며 사랑에서 건너온 여문이가 아장아장 걸어들어왔고 묘옥은
얼른 아이를 잡아당겨 안았다.

"응, 우리 여문이…… 그 방에 가니까 안 놀아주데?"

원향이 손을 뻗쳐 아기의 볼을 살그머니 만져보았다.

"그런 이들은 이렇게 가까운 이들 살을 빌려 환생한다던데."

원향이 내민 손을 아기가 잡아 흔들어보더니 그쪽으로 갔고 점잖
게 무릎에 앉았다. 계화는 아기가 낯가림을 않는다고 감탄하였다.
원향이 아기를 무릎으로 흔들어주면서 나직하게 읊조렸다.

"아강아강 우지 마라 오는 장날 장에 가서 엽전 한 푼 얻거들랑 고
초 양념 엿 사줄라, 엿두 싫어 엿두 싫어 울어마니 젖을 내라, 아강아
강 우지 마라 해를 따고 달을 따다 색동옷을 해입고서 무지개로 다
리 놓아 미륵님전 마중 가자, 산 높아서 못 간단다 산 높으면 기어가
지 물 깊어서 못 간단다 물 깊으면 헴쳐 가지 길 몰라서 못 간단다
길 모르면 물어 가지."

묘옥은 어느 사이에 고갯짓으로 노래의 가락을 따르고 있었다. 노
래가 어찌나 맑고 슬픈지 묘옥은 원향의 모습을 바라보다가 문득 중
간을 잘랐다.

"꼭 내 동생 같아."

"예?"

원향은 웃으면서 그렇게 되물었고, 묘옥이 말하였다.

"아니어요, 이런 아이들이랑 여자만 사는 세상이 있다면……"

"보살님, 우리네 세상은 원래 이런 것이랍니다. 하늘에서두 이와
같지요."

"내게 좋은 말 좀 해주어요."

원향은 칭얼거리는 아이의 장난을 받아주느라고 다시 무릎을 흔

들 면서 말하였다.

"좋은 말이 따루 있겠어요? 세상에 있는 어느 것 한 가진들 하늘에는 빠진 것이 없다지요. 꼭 그대루 다 있답니다. 그리구 산천초목 짐승 벌레 미물까지두 거기선 엄마와 아기처럼 다정하지요. 온갖 귀한 신 천한 신 할 것 없이 신령은 모두 같지요. 풀에 깃들인 신령두 미륵님이나 하눌님에 못지않아요. 모두가 귀하지요. 그렇게 하는 것이 하눌님 미륵님 뜻이지요. 이렇듯 다정하게 지내는 세상을 지으려고 사람이 났지만, 사람은 하눌님 뜻을 지키지 않아요. 그전에는 하늘에서 사람에게 세상을 지으라고도 하지 않았지요. 지금 세상은 정이 지은 게 아니라 권세가 지은 것이랍니다. 그래서 세상 사람 누구나가 어머니가 그립지요. 하늘 마음은 어머니 마음이 맞으니까요."

묘옥이 원향에게 나직이 물었다.

"그런 것은 누구에게서 배웠어요? 스님이나 안무당께서 이르셨나요?"

원향은 무릎을 흔드는 사이에 잠든 여문이를 살그머니 뉘었다. 그러고는 배시시 웃으면서 말하였다.

"마음은 누구에게서 배우는 게 아니지요. 그냥 저 높은 산이나 물가에나 아니면 마당에 서서 푸른 하늘을 바라보노라면 자연히 알 수 있어요. 그냥 저절로 전해지거든요. 그렇지만……"

하면서 원향은 말을 흐렸다가 다시 환하게 웃었다.

"저는 알아요. 이 터전의 많은 혼령들이 간 데가 있지요. 세상 지으려는 이들 말이어요. 우리는 그이들께 연이 닿아서 지으려고 애쓰다 가게 되거든요. 이 뒤로도 수없이…… 그러는 사이에 정이 지은 세상이 오게 되지요."

"언제쯤에나 오게 되나요?"

묘옥은 그 어린 만신에게 매달리고 있었다. 원향은 한숨을 푹 내쉬었다.

"글쎄요, 마른 나무에 꽃 필 제 오려느냐고 상여 나갈 제 노래를 하지요. 세상에서 이루어진 것들이 다 말라버릴 즈음에 그 속에서 새 속잎이 나오는 철이 되겠지요."

"다 없어지고 말라죽으면 어떻게 속잎이 나오나요?"

원향은 부끄러운 듯 고개를 숙였다.

"몰라요, 그건 저두 잘 모르겠어요. 헌데 어찌 새봄에는 언 땅에서 보리가 피어나는지두 모르겠어요."

"그렇게 오랜 세월이 지나야 할 텐데 뭣 하러 세상을 지으려고 애를 써야 하나요."

묘옥의 물음에 원향은 다시 되돌려주었다.

"가뭄이 들어 천리가 적지(赤地)가 되고 나서 소나기는 어째서 오지요? 단비가 내리지 않으면 산천초목이 모두 죽어요. 이루어지지 않더라도 비가 되어 떨어지는 것이지요. 그러면 땅은 다시 회생하고, 또 가물어 팍팍하고 또 비가 오고……"

묘옥은 중얼거렸다.

"참으로 용녀부인이십니다."

사랑에서 남정네들은 송도 얘기며 금화 얘기며 양주 얘기를 제각기 논의하고 있었다. 이경순은 모시 적삼에 부채를 활활 부쳐 바람을 넣으면서 말하였다.

"그저께 송도서 사람이 왔습니다. 병장기와 군복은 거기서 준비하여 거사 전까지 우리 여각에 장치한다 하였소. 해서 군사와 양주 사람들이 쓸 수 있을 겝니다."

"아닙니다. 양주에서는 공연히 무기를 나른다 어쩐다 할 필요가 없습니다. 환도 스무 자루면 충분합니다. 양주목에 근기 일대의 백성들이 몰려들어 무기고와 양곡창고를 털어 병장기 군량을 장만할수가 있습니다. 다만 한양이 문제지요."

황회가 걱정하니 이경순이 말해주었다.

"검계의 일은 아마 영평 정대덕이 시동이와 함께 조처를 할 모양입니다. 살주계에서도 한양 은닉처를 정해두었다고 합니다. 아마 영길이가 전갈을 해주겠지만 한양에 주인가를 정한 모양입디다."

황회도 그제는 말하였다.

"응, 시동이하구 정대덕이 손을 썼다면 모신이네 서강 객점밖에 더 있겠나. 검계는 그쪽으로 정하면 되겠군."

"그러나 이 모든 일이 우리 미륵도를 통하여 짜여지지 않으면 실착이 생길지도 모릅니다. 실상 살주계가 되었든 검계가 되었거나 모두 미륵 향도들이니까요."

하고는 여환이 덧붙였다.

"제가 칠성암에 돌아가자마자 논의를 하고 나서 거사 일자와 세밀한 체결 내막을 통문으로 돌릴 터인즉, 이곳 파주에서는 송도와 강화 교하의 뱃사람들 주막에까지 일러두십시오."

"그게 좋겠구려. 차질 없도록 맞추어나가려면 일을 주도하여나가는 쪽에서 미리 결정하고 알리는 것이 이롭지요. 내 그렇게 전갈하리다."

그들은 이경순네 여각에서 중화를 들고는 곧 강변을 따라서 적성으로 하여 칠성암에 당도하니 긴긴 여름해가 기울어 있었다. 시동의 아비 김돌손 노인과 계화의 남편 김승운이 여환과 원향이 쓸 방에 하얗게 도배를 해놓았고, 돌손의 노처는 밥을 짓고 있었다.

여환은 오계준이나 이경순과 언약했던 대로 칠성암에 당도한 지

며칠 지나서 작은 모임을 갖기로 하였다. 즉 미륵도의 통솔 아래로 검계와 살주계 및 일반 백성들의 힘을 모아 준비할 일과 맡을 일을 분담하기 위해서였다. 무엇보다도 거사 일자가 결정이 안 되었던 것이다. 모일 장소는 칠성암으로 하지 않고 시내비골 시동이네 집으로 정하였다. 무엇보다도 칠성암은 영근산 아랫녘에 외떨어져 있었고 일반 향도들의 출입도 빈번하여 불편하였던 것이다. 계화와 원향이 인근 사방으로 향도들의 집을 방문하기도 하고 암자에서 돈이나 미곡을 시주받아 기도를 하여 자금을 만들고 있었다. 이미 무진년 봄부터 계화와 김승운이 여환을 앞세우고 다녀서 누백 냥을 모아두었고 황회와 시동이가 여비로 많이 써버린 터였다. 시내비골 시동이네 집에는 김돌손 노인 부부와 시동의 형 시금과 그 처자녀가 살았다. 비록 땅뙈기는 얼마 안 되어도 김돌손 노인과 시금은 농한기에는 남양과 인천 등지로 나가서 해물을 떼어다가 다락원 난전에서 팔아 돈 냥을 만졌고, 시동이가 가끔씩 미곡이나 반찬이나 상목을 집에 떨구고 가던 것이었다. 시동이가 무슨 벌이가 있어서가 아니라 예전부터 솔부리와 포천을 오가며 고달근과 황회와 정태원에게서 갖다 쓰곤 했던 때문이다. 시동이네는 방이 셋이고 소가 한 마리, 닭도 십여 마리 되었고, 광에는 양곡 떨어진 적이 없어 시내비골에서는 가장 번듯하게 살았다. 시금이는 시동이보다 다섯 살 위였는데 맏아들이고 성격이 온순하고 색시 같아서 일찍이 집안일을 도우며 살았다. 그가 없었더라면 시동이가 그렇게 일찍부터 집을 뛰쳐나가 부지거처로 무뢰배짓을 하며 살지 못했을 것이다. 시금이는 장가를 일찍 들었고 집안일로 마음 고생을 많이 하여 시동이보다는 열 살쯤이나 더 먹어 보였다.

모임이 있는 것을 알고 시금이는 이웃집으로 나가버렸으니 그는 미륵도에 관하여 자세한 내막은 알지 못하였으나 그의 아버지 김돌손이 시내비골 상좌라서 그의 집에서 기도 모임을 가질 적에 몇번 참석했을 뿐이었다.

그는 별반 관심은 두지 않았으나 아우와 아버지가 열심이라 그저 좋게 여기고 있었다. 시내비골에 사는 모든 미륵 향도들 역시 미륵을 믿고 염송을 열심히 하면 백병이 물러가고 가내에 우환이 없다는 믿음으로 열성을 내고 있었다. 시동이네 집에서는 종도사를 비롯한 대덕들의 모임이 있다 하여 안방을 치워놓고 기다렸고, 시금의 처와 노모가 밥을 짓고 닭도 잡았다.

가장 먼저 정원태가 당도하였다. 그는 중치막에 갓을 쓰고 예전 노적사 시절과는 달리 부고의 행세를 하고 있었으니, 지난봄에 영평 상리 은현촌(銀峴村)에 자리를 잡았던 것이다. 그는 정만일에게서 영평의 부농 이철신을 소개받아 알게 되었고 곧 그와 막역한 동무가 되었다. 이철신네 집에는 향임과 아전들이 드나들며 바둑도 두고 한담도 하여 정원태도 자연히 그들과 허물없이 지내는 터였다. 그는 자신을 포천 송우점에 객점을 여러 채 갖고 있는 상고로 소개하였던 것이다. 영평 있던 살주계원 말럽이가 그의 옆집에 붙어살며 그의 손발이 되어주고 있었다. 정원태와 시동은 날이 갈수록 입술과 혀처럼 가까워졌던 것이니, 그것은 그들이 검계의 확대와 그 체결에 함께 골머리를 써왔기 때문이다.

"성님 오시우?"

"응, 날씨 덥군. 아직 안 왔나, 다른 사람들은……"

그들은 진작부터 대덕님 자네 어쩌고 하는 거추장스러운 말투를 벗어던지고 성님 아우로 주고받는 처지였다.

"아무도 안 왔어요. 왜 만일이 데리구 오지 그랬어요?"

"아직 그쪽에는 알리지 말랬다며? 오늘 얘기를 해보고 나서 솔부리 식구들께도 알려주든지 해야겠어."

"그래 영평 아전들은 쓸 만합디까?"

"흥, 그 사람들이야 뭐 다른 데 관심이 있다던가. 그저 상이나 봐주고 산 쓰는 얘기만 하면 넋을 잃는걸. 참 그래두 재인들이나 장바닥 사람들만한 이들이 없어. 기실 미륵님의 도는 진작부터 우리 검계에서 모시지 않았던가."

"우리가 정말 용화 향도였지요. 이제 두고 보십시오. 거사가 일어나면 한양에는 우리들뿐일 거예요."

그들이 마루에서 얘기 중인데 토담 밖으로 누군가 기웃이 넘겨다보았다. 황회의 머리였고 그 뒤로는 여환의 깎은 머리가 보였다. 그들의 뒤를 따라서 중길이가 영길이와 함께 삽짝 안으로 들어왔다. 시동이는 중길이를 만나는 것이 거의 반년 만이라 하도 반가워서 두 손을 덥석 잡아흔들었다.

"어이구, 이거 얼마 만이우. 혜음령서 아예 면벽도통하구 계신 줄 알았수."

"도성 출입을 다니느라구 요즈음 바빴습니다."

살주계의 행수 중길은 패랭이에 봇짐 멘 것이 보부상 차림이었다. 영길이도 시동이에게 꾸뻑해 보였다. 황회가 주위를 둘러보더니 시동이에게 물었다.

"삭녕 전거사는 아직 안 왔나?"

"온다구 그랬던가, 하여튼 안 왔수."

그들은 가끔씩 목덜미나 팔을 때리며 그냥 마루에 앉아 있었다.

"자, 들어갑시다."

여환이 말하였으나 황회는 그냥 앉아서 미적미적하였다.

"이거 뭐 날씨가 더워서……"

"그래두 담 밖이 지척인데 방에 들어가 두런거리는 게 낫지."

정원태가 말하였고 황회가 영길이에게 일렀다.

"얘, 너 담 밖에 가서 번 들구 앉았거라. 밥 먹을 때 들어오구."

"아니, 그럴 필요 없소이다. 시내비골은 모두가 우리 향도들이니 안심은 되오만 만사 불여튼튼이라고 방 안에 들어가서 둘러앉지요."

여환이 그렇게 말하여 모두들 방 안에 들어가 앉았고 모기 나는 소리가 귓가에서 떠나지를 않으니 시동이가 소리를 질렀다.

"형수, 모깃불 좀 피워주슈. 다 빨리면 오늘 닭고음 먹어두 모기 잔치시키는 격이우."

둘러앉으니 여환 황회 정원태 김시동 이중길 최영길 김돌손 노인 까지 합쳐서 일곱 사람이었다. 여환이 의논할 안을 내기를,

"대우(大雨)를 며칠로 잡았으면 쓰겠소?"

하였으니 대우란 군호로서 그들의 거병을 의미하였던 것이다. 정원 태가 말하였다.

"칠석날 뒤라면 너무 촉박한 것 같소이다. 강원도나 해서의 사정 을 생각해서라도 기간을 넉넉히 잡아야겠지요."

"좋은 생각일수록 오래 두고 썩히면 낭패가 되고 맙니다. 이제 우 리의 세도 늘었고 말도 번다하게 오갔으니 어서 해치워버려야 기찰 에도 걸리지 않고 빈틈없이 진행될 수가 있소."

정원태가 다시 말하였다.

"날짜는 우리 마음대로 정하는 것입니까?"

"그렇게 타협을 보았습니다. 군사 발동의 상세한 계획은 기밀한 것이라 내 혼자 함부로 발설할 수는 없으나 진작에 해서와 강원도의

강병을 은닉 포치하여두고 있소이다. 넉넉잡고 앞으로 달포면 됩니다. 중요한 것은 일반 백성들을 얼마나 동원할 수 있느냐 하는 것이오."

여환이 말하자 정원태가 손을 꼽아보았다.

"그렇다면 오늘이 유월 열사흘이니 칠월 그믐께가 아니오?"

"그렇지요."

여환이 짧게 대답하자 황회가 덧붙였다.

"스님 생각으로는 미리 성중에 들어가 있던 일부 병력과 바깥 병력이 그믐밤에 훈련원 마당에 집결하여 일제히 궁궐로 돌입하자는 것입니다."

잠자코 있던 중길이가 물었다.

"군사는 얼마나 됩니까?"

"강원도와 해서의 군사 합하여 천여, 검계 살주계의 계원들 백여 명 그리고 양주의 일대가 삼백여 명 도합 이천은 될 것이고, 일단 성사되면 한양 성내의 노비와 장사치와 백성들은 모두 우리 편이 될 게요."

황회가 자신 있게 말하자 중길이가 머리를 천천히 흔들었다.

"조련도 못 받은 이들이 경군이 지키는 궁궐을 깨뜨릴 수 있을까?"

"아니, 그 정도면 충분하우. 내가 상번 서봐서 잘 알지. 궁궐을 지키고 있는 자들은 경기도의 상번들인데 일 초가 백이십칠 명이고 오 초가 징번되니 모두 육백여 명쯤이오. 그중에 반쯤인 삼백여 명이 근무를 서고 나머지는 쉽니다. 그 삼백여 명 중에 그저 일 초 정도가 궁궐 호위를 서니 이백여 명도 못 되오. 그보다는 조련도 잘 받고 병장기도 좋은 훈련원 급료병들이 문제지만, 가만 눈치를 보았더니 실직에 나선 자들은 고작 절반밖에 안 되는 듯합디다. 먼저 훈련원을 잡아야 할 게요. 그리고 우리는 저들과 같은 군복을 모두 가지고 있으니 거사할 때 입고 나아가면 관군들 사이에 혼란이 일어날 겝니다."

시동이가 설명하였으며 정원태도 만일이나 아전들에게서 얻어들은 대로 얘기하였다.

"우리 미륵 향도들 가운데는 젊고 혈기 있는 민병들이 있소이다. 저들은 모두 몇달씩이나 한양 도성에 징번당하여 성채와 한양의 골목을 누구보다도 잘 알고 궁성 호위의 편제도 환하지요. 그들 대부분이 검계 계원으로 들어 있습니다. 병의 각 대를 우리들에게 이끌도록 하면 됩니다. 문제는 한양 도성 외곽을 지키는 총융청과 수어청입니다."

황회가 말하였다.

"염려 없소. 다 준비가 되어 있소."

"그리고 그믐께가 좋은 것은 곧 추수기의 농번기가 되는 팔월이라 매삭상번으로 병력이 갈리는 기간입니다."

시동이 말하자 모두들 내달 그믐께로 거사일을 정하자는 데 반대하는 이가 없었다. 여환이 말하였다.

"자, 그럼 대우 기일은 칠월 그믐이오. 무기와 군복에 대하여 논의하지요. 해서와 강원도의 병력은 따로이 청색 면포의 군복과 병장기를 준비할 것이지만, 우리들은 어찌하는 게 좋겠소?"

"아까 나온 바와 같이 병역을 지고 있는 자들은 자기 군복을 입고, 병장기는 숨기기 쉬운 것으로 해야겠지요."

시동이 말하였고, 이런 일에 대하여 경험이 있는 황회가 말하였다.

"환도는 대처 풀뭇간에서 얼마든지 구할 수가 있습니다."

"파주에서 일부는 구할 수가 있을 거요. 송도에서 준비가 되는 모양이니까. 그보다는 일반 향도와 백성들의 병장기로 무엇이 좋겠느냔 것이오."

여환의 반문에 중길이가 말하였다.

"한양으로 입성할 이들은 환도가 꼭 필요할 것이니 들어가는 날 소지하지 말고 주인가를 정하여 상고의 상품인 듯이 말짐에 꾸려서 날라다 놓는 것이 좋을 듯합니다. 저희는 살주계의 연락처로 쓰는 객점이 있습니다."

시동이가 말하였다.

"한양에 들어가는 이들은 그렇게 하고 일반 향도들은 양주목을 점령할 것이니 몽둥이와 농기구면 충분합니다. 까짓 삼문이야 돌팔매만 날려도 무너지지요."

"그렇지, 안에 들어서면 무기고에 장창과 궁시가 그득할 테니까."

여환이 잠시 생각하는데 정원태가 물었다.

"그러면 어떤 방법으로 동원할 작정이오?"

황회가 말하였다.

"칠월 그믐 이틀 전인 스무여드레에 날래고 도성 지리에 밝은 이들과 해서 강원의 군사들과 체결하여 서로 낯익은 사람들이 성내로 들어갑니다. 살주계의 이서방은 파주 전생이의 전갈을 받아 해서 병력을 혜음령에 묻어두었다가 그믐 밤에 북록을 타고 창의문을 부수며 들어오게 되오. 강원도 병력은 따로이 삭녕 전서방과 연결이 있으니 되었고. 삭녕 양주 연천 양평 등지의 사람들은 그믐날 대우 군호가 떨어지자마자 사방에서 가장 가까운 곳에 집결하여 그대로 양주목을 점령하고 수유현을 넘어 혜화문으로 들어오면 됩니다. 우리가 그전에 사문을 모두 장악할 것이오."

여환이 물었다.

"어디에 모이는 것이 좋겠소?"

여태껏 아무 말도 않고 있던 김돌손 노인이 뒷전에서 말하였다.

"삭녕 연천 영평서 오는 이들은 강을 건너야만 할 것이니, 이쪽 우리 동네 앞 오거리가 좋겠군요. 예서 읍내까지는 사십 리지만 산으로 둘러싸여 좀처럼 눈치채지 못할 거요."

"음, 대전리(大田里) 오거리 말이군."

모두들 좋다고 하였다. 여환이 말하였다.

"부서를 정해야 할 겁니다. 여기에 우리 미륵도의 상좌들과 대덕 명부가 있으니 부서를 정한 뒤에 논의하여 임명하면 따르기로 하지요. 이제까지 결안이 된 것은 한양으로 먼저 입성할 사람들의 일과 양주목을 점령하고 뒤에 입성할 일의 두 가지입니다."

정원태가 말하였다.

"여환스님과 황대덕은 처음부터 해서를 내왕하셨으니 먼저 입성하시오."

"용녀부인은 꼭 가야 합니다. 해서 군병과 강원 군병의 합대의 표적입니다."

"그럼 용녀부인하고…… 도성 지리에 밝고 무용이 있는 자로, 시동이, 또 정호명 정만일 사촌형제, 기병 다니던 정대성, 오경립 오계원 형제 등이 상번을 다녔고, 향도들 중의 상번병 출신들을 움직일 수가 있소이다."

다시 의논이 중구난방이더니 황회의 조카 이원명이 추가되었고 중길이네 살주계의 주인가를 연결할 영길이와 해서 노비들과 연결된 말립이가 따라가기로 되었다.

그리고 정원태가 영평 포천의 사람들을 휘동하여 뒤에서 움직이기로 하였으니, 이원명의 아우이며 안협 상수리에서 전성달과 해서를 연결하는 장소로 제 집을 내주었던 이정명이 그의 막내 익명이와 더불어 삭녕 장포인을 휘동하여 대전리 오거리로 내려오게 되었다. 시동의 동무가 되었던 숯막 주인 이시흥과 이성남은 상번병들을 이끌고 대전리로 오게 되었고 포천 난전꾼들은 영평 동촌서 내려오는 그들과 합대하여 양주로 나아가며, 시내비골 사람들은 젊은 방귀선이 인솔하여 양주로 향하는데 원태는 이들을 순서대로 포치하고 지시한 뒤에 전(田) 허(許) 두 아전과 이철신을 데리고 양주목에 자리를 잡아 민심을 안돈시킨다. 그러고는 정명 익명 형제와 이시흥 방귀선 등을 지원하여 양주목에서 탈취한 병장기로 더욱 많은 상번병들을 모아 무장시켜서 한양으로 올려보낸다는 것이다. 대개 주요한 사람들의 부서는 모두 결정된 셈인데 마침 오기로 약조된 전성달이 아직 당도하지 않았다.

"삭녕 홍성산 전상좌는 어찌되는 거요?"

정원태가 물으니 황회가 대답하였다.

"전거사는 따로이 할 직분이 있습니다. 그 사람은 강원 병력을 이끌어 천마산에 묻어두었다가 솔부리패의 안내를 받아서 흥인문으로 들어올 것입니다."

김시동이 침울하게 말하였다.

"우리는 기왕에 처음부터 이마를 맞대고 계획을 함께 짰으니 그 누구도 돌아설 수가 없지요. 하지마는 일이 사방으로 번지고 백성들을 동원하다 보면 한 입 건너 두 입이 금방 수천으로 퍼져나갈 터인즉, 거사가 이루어진 뒤에라면 모르되 관에 먼저 기찰되면 일이 글러버리게 됩니다."

"염려 마시오. 부서를 정한 이들 외에는 절대로 이 모든 상세한 기밀이 알려져서는 안 됩니다. 그러므로 우리의 군호는 대우요, 전언(前言)은 천변(天變)이요, 후언(後言)은 용녀올시다. 그믐날 무렵에 천지가 개벽할 것이라는 소문을 내었다가 양반이 멸하고 상사람의 세상이 오며 석가가 멸하고 미륵이 오는 때가 왔다고 널리 알리고, 사방 십이 제국이 모두 멸망하고 용이 진인(眞人)을 도와 용화세상을 이루려고 한양에 입성하였다는 소문을 내십시오. 그리고 나서 그믐날 아침부터 호별 방문하여 장정들을 모으면 쉽게 군중이 모일 것이요, 또한 양주의 양곡을 탈취하러 가자 하면 너도나도 따라나설 것이외다."

여환의 개벽 소문에 대한 말을 듣자 정원태가 의견을 내었다.

"천재지변의 개벽이라…… 아예 지난번에 천불산서 보내온 신서와 비슷하게 우리 일을 참서(讖書)로 꾸며서 원근 사방에 돌리는 것이 어떨까요? 그 일은 지금부터라도 시작해야 합니다. 그 문서는 포교하던 이들이 돌리는 게 손쉬울 겁니다."

민심을 움직이는 데 좋은 방법이라고 의견이 모아졌다. 해서 군사는 혜음령에, 강원 군사는 솔부리에 적어도 스무여드레까지는 잠복해야만 하고, 한양 성내의 내응을 준비하는 이들도 그때에 먼저 들어가 있다가 그믐날 밤부터 초하루까지 벌떼같이 일어나 궁궐을 점령하기로 통문을 정하였다. 그리고 양주 쪽에서는 선진과 후진이 따로 부서별로 모여서 지금 결안된 사항들을 더욱 상세히 따지기로 하였으며 모든 연락처는 칠성암이 그 중심이었다.

여환은 통문(通文)을 썼으니, 거사 일자와 체결 내역과 군병의 동원을 밝힌 것이었다. 뒤늦게야 전성달이 시동이네 집에 당도하여 황회가 대략 간추려서 이제까지의 결안된 사항을 설명하여주었으며 성달이 여환에게 넌지시 일러주었다.

"유점사의 일여스님과 묘정스님이 번군관(番軍官)승이 되어 남한 산성의 개원사(開元寺)에 들어가 계시답니다. 이번에 상번된 스님들은 거의가 관동 관서 관북의 각사에서 왔다는데 그 수는 좌우중 삼초라 하니 사백 명 가까이 된답니다. 승병은 도총섭(都摠攝)의 명을 중히 여겨 수어청의 관할을 받지 않으므로 산성의 점령은 죽비 한 번 때리는 것으로 이루어질 것이랍니다. 이번의 도총섭은 혜일(惠日) 스님이니 풍열스님의 아우뻘이 된다고 들었습니다."

"풍열스님은 천불산에서 내려오셨다구 합디까?"

여환도 주위에서 듣지 못하게 물으니 전성달이 말하였다.

"풍열스님과 옥여스님은 가평(加平) 현등사(懸燈寺)에 계시답니다. 대성법주스님은 전과 같이 수태사에서 사자 노릇을 하구 계시지요. 강원 승병은 법주스님이 이끌 것입니다."

"되었소, 이제 통문을 보냅시다. 전상좌가 금화 쪽에 직접 전하고 해서에는……"

"예, 안협 사는 이상좌가 한 달에 한 번씩 평산 나가서 풍류계의 계원 집에 들른답니다."

"그럴 틈이 없으니 어서 전하도록 이르시오."

또한 최영길에게 슬그머니 통문을 내어주며,

"파주 이도장께 이것을 전해주고 송도에서는 이 날짜에 맞추어 강화의 달곶진(鎭)을 도모하도록 이르게. 그리고 송도 쪽에 알려서 환도 스무 자루를 보내주도록 당부하게."

이렇게 동북과 서북 방면의 통문 발송을 처리하고 나서 그들은 저녁 먹고 집이 먼 사람들만 빼고는 양주 인근 사람들은 돌아갔다.

이튿날도 전성달은 통문을 가지고 삭녕 홍성산으로 돌아가서 하룻밤 쉬고는 금화 천불산과 안협 상수리로 전하였다. 안협의 이정명은 다시 통문을 받아 평산으로 전하였고 평산에서는 자비령 길산과 소메의 오계준에게로 전하였으니 사흘에서 나흘이 걸렸다.

최영길은 칠섬암에서 돈 삼백 냥을 받아 파주로 향하였다. 문산포 여각에 이르러 이경순을 만나 저간의 진행사정을 낱낱이 아뢰고 돈을 내밀었다.

"스님께서는 송도에서 준비가 다 될 것이지만 이것은 성심이라면서 향도들에게서 시주받은 돈을 보냈습니다. 말 한 필과 환도 스무 자루, 전복 그리고⋯⋯ 여기 다 적혀 있답니다."

영길이 통문과 물품 내역을 적은 종이쪽을 이경순에게 내밀었다.

"음, 말 한 필, 환도 스무 자루, 전복 열 벌, 전립⋯⋯ 도대체 환도는 병장기니까 필요하지만 전복 전립은 무엇이며 또한 말은 무슨 소용이 있어 구하던가?"

"예, 잘 모르겠으나 먼저 입경하는 이들이 밤에 성문 문루를 점령할 때 필요하답니다. 그리고 훈련원에서 모여 거병할 적에는 군복 입고 군마에 탄 용녀부인을 앞세워야 한답니다."

이경순은 그제야 알아듣고 고개를 끄덕였다. 그는 전생이를 불러 송도 사대전 임방 좌장 박대근에게 이것들을 전하라고 일렀다.

"닷새쯤 기다리면 물건이 이리로 올 것이다. 우리도 풀뭇간이 있긴 하지만 환도 등속을 다량으로 만들면 남의 눈에 띄기 쉬우니 주의해야 한다. 군사가 오백여 명이라면 삼사십씩 대를 이루어 상단인 듯이 꾸미고 한 사흘에 걸쳐서 오게 될 것이다. 우리 여각을 통하여 너희 계의 혜음령에 가게 될 것이니 중길에게 불비함이 없도록 일러두어라."

"예, 그럼 닷새 뒤에 물건 가지러 다시 들르겠습니다."

최영길은 혜음령 중길에게 가서 빠짐없이 전하고 특히 성내에 선진이 가서 외병을 기다리며 묵고 서로 연락할 집을 정할 의논을 하였다.

"한양에 남아 있던 계원들 가운데 외거하는 사람들은 지금은 거의가 도성 밖이나 마포 서강에 나가 밥벌이를 하고 있으나, 김영선(金永先)이가 아직 연골[蓮洞]서 주막을 열어 먹고살고 있으니 그에게 당부하면 될 것이다."

"그가 아직 남의 노비입니까?"

"내관(內官) 김아무의 내림 행랑것이었다가 우리 계에 들어올 무렵에 외거하고 면천하자마자 우리 계에서 빠졌지. 영선이라면 믿을 만하겠다."

"저 혼자 가는 것보다는 성님이 직접 가서서 일러야겠습니다."

하여 그날로 중길이와 영길이는 성내로 들어갔다. 장사는 그저 그런 편인데 그의 아내가 앓아누워 어린 딸과 밥 시중 손님 시중을 하느라고 고생이었다. 김영선은 중길이를 보자 얼른 주위를 두리번거리고 나서 길가에 내다놓은 평상 위에서 일어났다. 그는 안으로 들어가자는 것이었다. 초가를 두 채 따로 지었으니 안에는 방 둘에 마루가 딸렸고, 길가 쪽으로 길게 지은 초가에는 널찍한 봉놋방 둘과 작은 방 하나가 있고 곁에는 마구간이 있었다. 원래 마당이 있었던 것 같지만 두 집이 차지해버려서 안쪽에는 햇빛이 들지 않았고 시원하였다. 그들은 마루에 가서 둘러앉았다.

"아니, 자네가 여태 살아 있었다니 믿어지지가 않네."

김영선은 눈시울이 붉어져서 중길을 바라보았고 중길도 시선을 피하듯 공연히 이리저리 집안을 둘러보았다.

"아주머니는 어디 가셨수?"

김영선은 그냥 쯧 하며 혀를 차고는 맥없이 중얼거렸다.

"저 안에 누워 있지. 얼마 못 살 것 같아. 인사불성이라네. 참 면천하느라구 고생두 많았네만…… 나는 자네들 모두 중흥골에서 관군에게 포살된 걸루 알구 있었네."

"몇사람이 죽었수. 하지만 계원들 모두가 식솔들과 잘 살구 있어요."

"아직두 살주계가 남아 있었던가?"

"우리 같은 공사천(公私賤)이 한 사람두 남김없이 양인이 되기 전에는 계를 헤칠 수 없수."

"그나저나 이번에 무슨 일로……"

"우리 계에서 성중에 묵어야겠는데 성님이 좀 거두어주시우."

김영선은 잠잠히 있더니 나뭇짐을 나르고 있는 아이를 손가락질하였다.

"저것이 이제는 종의 자식이 아니라네. 나야 뭐 주막을 열어서 오가는 행객들의 쌀이나 돈을 받아 살아가니 무슨 손님이든 상관없지만…… 계원들은 못 받네. 무슨 혐의가 생기면 나두 전에는 사노 출신이라 연좌를 피할 길이 없네. 그러면 저 녀석이 다시 평생 남의 종을 면할 길이 없잖은가?"

중길은 침통한 얼굴로 앉았다가 중얼거리며 일어났다.

"그러면 하는 수 없군. 다른 집을 찾아봐야지. 하지마는 나중에 우리를 원망 마시우. 누군가 잡히거나 일을 그르치게 되면 계원인 성님도 우리 일을 도왔다고 토설할 테니까……"

"뭐라구?"

중길은 놀라서 일어나는 김영선의 옷깃을 틀어쥐고 나직하게 속삭였다.

"목대감네 광에서 맞아죽은 북성이 생각나지? 성님하구는 친형제처럼 지냈지. 사옹원 노비였던 독쟁이 아저씨는, 그 아들이며, 아주머니는…… 종은 누구나 죽을 때까지 살주계라는 말을 잊을 수가 없수. 다시는 이 집에 찾아오지 않을 테니 마음 탁 놓구 천년만년 사시우. 관가에 적경났다구 발고해두 좋아."

하고는 중길이 그의 멱살을 내던지듯 풀어주고는 영길에게 뱉었다.

"가자, 종놈들이 면천한 놈 문턱을 밟아서야 쓰겠느냐."

그들이 돌아서는데 김영선이 중길의 소매를 잡았다.

"중길이…… 화내지 말게."

김영선은 그들을 다시 앉히고 입정하는 사람들의 숙식을 맡기로 응낙하였던 것이다.

황회와 김시동은 포천 객주에 나가 있는 고달근에게도 알리고 솔부리의 복만이에게도 둔병할 것을 알렸다. 그러고는 서강으로 나가 모신네 객점을 찾아가 입경 일자를 알리고 나서, 청파 칠패 배오개 등지의 예전 검계원들에게는 자세한 내막을 말하지 말고 일단 거병된 뒤에 동원하여 번병에 합세하도록 당부하였다.

어느결에 유월이 다 지나고 칠월에 접어들었다. 송도에 부탁하였던 물건은 벌써 칠성암에 와 있었고, 시내비골에서는 시동의 지시를 받은 귀선이 한양 가서 군관의 복색을 사왔고 환도며 몽둥이를 숨겨두었다. 환도는 창포검이었고 몽둥이는 박달나무로 깎은 한 팔길이의 단봉들이었다. 최영검은 파주로부터, 이정명과 전성달은 장길산과 금화의 대성법주로부터, 각각 통문을 받고 알았다는 답보를 받아왔다. 정원태는 해전에 설유징이 작성하여 보냈던 신서를 빌려서 그들의 거사에 알맞은 여러가지 참언을 덧붙여 배포할 문서를 만들었다.

장차 미륵의 시대가 도래한다는 것과, 승불경불(僧不敬佛)하고 속즉경불(俗則敬佛)하니, 용(龍)이 아들을 낳아 주국(主國)하고 풍우부조(風雨不調)하고 오곡이 불성(不成)하여 사람들은 모두 굶어죽고 미륵존불께서는 북방에서 나와 눈이 손만큼 크고 금수복(錦繡服)을 입고 손에 큰 징을 쥐고 남북으로 오르내린다는 것이었다. 칠월 중에 대우(大雨)가 폭주(暴注)하여 산악은 허물어지고, 도성도 역시 탕진(蕩盡)하여 국망시대(國亡時代)가 될 것이다. 세간도 반드시 타대(他代)가 나오며 우박 천하(天下)하여 궁궐이 텅 비면 백성들이 마땅히 입성하여 귀히 될 것이다. 이때에 백성을 돕기 위하여 사해 용왕의 딸 용녀부인이 흥운작우(興雲作雨)하여 신변(神變)이 불측(不測)이니 만사형통할 것이다. 금당개세(今當改世)하면 성인지대명전(聖人之大明殿) 신법자연성(新法自然成)이라고 원태는 적었다. 그는 문서를 사오십 부 만들어 사방 향도들을 통하여 배포하였으니, 주로 계화가 나다니면서 또는 칠성암에 찾아오는 향도들에게 나누어주었던 것이다. 소문은 은밀한 가운데 불이 번져가듯 차츰차츰 퍼져나갔다. 백성들은 천지개벽이 바로 눈앞에 당도했다고 술렁술렁하고 모여앉기만 하면 공연히 밤하늘을 바라보며 불안하게 소곤거렸다.

칠월 초닷샛날에 칠성암에서는 먼저 입경할 사람들이 모였다. 평계는 내일 모레가 칠석이라 제를 지낼 준비를 한다고 하였다. 여환과 황회와 원향과 계화 그리고 영평서 정원태가 왔고, 김시동 전성달, 이정명 이원명, 오계원 오경립 형제가 왔고, 정호명 정만일 형제, 영길이와 말립이 정대성이 왔다. 이들 가운데 여환 황회 원향 김시동 이원명 정호명 정만일 이말립 오경립 정대성이 한양으로 들어갈 사람들이었다. 김시동은 입경하여 검계원들을 이끌게 되어 있었고, 정호명 정만일 형제와 정대성은 상번군 출신의 장정들을 지휘할 것이며, 영길과 말립은 중길의 지시를 받아 살주계와 공사천들의 결속을 맡고, 이원명과 오경립은 혜화문 앞에서 밀려들어올 양주 병력을 안내할 참이었다.

"스무여드렛날에 다락원에서 모여 입경하기로 하고 병장기와 군복은 영길이가 그전에 거적에 싸서 종루 연골의 주인가에 장치할 것입니다. 이제부터는 다시 모이지 않고 변동이 있으면 김서방〔時同〕과 영길이가 찾아가 전갈할 것이니 거사할 때까지 신중하게 기다리시오."

여환이 일렀다. 정원태가 말하였다.

"우리 후진은 아흐렛날에 영평서 모이기루 되었습니다."

"누구네…… 이서방〔李哲信〕네 집인가?"

황회가 물으니 원태가 끄덕였고 황회는 말하였다.

"나두 참예해야겠군."

"병장기는 환도뿐인가?"

정호명이 물었고 여환이 답하였다.

"짐으로 꾸려서 성내로 들어가기에는 환도가 기중 안전합니다."

황회도 거들었다.

"성내에서 군변 일으키는데야 단병접전이 주가 될 것이라, 활이다 총포다 모두 소용이 없소이다."

정만일과 정호명이 말하였다.

"우리 언니는 장창을 잘 쓰지만 까짓 거 최영 장군의 용력을 가졌으니 맨손으로도 금군 대여섯은 집어던질 게요. 나두 명색이 상번병의 수문장이요, 일대(一隊)의 장인데 궁성이라면 내 손금 보듯 허우. 경희궁(慶熙宮)의 담장은 인왕산 줄기를 타고 돌아서 사직골 쪽에서 넘으면 아주 감쪽같지요."

"장창은 뭘, 작대기 하나만 있어두 된다. 사실 인조반정 때에두 실제 처음에 동원된 군사는 육백 명에서 천 명이 못 되었습니다. 도감군(都監軍)이 나설 것이나 그전에 점령해야 합니다. 훈련도감을 장악하면 한양은 우리 수중에 떨어집니다. 그뒤에라면 한양과 근기지방에서 의병 삼사천을 급히 징번하여 쓸 수 있으니 지방군은 그리 염려할 바가 못 됩니다."

황회가 말하였다.

"지방에서는 천민들이 들고일어나 감영을 점령할 것이요, 우리는 주상(主上)을 사로잡아 그에게 효유(曉諭)토록 하고 나중에 진인을 세워 입국하면 됩니다."

모두들 그에 이르러 두리번거리다가 정대성이 우물쭈물 물었다.

"우리는 모두 상사람들이라 양반의 일을 모르는데, 과연…… 우리 가운데서 누가 임금이…… 되는 것입니까?"

여환이 미소지으며 답하였다.

"상사람이 따로이 있는 것이 아닙니다. 만국의 창업주들은 모두가 평지에서 몸을 일으켜 돌출한 사람들이지요. 여기 계신 이들이 모두 장군 대신들이지요. 진인은 강원도에서 저희 사승(師僧)의 보호를 받고 계십니다."

"궁궐을 깨치고 들어가 주상을 사로잡는 일은 내게 맡기시우."

정호명이 말하자 시동이가 말하였다.

"최영 장군님 넋을 받은 분이니 성님이 마땅히 선봉이 돼야 허우."

원향과 계화는 얼굴만 비쳤다가 나가서 칠석제 지낼 음식을 준비하고 있었는데, 장작을 잘게 뽀개어 부엌 봉당에 쌓아주던 박수 김승운이 들어왔다.

"종사(宗師), 나는 뭐 늘 칠성암이나 지키구 사는 거요? 나두 사선골서 원한이 등골에 박힌 사람이라우. 이번에 입경할 때 마누라가 안 간다 하니 내라두 가야겠소."

"허허, 김박수는 암자에 남았다가 뒤처진 이들께 연락도 하고 행방도 알려주고 해야 할 텐데……"

"뭐 계준이는 장수가 되고, 나는 암자지기나 되란 말요?"

하는데 계화가 얼른 남편을 끌어냈다.

"내가 안 가는데 어딜 따라나선다구 보채시우. 이럴려구 해서에서 스님 따라나섰수?"

"나두 용화세상 좀 봐야지."

모두들 기분이 들떠 있었고, 애초부터 혈속도 재산도 변변히 없었고 잃을 것도 별반 없어서 모역이란 것이 그리 끔찍하게 여겨지지 않는 그들이었다. 모두들 봄에 화전놀이 갈 채비라도 하는 것 같았고 정만일이나 정호명 같은 사람들은 자신들이 관운장이나 한신 같은 호걸들과 다를 바 없다고 생각하였으며, 황회 김시동 정원태 같은 이들만은 비교적 냉정하였던 것이다. 그들은 무엇보다 갑자년 검계 살주계 난리 때에 살전을 겪었고 그의 동료들의 죽음을 지척에서 보았던 터이다.

칠월 열하룻날, 영평 읍내에 있는 이철신네 사랑에는 황회와 정원태가 와 있었고 원태가 부른 삭녕 장포의 주막 주인 이시흥과 안협의 이정명이 와 있었다. 포천에 나와 있던 고달근이 황회의 성화를 이기지 못하여 따라왔고, 시내비골의 방귀선, 도훈도(都訓導)로서 이철신의 절친한 동무이며 같이 읍내에 사는 정영(鄭永)도 끼여 있었다. 정영은 도포에 갓을 쓰고 제법 위엄을 차리고 있었으나 실은 말단 향임이라 존칭은 하여도 모두들 대수롭지 않게 여기는 터였다. 정영은 이철신을 통하여 포천의 부고라는 정원태와 사귀게 되었고,

그는 다만 원태가 주역과 풍수에 밝고 남의 상을 잘 본다는 것에 흥미를 느꼈던 터이다. 그러다가 참서를 보게 되고 그에게 얼이 빠져버렸다. 정영은 이철신을 따라 집안에다 미륵존불의 목패를 모시고 있었다. 고달근과 이시홍은 객점주로 소개되었고, 그들은 정영의 갓을 못마땅한 시선으로 쳐다보았다. 정원태가 입을 뗐다.

"우리 종도사 스님의 상통 천문 하찰 지리하시는 바에 의하면, 이 달 말에 폭우가 내리고 뇌성번개가 쳐서 큰 변이 날 것이라 하오. 이에 지기(地氣)가 쇠진하여 산이 무너지고 궁궐은 쓸려내려간다 하니, 마땅히 진인을 대동하여 입경, 나라를 세워 백성을 평안케 해야 할 것이오. 양주목사가 우리 말을 들으면 다행이나, 듣지 않으면 목을 쳐서라도 관부를 점령해야 합니다."

"그런 일은 나와 정훈도에게 맡기시오. 우리는 관가의 일이라면 수청 기생의 속곳까지 아는 사람들이오."

이철신이 한량인지라 여유 있게 말하였고, 정영은 대답 없이 헛기침을 몇번 하였다. 정원태가 그에게서 다짐받고 문서에 써넣었으니 정영 쪽에서는 이미 발을 뺄 입장이 아니었다.

"지금 영평에서도 천지가 바뀐다고 민심이 들끓고 있소이다. 이렇게 나가다간 그믐이 되기 전에 먼저 무슨 일이 생기지. 아이들까지도 천변대우 천지개벽이라고 노래를 부르는 형편이오."

정영이 말하니 이시홍도 말하였다.

"저도 들었습니다. 모두들 난리가 나면 대전리가 궁궁(弓弓)의 활지(活地)라고 거기에 가야 산다고 소문이 났지요."

고달근도 말하였다.

"포천 저자에서는 소문이 돌기를, 그믐께에 서해에서 용이 출래하고 일월을 삼키면 하늘과 땅이 맞붙는다고 모두들 한양으로 들어가든지 해야 된다고 쑥덕거립니다. 이 무슨 도깨비 같은 말인고 하였더니 원태 성님 말장난 아니우?"

"이 녀석아, 말장난은 다 무에야. 입국이 되고 보면 너는 포도대장이나 되어서 예전에 쫓겨다닐 적의 포한이나 실컷 풀려무나."

황회가 곁에서 농을 하였고, 고달근은 돌아앉아 입맛을 다셨다.

정원태가 방바닥을 두드렸다.

"자, 그만 그만. 지금 날짜가 별루 남지 않았소이다. 이동지와 정훈도께서는 나와 함께 양주목에 나아가 관가에 좌정키로 하고, 삭녕 사람들은 이서방〔李時興〕과 이상좌〔李井明〕가 이끌고 연천 사람들과 합류하여 대전리로 모이고 영평 사람들은 우리와 같이 갈 것이며 시내비골에서는 방서방〔方貴善〕이 앞장설 거요. 고서방〔高達根〕은 포천서 그대로 양주로 향하여 불곡산 고개에서 기다리다가 대전리서 가는 우리들과 합류하면 되오. 양주 관아로 가자마자 가장 먼저 동헌으로 몰려들어가 목사를 사로잡고 중군을 잡은 뒤에 영의 수직 군사들을 처치하고 번이건 비번이건 군졸과 군관을 잡아 옥에다 넣어야 할 것이오. 목사는 우리가 맡을 것이고, 중군과 군관들은 방서방과 이서방이 하오. 우물쭈물하지 말고 조금이라도 반항할 눈치가 보이면 가차 없이 목을 베시오. 또한 향임들을 다루고 토박이들을 잘 아는 이가 필요한 것이니 전형방과 허예방이 즉시 목사의 관인을 사용하며 관문을 돌려서 영평 포천 적성의 현감들을 소집시켰다가 잡아두고, 각 고을 아전들께 통지하여 그들을 얼른 우리 일에 동사하도록 해야 합니다."

이철신이 말하였다.

"두 사람을 만나려거든 삼문 밖으로 잠깐 불러내어 이르시구려. 아니면 이따가 아이를 보내어 저녁에 놀러 오라구 하든지."

"아니, 그럴 틈이 없으니 내 직접 가서 만나야겠군."

이시홍 방귀선 그리고 황회 정원태는 함께 이철신네 집에서 나왔고, 고달근도 말없이 나서기는 하였으나 떨떠름한 얼굴이었다. 황회가 신신당부하기를,

"아이들 몰고 불곡산 고개로 나와야 한다. 우리가 이제서야 큰일을 치르게 되는 게야."

하였으나, 고달근은 앞서가는 원태와 시홍의 등을 힐끗 바라보고는 목소리를 낮추어 말하였다.

"이봐, 검계는 인제 다 지나간 얘기야. 자네들 몇이서 쑥덕거린다고 한양을 뒤집어? 갑자년에는 정말 난다 긴다 하는 사람들이 가재와 게처럼 혈당을 지어 혀가 빠지도록 뛰었어도 공연히 잡혀죽기만 했어. 이봐 황서방, 너는 그만두어."

"이렇게 준비가 착실하니 절대 실패하지 않을 거야. 달근이 자네두 인제 속 좀 차려. 손해볼 것이 없지 않나. 첨부터 뭐 내로랄 게 있었던가. 안성 청룡사에서 절밥 얻어먹고 잔뼈 굵고 사당 애들 행하로 목구멍에 풀칠하였으니, 그만하면 호강하구 살았지. 두고 보게, 우리가 이대루 찍소리두 못 하구 밥숟갈 놓게 되지는 않을 게야."

황회가 열을 내어 말하였고 고달근은 전처럼 발끈하거나 욕지거리를 꺼내지도 않았다. 그것은 황회에게는 남다른 정이 있어서였다. 그는 어느 점쟁이가 표현하였듯이 실리에 밝을지언정 정이 없는 사람이었다. 그에게 진작 그런 것이 있었다면 달근이는 벌써 청룡사 사당 거사패에서 발을 뽑지 못하고 지금은 저승패가 되어 있을 것이었다. 그러나 고달근은 면천(沔川)서 그와 함께 화적질을 하여 쫓긴 이래로 형제와 같이 붙어다녔다. 황회가 노적사에서 정원태를 만난 이래로 그는 차츰 변모하기 시작하였고, 고달근은 자기 앞가림에

급급하였던 것이다. 고달근은 지금이라도 대충 정리하여 어느 시골에 전장이라도 마련하고 숨어 살면 밥 세 끼는 놓치지 않을 만하였다. 황회는 검계가 잠행한 뒤로부터 더욱 미륵도에 열을 올렸고 장가까지 들어서 고달근과는 전혀 다른 생활을 시작하였다. 고달근은 아직도 대처 건달에 지나지 않았다. 고달근은 이런 것이 얼마나 위험하고 쓸데없는 짓인가 생각했으며 황회는 이제 돌이킬 수 없다고 보았다.

"달근이 자네 송우 난전 애들 몰고서 불곡산으로 올 거지?"

황회가 물으니 달근이가 재빨리 말하였다.

"하여튼…… 자네 그릇되면 삼천리에 몸담을 곳이 없어지네. 안성에 아직도 내 동무들이 많이 있으니 숨어 지낼 만한 골짜기의 암자를 소개해주지. 마누라 데리구 그곳으루 가 있어. 내가 나중에 돈을 보낼 테니……"

"쓸데없는 수작 말어. 오는 게야, 안 오는 게야?"

고달근은 황회의 얼굴을 바로 쳐다보았다.

"자네가 더 잘 알지 않나, 내가 어떤 놈인지."

하고는 고달근이 황회의 팔을 잡더니 꽉 잡고 흔들다가 놓았다.

"이 밥쇠 같은 자식."

그들은 철신네 집 앞에서 헤어졌다. 이정명과 이시홍은 동행이 되어 연천 쪽으로 갔고 황회는 집으로 돌아갔으며 정원태는 관가의 삼문 밖으로 갔다. 그는 사령에게 전형방과 허예방을 잠깐 불러달라고 하였다. 바로 길 앞은 삼밭(麻田)이었다. 전시우(田時雨)와 허시만(許時萬)이 주위를 두리번거리며 나왔다. 그들은 이미 자세한 소문을 들어 알고 있었다. 정원태는 그들에게 끝까지 병력을 동원한 궁성 번복에 대하여는 말을 꺼내지 않고서 다만 그믐에 천변이 일어날 조짐이 별자리에 나타났다고만 이르고 그때에는 양반과 사대부가 모두 몰살할 것이니, 우리 같은 중인(中人)들이 행정을 맡아야 한다고 말하였다.

"개벽이 일어나면 나와 함께 양주목으로 가서 병부 관인을 접수하여 민심을 안돈시키겠나?"

전 허 두 사람은 이구동성으로 말하였다.

"안돈시키다뿐인가. 내쳐서 한양으로 들어가 궁궐 좌정을 하여야지."

"염려 말게. 우리두 다 경륜이 있다네."

7

칠월 열이틀, 오후부터 서북에서 짙은 먹구름이 일어나 하늘을 메우기 시작하였다. 그것은 그저 여름 그맘때의 폭풍에 지나지 않았다. 아직 훤한 대낮이었는데도 사방은 어두컴컴해졌다. 먼하늘 속에서 천둥소리가 징 치듯 울려왔다. 법당 안에 앉았던 여환은 마루 끝으로 나가 서서 하늘을 올려다보았다. 코끝에 물기를 가득 머금은 바람결이 부딪쳐왔다. 주위는 누런빛을 띠었고 나뭇잎들이 발깃발깃 나부끼기 시작하였다. 아랫방에 있던 김승운도 툇마루로 나오며 여환에게 말을 건넸다.

"비가 올 모양이우."

여환은 금방 먼 산머리에서 뭔가 번쩍, 하는 빛을 보았고 이어서 천둥소리가 구름을 헤집고 지나쳐갔다.

"글쎄요…… 큰비가 오려나."

"큰비는 아니우. 대개 비가 많이 오려면 처음에는 한줄금씩 가랑비가 오락가락하다가, 바람이 서남에서 불어오고 검은 구름이 멧돼지떼처럼 연이어 몰려오면 비록 갠 곳이 보인다 하나 연일 장마가 들지요. 보아하니 한 이삼일 소나기가 좋이 내리겠는걸."

여환도 그렇게 생각하고 있었다. 대저 진위뢰(震爲雷)라 하였으니 우렛소리 요란하면 앞은 급하나 뒤가 없으니 비는 많지 않을 것이다. 후두둑 후두둑 굵은 빗방울 떨어지는 소리가 들렸고 바람이 거세어졌다. 갑자기 누런 허공에 흰빛이 번쩍하더니 하늘을 찢는 듯한 뇌성이 들렸다. 채소를 담은 소쿠리를 옆에 낀 원향과 계화가 허둥지둥 칠성암으로 뛰어들었다.

"아이고, 무서워. 아무 죄두 없는데 이렇게 간이 뒤흔들리니 죄 많은 사람 천벌이 무서워 어찌 살꼬?"

계화가 처마밑으로 들어서며 호들갑을 떨었다. 원향이는 소쿠리를 부엌에 들여놓고 마루에 걸터앉았다. 천둥 번개가 이리저리 마치 작대기가 살아 꽂히듯이 꿈틀거리며 하늘을 찢었고, 그 속에서 댓가지 같은 빗줄기가 쏟아져내리기 시작하였다. 하늘은 금방 뿌얗게 되었으며 소요산과 감악산은 하늘 속에 자취를 감추었다. 빗소리는 귓바퀴 안에 왕모래가 들어 왈가닥거리는 듯 요란해졌으며 사방에서 물 흘러가고 떨어지고 부딪치는 소리가 폭포 가까이 있는 것 같았다. 뇌성벽력은 더욱 심해졌다. 지축을 흔들며 폭음이 들릴 적마다 계화는 에구머니 소리를 연발하더니 드디어 방 안으로 뛰쳐들어갔다.

"이 사람, 번개는 땅을 기름지게 하는 거라구. 뭐가 무서워. 헌데 요즘 비는 별루 안 좋을 텐데. 나락이 다 익어가는데."

빗줄기는 더욱 거세어졌다. 여환은 법당 안으로 들어가려다가 얼핏 좋지 않은 느낌이 들었다. 저것이 혹시 정말 개벽의 조짐인가. 그는 이번에는 뚜렷한 근심을 가지고 비 오는 허공을 바라보았다. 소나기에 불과하지만, 지금 민심은 뭔가 기다리는 중이었다. 저 하늘을 천변의 조짐으로 믿게 된다면…… 그렇게 생각하는 여환을 깨우쳐주려는 것처럼 요란한 벼락소리와 함께 맞은편 산허리의 나무가 꺾여져나가고 있었다. 비는 바람에 실려서 이번에는 비스듬하게 몰아쳐 내리기 시작했고, 승운은 괭이를 들고 나가 토담 밖에 긴 고랑을 팠다.

비는 그침 없이 내렸다. 밤에 나란히 누워 있는 원향과 여환의 귓가에도 우렛소리가 들려왔고 초가지붕을 따라 흘러 떨어지는 빗소리 때문에 그들은 잠들지 못하고 뒤척였다.

열사흗날에 비는 그쳤으나 바람은 거세게 불었고 아직도 하늘에는 검은 구름이 짙게 깔려 있었다. 천변이 일어난다는 소문이 월초부터 끊임이 없더니 드디어 뇌성벽력이 요란한 밤을 뜬눈으로 새우자마자 백성들은 서로서로 안부를 물으며 다시 소문에 소문을 덧붙이게 되었다. 대개 그 소문은 대탄 근처 대전리 벌판이 활방(活方)이라 그리로 모여야 무사히 환난을 넘긴다는 데로 모아졌다. 먼저 연천 마전 영평의 백성들이 술렁거리기 시작하더니 동네마다 떼를 이루어 활방을 바라고 몰려오기 시작하였다. 집 안에 남아 있던 자들도 다른 동네 사람들이 길을 하얗게 메우며 지나가자, 서로 묻고 대전리라는 말을 주고받으며 자기도 미리 알고 있었다고 맞장구치면서 이불을 짊어지고 행렬에 끼여들었다. 군중은 점점 불어났고 소문은 재빠르게 번져나갔다. 무엇보다도 간밤의 폭풍우는 그들을 밤새껏 불안하게 하였던 터이다. 툭하면 난리요 자칫하면 관가에 불려가 혼찌검을 당하고 흉년은 해를 걸러 계속되고 역병은 철마다 돌았으니, 백성들은 차라리 천변이 일어나 이런 세상이 끝나고 착한 백성들끼리 오순도순 사는 새 천지가 바로 서야 한다고 믿었던 것이다. 떼를 지어 활방으로 찾아가는 이들은 향반이나 부호들을 손가락질하며 비웃었다. 그들은 불안한 가운데도 차마 도적이라도 맞을까 하여 집을 비우지 못하고 솟을대문 앞에서 서성거렸다. 하인을 보내어 다급하게 물을 적마다 백성들은 쾌활한 목소리로 떠들었다.

"재산이 무슨 소용인가. 사람 났고 재산 났지. 재물로 사람을 업수이여겼으니 곳간 열쇠 쥐고 살려달라지."

"첨지자리나 되는 모양일세. 하늘 앞에 임금인들 무슨 소용일까."

"에이그, 권세와 돈은 이 바람에 싹 쓸어가버리구 다시 시작했으면 좋겠네."

불안한 가운데도 일반 백성들의 이러한 활기는 차츰 전파되어 호기 있는 자들은 제법 그 지주를 만나 지나칠 적에도 하정배를 드리지 않고 뻣뻣이 말하였다.

"작료는 이제 끝이우. 산과 땅이 없어질 것이니 네 땅 내 땅이 없게 된다우. 잘 사시우, 우리는 활방으로 가니까."

이렇게 민심이 들끓는 가운데 이를테면 양주서는 가장 멀리 떨어진 삭녕에서도 형편은 같았다. 환갑이 넘는 노인들인 이유선(李有先)과 백성완(白成完)은 아침에 논을 보러 나왔다가,

"이 사람아, 양주서 성인이 나와 만백성을 구한다네. 간밤에 용이 나타났다네."

"나두 들었네. 활방은 양주 대전리라면서. 거기 가면 목숨도 살 뿐 아니라 만병이 다 낫고 새사람이 된다지. 내가 십여 년을 가슴앓이로 고생했는데 그 좋다는 이천(伊川) 약수를 먹고도 효험을 못 봤어. 우리 속는 셈치고 가볼까."

젊은 이두완(李斗完)은 허충(許摠) 노인과 함께 배를 부려서 아픈 사람이나 노약자를 태우고 대탄으로 출발하였다.

또한 삭녕 동촌(東村)의 중년 농부 김천선(金天先)과 임기읍(任己邑)은 불안한 가운데 논에서 물꼬를 손보고 있더니 지나가는 소금장수가 말을 걸었다.

"댁네들은 대전리에 안 가슈? 지금 상리(上里)에서는 온 마을 사람들이 남부여대하여 양주 쪽으로 발정하였는데 나두 이 장사 때려치우고 얼른 포천 들러서 활방으로 가려는 중이우."

"활방이 도대체 뭐요?"

남의 머슴으로 그런 일에 한눈팔 겨를에 없던 임기읍이 물으니 소금장수는 가장 장한 듯이 주워넘겼다.

"어젯밤 그 벽력소리두 못 들었수? 지금 양주 대전리에 용이 내려왔는데 묵은 세상은 끝장이 난다는 거요. 그리로 찾아가면 새세상에 살아남고 모두들 양반 상놈이 없이 똑같은 사람이 된답니다."

소금장수는 바쁘게 달려가버렸다. 임기읍이 얼른 논에서 나와 달음질치니 멍하니 섰던 김천선이 따라가며 외쳤다.

"이 사람아, 같이 가세. 하리 사람들 전부 불러모아야지."

영평 읍내에서는 마침 정원태가 아침 밥상을 받아 아내와 겸상으로 식사 중이었는데 이말립이 봉수꾼 이응화(李應化)를 데리고 헐레벌떡 마당으로 들어왔다.

"큰일났습니다. 산지사방에서 사람들이 떼를 지어서 몰려가고 있습니다."

말립이의 다급한 목소리에 정원태는 숟가락을 놓고 일어섰다.

"왜…… 무슨 일이냐?"

"글쎄, 간밤에 폭우를 겪고는 그것이 천변대우의 시작이라고 난리들입니다."

말립이 말하였고 봉수꾼 이응화도 거들었다.

"관가에서도 소문을 들은 모양인지 파발을 띄운다 만다 법석입니다."

정원태는 탄식하였다.

"아뿔싸, 여름에 폭우가 많은 것을 어찌 생각 못 하였던가."

"지금 칠성암으로 달려가 날짜를 앞당기도록 급히 안을 바꾸는 것이 어떻겠습니까?"

정원태는 손으로 날짜를 꼽아보고 나서 말하였다.

"그 수밖에 없겠지. 당장이라도 입경을 해야만 한다."

김시동은 전날 정호명네 집에 갔다가 폭우로 붙잡혀서 호명과 같이 잔 터였다. 호명이네 집이 면임 집이라 길가에 있었으며 사람들이 술렁대며 지나가는 것을 온 가족이 보았다.

"하늘이 때를 주었으나 맞지가 않소. 우리가 이때를 타지 않으면 끝장이우."

김시동이 다급하여 말하자 정호명도 대번에 알아들었다. 그는 행전을 치고 맨저고리에 돌띠 매고 맨머리에 두건 두르고 나섰다.

"가세, 이 길루 한양에 들어가야지."

그들이 삼십 리 길을 잰걸음으로 달려가는데 초촌내의 정자 앞에 이르니 들이 온통 희끗희끗하였다. 그들 모두가 대전리를 향하여 한 방향으로 움직여가고 있었던 것이다. 대전리에 이르니 벌써 먼저 온 사람들이 오거리 앞 하천의 지류가 모이는 둔덕 위에 하얗게 올라앉았고, 시내비골은 마치 대처장이 선 듯하였다. 사람들은 아직도 몰려드는 중이었다.

시동이와 정호명이 집으로 들어가니 방귀선이 수심에 잠겨 앉았다가 벌떡 일어났다.

"시동아, 이를 어쩌려느냐. 지금 시내비골 사람들은 남자면 늙은
이고 어린것이고 가릴 것 없이 양주로 몰려들어가야 한다고, 환도를
내놓으라고 법석이다. 사람들은 점점 불어날 것이니 대체 이 사람들
을 다 어찌 통솔하냐."

시동이가 말하였다.

"염려 마라. 많이 모이면 더욱 힘이 커지니까 좋지. 우리 아버지
어디 가셨니?"

"사람 구경하러 나가셨다."

"누가 날 찾으면 칠성암 올라갔다고 일러주어라."

"우리는 어떻게 하구 있냐?"

방귀선이 답답한지 자기 가슴을 두드리며 물었고, 시동이는 침착
하게 말하였다.

"걱정 말고, 시내비골 어른들 시켜서 느이 아버지나 응남이 아저
씨든 기동이 아저씨든 인총 속으로 파고들어가서 천변은 이제 조짐
이 보인 것이고 앞으로 닷새 안에 반드시 일어난다구 소문을 내어
라. 그리고 우리 미륵도의 염불을 가르쳐서 염송을 하도록 시켜라."

그들이 바삐 동네 길로 내려오는데 마침 방의천과 이응남을 만났
다. 그들은 손에 몽둥이를 들고 있었다.

"어떡할 거냐. 어서 군중을 몰구 양주 관아로 가야지."

혈기 있는 방의천이 몽둥이로 땅을 쿵쿵 찧으며 말하였다. 시동이
는 화를 벌컥 냈다.

"그 몽둥이 치우지 못해. 아직은 덤빌 때가 아니야. 군중이 동요하
지 않도록 미륵의 도나 일러줄 때란 말이야. 설치지 말구 귀선이에
게 가서 말을 들어."

호명과 시동은 대전리의 들판으로 다시 나왔다. 사람들은 아까보다 더 늘어나 있었다. 진 땅에도 앉았고 젖은 풀 위에도 앉았으며, 아이들은 소리 지르며 뛰어다니고 지휘자가 없는 백성들은 이곳 저곳으로 몰리며 소문을 교환하고 있었다. 떠드는 소리, 왁자하는 웃음 소리, 서로 찾고 부르는 소리로 대전리는 장바닥이 되어버렸다.

시동이와 호명이 칠성암에 당도하니 벌써 법당에는 혈당들이 많이 모여 있었다. 암자 어귀에는 사람들이 하얗게 몰려서 그들을 가로막고 섰는 영길이와 이원명에게 항의하고 있었다.

"우리두 향도들이우. 종도사님을 만나려는데 왜 막는 거요?"

"천변이 일어나면 세상을 맡을 사람들은 우리 향도들인데 암자에는 어째서 못 들어가게 하시우!"

그때마다 원명이 작대기로 그들의 가슴을 밀어내며 말하였다.

"지금 상좌들이 논의 중이오. 그 다음에는 향도든 누구든 마음대루 들어가슈."

여환은 벌써 아침에 연천서 헐레벌떡 달려온 오계원 오경립 형제에게 근기 일대의 소동을 자세히 들은 터였다. 정원태도 말립이를 데리고 영평서 당도하였고, 황회도 달려왔다. 정원태와 황회가 말하였다.

"일이 이쯤 되었으니 거사일을 당길 수밖에 없소이다. 날짜를 끌면 반드시 관가에서 기찰을 할 것이오."

"통문을 새로 돌리는 한이 있더라도 오늘 내일 사이에 발정하지 않으면 이번 일은 낭패보구 맙니다."

여환이 말하였다.

"해서와 강원의 군사가 발동되려면 못 잡아도 닷새는 걸립니다. 오늘부터 따져서 열여드레나 되어야 합니다. 여러분의 안에 따라 통문을 새로 보냅시다. 우선 근기의 사람들 손발이 맞아야 할 것이니 이 길로 흩어져서 내일 모레 입경한다는 것을 알리시오. 선진은 모레 오전에 다락원에서 모여 입경하고 후진은 오후에 대전리로 모여 기다렸다가 한양에서 변이 나자마자 양주를 장악하시오. 정대덕의 힘이 많을 줄로 압니다."

곧 삭녕 전성달과 안협 이정명에게로 새로운 통문이 가게 되어 송도에서 사온 말을 파발로 내게 되었고, 기병 출신의 정대성이 전통을 맡았다. 비는 아직도 오다 말다 하였고, 모여드는 사람들은 오전보다는 좀 뜨막해지고 있었다.

정대성은 대탄을 건너자마자 그대로 말을 달려 황혼이 되기 전에 칠십 리 밖의 홍성산에 이르렀고 장군산 골짜기의 유민촌으로 찾아들어갔다. 대성이 전성달을 급히 찾으니 그는 아직 대세의 변화를 모르고 있었다. 대성은 다급하게 사정을 이야기하였다.

"전상좌, 큰일이 났소이다. 폭우가 내려서 백성들이 먼저 작당하여 대전리에 모여들었소. 관가의 기찰이 시작되기 전에 거병해야 한답니다. 앞으로 늦어도 닷새 안에 병력이 모이지 않으면 우리 일은 실패로 돌아가우. 종도사께서는 내게 해서와 강원 방면의 전통(傳通)을 당부하였소이다."

대성의 말을 듣자 전성달은 안색이 변하였다.

"여기서 금화 천불산에 알리기는 쉬운 일이지만 승병을 그렇게 빨리 모을 수는 없을 거요. 대성법주스님은 이달 그믐께로 알고 계실 터이니 각 산사마다 그렇게 일렀겠지요. 다시 거사 일자를 고쳐서 알리려면 여러 날이 걸립니다."

"나는 이 길로 안협 이상좌에게 알려야 합니다. 해서에도 즉시 연락해야 하니까요."

정대성은 곧 저녁이 되는데도 쉬지 않고 삼십 리 떨어진 안협으로 달려갔다. 안협 상수리의 이정명은 양주에서 차질이 나게 된 사정을 듣고는 전성달과 마찬가지로 걱정하였다. 그러나 무엇보다도 곧 평산의 풍류계원에게 알려 신천 소매의 오계준과 자비령의 장길산에게 전하는 일이 급하였다. 정명이 대성에게 말하였다.

"나는 말을 탈 줄 모르니 차라리 정서방이 평산에 가서 알리시오. 나는 그동안에 삭녕 사람들 동원하는 일이나 맡겠수."

이정명은 정대성에게 평산의 오계준네 계원의 집을 상세히 일러주고 둘은 일단 정명의 집에서 하루 묵었다. 이튿날 동이 트자마자 정대성은 다시 말을 타고 토산 방면으로 하여 해서로 넘어갔고 이정명은 삭녕 장포로 사람을 동원하러 나왔다.

홍성산의 전성달은 대성의 연락을 받자마자 출발하여 철원서 하루 자고, 다시 오전 내내 걸어서 금화 천불산에 닿았다. 수태사에서 대성법주를 만난 전성달이 양주에서의 전갈을 알렸다. 대성법주는 침착하게 물었다.

"해서 사람들에게도 알렸소?"

"예, 안협 사는 향도가 평산으로 전할 것입니다."

"지금 여기서는 아무리 빨리 모아도 인근의 말사까지 쳐서 백여 명의 승도에 지나지 않소. 이제 바삐 금강산으로 알리려면 오며 가며 닷새는 걸릴 터인즉 그때까지 거병을 미룰 수밖에 없겠소."

전성달이 말하였다.

"십오일에 먼저 향도들을 이끌 사람들이 입경하고 사흘 뒤인 십팔일에 거사를 한다는 것입니다. 더 늦어진다면 이번 일은 실패입니다."

"운부스님과 남한산성의 일여와 가평 현등사의 풍열스님께서 어찌 결정할지는 모르나 승병을 일단 모아보리다.”

이정명이 삭녕 장포의 이시홍네 주막에 당도하니 시홍은 벌써 김성남 송계망과 더불어 대전리로 떠나려고 행장을 꾸리고 있었다.

“날짜가 변경되었어. 내일 입경하고 열여드레까지 기다렸다가 거병을 할 모양일세.”

정명이 말하자 이시홍은 그제야 안도의 한숨을 내쉬었다.

“그렇잖아도 내가 지금 이 길로 양주에 나가려는 참일세. 장포와 동촌 사람들이 떼를 지어 활방을 찾아간다고 어제 대전리로 몰려갔다네. 그중에는 벌써 실망하고 돌아온 사람들도 많아. 우리 삼촌두 동네 사람들과 어울려서 대전리에 갔다가 하룻밤 노숙하고 아무 일이 없어서 그냥 돌아왔다네. 이대로 두었다가는 큰 낭패를 보게 될 거야.”

이시홍은 조바심을 감추지 못하였다. 이정명이 말하였다.

“까짓, 걱정 말게. 오늘이라두 장정을 동원하여 대전리에 모이도록 하자. 일단 사람이 많이 모이면 서로 배포도 늘고 자연히 도모할 결심도 생기게 되는 게야. 한 이삼일 먹일 양식이 없겠는가.”

“양식은 각자 준비해도 되고 안 되면 양주목의 창고를 열면 되겠지.”

김성남도 말하였다. 그들은 함께 사람을 모으고 둘씩 짝을 지었으니 시홍은 송계망과 함께였고 정명은 김성남과 같이 나섰다. 이시홍은 행상 주대천(朱大天) 조한욱(曺漢郁) 조무인(曺武仁) 등과 더불어 사람을 불러모았고, 그들은 상번 입역했던 자들이라 군장 군복을 챙겨서 나섰으니 거의 삼십여 명이 넘었다. 이시홍은 군복이 없어 초군(哨軍) 우광남(禹光男)에게서 빌렸다. 도중에 관노 검송(儉松)이 시홍을 만나자 걱정하여 말하였다.

"이거 이렇게 군장을 갖추어 나섰다가 실패하면 어쩌우?"

"실패할 리가 없네. 해서와 강원 양도의 군사들이 벌떼같이 일어나 쳐들어올 거야."

"군량은 어찌할까요. 지금 세 때 먹을 양곡두 없습니다."

"걱정 말게. 가서 모두에게 이르게나. 양주목에서 쌀을 나누어줄 테니까."

그러나 검송은 시흥의 일행에 끼여들지 않고서 삭녕 좌수 윤여형(尹汝衡)에게 가서 가만히 일렀다. 윤여형은 곧 면주인이며 생원을 자처하는 현복명(玄復明)에게 찾아가 천변대우(天變大雨)의 소문을 확인하였다. 복명이 말하였다.

"글쎄 소문이 아니라 큰 변이 벌써 일어났네. 어제 주대천이 찾아와 활방은 양주 방면이라더니 오늘은 또한 양주서 보냈다는 이서방이란 자가 와서 군장을 마련하여 서울로 쳐들어간다는 것일세. 송계망이가 그러는데 양주서 일단 모였다가 한양에 입성한다는군."

"음, 하여튼 우리네가 섣불리 나설 일은 아니고 돌아가는 형편을 잘 살펴두세."

여하튼 그때까지는 관가에서도 천변대우가 있을 것이라는 허황한 소문에는 접하였으되 거병 입성에 관해서는 자세히 알지 못하였다. 비록 하리배와 아전들이 그런 소문을 들었어도 하도 엄청난 노릇이라 감히 고변도 못 하였다.

인근 백성들은 돌아간 사람들도 많았으나 다시 뒤늦게 당도한 이들은 더욱 늘어나서 대전리에는 시내비골 사람들이 쳐놓은 멍석 차일이 수십 군데나 되었고, 주먹밥도 준비하여 나누어주었다. 실상 시내비골의 동원 책임을 맡았던 방귀선이나 영평 일을 맡아 양주를 모두 지휘하도록 되어 있던 정원태 같은 이는 이대로 양주목을 급습해야 한다고 주장하였으나, 다른 지역의 병력 동원이 아직 확인되지 않았으니 무모한 생각이었다. 그날 밤이 되어서야 해서의 평산에까지 나갔던 기병 정대성이 급히 돌아왔다. 양주에서의 전통은 그대로 전하였으나 시행이 착오 없이 이루어질지는 아직 모르는 노릇이었다. 불안한 가운데 십사일 밤을 넘기고 선진이 출발하기로 되었던 보름날이 되었다.

칠성암에서는 입경 준비로 부산하였다. 간밤에 혜음령과 파주를 거쳐서 전갈하고 돌아온 최영길은 환도 군복 등속을 여러 짐으로 나누어 꾸리고 있었다. 정대성은 이틀간 왕래한 피로 때문에 황회가 급히 깨울 때까지 잠들어 있었다. 여환은 원향이 전립 쓰고 전복을 입고 나선 모양을 보고 말하였다.

"당신이 용녀부인의 표적이 될 것이라 노중에서 백성들을 만나면 엄숙한 기색을 보여야 하오."

"염려 마세요. 입경한 뒤에 훈련원이 점령되면 제가 앞장서서 해서 군사를 이끌고 나갈 거예요."

황회가 재촉하였다.

"종사, 어서 출발합시다. 대전리에서 지체될지두 모릅니다."

마당에는 안장에 온갖 색실과 치장을 올린 호마가 준비되어 있었고 원향이 올라앉으니 태도는 엄숙하고 위의가 있었으며 가히 사해 용왕의 딸이며 여장군이라 할 만하였다. 최영길이 용녀부인의 고삐를 잡았고 환도와 군복이 들어 있는 짐은 각자 나누어 짊어졌다. 여환 황회 원향 최영길 오경립 정대성 그리고 계화의 남편 박수 김승운이 함께 출발하였다. 그들은 바로 대전리 오거리로 나갔는데 하얗게 모인 군중들이 그들의 모습을 보자 환호하며 길을 비켜주었다. 군중들 틈에서 김시동과 정호명 정만일이 나왔다. 여환은 시동에게 물었다.

"모두들 천변을 기다리고 있소?"

"예, 어제까지는 활방으로 피해 나온 사람들이 많았는데 이제는 한양에서 변이 일어나면 기다렸다가 입경하여 재화를 차지한다거나, 공을 세우겠다는 사람들이 차츰 늘어나고 있는 모양이우."

황회가 방귀선에게 일렀다.

"칠성암 김박수가 돌아와서 알릴 때까지 향도들을 잘 이끌어주게."

"염려 마십시오. 우리 향도들은 미륵이 새세상을 이루러 오신다고 모두들 기다리고 있습니다. 종도사님과 용녀부인을 먼발치서라도 뵙겠다고 원근 사방에서 몰려온 백성들입니다. 이들에게 신심을 넣어주어야만 합니다."

"염송하십시다. 나무 현거도솔 미륵존불 나무 당래교주 미륵존불 나무 삼회도인 미륵존불."

대전리에 하얗게 모여 있는 사람들 가운데 향도들은 치병을 기원하여 늘 외워왔는지라 여환을 따라서 웅얼웅얼 염송하였고 그것은 마치 파문이 번져가는 것 같았다. 물론 변을 바라고 모여든 장정들도 많았지만, 다리에 종기가 난 사람, 곱사등이, 옴쟁이, 벙어리, 미친 사람, 풍병 든 사람, 배냇병신, 절뚝발이, 곰배팔이, 냉가슴 앓는 이, 해수병 앓는 이, 폐병, 위병, 뱃병, 부황병 등등으로 못 먹고 못 살아서 이리저리 천대받고 학대받으며 사람 구실을 못 하는 이들도 수없이 몰려와서 대전리 활방(活方)의 이적(異蹟)을 기다리던 참이었다. 그들은 제각기 염송을 마치고는 목청을 달리하여 신음하고 부르짖었다.

"어서 미륵님께서 하강하도록 해주시우."

"미륵님이 오시면 세상은 곧 바뀐다 하였으니, 이 묵은 하늘을 벗겨주오."

"천둥 번개와 홍수로 세상의 금력과 권세를 쓸어버리고 균등한 새 세상을 일으키소서."

"용화세상에서는 주림도 아픔도 질병도 모두 사라질 것이니 어서 신통술을 부리시우."

황회가 군중들을 향하여 외쳤다.

"모두들 조용히 들으시오. 우리 종도사께서는 용녀부인을 모시고 한양으로 들어가는 길이오. 여러분이 소문을 들어서 아시겠지만 용녀부인은 사해 용왕의 따님으로 미륵의 인도에 의하여 여환종사님과 배필이 되셨소. 일찍이 바람과 비를 부르고 천지개벽을 하시는 재주를 가지시고 만병을 고치는 의통을 지니고 계십니다. 앞으로 사흘 안에 조선뿐만 아니라 중원과 열두 제국을 번복하는 영험을 보이실 것이오. 우리 용화 향도의 큰어미 되시고 개벽의 시작인 태음(太陰)이 되시는 용녀부인은 금오(金烏) 기운 뒤의 옥토(玉兎)가 동에 뜨는 것과 같은 분이시오."

황회는 용녀의 입경을 떠오르는 달에 비유하였다. 원래 주역에서도 지천태(地天泰)라 하였으니 땅(坤)은 위에 있고 하늘(乾)은 밑에 있어 오히려 제자리를 태평하게 지킨다 하였다. 그것은 만물만상이 생동하여 움직이는 까닭이고 높은 것은 내려오고 낮은 것은 올려서 무등(無等)하게 한다는 이치이며 태극이 변혁의 원천인 까닭이다. 용녀부인이 물의 상징이고 물은 개혁의 수단이며 시초요 새세상의 근원이었다. 음(陰)은 모든 것을 낳고 창출해내는 까닭이었다. 용녀 원향은 구군복에 전립 쓰고 말 위에 조용히 앉아 있었고, 군중들은 미륵경을 염송하고 있었다.

여환은 대전리를 떠나기 전에 군중들에게 말하였다.

"여러분, 우리가 한양으로 들어가는 것은 대우(大雨)의 천변(天變)을 맞아 번복되는 도성을 구원하고 천민들이 스스로 나라를 세워 마음 놓고 화평하게 사는 계두성(鷄頭城) 용화세상을 준비하기 위해서요. 장차 밝아올 미륵의 세계에서는 온갖 악한 것과 욕심 상극이 모두 사라지고 서로 사이좋게 같이 사는 화평한 나라를 이룰 것입니다. 재물은 나누어질 것이며 땀 흘리고 수고하는 보람도 똑같아질 것입니다. 땅은 기름지고 풍족하며 병고와 가난이 사라져서 계두성에서는 누구나 문물의 혜택을 고루 받게 됩니다. 밤이면 늘 향기로운 자비의 비가 내려 서로 이웃 걱정을 해주며 원귀들도 스스로 한이 풀려 세상을 돕게 되고 정치와 교화는 일체를 이루어 하늘의 도가 땅에 내리게 됩니다. 탐하는 마음 성내는 마음 어리석은 마음이 은근히 잠재하여 있을 뿐 크게 드러나지 않으며, 사람들의 마음도 어긋남이 없이 평등하여 만나면 즐거워하고 착하고 고운 말을 주고받으며, 뜻이 틀리거나 어긋나는 말이 없어서 온 세상이 성인의 도를 이룹니다. 금은 보화 진주 보석 마노 호박이 땅 위에 널려 있다할지라도 누구 하나 거들떠보는 이가 없을 것이며, 오히려 서로 이상히 생각하여 말하기를, 옛사람들은 이것 때문에 서로 싸우고 죽이며 아우성치고 잡혀가고 옥에 갇히는 등 수없는 고생을 하였으나, 용화세상에는 이런 것들을 아름다운 땅이나 돌처럼 여길 뿐 재물로서 아끼고 탐내는 사람이 없게 되었다고 던져버릴 것입니다. 우리의 세상에서는 여러분이 오랫동안 소문으로 듣던 정진인(鄭眞人)이 출현해서 바른 법으로 나라를 다스릴 것입니다. 진인께서는 다른 힘센 나라에 시달리지 않게 일곱 가지 보배를 가지고 계십니다. 진인께서는 일곱 가지 보배를 세워 천하를 다스릴 뿐 무기나 권력으로 억누르지 않지만 모든 적을 저절로 항복받게 되십니다. 지상의 모든 보화와 곡식의 창고는 열려져서 가난한 백성들에게 골고루 나누어주며 그 누구도 다시는 쓰고 남을 만큼의 재화를 소유하지 않으며, 영원히 그 생각이 없어질 것입니다. 백성이 착하게 살기 위해서는 네 가지의 법밖에 필요가 없습니다. 남에게 베풀고 돕는 법(施論)과 스스로 계행을 닦는 법(戒論)과 하늘나라에 살듯이 세상을 이루는 법(生天之論)과 욕심은 더러우니 버려야 한다는 법(欲不淨想)입니다. 온 백성은 누구든지 번뇌를 끊고 청정한 법안(法眼)을 얻게 됩니다. 이렇듯 속진(俗眞)과 정교(政敎)가 일치하게 될 적에 위없이 바르고 참다운 도(無上正眞之道)가 현세에 이루어지게 되는 것입니다. 이런 세상에서는 모든 사람의 성이 미륵님과 같이 자씨(慈氏)가 될 것이니, 누구에게나 태음이신 어머니의 마음처럼 너그럽고 인자하고 어여삐 여기는 세상을 이루는 까닭입니다."

여환은 미륵경의 설법을 빌려서 백성들에게 말하였는데 그는 도중에 스스로 열기에 차서 더 계속하려는 것을 황회가 은근히 중지했을 정도였다.

"그만하면 이들은 적어도 사흘이 아니라 한 달은 버티게 될지도 모릅니다."

방귀선도 그의 소임이 이곳의 질서를 유지하는 일이었는지라 자랑스레 말하였다.

"전에 신서(神書)에 활방(活方)은 궁궁(弓弓)이란 말이 있었다는데, 그것은 바로 우리 동네 앞 대전리(大田里) 오거리라고들 합니다. 궁궁은 활활한 큰 전야(田野)를 의미한답니다."

여환과 원향은 백성들의 열을 가르며 대전리를 떠났다. 그들은 내쳐서 다락원 주막거리까지 나갔고 큰 느티나무 아래에는 이원명과 이말립이 먼저 와서 기다리고 있었다.

"영평에서도 우리 정대덕(鄭元泰)님이 군민을 휘동하여 대전리 쪽으로 발정하였습니다."

이말립이 영평의 동정을 전하였다. 일행은 모두 열두 명으로 불어났고, 그들은 혜화문으로 입성하였다. 연골(蓮洞) 김영선(金永先)네 주막에 여환 일행이 당도한 것은 오후가 넘어서였다. 마침 김영선네 집에는 오랫동안 병을 앓던 그의 아내가 열하룻날에 죽은지라 삼우제 핑곗거리가 되어서 그들이 은신하기에 앞뒤가 맞는 일이었다. 사처를 정하자마자 바빠진 것은 역시 검계의 일을 총괄할 김시동과 살주계 일을 맡은 최영길이었다. 정호명 정만일 형제는 해서 강원의 병력이 당도하여 대기한다는 전갈만 떨어지면 검계 살주계의 병력과 더불어 사대문을 장악하고 양주 병력의 진입과 더불어 훈련원에 들어갈 참이었다.

김영선은 진작부터 살주계 행수 중길의 당부가 있어서 영길이가 내놓은 무기와 군복을 모두 광 속에 감추어주었다. 시동은 일단 서강의 모신이네 객점에 나아가 검계의 계원들에게 은밀히 알리도록 하였고, 영길이는 혜음령으로 나가서 중길이와 더불어 해서의 병력을 인도하도록 하였다.

여환은 방 안에서 침착하게 염주를 헤아리고 있었으나 황회는 비좁은 주막집 안마당을 오락가락하며 종내 불안한 기색이었다. 초조한 하루가 지나고 김승운은 여환의 지시에 따라 흥인문 밖에 나아가 강원 승병의 당도를 알리게 될 전성달을 기다렸다. 성문이 완전히 닫히는 땅거미가 질 무렵하여 김승운이 돌아왔건만 그는 전성달을 만나지 못했던 것이다.

해서의 신천 소메(牛山浦)에서 오계준이 양주 소식에 접한 것은 보름날 오후였다. 그는 여환의 새로운 통문을 보자마자 구겨쥐며 부르짖었다.

"이 중놈이 모든 일을 망치는구나. 거병에는 날짜가 무엇보다 중요하거늘, 멋대로 이렇듯 촉박하게 다시 바꾸었으니 이번 일은 반드시 실패할 것이다. 뒤늦게 손을 쓰느니 차라리 내가 먼저 피해버리는 것이 다른 사람들을 살리는 길이다."

열엿샛날 아침, 자비령의 길산은 산채에서 양주 통문을 받았다. 봉산에 나가 있는 정탐소에서 만동이네 식구가 통문이 어젯밤에 왔다며 전해주고 갔던 것이다. 김기가 통문을 읽어보고 나서 고개를 저었다.

"이번 일은 실패입니다. 불가이진전(不可以進戰) 불화어전(不和於戰)이란 오자(吳子)의 글이 있거늘, 거병의 약속 날짜에 큰 혼란이 오게 되었으니 미리 상대방에게 기미를 알려준 것이나 다름없습니다. 원래가 역성혁명이란 강대하고 기를을 굳게 쥐고 있는 한 나라의 주권을 권모로 전격 급습하여 뒤바꾸는 일입니다. 마치 그림자처럼 캄캄한 그늘 속에 스스로 숨어서 해야만 합니다. 통문의 내용으로 보아 급히 서두르는 이유가 양주 인근 백성들의 동요 때문인 것 같은데, 일단 수수방관했어야 합니다. 오히려 민심이 가라앉을 때까지 기다렸어야 합니다. 우왕좌왕 틈을 엿보는 자들까지도 내 편을 만들어야 하는데, 이는 그들이 모두 관가에 붙어버릴 빌미를 주고 만 것입니다. 우리가 거병 일자를 맞추어 당도하기 전에 이미 관의 기찰이 시작될 것입니다. 불은 붙었으나 작은 불입니다. 맞불을 놓든지 발로 밟아 은밀히 꺼버리는 수밖에 도리가 없습니다."

언제나 김기의 의견을 신중하게 듣고 나서 결정하는 장길산도 한참이나 망설이며 생각하다가 침통하게 말하였다.

"내가 혼자서 결정을 내리기도 어려운 일이고 더구나 큰스님들께서 당부하신 일이라, 식구들 데리고 철원 거쳐 금화 천불산까지는 한번 가볼까 하오."

그러나 김기의 반대는 완강하였다.

"안 됩니다. 우리에게는 앞으로 할 일이 많이 남아 있소이다. 구월산의 참패를 돌이켜보시우. 관군과 정면으로 부딪칠 때가 아니외다. 이번이 기회였던 점은 분명하나 여환은 그것을 놓쳐버린 것입니다. 만약 누군가의 고변이 들어갔다면 관군은 필시 요로를 끊고 복병을 묻거나 천마산 솔부리나 혜음령과 같은 조군지(遭軍地)를 둘러쌀지도 모릅니다. 오늘이 열엿새고 앞으로 이틀 안에 급작스런 준비를 갖추어 외응할 수 있는 군사는 천군(天軍)을 부르는 재주로도 모으지 못할 것입니다. 정히 궁금하시다면 말득이와 선홍이를 데리고 천불산 수태사의 대성법주를 만나보신 연후에 말득이를 통하여 기별하셔도 늦지는 않습니다. 그만한 기간에도 양주의 향도들이 흩어지지 않고 결속된다면 일은 꼭 이루어질 것이며 그전에 깨어진다면 우리가 식구를 모두 데리고 나설 필요가 없는 것입니다. 두령은 산채의 가장이니 깊이 생각하시오."

길산은 김기의 설명을 듣고 나서 그에 따르기로 정하였다.

"좋습니다. 삼촌의 말씀대로 말득이와 선홍이만 데리고 금화에 나가보지요. 거기 가보아서 사정이 좋을 듯싶으면 말득이를 보내어 식구들을 동원하도록 할 터이니 삼촌은 그동안 산채나 돌보아주십시오."

이렇게 하여 장길산은 강선홍과 강말득을 데리고 그날 자비령을 떠났다. 그들은 봉산 만동이네 세마를 내어 타고 달렸어도 열이렛날 깊은 밤에야 수태사에 당도할 수 있었다. 대성법주는 길산이 두 아우와 함께 단출하게 온 것을 보고도 별로 놀라지 않았고 당연하다는 기색이었다. 홍성산 유민촌의 전성달도 법주스님과 같이 있었다. 길산은 옛 동무 법주스님에게 말하였다.

"오늘이 열이레인데 통문대로 한다면 거사일은 내일이 아니냐. 우리는 모두 그믐으로 알고 있었다."

"여환당이 너무 자신의 교세를 믿었던 모양이다. 아무튼 네 얼굴이라도 이렇게 보고 나니 좀 답답한 마음이 풀리는구나."

대성법주는 이어서 말하였다.

"가평 현등사에서 아침에 풍열스님의 전갈이 왔었다. 절대로 동요하지 말고 끊으라는 게야. 다음을 위해서 힘을 아끼자는 것이지."

전성달은 길산과 대성법주의 안색을 번갈아 살피며 애타게 호소하였다.

"그럼…… 근기(近畿)의 저 수많은 가엾은 백성들은 어찌되는 겁니까. 양주의 미륵도는 모두 어육이 되고 맙니다. 지금이라도 늦지 않았습니다. 군사를 모으도록 하시지요."

길산은 대답이 없고 법주가 말하였다.

"안 되오. 우리가 승병을 다 모으려면 앞으로 아무리 빨라도 닷새는 걸리지요. 이미 양주서 발정을 하였다니 우리가 잘못 움직이면 필시 기찰에 걸릴 거요. 처음 거병 날짜가 그믐으로 정해져 있어서 모두들 그렇게 알고 있으니 지금 변경되었다는 기별이 다 닿을까도 의문입니다. 몇몇 사람이 희생이 되어도 일단 씨는 뿌려진 셈이지요. 지금 우리가 해야 될 일은 어서 꼬리를 잘라야 하는 것이오. 여환당과 양주인들에게 우리의 거병계획을 아는 사람들 중심으로 뒷일을 수습할 책임을 맡겨두어야 합니다."

전성달은 힘없이 어깨를 늘어뜨리며 긴 한숨을 내쉬었다.

"그렇다면…… 저희는 일단 피하겠습니다."

장길산이 그제야 입을 열었다.

"전서방이 이번 일에 깊이 연루가 된 것은 여러 미륵 향도들이 다 알고 있을 게 아니오?"

"그야…… 물론 저는 상좌를 맡았으니 양주 사람들뿐만 아니라 삭녕 사람들도 다들 알겠지요."

"전서방이 혼자 피해버리면 홍성산의 구월산 유민들은 모두 관의 침학을 면치 못할 것이오."

성달은 곧 길산의 말을 이해하였다.

그는 누구보다도 침학의 결과를 잘 알고 있었으니 구월산의 토포 때에 이미 겪은 일이었다.

"피하지 않으면…… 날 보고 잡혀서…… 죽으라는 거요?"

길산은 고개를 숙였다.

"다른 식구들을 생각해보시오. 그 사람들은 이제 더이상 다른 곳에 갈 곳이 없소. 전서방이 오히려 함께 들어가 여환스님과 황거사 같은 이들에게 깨우쳐주시오."

거사일로 정했던 열여드렛날 새벽, 여환 황회 정호명 김시동의 네 사람은 백악에 올라갔다. 혜음령에서 중길이가 해서 군사의 도착을 전해줄 것이며, 궁성의 곳곳을 미리 살펴둘 셈이었다. 부서와 책임은 이미 정해졌으나 백악에서 사대문 안을 한눈에 내려다보며 전진로와 조군로와 우회로를 익혀두려는 것이었다. 여환은 이 날짜쯤이면 오계준의 해서 군사는 혜음령에 당도하고 철원서 합대한 승병과 길산의 군사는 천마산 솔부리에 묻어두었을 것으로 확신하고 있었다. 열여드레의 낮만 지나면 그 밤의 자정에 도성의 주인이 바뀌고 미륵의 세상이 돌아오는 것이다. 백악(白岳) 문수전(文殊殿)에 오르니 한양 오부(五部)가 손바닥 위에 올려놓은 듯이 한눈에 내려다보였다. 좌측에 창덕궁이, 우측에 경희궁이 보였으나 일단은 창덕궁이 목표였다. 그러므로 해서 군사는 백악 줄기를 타고 삼청동을 지나 산길로 가회방 쪽으로 나오며, 양주 병력은 혜화문으로 하여 문묘(文廟) 쪽으로 오는데, 강원 군사는 숭신방 쪽에서 오간수를 넘어 훈련원에 와서 해서 병력의 일부와 모이도록 되어 있었다. 궁성 점령과 거의 동시에 사대문이 장악되어야 할 것이었다. 여환의 제의로 네 사람은 한양 성내를 향하고 남면하여 사배를 드리고 여환이 목청을 돋우어 송경(誦經)하였으니 하늘이 우호(佑護)하여 대사를 이루게 해달라고 빌었다. 그들은 다시 눈아래 보이는 동네와 길을 손짓하며 군사들의 진로와 집결처를 의논하였다. 그들은 해가 높이 뜰 때까지 중길이의 전갈을 기다렸으나 아무도 오지 않았다. 이윽고 북록 등성이에 희끗 희끗한 사람의 자취가 보이는가 싶더니 혜음령에 나가 있던 최영길이 낯선 사람과 함께 나타났다. 여환이 바라보니 그는 장길산의 아우 강말득이었다. 영길이가 먼저 시무룩하게 말을 꺼냈다.

"해서 군사는 이미 송도까지 와서 은신 중이지만, 강원 군사는 아직 당도하지 못하고 모으는 중이라 일단 양주로 돌아가서 닷새쯤 더 기다려야 한답니다."

정호명과 김시동은 화를 벌컥 냈다.

"아니, 닷새 기다리라니 약조는 철석같이 해놓고 이제 와서 꽁무니를 감추자는 겐가."

"양주 대전리의 군중은 아무 소득 없이 흩어질 것이고 다시는 모여들지 않을 거요."

그러나 황회는 오히려 그들을 달랬다.

"만사 불여튼튼이라, 물샐틈없는 준비로 거사하면 더욱 좋지 않겠나."

그러나 여환은 곧 눈치를 챘다. 강말득은 주로 돌아다니며 소식을 전하고 연락하는 일을 맡은 사람인데, 지금쯤 승병들과 더불어 솔부리에 있어야 할 사람이 문득 혜음령 중길이의 살주계 은신처에 간 것은 이미 일이 글렀다는 것을 나타내고 있었다. 아마도 강말득은 여환 자기에게 무엇인가 중요한 말을 전하기 위하여 길산이 보냈음에 틀림없었다.

"강서방, 어찌된 거요?"

여환이 나직하게 묻자 말득이는 앞서 내려간 사람들이 십여 보나 떨어진 것을 확인하고 말을 꺼냈다.

"외응하기로 되었던 저희 성님들은…… 이번 일을 이미 실패한 걸루 보구 있습니다. 양주서 거사 일자를 바꾼 책임이 크다구 그러십니다. 이대루 조용히 돌아가셔서 때를 기다리시오."

"그럴 여유가 없소. 관가의 기찰이……"

부르짖는 여환의 말을 강말득이 잘라냈다.

"잘 아시겠지요. 게는 다리를 떼일지언정 그 몸을 살립니다. 어려운 철을 만나면 나무는 새봄을 위하여 잎을 떨어버립니다. 부디 시동이와 황거사 정대덕 같은 분들께 이런 점을 명심시키랍니다. 특히 파주 송도의 연루관계나, 해서 풍류계와 자비령 우리 산채 그리고 법주스님의 승병에 대하여 잘라야 합니다. 아마도 나중에 누구인가 더욱 자세한 사정을 알려드리기 위해서 관가로 자수하게 될 겁니다."

"그러면 아무도 오지 않는 거요?"

"아무도…… 안 옵니다. 약조를 어긴 것은 스님 쪽이지요."

"잘…… 알겠소."

"스님, 그러면 뒷일은 스님만 믿고서 돌아갑니다. 그리고 대성법주스님의 전해달라는 말씀입니다. 길은 한곳이며 만날 곳도 같은 데라 나중 모두 거기 가신답니다. 부디 정토(淨土)에는 가지 마시랍니다."

"우리는 기왕에…… 괜찮소. 다만 백성들이…… 자씨 미륵존불께서 오시는 날에 다시 모이자구 전하시오."

두 사람은 서로 마주 보며 합장하였다. 강말득은 우두커니 백악의 등성이에 서 있더니 여환이 몇걸음 내려와서 뒤돌아보니 자취가 없었다. 여환은 영선네 주막에 내려와 일행과 의논하였다. 그들은 하늘의 천변대우(天變大雨)의 징후가 나타나지 않아 그대로 돌아온 것으로 하되 다음의 시월 초를 길기(吉期)로 잡는다고 다른 사람들께 이르기로 결정하였다.

열여드렛날 아침에 이미 삭녕에서는 고변(告變)이 있었다. 좌수 윤여형이 하도 엄청난 일이라 겁이 나서 감히 발고하지도 못하고 있더니, 날짜가 지나자 용기를 내어 관문에 들어갔다. 그는 별감 최모와 더불어 군수에게 알렸고 군수는 양주목사에게 비관(祕關)을 올린 뒤에 어느 수령보다도 먼저 선수를 쳤다. 즉 아전 기찰과 장교들을 풀어 장포의 가담자들과 시내비골의 향도들을 수색, 체포하기 시작하였던 것이다. 그때쯤에는 대전리에 모여들었던 군중들이 거의 다 흩어진 터였다. 가장 먼저 칠성암에 남아 있던 계화가 잡혔고 시동의 아버지 김돌손 노인과 그의 형 시금이가 잡혔으며, 이응남 임기동 방승남이 잡히고 대전리의 동원 책임을 맡았던 방귀선은 안협 이정명을 찾아서 달아났다.

입경했던 사람들이 뿔뿔이 흩어질 때 그들은 서로 말은 주고받지 않았으나 뭔가 불길한 예감을 각자 느끼고 있었다.

김시동은 최영길을 데리고 시내비골로 돌아갔다. 여환과 원향은 먼저 칠성암으로 갔고 다른 이들도 못내 께름칙하면서도 별수 없이 각자의 집으로 돌아갔던 것이다. 저녁때였는데도 시내비골의 지붕들 위에서는 연기가 오르지 않았다. 대전리 오거리는 썰렁하게 텅 비어 있었고, 동구 밖에도 사람의 그림자가 비치질 않았다. 시동은 불안하게 두리번거리며 영길에게 말했다.

"웬일일까…… 혹시 연락을 기다리다 모두들 참지 못하고 한양으로 몰려간 게 아닐까?"

"다락원이 한산하던데, 그런 일이 있었다면 좀 시끄러웠겠수."

그들은 주뼛거리면서도 어느결에 시내비골의 동구로 들어섰고 집집마다 방문이 활짝 열려 있거나 옷가지와 식기 따위가 마당에 흩어진 것도 보였다. 영길이가 참지 못하고 시동의 어깨를 잡아당겼다.

"가만…… 아무래두 낌새가 이상허우."

그러나 시동의 귀에는 그런 말이 들리지 않았다. 어쩌면 온 식구가 관가에 벌써 잡혀갔는지도 몰랐다. 영길은 골목에서 주춤 서버렸고 시동이 혼자서 집 쪽으로 달려갔다. 집 앞에 가까이 가니 울바자 너머로 마루가 보이는데 그의 형 시금이가 얼굴을 보이며 단정히 앉아 있었다.

"시금 언니……"

시동은 반갑게 외치면서 사립문 안으로 들어서자마자 뭔가 불 같은 것이 눈앞에 번쩍하여 그대로 주저앉아 혼절하였다.

군졸은 육모방망이를 쳐들고는 시동이가 꿈쩍만 하면 한대 더 후려 칠 기세이더니 다시 내려뜨렸다. 군졸은 두 사람이었고 장교가 안방에서 걸어나왔다.

"네 아우냐?"

장교의 물음에 시금이는 힘없이 고개를 끄덕였다. 시금이로서는 처자가 인질로 잡혔고 아버지 김돌손 노인도 옥중에 있었으니 몸을 빼칠 재주가 없었다.

"묶어라."

군졸들은 혼절한 시동이의 늘어진 팔을 뒤로 돌려서 포승으로 단단히 묶었다. 뒤이어 다른 군졸들이 달아나려던 최영길을 잡아서 포승을 지워 끌고 들어왔다.

"다음에…… 정호명의 집을 알지?"

"예, 압니다."

"그리로 가자."

관군은 시내비골 사람들 거의 모두를 관가로 잡아가서 입경했던 자가 누구누구인가를 낱낱이 파악하였다. 그들은 시동이를 잡기 위하여 한 오가 뒤에 남아 있었던 것이다.

여환과 원향과 김승운은 산길로 하여 영근산 쪽으로 갔다가 고갯마루에서 허겁지겁 그들을 부르며 내려오는 이정명과 마주쳤다. 그는 여환을 만나자마자 울음을 터뜨렸다.

"아이구 스님, 말두 마슈. 시내비골 사람들은 다 잡혀가구요, 은율 만신 아주머니두 칠성암에서 잡혀갔수. 나는 원명이 언니를 기다리구 있었어요."

"아니, 그럼 마누라 혼자 잡혀갔어. 이 사람이 얼마나 곤욕을 치를꼬?"

김승운은 입을 비죽비죽하며 울음을 터뜨렸다. 여환이 말하였다.

"김박수와 이서방은 어서 피하시오."

"그렇게는 못 합니다. 여편네는 참수를 당할 텐데. 그래두 지아비라고 믿고 살아온 나 혼자 살아 도망가란 말이우?"

"두 양주가 잡혀죽는 것보다는 그래두 한쪽이라두 살아남아야지요. 아주머니도 김박수가 살아남기를 원할 겝니다."

"두 분은 어쩌시려우……"

"나는 다른 향도들도 있고 하니, 그이들과 함께 있어야겠지요."
하면서 여환은 원향을 바라보았다.

"당신두 아저씨 따라서 해서 쪽으루 피하지."

원향은 그저 조용히 웃을 뿐 대꾸를 하지 않았다. 정명이 김승운의 소매를 당기며 재촉하는 바람에 그는 연신 소매로 얼굴을 씻으면서 여환과 작별하였다. 그들이 어둠속으로 사라진 뒤에야 원향은 갑자기 여환의 가슴에 파고들었다.

"후생을 다시 기약할지언정 어찌 저를 갈라놓으려 하셔요. 우리 앞으로 사흘 동안만 이승의 부부로 살아보아요. 저 감악산 굿터에 가면 움막이 있지요. 저를 그리루 데려가주셔요."

"의금부에 끌려가 어떤 고초라두 다 견딜 자신이 있소?"

여환은 눈물이 그렁그렁하여 물으니 원향이 대차게 말하였다.

"저는 구월산 단군 성조님 몸주 받은 큰만신이고 용녀부인이어요."

"그럽시다, 아무래두 우리가 가야 다른 백성들이 고생을 덜게 되오."

김승운과 이정명은 정대성과 어울려 달아났고, 원향과 여환은 사흘을 기한하여 감악산 굿터에 숨어 있기로 하였다. 이러한 양주목의 토포 사연은 시내비골 외에는 매우 은밀하고 조심스럽게 진행되어 처음에는 인근 백성들도 거의 눈치채지 못하였다. 양주 일대의 마을이 거의 폐촌이 되고 대전리에 찾아갔던 백성들이 산지사방으로 달아난 것은 그로부터 열흘이 지나서였다. 오경립과 이시흥은 원래가 검계에 들었던지라 솔부리로 달아났고 다른 이들은 거의가 잡혔다.

여환과 원향은 감악산 아래 굿터 움막에서 아무것도 먹지 않고 이틀 동안이나 누워 있었다. 캄캄한 밤하늘에는 별이 초롱초롱 뿌려져 있었으며 산에서는 쪽박새가 쪽쪽쪽 쪽박 바꿔주, 하는 소리로 새벽까지 울어댔다. 원향은 여환의 팔을 베고 누워서 새소리를 들었다.

"내가 옛말 하나 해드려요?"

"무슨 옛말……"

느닷없는 원향의 말에 여환은 까마득한 예전에 그가 월정사를 떠날때 어린 원향에게 해주던 오누이 얘기가 생각났다. 원향이 말하였다.

"저 새소리 좀 들어보세요. 끼니를 놓치고 누우면 잠이 안 와서 밤이 무척 길다지요. 그러니까 허기를 잊노라고 엄마는 보채는 아이를 달래며 옛말을 해주지요. 옛날에 한 부부가 있었더래요. 남편은 나무하고 아내는 길쌈하여 포실한 초가를 짓고 살았는데 아기가 없었다지요. 아내가 뒤뜰에서 날마다 정화수를 떠놓고 빌었더니 다행히 아기를 배게 되었대요. 그래 아기를 낳게 되었는데 잘못되어서 엄마는 죽고 살덩이만 댕그라니 남았다지요. 아버지는 울며불며 아내를 파묻고 나서 동냥젖을 얻어먹여 딸아이를 길렀더래요. 그러다가 아버지는 혼자서는 도저히 살 수가 없어 새장가를 들었더래요. 의붓어미는 겉으로는 얌전하고 남편에 순종하는 척했지만 속마음은 사납고 모진 사람이었지요. 아버지가 행상을 다니노라고 집을 비우면 떡도 해먹고 닭도 잡아먹고 하면서 데려온 딸이랑 흥청거리면서도 그아이에게는 일만 시키더래요. 그러고는 조갑지만 한 작은 쪽박에다 조밥을 한 숟갈 남짓 퍼주니 아이는 주리다가 못해서 아버지가 집을 비운 날 죽고 말았지요. 의붓어미와 딸은 아이를 먼 산골짜기에다 몰래 파묻어버렸대요. 아버지가 장삿길에서 돌아와 물어보니까 의붓어미는 고것이 소금장수를 따라 도망가버렸다고 거짓말을 했대요. 배가 고파 죽은 아이는 쪽박새가 되었지요. 그래 죽어서도 배가 고파서 저렇게 밤만 되면 큰 쪽박에 밥 달라고 울고 다닌대요."

여환은 잠자코 듣고 있었다. 어느 흉년의 긴긴 밤에 할머니나 엄마가 아이들을 재우느라 쪽박새의 울음소리를 빌려 얘기를 여는 장면이 생각되었다. 저렇게 수도 없이 죽은 백성들의 귀신은 온 산천에서 울부짖고 있는데 끝내 용화세상은 이루어지지 않았다. 여환은 배고픔이 바로 온 세상을 적막하게 만든다는 것을 잘 알고 있었다. 먼 숲 사이로 울려퍼지는 밤새의 소리처럼 주린 것들은 세상에서 멀리 떨어져 있는 것이다.

"당신 배고프오?"

여환이 아픈 목구멍 속으로 꿀꺽 침을 넘기며 물었고, 원향이 답하였다.

"아뇨…… 이런 건 아무렇지두 않아요. 하지만 마음이 너무 쓸쓸해요. 나무도 풀 한 포기도 없이 마른 바람만 횡횡 불어 지나가요."

여환은 원향을 꼭 끌어안았다. 원향이 손가락을 꼼지락거리면서 그의 얼굴을 더듬었다. 원향은 삭발한 여환의 머리를 만지고 이어서 눈썹과 눈두덩을 더듬고 코와 입술을 만지작거렸다.

"어젯밤 꿈에는 당신하구 나하구 새옷을 입구 강을 건너서 너른 벌판을 휘적휘적 걸어가는 꿈을 꾸었어요. 들에는 원추리꽃이 가득 피었어요. 먼 데 기와집이 보였어요. 종소리가 뎅뎅 울리고 엄마가 그 끝에서 어릴 적처럼 입에다 두 손을 대고 불렀어요. 원향아, 저녁 먹어라. 깨어보니 샛별이 가장 먼저 보였어요. 당신은 자고 있구요."

여환은 문득 두 사람이 잡혀서는 안 된다는 생각이 들었다. 이 길로 그들은 손을 맞잡고 북이나 남으로 멀리 달아나 산골에 파묻혀살 수도 있었다. 그들은 남쪽 바닷가에서 고기를 잡으며 살아가도되었고 북쪽의 준령으로 깊이 들어가 화전을 갈아먹어도 되었다. 옛말에 나오는 것처럼 삼간초가를 짓고 귀틀집을 짓고 나무하고 길쌈하고 덫을 놓고 약초 캐며 살아가는 것이다. 아이도 낳고 그들을 기르면서 두 부부는 어슷비슷하게 늙어간다. 그러나 여환은 자신이 달아날 곳이 없음을 잘 알고 있었다. 온 천지에 백성들의 설움이 덮여있거늘 어떻게 미륵님의 손길을 벗어나겠는가. 미륵님은 한 손은 펴서 가슴에 대고 다른 손은 바깥쪽으로 벌리고 있나니 온 세상의 고통과 설움을 다 내게 주면 내가 받겠다는 것이요, 세상 사람들에게무한하고 큰 자비를 돌려주겠다는 뜻이다. 그는 달아날 곳이 없었다. 의금부의 혹독한 형벌을 견디고 공초(供招)의 줄기를 자신이 세워나가야 다른 사람들을 보호하게 되는 셈이었다.

"우리 합환목(合歡木)이 되어요. 그러면 마른 바람도 그치고 원추리꽃 핀 들이 될 거예요."

원향이 여환의 목을 손가락으로 매만지며 말하였다.

"후생을 기약하자더니……"

"싫어요. 축생도에 떨어질지라도 내 살로 빚어 사람이 된 것처럼…… 지금은 사람으로 겪고 나서 이 다음에 또 달리 되겠어요. 벌레도 자웅과 음양이 있으니 여기는 아직 이승인 까닭이지요. 사음계(邪淫戒)는 없어요."

원향은 일어나서 쪼그려앉더니 그에게 다가앉으며 말하였다.

"이제 초례를 치르게 해주셔요."

여환은 떨리는 가슴을 진정하면서 원향의 옷을 벗겼다. 두 사람은 누워서도 서로 어찌할 바를 모르고 끌어안고 있었으며, 원향이 느낌으로 알아 몸을 열고 여환을 끌어들였다. 그들의 등뒤에 갑자기 후생(後生)의 적막하고 가엾은 길이 사라졌고 다만 대지가 생생하게 두 사람의 육신을 둘러싸는 것이었다. 원향은 여환의 등뒤로 올린 두 손으로 꼭 끌어안으며 중얼거렸다.

"우리 예토(穢土)에 남아요."

시동의 형 시금은 혈당들의 은신처를 관군에게 일일이 안내하고 나서 여환과 원향이 피하여 있음직한 굿터를 실토하였다. 황회 정원태 정호명 정만일 이말립 등은 잡혔고 시금은 관군 한 오를 이끌고 감악산 아래 움막으로 갔다. 원향과 여환은 관군이 오기 직전에 세수를 하고 머리를 감았다. 손가락 사이로 부서져 흘러내리는 개울물은 죽음의 반대쪽에 있는 무엇이었으나 그들은 이제는 그쪽으로 몸을 돌리려고 하지 않았다. 관군들은 잔뜩 긴장해서 숲 사이로 몸을 숨기며 다가섰고 일시에 와 덤벼들었지만 두 사람은 놀라기는커녕 조용히 눈을 감고 앉아 있었던 것이다. 칠월 스무하룻날이었다. 여환과 원향은 원하던 대로 나란히 포승에 묶이었다. 며칠 동안을 매를 맞고 온 가족이 역적죄를 면할 수 없다는 절망에 시달리던 시금은 자진할 기회만 보고 있었다.

시금은 원향과 여환을 관군에게 넘겨주던 날, 시내비골 사람들이 풀숲에 감춰둔 환도나 병장기들을 찾아낸다고 앞장을 섰다. 그러고는 군졸들이 무기를 찾느라고 논밭과 잡초 속을 뒤지는 사이에 소나무 가지에다 허리끈을 매어 자결하였다.

수태사에서는 이정명 정대성 김승운의 도피를 통하여 양주가 결딴났다는 걸 알았다. 길산은 시동이와 영길이가 잡혔다는 사실이며 그들이 일찍이 파주에 연결됐었다는 말을 듣자 즉시로 대성법주와 하직하여 파주로 향하였다. 강말득이 여환의 일행을 백악산에서 만나 외응 병력은 안 온다고 알렸을 때 중길이네 살주계 식구들은 일단 혜음령을 떠났던 것이다. 혜음령서 양주까지는 지척이고 무엇보다도 최영길의 입이 어떠할지 믿을 수가 없어, 살주계에서는 예전에 몇년간 터를 잡았던 오봉 어름으로 피신하였다.

장길산은 선홍이와 말득이 두 아우를 데리고 삭녕과 연천 사이에 흐르는 징파강(澄波江) 시욱진(時郁津)에서 나룻배를 탔다. 대탄을 지나 빠르고 거센 한탄강 물을 타고 파주 문산포에는 밤중에 당도하였다. 이경순네 여각은 일찍이 강말득이 여러 번 내왕한 적이 있어서 쉽게 찾을 수가 있었다. 사방에는 풀벌레와 개구리 울음소리만 가득한데 경순네 주막의 객점을 알리는 등롱 불빛만이 장목 끝에서 흔들거리고 있었다.

길산은 전에 월정사 오진암 법회 때에 스스로 결심한 바를 돌이켜 생각하였다. 여환이 그에게 묘옥은 이경순의 아내가 되어 있다는 얘기를 전했을 때, 이경순에게 무슨 일이 일어나면 그는 저들의 삶을 위하여 무슨 일이든지 해야 한다고 작심했던 것이다. 그것은 묘옥에 대한 정한이 남아서는 아니었다. 그가 온갖 편력 끝에 봉순의 남편이자 수복이의 아비가 되었듯이, 그는 이경순의 파가출향(破家出鄕)을 가슴 아프게 여겼고 묘옥과 경순의 인연을 그 어느 것보다 귀하게 생각하였다. 사실 길산은 여염에 사는 경순과 묘옥 부부가 이러한 풍운에 휩싸이지 않기를 바랐던 것이다. 길산은 이경순만을 일념으로 바라고 파주까지 왔으나 그 집의 불빛을 보자 갑자기 저도 모르게 가슴이 울렁거리기 시작하였다. 묘옥이 바로 저기에 있다 하는 생각이 지나가자마자 그는 두려운 듯 우뚝 발을 멈추었다. 길산은 마지막으로 떠나오던 재인말 까막내의 물소리 가운데서 묘옥이 먼 데서 자기를 부르던 목소리가 아득하게 들려오는 것만 같았다. 해주 감영 옥의 통나무 칸살 사이로 하염없이 나부끼던 눈송이들, 그리고 수복 어미 봉순이의 잔잔하고 슬픈 눈길이며, 그 두 사람에 겹쳐서 재인말의 새벽안개가 떠올랐다. 묘옥은 거뭇한 자태로 들판 끝에 박힌 듯 서서 오랫동안 길산네 행중의 열 뒤를 쫓아왔다.

"성님, 왜 그러슈?"

곁에 따라 걷던 선흥이가 앞장서 가다가 멈춰서면서 물었다.

"응…… 아니다."

선흥이 아무리 무뚝뚝하고 덤덤한 성미라 하여도 눈치는 있어서 제 형의 마음을 짚는다고 한마디 하였다.

"거 대답이 아주 이상허우. 수복이 생각이 나슈? 이제 한 댓새 되었는데."

길산은 은근히 짜증이 일어났다. 그는 오히려 다른 식으로 자신의 순간적인 감회를 떨어버렸다.

"이런 집에 들어가려면 어떻게 할지 잘 알지? 마실 나온 게 아니다."

세 사람은 어둠속에 잠깐 서 있었다. 강말득이 허리춤에서 자고를 꺼내어 쥐더니 그들에게 말하였다.

"성님들 여기 잠깐 계시우. 나는 뒷담을 넘어 들어갈 터이니."

"나두 같이 가자. 나는 삽짝으로 하여 앞으루 들어갈 테니까."

선흥이도 긴 저고리 안의 겨드랑이에 차고 있던 엄파를 꺼내 쥐면서 나섰다. 피하고 쫓는 짓이 어제 오늘 일이 아닌 그들 녹림당인지라 만약의 경우에 대비하려는 것이다. 말득이는 경순네 집 뒤로 돌아갔고 선흥이는 엄파를 장딴지 옆에 늘어뜨리고 천천히 문 앞으로 걸어갔다. 길산은 팔짱을 끼고 멀찍이 서서 기다렸다. 선흥이가 안으로 사라졌다. 말득이가 토담을 가볍게 뛰어넘자마자 그의 등뒤에 날카로운 것이 꾹 찔러왔다.

"꿈쩍 마라!"

말득이는 그 소리가 채 끝나기도 전에 그대로 땅 위로 납작 엎드리면서 한 발을 상대편의 두 다리 사이에 질러넣어 딴죽을 걸었다. 그의 몸이 말득에게로 넘어져오는 것을 그대로 꺼안고 한 바퀴 돌아 비수 가진 팔을 한 손으로 누르고 자고를 들어 내려찍으려는데 뒷전에서 불빛이 훤하게 비춰졌다.

"강서방……"

하는데 돌아보니 외팔이 전생이가 머리 위로 등불을 잔뜩 치켜들고 있었다. 말득이가 상대를 내려다보니 장쇠였다.

"말득이 아저씨, 나유, 나."

장쇠가 버르적거리며 중얼댔다. 그들은 툭툭 털며 일어났다. 전생이와 장쇠는 기찰이 올까 하여 집의 앞뒤를 파수하고 있었던 것이다. 전생이가 말하였다.

"벌써 문간에 척 들어설 적에 선흥이 성님인 줄 알았지."

그들은 안채로 들어갔고 장쇠가 밖으로 나가서 길산을 불러들였다. 이경순은 이런 작은 소란을 알고 미리 툇마루에 나와 서 있었는데, 장약을 잰 화승총 두 자루를 하나는 마루 끝에 두고 또 하나는 두 손에 쥐고 있었다. 누구든지 삽짝으로 들어서자마자 미간을 쏘아 넘어뜨릴 작정이었던 것이다. 묘옥은 여문이를 안고 안방에서 나오는 중이었다.

"무슨 일이어요?"

"손님들이 오셨군."

하는데 그들이 안마당으로 들어섰다. 전생이가 경순에게 알렸다.

"자비령 식구들입니다."

"평안하셨습니까."

허리를 굽신하는 것을 보니 강선흥이었다. 그 뒤로 강말득이 따라왔고 이어서 장길산이 안마당으로 들어와 주춤, 멈추었다.

경순은 거의 본능적으로 아내 쪽을 힐끗 쳐다보고는 얼른 신을 꿰며 나섰다.

"장두령."

길산도 마주 나와서 이경순과 두 손을 잡았다.

"양주 소식은 들었습니다."

"예, 여환스님과 향도들은 거의 잡힌 모양입니다."

묘옥은 전생이가 자비령 식구들이 왔다고 할 적에 조바심 같은 느낌이 스치더니, 어둠 가운데 그의 자태가 나타나자마자 그가 바로 길산이란 것을 대번에 알아보았다. 묘옥은 경순이 자기에게 한번 눈길을 던지는 것을 알았고, 길산의 얼굴은 그늘에 덮여서 시꺼멓게 보였으나 느낌으로 그가 자기를 바라보았다는 걸 알 수 있었다. 묘옥은 길산과 남편이 함께 사랑 쪽으로 가까이 오자 얼른 자리를 피하여 안방으로 들어섰다. 묘옥은 여문이를 살그머니 내려놓고 방문 곁에 앉았다. 사내들의 두런거리는 목소리 가운데 길산의 음성은 따로이 분간할 수가 없었다. 그러나 묘옥은 차츰 마음이 가라앉고 냉정해지고 있었다.

"살주계의 영길이란 아이가 날짜를 바꾼다는 통문을 가지고 왔을 제야 나는 사정을 자세히 들었소. 내가 먼저 알았다면 여환당에게 서두르지 말라고 말했을 거요. 해서 군사를 기다려보았지만 오박수 일행은 송도에도 연락하지 않았답니다."

이경순이 말하자 길산은 덧붙였다.

"대저 이런 일에 과욕은 금물이올시다. 나도 대성법주에게서 들어 알았으나, 신서라든가 천변대우의 낭자한 유언은 너무 지나쳤지요. 그런 방법으로 동원이 이루어진다 하여도 백성을 속여서는 오래 못 갑니다. 차라리 양주목을 들이치고 양곡 나누어먹는 일부터 시작했더라면 기찰은 빨리 시작되겠지만 널리 호응을 받을 수 있었을 겝니다. 그나저나 이제 어쩌시럽니까. 여환당과 황거사는 파주와의 연계를 너무도 잘 알지 않습니까?"

"예, 그러하오마는 내가 지금 피하여 또 어디로 가서 이러한 여염의 터전을 잡겠소. 나는 그 사람들이 대장부라는 것을 믿습니다. 이 골에도 미륵 향도가 많았고 안사람은 보살이었지만 여기서 그런 일로 발고할 자는 없을 것이오. 되어가는 대로 기다려볼밖에요."

"안 됩니다. 혹시 그러실 듯하여 우리가 여기 온 거요."

길산은 잘라서 말하였다.

"사람의 일은 모릅니다. 비록 여환당과 황거사가 스스로 감당할 만한 사람들이라 하여도, 그들이 어느결에 입을 열게 될지도 모르고 그 누구보다도 우선 살주계 사람들의 왕래가 있었지요?"

"중길이네 식구나 영길이란 아이가 자주 왕래하였소."

"유유상종이라, 살주계는 뜻은 같으나 이도장과는 패가 다르니 그 사람들 저희 무리가 급해지면 이곳 파주와 바꾸게 될지도 모릅니다. 그것은 신의 이전에 그들 식구의 당연한 노릇이 될 겝니다."

이경순은 곰방대를 빨며 곰곰이 생각하다가 물었다.

"그러면 어디로 피한단 말이오?"

"송도 박좌장께로 가시면 됩니다. 거기라면 안전할 뿐 아니라, 이곳의 형편도 소상하게 들을 수가 있겠지요. 지체할 때가 아닙니다."

이경순이 침묵하고 있더니 전생이가 길산을 거들어서 말하였다.

"두령님 말씀이 맞아요. 집은 장쇠와 제게 맡기시고 성님께서는 아주머니 모시구 피하십시오. 저희들이야 관군이 온다 하더라도 달아날 재간도 있고, 홀가분합니다. 또 이쪽의 동정을 살필 사람이 남아야 하니까요."

경순은 곰방대를 물고서 빨리 결정짓지 못하고 앉았더니 뒤늦게 길산에게 치사하였다.

"우리 걱정을 하여 금화서 그 먼 길을 달려오셨구려."

"어이구, 우리 성님의 재촉이 어찌나 바빴던지……"

또 선흥이가 눈치 없이 말하였다. 길산은 그냥 말을 흐렸다.

"파주가 드러나면 또한 송도가 위태롭겠기에……"

그때 밖에서 기침소리가 들리니 경순은 미닫이에다 대고 물었다.

"밖에 당신 있소?"

"예, 손님들 저녁은 어떻게 하실지요."

"어찌하긴, 어서 바삐 지어 들여오우."

묘옥이 예 하고 물러가려는 기색인데 경순이 미닫이를 열었다.

"여보, 잠깐 게 있소."

하면서 그는 길산이보다는 선흥이 쪽을 바라보며 말하였다.

"내외할 손들도 아니고 친척지간인 셈이니 우리 내자 인사나 받으시우. 여보, 자비령 식구들이오."

선흥이와 말득이는 차례로 꾸벅 반절을 올리고 길산도 그들 뒷전에서 시늉을 따르는데 묘옥은 몸 둘 바를 모르다가 두 손을 앞에 모으고 공손히 마주 인사하였다. 강선흥이 소금장수 행상 중에 부처고개서 만난 적이 있으나 아는 체도 못 하고 우물쭈물해버렸고, 길산은 방바닥만 내려다보았다. 묘옥은 얼른 뒤로 물러서며 방 앞을 떠나는데 길산이 경순에게 말하였다.

"지척이 송도인데 거기 가서 푸근히 쉴 요량 하고…… 어서 떠나십시다."

길산이 자꾸만 재촉하여 경순은 결정을 내렸다. 그는 묘옥에게 일렀다.

"송도에 며칠 다녀올 것이니 여문이 업고 나오게."

묘옥은 때가 때인만큼 얼른 남편의 말을 알아듣고 여문이를 등에 업고 한편으로는 옷가지를 대충 꾸려서 봇짐을 만들었고, 이경순은 돈 오십여 냥과 무명 몇필을 꾸려서 행자를 준비하였다. 길산은 횅허케 먼저 나서서 전생이에게 이르고 있었다.

"예서 보아하니 관군이 온다면 그 길은 저쪽 파주 읍내 쪽이 될 것이다. 뒤쪽이야 임진강이라 누가 오겠느냐. 여차직하면 강을 건너 송도로 내빼오너라. 며칠 동안 기다려봐서 괜찮을 듯싶으면 장쇠를 내보내 관가의 동정을 잘 살피도록 하고."

"염려 놓으십시오. 뒷일은 저희가 다 알아 하겠습니다."

길산과 말득이는 저만치 앞장서서 가버리고 선흥이는 마다하는 이경순의 짐을 빼앗아 졌다. 묘옥은 경순의 곁에 그의 걸음을 따라서 부지런히 발을 놀렸다. 먼발치 앞에 길산의 거뭇한 자태가 보였고 그것은 이제 여느 행인의 모습과 다를 바가 없었다. 묘옥의 등에서는 여문이가 가녀리게 내쉬는 숨소리와 심장 뛰는 느낌이 전해지고 있었다.

수태사에는 십여 명의 승도가 있을 뿐이었고 대성법주는 아직 절을 떠나지 않고 있었다. 스무여드레에 가평 현등사 있던 옥여가 급히 달려왔고, 남한산성 쪽에서는 번군관승을 하고 있던 묘정이 혼자 왔다. 수태사에는 이미 피해와 있던 김승운과 정대성 이정명이 있었고 전성달은 홍성산에 돌아가지 않고 있었다. 대성법주는 옥여와 묘정을 자기 방으로 따로 불러서 일의 실패과정을 자세히 설명해주었다.

"그러니 지금 어떤 이가 잡히고 어떤 쪽이 무사한지 전혀 알 수가 없소이다. 여환과 황회가 잡혀간 것은 분명하오."

대성법주의 말에 옥여가 의견을 내었다.

"저들의 일은 스스로 알아서 하겠지만, 관의 추심에 대하여는 순전히 미륵도의 포교만을 내세워야 할 게요. 이러한 모역에 관하여는 몇몇 사람들밖에는 모르겠지요. 이런 방도가 있습니다. 누군가 그들과 함께 잡혀가서 여환당과 그 몇몇 사람이 요술과 천변을 일으키는 영이(靈異)한 재주로 궁궐 번복을 위한 기도를 올렸고, 일반 백성들은 다만 우망하여 신병이나 고칠 요량으로 그를 믿었을 뿐이라고, 국문을 받도록 넌지시 일러주는 것이오."

대성법주가 되물었다.

"그 일을 누가 한단 말이오?"

"물론 목숨을 거는 일이겠으나 우리 일을 모르는 자로서 유배형이나 받을 만한 이가 좋겠지요."

묘정이 옥여와 대성법주에게 말하였다.

"글쎄…… 그럴 만한 사람을 알고 있습니다. 그도 또한 우리 같은 불제자입니다."

"그게 누구요?"

"홍성산 장군사의 법호라는 승려지요. 그는 일찍이 달마산에서 심백과 더불어 명화적의 군사 노릇을 했었지요. 심백, 여환과 나는 해주 수양산에서 보경선사의 한 문하 도반이었습니다."

"나두 들었소. 우리 구월산 잔민들이 장군사에 의탁하였다구 그러더군. 하지만 어찌 그를 믿겠소?"

묘정은 눈자위가 붉어지면서 말을 이었다.

"심백은 악업으로 몸을 망치고 풍이 들어 누워 있어 법호의 구완을 받고 있소이다. 우리가 그를 맡기로 하고 법호에게 청한다면 그는 응낙할 것이오. 그들 두 사람에게는 상린(相隣)의 정이 깊어 우리가 헤아릴 수가 없을 정도입니다."

"그러면 묘정당이 수고 좀 해주시려오?"

옥여가 당부하였고 묘정은 대답으로 합장하였다.

"예, 그것은 어렵지 않으나, 남들을 사지에 보내고 우리는 무력하게 남아 있으니…… 그것이 한 가지 여한이올시다."

옥여는 아무 기색도 드러내지 않고 담담하게 말하였다.

"여환은 묘정당과 도반이라지만 나하고는 형제 사이가 됩니다. 우리가 큰스님들을 모시고 이 땅에 불국토를 세우고자 온갖 업을 지었으나 이제는 돌이킬 수가 없소이다. 모든 연을 끊고 서방정토에 열반 성불할 길은 우리에게 남아 있지 않습니다. 우리는 반드시 용화세상을 이 땅에 준비하리라 서원 발심하였고 정토에 가지 않겠다고 다짐한 것입니다. 우리는 이제 제석천(帝釋天)의 부하들이고 아수라와 싸우다가 지옥에 떨어져야만 합니다. 나는 여환과 그의 아내 용녀를 잘 압니다. 그들의 인연과 전생 업을 짐작합니다. 저들이 비록 실패했다고는 하나 근기(近畿) 일대에는 미륵에 대한 소원이 쉽사리 마르지 않을 거외다. 우리는 그 일을 이어나가야 합니다."

"제가 홍성산에 가지요."

옥여와 묘정 말을 듣고 있던 대성법주가 말하였다.

"또 한 사람이 있습니다. 삭녕 상좌를 맡아보던 구월산 잔민 중의 전성달이란 재인입니다. 그가 지금 이곳에 피신하여 있습니다. 이 사람이 혼자 연계되었음을 밝히지 않으면 조정에서는 강원 해서 양도의 병력 동원 문제에 대하여 끝까지 의심을 풀지 않을 것이오. 전상좌는 이미 자수하여 자기가 지어낸 말이라고 자복할 결심을 했소이다. 묘정당은 전상좌와 함께 홍성산으로 가서 법호를 만나도록 하시지요."

옥여가 물었다.

"법주당은 어쩌려우?"

법주는 껄껄 웃었다.

"나는 여기에 있을 겁니다. 관군이 오면 나 혼자서도 버틸 수 있습니다. 그러나 여기까지는 오지 않을 거요. 수태사는 앞으로 근기 일대를 넘겨다보는 승병의 도량이오."

묘정은 전성달을 데리고 홍성산으로 갔고, 그로부터 이틀 뒤에 법호는 청송에 나타나 괴이한 말로 설법을 하다가 기찰 군관에게 끌려갔다. 그리고 전성달은 팔월 초닷샛날에 삭녕 관가에 자수하였다.

대강 잡을 사람은 잡힌 것으로 판단한 각 고을의 수령들은 죄수들을 일단 양주목에 모았다가 그날로 한양의 금부로 압송하였으니 민심이 바야흐로 흉흉했던 까닭이다. 이제부터는 지방의 군졸들이 아니라 금부의 나장과 도사들이 여러 골을 샅샅이 수색하고 돌아다녔다. 어느 동네는 논밭의 작물을 그대로 내버려둔 채 온 식구 솔가하여 난피한 사람들도 많았다. 또한 때를 만났다고 대전리에 갔던 자들을 골라내어 사사로이 형벌을 내리는 지주들도 있었다.

의금부에서 들어온 장계와 양주목과 금부가 주고받은 문서는 이렇게 시작되었다.

대신 금부당상(禁府堂上) 병명초(並命招) 좌의정 조사석(趙師錫) 빈청

(賓廳) 출석. 조사 중에 양주목사 최규서(崔奎瑞)가 중군 최문징(崔文徵) 편으로 일봉문서를 영의정에게 보내왔음. 신(臣) 김수흥(金壽興)이 뜯어보고 놀라움을 금치 못하였으나 병중이라 아뢰지 못하고 문서만을 보내 아뢰라 하옵기 그 여러 사람의 조서(調書) 내용을 살피니 흉모정상이 극히 방자하여 요망하였음. 본주에 사는 죄인들을 도사를 파송하여 서울 옥으로 압송한 뒤에 의법 국문(鞫問)하도록 통첩함.

동일 양주에서 잡은 죄인 여환(呂還) 원향(元香) 김돌손(金乭孫) 김시동(金時同) 황회(黃繪) 최영길(崔永吉) 이응남(李應男) 방의천(方義天) 오계원(吳戒元) 임기동(林己同) 이원명(李元明) 계화(戒化) 법호(法皓) 방승남(方承男) 등 십사 명을 잡기 위하여 도사 십사 명을 본주에 파견하여 구류된 사람들은 결말을 기다릴 것이며 잡힌 자들의 전후 추안(推案)이 본주에 있는 자는 수취견봉(收聚堅封)하여 위로 올리도록 할 것. 동일 양주목사의 보고에 영평 죄인 황회 등을 잡아 옮긴 일과 전성달 등을 엄포한 건을 비밀히 보고하여왔으며 요즈음, 흉언이 빈발하여 사태가 비상하므로 부득이 전말 사정을 보고하고 대명(待命)함.

지난 십팔 일 삭녕군수의 비첩(祕牒)에 본주 청송 대탄(大灘) 근처에 자칭 성인이라는 요사한 자가 있어 화복(禍福)을 논하며 우민들을 유혹하여 불온한 도당을 모은다는 설이 있어 미덥지 못한 점이 있으나 이들을 빨리 엄포 처결해야 함. 곧 군관 관리들을 파견하여 비밀리에 내사한 결과 오십노동(五十老洞) 김돌손의 집 근처에 이삼 명의 무녀가 있는데 자칭 성무라 하여 조화가 막측(莫測)하다고 함. 돌손에게 물어볼 일이 있다고 관가로 유인하여 잡아가둔 뒤에 중과 그 처를 독촉하려 하였으나 그들이 다 달아나고 없으므로 돌손의 아들 시금(時金)으로 그들의 은신처를 안내받아 요승(妖僧) 여환과 그 처 양녀(良女) 원향을 착래(捉來)함. 그들이 간사한 말로 대중을 유혹한 것을 심문한 뒤 엄히 가두었다가 도당을 필포(畢捕)한 뒤에 사노(私奴) 최영길을 포득하여 문초한즉, 전문(錢文) 이백오십여 냥으로 중 여환이 원향의 치장물과 전복(戰服) 전립(氈笠) 장검(長劍) 등물을 구입하였으며 오십노동 촌민들이 소를 팔아서 칼을 사들였다 함. 관원을 파견하였으나 군장 무기 등은 사들인 지가 오래되어 장익(藏匿)의 우려가 있으며, 새로 지은 전복 칠팔 건과 새로 만든 전립 오륙 건과 장검 등을 초중(草中)에 심장(深藏)하여 한 건도 수득(搜得)하지 못하였음. 장검을 찾을 제 관원들이 황당한 중을 잡았음.

양주목사 보고에 의하면 여환 황회 등이 실토를 아니하다가 법호의 흉언 정상이 드러나자 자복하기 시작함.

죄수들은 일단 심문을 정지하여 일각도 지체하지 말고 위로 아뢰어 조정의 처결을 기다릴 것임.

영이 엄하여 죄인들이 스스로 놀라 달아난 것은 목사의 처사가 불비(不備)한 실수임.

죄인 양녀 원향의 조서 내용은 간사하고 흉악한 것과 모흉 정상이 해괴하여 차마 원장(元狀)에 적을 수 없으니 별지에 등서할 것.

요언망설(妖言妄說)이 우민들을 경혹(驚惑)시킬 만한 것이 있어 해서(海西)가 그들의 은거지로 전성달 및 오계준이란 자를 수포(搜捕)하기 전에는 걱정거리가 되니 비밀리에 체포할 것. 이 사건이 여환 황회가 주장한 요언 때문이라 그 행적이 대단하지 않아서 크게 염려할 바는 없고, 적이 먼저 실토하기 전에 상달(上達)하여 천총(天聰)을 경동(驚動)시키는 것은 송구한 노릇임.

모역한 것이 적실(的實)하므로 대명률(大明律) 모반대역조(謀反大逆條)에 의거하여 모반자 및 그 공모자는 수종(首從)을 불문하고 능지처참(陵遲處斬)하며 부자간(父子間) 연(年) 십육 세 이상은 모두 교살(絞

殺)하고 십오 세 이하 및 모녀처첩(母女妻妾) 형제자매 그 자식의 처첩은 공신가(功臣家)의 노속으로 하고, 재산은 관가 소유하고 남부(男夫) 팔십 세 및 병든 부인 육십 세와 폐질자(廢疾者)는 연좌죄를 면하며 백숙부(伯叔父) 형제의 자식은 적(籍)의 동이(同異)를 막론하고 삼천리 밖에 위리안치하고, 연좌의 사람으로 비동거자(非同居者)의 재산은 관가의 소유로 아니하며 만약 여자가 허혼(許婚)의 처지라도 미거례(未舉禮)의 자(者)는 추좌(追坐)하지 않는다.

원악(元惡), 승려 여환, 거사 황회, 무녀 원향, 무녀 계화, 거사 정원태.

동악(同惡), 어영아병 김시동, 농부 이원명, 면주인 정호명, 농부 정만일, 노 최영길, 이말립.

요술숭신(妖術崇信) 및 그 도당(徒黨), 농민 김시금, 행상 김돌손, 유민 전성달, 농민 이응남, 임기동, 방승남, 방의천, 오계원, 행상 주대천, 농민 송계망, 조한욱, 노검송, 농민 이유선, 이두완, 허총, 응사 백성완, 농민 김천선, 머슴 임기읍, 형방 전시우, 예방 허시만, 봉수꾼 이응화, 부농 이철신, 도훈도 정영, 행상 민호길, 농민 이득견, 이득내.

미체포(未逮捕), 행상 오경립, 박수 김승운, 기병 정대성, 농민 이정명, 방귀선, 박수 오계준, 행상 조무인, 상인 이시흥.

무진(戊辰) 팔월 십일 일에 좌의정 조사석(趙師錫)이 죄인들을 인견입시(引見入侍)하여 국가의 불행한 흉역(凶逆)의 변(變)이 의외로 돌발하였다고, 원악거괴(元惡巨魁)가 이미 복죄(伏罪)하였으며 기타 시수(時囚)된 죄인들인즉 요승(妖僧)의 망설(妄說)에 유혹된 탓으로 조서에도 별로 역모에 가담한 흔적이 없으나, 성상(聖上)께서 대단히 염려가 많았으므로 죄인들을 차례로 상의정죄(相議定罪)할 것이라 하였음.

금부(禁府)에 수재(囚在)한 죄인들은 형조에 이송(移送) 처결토록 할 것이며 그중 전성달인즉 여환의 진술에 의하면 역모의 실상은 모른다 하니 엄하게 추궁하고, 모두 형조로 넘겨 의법 처단할 것. 법호는 금부에서 처단할 것이며 외방 죄인들은 각기 본도(本道)에서 처단할 것.

상(上)께서 이르시되, 금부도사 장계(狀啓)에 의하면 촌민들이 죄의 유무를 막론하고 도산(逃散)하여 촌락이 텅 비었다고 하니 심히 민망하다 하시고, 백성들에 대한 남형(濫刑)의 폐단을 염려하시는 뜻을 이르시니 어리석은 백성들이 요술을 숭신하였을 뿐 역모에 참여한 것은 아니어서 무의식중에 중죄에 빠진 것이니 매우 측은하다 하시었음.

형조로 넘긴 죄인들은 요술숭신죄로 장(杖) 백 도 삼천리 유배에 처결하고, 수죄인(首罪人)은 처단할 것.

관에 고변한 자, 포획한 자는 상금을 지급하고, 법호는 모역 동참의 흔적은 없으나 적의 정상을 알고도 관에 불고지한 죄로 의법 처단한다.

전성달 허시만 이철신 민호길 이득견 이득내 방의천 방승남 오계원 이응남 임기동 이유선 이두완 허총 백성완 김천선 임기읍 등은 성교(聖敎)에 의하여 형조에 이송하다.

참수당한 자들은 종루저자의 네거리를 베고 누워 오갈 데 없이 떠도는 원혼이 되었고, 살아 유배당한 자들은 먼 낯선 산천 가운데 남아 덧없이 스러졌다. 그들은 끝 간 데 없는 서녘 하늘을 바라보며 바람으로 더불어 노래하였으니,

정든 님 본판은 남이련마는
어이 그다지도 유정탄 말이냐
생각 사사로 세월 가는 것
아연하여 나 어이할거나
일락서산에 해 떨어지고
월출동령에 저 달이 솟누나
생각을 하니 세월 가는 것
아연하여 나 어이할까,
창망하구나 저 구름 속에
벗들의 소식은 돈절이로다
생각 사사로 세월 가는 것
아연하여 나 어쩌란 말가
청포도 늘어진 가지
덩그라니 매달린 멀구 다래
못 따먹는 사람에
심산들 좀 여북하며
가버린 님 그리는 사람에
심산들 좀 여북탄 말인가
사사로 님의 얼굴이
그리워 나 어이할까나
아 하 이리 가도 십 리요
저리 가도 십 리라
십 리 밖에서 님을 만나
님의 손은 내가 잡고

나의 손은 님이 잡고
님이 울면은 내가 울고
내가 울면은 님이 우니
이대로 갈린 길이라
죽어진들 영 이별하랴
님아 님아 우지 마라
너무 울면 정 떠나간다.

제2장

심산대하

深山大河

1

송도 사대전(四大廛) 임방(任房) 회의는 오전부터 시작되어 중화참이 훨씬 지나도록 끝나지 않고 있었다. 비록 한양이나 관서의 상인들과 경쟁할 때에는 송상들이 일심 합력하여 상권을 장악하는 것이지만, 그들 내부에서는 상리를 놓고 다툼이 그치질 않았다. 물론 그런 연유로 임방이 있는 것이었다. 좌장 박대근을 비롯하여 송도 각상단의 접장(接長)들이 나와 앉았는데, 그들 중에는 박대근처럼 상단의 행수를 겸하고 있는 자도 있었고, 배대인같이 상단의 전주(錢主)인 사람도 있었다. 아무리 박대근이 배대인의 뒤를 이어 접장이 되었다고는 하지만 임방의 좌장은 그보다 나이 많고 점잖은 이가 되게 마련이라 대근으로서는 회의가 조심스러울밖에 없었다. 임기가 다섯 해이니 대근의 마지막 회의 주재였던 것이다.

때는 늦가을이라 추수도 모두 끝났고 팔도에 온갖 산물이 넘쳐나는 중이었다. 미곡은 물론이요 각색 과일 건어물 포목 지물 피물 기맹 유기 양태 등속의 거래가 활발한 즈음이었고, 이러한 활기는 세밑까지에 막바지를 이루던 것이다. 임방 회의가 크게는 일 년에 철마다 네 번이요 작게는 다달이 있었다. 그 모임에서는 각 도의 송방에서 내는 물건의 가격이 정해지고 다루는 물종(物種)이 의논되었으며, 각자가 갖고 있는 산지(産地)의 현 실정을 알렸으니 이는 송상이 피차의 경쟁을 피하고 전국의 상권을 장악하기 위한 것이었다. 이를테면 무명과 모시를 갑이 다루기로 정해지면 을은 양보하는 대신 피물을 다루도록 조정이 되는 것이었고, 그것은 여러 지방에 흩어진 송방에 통지되어 추호의 어김도 없이 엄수되었다. 그러므로 임방 회의에서는 각자가 자기 자본과 물력에 의하여 유리한 물종을 석권하기 위하여 여러 모로 자신이 적임이라는 것을 내세우며 입씨름하였다.

다른 달 같으면 그저 산지 실정이나 얘기하고 서로의 어음이나 계산하고 흩어질 작은 모임에 지나지 않을 것을, 임방에서는 사흘 전부터 접장들은 물론 배대인과 같은 원로들까지 반수(班首)로서 참석하라고 통고한 터였다. 그것은 바로 시월에 있게 될 사행(使行)에 관하여 논의하려는 것이었다. 사행은 절행(節行)과 별행(別行) 주행(奏行) 역행(曆行)으로 구별되었으니 대개는 일 년에 네다섯 차례씩 청정(淸廷)이 있는 연경(燕京)으로 떠나던 것이다.

절행은 정례 사행으로 대개는 매년 말에 연경에 들어간 동지사(冬至使)를 일컬었다. 별행은 임시 사행이었으니 청 황실에 경조할 일이나 나라 안에서 일어난 특별한 사건의 해결을 위하여 보내는 사절이었다. 주행과 역행은 약사(略使)로서 풍랑을 만나 오게 된 청인이나 월경한 자를 호송하는 일이라든가, 매년 시월 중에 연경에 가서 청의 시헌력(時憲曆)을 받아오던 정례행이었다. 실로 송상들에게 사행은 중요한 행사였고, 그 이윤은 막대하여 아무도 빠지려는 자가 없었다.

아랫목에는 도영위(都領位)로 있는 배대인과 전임 반수 등의 원로들이 흰 수염을 늘어뜨리고 앉았으며, 그들은 각기 놋재떨이 위에 장죽을 얹고 점잖게 태우고 있었다. 좌장 박대근이 모임의 진행을 끌어나가니 그는 좌장 반수인 셈이었고, 그들의 동료 또래인 여러 접장들 가운데서 새 좌장이 선임될 것이었다. 그들 접장들은 거의가 사오십대의 장년들이었고 겯꾼이나 차인 또는 행상에서부터 시작하여 스스로의 힘으로 행수가 되고 오랫동안 전국의 송방에 나가 있었거나 상단을 이끌고 돌아다니던 사람들이었다.

방 안에는 이십여 명의 접장들이 모였는데 반수와 영위 도영위 등의 원로들은 여섯 사람이며 이들은 송도의 도주공이라 할 만한 상단의 주인들이었다. 원로들은 아랫목의 보료 위에 안석을 놓고 기대앉았으며 그들 좌우로 접장들이 방석 위에 마주 보고 앉았다. 좌장 박대근은 윗목에 원로들을 향하여 앉았으며 그의 곁에는 임방의 소관사를 맡은 본방(本房)이 앉았고 공원집사(公員執事)가 책상에 종이와 지필묵을 얹어두고 앉았다. 임방 계원의 점고 뒤에 공사(公事)가 시작되었는데 박대근이 사행에 관하여 안을 꺼냈다.

"우선 역행에 관한 논의를 하고 나서 분담이 정해지면 연후에 동지사에 관한 논의를 해보지요."

송상은 일 년 중에 이와 같은 두 번의 사행을 기다리며 산다는 말이 있을 정도였다. 정관 외에 임시 체아직(遞兒職)으로 수행하는 역관의 경우에도 사오 년의 차례를 기다려서야 연경에 가게 되는데, 그들은 단 한 번으로 만 전을 벌어 평생을 요족히 산다 하였으니 장사 치들로서는 더이상 말할 바가 없었다. 원로 중의 하나가 좌장에게 말하였다.

"두 번의 사행을 나누어 의논하는 것보다는 한데 싸서 말을 하여 야 골고루 분담이 되지 않겠나."

배대인은 대근의 안색을 살피고 나서 신중하게 말하였다.

"지금 상단이 모두 여섯인 셈인데 여기 참예치 않고 만상(灣商)과 평양 상고에 부화하여 이를 도모하는 상고도 있으니 무역별장(貿易 別將)은 모두 우리 송상이 차지하여야 될 걸세. 그러려면 우선 대금 이 나와야 하고 물건이 좋아야겠지. 역행과 절행을 나누어 이야기하 여야만 기회를 놓치는 이에게 다시 좋은 소임을 줄 수 있지 않은가."

박대근이 좌중을 둘러보고 말하였다.

"그러면 권점(圈點)하기로 하지요. 두 번의 사행을 한 번에 논의하 자는 안을 가(可) 부(否)로 정하겠소."

집사가 임방록을 펴들고 출석한 이의 이름자를 불러나갔고, 그들 은 가, 또는 부,라는 의사표시를 하였다. 가가 반 이상이 되어서 사행 을 한 번에 분담하기로 안이 결정되었다. 배대인은 미간을 찌푸리고 앉았더니,

"중화참이 벌써 한참 지났으니 밥이나 좀 먹고 하세."

하며 잠시 쉬기를 청하여, 원로들도 이에는 모두 찬성하여 회의는 식후로 미루어졌다. 본방이 잠깐 나갔다가 들어오더니 좌중에 대고 말했다.

"국밥과 면이 있으니 알아서 청하시우."

"술은 없는가?"

"화주가 있습니다."

"가만 두고만 보시지요."

배대인은 더이상 말을 내지 못하고 방으로 돌아갔고, 박대근은 다른 접장들 중의 한 사람을 불렀다.

"여보게, 그 댁 반수께서는 어찌하시겠다던가. 내 제안이 마음에 드신다던가?"

접장은 벌써부터 희색이 가득이었다.

"마음에 드시다뿐인가. 역시 박좌장은 경우 밝고 배포 큰 인물이라구 칭찬이 대단하시네. 여하튼 우리에게 무역별장직이 모두 떨어진다면 관은은 자네 상단 쪽에서 모두 빌려 써두 좋네."

대근은 재삼 다짐받고 나서 임방으로 들어갔다. 점심이 들어오는데 장국밥과 온면이 들어왔고 수육과 화주가 따로 네 쪽의 소반에 차려져서 들어졌다.

그들은 점심 들고 다시 수육을 안주로 화주를 돌려 마셨다. 원래가 송상의 살림이란 부상대고의 경우에도 질박하고 검소한 것이 특색이라 하겠으나, 그들의 전에서의 음식치레는 푸짐하고 걸어서 손님이라도 오면 점심상 하나 소홀히 하지 않던 것이다. 중화를 잘들 먹고 화주로 얼큰해진 좌중은 다시 상을 물리고 나서 회의를 계속하였다. 박대근이 안을 내어 무역별장 뽑을 논의로 바로 들어갔다.

"별장 직임은 우선 송도부에서 한 자리가 있고 사행이 역행과 절행의 두 번이라 두 사람이 맡을 수가 있으며 평안과 해서에서 각각 두 사람씩이니 우리가 지방 상단과 나누더라도 적어도 네 자리의 기회를 갖고 있는 셈이지요. 그러니까 모두 여섯 자리의 무역별장 직임이 있소이다. 지물(紙物)과 피물(皮物)의 물량에 따라서 무역권의 경중이 나뉘게 되니 그것은 각 상단에서 스스로 요량하여 자원해주시오."

전부터 인삼 팔포(八包)가 무역의 정액으로 정하여졌듯이 송상의 무역은 거의가 인삼으로 큰 이익을 보았건만 숙종 팔년 임술부터 인삼의 공식적인 유출을 금하고 은으로 대치하면서는 오직 피물과 지물이 주요한 무역 품목으로 되었다. 송상은 국내 상권에 있어서 가장 중요한 품목을 각 지방의 송방을 통하여 매점(買占)하고 있었다. 원래가 팔포라 하는 것은 사행의 수행원들에게 정한 한도 안에서 사사로이 무역을 하도록 허가한 규정이었으니, 한 사람에 인삼 팔십 근으로 따져서 열 근씩 여덟 꾸러미를 소지하게 하였던 것이다. 수년 전에 호조(戶曹)에서는 인삼이 비록 우리나라에서 생산되고 있으나 상고(商賈)들이 북경과 동래로 빼돌려 여염의 약용이 다 떨어졌으니 남북 두 곳의 교역처 중에서 한 곳은 마땅히 막아야 할 것이라 아뢰었던 터이다. 이어서 좌의정이던 민정중(閔鼎重)도 아뢰기를, 동래는 왜인들이 우리나라에 와서 서로 거래하니 물가의 귀천을 따라 매매하면 되지만 북경에서는 삼을 무역하러 오는 남방 상인이 없을 때는 인삼을 가져간 우리나라 사람들은 오히려 낭패하고 실리할뿐더러 사사로이 유탁(留託)하고 오니 금하는 것이 옳다 하여, 그해 동지사행(冬至使行) 때부터 인삼 거래를 금하고 팔포의 정액은 은으로 충당하게 되었다. 은은 시세에 따라 인삼 한 근당 스물닷 냥으로 쳐서 팔십 근의 인삼 대신에 이천 냥의 은으로 팔포 정액을 삼았다. 대개 당하관이 이천 냥이요, 당상관은 삼천 냥으로 구분하였다. 물론 그것은 삼십 명 남짓의 정관(正官)에게 한한 규정이었다. 여하튼 그들의 무역자금은 규정된 내역만 따지더라도 모두 칠팔만 냥에 이르렀고 그것은 쌀로 치면 거의 오만 섬에 이르는 물량이었다. 은 한 냥은 돈 넉 냥에 해당하였고 쌀은 열 되였던 것이다. 그러나 별포(別包)라 하여 상의원(尙衣院) 내의원(內醫院) 호조(戶曹) 훈련도감(訓鍊都監) 어영청(御營廳) 금위영(禁衛營) 총융청(摠戎廳) 수어청(守禦廳) 등에서 각종 사치품과 약재 방물 및 군복 기치 병기의 제작을 위한 연화(燕貨)를 사들이는 무역이 허용되었다. 따라서 역관들은 각 관아의 이러한 무역권을 빌려서 무역을 대행하여주고 그 이익을 나누었다. 관아에서는 규정 외에도 그들이 보유한 은을 높은 이자로 놓아 식리(殖利)를 꾀하여 한양 다섯 군문과 호조, 병조, 그리고 진휼청(賑恤廳)을 비롯하여, 송도 강화부(府)와, 평안 감영과 병영, 해서 감영과 병영, 그리고 의주부에서는 관은(官銀)을 빌려주었다. 관문에서 자금을 빌려줄 때 먼저 이자 십분의 이를 공용은으로 제하고 나중에 관은의 전량을 채워서 갚도록 하였는데 그 기간은 이 년이었다. 따라서 상행 때마다 공인된 무역은만 쳐도 거의 일이십만 냥이 되는 셈이었다. 의주를 통한 대청무역과 동래 왜관을 통한 대왜무역은 조선 팔도에서 가장 이문이 큰 상권이었고, 송상들은 전부터 이를 장악해오고 있던 터였다. 임방 회의의 가장 중요한 논의점은 이러한 이권을 어떻게 나누어가지느냐였고, 각 상단의 무역로나 방법 등에 관하여는 서로가 발설하려 하지 않았으니 국내 상권과는 비교도 할 수 없을 만큼 자신들의 재력을 쏟아넣어야 했던 까닭이다.

임방의 회의장으로 쓰는 여섯 평의 널찍한 사랑에는 상단의 두령들이 둘러앉았다. 송상은 무명과 목화의 전국적인 가격을 조종하였는데, 남초(南草)와 말총 또한 한양의 시전 상인들도 손을 쓸 수 없을 정도로 선점을 하였다. 무역의 주요 품목인 수달피는 주로 동해안에서 생산되었으니 송상은 엽부(獵夫)들에게 미리 돈을 주어 조선의 모든 피물을 장악하였다. 종이는 대개 전국에 흩어진 절에서 생산되었고 송상은 그중에 생산량이 많은 여러 곳의 제지사찰(製紙寺刹)과 직접 거래로 질 좋은 한지를 확보하였던 것이다.

좌장 박대근의 말에 따라서 무역할 물량을 확보해놓은 상단이 자원해 나서니 모두 네 군데나 되었고 다시 권점에 의하여 둘을 가려 냈는데, 이는 대근이 미리 몇몇 접장들과 논의를 했던 문제였다. 무역별장들은 그들 두 상단에서 스스로 뽑아 보내기로 정하였고 다음에는 역관들의 마부 곁꾼을 누가 얼마나 내어 끼여드느냐가 결정되었으며, 끝으로 책문저자의 건이 나오자 대근은 그제야 자기네 상단의 의사를 표시하였다.

"이번 두 차례의 사행에서 좌장 일을 본 저희가 당연히 무역별장을 내어야겠으나, 우리는 지난해부터 피물과 지물을 취급하지 않고 있어서 부득이 양보를 했소이다. 국내 상품으로는 목화와 무명만을 취급하기로 정하였지요. 다만 우리는 청국의 백사(白絲)를 수입해오기만 원합니다. 책문저자는 당연히 우리 상단에서 전담해야 할 것이고, 관은의 대하(貸下)는 마땅히 우리에게 돌려줘야 할 겁니다. 그쪽에서 반대하시는 분이 계신지요?"

대근이 원로들 쪽을 향하여 물었고, 배대인은 일이 이렇게 되어버린 것만 못마땅하여 침통하게 장죽을 빨고 있었다. 사실 책문의 저자란 그때까지만 하여도 사행의 파장(罷場)에 지나지 않았으니 이권 중에서는 찌꺼기인 셈이었다. 더구나 좌장으로서의 권리를 주장할 수 있는 박대근이 책문저자나 바라고 있으니 까닭을 알 수가 없어서 원로들은 어리둥절한 모양이었다. 무역별장을 맡기로 정해진 상단 쪽의 영위 한 사람이 입을 열었다.

"아무렴, 책문저자는 직임을 받지 못한 박좌장네가 알아서 전담해야 하고말고. 우리는 물품도 전매되어 있고 상단 자금도 충분하니 아문의 이자를 지불해야 되는 관은을 빌릴 뜻이 없네. 그러니 관부의 은은 물론이요 호조나 병조 평안 해서와 의주의 관은도 빌릴 테면 빌리게나."

책문저자에 관하여는 아무도 의견을 달리하지 않았으나 관은 대부에 이르러서는 몇몇 반수가 자기네도 무역자금이 필요하다고 나섰다. 박대근은 흔쾌히 응낙하였다.

"좋습니다. 해서와 평안 양도의 관은은 그쪽에서 하시지요. 우리는 호조와 송도부의 관은을 대하받도록 하지요."

대개 황해도와 평안도 의주의 관은은 그 지역 상고들과 경쟁해야 하고 이자도 더 얹어주는 것이 상례였으므로 대근은 그쪽은 선선히 내주기로 했던 것이다.

임방 회의가 끝나고 나서 배대인과 박대근은 함께 집으로 돌아갔고 사랑에서 장인은 사위의 속셈을 자세히 물었다. 그는 상단의 운영권을 대근에게 다 떠맡긴 터여서 어떻게 돌아가는지 그 속내를 전혀 모르고 있었던 것이다. 사행은 일 년에 네다섯 차례가 되고 한 번의 교역에서만도 은 십만 냥에 달하는 물품이 거래되었으니 돈으로는 거의 사십만 냥에 이르는 거대한 시장이었다. 지난 이삼 년간의 대근의 상단은 겨우 명목이나 유지할 정도였는데 대청 대왜 무역에는 매번 다른 상단에 뒤지고 있는 형편이었다. 배대인은 기왕에 모든 운영권이 대근에게 넘겨졌으므로 죽을 쑤든 떡을 치든 모른 체하고 있었으나, 임방에서의 대근의 처사는 누가 보든지 그리 이롭지 않게 보였던 것이다. 배대인은 그러나 사위의 깊은 생각과 행수시절에 보였던 수완에 대하여는 누구보다도 신뢰하고 있어서, 지난 몇해 동안 상단의 어음 결제나 장부 내막에 관하여 한마디 묻지도 않았다. 장인은 이제는 그의 모든 재산의 상속자이며 대를 이어갈 아들이나 다름없는 사위에게 조심스럽게 물었다.

"내 그동안 상단 일이 어찌 돌아가는지 묻지도 않았고 알고 싶지도 않았다. 내 가끔 넘겨다보았으되 지난 이삼 년 동안에 우리 상단이 큰 이익을 보았다는 소리를 못 들었고, 또한 무역의 일도 여태 미미하여 물량도 선점하지 못한 듯하더구나. 오늘 일도 그렇지. 아무리 피물과 지물을 쌓아두지 못했다손 치더라도 어찌 그렇게 맥없이 무역별장직을 다 내어주고 말았느냐. 또한 관은을 빌려 백사를 수입해다 겨우 이자나 물려는 일은 상고로서 좀스런 짓이다. 그간에 배포가 물러지고 생각이 안이해졌다고밖에는 달리 볼 수가 없는 일이지."

그러나 박대근은 빙긋이 웃으며 장인의 말을 듣고 있다가 대답 대신에 일어섰다.

"아버님, 잠깐만 기다리시지요."

하고는 마루로 나가 설렁줄을 당겼고 하인이 달려왔다.

"불러 계십니까."

"음, 아씨 건너오시라구 하여라. 그리고 최서방 보낸 것도 가져오라구 전하고."

하인이 달려나가고 곧이어 안채에서 대근의 아내 귀례가 큰사랑으로 건너왔다. 귀례는 남편에게 자그만 보퉁이를 건네주고 나서 아버지에게 물었다.

"임방 회의는 잘되었는지요. 아버님두 오랜만에 나가보시니 어떠셨어요?"

배대인은 이것저것 궁금한 판인데 딸이 공연히 부아를 돋우는 것만 같아서 통명스럽게 받았다.

"내야 이제 상단 일은 떠난 사람이니 어찌 알겠느냐. 네 남편이 다 알아서 잘 터이지."

대근은 아내에게 말해주었다.

"무역별장직을 떨구었다고 걱정이시네."

귀례는 서슴지 않고 웃으며 말하였다.

"아이, 아버님두…… 지금은 시절이 바뀌구 있답니다. 예전 같은 식으로는 큰 이문을 바라거나 원대한 경륜을 펼 수가 없어요."

대근은 보퉁이를 끄르고 종이에 겹겹이 싼 것을 풀어냈다. 손가락 두 개 굵기의 인삼이 열 뿌리쯤 되었다. 배대인은 눈이 휘둥그레하여 중얼거렸다.

"이게 뭐냐?"

"인삼이에요, 아버지."

귀례가 그중 하나를 집어서 아버지 손에 쥐여주었다.

"그간에 인삼두 잊어버리셨나요?"

"세닢부치는 못 되어도 반들개는 훨씬 넘어 보이는구나. 강계 향산 삼이냐?"

배대인은 잔뿌리를 쓰다듬어보면서 심드렁하게 물었다. 인삼은 무역 품목으로는 금지되었을 뿐 아니라 심메마니의 채취 정도로는 무역의 막대한 교역량을 댈 수가 없게 된 것이었다. 그맘때에는 간혹 몇근이 있다 할지라도 청국 상인들과의 교제용으로밖에는 판매를 위한 물량은 감당할 수가 없게끔 되어 있었다. 박대근이 말하였다.

"우리 인삼입니다."

"뭐…… 우리 것이라니, 아니 그러면 윤덕이가 하던 삼포(參圃)에서 소출을 시작하였단 말이냐?"

"이것이 그 첫 번째 소출이올시다. 우리 송악산 삼포에서는 올해부터 매년 오백 근 이상 낼 수가 있으며 경지를 더 잡을 수만 있다면 수천 근을 소출할 수도 있습니다. 이것이 어언 육년생이올시다. 그

동안 저는 최서방하고 이 일에 몰두하느라고 다른 품목은 거들떠볼 겨를이 없었습니다. 윤행수가 대충 상단 일을 꾸려갔으니 포물과 목화만으로도 유지는 되었지요."

"그래, 그렇다면 이번에는 정확히 얼마나 낼 수 있겠느냐?"

"예, 최상품으로 고른다 하더라도 육백 근이 좀 넘을 것입니다."

"요즈음 부르는 것이 값이라던데…… 금지되던 해의 값이 근당은 스물다섯 냥이었으니 요즘 시세로 넉넉잡고 오십 냥은 받아야겠구나. 허어, 삼만 냥이다."

배대인은 인삼을 집어 이것저것 만져보고 냄새도 맡아보고 하며 신기해하였다. 대근이 말하였다.

"아직도 해결할 문제는 많이 남았습니다. 송악산 상수리골은 대처에서 가까우니 사람들의 눈을 피하기가 어렵지요. 채전과 약초밭으로 그런대로 눈가림을 하고 있습니다만 일꾼을 마음 놓고 부릴 수가 없는 형편이지요. 소문이 나서 나라에서 알게 되면 필시 벼슬아치들이 독점하려거나 막중한 조세를 부과시킬 것이 뻔합니다. 그러니 경지도 비좁고 소출에도 한정이 있지요. 아마도 한 삼사 년 내고 나면 곧 바닥이 나게 될 겝니다. 그래서 올해 안에 관서 쪽의 심산에다 새로운 삼포를 갈아둘 작정입니다."

배대인은 감탄하였다.

"내가 장부에서 손을 뗀 지 어언 반십년이 넘어서 그간에 폐부가 대통같이 좁아지고 말았고나. 어찌 그리 조바심이었던고. 그래 이만 경륜을 편다면 십 년을 묵묵히 기다린다 하여도 누가 따를 수 없는 대상부고가 해야 될 일이니라. 그래서 자네가 별장직 따위를 사양한 것을 모르고 공연히 안달이었다."

"지금 나라법이 인삼의 거래를 금단(禁斷)하여 금령이 지엄하니다. 범금자는 사형입니다. 그러나 범새끼를 잡으러 굴혈에 들어가고 사공질하려면 헤엄을 배우듯이, 어려운 일을 처음 하려면 위험을 무릅쓰지 않고는 안 되는 일이지요."

"옳고말고, 금령이란 피치 못하여 내리는 것이니 극약과도 같은 것이라 오래 쓸 수 없는 법이다. 곧 풀리지 않고는 대세를 더이상 막을 수가 없게 된다."

배대인이 말하였고 박대근이 뒤를 이었다.

"인삼의 무역을 금단시킨 것은 거래량이 많아지면서 산삼의 채취로는 댈 수가 없었기 때문입니다. 국내에서 약용의 삼이 품귀해진 까닭이지요. 그러나 이제 무처럼 밭에 심어 소출을 보게 되었으니 인삼은 다시 무역품이 될 것이고 팔포의 내용도 변할 것입니다. 그러나 우리 상단은 이 금령의 때를 잘 타고 가야 할 겝니다. 금령이 풀리기 전까지 우리의 인삼재배 방법이 널리 알려져서는 안 되고 또 관에도 기찰되어서는 안 되겠지요. 그래서 저는 잠상(潛商)을 생각하고 있었습니다. 오래 전부터 제 동무 중에 관서에 나가 있던 사람이 있어서 다리를 놓아 이미 그 기반을 다져두고 있고 내막도 소상히 알구 있습니다. 그래서 공연히 무역별장으로 뽑혀 다른 상단이나 관아의 눈치를 보면서 연경까지의 먼 길에 인원과 재력을 소모할 필요가 없다고 본 것이지요. 우리는 청상(淸商)과 가까운 곳에서 닿기만 하면 되는 것입니다. 책문저자가 우리에게는 가장 유리합니다. 인삼을 갖고 있기 때문이지요."

"음, 아주 앞뒤 이치가 번듯한 생각이로다. 그러면 관은 무엇 하러 몰이를 하려는 게냐?"

박대근은 웃으면서 아내를 돌아보았다. 귀례가 말하였다.

"그건 제 생각이었어요. 성동격서(聲東擊西)와 견줄 만하지요. 우리가 아무런 이득도 없이 책문저자나 오락가락한다면 모두 의심을 하겠지요. 그리구 가용으루 쓸 일두 많으니 제 몫으로 식리(殖利)라두 하려구요."

박대근이 덧붙였다.

"우리가 잠상을 택한 이상 사행에 끼여들어 어정거릴 필요는 없습니다. 제 생각으로는 적당한 양의 삼을 조금씩 내어 꾸준히 월경(越境)시키는 것이 유리합니다. 좋은 가격을 유지할 수가 있겠지요. 그러나 사행을 외면해버린다면 의심을 받겠지요. 관은의 이자는 이 할입니다. 그 대신에 상환 기한은 이 년이지요. 작금에 이르러는 대하은이 십오만 냥에 달한다고 합니다. 한 번의 사행에 대여되는 돈이 이러하니 이것은 또한 큰 이권인 셈입니다. 이 할에 오 푼을 가산하여 이자를 내기로 하면 호조와 송도부로부터 오만 냥의 관은은 충분히 대하받을 수가 있을 것입니다. 나중에 은 대신 잡물로 대납할 수도 있고, 몇번씩 나누어 상환할 수도 있으니 이것을 잘 굴리면 오히려 실속이 있습니다. 그래서 저는 두 가지로 생각하고 있지요. 하나는 최서방을 강계와 의주의 송방 행수로 보내는 일이며, 다른 하나는 윤행수를 동래의 송방으로 보낼 계획입니다. 대하받은 관은으로 청상에게서 백사(白絲)를 수입하여 윤행수로 하여금 왜인들에게 은을 받고 팔게 합니다. 요즈음 시세를 알아보았더니 왜인이 사가는 백사의 값이 세 배나 된다고 합니다. 다리 놓아주는 댓가로 세 배라면 이 할 오 푼의 이자는 아무것도 아니지요."

"거 참 그런 줄도 몰랐구나. 상단 일은 너희가 다 알아서 하여라."

배대인이 기쁜 얼굴로 딸에게 말하였다.

"오랜만에 좌장과 한잔 할 것이니 술을 내어오너라."

"평양의 계당주(桂糖酒)가 있사온데 몸에 좋으실 거예요."

귀례가 이르니 배대인은 손을 저었다.

"아니야, 그거야 아이들 주전부리지 어디 술이라고 하겠느냐. 청국의 백주(白酒)가 있지 않니. 이 사람두 그걸 좋아한다."

"백주는 독해서 아버님께 맞지 않아요."

"허, 가져오래두. 오늘 같은 날 사위와 앉아서 모처럼 한잔 하겠다는데 고작 어린 한량들의 기방 술이나 홀짝거리겠느냐. 어서 백주로 가져오너라."

귀례가 몸소 술상을 보아 들여오는데 백주 한 병과 쇠고기 대추 편포와 생란을 올렸다. 편포는 쇠고기를 다져서 갖은 양념 하여 대추알만 하게 빚어서는 실백을 박고 참기름 발라서 말린 육포이고, 생란은 생강을 다져 끓인 뒤 꿀에 조려서 잣가루를 묻힌 과자였다. 부상의 주안상으로는 간단하고 깔끔하였다. 장인과 사위는 서로 잔을 주고받았고 귀례는 옆에서 즐겁게 시중을 들었다. 배대인은 술이 거나해진 뒤에 보료에 기대 잠이 들었고 부부는 노인을 뉘고 베개를 베어드리고는 큰사랑에서 나왔다. 대근이 섬돌에서 내려서며 말하였다.

"내 지금 상수리골에 다녀와야겠소."

"피곤하실 텐데 그냥 쉬시지요. 아니면 사람을 보내어 최서방을 들어오라든지."

"아니야, 거기 들른 지가 벌써 한 달쯤 되는 모양인데 가봐야지. 내가 이를 말도 있고."

"그럼 잠깐 기다리셔요. 두 분 고모님들께 뭘 좀 보내드려야지."

그들은 언실의 노모와 윤덕의 노모를 딸이 부르는 대로 고모라고 부르고 있었으니 대근에게는 두 노인네가 누님들이 되는 셈이었다. 귀례가 안채의 찬방에서 유지에 싼 물건을 노끈에 매어들고 나왔다.

"이게 뭐요?"

"노루고기예요. 노인들에게는 노루고기가 좋지요. 연하고 부드럽거든요. 소금에 절인 것인데 국에 써두 좋구요, 그냥 포를 떠두 괜찮을 거예요. 언실이는 바쁠 테지만 탄실이는 좀 놀러 오라구 그러셔요. 참 탄실이두 내년엔 시집을 가야겠네. 잊구 있었어요."

"벌써 그렇게 되었나?"

"열일곱이에요. 내년이면 늦었지요."

상수리골은 동북으로 송악산 지맥이 뻗쳐올라간 나직한 능선 아래 자리를 잡고 있었는데 대략 삼십여 호의 초가들이 송림 가운데 숨어 있었다. 숲이 짙고 앞에는 너른 청교벌이 보이니 동네가 늘 청량한 느낌을 주었다. 서리 내릴 무렵이라 저녁 공기는 벌써부터 써늘한데, 멀리 소나무 위로 오르는 마을의 파란 연기가 공연히 발길을 재촉하게 하였다. 박대근이 마을의 오른쪽에 조금 떨어져 섰는 최윤덕네 집으로 가는데 크도 작도 않은 조촐한 기역자 기와집이었다. 밖으로는 기와 올린 나직한 돌담이요 텃밭이 널찍하게 달려 있었다. 돌담 위로 감이 빨갛게 달려서 저녁 빛에 반들거리고 있었다. 대근이 이리 오너라, 부르니 원래 그의 집에서 데리고 있던 하녀가 목소리를 알아듣고 반기면서 문을 열어주었다.

"좌장님 오셨어요."

하녀가 안에다 대고 부르니 가장 먼저 탄실이가 마당으로 달려나왔고, 두 노파는 마루에서 뭔가 채소라도 다듬었는지 손을 치마에 싸쥐며 쫓아나왔다.

"아이구, 어찌 이리 행보가 더디신가."

"그러잖아도 궁금하여 내일은 탄실이를 보내려구 하였네."

노인네들은 제각각 말하였다. 그들은 모두 같은 처지의 홀사둔이고 딸과 아들로 인연이 되어 한식구가 되었으므로 마치 자매처럼 보였다.

"옜다, 이거 받아라."

대근이 탄실에게 유지에 싼 것을 내밀어주었다.

"삼춘, 이거 뭐유?"

탄실의 어머니가 딸을 꾸짖었다.

"다 큰 계집애가 철없이 삼춘이 뭐야, 숙부님 해야지."

"그럼 숙부님……"

대근은 웃으면서 말을 받았다.

"괜찮다, 괜찮어. 집사람이 저애 시집 보낼 걱정을 합디다."

"그래 어디 자리라두 났는가?"

탄실이는 얼굴이 발갛게 되어 달아났고 그 어머니는 반색을 하였다.

"내년에는 여의어야지요. 신랑감은 우리 상단 사람들 가운데두 좋은 아이들이 있습니다. 염려 마셔요. 윤덕이는 또 밭에 나가 있나요?"

대근이 윤덕의 어머니에게 물었다.

"부부가 하루종일 농원에 가서 산다네. 거기에 또 너른 헛간까지 지어두었지."

대근이 알았다고 고개를 끄덕이고는 돌아서니 두 노파가 서로 다투어 만류하였다.

"좀 있으면 돌아올 텐데 어딜 가려나."

"저녁을 드셔야지."

"같이 와서 먹지요. 다녀오겠습니다."

박대근은 집을 나서서 송림을 지나 야산을 넘어갔다. 오솔길 아래로는 송악산의 북편 골짜기가 내려다보이는데 민가는 없었으며, 벌써 그쪽에는 해가 저서 짙은 그늘 속에 골짜기가 우중충하니 어두웠다. 골짜기로 내려가니 음습한 밭 위에 버팀목과 갈대발이 죽 펼쳐진 삼포가 보였고 그것은 다른 약초밭의 가녘에 줄지어 있었다. 기다란 갈대발 덮인 밭들은 뱀처럼 구불거리며 계곡의 나직한 둔덕을 따라서 계속되었다. 후미진 골이라 행인도 없을뿐더러 간혹 초군이 있다 할지라도 그것이 삼이라는 것은 꿈도 꾸지 못할 일이었다. 대근은 그러나 소출이 이미 시작되었으니 최소의 수직을 두어야겠다고 생각했다.

진작부터 윤덕과 그의 아내 언실이 삼포의 적지로 찍어둔 것을 대근네 상단이 사들였던 터이다. 아무도 그런 응달의 비좁은 골짜기를 무엇 때문에 사려는지 짐작을 못 했을 것이다. 아래로 가니 단칸방과 헛간이 딸린 초가집이 나왔다. 마당에서 돌아갈 준비를 하며 서성이던 윤덕이 부부가 대근의 모습을 보고는 놀라서 마주 달려왔다.

"어이구, 숙부께서 여기까지 웬일이우."

대근은 부부의 노중 인사를 받고 나서 말하였다.

"하도 발길이 뜸해져서 오늘은 일부러 맘먹고 예까지 왔다. 그래 별일 없었지?"

한데 부부가 어쩌된 건지 희희낙락하는 얼굴이었다.

"뭐, 좋은 일이라두 있나?"

"숙부, 기뻐하시우. 좋은 생각을 해냈지요. 젖은 삼은 먼 여로에 보관도 힘들고 독성도 있습니다. 약효는 그대로 지닌 채로 오랫동안 두어도 상하거나 훼손되지 않게 할 수가 없을까 여러가지로 궁리해봤지요."

"글쎄…… 북어나 곶감처럼 말리면 어떠한가."

"이 사람이 좋은 생각을 해냈지요."

최윤덕은 자랑스럽게 언실을 돌아보았고 언실은 건강하게 그을은 얼굴을 쳐들고 밝게 웃었다.

"말리는 것두 필요합니다만, 그전에 쪄야 합니다. 감저를 쪄서 말리던 것에서 생각이 났습니다. 쪄서 말리면 감저의 단맛도 변하지 않았고 곰팡이가 슬거나 썩지도 않았거든요. 김에 쏘이기만 할 뿐 우려내지를 않으니 약효는 간직되는 셈이어요."

"거 참 용한 생각이다."

언실은 그에서 그치지 않고 바구니를 들어 보였다. 안에는 꼬들꼬들하게 마른 인삼 대여섯 뿌리가 있었다.

대근은 이것이 모두 돈이려니 생각하면서도 집어서 깨물어보았다. 좀 질기고 딱딱한 것이 마른 밤을 씹는 것과 같았고 달차근하면서도 쌉쌀한 인삼의 맛이 그대로였다.

"그래, 이런 정도라면 갑에 넣어두고 몇년간이나 보관해두 되겠다. 그리고 윤덕아, 내일부터는 아이들 몇 보내어 일손도 돕고 수직도 시켜야겠다. 휑뎅그렁하니 빈 골짜기에 저 귀한 것들을 버려둘 수가 있겠느냐."

"너무 많아두 오히려 번거롭기만 합니다. 한두 사람이면 되겠지요."

"하여튼 어서 집에 가서 더 얘기하기루 하지. 너희들과 의논할 일두 있고 하니까."

그들이 등성이를 넘어 집에 이르니 이내 늦가을 해가 기울어 캄캄하였다.

안방은 두 할머니가 같이 썼고 건넌방이 윤덕이 부부의 방이었다. 탄실이는 하녀와 함께 부엌 앞으로 비죽이 솟은 상 하 방을 쓰고 있었다. 저녁을 먹고 나서 박대근은 윤덕이 언실이 부부에게 임방 회의를 열었다는 얘기를 자세히 해주고 나서 잠상에 관하여 윤덕에게 말해주었다.

"그래서 이번에는 너를 데리고 의주까지 나갈 생각이다. 전에두 말했듯이 이곳 삼포는 그대로 두고 따로이 드넓은 삼포를 서북의 산간에다 마련해야 한다. 내 생각으로는 산삼이 많이 나오던 강계가 좋을 듯싶은데, 그쪽이라면 압록강과 의주가 지척이라 여러가지로 유리할 듯하다."

"예, 아무래두 여기서는 앞으로 삼 년 이상은 끌 수가 없을 게요. 또한 삼의 재배방법은 반드시 다른 사람들께 알려지게 됩니다. 제 생각으로는 이를 비법으로 고집하느니보다는 적당한 가격을 받고 재배법과 찌는 법을 알려주는 것이 오히려 나을 듯하우. 나중에는 관에서두 알게 될 테니까요."

"송상에게는 반드시 알려주어야 한다. 그건 우리 송도 사람의 의기이다. 하지만 나중의 일이고…… 앞으로도 두어 해는 여유가 있지. 어떠냐, 강계에 삼포를 자리 잡아놓고 나서 우리 임방 사람들께 고루 알려주는 것이 좋겠구나."

"그럽시다. 그맘때쯤 하여 우리를 쫓아오려면 또 삼사 년은 걸릴 테지요."

"그리고 너를 상단의 행수로 정할까 한다."

부부는 깜짝 놀랐다. 행수라면 바로 상단의 주인이나 다름없었다. 물론 전국의 송방을 돌아다니기도 하고 직접 장사에 나서야 하니 정신없이 분주하고 고단한 자리이지만 상단의 이윤은 바로 자기의 것이나 다름없었다. 상단은 배대인이 일으켜세웠으나 중흥자인 박대근이 행수를 거쳐서 실질적인 상단의 두령이 되었듯이 상단의 재산은 그의 권한에 속하게 되는 것이었다. 윤덕은 어안이 벙벙한데 침착한 언실이가 물었다.

"숙부, 저희를 이렇게까지 하시니 참으로 몸둘 바를 모르겠어요. 곤경에 빠져 있던 우리 식구를 이렇게 만나게 해주시고 정말 돌아가신 아버님께서 환생하신 듯만 여겨집니다. 어찌 생각하시는지 모르나 저희 부부는 선친의 남은 뜻을 이어서 인삼의 재배법을 꼭 이루어내자는 일념이었어요. 이를 취하는 것이 상고의 천성이라 하지만 거기에는 아직 생각이 미치지 못하였습니다. 혹시나 저희 뜻이 다른 데 있지 않나 여기시는 게 아닌지요?"

언실의 얘기는 대근을 잠깐 부끄럽게 하였으나, 그는 송도 임방의 좌장으로서 마땅히 장사치답게 경우를 말해야 한다고 스스로 다짐하였다. 대근은 정색을 하고 말하였다.

"나는 너희들이 아는 바와 같이 평생을 조선 팔도의 저자에서 보낸 사람이다. 전장에서 장수는 병법을 알아야 하고 시행하는 군율에는 사사로움이 없는 법이다. 선비는 목에 칼이 들어와도 정론을 위하여 사생을 걸고, 마찬가지로 자기 소임을 목숨과 같이 하는 것이 대장부의 마땅히 해야 할 바이다. 나는 이를 구하는 장사치지만 지금껏 재물에 급급하여 사람의 도리를 저버리는 짓은 저지른 적이 없다. 어찌 나의 마음과 소신을 다 너희들에게 꺼내어 보여줄 수가 있으랴마는, 우리 송도 사람이 어찌해서 사대부의 손가락질이나 받는 상인배가 되었겠느냐. 조선이 개국될 제 전조의 유민이었던 송도인은 스스로 벼슬길에 나가지 않았고 나라에서도 우리를 등용하지 않았다. 높은 학문과 식견이 있어도 나가지 않고 진작부터 상고의 직을 택하여 조선에서 가장 훌륭한 상술을 지닌 장사치가 되는 길이 송도인이 바라는 것이 되었다. 우리 송상은 근검 노력하고 백성에게서 도둑질하지 않고 먼 산지에서 저자까지 온갖 물산을 가져다가 그 공으로 정직한 상리를 취하려는 것이다. 경강 상인들처럼 미곡을 부당하게 매점하여 가격을 조종한다든가 백성들의 산물을 폭리로 훔치고 빼앗지 않는다. 우리가 매점하는 물건은 언제나 가난한 백성들의 살림에 직접 해를 주거나 폐단을 지어내는 물건이 아니지. 담배가 그렇고 말총이 그렇고 피물과 종이가 그러하며 인삼이 또한 그러하다. 내가 너희를 우연히 알게 되고 삼의 재배가 될 수 있다는 사실을 알고는 너희를 내 혈육으로 끌어들인 것은 나의 장사치로서의 소망을 이룰 수 있으리라 믿었기 때문이지. 나는 어느 송도 사람보다도 인삼의 재배가 실현되기를 애타게 기다리던 사람이다. 그래야만 송상은 요 손바닥만 한 조선의 상권을 넘어 바깥으로 넘쳐나갈 수 있거든. 너희들에게 이런 소중한 일이 없었다면 나는 이렇게 혈육이 되지는 않았을 게다. 야박하다구 여겨둔 할 수 없지만 내 빙장어른도 육촌간에 수양아들이 되어 쫓겨났다가 장사 수완을 보이고는 상단을 물려받은 분이시다. 나두 그건 마찬가지다. 송상에게는 재산이 남겨지는 것이 중요한 게 아니라 그것이 어떻게 살아서 밥 먹고 물마시고 씩씩거리며 자라게 되느냐 하는 게 더 중요하단 말이지. 그런데 이제 너희들 부부는 이런 큰일을 해내었다. 언제까지 이 산야에 숨어서 자라나는 묘포나 들여다보고 있겠느냐. 너희가 내게 정색을 하고서 따로이 재배삼을 팔아 부고가 되렵니다 하여도 당연할 노릇이지. 그래서 나는 빙장 어른께 상의를 드렸다. 윤덕이는 내가 환히 알고 있는 저자의 실정을 배워서 대상부고가 되는 길을 밟아야 한다. 그리고 나면 나는 우리 상단을 네게 떠맡길 작정이다. 내 말을 숙부의 말로 듣느니보다는 송상의 진정한 말로 듣는 것이 생각하는 데 도움이 될 게야.”

언실이는 눈물이 글썽해졌고 윤덕이는 큰 덩치를 꾸무럭거리며 일어나더니 넙죽 절하였다.

"잘 가르쳐주십시오. 열심히 해보겠습니다."

언실이가 다시 물었다.

"윤행수님은 어찌되시나요?"

"그 사람은 동래로 내려가게 될 게다. 북에는 네가 있고 송도에는 내가, 그리고 남에는 윤행수가 있어서 탄탄하게 결연하면 못 사고 못 팔 물건이 없게 될 게다."

윤덕이가 다시 물었다.

"언제쯤 떠납니까?"

"사행이 출발하기 보름쯤 전에 먼저 의주에 닿아야 한다."

"그러면 서둘러서 물건을 준비해야 되겠군요."

"괜찮다, 두 번이나 기회가 있고 또 구차하게 사행에 따라붙을 필요두 없다. 서두르지 말고…… 지난번 것과 합하여 얼마나 낼 수 있느냐?"

"이제부터 쪄서 말리자면 기일이 좀 촉박합니다."

"찐 삼은 천천히 내기로 하고 이번에는 그냥 삼백 근만 내기로 하지."

"그냥 낸다면 내일부터라도 당장 낼 수가 있습니다."

대근이 일어서니 언실은 밤이 깊었다면서 아랫방을 비워드릴 테니 자고 가라고 말렸다. 그러나 대근은 내일 사람을 보낼 일도 있고 하여 바쁠 터이니 윤덕에게 아침 일찍 들어오라고 이르고는 그 집에서 나왔다.

박대근이 돌아간 뒤에도 윤덕이 부부는 한참이나 앉아 있었다. 언실이 남편을 가만히 보고 있더니 불쑥 말을 꺼냈다.

"은혜를 잊는 사람이 되어서는 안 돼요."

윤덕은 어처구니가 없다는 듯이 아내를 바라보았다.

"그게 무슨 뚱딴지 같은 말인가. 은혜를 잊다니…… 당신에게두 그렇지만 내게는 친아버지나 언니 같은 분이야. 나야 당신을 만나기 전에는 하늘 아래 벌거벗은 혼잣몸이었지. 숙부가 아니었다면 당신은 움막에서 굶어죽었거나 나는 지금도 길가에서 나뭇짐 놓고 옥신각신하구 있겠지. 은혜를 잊다니 그런 말 따위를 함부로 하다니."

윤덕이 스스로 말하는 사이에 격앙이 되어 차츰 화를 냈고 언실은 부드럽게 말하였다.

"당신이 만심을 가질까 경계하여 이러는 거예요. 아까 숙부님 말씀 잘 들었지요. 사람은 무엇을 하든 업이 천한 것이 아니라 먼저 바르게 마음이 서야 하는 거예요. 선비도 그릇된 마음을 가지면 부유(腐儒)라고 하여 천하게 욕하지 않아요? 저는 당신이 훌륭한 상고가 되었으면 했어요."

"서두르지 않고 천천히 해나가야지. 나두 송도 사람이오. 인삼의 재배법에서 그 상권까지 모든 송도인이 나누어서 누려야 하오."

"당신이 의주로 가시게 되면 거의 집 떠나 있는 날이 많을 텐데……"

언실은 벌써 혼자 남을 일이 걱정되어 얼굴이 흐려졌다. 윤덕은 볼멘소리로 말하였다.

"이 사람 벌써 그런 것부터 생각하네. 이봐, 송도 사람들 가운데 절반 너머가 정월에 집 떠나서 세밑에 돌아오는 이들이오. 그래서 생일 비슷한 아이들이 많다구 그러지 않소."

구월 말에 박대근은 최윤덕을 데리고 송도를 출발하였다. 다른 송상들은 시월 중순께가 역행(曆行)의 출발 날짜였으므로 아직 꾸무럭

대고 있는 형편이었다. 다만, 행수며 접장들만이 무역별장의 직임에 따라 한양에 가서 준비 중이었다. 또한 임방의 상단에서는 제각기 서로 다른 연줄로 역관(譯官)들을 잡고 있어서 그들과 남북으로 오르내리며 마필과 물품의 내밀한 계획을 세우느라고 분주하였다. 박대근의 상단에서는 그와 같은 일에 구애됨이 없었으니 실상 남들이 보기에는 가장 실속 없는 상단으로 보일 만하였다.

대근은 윤행수를 내려보내어 호조의 차대은(借貸銀) 삼만 냥과 송도부의 관은 이만 냥 도합 오만 냥을 이 할에 오 푼의 이자를 더 얹어서 빌렸을 뿐이다. 짐은 생삼 삼백 근이 전부여서 말짐도 필요 없이 길양식짐 가운데 두엇이 지고 끼였을 뿐이다. 호조은은 의주서 바꾸어줄 어음이었고, 송도부의 이만 냥이 짐이었다. 말은 상단서 가장 튼튼한 놈으로 이십여 마리를 부리고 나왔으나 차인은 고작 열둘이라 사람보다 말이 더 많은 셈이었다. 대금을 지니고 가게 되니 호종이 따를 법도 하건만 송도서 평산까지만 나아가면 길산네 식구들이 마중을 나오도록 되어 있었다.

산곡마다 행인의 노자나 터는 좀도둑에서부터 십여 명씩 떼를 이룬 명화적들이 득시글거리는 형편이라 송상의 상단에는 종종 무장한 결꾼들이나 호종 무사를 고용하기도 하였고, 특히 사행에 끼이기 위하여 단독 출행을 하는 상단에서는 각 군현마다 급주를 앞서 보내어 군졸들의 호송을 받기도 하였던 것이다. 그러나 박대근은 그럴 필요가 없었다. 가까이는 경기도 외곽에서부터 비롯하여 강원도와 평안 함경의 변지에 이르기까지 장길산의 활빈도를 모르는 무뢰배나 녹림당은 하나도 없을 터이었다. 구월산 토포의 뒤에도 장길산의 이름은 사라지지 않았고, 그 무렵에는 길산네 식구들은 상단 따위나 시골 부잣집들은 거들떠보지도 않았다.

그들은 이미 예사 화적당이 아니었다. 소문이 낭자한 탐관의 동헌을 밤 사이에 짓쳐들어가 벌을 주고는 빈민들을 진휼한 뒤에 벌건 대낮에 유유히 산협 속으로 사라지곤 하였다. 그들은 단병접전도 별로 치르지 않았고 대부분이 총포로 무장하고 있었다. 길산이 최흥복과 더불어 방포술에 능하게 된 것도 기사(己巳)에 들어와서였다.

박대근과 윤덕은 행렬의 뒤에서 안장 올린 말을 끌고 갔으며 전도(前導) 차인이 노정을 책임지고 일행을 안내하였다. 그들의 뒤로는 배노인과 귀례와 어린 딸과 언실이 탄실이 자매와 두 노파와 집안의 하인 노복들이 배웅하러 따라왔다. 입동이 며칠 뒤이라 새벽공기는 제법 싸늘하였고 하늘은 묵지근하게 흐려 있었다. 빈 들판마다 서리가 하얗게 내려앉았으며 입김이 닷 발이나 되게 입가에 어른거렸다. 북행로는 세 갈래로 나누어지는데 오정문(午正門)을 나서면 서교(西郊)가 되는데 영빈원과 보통원 등의 오리정(五里亭)이 있어 송영의 정을 나누도록 하였다. 오리정에서 길이 갈리는데 아랫길이 벽란나루를 건너 연안(延安)으로 가는 길이요, 가운데 길이 돈포(錢浦) 건너서 배천(白川) 들어가는 길이며, 맨 윗길이 금천(金川) 거쳐서 황해도 평산(平山)에 닿는 행로가 되었다.

그들이 정자에 이르자 배노인은 행렬을 멈추게 하고 정자 위로 올라갔다. 하인은 노구와 숯이며 찬합을 짊어지고 왔으며 그는 곧 불을 피워 주전자에 화주를 따끈히 데우고 안주를 구워내는 것이었다. 마루 위에는 따뜻한 초피(貂皮)자리가 펼쳐지고 가운데 깔끔한 해주반이 놓였다.

"어서들 이리 올라오너라. 이런 날씨에 아주 그럴듯한 어한주가 되겠고나."

배노인이 올라가 앉았고, 대근과 윤덕이 비스듬히 엇갈려서 앉았

다. 언실과 귀례가 하인 밀어내고 술시중 안주 마련을 하는데 노부
인들은 하녀들에게 준비시킨 탁주와 건포를 차인들에게 골고루 나
누어주었다. 차인들은 모두 두툼한 솜 바지저고리에, 솜누비 배자
입고 감발 두툼히 행전 단단히 치고서 머리에는 패랭이 건듯하니 쓰
고, 띠에 곰방대 찌른 자, 물미장을 짚은 자, 호리병 차고 있는 자, 가
지각색으로 서고 앉고 어슬렁대며 탁배기를 마셨다. 박대근은 갓 쓰
고 두루마기 입은 평시의 차림에 창포검 한 자루만 지녔을 뿐이었
고, 윤덕은 다른 차인들과 같은 행색이었다. 따뜻이 데운 술과 금방
숯불에 구운 산적이 올라왔다. 먼저 배노인이 잔을 내밀며 박대근에
게 권하였다. 대근이 사양하니 배노인은 그냥 재차 잔을 건네고 말
하였다.

"배웅에는 떠나는 이가 주가 되는 게 아니냐. 어서 받아라."

대근이 잔을 받으니 배노인은 잔이 넘치도록 부어주었다.

"이번에 가면 해가 바뀌어서야 오겠고나. 원로에 몸 건강하고 상
리를 구하는 데 무리하지도 말며 인의(仁義)를 저버려서는 송상(松商)
이 아니니라. 급히 먹는 밥이 체하고 얼른 달군 쇠가 쉬이 식는 법이
든."

"예, 명심하겠습니다."

대근이 조아리고 술을 마시는데 마루 아래 섰던 귀례가 입을 가리
고 웃었다. 배노인이 딸을 돌아보았다.

"넌 왜 웃니?"

"수십 년 동안 아버님의 송사(送辭)가 늘 변함없음도 그러하고요,
저희 가장이 언제나 명심한다는 것두 웃음이 나요."

사위와 장인도 껄껄 웃었다. 윤덕은 멀뚱하니 앉았는데 배노인이
말하였다.

"내가 이제 앞으로 몇년이나 더 이런 송사를 너희들에게 외우게 될지 모르겠다. 윤덕이는 원행이 처음이라 그러겠지만 송상이 이런 물목과 인원을 동원하여 떠날 제는 반드시 상리가 있게 마련이니라. 이득을 보아 오는 것은 이미 정해진 일이고, 남은 것은 상고 자신의 건강과 후일을 내다보는 신용을 저버리지 말아야 하는 점이다. 이는 곧 떠나보내면서 돌아온 다음의 일을 다져두는 뜻이라 어찌 깊지 않겠느냐. 한 번의 장삿길로 큰 재물을 모아 오기를 기대한다면 그것은 상고를 바라는 게 아니라 도적질을 바라는 것이야. 그러므로 송방의 장책(長冊)은 대를 물려서 내려오는 것이니라. 윤덕이도 이제는 행수가 되었으니 좌장에게 자세히 배우도록 하여라. 장책 적는 법과 읽는 법을 먼저 익혀야 자기 상도의 장단처를 반성할 수가 있고, 신용이 귀함을 알 수가 있고, 한 푼의 돈이 귀한 것과 땀 흘려 버는 보람을 알게 되어 상단의 이를 자기 것으로 알게 되는 것이다. 장책이 정직하고 삿됨이 없어야 부상대고가 되느니라."

"아버님, 술 다 식겠어요."

귀례가 채근하여주니 노인은 그제야 말을 끊고 얼른 윤덕에게도 잔을 채워주었다.

"오냐 오냐, 너희 부부지정을 다 알구 있으니 염려 마라. 아직 서리도 녹지 않았거늘 차례가 안 올까 걱정이구나."

대근과 윤덕이 다시 연거푸 두 잔을 올리니 배대인은 받고 나서 딸 귀례와 윤덕의 처 언실을 불렀다.

"너희도 송별주를 올리도록 해라."

귀례가 먼저 대근에게 술을 올렸다.

"약주 많이 하지 마시고 행로는 너무 급히 마십시오. 짐 속에 털배자와 남바위를 넣었으니 변방의 추위에 조심하셔요. 털신도 일습을 준비했어요."

대근은 그저 허허 웃으며 두 번째 잔소리를 받아넘겼다. 이들 부부의 인사치레는 그대로 십여 년 이상 해온 남지기라 당부하는 귀례는 조목조목이 분명하였으며 받는 대근의 태도는 대범하여 싱거운바가 있었다. 윤덕이네 차례가 되어 언실이 술을 쳐주는데 주전자 꼭지가 잔 가에 부딪쳐 달달달 떨리고 언실은 눈물이 그렁그렁 곧 앵두로 떨어질 듯하니 고개를 돌리고는 간신히 한다는 소리가,

"남과 시비하지 마셔요."

이러했다. 배노인은 빙긋 웃었고 대근은 아내와 눈길을 건네었다. 윤덕이 잔을 받더니 마치 사약이라도 받는 듯 미간을 잔뜩 찌푸리고 비장하게 꿀꺽 들이켰다가 사레들렸는지 재채기를 심하게 터뜨렸다. 다른 사람들은 웃음이 나오는 것을 억지로 참았다. 배노인이 말하였다.

"윤덕이는 소임이 막중하니 이제 가면 해동이 지나서야 오게 되겠구먼. 따로이 좌장이 단속을 할 것이로되 의주는 타관 객지이고 만상(灣商)의 텃세가 자심한 곳이다. 우리 송방 임원들과 손발을 맞추어 빈틈없이 하여라."

"잘 알아 모시겠습니다."

"그래, 이제는 어서 떠나거라. 오리정에서 백 리를 낭패본다는 말이 있느니라."

대근과 윤덕이 일어나서 배노인께 큰절을 올렸고, 그는 절을 받고 나서 누 아래로 내려가며 노부인들께 말하였다.

"어서 인사들 받으시오."

"족대부(族大父) 어른께서 받으셨으니 저희는 사양하겠습니다."

누 아래서 그냥 마다하는 것을 귀례가 부축하여 억지로 올라오게

하여 윤덕의 어머니와 장모가 앉아서 아들과 수양동생의 작별인사를 받았다. 박대근과 윤덕은 이리저리 송별주로 서너 잔을 거듭 받고 나서 비로소 아랫배가 따뜻하고 목덜미가 더워졌다. 보내는 이는 정자머리와 둔덕에 늘어섰고 상단은 윗길로 접어들었으니 곧 금천 평산 길로 나가게 되는가 보았다. 오리정에서부터 다시 오 리를 더 나아가면 멀리 들판을 가로막고 섰는 긴 능선이 있으니 이것이 바로 송악산 줄기와 만수산 줄기가 맞닿는 곳이다. 오래 떠나 있을 사람에게는 만수산 언덕까지 눈 배웅을 하게 되나니 길이 툭 터져 있는 까닭이다. 그러나 배대인은 적당히 끊어 보내는 데 이골이 난 사람이라, 상단의 행렬이 잠시 송림으로 휘돌아들자마자 소매를 털고 일어나서 가솔들에게 돌아가자고 재촉하였다. 송림은 곧 끝나서 전도를 서는 차인이 앞으로 삐져나온 모양이 보였건만 게서 놓쳤다가는 다시 오래 서 있게 될 형편이던 것이다. 귀례도 그때에는 옷고름으로 눈시울을 쓸어냈고 언실은 벌써 눈이 벌겋게 붉혀 있었다.

행렬은 고개를 넘었는데 윤덕이 아내를 몇번이나 돌아보다가 대근의 헛기침 소리에 켕겨서 참던 중에, 마지막 보겠다고 고개를 돌리니 이미 오리정 앞은 텅 비었다. 대근은 모른 척하고 앞서서 말을 몰아갔고 잠시 후에는 윤덕도 곧 따라붙었다. 그들이 다시 평지로 내려 마전원(磨田院)에 이르렀을 때 길가 앙상한 나무에 부담 올린 말 세 필이 매여 있는 게 보였다. 패랭이 꼭지의 사내가 기웃이 고개를 빼고 한길을 내다보더니 원사로 뛰어가는 것이었다. 나지막한 초가집의 방문이 열리고 네다섯 사람이 뛰쳐나왔다. 박대근은 혀를 끌차면서 중얼거렸다.

"저 녀석 꼬리대기 할려구 기다렸구나."

맨 뒤에서 아침 해장술에 얼굴이 불쾌해진 사또 학선이가 갓 쓰고 도포 입고 퇴관한 당상관이라도 되는 듯이 천천히 걸어왔다. 차인들은 모두 그를 알아보고 빙글빙글 웃으면서 행렬을 잠시 멈추고 기다려주었다. 박대근은 짜증을 겉으로 드러내지는 않고서 대수롭지 않게 물었다.

"자네 이른 새벽부터 여기서 뭘 하는가. 화초방을 차려두었군 그래."

도포자락 안에서 송상의 체장(貼紙)을 꺼내어 보이면서 학선이는 넉살을 부렸다.

"나두 임방원이올시다. 송상은 노름을 하면 상단서 내쫓긴다는 걸 어찌 모르겠수. 성님이 오늘 출행하신단 말을 넌짓 듣고서 이렇게 원사에서 묵어버렸지요."

"어딜 가는데?"

"어디라뇨, 의주엘 가야죠."

박대근은 어처구니가 없어서 뭐라고 네 콩 내 콩 따지기도 전에 역증부터 내었다.

"우리가 지금 의주에 무슨 사또놀음 하러 가는 줄 아나. 자네 그 체장 어디서 얻었나. 어느 임방원인지 내가 다시 살펴서 신표 남발로 혼을 내야겠다."

"성님, 아무 염려 마시우. 저 아이들에게 물어보슈. 내가 요즈음 전환상(錢換商)으로 나섰지요. 바로 코앞이 세밑인데 연중 대목인 겸사행(使行)을 놓칠 수야 있나요. 의주 가서 한몫 봐야지요."

학선이도 제딴에는 예전처럼 관인 행세로 남의 뒤통수나 치는 일은 물려버린 모양이었다. 그는 송도서 색주가를 열고, 화초방에서 노름 밑천을 꾸어주었다가 곧 그 판에서 이자 붙여 받아먹는 재미를 보더니만, 드디어 자모전가(子母錢家)를 내게 된 것이다. 그는 정식 상단의 임방원이 아니었으나, 각 상단에 구름같이 있는 차인 곁꾼들에게 돈놀이를 하려는 것이었다. 차인들은 상단의 장사를 해주면서 따로이 자신의 이익도 도모하였으니 봇짐 하나가 각자의 밑천인 셈이었다. 그것은 상단 임원들도 말릴 수 없는 노릇이었다. 학선이는 이들에게 대전(貸錢)하여 이익을 보려는 것이었다. 박대근은 귀찮았으나 곧 마음을 누그러뜨렸으니, 어려운 때에 그의 도움을 받은 적도 있었고 어쩌면 그의 수완을 동원할 일이 생겨날지도 모르기 때문이었다. 대근이 물었다.

"그래 이자는 얼마냐?"

"이자는 받지 않습니다."

대근은 웃음을 터뜨렸다.

"첩 초상에 큰마누라 눈물이라더니 사또가 웬일로 이자 없이 대전을 해주느냐?"

"예, 이자는 없고 그 대신에 현물만 받습니다. 침자(針子) 한 괴(塊)를 열 냥으로 따져서 그 이익을 반분하는 것입지요."

"그게 어찌 전환이냐, 남을 시켜 무역하는 격이지."

"그럼 우리 같은 시정배나 차인 곁꾼 아이들은 상단에서 떨어지는 돈 부스러기 냄새두 맡지 말란 말이우?"

대근이 가만히 생각해보니 지금 청국 바늘의 시세가 한 괴에 스무 냥이라 이득은 열 냥이 되는 셈이니 곱절 장사였다. 그러면 열 냥 꾸어주고 현물로 받아 처리하여 반분하면 닷 냥이 되는 셈이었다.

"한 사람 앞에 얼마씩이나 빌려줄 수 있느냐?"

"최고로 삼십 냥까지입니다. 그 이상은 담보를 잡아줘도 못 냅니다."

"허어, 자네가 이제는 철이 다 들었구먼. 밑천은 얼마나 준비해 가는가?"

학선이는 말짐을 돌아보았다.

"천오백 냥이올시다."

박대근은 깜짝 놀랐다. 우선 그 이익금이 칠백오십 냥이라, 두어 달에 혼자서 버는 돈으로는 꽤 많은 액수라서 놀랐고, 무엇보다도 사또 학선이가 무슨 수로 현금 천오백 냥이나 그러모을 수 있었는지 놀라운 일이었다. 학선이가 자랑하였다.

"성님, 저두 이제 낼모레 오십줄이올시다. 언제나 시정 무뢰배로 지낼 수야 있습니까? 저 유명짜한 길산이 좀 보세요."

대근은 눈을 날카롭게 곤두세웠다.

"아하…… 쓸데없는 소리를……"

"뭘 어떻습니까. 온 조선 천지에서 모로 눈알 뜨는 놈치고 길산이 모르는 놈 있수? 참 나야 그에 비기면 새벽 호랑이 꼴이 되었지요."

저자나 상것들 모이는 노름방에서 장길산 활빈도의 얘기가 쑤군 속닥 들릴 때면 학선이가 감영옥에서 금부도사를 행세하여 탈옥시키던 제 공을 자랑해오던 터였다. 박대근은 윤덕을 돌아보며 말하였다.

"원래 장사치란 옥 깎은 태의 선비들 상대가 아니니라. 저 사람 남 속이는 데 뒤서라면 발등 딛고 나설 사람이다. 그러나 우리 상단과는 각별하여 예전부터 나하고는 한통속이다. 여보게, 새로 행수 났네. 내 조카뻘 되는 사람일세."

윤덕이 아까부터 순직한 얼굴에 웃음을 띠며 학선이의 좌충우돌 하는 넉살의 입담을 듣고 있더니 마상에서 내려와 인사를 당겼다.

"최윤덕이라구 허우."

"응, 보아하니 아주 사람됨이 돌부처 같구먼. 내가 댁네 외숙보다 다섯 살 아래고 을유생이어."

학선이도 고개를 끄덕여 보이고는 제 식구가 끌어다 준 마상에 올랐다. 박대근이 하는 수 없이 학선이를 상단에 끼여주고도 믿기지 못하여 미리 주의를 주었다.

"금률을 범한다든가 상단을 빙자하여 타처 상인들께 해를 끼치거나 송상의 신용을 떨구는 짓을 하면, 아예 집에 돌아와 살림할 생각 말게. 착실히 전환업이나 한다면 내가 차인들을 시켜서 다른 곁꾼 노자들에게도 자네 돈을 쓰도록 해줌세."

"어이구, 그러니 내가 성님을 믿고 예서 기다린 게 아닙니까. 역시 우리 송악산 왈짜들 말마따나 박좌장은 맹상군(孟嘗君)이시오."

지체하였던 행렬이 다시 떠나는데 대근은 학선에게 가만히 물어보았다.

"자네 주가를 팔았는가, 아니면 남의 가산을 골패로 땄는가. 천오백이란 대금은 어디서 났나?"

학선이가 대답하였다.

"나두 한양 난전꾼들에게서 배웠지요. 기실 내 돈은 삼백 냥밖에 없습니다. 저리(邸利)를 맡은 거요. 저희 아이들 구역에 있는 행상아치 마부 객점주 할 것 없이 두 냥 세 냥씩 제게 맡기면 제가 이자를 놀려서 불려주거든요."

"차라리 족제비에 병아리 보라구 하는 격이지."

"아니올시다. 노는 입 염불이나 배운다고 그런 하찮은 쇠푼이 송도 저자에서 빈대 박혀 있어봤자 뭘 하겠습니까. 제가 일 부로 놀려주지요. 보십시오. 학선이가 비록 소싯적에 가어사로 시골 아전들 등은 쳤으되 언제 송도 가난한 백성 울린 적 있습니까? 상단만 장사

하고 혼자 풀칠하여 먹고 사는 것들은 돈냥 절렁대는 소리도 듣지
말란 법 있습니까. 나 같은 이가 성님 덕을 봐야 음덕이 되는 법입니
다."

"거 좋은 일거리로구먼. 나도 힘써 도와줄 테니 아무쪼록 큰 이를
보아 고루 혜택이 돌아가도록 하게."

상단의 행렬은 금천계로 접어들어 흥의(興義)역서 중화 먹고 돼지
여울 건너서 평산에 짐을 풀어 하룻밤 유숙하여, 이튿날에는 신새벽
에 출발하여 평산서 팔십 리 길인 서흥에는 늦은 중화참에 당도하였
다. 읍내 밖 오 리쯤 떨어진 용천역(龍泉驛)이 북로의 중요한 역참이
라 주막거리가 이루어져 있던 것이다.

박대근이 이르지 않더라도 전도 차인은 잘 알아서 일행을 이끌고
토담 너머로 다락을 올린 객점으로 찾아들어가는데, 주인과 중노미
들이 뛰어나와서 말짐을 내린다, 말을 마구간에 부려넣는다, 법석이
었다. 서흥은 남에 멸악산맥이 막아 있고 북으로는 언진산맥이 둘려
있어 갈대밭 속에 갇힌 게의 형국이었다. 바로 북으로 사십 리만 나
가면 언진산맥의 지맥인 자비령 일대가 되나니, 이는 곡산 수안 방
면에서 뻗어내려온 산줄기가 서흥 봉산을 거쳐서 황주의 극성진에
이르러 끝나게 된다. 봉산 방면의 줄기가 동선령(洞仙嶺)이요, 서흥
방면의 것이 절령(岊嶺)인데 이 흐름을 일컬어서 자비령(慈悲嶺)이라
부르며, 절령과 동선령의 중간 어름에 자비사라는 절이 있어 예전에
과객들이 묵어가곤 하여 연봉의 속명이 되었던 것이다. 절령의 행로
는 끊기고 동선령 쪽 행로만 번창하였으니 자비령 일대의 동북쪽으
로는 험하고 인적이 끊겨 있었다. 길산네 자비령 근거지는 동선령의
서북편 골짜기와 여계산 무초령 사이의 두 군데가 있었으니, 동선령
의 산채는 주로 남정네들끼리의 일을 위한 곳이었고, 절령 쪽은 그

무렵에 장가를 들기 시작한 산채 식구들의 여염 살림을 하는 곳이되었다. 그러나 산채는 수안과 곡산에도 있었고, 낭림산맥과 언진산맥 일대의 녹림당들은 모두 길산네 세력권 안에 들어 있었다.

"좌장어른 납시었습니까?"

객점주가 대근에게 달려와 반갑게 인사를 올렸다. 이곳은 길산이네서 관여하는 남로의 정탐소였던 셈이고, 주인도 그전에 구월산에서부터 식구로 있다가 솔가하여 내려온 자였다. 큰돌이 또래로 나이가 제법 듬직하여 대근의 연상으로 보였다. 그는 옛날부터 구월산출입을 해왔던 박대근을 잘 알고 있었다.

"식구들 모두 별일 없는가?"

식구들이라면 길산 이하 자비령 일대의 활빈도를 이름이었다.

"여태껏 바쁘다가 이제 입동이라 한숨 돌릴 것입니다. 사냥이나하며 한겨울 보내게 되겠지요."

"내가 기별을 하였는데……"

"예, 그래서 우리 아이가 산으로 모시려고 기다리던 참입니다. 아마 위에서도 좌장어른을 기다리구 계실 겁니다."

"그래, 이 사람들 오늘 묵고 내일 봉산 들어갈 것이니 닭이나 잡아주게. 이틀 길에 너무 서둘렀으니 곤할 게야."

박대근은 윤덕을 불러서 일렀다.

"오늘은 예서 푹 쉬고 내일 봉산 만동이네서 만나자. 전도 차인이잘 알구 있다. 아이들 단속 잘하고…… 나는 근처에서 볼일 보고 내일 그리루 갈 테니까."

마당을 돌아서 앞의 술청으로 나오니 주인이 두건 쓴 젊은이를데리고 앉아 있었다. 젊은이가 꾸뻑하였으나 대근은 잘 알지 못하였다.

"지금 떠나시렵니까?"

주인이 물었다.

"줄곧 말을 타구 왔더니 오랜만에 다리 좀 풀어야지. 가는 길에 들 것이니 술 한 병과 포나 조금 싸주게나."

대근이 잠시 기다리는 사이에 주인이 주찬을 준비했고 젊은이가 호리병을 차고 찬합은 등에 봇짐 지어 메고 앞장을 섰다. 상단 사람들은 짐을 부려 봉놋방 안에 들여놓고 말에는 건초를 주어 쉬게 하고 모두들 감발도 풀고 하면서 밥 달라고 아우성들이었다. 학선이는 대근이가 나갈 채비를 하는 것을 얼른 눈치채고 따라나왔다.

"성님, 어디 가슈?"

"웅, 오래 못 만난 동무가 근처에 사는 고로 가서 회포나 풀려네."

학선이는 목소리를 낮추어 말하였다.

"거 혹시 길산이 만나러 가는 것 아니우? 나두 데려가우."

"자네 심사가 꽁지벌레로군."

"성님, 지난번에 서흥 일두 내가 알아내었지요. 같이 가십시다."

대근은 잠시 생각하다가 어제부터 마상에서 학선의 쓸모를 따져 보던 것이 떠올라서 마지못한 듯 응낙하였다.

"나중에 네 부하에게 지지재재하지 않겠다면 따라가두 좋다."

"망부석에 말 시키기지 사또를 어찌 알고 그러시우."

젊은이가 길라잡이로 앞서고 둘은 서로간에 시쁘둥하여 같이 길에 나섰다. 차유령을 넘어서 절령 어귀에 이르니 벌써 날이 어둑어둑하였다. 대근이 절령 험하다는 말은 들었는지라 갑자기 자신이 없어져서 말하였다.

"이 시각에 어찌 그 험로를 가려는가. 아예 주막에서 자고 내일 새벽에 출발할 것을……"

"염려 마십시오. 고개 중턱에 토막이 있사온데 방도 널찍하고 지낼 만합니다. 저는 거기까지만 바래다드릴 것입니다."

참나무와 낙엽송이 빽빽한데 좌우로는 험로의 사천왕처럼 암벽이 가파르게 서서 기괴한 형상으로 섰고 돌길은 급하고 비좁아서 길라잡이 쪽에서 일일이 가르쳐줄 정도였다. 암석은 마치 수천의 군사가 시립(侍立)하고 있는 듯하였다. 산채의 연락꾼인 젊은이는 동네 골목이라도 찾아가는 것처럼 익숙하게 어둠속을 헤집고 나아갔으나 대근과 학선이는 몇번이나 돌부리를 차고 넘어지고 미끄러지고 하였다. 산의 밤공기가 이미 한겨울의 매서운 한기로 코끝이 시려울 정도였지만 그들은 땀과 열기에 젖어 있었다. 사방은 캄캄하여 주위를 분별할 수가 없는데 다만 높다란 나뭇가지 사이로 별빛이 영롱하게 내다보였다. 이윽고 나무가 별반 없는 널찍한 반석 위로 나아가니 돌연 시야가 툭 터지면서 어둠속에 별 뿌려진 허공만이 눈에 가득 들어오는 것이었다.

무진년 여환의 미륵도가 양주에서 무참하게 깨어진 뒤에 관의 장계에서 보이듯이, 경기 황해 양도의 여러 백성들이 폐농하여 촌락을 비우고 흩어졌다. 그러므로 조정에서는 양도의 감사로 하여금 백성들을 효유(曉諭)하여 옛 땅에 와서 살도록 하라고 특별히 지시하기까지 하였다. 그러나 역률에 얽히면 그 직계 가솔들뿐 아니라 백숙부 형제까지의 혈족들도 연좌되는 실정이었고, 요행히 살아남는다 할지라도 재산은 몰수되며 삼천리 밖에 유배되는 형편이라 고향에 남아 있을 자가 별반 없었다. 차라리 관에 잡혀가기 전에 미리 알아서 챙길 것 챙겨가지고 정든 고향을 떠나면, 맨손에 온 가족이 흩어져 유배당하는 것보다는 나은 까닭이었다. 이들은 자연스럽게 사람들의 여염 마을을 피하여 궁벽한 곳에서 새로운 터전을 잡아 살아가지 않으면 안 되었고, 생활수단도 예전처럼 쉽고 예사스런 일을 택할 수가 없게 되었다. 그러므로 이들은 흉년의 다른 유민들처럼 일정한 거주지를 이루고 인근 지방을 떠돌며 각종의 업을 찾아헤맸던 것이다. 개중에는 공장이짓으로 기술을 익혀 물건을 만들어 살기도 하고 행상도 나다니고 이것저것 안 되면 적당히 재간 익혀서 광대 거사배의 일원이 되기도 하였다. 이러한 작은 덩어리의 집단들이 생겨나자 이들은 자연스레 서로 연계되었고 길산네 사람들은 이러한 연계를 파악하고 또한 뒤를 밀어주어 새로운 부락이 생겨났다. 길산네 혈당들은 곡산에 이어 수안 언진산에 새로운 은점(銀店)을 열었고 원산 쪽에는 여각도 벌여두고 있었다. 김기가 한 명부를 작성하였으니, 그들과 연계된 마을과 혈당이 된 사람들에 관하여 적은 것인데 거의 천여 명에 이르고 있었다. 이제 그들은 유민 세력의 중심부가 되어가는 중이었다. 해서 활빈도는 이미 예전과 같은 한 줌의 명화적당이 아니었다.

그들은 진작부터 박대근의 도움을 받아왔고 실로 그의 상단에서는 누만 전을 쏟아 수안의 은점을 개설하는 데 도움을 주었던 터이다. 특히 식구들 중에 김선일의 힘이 가장 컸고 봉산 만동이 형제의 경험은 과연 값진 것이 되었다. 식구가 많아지고 살림이 불어나게되니 일이 더욱 확대되는 것은 자연스런 추세였다. 박대근은 송도에서 생삼이 산출되기 시작한 소식을 알렸고 그가 두 차례의 사행을 위하여 의주로 나간다는 전갈을 보냈다. 수안에 나가 있던 길산도 자비령으로 돌아와 기다리고 있었다. 동선령 산채에는 선홍이와 흥복이 나가 있었으며 수안에는 김선일이 나가 있었다. 김기는 여계산과 무초령 사이의 그들 마을에서 여전히 독서하고 지냈는데 구월산 토포 이후로 그는 아내와 노모를 잃어 예전보다는 많이 늙어 있었다. 한밤중이 되어 절령 토막에서 전달이 닿기를, 박대근이 당도하였으나 밤길이 험하여 거기서 묵고 아침에 마을로 오겠다는 사연이었다. 아침은 오랜만에 길산네 집에서 모두 모여 같이 들기로 하였다.

박대근과 이학선은 찌를 듯한 절령 산곡의 토막에서 하룻밤을 묵고, 이튿날 동틀 무렵하여 졸개의 안내를 받아 자비령 식구들의 마을이 있는 여계산 아랫녘으로 넘어갔다. 산골의 그늘진 곳에는 눈이 쌓인 데도 있었고 등성이에는 온갖 색으로 바래고 짙어진 나뭇잎들이 새벽 빛에 만화(萬花)를 피워내고 있었다. 소나무숲은 더욱 짙었으며 일찍 낙엽을 떨군 활엽수들은 보기 좋은 가지를 구불텅거리며 드러내고 있었다. 여계산과 무초령 사이에 아늑한 골짜기가 여럿인데 심원(深源) 계곡이 기중 깊고 수석이 장하였고 일대에는 여계산과 발산행성과 심원사 남림행성 사인암성 등의 산성이 연이어 있었으니 가히 요충지라 할 만하였다. 심원사 계곡은 진작부터 절도 퇴락하고 인적이 끊긴 곳이라 짐승과 멧새들만이 살더니, 길산네가 자비령에 터를 이루면서는 하나둘씩 식구들을 안돈시키기 시작하여 예전 최흥복네 산채가 있던 곳에 열 채 남짓의 초가가 생겨났던 것이다. 김선일과 끝춘이 부부는 언진산 부근에서 주막을 열고 있었으나 강선흥과 춘천댁은 이곳에 살았다. 최흥복도 장가들어 이곳 심원골에 살았고 길산네 김기 업복이 강말득 그리고 무진년에 미륵도가 흩어질 때 달아났던 정대성도 영평서 처자를 데려다가 살았다. 김승운은 오계준과 함께해서 무계원들의 도움으로 황주에 살았고 오경립 이정명 방귀선은 솔부리의 복만이 달근이네로 합대하였고, 조무인과 이시흥은 길산네 식구들의 손을 거쳐서 언진산의 잠채터에서 김선일과 더불어 번수 노릇을 하고 있었다. 그 무렵에 동선령의 산채에는 길산과 몇몇 두령들을 합하여 서른 남짓밖에 되지 않았다.

수안과 언진산에 또 산채가 있었는데 그곳에 백여 명이 있었고, 함흥 백운산과 원산 고원 일대에도 백여 명이 있는 산채가 있었으며 평안도의 묘향산 부근과 낭림산맥 일대의 녹림당들도 모두 길산의 수하를 스스로 원하여 온 터였다. 그들은 강말득을 통하여 서로 통문을 주고받아 해서는 물론 강원 함경 평안 삼도가 그물코같이 연결되었다.

대근이 계곡에 내려가니 며칠 전부터 전갈을 받고 언진산에서 와서 기다리던 장길산을 비롯하여 김기 최흥복 강선흥 강말득 등이 마중을 나왔다.

"성님, 참 오랜만이우."

길산과 대근은 서로 손을 덥석 잡았다. 길산이 이경순을 잠시 피하게 하느라고 들렀던 것이 작년 여름 일이라, 이제 일 년이 넘어서야 만난 셈이었다. 김기는 더욱 오랫동안 자비령을 떠나지 않아서 대근과는 수년 만에 만났다.

"김선비님두 흰머리가 많이 느셨소이다."

"하는 일 없이 늙어가구 있지요."

차례로 인사를 하고서 길산네로 가는데 일찍이 최흥복이 쓰던 본채였다. 봉순이는 춘천댁과 흥복의 아낙과 더불어 노루고기를 너비아니로 굽고 산나물 등속이며 술을 거르느라고 한창 분주하였다. 봉순이 마당으로 나서면서 다소곳이 고개를 숙였다.

"아주버님 오셨습니까."

"예, 계수씨 오랜만이올시다."

대근이 마주 인사를 하는데 아이 하나가 달려오더니 봉순의 옆에 나란히 서며 인사를 하는 것이었다.

"평안하시옵니까?"

"가만있자…… 네가 누구더라."

"수복이여요. 얘는 제 누이동생이구요."

아이의 곁에는 보다 작은 계집아이가 따라왔는데 제 오빠가 손가락질하자 부끄러운 듯이 봉순의 치마를 싸안고 숨어버렸다. 대근이 그제야 길산의 아들임을 알아보고는 덥석 안아서 위로 쳐들어보았다.

"허허, 세월이 빠르기두 하다. 강보에 싸여 울던 놈이 이렇게 크다니."

길산은 멋쩍은 듯 딴전을 피우다가 시큰둥하니 말하였다.

"산속에서 크는 것이 버르장머리가 없어서…… 성님, 어서 들어가십시다."

대근은 수복이를 내려놓고 큰사랑으로 들어갔고 김기며 선흥이 흥복이 말득이들도 뒤를 따라 우하니 몰려들어갔다. 아까부터 학선이는 대근의 뒤를 따라 묻어들어와 두리번거렸지만 길산이 자기를 알아보지 못하고 상단의 차인쯤으로 아는 모양이어서 좀 섭섭하던 참이었다. 들어가서 앉자 학선이가 제법 격식 차리며 어깨를 숙여서 머리 조아리며 길산에게 인사를 텄다.

"나 송도 사는 이서방이우."

얼결에 마주 받는 길산에게 그는 다시 덧붙였다.

"일찍이 내 댁네를 잘 알우. 나를 못 알아보시는 모양이군."

길산이 잠시 쏘는 듯한 시선이 되어 상대를 살피다가 대근에게 물었다.

"혹시…… 해주에 왔던 금부도사 아니신지?"

대근이 무릎을 치며 껄껄 웃었다.

"맞소, 과연 장두령의 눈은 피할 길이 없구먼. 이 사람이 가어사 학선이요."

"반갑소. 헌데 지난번의 감영 정탐은 어긋나서 공연히 서흥을 들이치구 법석을 하였지."

길산이 구월산 토포 때의 일을 떠올리며 말하였고, 학선이는 대꾸하였다.

"글쎄, 그것이 큰 실책이었지요. 좌장 성님이 사흘 말미를 주며 급히 알아내라니 내 재간으로도 별수가 없습디다."

다른 사람들과도 인사가 끝났고 이어서 김기가 대근에게 물었다.

"요사이 지방의 수령 방백들이 많이 갈려나갔다던데 조정의 정국은 어찌 돌아가는 눈치요?"

"큰 변동이 있었던 모양이오. 그러나 우리에게는 다분히 유리하게 된 듯합니다. 경신년과 이번 기사년의 환국으로 사대부들은 서로 살육하여 물고 뜯어 위로는 정승에서 아래로는 고을 원에 이르기까지 피투성이가 되어 싸우니, 그야말로 백성들께 눈도 돌릴 틈이 없소이다. 서인과 남인으로 갈려서 싸우다가 서인은 다시 노론 소론으로 나뉘더니, 이번에는 경신년에 조정에서 쫓겨났던 남인들이 다시 들어섰지요."

경신년의 남인의 몰락 이래로 조정 정병(政柄)을 장악해왔던 노론의 기세는 왕권에까지도 깊은 영향력을 끼칠 만큼 강고한 것이었다. 특히 궁인 장씨는 경신 대출척 당시에 연루자로 귀양 간 역관(譯官) 장현(張炫)의 종질녀였으므로, 집권자인 노론 측에서는 매우 못마땅하게 여겼으나 왕은 장씨를 총애하고 있었다. 숙종 십이년 병인(丙寅) 십이월에 장씨를 숙원(淑媛)으로 하더니 십사년 무진(戊辰) 시월에 장씨는 왕자를 낳으면서 소의(昭儀)가 되었다. 그러니까 여환네

미륵도가 깨어지고 난 직후가 되는 셈이었다. 부교리(副校理) 이징명(李徵明)의 장녀(張女) 추방에 관한 상소를 계기로 그는 물론 그를 옹호하던 승지 신엽과 김두명(金斗明)을 가두었고, 이조판서 박세채(朴世采)도 궁중에서 적서(嫡庶)를 분명히 하라며 장씨 측과 가까운 동평군(東平君)을 배척하다가 쫓겨났다. 그를 옹호하던 영의정 남구만(南九萬) 우의정 여성제(呂聖齊)도 북관에 내쳐졌다. 그 무렵에는 이미 노론뿐 아니라 소론까지도 서인(西人)이라고 한 묶음이 되어서 왕의 미움을 받기 시작하였던 것이다. 엎친 데 덮친 격으로 무진 시월에 장씨가 왕자를 낳았고 바로 기사(己巳) 정월에 숙종은 왕자를 원자(元子)로 봉하고 장씨를 희빈(禧嬪)으로 봉하였다.

그때에 왕은 대신과 육경 삼사 장관들을 불러서 이르기를, 나라의 근본을 정하지 못하여 나라의 형세가 고단하고 약하며 시사(時事)가 어려운 것이 많아서 민심이 의지할 데가 없는데, 현재의 가장 큰 계책은 다른 데 있지 아니하고 당장 내가 의논하려는 왕자의 명호(名號)를 정하는 일이라, 만일 머뭇거리고 관망하거나 감히 다른 의도가 있는 사람이 있다면 벼슬을 내놓고 물러가는 것이 옳을 것이라 하였다. 이조판서 남용익(南龍翼)이 아뢰기를, 나라의 형세가 외롭고 위태하며 조야(朝野)가 몹시 바라던 때에 왕자가 탄생하셨으니 신민(臣民)의 경사스럽고 다행한 일이야 어찌 가히 다 아뢸 수 있겠습니까마는, 다만 오늘 내리신 말씀은 의외이며 왕자의 명호를 정하는 일도 너무 빠른 감이 있습니다. 지금 중전(中殿)께옵서 춘추가 한창이시니 이제 왕자의 명호를 정하는 이런 거조는 너무 급하지 않으시옵니까 하였다. 병조판서 윤지선(尹趾善)도 아뢰었다. 왕자가 난 지 겨우 수개월인데 이 뒤 정궁(正宮)께서 만일 아들이 없으면 국본이 저절로 정해지는 것입니다, 하였으며 대사간 최규서(崔奎瑞) 영상 김수흥(金壽興) 호판 유상운(柳尙運) 등의 의견도 대개 그와 같았으나 임금은 중신들의 반대를 물리치고 왕자를 원자로 봉하였던 터이다. 곧이어 재야의 유학(幼學) 유위한(柳緯漢)의 왕자 정호에 대한 지지 상소가 있고 나서 남인(南人)의 집권 재기의 단초가 드러나기 시작하였다. 즉 장희빈의 남동생 장희재(張希載)와 종친 동평군 항(杭)이 남인 측의 민암(閔黯) 민종도(閔宗道) 이의징(李義徵) 등과 긴밀한 연락을 취하고 있었던 것이다.

남인의 집정을 예고하는 기미가 나타나기 시작하자 노론 측에서는 세력을 만회하기 위하여 산림종사(山林宗師)로 군림해온 봉조하(奉朝賀) 송시열(宋時烈)이 왕자의 정호가 아직 빠르다는 완곡한 표현으로 상소하였다. 그러나 임금은 승지 옥당 등의 입직한 신하들과 더불어 이를 논의하였으니, 송시열은 산림의 영수(領袖)로 국세가 단약(單弱)하고 인심이 파탕(波蕩)한 마당에 감히 송나라 철종의 일을 인용하여 금일의 정호(定號)가 태조(太早)하다 하였으니, 이를 버려두면 무장지도(無將之徒)가 반드시 뒤를 이어 일어날 것이니 마땅히 원찬(遠竄)하여야겠으나, 특별히 유신(儒臣)이므로 짐짓 관전(寬典)에 따라 삭탈관작(削奪官爵)하여 문외출송(門外黜送)케 한다고 명령하였다. 영상 김수흥도 파직시키고, 남인 목내선(睦來善)을 좌상에, 김덕원(金德遠)을 우상에, 여성제를 영상에 임명하고 원자의 외가 삼대에 의정(議政)의 작호를 내리니, 승정원과 삼사에 모두 남인이 등장하여 정국이 바뀌었다.

사간원과 사헌부의 탄핵으로 송시열은 제주에 위리안치되고, 경신대출척의 장본인이던 김익훈(金益勳)은 형장에 죽고, 이미 죽은 김석주(金錫胄)는 삭탈관작하였다. 경신옥에 죽은 허적(許積), 복선군(福善君) 남(枏), 윤전(尹鑴), 이원정(李元禎) 등은 모두 복관되고 이사명(李

師命), 김수항(金壽恒)은 경신옥의 보복으로 극형에 처하였다. 원자 정호 문제로 비롯된 정국의 변화는 사월에 접어들어 드디어 남인의 집권으로 본격화되었다. 민암이 병조판서, 민종도가 예조판서, 유명견이 도승지, 목창명이 대사헌, 이현일이 장령에 올랐다.

삼사 중신들이 어전에서 송시열을 극형에 처할 것을 아뢰는데 숙종은 폐비(廢妃)의 뜻을 비쳤다. 국가가 불행하고 인심이 악해져서 해괴한 일이 한두 가지가 아닌데 경(卿) 등이 발본색원할 생각이 없는가, 궁중의 이야기를 들어보라. 병인년에 희빈이 처음 숙원이 될 때에 민씨가 김귀인과 한 당이 되어서 질투하는 형상이란 이루 말할 수가 없었다. 하루는 내게 말하기를, 꿈에 선왕(先王) 선후(先后)를 뵈었는데 그 말씀에 내전(內殿)과 귀인은 복록이 길고 또 아들도 많기가 선묘조(宣廟朝)와 같을 것이나 숙원은 아들이 없을 뿐만 아니라 또 복도 없으니 만일 궁중에 오래 두면 반드시 경신년 뒤의 불평한 무리들과 결탁, 망측한 일을 만들어내어 마침내는 국가에 불리하리라 하시더라, 하니 예로부터 질투하는 사람은 있다 하지만 어찌 거짓말로 선왕 선후를 칭탁하여 공갈할 꾀를 내기가 이토록 심한가. 삼척동자라도 믿지 않을 것이다. 간교하고 사특한 것이 폐 간을 보는 듯하다. 자식이 없을 것이라던 희빈이 원자는 어찌 낳았는가. 이런 패악한 행실로는 하루도 국모가 될 수 없으니 폐출할 것을 분부한다 하였으니 임금은 이미 장빈과 남인을 선택한 바 있었고 오월에는 왕비가 폐출되고 잇달아 송시열은 사사(賜死)가 되었다.

김기가 물었다.

"소문에 듣자하니 왕비를 폐하고 빈(嬪)으로 있던 궁녀가 새 왕후가 되었다는데 그것과 환국(換局)이 관계가 있는가요?"

"저는 고금의 붕당(朋黨)이란 것도 이렇게 봅니다. 일찍이 공자가 군자와 소인을 논하면서 미쁨과 치우침에 대하여 말을 했지요. 임금이 되어서 위에 오를 자가 진실로 군자와 소인의 구분을 밝게 분별하여서 왕도 평탄한 다스림을 능히 힘껏 하지 못하면 사정에 치우치고 무리와 친하는 버릇이 저절로 방자하여지며, 갑이 옳다 을이 그르다 하는 논란이 점차 벌어지게 되는 것이니 이것이 붕당이 일어나게 되는 연유라고 말이지요. 그러나 실상은 붕당의 폐단은 임금 자신과 그를 둘러싸고 있는 몇몇 세도가로부터 조작되고 부추겨지는 법입니다. 임금은 스스로의 왕권을 강화하기 위하여 오늘은 이편에 힘을 기울여 저편을 견제하고, 그들 세가 너무 거세어지면 다시 저편을 일으켜세워 내일은 두둔하던 쪽을 치는 것이지요. 그러므로 권세의 물골이 흐르게 되면 온갖 송사리떼들은 그 흐름에 휩쓸려 이리 왔다가 저리 쏠렸다가 하게 마련입니다. 요즈음의 정국이란 것도 이를테면 가장이 수신제가하지 못하여 골육이 그의 노속들을 갈라가지고 물고 뜯는 것과도 같습니다. 한때의 영화나 권세도 이러한 임금의 기분풀이에 달려서, 사대부라는 것들이 어육이 되고 영화의 몰락이 물거품처럼 부침(浮沈)하는 게지요."

"아조에서도 예전에는 당초부터 색목(色目)이라는 명칭이 없었고 가끔 참혹한 사화(士禍)가 있었으나, 알려지기는 소인이 군자를 일망타진한 것으로 되어 있소이다. 그러나 그것도 박대인의 말뜻처럼 본다면 임금이 정세의 흐름을 이용하여 부리던 자들을 서로 견제하도록 만든 셈이겠지요. 계집이 많으면 총애를 투기하고 자식이 많으면 재물을 다투는데 하물며 사대부들이 벼슬을 차지하려 함과 비교하겠습니까. 나라는 상벌하는 권한을 가지고 조화(造化)하는 역에 서서 한번 눙치고 한번 성내는 것이 따뜻한 해와 찬바람 같은즉, 모난 것이 깎여서 둥글게 되듯 당폐가 고쳐져서 화목하게 할 수도 있습니다. 그러려면 무엇보다도 모든 편당의 명분이 백성을 보살피고 백성을 귀히 아는 데로 모아져야만 정사가 조화를 얻게 되겠지요. 연전의 예송(禮訟)도 그러하고 경신년 때나 금년 일이나 모두들 제 코앞의 이득에 급급하여 싸움을 만들거나, 임금의 계집질에 정사가 놀아나고 있으니 앞으로 두고 보시오, 다시 뒤집혀질 것입니다. 뜻있는 이는 초야에서 자신을 드러내지 않으려 하고 소인배들은 그저 그런 것들끼리 앞서거니 뒤서거니 조약돌 모난 키 자랑하듯 조정에 들락날락할 것이오. 정국은 수백 번 바뀔지언정 백성들의 사는 것이 변하지 않는다면 그것은 저 호란 왜란 때에 겪었듯이 조정의 힘이 한양 도성의 허공중에 떠 있는 것과도 같소이다. 태고에 요순우탕 시대에도 억지로 만들어서 다스림이 아니라 무위(無爲)로 위정의 근본을 삼았음은, 삼라만상이 모두 제 나름의 귀한 자리를 균등히 지켜서 대동세상(大同世上)을 이루고자 함이었소."

박대근이 다시 말하였다.

"어쨌든 전 폐비는 아마도 노론의 세가 등을 기댄 것 같고 이번의 장씨는 남인의 무리가 줄을 대고 있는 듯합니다. 소문에는 장씨가 대대로 역관(譯官)의 집안 사람이라는데 그의 종조부(從祖父) 장현은 연경을 오가며 거금을 벌게 된 역관 출신으로 남인의 편당이었습니다. 장씨녀의 남동생 역시 임금의 종친이나 남인 등과 돈을 물같이 쓰면서 연락을 가졌다고 그럽디다. 그것은 아마도 장씨녀가 작년에 아들을 낳은 뒤로 자신을 가지고 더욱 급히 추진된 일일 테지요. 우리 송도 상단에서도 공공연한 설화는 피차에 조심하여 금하고 있으나 두셋이 모여 술잔이라도 나누면 각 도 송방의 소식이라든가 한양 시전이나 난전에서 흘러나온 소문들을 주고받게 됩니다. 특히 난전의 소문은 그들 저자배의 대부분이 세도가의 행랑것들이나 적어도 뒷심을 댄 자들이라, 오히려 다른 지방의 방백 수령들께 전해지는 것보다도 조정의 내막이 훨씬 소상하고 빠릅니다. 우리에게 이번 정국이 유리하게 되었다는 것은 역관과 중인의 세력이 남인과 새 왕후에 닿아 있기 때문입니다. 지금 한양서 누만금을 지니고 재산으로 유력한 사대부의 일을 돕기도 하고 유생들의 여론을 끌기도 하는 거부들이 있는바, 이들의 거개가 장사치 역관 부류들입니다. 더구나 왕권이 사대부들의 족벌적인 위세에 시달릴 때에는 고금에도 보이듯이, 나라 밖에 강력한 사대의 줄을 대어 함부로 반정하지 못하도록 대국의 신임을 얻으려 하는 법이지요. 이 사대의 연줄이 약할 적에는 광해조 때와 마찬가지로 감히 옥좌를 넘보게 되던 것입니다. 그때에는 새로 일어나던 청과 밀리기 시작한 명나라에 겹눈을 떠서 눈치를 살피던 때였고, 인조반정 뒤에 청에 대한 줄이 약하여 호란을 겪고, 헛된 명분으로 백성들의 은근한 멸시를 막아보려 한 것이 작금에 이를 제까지의 북벌이라는 공론이었소이다. 이에 지금 조정에서는 바깥과 긴밀한 연결을 가진 역관과 금력으로 상당한 기반을 가진 중인 세력을 잡지 않고서는 강력한 왕권을 행사하지 못하리라는 것을 알게 되었지요. 임금은 먼저 외척의 세를 꺾고 이러한 강한 신임을 청국으로부터 얻고자 하는 것입니다. 우리 송상들도 누대에 걸쳐서 한양 역관의 사행에 줄을 대어 무역을 해오고 있어서 저간의 청국과의 사정을 자세히 알고 있소이다. 북벌론으로 온 나라가 앙앙불락하고 망해버린 명에 대한 사모의 정이 벼슬아치들 사이에 다투어 일어날 적에도, 사행에는 온갖 금은 재물과 봉물로써 때로는 칭찬받고 때로는 벌을 받으면서 눈치만 보았지요. 청이 이제 아조를 대함에 억누르고 조종하려는 뜻은 늘상 변함이 없습니다. 저들은 조선을 내심으로는 믿지 않고 적국 비슷하게 여기고 있습니다. 그래서 우리를 때리고 을러 길들이려 하는 것이오. 잠시라도 눈을 돌리면 달아나거나 물려고 덤빌 가견(家犬)쯤으로나 여기는 눈치랍디다. 청국에서 반출을 금하는 염초나 유황 등물을 사내오면 곧이어 벌은을 부과하고, 저들의 온갖 잡다한 내외의 일에 대하여 일일이 문후하고 사은하도록 하고 있소. 예전에는 민정중이 하지사(賀至使)로 갔을 때에 통감(通鑑)을 지녔다가 경을 쳤던 일이 있었고, 임자년에는 복평군이 명사(明史)를 샀다가 추궁받은 적이 있소. 특히 어느 연공사(年貢使)는 각 성(省)의 지도를 지니고 오다가 봉성(鳳城)에서 수색되어 빼앗기고 공초를 받았습니다. 청의 예부(禮部)에서는 그랬답니다. 사서를 구하는 것은 금률이 가장 엄격하고 벌은(罰銀) 오천 냥에 해당되지만 아뢰어온 글의 간곡한 뜻에 따라 용서한다고 그랬지요. 그 대신 지도의 건은 몹시 추궁하면서 우리나라에 있는 모든 변방의 족자나 첩책의 지도를 없애라고 엄령이 왔지요. 하여튼 매해마다 청국에서는 이러한 점들을 까탈 잡아 벌은을 강취합니다. 특히 병인년의 벌은 이만 냥 부과가 내려진 뒤로 청국이 우리나라를 억누르려는 기색이 점점 뚜렷해지고 있소. 지난 오월에는 청황(淸皇)이 봉성에까지 나와서 변방을 둘러보고 심양으로 하여 북경으로 돌아갔다고 하니, 이것은 저들이 북방에서 몽고와 충돌이 잦아서 조선에 대한 비변(備邊)의 경계를 보인 것입니다. 지난번에 동평군이 갔을 제 우리 상단에서도 여럿이 무역별장으로 뽑혔는데 폐비에 대한 사연을 주청(奏請)했던 것입니다. 그때에도 벌은이 나왔는데 글자 몇자가 예에 맞지 않는다고 트집을 잡았다고 합니다. 이같이 근년에 들어 청국의 조선에 대한 압력이 더욱 심해지고 있소. 이번의 정세 변화는 송상에게는 좋은 기회가 될 것이오. 주상의 관심이 외세와 줄이 닿는 역관 세력들께로 쏠리고 그들의 권한이 강고해졌으니, 우리도 무역을 하기에는 여러가지로 좋은 조건을 누리게 될 것입니다."

박대근이 이 손바닥에서 저 손바닥으로 한눈에 보이듯이 조정의 판도에 관하여 펼쳐 보이자, 모두들 흥미 있게 듣는데 최흥복이 김기를 돌아보며 말하였다.

"삼촌, 박대인 말씀 듣구 보니 우리는 관북 쪽으로 나서야겠수. 실상 그쪽은 울 없는 뒤뜰이나 한가지 아니우?"

"글쎄…… 박좌장께서는 어찌 생각하시오? 우리는 곡산과 수안에서 은과 쇠를 잠채하고 있소이다. 또한 고원에는 수달피를 모으는 객주와 함흥에는 무명과 목화를 취급하는 객주가 따로 있지요."

대근이 고개를 끄덕였다.

"은과 삼은 서북변에서의 주요 무역 품목이올시다. 사행 무역의 교역이 모두 그것을 기본으로 이루어지고 있소. 그래서 우리 상단이 언진산의 잠채터에 손을 댔던 게 아닙니까? 중강(中江)에서 의주(義州)까지의 압록강변에는 삭주(朔州) 창성(昌城) 벽동(碧潼) 초산(楚山) 위원(渭原) 강계(江界) 등의 강변에 달라붙은 고장이 있어서 잠상(潛商)의 근거지가 될 만합니다. 이번에 우리는 기왕에 있었던 의주 송방과 함께 강계에도 새로운 송방을 열어 서북변의 상단 행수를 주재시킬 것입니다. 또한 쇠와 무명은 동북변 야인들과의 교역에서 오래전부터 주요 거래 품목이었지요. 경원(慶源)에서는 농기구와 가마솥이 거래되고, 회령(會寧)에서는 가축과 무명이 교역되는데 해를 걸러 단개시(單開市)와 쌍개시(雙開市)라 하여 영고탑(寧古塔)과 오랄(烏喇)의 여진인들이 몰려듭니다. 특히 그쪽에서 들어오는 호마(胡馬)는 날래고 장사가 탈 만하여 우리가 꼭 취해두어야 합니다."

김기가 말하였다.

"우리가 지금 고원(高原)에 객주를 냈다고는 하나 아직도 동북변의 무역에 눈을 뜨지는 못하였지요. 다만 무명과 수달피를 모아다 송도 상단에 넘기는 역만 해냈소. 회령과 경원에 객점을 열어야 할 것입니다."

길산이 말하였다.

"무진년 이래로 우리들에게 의부한 도산민(逃散民)들의 부락이 강원도 철원과 횡성 그리고 황주와 곡산 등지에 있소. 그 식구들만 하여도 사오백여 명이 될 것이오. 우리의 명부에 적힌 장정만 백육십 명이니까. 동선령 산채, 수안 은점, 곡산 수철점 등지에 삼백여 명의 식구가 있소. 여기 심원골이야 우리들뿐이라 따질 것도 없고, 함흥 백운산 산채와 고원 원산 객주의 식구들이 백여 명, 묘향산 산채에 백여 명, 그리고 낭림산맥 일대에 다섯 군데의 산채가 있으며 거의 삼백여 명이 됩니다. 그러하니 천여 명이 넘는 이 세력이 평안 함경 강원 황해의 각도에 걸쳐서 퍼져 있어 고루 먹고살기도 벅차고 더구나 군장 등물을 마련하여 힘을 기르려면 명화적당으로는 오래 버틸 수가 없으며 한계도 있소이다. 한편으로 연계를 지어 송도 상단과 같은 상고의 직제를 짜두어야 병(兵)을 키울 수가 있을 것이오."

"장두령, 강계에서 새로운 인삼 묘포를 장만할 것이고 수안 은점의 은의 소출이 늘어날 것이니, 우리가 음과 양으로 손을 잡으면 기세는 여름 장마의 강처럼 불어날 것이외다."

박대근이 말하자 김기가 곧 찬성하여 나섰다.

"총포와 말만 있으면 제아무리 많은 관군이 몰려온다 할지라도 쉽게 깨뜨릴 수가 있소이다. 일찍이 북관의 호마는 하루에 천 리를 달린다 하였으니 날랜 군사가 방포 돌입하여 군현을 급습하고 일시에 말을 타고 사라진다면 가히 신병(神兵)이나 다름없겠지요. 박좌장의 말씀을 들으니 이번 정국의 변화는 잠무역에 호기라 하였소. 이

때에 압록강과 두만강 두 강변의 상로를 장악해야 할 것입니다.”

그들은 이어서 대근이 견본으로 가져온 재배 삼을 신기한 듯이 구경하며 만져보고 깨물어도 보았다. 박대근이 말하였다.

“우리가 비록 사행의 꼬리에 붙어 책문 뒷장의 이익이나 보려고 무역에 참가하지만, 이것은 청상(淸商)과의 거래를 트기 위하여 줄을 대려는 뜻이오. 송도에서는 벌써부터 강화의 홍천수와 석범철을 통하여 우두령에 닿고 있었으니, 우두령은 삼화(三和) 마지산(馬池山)에 저들의 마을을 이루었고 그 앞 가도(椵島)에 선착장을 갖고 있습니다. 또한 의주 용암포에 여각을 열어두었는데 박성대가 나가 있지요. 용암포에서 배를 띄워 십 리만 오르면 청국 지역이라 잠상은 그들에게도 손쉬운 일거리가 될 게요. 우두령은 또한 예전부터 의주의 만상(灣商)들을 잘 알아왔으니 송방은 그의 도움을 받은 것이 한두 번이 아니지요. 이번에 가는 길에 평양에서 우두령과 만나 동행하기로 되었소.”

길산은 고개를 들어 천장을 바라보며 탄식하였다.

“형제의 결의를 한 지 벌써 십 년이 지났거늘, 이제 겨우 몸을 숨길 은신처를 구하는 데 그쳤으니 대동세상은 언제 이룬단 말인가!”

“두령, 먼저 간 사람들을 잊지 않으면 꼭 이루어집니다.”

김기가 말하였다. 길산은 다시 박대근에게 말하였다.

“이번 가시는 길에 나두 성님과 동행하겠수.”

“의주는 사방의 상고가 모이는 도방 대처인데 혹시 누구의 눈에 띄어 관에 포착되면 어쩌려구 그러시우?”

“차라리 성님은 그냥 계시고 삼촌이나 제가 다녀오지요.”

강선흥과 최흥복이 길산을 만류하였다. 대근은 그들과는 생각이 달랐다.

"이번 역행(曆行)이 끝나고 동지사(冬至使)가 떠나는 사이에는 근한 달이나 여유가 생기오. 장두령은 그때에 우리와 함께 강계로 나가서 강변칠읍의 사정을 살피는 것이 나중을 위해서도 유리할 거요."

김기도 대근과 같은 생각이었다.

"강서방과 함께 두령은 평안도의 각 산채들을 둘러보고 묘향산에도 올라가 여러 사람들을 만나보시는 게 좋을 것 같습니다. 그리고 명년 봄까지는 경원과 회령에 우리의 여각 객주를 열어놓아야 합니다. 함흥 백운산에 최두령을 보내어 그 기틀을 닦았으면 합니다."

"글쎄…… 홍복이는 나하구 같이 있어야지. 업복이를 보내는 것이 어떻겠소?"

길산의 말에 김기는 생각해보고 나서 말하였다.

"업복이는 구월산에서부터의 식구라 믿을 수가 있겠으나 상고의 일에 관하여는 서툴 것입니다. 수안 은점에 나가 있는 이시홍은 장사를 하던 사람이고 조무인는 행상을 다녔다고 하니 그들 중에 하나를 붙여주면 좋을 듯합니다."

길산이 정하였다.

"업복이를 백운산으로 보내고, 여기 와 있는 정대성이가 원래 기병이라 승마와 양마에 능하오. 정서방을 동북변 지방으로 보내어 객점을 열도록 합시다."

밖에서 봉순의 목소리가 들려왔다.

"음식 다 식겠어요. 먼저 아침 드시고 말씀 나누시지."

"어이구, 배고파. 우리 형수님 아니었으면 체면상 밥 달란 소리두 못 할 자리가 되었수."

강선홍이 장지문을 드르륵 열며 말하였다. 담배 연기 자욱한 방 안에 산간의 냉기 서린 아침공기가 한꺼번에 몰려들어왔고 음식 냄새도 마루에 그득한 것 같았다. 강선흥의 아내 춘천댁과 홍복의 아내 황주댁이 상을 맞들고 들어왔고 봉순은 대성의 아내와 주안상을 맞들고 들어왔다. 이제 화제는 바뀌고 밥 먹기 전에 술잔을 주고받는 일이 먼저 시작되었다. 학선이가 주위를 둘러보고 앉았다가 박대근에게 나직이 말하였다.

"여기 와서 보니 나야말로 참 잘기가 쥐 포수요. 내게두 뭐 일감 하나 내주면 안 되우?"

"그렇잖아도 최서방 혼자만으로는 만상들을 어찌 당할까 염려하던 터였는데…… 자네는 호가호위(狐假虎威)가 본업이라 믿음성이 없어서 걱정이다."

박대근이 웃는 얼굴로 말하였고 학선이는 얼른 대꾸하였다.

"그러니 범도 여우가 있어야 위세가 생기는 게 아니우. 내 여기 와서 곰곰 생각하니 저기 장두령과 성님 일을 닿게 하는 일만 맡아두 북변의 큰 잠상이 되겠수. 나는 성님 뒤꼭지만 바라구 따라다닐라우."

길산이 얼핏 두 사람의 주고받는 말을 듣고 끼여들었다.

"변방은 송도와는 달리 인적이 드물고 대륙에 면하여 광활하고 막막한 곳이오. 옛적에 고구려가 일어났고 여진이 그 속에서 스스로 일어나 청을 세웠소. 이서방은 큰 상고가 되어 무엇 하실라우?"

"혹시 압니까. 진짜 어사가 되어 탐관오리를 혼내주게 될지. 내가 다른 것은 몰라도 벼슬아치들의 사정과 뱃속은 물속처럼 들여다보며, 도방 대처에서 돌아가는 판국은 주사위판보다 더욱 잘 알고 있소. 장두령은 서북변의 일을 내게 맡기시우. 좌장 성님과 장두령의 징검돌이 될 터이니."

길산과 대근은 웃는 낯으로 서로 시선을 주고받았다. 아침밥을 먹고 술도 거나하게 몇순배 돌아간 뒤에 대근은 봉산 만동이네 객점에 나갈 일이 급하여 곧 떠나기로 하였다. 자비령 식구들은 모두들 밖으로 나와 대근을 배웅하였다. 대근이 길산에게 말하였다.

"시월 말께에 의주 송방으로 오시오. 우두령과 기다리고 있겠소."

길산이 말득이를 돌아보았고, 말득이가 두 뼘짜리 단도를 대근에게 주었다. 길산은 말하였다.

"통문을 돌릴 제 신표로 쓰던 단검입니다. 행로에 혹시 번거로운 일이 생길지 모르니 그때에는 이것을 내보이십시오. 서북에서는 대개 우리 활빈도를 압니다."

대근은 길산의 단검을 받아서 품안에 간직하였다. 심원계곡에서 다시 무초령 쪽으로 하여 다른 길로 하산하는데, 이번에는 말득이가 앞장을 섰고 길산도 검수역말(劍水驛)이 내다뵈는 고갯마루까지 따라나섰다. 대근이 길산에게 신신당부하였다.

"십일월 말에 동지사가 떠날 것이니 그전에 의주로 오시오. 의주 송방에 오면 우리를 만날 게요."

"예, 언진산서 일 좀 보고 곧 뒤따라가리다."

말득이는 길안내를 하는데, 무초령서 흘러내린 물이 월당강의 지류 구산하(九山河)로 들어가 검수천을 이루었고 그 물살이 세차고 빠르기가 살 같았으며, 길은 내 옆을 따라서 십 리쯤 내려갔다. 길에는 마른 갈대와 낙엽이 가로막히듯 쌓였고 냇물에는 다리도 없었다. 검수역 경내는 조용하고 인적이 끊긴 것 같았으니 때가 어중간하여 상고나 행객의 내왕이 드문 까닭이었다.

"내를 건너면 산수원(山水院)이고 곧 봉산입니다."

"잘 아네, 어서 돌아가게."

"그러면 저두 우리 성님 모시고 의주 가서 뵙지요."

학선이와 대근은 곧 봉산에 당도하였고, 일행들은 만동이네 객점에서 떠날 채비를 갖추고 기다리던 중이었다. 윤덕이 천동이와 함께 점방에서 기다리고 있다가 나왔다. 천동이가 꾸벅 인사를 올렸다. 실로 대근이 행수로 나다닐 적부터 알아온 처지라 오랜 벗인 셈이었다. 천동이 만동이 형제도 그 무렵에는 장터에서 타관 상고들께 행패나 부리는 장터 왈짜에 지나지 않았으나, 이제는 은점과 수철점에 손대어 봉산에서는 내로라 하는 부가옹이 되어 있었다.

이곳은 일테면 길산네 자비령 식구들이 내놓은 눈구멍 구실을 하고 있었으며 만동이는 주로 수안의 언진산 잠채터에 그리고 천동이는 곡산 수철점에 나가 있었으며, 살림집은 향청 부근에 깨끗한 기와집 두 채가 나란히 있었다. 만동이는 달포에 한 번씩이나 산에서 내려오고 천동이는 쇠를 캐고 다루고 하는 일이라 바쁠 것이 없어 곡산과 봉산을 오락가락하였는데, 집에 와 있을 적이면 늘 객점에 나와서 동선관서 내려온 길산네 식구들과 장기도 두고 투전도 놀면서 지냈다. 대근이 방에 들어가 앉았고 천동이가 중노미에게 술상 들이라고 일렀다.

"그만두게. 곧 중화 들고 떠나야지. 평양서 사처를 정해야 하거든."

"어이, 성님두…… 평양이라면 바로 재 너머 아닙니까. 날랜 말 타구 가시는데 잠깐이면 대동강을 건너지요."

"아니, 내가 우두령과 약속을 하였네. 기다리구 있을 게야."

대근이 사양하였으나 이미 술상은 들어왔다. 대근은 윤덕을 불러서 차인들에게 중화를 먹도록 이르고서 하는 수 없이 천동이와 대작하였다.

"자네 볼일은 제쳐두고 객점에 나와서 빈둥거리는가."

"예, 뭐 태생이 원래 장바닥것이라 별수가 없습니다. 식구들이 다 알아서 잘들 해나가는데 저야 할 일이 있어야지요. 성님네 송방 차인들 뒷시중이나 들어주고 수달피와 무명을 모으러 함흥 원산 나들이나 다녀오구 그럽지요."

"그래, 이번에 짐 보낼 게 있는가?"

"별게 없습니다. 언진산 잠채에 힘을 쏟느라구 겨우 수달피 사백 장입니다. 북포(北布)는 올해 목면이 흉작이라 손을 대지 않았지요. 그보다는 곡산 수철점에서 솥 나부랭이를 좀 내었는데 관북으로 보낼 작정입니다."

"음, 산에서 자세한 얘길 들었네. 은은 언제부터나 쏟아져나오겠나?"

"은도 있지만 사금이 나옵니다. 한양서 온 식구들이 사금 내는 법을 가르쳐주어서 지금 모으고 있지요. 우리두 내년부터는 관북으로 올라갈 작정입니다."

"관북도 물론 중요하지만 강변칠읍이 기중 낫지. 심양에서의 상로가 가깝고 그만큼 거래되는 물목이 다채로우니 시세에 따라 취택하기가 매우 유리하단 말일세."

"우리 큰성님께서 뭐라시던가요?"

"동지사행이 떠나기 전에 용만(龍灣)에 오기로 되었다네."

"성님이 의주엘 가신대요? 아직 은을 낼 때가 아닌데 맨손으로 뭣허러 가실려구 그러나."

"나중에라두 벌여놓을 좌판이라면 미리 앉을 터를 둘러봐야지. 나는 의주와 강계를 송도보다두 더욱 요처로 알구 있네."

"저어 북도 쪽은 정말 무인지경이지요. 우리가 기껏 올라가봤자 길주 명천이 끝입니다. 그것두 바닷가를 따라서지요. 안으로는 깊은 산맥이 첩첩이라 관에서는 조세두 못 받습니다. 하물며 두만강이나 백두산에는 발도 못 들여놓았지요."

"우리가 강계에 자리를 잡게 되면 자네들은 자연히 터전이 생기는 셈일세."

밖에서는 중화를 마친 차인들이 말을 내어 마구를 얹는다 짐을 꾸린다 법석이었고 윤덕이 와서 말하였다.

"숙부님, 준비가 다 끝났습니다."

"그래, 이젠 일어서자."

그들은 말에 올랐고 천동이는 문밖에서 작별하였다.

"수달피는 전에 보내주신 잠채 자본에서 제하십시오."

천동이가 말하였고, 대근은 껄껄 웃었다.

"자네가 이러저러할 일이 아닐세. 북관에 객점을 내려면 여러가지 밑천이 들 게야. 자네들 형제는 잠채 일만 잘하면 되지."

"알아 모시겠습니다."

봉산서 동선관을 빠져나가 황주 거쳐서 중화에 당도하니 이미 주위가 어두컴컴한데 행렬을 멈추지 않고 내쳐서 말을 몰아갔다. 행로는 백삼십여 리 길이지만 모두가 말을 타고 가는 길이라 별로 피곤한 줄을 몰랐다. 기실 파발마는 쉬지 않고 달려서 한나절에 백리지 간의 역을 지나니 사람의 하루 행보의 세 갑절쯤 되는 셈이고 말을 역마다 바꾸어 타는 급파발에 의하면 삼백여 리를 질주할 수가 있었다. 여진 옛땅에서 들여오는 호마는 천리마라 하여 쉬지 않고 천릿 길을 달린다 하였다. 상단의 말이 비록 짐을 실었다 하나 과하마(果下馬)가 아닌 북방말이라서 지치지 않고 뚜걱뚜걱 잘도 걸었다. 이제 압록강을 건너서 요동 근방까지 나가야 할 말이라 상단서 젊은 놈들을 골라온 터였다.

한밤중에 장림(長林)서 대동강을 마주 대하니 멀리 강안에 등불들이 까물거렸고, 사방 들판으로는 마을의 흩어진 불빛들이 점점이 박혀서 반짝이고 있었다. 동선령서 평양까지가 산도 별반 없는 들판 가운데로 뚫린 직로라 서쪽의 대동강 벌에서 불어오는 바람이 제법 초겨울에 접어든 것처럼 싸늘하고 차가웠다. 이제 입동을 며칠 앞두고 있으니 북으로 오를수록 날씨는 추워질 것이었다. 일테면 겨울을 맞이하러 찾아가는 격이었다.

먼저 말과 짐을 실어 건네고 학선과 대근은 따로 강을 건넜다. 그들은 곧이어 성내로 들어가지 않고 우대용과 약속한 대동역(大同驛)으로 갔다. 주막에 이르니 벌써 말발굽 소리와 두런두런하는 소리로 길가에는 어느 상고인가 하여 객점주나 다른 상고들이 나와서 살피고 묻고 법석하였다.

"성님, 이제 오시는구려."

길가에서 누군가 말 아래로 달려들어 대근이 내려다보니 우대용과 낯익은 물치라는 도사공이었다.

"그래, 좀 늦었네."

대근이 말에서 내리니 대용은 뒷전에 함께 서서 두리번거리던 객점 주인에게 일렀다.

"저 앞에 향도 차인을 끌어 상단을 들이게."

"예, 알겠습니다."

주인이 달려갔고, 물치가 대근의 말고삐를 건네받으며 굽신하였다.

"평안하십니까, 좌장어른."

"잘 있었나. 자넨 요새 송도에는 통 꿈쩍도 않데."

"예, 용만에 나가 있노라구 가뵙지 못하였습니다."

물치가 고삐를 잡고 앞으로 가고 우대용과 박대근은 어깨를 나란히 주막으로 향하였다. 성내에는 고루거각(高樓巨閣)의 기생 주루가 있건만 대동역의 주막거리에는 여각의 창고들과 봉놋방과 뱃사람 상대의 창기들이 있었다.

"장두령 만나구 오는 길이슈?"

"만났소. 곧 의주로 오기루 되었지."

"거 참 잘됐습니다."

"일찍 왔소?"

"우리네야 평양이 집동네인 셈이우. 남포에서 배를 띄워 밀물을 타면 급수문(急水門)을 넘어서게 되고 보산보를 휘돌아 예까지 거슬러 오릅니다. 발에 흙 한 점 묻혀본 적이 없수."

대근은 우대용의 말에 웃음이 나왔다.

"우리는 소싯적부터 갯가 냄새만 맡아도 속이 울렁울렁하여 멀미가 쳐오르는데, 내 일찍이 선상(船商)들과 경강에 들어갔다가 며칠 동안 두 다리가 허공을 휘젓는 듯하여 다시는 배를 타지 않을 작정을 하였지."

"나는 그 반대유. 육지에 올라 십 리만 걸어도 발에 물집이 잡히고 엄지발가락이 뒤틀리는 것만 같습디다. 성님만 아니면 우리 아이들 데리구 가도(椵島) 선착장서 배를 띄우면 광량만을 일시에 빠져나가 철산 앞바다에 이르고 곧 용암포에 닿지요. 바람이 건듯 불어 돛대가 조금이라도 비뚤어지면 요동입니다. 그야말로 남포서 배를 띄워 장산곶 물마루를 넘어 강화에 이르는 것과 같은 거리요."

"잘되었군. 우두령 같은 천오(天吳) 물귀신이 바야흐로 천릿길을 내왕하게 되었으니, 이제 각처의 산신들이 코를 싸쥐고 달아날 게야."

"코를 싸쥐다니 그게 무슨 말이우?"

"비린 갯것이 올랐으니 산신인들 당할 재간이 있겠소?"

두 사람은 농지거리로 웃으면서 객점에 들어섰다. 참으로 대동강변의 여각 객주는 전국에서도 유명하여 거래의 양이 기백만 냥에 달하였고, 육로의 상고들뿐 아니라 의주와 경강서 내달아오는 선상들이 초곡방(草谷坊) 한내포에 모여들어 각 장시로 물건을 방매하였다. 대동강변뿐 아니라 중화의 연골개, 열림개, 곤양포의 소금 객점과, 강서의 소금, 삼포와 증산의 면화 잡곡 객점이며, 광주의 목면과 잡화 객점이 있었고 이름난 장터만 하여도 십여 곳이나 되었다. 가히 서경(西京)이라 유명한 장으로는 한내(漢川)와 태팽이(太平)가 알려져 있었다. 그 외에도 무진장(戊辰場), 모래내, 원장, 원바우, 장수원장, 배나무장, 긴오개, 용못장 등이 있었다. 한내에서는 어물과 새우젓과 소금을 다루기가 마포 동막과 비슷하고, 나막신 광주리 돗자리 바구니 등의 초물(草物)과 미곡 무명 면화 등물이 근 만 냥에 이르게 거래되었다. 한내장은 평양서 서북으로 백 리 못 미쳐서 초곡방에 있었는데, 평양에서의 물가와 객점의 구문은 한내를 기준으로 하였다. 태팽이는 강에 접하여 어물 조개 소금이 흔한 것과는 달리 내륙에서 닿는 미곡과 무명과 면화가 주요 품목이었다. 무진장 역시 그 두 장에 버금가는 장으로 밤골에 있는데 내륙의 산물을 다루었다. 여하튼 평양부 인근에만 십여 곳의 큰 장시가 있어서 다른 지방 물화의 수십 배가 몰려들어 거래되었다. 이곳은 또한 경강 상인에게나 송상에게나 북로에 닿는 중간 집결지인 셈이었다.

객점 안에 들어서니 부엌에서는 너비아니 굽는 냄새가 진동하고 즐비하게 붙은 방마다 숯이 벌겋게 단 청동 화로가 들여지는 중이었다. 차인들과 객점 겯꾼들은 말을 마구간에 끌어넣고 짐을 풀어서 봉놋방으로 날라다 쌓아두고 짐의 수효를 점검하느라고 외치고 야단법석들을 하였다. 곧이어 패랭이 차림에 개가죽 배자 든든히 껴입고 행색에도 장사치임을 꺼리지 않는 듯한 사내들이 들어서는데 곧한내에 나와 있는 대근네 송방 사람들이었다. 다른 지방 같으면 송방 차인의 두령만 되어도 갓이요 중치막이요 중인 시늉을 내게 마련이나, 평양에서는 역시 상고와 돈이 귀한 줄을 알아서 장사치들도 기방에 가면 글 하는 선비와 다를 바 없이 환영을 받던 것이다. 사내들이 차인들께 묻더니 곧 박대근과 우대용이 들어앉은 사랑에 와서 뵈었다.

"좌장어른 납시었습니까."

"음, 잘 왔네. 여기서 무어 낼 물건이라두 있던가?"

"저희야 경강만 상대하구 있어서요. 봉산서 짐이 없던가요?"

"그래 알았네. 차후로 봉산 천동이 형제 식구들이 기별을 할 걸세. 지체없이 의주로 넘기도록 하게나."

"알겠습니다. 그리구 이곳 경비는 저희 평양 송방 차지이오니 심려 놓으시고 편히 쉬십시오."

"그럴 것까지야 있겠나. 다 서로간에 자립하여야지."

"아니올시다. 이곳 객점주와는 지난 가을의 경강 미곡 주문이 아직 해결이 안 되었으니 이번 숙박으로 일부 지워질 것입니다. 저희 차인 동무들께도 푸짐하게 술 대접을 하렵니다."

"고마우이. 이번에 윤행수는 남로에 내려가게 되었네. 새로 의주로 나가는 행수가 나하구 동행이니 인사하도록 하게나."

"예, 아까 행수께서 먼저 저희를 알아보시고 이따가 자리를 함께 하기로 되어 있습니다."

"허, 빠르기가 비호 같구먼."

대근은 대수롭잖게 중얼거리면서도 내심으로는 윤덕의 그런 태도에 은근히 기뻐하였다. 윤덕은 아마도 행로에 대하여 차인들에게 자세히 묻고, 평양이 어떠한 고장이며 상고에게 얼마나 중요하고 특히 의주 행상로에서는 가장 주요한 길목임을 누구에 들은 모양이었다. 평양 송방 사람들이 나타나자 그는 먼저 알은체를 하며 스스로 행수임을 밝힌 것이다. 대근은 생각하기를, 윤덕이 고지식하고 대범한 것 같지만 일에는 신실함이 또한 그에 못지않다고 여겼다. 어쩌면 그런 뚝심과 성성성으로 의주의 송방을 일으켜세우고 강계에 서북 상로의 거점을 확보할 수 있을 터였다. 대근은 우대용에게 말하였다.

"내가 잠상에서는 우두령 덕을 입겠지마는, 이제 중강(中江)의 문을 열게 될 적에는 우리 덕을 입게 될 게야."

우대용은 박대근의 말을 듣고서 빙글빙글 웃으면서 물었다.

"그야 물론…… 내야 물길이나 살피는 뱃놈이니 천생 도주공 범여와 같으신 성님은 못 따를 테지요. 허나 뭘 믿구 그렇게 큰소리를 치시우?"

"저 사람 좀 보우. 우리 상단의 대들보감이오."

대용이 잠시 어른거리는 등롱 아래서 오락가락하며 차인들에게 지시하는 윤덕을 내다보았다.

"아, 연전에 장가들였던 그 총각아이 아닙니까?"

"그래, 나는 저 아이를 의주와 강계의 송방 행수로 정했다오."

하고 나서 그제야 대근은 윤덕이 언실이 부부가 삼포에서 삼을 내게 된 것과 그에게 인삼 삼백 근이 있음을 알려주고 강계에서 우선 삼포를 갖게 된 것까지 이야기해주었다. 대용은 역시 놀란 얼굴이었다.

"인삼을 그렇게 한꺼번에 낼 수 있다면 이미 무역은 성님 손아귀에 있수. 내가 용암포 인근에 박성대를 내보내어 마안도에서 청상들과 잠무역을 해보았지만, 지물과 피물이 고작이우."

"어떻게 생각하오? 내가 사행을 따라서 책문에까지 나아갈 필요가 있겠소? 우두령을 통하여 직접 청상과 거래하면 어떨지……"

우대용은 고개를 내저었다.

"어림도 없수. 마안도에 나오는 청상이란 대개가 심양에 가서 물건을 조금씩 떼어다가 잠상에 나오는 봉황성의 양민이라, 거금을 가지고 유리한 물목을 내오는 무역상과는 다르지요. 그들의 취급 품목은 대개가 박물이나 비단 등속이니, 이는 값이 비싸고 부피가 작아서 범금의 눈을 피하여 작은 배에 싣고 나오기가 쉽기 때문이우. 일단 책문으로 들어갑시다. 가서 청상과 통하고 기중 큰 상고와 줄을대면 우리 쪽에서 장소를 지정할 수가 있수. 그런 자라면 중강에도역시 닿을 수가 있고, 마안도에도 나올 수 있을 겝니다."

"우리는 책문에 들어가서 우선 빌린 은으로 백사를 사야 하오. 그리고 수달피도 팔아넘길 작정이오. 그리고 인삼은 은밀히 물주를 찾으며 기다렸다가 사행이 떠나간 뒤에 비단과 남방 약재와 옥석 그리고 무엇보다도 석류황을 들여와야지."

대근이 말하자 우대용은 다른 의견을 내었다.

"유황만은 책문에서 들여와서는 안 될 게요. 워낙 범금이 엄중한 것이라 다른 품목은 다 눈감아준다 할지라도, 청인들 가운데 뒷전에서 넌지시 관인에게 알리는 자가 있을 거유. 오히려 그것만은 따로이 은을 준비하여 마안도에서 바꿔오는 것이 유리합니다."

그들이 이야기를 나누는 중에 학선이가 헛기침을 하면서 들어섰다. 우대용도 전에 덕을 본 적이 있었고, 송도에 가면 가보잡기도 몇 번 같이 했던 적이 있어서 반가워하였다.

"어찌 이사또가 사행 상단엘 다 끼여들었누?"

우대용이 웃으며 말하니 대근이 입을 벌리기 전에 학선이가 한마디하였다.

"제기랄…… 대전(貸錢)이나 할까 하구 좌장 성님께 따라붙었는데, 곁에서 돌아가는 눈치를 보니 이건 고대광실 끄트머리에 행랑살이로군."

"얼마 있는데?"

"자그마치 천오백 냥."

대근은 대용과 학선의 오가는 말을 듣고 앉았다가 하는 수 없이 말하였다.

"내가 자네 꼬리 대는 것이 괘씸하여 가만있었네만, 미우나 고우나 이제는 한식구가 되었으니 좋은 것을 알려주지. 그 돈으로 우리 차인들께 대전하지 말고 아예 우두령에게 부탁하여 잠상을 한번 해보게나."

"어이구, 참 이제서야 그렇게 나오신단 말요? 소나기가 내려도 처마밑에 비 피하는 길손을 안으로 들이는 법인데, 진작 그러셔야지. 또 이가 남으면 저만 먹습니까. 저리(貯利)로 맡긴 송도의 행상아치들께두 고루 돌아가얍죠."

대근이 얼른 학선의 입막음 하느라고 우대용에게 말하였다.

"우두령이 마안도 건너갈 제 이 사람도 데려다가 청상에 대어주지."

"그러지요. 헌데 뭘 원하시우?"

"글쎄 내야 뭘 알아야지. 그저 바늘 시세가 좋단 말만 들었거든."

"내가 몇가지 알려드릴까. 우리가 강화에 객점이 있어 한양의 시세에 훤하여 이르는 말이오. 무역이 아니고 혼자서 이를 취하려면 부디 당약재나 박물을 취하시우. 대모 황옥 물소뿔 녹용 등이 모두 종루 애오개에서 고가로 팔립니다. 그중에 물소뿔은 물량이 딸려서 가져오기만 하면 모두 삼베 잠방이로 방귀 새듯 한단 말요. 아마도 천오백 냥이 삼사천 냥으로 불어날 게요."

"허, 세상이 거꾸로구먼. 바람이나 보고 물길을 더듬는 이가 송도 상단의 좌장 되는 이보다 상리를 깨우쳤으니."

그러나 우대용은 학선에게 말하였다.

"잠상으로 사치품이나 들여다가 한양 권세가의 집안 치장이나 해주는 장사는 한정이 있는 법이고, 성님의 인삼 무역은 바야흐로 국내의 상권을 모두 그러쥐게 될 판이라 우리와는 규모가 다르오."

학선이가 불쑥 물었다.

"어디 한번 이런 말이 나온 김에 좀 알아봅시다. 그 많은 돈을 벌어 송도 상단이나 살찌워서 장차 뭘 어쩌하겠다는 말씀이우?"

"너두 잘 알지 않느냐?"

"내가 무엇을 알우. 길산이처럼 활빈한다는 거요?"

우대용과 박대근은 서로 시선을 나누었고 대근이 말하였다.

"네가 어느날, 정말 어사가 되어 백성들을 괴롭히는 지방 수령이 없는가 암행 규찰하러 떠나는 날이 왔으면 하지."

"까짓 거 한번 시켜만 보시구려. 내 눈썰미는 피할 수 없을 테니까."

윤덕과 물치가 들어왔고 곧 뒤이어 늦은 저녁상이 들어왔다. 화로 위에는 열구자(悅口子)가 올려 있고, 탕이 끓고 있었다. 동치미가 올랐으며 술은 평양서 유명한 감홍로(甘紅露)가 나왔다. 먼 길에 찬바람

쐬며 달려왔으니 그동안 뜨거운 온돌 아랫목에서 몸이 푸근히 녹았건만 술과 열구자탕으로 그제야 뱃속의 한기가 녹는 것 같았다. 모두들 후후 불면서 뜨거운 국물을 떠먹느라고 얘기들이 없었다. 기장이 나우 섞인 밥이지만 온갖 해물과 푸성귀가 들어 있는 탕맛이 그만이었다. 대근은 다시 동치미를 사발째로 들고 벌컥벌컥 마셨다.

"하여튼지 평양 오면 음식치레가 까다롭지 않고 푸짐하여 좋거든."

"너무 대범하지요."

물치가 말하는데 그는 한양 사람이었다. 학선이도 참견하였다.

"내가 조선 팔도를 두루 다녀봤는데 여기는 한 가지 맛난 것만 있으면 다른 것은 놓지두 않거든. 우족탕이면 그거, 만두면 달랑 그뿐이야. 대신에 어딜 가든 양껏이야."

밥은 대강 비워버리고, 다시 탕을 청하여 열구자에 부어서 끓이면서 그들은 감홍로를 서로 주고받았다. 상고의 기쁨이란 먼 길을 달려와서 낯선 객점의 밥상머리에 둘러앉아 주고받는 술맛에 있었다. 우대용이 두리번거리다가 얼른 최윤덕에게 잔을 내밀었다.

"최행수, 한잔 받게. 나 우대용이여."

윤덕은 얼른 자세를 고치며 두 손으로 받았다.

"몰라뵙고 결례하였습니다. 최윤덕이라구 합니다."

"음, 자네 숙부와 나는 의형의제 사이라네. 다 한식구니까 어렵게 생각 말게."

하면서 물치를 돌아다보니 그는 비죽이 웃었다.

"염려 마우. 성님보다두 먼저 아까 마당에서 수인사로 통했지요."

그들은 밤이 이슥하도록 북방의 얘기로 꽃을 피웠다. 이튿날 새벽에 우대용이 끼여서 대근네 상단은 북으로 출발하였다. 우대용은 말을 타는 것은 걷는 것보다도 서툴러서 처음에는 고삐를 잡고 쩔쩔맸지만 곁꾼이 견마를 거들었으므로 오후에는 곧 익숙해졌다. 숙천에서 중화를 먹고 안주를 향하여 떠나는데 희끗희끗 싸락눈이 내리기 시작하였다. 어젯밤 평양서 먹던 열구자탕 생각이 간절한데, 이제 안주에 당도하여 청천강을 건너면 목적지에 다 이르는 것이나 마찬가지다. 모두들 피로한 줄 모르고 안장 위에 매달려 있었다.

2

안주는 바로 묘향산맥의 멧부리가 바다를 향하여 달리다가 멎어버린 발치쯤에 있는 고장이었다. 그들이 당도한 것은 평양에서보다는 이른 시각이었으되 이미 저녁밥때는 놓쳐버린 뒤였다. 대근은 상로에 나다닌 것이 몇해 지나 있었고, 더구나 우대용은 육로가 초행이어서 아무 주막이나 찾아들어갔다.

모두들 짐을 풀고 나서 늦은 저녁을 드는데, 날씨가 어제보다는 많이 풀려 있었다. 대근과 대용이 한방에 들고 학선이는 저희 졸개들과 그리고 윤덕과 물치는 차인들과 봉노에 나가 있었다. 그들은 평양에서와는 달리 일찍들 구들목을 지고 누웠는데, 대용은 육로가 처음이라 몸이 천근같이 무거워져서 드러눕자마자 코를 골며 떨어져버렸던 것이다.

객주 주인은 대충 정리를 하고 나서 뒤로 돌아가 방문을 빠끔히 열었다. 두 사내가 곰방대를 태우고 있었는데 주인이 문을 열자 한 사내가 다급하게 물었다.

"아니, 뭘 그렇게 꾸물거려. 밤새 먼 길 달려갈 사람 생각두 해줘야지."

그는 두툼한 솜누비 배자에 토끼털을 댄 토시를 두 팔뚝에 끼고 얼굴이 길쭉한 사내였고, 다른 하나는 보다 나이가 어려 보였으며 아까 상고들의 말을 익숙하게 마구간에 몰아넣던 사내였다.

"사행 나가는 상단이 틀림없지요?"

"아직 이르기는 하지만 틀림없는 것 같네. 송도서 나왔다더군."

주인이 말하자 나이 든 사내가 다시 물었다.

"뭐 호종 무사나 포수나, 병장기를 가진 것두 없지?"

"글쎄, 뭘 믿구들 그러는지 모두가 맨손이야. 그 좌장이라나 하는 놈 혼자 창포검을 가진 게 고작이야."

"모두 몇명이지?"

"좌장놈하구, 행수라는 애송이, 또 시커먼 놈, 또 하나 좌장하구 같이 자는 놈, 양반 비슷하게 생긴 놈, 모두 다섯이고 차인들이 스물이 채 못 됩디다."

"오랜만에 청천강 목을 지킨 숭어횟값이라두 하겠구먼. 우리끼리 해치워버리자구."

얼굴 긴 사내가 말하였고 주인은 객점에서 막바로 일을 벌이자는 줄로 알았는지 손을 홰홰 내저었다.

"아니, 이 집에서는 못 하네. 그렇잖아도 이 객점엔 웬 군식구가 그리 많으냐고 다른 집에서 수군거리는데…… 여하튼 자네 둘이서 는 일을 못 치르겠던데."

"우리 둘이서야 안 되겠지만, 개천(价川) 나와 있는 식구들이 삼십 여 명 되니까, 그중에 열 명만 병장기 들고 쫓아와도 칼끝에 비린 냄 새 안 묻히고 봉물을 먹을 수가 있을 게야."

"그럼 뭘 꾸물거리나, 냉큼 다녀오지 않구."

주인이 재촉하자 나이 든 사내가 젊은이에게 일렀다.

"산에 가서 자세히 알리고, 날 새기 전에 강 건너 장수산 밑에 당도하도록 일러라. 사행 상고라면 큰산에서도 꿈도 못 꿀 큰 재물이다."

"말 하나 내주오."

젊은이가 일어났다. 주인은 그를 끌고 마구간에 가서 세마로 있던 북방마 한 마리를 내주었고 젊은 사내는 조용히 말을 끌고 어둠속으로 사라졌다.

그들은 일찍이 묘향산에 은거해 있던 서용(徐鏞)의 안주 객점 식구들이었다. 용이는 예전 김선일처럼 땅을 잃고 부모에 이끌려 광산 잠채터에 들어가 돌 쇠 골라내는 일로 밥을 얻어먹다가, 기골도 커지고 꾀도 생기니 그들 잠채꾼들과 유리하던 장정들을 모아 향산 보현봉 아래 은거하였던 것이다. 그의 식구들은 거의 백여 명에 이르렀는데, 청천강 이북(靑北)에서는 가장 세력이 강고하였다. 서용의 향산 녹림당은 영변 개천 안주에 객점과 토막이 있었으며, 특히 개천 건지산에는 수철점을 열고 있었고 묘향산맥의 깊은 골에서 서쪽에 잇달아 있는 박천 정주 곽산 선천 등지로 출몰하였다. 서용이 도당을 모은 것은 이제 겨우 삼 년이 지났으나, 워낙 관서의 지세가 좋고 관군의 힘이 고루 미치지 못하여 그토록 세차게 일어날 수가 있었다. 서용은 그가 일개 잠채꾼으로 고생하고 있을 적부터 낭림산맥의 잠채터를 뒤집은 길산의 이름자를 들은 적이 있었고, 더구나 그가 해서에서 활빈행을 벌인 것은 남북으로 오르내리는 수많은 행상이나 유민들의 입을 통하여 전해듣고 있었다. 실로 장길산은 그들 녹림패들에게는 언제든 한번 만나서 생김새라도 보는 것이 원일 정도로 널리 알려져 있었다. 장길산은 강원 함경도에도 식구들을 내보냈고, 일찍이 강말득을 향산에 보내어 서용을 찾았던 적도 있었다. 말득의 전언에 의하면 길산은 산에서 남의 것이나 빼앗아 호강하려는 무도한 도적패가 아니라, 부자의 재산은 반분하고 탐관의 것은 몰수하여, 끼니가 어려운 백성들을 돕고 나아가서는 모든 관리를 한양으로 쫓아버리자는 얘기였고, 그러기 위하여는 각 지방의 녹림당이 서로 연계를 짜놓아야 한다는 것이었다.

일테면 서로 등을 기대어 관군이 허점을 찌르지 못하도록 지켜야 한다는 얘기였다. 서용은 수하의 소두령들과 의논하고 길산에게 의형의제가 되겠다는 말을 전하였다. 누구나 길산의 감영 옥에서의 탈출로부터 그의 해서에서의 신출귀몰하던 활동에 이르기까지 한껏 부풀려서 들어왔던 중이라, 그를 팔도 녹림당의 총 장수로서 의심치 않았던 터이다. 더구나 서용은 그들을 따뜻하게 대하는 도안스님으로부터 여러차례 권유를 받기까지 하였다. 서용은 그의 부하를 지난 여름에 언진산에 나가 있던 길산에게 보내어 자신이 그의 아우임을 자청하였다.

안주 주막의 정탐꾼은 밤중에 말을 달려서 개천 건지산 아래 수철점으로 갔다. 산채가 아니고 쇠를 내는 곳이라 모두들 방 안에서 자고 있었는데, 졸개는 건지산 번수를 깨웠다. 졸개가 안주에서 달려온 까닭을 설명하니 번수는 쾌재를 부르는 것이었다.

"저들이 의주로 가는 길인즉 새벽에 길을 떠날 것이다. 청천강을 건너면 다시 나루머리까지 삼십 리 길이 무인지경이지. 얼른 털어먹고 돌아와 아침을 지어 먹을 만하겠고나. 그야말로 껍질 벗긴 황구의 뒷다리로다."

박대근 일행은 객점을 나와 백상루(百祥樓) 쪽으로 올라갔다. 백상루를 지나면 곧 나루가 되는 것이다. 아직 주위는 어둑어둑한데 안개가 강변에 드리워져 있었고 나루 위로는 강의 아래위로 두 섬이 떠 있어서 마치 호수처럼 강물이 잔잔하였다. 오리떼들도 일찍 나와서 아침거리를 잡노라고 물장구 소리와 날개 치는 소리가 들려왔다. 청천강 나루에는 크고 작은 배들이 즐비한데 그들은 거룻배를 불러 탔다. 두 대의 거룻배가 사람과 말과 짐을 번갈아 실어나르니 잠깐 사이에 풍남(楓湳)나루에 닿았다. 청천강은 그 근원이 묘향산에서 흘러나오는데, 옛적부터 살수라 하여 청남은 동서가 짧고 청북은 끝간 데 없이 길어서 실로 북방과 가르는 요충의 경계선이 되었다. 서쪽으로 삼십여 리를 흘러내려가면 박천강(博川)과 합쳐져서 바다로 들어간다. 강변의 짙은 송림 사이로는 밥 짓는 연기들이 파랗게 피어오르는 중이었다. 이십오 리를 나아가야 박천강을 건너는 나루머리에 당도하게 되어 있었다. 박천강을 건너자마자 가산(嘉山)이었다. 당일 목적지가 정주(定州)였으니 어제보다는 일정이 훨씬 가뿐하게 여겨졌다. 풍남나루에서 나루머리의 박천강 강변까지 가는 길은 대개 길이 평탄하고 풍광이 수려하였다. 특히 장수산과 송림산이 두 강변을 따라 늘어서 있었으며 마른 왕골로 덮인 들판이 모래사장 너머로 광대하게 펼쳐졌다. 적현과 장수산 고개도 작은 언덕이라 대개 아침나절에 안주 떠나오는 사람들은 행렬을 갖추는 데 소홀하기가 쉬웠다. 그것은 나루머리서 다시 나룻배를 타고 박천강을 건너야 하고 종내에는 가산 지경에 가서야 일행이 모두 정돈되던 때문이었다.

간밤에 건지산 수철점에서 떠나온 향산 패거리들은 모두 열두엇이 되었다. 그들은 아직 칠성이 보일 때 나서서 오십 리 길을 걸어와 약속된 대로 장수산 아래 와서 송림 속에 은신해 있었다. 정탐하던 자의 얘기대로 상단에 병장기가 고작 창포검 한 자루라고 알고 있었으므로 그들은 모두 짜른 칼과 쇠뭉치 몇자루를 가지고 나섰다.

대근과 대용이 먼저 나루를 건너와서 짐과 말이 다 건너오는 것을 보고야 일어나 자기 말에 올랐는데, 낯익은 사내 하나가 굽신하면서 말 옆을 따르는 것이었다.

"자네가 누구던가?"

대근이 물으니 사내는 굽신거리며 말하였다.

"예예, 아까 그 객점의 곁꾼으로 있는 사람입니다. 가산 다녀올 일이 있어서 이렇게 상단에 끼여 건너면 뱃삯이 절약되거든요."

대근은 그저 대수롭지 않게 고개를 끄덕였다. 사내는 천천히 말을 타고 가는 그들의 곁으로 앞서거니 뒤서거니 하면서 잰 걸음으로 따라왔다. 적현을 지날 때 대근은 다시 말을 세우고 뒤의 일행을 기다렸다. 송림 사이로 고개를 오르기 시작한 말짐의 행렬이 보이자 대근과 대용은 다시 말머리를 돌려서 고개를 내려갔다. 입김이 허옇게 빠지고 있었건만 구름이 나직하게 드리워진 날씨는 제법 푸근하게 느껴졌다. 적현서 장수산 고갯마루까지는 거의 십 리 길인데 가운데쯤에 박천 대정강으로 빠지는 작은 시내가 있었다. 그들은 저만큼 앞에서 재빠르게 뛰어가는 객점의 곁꾼 사내를 무심코 보았을 뿐이었다. 두 사람을 선두로 윤덕이 향도 차인과 왔고 그 뒤로 바짝 붙어서 말짐들이 따랐으며 뒤치는 학선이네 식구들과 맨 뒤에서 농을 주고받으며 따라왔다. 아마도 안주에서 나루 건너오는 행객은 대근네 상단이 처음인 듯싶었다. 숲 사이에는 안개가 낮게 깔려서 스멀대며 기어다니고 있었다. 시내는 가녘에 하얀 살얼음이 엷게 붙어 있을 뿐 가운데로는 자갈이 훤히 들여다보일 정도로 맑은 물이 또랑또랑 흘러내려갔다.

주막에서 따라붙었던 사내는 행렬이 느릿느릿 다가오는 것을 보고야 힘껏 내달려서 장수산 고개로 올라갔다. 고갯마루에 올라 사방을 두리번거리며 먼저 보냈던 자의 이름을 불러대니 송림 사이에서 여럿이 우르르 몰려나왔다. 그는 건지산 변수에게 허리를 굽혀 보였다.

"바로 요 앞의 송림천에까지 왔수. 맨 앞에 오는 자들이 졸연치 않아 보입니다. 아마 상단의 물주이거나 무슨 호종으로 보입디다."

"그자들이 지나가고 나서 먼저 재빨리 물건부터 빼앗은 뒤에, 달려드는 자들을 차례로 때려 쫓으면 감히 다시 덤벼들지 못할 거요."

"그래, 큰산 성님께서두 기뻐하실 게다. 자, 그러면 빨리 움직여라. 앞서가는 자들은 나와 자네가 맡고, 너희들은 일시에 달려들어 사람을 말과 봉물에서 떼어놓고 나서 짐만 빼앗아 반대편 심원산 봉수로 가는 등성이루 내질러라. 우리 둘이는 적당히 빠져나가 언무정(偃武亭) 앞에서 기다릴 테니까."

지시하니 패거리들은 길 양쪽의 송림 사이로 들어가 숨고, 변수와 주막 사내는 각각 짜른 칼 한 자루씩 가지고 고개 아래로 갔다.

박대근과 우대용은 고개에 올라서서 다시 행렬을 돌아다보았다. 그들이 반쯤 오른 것을 보고는 말머리를 돌리는데 눈아래로 나루머리의 흰 모래사장과 대정강변 십여 리의 들판이 펼쳐졌다. 그들은 의주의 용암포와 마안도 얘기를 나누며 천천히 고개를 내려오는데 길 가운데 아까 앞서갔던 사내가 서 있는 게 보였다. 그는 주춤거리면서 한옆으로 비켜서며 박대근의 곁으로 바짝 다가들었다.

"조심하십시오. 앞에 수상한 놈들이 있습니다."

하더니 대뜸 말 안장을 움켜쥐며 한 손으로는 칼을 빼들었다.

"어어……"

대근은 하도 뜻밖의 일이라 고삐를 당기며 움칫하는데 이미 상대편의 칼끝이 위로 치켜져 갈빗대에 닿았다.

"얼른 말에서 내려라."

우대용이 그 꼴을 보고 달려나오려는데 번수 되는 사내가 그의 말을 가로막더니 잽싸게 자갈의 혁을 잡아챘다.

말은 고개를 옆으로 비틀며 앞굽을 들고 일어섰으며 그렇잖아도 승마에 서툴던 우대용은 보기 좋게 말궁둥이를 타고 떨어졌다. 그러나 우대용은 그래도 뭍에 올랐다고는 하나 수적의 와주 되는 사람이라 호락호락하지 않았다. 궁둥이를 땅에 대고 상반신을 일으키는데 곧장 달려든 녹림패의 칼날이 불쑥 그의 코앞에 내밀어졌다. 대용은 왼쪽으로 구르면서 누운 채로 오른발을 휘돌려서 사내의 손목가지를 걷어찼다. 사내의 팔이 획 돌아가면서 뿌리쳐졌고 칼은 공중에 맴을 그리며 날아갔다. 대용은 그 틈을 주지 않고 다시 두 다리를 엇갈려서 사내의 정강이께를 한편은 걸고 한편은 꺾어 찼다. 사내는 두 동작에 어이쿠, 소리 내지르며 뒤로 넘어졌다. 박대근 역시 말에서 내리는 척하다가 그대로 위로부터 쏟아지듯 사내의 목을 껴안고 뒹굴었다. 그들은 껴안은 채로 땅바닥에 꽂히듯이 넘어갔고 대근은 넘어갈 때 무릎으로 사내의 명치를 차올렸다. 저쪽에서 우대용이 번수 사내의 팔을 꺾어 비틀며 일어났다.

박대근은 명치 급소를 맞아 숨이 막혀 헐떡이는 사내를 그냥 버려둔 채로 일어나 떨어진 칼을 발끝으로 걷어서 나무 사이로 차던졌다.

"성님, 어디 다친 데 없수?"

대용은 아직도 그자의 팔을 비틀어 그의 등뒤에 감아쥐고서 물었다.

"없소. 이 녀석은 혼절한 모양이군."

대근은 말 위에 안장 옆으로 비스듬히 꽂힌 창포검을 그제야 뽑았다. 그는 말에 오르며 대용에게 말하였다.

"내가 고개 위로 올라가 아이들 살피고 올 테니 우두령은 이놈을 잡아놓고 기다리시오."

박대근이 나는 듯이 말을 달려 장수산 고개에 올라보니 이미 일은 벌어진 뒤였다. 차인들 몇이 쇠몽치에 맞아 피를 흘리고 있었고 윤덕이 그들을 보살피고 있었다. 봉물짐은 두어 개 흩어져 있는데 나머지는 보이지 않았다.

"어찌된 일이냐?"

윤덕이 대근을 보더니 울먹이며 말하였다.

"여러 놈들이 좌우에서 칼과 쇠를 들고 쫓아나와서 우리를 에워쌌습니다. 우리는 맨손이라 당할 수가 없었는데 놈들이 봉물짐을 내릴 때 저와 이 사람들이 맨손으로 달려들었다가 이렇게 뒤통수를 맞았지요. 저두 기운이 있는데 그냥 당할 수야 있나요. 저기 한 놈의 다리를 분질러 내동댕이쳤습니다."

박대근이 바라보니 도적 중의 한 놈인 듯 털토시에 배자 입고 두건바람의 장정 하나가 나무에 기대어 넋을 잃고 앉아 있었다.

"다른 사람은 어디 갔느냐?"

"모두들 도적들을 잡겠다며 뒤늦게 작대기 하나씩 꺾어들고 쫓아 갔습니다."

대근이 말에서 내려 산등성이를 타려는데 차인들과 물치가 한데 엉겨서 우하니 몰려내려왔다. 그들 중에는 머리가 깨져서 옷자락을 찢어 감싼 자도 있었고 남의 등에 업혀오는 자도 있었다. 학선이도 제 식구들과 몰려내려오다가 박대근과 마주쳤다.

"어이구, 보통 놈들이 아닌걸."

"웬 법석들이냐?"

"저 꼴들 보시우. 닭 쫓던 개 꼴이우. 저 위로는 한 발짝두 떼지 못하겠습디다."

"왜, 수가 많더냐?"

"팔매지요. 여기가 어딥니까. 안주 박천 아닙니까. 청천강 일대에서 돌팔매로 수제비돌 날리며 잔뼈 굵은 놈들만 사는 고장이올시다. 안주 정주서 석전 안 해본 놈은 장가두 못 간단 말이 있잖아요."

박대근이 예전부터 그런 것은 알고 있었으나 이렇게 직접 당해보기는 처음이어서 열이 머리칼 끝까지 뻗쳤다.

"그래, 봉물은 다 빼앗겼단 말인가. 모두 송도에는 다시 못 돌아갈 줄 알게. 신근을 팔아서라두 본전은 찾아야지. 어서 다친 사람들 아래로 끌어다 놓고…… 잡힌 놈들에게 말을 캐세."

대근은 다시 부리나케 말을 달려 고개 아래로 내려왔고 대용은 두 놈을 단단히 결박 지어서 길가에 무릎을 꿇리고 칼을 겨누고 있었다. 박대근이 곁으로 다가드니 우대용은 허공을 보며 탄식하였다.

"허허, 용이 뭍에 오르니 불개미가 깨문다더니, 꼭 그 격이로군. 이놈들이 나중에 후회할 거라구 기어코 협박을 하는구려. 인명이 귀한지라 함부로 요절을 낼 수도 없고, 그저 바다 같으면 물속에 처박아놓고 가면 용궁 식구들이 다 알아서 처치하여줄 터인데."

박대근은 스스로 화를 삭이고 그들을 달래는 투로 물었다.

"이것 보게나, 무슨 꼴인가. 우리도 다치고 자네들은 붙잡히고, 자네 식구들이 우리 짐을 모두 빼돌린 모양일세. 자네들을 관가에 넘기기는 싫으니 한 사람이 가서 짐을 찾아오게. 짐만 찾으면 피차에 얻은 도끼, 잃은 도끼로 손득이 균등하지 않겠나?"

그러나 우대용에게 팔을 꺾였던 번수라는 자는 낯이 새파랗게 되어 으르렁거렸다.

"흥, 우리가 누구인 줄 모르는 모양인데, 너희들이 의주 가고 오는 동안에 안주 가산, 정주 곽산을 마음대로 내왕하는가 두고보자."

하였더니 우대용이 아니꼬워 어쩔 줄을 모르며 그의 상투를 잡아 뒤로 젖혔다.

"어디 얼마나 무서운가 그 상판 한번 구경하세. 이 사람아, 물론 녹림당이 남의 것을 먹어야 살지. 그렇지만, 의논두 잘할 줄 알아야 또한 살게 되지 않나."

그러나 번수 사내는 눈을 내리깔고 더이상 입을 열지 않았다. 주막의 곁꾼 노릇을 하던 자도 그제는 정신이 돌아와 험악한 눈알을 두리번거리며 그들을 노려보았다. 박대근이 잠깐 생각하다가 짚이는 데가 있어서 곁꾼 사내에게 부드럽게 물었다.

"그래 이거 인사가 잘못되었는걸. 허나 오는 말이 고와야 가는 말이 곱지 않나. 좌우지간에 인사는 이런 난장판 격식으로 튼 셈이니 어디 어느 댁 식구들인가 알아두어야지. 그래야 눈치를 보아서 의주 오가는 길에 통행세라도 보태줄 게 아닌가."

"흥, 안주서 어느 당이라니 이제 상고질은 다해먹었군."

번수가 아까보다는 훨씬 여유가 생겼는지 콧바람까지 핑핑 날리는 판이었고, 우대용은 어처구니가 없는지 입을 떡하니 벌렸다.

"이놈아, 범을 보고 고기 달라고 해봐라. 호박잎에 청개구리 뛰어오르듯 아무한테나 폴짝 기어오르면 될 줄 알았느냐. 우리 물건을 먹었다가는 너희 굴혈을 갈퀴로 박박 긁어서 이렇게 두름으로 엮을 게야. 우리가 무슨 패랭이에 솜 달고 댕기는 장사치로 아는 모양인데 너희 두령이라는 아이의 이름자나 한번 들어보자. 봉물을 먹을 만하다면 내가 느이들 귀쌈이나 두어 대 때리고 맨손으로 돌아가마."

과연 우대용이 경강서 선주들을 까스르던 재담에 이력이 났던 사람이라 그들을 입심으로 어르는데 들을 만하였다. 뒤이어 절뚝거리는 수철점 패거리 중의 하나를 끌고서 윤덕과 학선이 물치 등이 우하니 고개 아래로 몰려왔다.

"이 자식이 토설하기를 자기들은 향산의 서용이네 식구들이랍니다."

학선이가 남보다 앞서서 말을 내었고, 윤덕도 말하였다.

"건지산에 이놈들의 수철점이 있는 모양입니다."

뒤에 따라오던 하인들은 돌팔매에 머리가 깨진 분풀이를 하느라고 몽둥이로 놈을 흠씬 두드려준 게 분명하였다. 녀석은 윤덕에게 밟힌 다리를 절고 있을 뿐만 아니라 광대뼈가 터졌고 입술에 피가 맺혔다.

"끼놈들⋯⋯"

하면서 나머지 두 녀석에게 몰매를 주려는 것을 박대근이 말리고 나섰다.

"자자, 이제 그만두게나. 알고 보면 서로 돕고 살아야 하는 사이가 될 게야. 향산 식구들이라구 했나? 인왕산 모르는 호랑이 없고⋯⋯ 자네들 혹시 언진산과 자비령 있는 장길산 두령을 모르느냐?"

번수 사내가 곁눈으로 대근을 흘겨보더니 고개를 돌리며 내뱉었다.

"그래두 장사꾼이라고 명산에 대인 함자만 들이대는구나."

"그러면 이것은 알겠고나."

뒤늦게 생각이 나서 박대근은 자비령서 얻어넣었던 길산의 단검을 내어 그의 코밑에 들이대었다. 받으면서는 몰랐으나 내밀고 보니 칼자루에 길(吉)자가 새겨져 있었다. 번수와 주막의 곁꾼 사내는 서로 시선을 교환하였다. 번수 사내가 안색이 변하여 물었다.

"그 물건을 어디서 얻었소?"

대근과 대용은 비로소 그가 마음이 움직이는 양을 보고 아까보다는 조금 느긋해졌다. 우대용이 말하였다.

"이분은 장두령의 의형 되시는 분이다. 그러니 직접 얻지 않고서야 그 칼이 어디서 생겼겠느냐?"

"내가 전해듣기로 향산의 식구들은 장두령의 동모지간이 되었다는데, 자고 표창을 잘 쓰는 강서방을 잘 아는가?"

박대근이 말득이를 들어서 다시 묻자 번수는 그제야 의심이 사라진 듯하였다. 그는 앉은 채로 머리를 꾸벅하였다.

"어이구, 강서방이야 저희 수철점에서 직접 향산의 산채까지 모셨으니 어찌 모르겠습니까. 그때에도 그 단검을 보아 잘 알지요."

"어서 풀어주게."

대근이 말하자 대용과 윤덕이 재빨리 그들의 뒷결박을 풀어주었다. 대근이 말하였다.

"내 비록 처지는 송도 임방 좌장으로 녹림당과는 꿩과 매의 그것처럼 다르다 하나, 원래 속은 동색이오. 장두령이 한 달 뒤에 향산을 둘러본다 하였고, 나는 북로의 여정을 한시도 늦출 수가 없어 향산의 산주(山主)에게는 찾아가 인사를 청할 틈이 없구려. 모처럼 좋은 장물을 차지하였는데 어쩌겠소. 각각 혈당들마다 쓰임새가 있고 녹림의 법도가 있으니 돌려주기 바라오."

"여부가 있겠습니까. 마땅히 돌려드려야지요. 만약에 그대로 우리가 물건을 가지고 돌아갔다면 저희 산주께서는 아마도 참수형을 내리셨을 겝니다."

윤덕이 뒤에서 재촉하였다.

"다른 행인들이 오기 전에 어서 나루머리를 건넜으면 합니다."

"자, 어찌했으면 좋겠소?"

대근이 물었고 번수는 일어서며 말하였다.

"참 아침부터 번거롭게 해드려서 죄송합니다. 저희는 예서 삼십여 리 떨어진 언무정에서 식구들과 만나기루 했습지요. 게서 바로 강을 건너면 저희 건지산 수철점이 나옵니다. 지금 아마 산마루를 타고 솔오개 큰길로 나서겠지요. 우리가 강변을 따라 언무정으로 질러가면 곧 만날 겁니다. 삼촌들께서는 바로 강 건너 시오리 어름에 가평(嘉平)역말에서 중화참까지 쉬시지요. 저희가 물건 찾아가지고 곧장 되돌아오겠습니다."

"고맙소, 우리 차인들과 말을 몇마리 붙여드리지."

"염려 놓으십시오."

향산 패거리는 자기들을 의심하는가 여기고 그렇게 말하였으나, 대근이 껄껄 웃었다.

"어디 계곡을 지난 물이 되돌아오던가. 녹림에서는 한번 발설하면 목이 달아나도 지켜야 하오. 짐을 그냥 가져오는 것보다는 말 등에 실어오면 편하고 속하지 않겠소?"

"예, 알겠습니다."

"그 다친 식구도 말에 태워가시오."

윤덕은 멋쩍게 바라보았고, 물치와 학선이가 흠씬 두드려맞은 졸개를 말 등에 태웠다. 대근에게서 지목받은 차인 둘이서 말 네 마리를 끌고 나섰다. 모두 다섯 마리를 내는 셈이었다. 대근이 번수에게 말하였다.

"이따가 주막에서 편히 얘기를 합시다. 내가 향산 서두령에게 드릴 것도 있으니."

번수는 인사를 하고 나서 말에 올라 장수산 고개를 되돌아 넘어갔다. 윤덕이 미덥지 못하여 조심스레 대근에게 물었다.

"이거 말까지 빼앗기는 게 아닙니까."

대용은 윤덕의 어깨를 치며 시원스럽게 말하는 것이었다.

"길산이와 말득이를 아는 사람들이 자디잘게 속임수를 쓸 리가 있겠나. 우리 봉물을 게워내게 하는 것이 미안할 정도로 녹림의 협기가 있구나. 하긴, 나두 사행을 털었다가 선착장과 근거지를 잃었으니 잘 알려주어야겠군."

대근의 상단은 나루머리서 대정강(大定江)을 건너 곧 가평역말에 닿았다. 가평역에서 가산(嘉山)까지는 삼십 리 길이었다. 원래 묵기로 예정했던 곳이 정주(定州)였는데 중화 들고 나서 말에 올라도 육십 리 길이라 해가 높직할 때 닿을 수 있을 것이었다. 그들은 가평역말서 작은 언덕 아래 늘어선 객점을 찾아들어갔다. 역사에는 단청이 볼만하였고 주위에는 소나무와 잣나무가 빽빽하였다. 낮은 토담을 두른 객점에 들어가서 말은 밖에 그냥 매어둔 채로 차인들은 술국이 끓는 화덕 앞으로 모여서 앉거나 서성였고, 대근과 대용과 학선이 등은 신 벗고 봉놋방의 아랫목에 들어가 화로를 가운데 두고 둘러앉았다. 주인이 와서 술을 드시겠냐고 물었으나 아직 중화참이 아닌지라 나중에 들겠다기도 뭣하고 그렇다고 상고라는 자들이 이른 오전부터 술을 청하기도 멋쩍은 일이었다.

"이따 점심이나 지어주오."

"얼마나 올릴까요?"

"글쎄 한 스물 남짓 되겠구먼."

"말죽을 쑬까요?"

"그만두시우. 안주서 먹었으니 배가 가뿐해야 잘 걷지. 정주서 묵을 테니까."

"석문령을 넘으시려면 예서 한숨 돌리고 가셔얍지요. 또 그 앞에 구정령이 있으니 산 넘어 산이 바로 이를 두고 이른 말입니다."

박대근도 석문령 험한 것은 예전부터 알고 있었다. 그러나 그것은 가산 읍내를 벗어나자마자 바로 첫걸음에 석문령 고개가 가로막혀서, 행보에 길이 들기도 전에 첫판부터 기운을 빼기 때문에 험하게 느껴질 뿐이었다. 또한 북에서 내려오자면 정주서 올 때 십 리 간격으로 고개 하나씩 넘다가 구정령을 넘고 나면 기운이 빠지고, 이어서 다시 석문령에 이르는데 바로 그 너머가 가산이라 쉴새없이 내쳐서 넘어 읍내에 당도하면 뒤돌아보기가 아득하게 느껴지는 것이다. 박대근이 예전에 차인 행수로 서도와 북도를 돌아다닐 때 이곳 석문령도 몇번 넘나들었거니와, 가평역말서 밥을 먹거나 가마내에 있는 납청정(納靑亭)에서 민어탕에 술 데워 먹으며 쉰 연후에 석문령 넘기가 봄의 답청놀이처럼 가벼웠던 것이다. 대근은 새벽에 떠나느라고 분주하였고 또한 길목에서 적환까지 당하여 피로했던지, 봉노에 들어간 지 잠시 후에 아예 뜨끈한 구들에 등을 지지며 단잠에 빠졌다.

"숙부님…… 짐이 돌아왔습니다."

밖에서 그런 소리가 들리는가 했는데 우대용이 먼저 일어나서 방문을 열었고 밖에는 향산패의 두 사내와 따라갔던 상단 차인 둘이 서 있었다. 윤덕이 말하였다.

"봉물은 하나도 빠짐없이 찾았습니다."

대근은 향산패에게 말하였다.

"어서 들어와 몸 좀 녹이시오."

그들은 송구스런 듯이 고개를 숙이고 들어와 앉았다. 우대용이 다정하게 물었다.

"그래 아까 다친 사람은 건지산으루 돌아갔수?"

"예, 뭐 대단치는 않습니다. 다리를 삐고 이마가 좀 깨졌을 뿐이지요."

"아까는 내가 팔을 너무 세게 비틀었던가?"

우대용이 웃으면서 말하니 번수 사내도 겸연쩍게 실긋 웃었다.

"함자가 어찌되시는지요?"

대용이 대답 않고 미적미적하니 박대근이 일러주었다.

"서해 용왕님 바로 아랫수하 되시는 가도의 우두령이오. 해서 장두령과 오랜 동무지간이지."

"허, 이거 얘기로만 듣고 몰라뵈었습니다."

번수 사내가 머리를 긁적였고 곁꾼 사내는 제 동료에게 말하였다.

"성님, 우리가 그러니까 아이들 말로 임자를 만났구려."

"내 한 가지 가르쳐줄 게 있소."

박대근이 그들을 향하여 말하였다.

"아무리 산간에 숨어 사는 녹림의 무리라 할지라도 포부와 경륜이 바르게 나가지 않으면 오래 지탱할 수가 없소. 가장 무서운 것은 관군이 아니라 백성이오. 먼저 인심을 잃으면 아무리 강고한 혈당이라 하여도 반드시 패망하게 되어 있소. 장길산 두령이 조선 천지를 들끓게 하면서도 이제껏 토포되기는커녕 더욱더 강고해져서, 각 도에서부터 식구와 형제가 불어나가고 있는 것은, 바로 그가 백성의 장수이기 때문이오. 그러니 우리 같은 이익만 취하는 장사치도 그의 뜻에 따라 앞날을 대비하여 거사할 자금을 모으고 있는 셈이오. 명화적으로 재물을 탈취하기가 가장 쉬운 일이지만 백성의 군사로서는 또한 가장 하책이라 할 수 있소. 이를테면 이번 사행의 무역상단을 습격하면 쉽게 재물을 얻기는 하겠으나, 우선 자기 무리가 어디에서 어찌하고 있다는 것을 조정에 막바로 알리는 짓이 되고, 그뿐 아니라 상단에는 물주 외에도 몇냥씩 적은 자본을 지닌 차인들이 수십 인에 그 식구가 수백이라 민원이 엄청나게 되오. 악독한 개인의 재물이나 백성의 등을 친 탐관의 봉물, 또는 백성이 원망하여 마지 않는 관부의 재산은 아무리 강취하여도 뒤탈이 없는 법이오. 그러나 이들보다 더욱 유리한 것은 무리를 모아 이를 취하여 한편으로는 백성을 활빈하여주고 다른 쪽으로는 군사의 세를 늘려서 감히 허수아비 같은 적은 군현의 군졸들이 넘보지 못하도록 하는 것이라오. 내 진작부터 향산 서용 두령의 얘기를 들었는데 그 사람이 원래 잠채터에서 고생하던 광부라는 말을 들었소. 그러면 어째서 그 원한이 오래 쌓인 잠채터와 광주들을 그냥 두는 거요?"

"예, 잘 알아 모시겠습니다. 이 사람도 해서 장두령의 덕으로 잠채터에서 구사일생되었지요. 이러한 곳이 지금도 깊은 산속에는 여러 군데가 있답니다. 실은 저희가 당을 모아 묘향산 보현봉에 자리를 잡은 지 겨우 세 해가 되었습니다. 거의가 근방에서 논밭 잃고 떠돌다가 잠채터의 소금밥 얻어먹고 큰 것들이고 평생에 이밥 맛을 한 번도 못 본 산간 농군들이올시다. 병장기라야 환도며 몽둥이며 가지고 다닙니다만 제대로 조련도 하지 못하여 무사라도 만나면 혼찌검이 나서 줄행랑을 놓지요. 지금 산채의 세가 숫자는 백여 명에 이른다 하지만, 식솔인 아녀자가 반나마 되어서 한번 일어나 어디 부잣집이라도 털자면 영변 개천 식구들이 모두 산에 올라가 합대를 하여야 겨우 오십 명이 조금 넘는 형편입죠. 그런데도 우리 향산 녹림당이 여지껏 세를 버티어온 것은 실로 서북의 지세에 힘입은 것이 사실이지요. 들이치고 나서 걸음만 재게 놀리면 사방에 둘러싼 깊은 산줄기 속으로 몸을 감출 수가 있습니다. 저희 서두령께서는 늘 장두령을 성님으로 마음 깊이 모시고 있습지요. 아마 우리가 해서 활빈도의 성님들과 연계만 맺을 수 있다면 북변은 거의 우리들의 손아귀에 있는 거나 다름없습니다."

박대근이 그들에게 말하였다.

"나중에 장두령이 당신네 산채에 들르겠지만, 기왕에 그 사람과 연계를 맺으려면 큰 물을 잡아야 경륜을 시원스레 펼 수가 있을 게요."

"큰 물이라뇨……"

"백두산에서 흘러나가는 압록강과 두만강 말이오. 큰 물을 잡고 백두산에 등을 기댄다면 신병(神兵)을 기를 수가 있겠지."

"두령께 그대루 아뢰겠습니다."

"가만있자, 내가 장두령의 의형 되는 사람인데 이 또한 혈육이 될 사람을 인사두 없이 지나칠 수야 있나."

박대근은 방문을 열더니 윤덕을 불렀다.

"최행수, 행수 어디 있나?"

윤덕이 차인들과 화덕 있는 문간방에서 농을 하다가 급히 뛰어왔다.

"아이들 중화 먹이고 술도 좀 사줘라. 그리고 다친 사람은 고약 붙여 두건을 싸게 하고……"

"별로 심하지는 않습니다. 부엌에서 된장을 얻어 동여맸지요."

"다행이구나. 얼른 짐에서 수달피 열 장과 인삼 한 근만 내어 부담 상자에 넣어서 가지고 오너라."

윤덕이 잠시 후에 눈치껏 알아서 부담을 다시 홍보에 곱게 싸서 들이밀었다. 대근은 서용에게 몇자 적고 나서 자기가 가지고 다니던 창포검과 부담을 번수에게 내밀어주었다.

"이게 다 오고 가는 정이니, 송도의 박대근이가 보내더라고 당신들 가형(家兄)께 갖다드리시오."

"어이구, 이걸 갖구 가서 오늘 일어난 일을 두령께 아뢸 일이 아득합니다."

번수가 사양하는데 우대용이 참견하였다.

"뭘 그러시오. 아 명화적이 노중에서 상고의 봉물을 먹지 않는다면 아예 산간에 숨어 화전갈이나 할 것이지…… 여하튼 마수는 잘 떼셨수. 일이 공교롭게 되느라고 사촌끼리 티격태격하여 이렇게 싱겁게 끝난 게여. 나두 가만있을 수야 없지. 댁네들 다리품값이라두 내어야 인정이지."

하면서 뒷전의 자기 전대를 더듬더니 은 오십 냥을 툭 던져주었다.

"우두령…… 이게 뭡니까?"

번수가 물었고 대용이 말하였다.

"내 노자인데 이렇게 성님 상단에서 차인들과 같이 자고 먹으니 따로 쓸 데가 없소. 이걸루 건지산 식구들 화풀이 술이라두 한잔씩 돌리구려."

"아닙니다. 저희두 수철을 내어 살림은 넉넉한 편입니다. 좌장께서 우리 두령께 보내는 부담이야 받겠습니다만, 이것은 사양하렵니다."

"허허, 왜 아까 털어갔던 장물에 비하여 쩨쩨하단 말이우?"

"원 별말씀을…… 자꾸 그러시면 이번엔 곽산쯤 가서 다시 덮칠지두 모릅니다."

번수 사내가 농을 하자 우대용은 눈을 둥그렇게 떴다.

"어이쿠, 나는 아예 정주 가서 상단과 갈라서야겠군."

그들과 함께 중화 겸하고 사화술 겸하여 얼큰하게 잘 먹은 뒤에 향산패 두 사람은 나루머리로 돌아갔고, 일행은 다시 길을 떠났다. 바로 눈앞에 석산령이 아득하게 올려다보였는데, 읍을 나서자마자 고개가 가로막고 있어서 더욱 높고 가파르게 보였던 것이다. 이제 한바탕 적환도 치르고 또한 길산의 덕으로 앞길의 근심도 없어져서 대근은 한시름을 놓았다. 아마도 다른 상단에서는 호종을 고용하거나 장교들에게 각 구역 사이의 향도를 요청할 것이다. 가산에서 많이 지체하였는데도 해가 아직 훤할 때 정주에 당도하였다. 정주는 청천강 이북의 목(牧)으로 한 도회지를 이루었다. 산과 산이 겹쳐서 둘려 있고 말을 달려 마루에 올라서면 그 너머에 또다른 산이 가로막았다. 벌써 산세의 생김새가 북변에 이른 것을 나타내는 듯 힘차고 억세어 보였으며 물줄기는 거세고 깊숙하였다. 정주서 일박하고 선천을 거쳐서 직로를 오르지 않고 철산으로 돌아 용천에서 머물렀다.

드디어 용천서 새벽에 떠나 중화 무렵에 박대근의 상단은 남산을 넘어서 의주의 의순(義順)역에 당도하였다. 이어 성내로 들어가니 미리 앞서갔던 향도 차인의 전갈을 듣고 의주에 나와 있는 송방 차인들이 마중을 나왔다. 그들은 이미 우대용과도 잘 아는 사이였다.

통군정(統軍亭) 남녘에 의주관(義州館)이 있고 길 양쪽으로 만상(灣商)들의 여각과 숱한 점포며 창고들이 열을 지어 계속되었다. 그외에도 주기를 올린 주막집이며 홍등을 내건 색주가, 작은 바침술집, 온갖 음식이며 잔술을 파는 행상 들병이들도 있었다. 가끔씩은 진귀한 당화 한 가지를 손에 들고 값을 외치면서 지나가는 자도 있었다.

의주 성내는 여느 대처와는 달리 다리 길고 허리 잘록한 북방마와 수레가 흔천이었다. 운향고(運餉庫)와 관향고(管餉庫) 등의 사행의 노자(路資)와 칙행(勅行)의 제반사를 다루는 관부도 객관거리에 있었다.

향도 차인의 안내로 대근네 상단은 송방의 여각으로 찾아들어갔다. 차인 두 사람이 나와서 그들을 반겼다. 의주의 송방은 점포 겸하여 밖으로 내달아 지은 본채와, 뒷마당과 창고와 마방과 안채가 디귿자로 벌려 있는 규모가 큰 집이었다. 송방 차인 중의 하나는 의주 사람으로 만상들의 텃세를 막고 달래느라고 현지인을 들인 것이다.

"벌써 사흘 전에 전갈을 받았습니다. 이르신 일도 대강 처리를 했습지요."

송방 차인이 말하였다. 대근과 대용 등은 점포에 딸린 곁방에 앉아 있었고 송방 차인은 그 툇마루에 걸터앉았다.

대근이 품안에서 어음을 내어 차인에게 주었다.

"호조의 차대은(借貸銀) 삼만 냥 어음일세. 서둘러서 운향고에 제출하고 은을 내오도록 하게나."

"좌장어른, 제가 드릴 말씀은 아닙지요마는…… 사행 상단으로 이렇게 첫 번째로 오셨으나, 무명도 지물도 없고 그저 수달피 삼백 장과 차대은뿐이라면 너무 보잘것이 없습니다."

박대근은 고개를 끄덕였다.

"그래, 자네 말두 일리가 있네. 헌데 이제는 너무 걱정하지 말게나. 이번 사행이 끝나면 자네는 송도로 돌아가게. 여기에는 안서방 하나면 될 테니까……"

"예? 이제 막 무역로를 열려는 셈인데…… 안서방은 의주 출신이기는 하지만, 언젠가는 스스로 송방에서 떨어져나가 만상으로 자립을 하려고 할 것입니다. 그 사람에게만 맡겨두었다가는 오직 전향 운향고의 은냥도 자기 앞가림하는 데만 쓰일 것입니다."

"그래, 여기에 새로 행수가 나오도록 되어 있네."

"평양 나와 있던 윤행수를 올리시려구요?"

"아닐세, 그 사람은 동래로 내려갈 걸세. 자네는 송도로 가서 임방 접장 일을 좀 봐주게나."

차인은 싱글벙글하였다. 가족들 곁으로 돌아간다는 일도 기쁘려 니와 임방의 접장이라면 동래와 의주를 제외한 각 송방들의 국내 판로를 관장하는 일이어서 행수보다는 못하여도 이를테면 박대근의 보좌역이나 다름없었다. 그러나 대근은 이제 송도 임방의 일에 대하여는 별로 신명을 내지 않고 있던 터였다. 그는 강계에다가 북관과 서북의 상도를 여는 거점을 마련할 생각이라 의주에 나와 있던 차인 임서방을 송도로 내려보내려는 생각이었다. 차인은 어려서부터 곁꾼으로 시작하였는데, 사람이 근직하고 속임수가 없었다. 그는 일에 기민하거나 머리를 쓰지는 못하여도 일단 시키는 일에는 차질이 없었던 것이다. 그는 이어 차인을 접장으로 올려 각 지방에서 모아들이는 특산물들을 관장하도록 하려는 생각이었다. 대근이 윤덕을 불러 임서방에게 인사를 시키고 또한 의주 출신인 안서방과도 인사를 나누도록 하였다. 대근이 안서방에게 말하였다.

"이제부터 최행수와 자네는 한식구고 손발이 잘 맞아야 될 걸세. 자네는 그 누구의 말도 들을 필요가 없고 최행수의 이르는 대로만 시행하도록 하게."

"예, 잘 알아 모시겠습니다."

임서방이 일어나며,

"저는 그럼 어음을 환전하여 오겠습니다."

하였더니 안서방이 말하였다.

"참, 여기서의 관례 한 가지가 있사옵니다. 의주서는 호방 보는 이의 힘이 막강하여 대개 타처의 상고들은 그에게 도강비조(渡江裨助)의 인정을 쓰게 됩니다. 한 이백 냥이면 될 듯합니다."

박대근은 잠시 생각해보더니 임서방에게 일렀다.

"환전해올 제…… 호방에게 삼백 냥 인정을 내도록 하게나."

곁에 앉았던 우대용이 참견하였다.

"성님, 뭘 그렇게 많이 쓰시려 하우. 우리가 뭐 범금 물건이나 가지고 도강하려는 것두 아니구, 더구나 앞으로 의주에서 발을 뺀고자하는 것두 아니잖수. 그보다는 우리가 주로 나가서 강을 뻔질나게건너다닐 진의 별장들을 손에 넣는 것이 유리하겠지요."

대근은 그러나 대답 않고 임서방에게 말하였다.

"삼백 냥 전하고…… 언제 내가 술이나 한잔 낼 터이니 날을 받아서 오게나."

임서방이 머리를 조아리고 바삐 나갔다. 학선이도 잠자코 대근을바라보다가 임서방과 안서방이 밖으로 나가자 저도 한마디 하였다.

"성님, 저는 우두령 따라서 마안도로 가보라 해놓고 강계에다 송방을 낸다면서, 그깟 목사도 아닌 호방 녀석에게 삼백 냥이나 쓴단말이우?"

대근이 껄껄 웃었다.

"호방은 이를테면 의주서 출납되는 사행의 노자를 틀어쥐고 있는사람인지라, 앞으로 우리가 한양이나 송도서 어음을 빌려다 차대은을 빌려 쓰지 않더라도 수시로 그에게서 대부를 받을 수 있을 것이아닌가. 호방이란 그런 일에서 떨어지는 부스러기를 얻어먹고 또한만상들을 통제할 권한이 있는 것이다. 그래서 그자를 내 사람으로만들려는 걸세. 앞으로 최행수와는 막역지우가 되어야지. 자, 우리는 나가서 도성 구경이라두 하세. 그리고 내일쯤에는 강계에 나가봐야지. 우두령은 학선이하구 언제 용암포로 나가려나?"

"인제 포구로 나간 물치가 당도하겠지요."

그들은 의주를 둘러싼 용만성 성내를 이리저리 둘러보고 통군정에 올랐다. 바로 북으로 압록강이 흐르고 그 건너에 청국의 땅이 광활하게 펼쳐져 있었다. 가까운 옛날에는 여진의 땅이었다고 하나 오래 전에는 고구려와 옛조선의 땅이었으니 이는 북방 백성들뿐만 아니라 청국인들도 이미 아는 바였다. 강에는 섬들이 이리저리 엎드려 있었고 그 건너편에 산이 보이는데 대창 소창 송골의 험산준령이 벌판 위로 이리저리 흘러가고 있었다. 압록강은 마자(馬訾) 또는 청하(靑河) 또는 용만(龍灣)이라고도 하는데, 그 근원은 장백산맥의 백두산에서 나오고 수백 리를 남서쪽으로 흘러서 함경도의 삼수(三水) 갑산(甲山)을 거쳐 여연(閭延) 무창(茂昌) 우예(虞芮) 자성(慈城)을 지나서 강계(江界)와 위원(渭源)의 지경에 이르러 독로강(禿魯江)과 합치고 이산(理山)의 산양회(山羊會)에 이르러 포주강(蒲州江)과 합치며 아이보(阿耳堡)에 이르러 동건강(童巾江)과 합치고 벽동(碧潼) 창성(昌城) 소삭주(小朔州)를 거쳐서 주의 북쪽에 있는 어적도의 동쪽에 이르러 세 갈래로 나뉘어서 하나는 남으로 흘러 맴돌아 모여서 구룡연이 되는데 이름이 압록강이다.

강의 물빛이 오리의 머리처럼 파랗다 하여 그렇게 이름지어졌고, 한 갈래는 서쪽으로 흘러 서강(西江)이 되고 하나는 가운데로 흐르는데 소서강(小西江)이라 하였다. 검동도(黔同島)에 이르러 다시 하나로 합쳤다가 수청량(水靑梁)에 이르러 또 두 가닥으로 나뉘어서 하나는 서쪽으로 흘러 적강(狄江)과 합치고 하나는 남으로 흘러 대강(大江)이 되고, 위화도(威化島)를 둘러 암림곶(暗林串)에 이르러서 서쪽으로 흘러 미륵당(彌勒堂)에 이르고 다시 적강과 합쳐져서 대총강(大摠江)이 되어 서해로 들어간다.

멀리 망망한 요동벌은 희끗희끗 눈이 쌓였고 마을은 보이지 않았다. 그들은 통군정에서 내려와 다시 객점거리에 있는 주막에 들어가 오랜만에 둘러앉아 노래도 부르며 술을 마셨다. 차인 안서방이 송방에서 그들에게 와서 알렸다.

"임서방이 어음을 환전하여 왔고, 호방과는 내일 저녁에 약조를 하였답니다. 그리고 지금 좌장어른을 뵙겠다는 이가 있어서 제가 밖에 기다리게 해두었습니다."

"그런가…… 어떤 사람인데?"

"예, 전부터 제가 좌장어른께 말씀드리려 하였지요. 삼 캐러 다니던 채삼인입니다. 청어(淸語)를 잘하지요."

안서방의 안내로 한 사내가 들어서는데 목은 짧고 어깨가 다부지게 벌어졌으며, 다리는 안짱다리였다. 안서방이 박대근을 손으로 가리켜 보이면서 사내에게 말하였다.

"저분이 우리 좌장님이시라네."

사내는 그냥 두건 바람인데 위에다 두툼한 털배자를 걸치고 있었다. 나이는 서른대여섯 먹어 보였다. 모두들 술상 앞에서 멀뚱히 앉았는데 사내가 넙죽 엎드리며 박대근에게 인사를 올렸다.

"벽동(碧潼) 사는 신서방 문안이오."

"음, 그래 나를 보자는 까닭이 무엇인가?"

사내는 멈칫거리며 좌중을 돌아보았고 박대근이 말하였다.

"괜찮네, 모두 한식구니까."

"예, 그러면 말씀을 드립지요. 저는 벽동의 불암골[佛岩洞] 사는 채삼꾼입니다. 저와 같은 심메마니들이 십여 호 부락을 이루어 사는데 저희는 금령이 내리기 전까지는 채삼을 하여 강계와 의주의 만상들에게 넘겨왔습지요. 헌데 삼을 가지고 월경했다가는 참수형을 당하게 되는지라 어쩔 수 없이 요즘은 사냥으로 피물이나 모아서 밥을 먹습니다. 제가 만상들에게 이런 말씀을 하지 않는 것은 그들을 믿을 수 없기 때문이지요. 우리는 삼을 많이 가지구 있습니다. 지금 청국에서는 청상들이 인삼을 구하려고 애가 달아서 부르는 게 값이랍니다. 대인께서 저희 삼을 팔게만 해주시면 삼분의 일만 나누어주셔도 감지덕지하겠습니다."

"얼마나 되는가?"

"예, 팔포가 좀 넘습니다. 백 근은 실히 되지요."

"그렇다면 요즘 시세가 근당 은자 오십 냥이라 하니 오천 냥은 되겠구먼."

하다가 박대근은 짐짓 신가에게 물었다.

"좋은 말이네만 내가 무슨 수로 인삼을 지니고 도강하여 팔아온단 말인가. 금령은 강변의 수검 때만 아니라, 책문에서도 엄중할 것인즉 우리더러 목숨을 걸란 말인가?"

신가는 다시 좌중을 둘러보았다. 눈치 빠른 학선이가 나직하게 말하였다.

"자네가 원하는 것은 청상(淸商)이 아닌가? 우리보구 그들을 대어달라는 얘기 같은데……"

신가는 크게 고개를 끄덕였다.

"예, 그렇습니다. 청상에게 연줄만 댈 수 있다면 월경하는 일은 그리 어렵지 않습니다. 강계에서부터 의주에 이르는 강변칠읍에서 강폭이 좁고 후미진 곳이 여러 군데 됩니다. 저희는 벽동의 해천동(蟹川洞)을 으뜸으로 치지요. 이제 곧 추위가 닥치면 강은 꽁꽁 얼어붙고 밤에는 손쉽게 건너갔다가 올 수 있습니다. 그러나 청상은 우리네 따위와는 신용거래를 하려 들질 않지요. 또한 만상들께 부탁하려 하여도 그들은 관과 결탁하였으니 언제 등을 돌려 저희를 핍박할지 알 수 없습니다. 그래서 송방에 찾아와 안서방에게 가만히 물으니 좌장어른은 신의가 있는 분이라기에 이렇게 와서 여쭙는 것입니다. 인삼 백 근은 저희가 삼 년간 채삼한 것이온데 이것이 팔려야 우리 동네 사람들이 살 수가 있습지요. 청상에게 벽단(碧團) 건너에 오도록 할 수만 있다면 잠상은 언제든지 할 수 있습니다."

"그들이 벽단을 아는가?"

"물론입지요. 벽단은 원래가 여진의 땅이었지요. 그 건너 십여 리 가면 야인들의 작은 마을이 있습니다. 그들은 아직도 임토(林土)라고 부릅니다. 우리는 금령이 엄하기 전에는 그곳까지 채삼하러 월경하곤 했습니다. 청상들은 인삼이라면 반드시 올 것입니다. 대인께서 사행을 따라 책문에 들어가시거든 유력한 봉황성의 청상에 줄을 대십시오. 거래가 이루어질 제는 대인의 차인들과 동행하여 그 즉시로 은자를 나누도록 하겠습니다."

박대근은 술이 확 깨는 느낌이 들었다. 그렇지 않아도 강계로 가서 근거를 잡고 그 지역의 잠상에 경험이 있는 자를 물색하려던 참이었다. 대근은 말없이 잔을 내밀어 신가에게 주었다.

"한잔 들게나."

"예……"

사내는 대근의 대답을 기다리기가 바쁜지 얼른 입속에 털어넣고는 안주도 집지 않고 다시 대근을 바라보며 눈만 껌벅이고 있었다.

"그 참 좋은 제안일세. 우리는 자네가 나누어주는 은자는 필요없네."

"저는 안서방의 말만 믿고서…… 송상은 잠상로를 여는 일에 관심이 많다 하여 왔는데요."

"이렇게 하는 게 어떻겠나? 우리가 그저 자네들과 청상을 대어주는 일로 이익을 나누는 것이 아니라, 자네들과 동모가 되는 것이 낫겠구먼. 자네들은 채삼을 하여 계속 팔아서 이를 취하게나. 그 대신에 우리도 자네 마을에다 집을 한 채 얻기루 하지. 자네들은 길잡이 하나만 우리에게 붙여주면 되겠군. 어떤가, 자네들이 우리 송상의 상단 안에 들어오게 된다면, 그까짓 청국 은자만으로 그치는 게 아닐세. 그것을 굴려서 더욱 큰 재물을 만질 수가 있네."

"저희를 상단 사람으로 넣어주신다면야 낭림산맥 일대의 심메마니들을 모두 그러모아 일 년에 수백 근의 인삼을 벽동에다 채집해놓을 수가 있습니다."

"인삼은 걱정 말게, 우리도 삼백 근을 가져왔으니까……"

박대근이 말하자 신가는 믿기지 않는 모양이었고, 우대용과 학선이는 빙긋이 웃었다.

"삼백 근이오? 저희가 강계로 내지 않은 지 여러 해가 되었거늘 송상이 어떻게 삼을 모았습니까. 더구나 한꺼번에 삼백 근이라니요."

"저어 해서의 골짜기에서 수천 평의 심밭을 봤단 말이지."

우대용이 농을 하였더니 심메꾼 신서방은 남의 일 같지 않게 입을 벌리고 반가워하였다.

"아 거기가 코짤맹이 다니시는 길이 틀림없지요."

"코…… 뭐라구?"

박대근이 삼 수집하던 경험이 있어서 한마디 하였다.

"범이란 말이네. 범은 반음반양의 후미진 골을 타구 다니니까 인삼밭이 있기가 쉽거든."

"네, 그렇습니다. 여기서는 역시 아득령 너머에 그런 데가 많습지요."

대근이 다시 그에게 물었다.

"벽동의 군수는 어떤 자인가?"

"아니오, 벽동에도 제가 있는 벽단진(碧團鎭)에는 첨사(僉使)가 있습니다. 궁벽한 곳이고 농토도 전혀 없어서 관장 노릇 하기가 빡빡한 곳입니다. 수자리 사는 진의 장교들은 쌀 몇말 무명 몇필로 모두 모른 척할 것이오."

"잘 알았네. 오늘은 우리 송방에서 푹 쉬고 사흘 뒤에 같이 떠나도록 해보세. 여기서 얼마나 되나?"

"이백오십여 리 되는데 말 타면 하룻길이올시다. 좋은 호마를 세낼 수가 있습니다."

신서방이 말하였고 안서방이 다시 덧붙였다.

"말은 우리 상단 것도 모두 천리마라네. 돌아오실 제는 뗏목을 타고 내려오면 산천경개도 구경하고 아주 그럴듯하지요."

"좋은 유람이 되겠네. 사내자식이 바닥은 이만한 데서 놀아보아야지."

학선이도 덩달아 신이 나서 말하였다. 대근이 안서방에게 말하였다.

"자네가 동무이니 알아서 편히 있도록 해주게. 그리고 자네 성은 신가고 이름자가 무언가?"

신서방은 갑자기 난처한 기색이 되더니 그 짧은 목을 더욱 움츠리며 한 손으로 뒤통수를 긁적였다.

"신거복(申去卜)올습니다."

짧은 목에 다부진 어깨와 동글동글한 체격이며 안짱다리가 이름에 꼭 알맞은지라 이름 지은 이의 눈썰미를 칭찬할 만하였다. 모두들 소리내어 웃는데 학선이가 낄낄대며 한마디 덧붙였다.

"차라리 남(男)자 생(生)자 쓰지 그랬나?"

그랬더니 신거복은 따라 웃으면서 답하였다.

"제가 성미가 무던하여 거복이라는 이름과는 맞는 바가 많고 남생이란 잔망스러워서 아잇적에도 붙이기가 틀렸던 모양입니다."

학선이와 대용이 또한 자기 술잔을 내밀어주었더니, 신거복은 사양 않고 아까처럼 냉큼냉큼 받아 붓고 나서 절을 꾸벅하고는 안서방을 따라나갔다.

이튿날 우대용과 이학선은 아침을 먹자마자 운량포로 나아갔다. 운량포에는 창고가 셋이 있었고 진(鎭)이 있었으며, 압록강의 발해로 들어가는 어귀인지라 황해를 거쳐 온 선상이며 조운선들이 들끓었다. 그곳 압록강 어귀의 이름을 대총강(大摠江)이라 하는데 대총강의 앞에는 경강에서 강화진이 그렇듯이 신도(薪島)가 앞을 가로막고 있었다. 신도에는 수군 진이 있었으며 수군 첨사는 사위포(沙爲浦)의 미곶(彌串)에 머물렀다. 그들의 배가 병선 일곱 척에 전선 한 척이요 군사는 삼백오십 명쯤이었다. 신도진의 수군들은 연안 기찰선인 병선으로 대총강 어귀와 신도 서북방의 발해로 오르는 물길을 지키고 있었다. 마안도는 신도에서 십 리 떨어진 무인도였는데 바닷새와 바위만이 있는 작은 섬이었다. 진의 병선 한 척이 대총강 어귀에서 신도까지 내왕하며 조선의 조운선들과 각종 어선들을 기찰하였는데, 모든 배들은 신도의 남동 방향으로 휘돌아 항해하게 되어 있었고 신도에서 건너편 양하구(楊下口) 쪽으로 넘어가면 월경 범금에 걸려서 벌을 받았다. 청국의 선박들도 신도와 마안도 사이의 통로를 드나들었으나 신도에 가까이 오면 진에서 신포를 터뜨려 경계하였다. 그러나 청국의 선박들은 비교적 내왕이 자유로운 편이었다. 그들은 마안도 앞에서 닻을 내리고 고기를 잡곤 하였으니 신도와 마안도가 압록강의 어귀여서 각종의 물고기가 모여들었던 것이다. 밴댕이 조기 넙치 새우 숭어 홍어 굴 바지락 낙지 민어 준치 오징어 상어 등속이 잡히는데, 특히 청인들은 오징어와 새우잡이에 골몰하였다. 오징어잡이나 새우잡이에는 조선 어민들도 뒤지지 않아서 늘 마안도 앞에서 청선과 뒤섞여 잡는 것이었다. 물론 마안도 인근은 양국 어선에 모두 금령이 내려져 있었으나, 그곳이 민물과 바닷물이 합치는 곳이요 어종도 풍부하여 고기잡이배들에게는 기찰선들이 대개 눈감아주던 것이다. 선주들도 이를 알아서 운량포에 나와 있는 수군 장교들에게 출어세 형식을 취한 인정을 바치던 것이다. 어떤 때에는 청의 수군들과 말썽도 일어났으니 조선 수군들이 아국의 어선을 보호한다며 마안도 인근에서 조업하는 청국 어선들을 쫓아냈고 청국의 수군들은 조선 배를 쫓았던 터이다. 따라서 마안도의 서북방 바다는 청국 배가, 남동방 바다는 조선 배가 드나들기로 합의를 보았다. 그러나 그것은 형식에 지나지 않아 바람이 불거나 일기가 나쁘다거나 고기 떼가 몰리면 그런 약속은 무시되었고 서로 허물없이 드나들며 마음대로 섞였다. 따라서 수군 진에서는 하는 수 없이 나가는 배들을 엄중히 수검하고 다시 포구로 돌아오면 수검하여 잠상을 막아보고자 하였다. 그러나 마안도로 가는 배만 있는 것도 아니었다. 각종의 조운선과 상선과 어선들이 의주를 바라고 모여들어 운량포에 들어왔다가는 신도를 지나쳐서 서한만으로 빠져나가는데, 서한만에는 큰 섬만 다계도 가도 대화도 신미도 삼차도 외장도 등이 있고 작은 섬들은 수백에 이르니 일일이 기찰할 수도 없었다.

우대용의 식구들에게는 대동강 어귀에서 의주의 운량포에 이르는 뱃길이야말로 가장 안전한 그들의 벌이구역인 셈이었다. 박성대와 물치는 정주 앞바다에서 신도진에 이르는 복잡한 섬과 섬 사이의 모든 통로며 조류며 물길을 자세히 알고 있었다. 용천계에만 섬이 서른이요, 철산계에는 열여덟, 선천계 즉 선사포 진의 구역에 신미도 같은 큰 섬을 비롯하여 서른넷이며, 정주 구역에는 아홉이고, 청천강 이북만 하여도 이렇듯이 아흔이 넘었다. 이들 사이로 박성대가 부리는 대용이네 용선(龍船)은 고기잡이배나 상선으로 위장하여 빠져다녔다. 그들은 아무 배나 대상으로 하는 것이 아니었다. 강화의 홍천수와 석범철로부터 경강 수로에서의 전갈이 오면 대동강 어귀의 마지산 앞에서 기다리던 용선이 해서의 경계까지 가서 급습하였고, 의주에서 박성대의 연락이 오면 청천강 이북에까지 배가 마중을 나가곤 하였다. 그들은 일 년에 대개 두세 번쯤 수적질을 하였으니, 대상은 지방의 봉물을 실은 토호나 권세가의 배였고 경강 선상(船商)과 대동강 선상의 배를 덮칠 때도 있었다. 이미 그 무렵의 평안 해서 관찰사의 장계에는 일 년에 한두 번씩 일어난 바다에서의 적환에 대하여 조정으로 알리는 내용이 나오고 있었다. 우대용의 수적 일당은 그 정체마저도 거의 드러나지 않았으니, 바다는 녹림과도 달라서 딱히 어느 곳이 굴혈이라고 알아낼 수도 없었고, 그들의 행적이 때와 상황에 따라 해서나 평안도나 경기도 등지로 달랐으며, 쉽게 해당 지역 수군 진의 관할 구역 밖으로 빠져나갔던 때문이었다. 그들은 직접 배를 습격하는 일이 끝나면 강화와 중화와 운량포의 바닷가 포구나 선창거리에서 여각 객점업을 하면서 다른 벌이에 종사하였다. 박성대는 주로 운량포에 나가 있었는데 어물여각을 벌여놓고 있었다. 우대용이 박대근의 권유에 따라서 운량포를 중심으로 잠상로를 트게 된 것은 일 년여에 지나지 않았다. 대용은 전에 강선흥으로부터 몽구미를 중심으로 하여 해서 인근에 청국 어선들이나 황당선과 더불어 잠상이 간간이 이루어진다는 것을 들은 적이 있었다. 그들은 운량포에서 거둬들인 연화(燕貨) 중에서 주로 약재와 박물 귀중품을 취급하여 경강을 통해 한양에 먹였다. 그리고 상선을 털어 얻는 장물들은 대근이나 파주 이경순네 주막 아니면 모신이네를 통하여 팔곤 하였다. 하여튼 우대용네는 명년 봄이 올 때까지 새로운 계획이 서 있질 않았던 것이다.

우대용과 학선이는 물치의 뒤를 따라서 포구로 들어갔다. 강물과 바닷물이 서로 드나들어 오히려 바닷가의 포구에 가까웠고, 장목에 말리는 생선들도 모두 비린 것들이었으며, 의주 성내의 객점거리와는 달리 갯것들과 군기에 소용되는 기치의 장식이며 군복 면직물 등속이며 비단 모자 함석과 같은 잡물들과 당약재들이 보였다. 이것들이 강을 따라서 흘러들어온 잠상의 물건들이건만 일단 가가에 넘겨진 뒤에는 단속이 되질 않아 버젓이 그 견본이 여각 마루에 널려진 채 타처의 화주를 기다리고 있었다. 일테면 운량포의 여각거리는 의주의 난전인 셈이었다. 그들이 한 여각 앞에 이르렀는데 입구에는 멍석 위에 건어물 등속이 더미로 쌓였고 말린 육포가 천장에 일렬로 매달려 있었으며 그물이 여봐란 듯이 마당 앞에 펼쳐져 있었다. 물치가 두리번거리는데 포구 쪽에 나가 섰던 박성대가 절뚝이면서 달려왔다.

"성님, 인제 오시우."

"그래, 갯것이 말 타고 오느라구 궁둥이에 새살이 돋을 지경이다."

"어서, 들어가 앉읍시다."

그들이 바깥채인 가가를 그대로 지나서 안마당으로 들어서니 그 안에 일렬로 봉놋방들이 붙어 있고 맞은편에 성대의 살림집이 있었다. 박성대의 아내 마포댁이 나와서 우대용에게 인사를 하였고 물치에게는 중화 식구들 얘기를 물었다. 들어가 앉자마자 우대용이 성대에게 학선이를 소개하였고, 성대도 얘기를 들어왔는지라 학선이와 초면이건만 별로 주저 없이 잠상 얘기로 들어갔다.

"어찌, 마안도에 들어갈 수 있겠나?"

"마안도에 들어가는 것쯤이야 하루에도 몇번씩 아무 때나 관계가 없습니다. 운량포 진별장은 우리에게 철철이 인정을 먹어서 아무 소리 못 하지요. 우리에게는 어선을 띄울 적마다 뱃전에 매다는 신기(信旗)도 있습지요. 무슨 물건을 얼마나 원하는가 하는 것만 알려주면 사흘 안으로 구해올 수가 있습니다."

"오늘도 나가나?"

"성님이 고기잡이 구경을 하신다면 오늘밤에 나가십시다."

"밤에만 나가는가?"

"예, 그것만은 어찌할 수가 없지요. 밤에는 기찰선에서도 어찌해볼 도리가 없거든요. 고기잡이배를 일일이 따라다니며 간섭할 수도 없으니 양하구 수로 앞에서 떠다니며 나가고 드는 배를 수검이나 하는 것이 고작입니다."

"요즈음 무슨 물건이 좋겠나?"

"당약재와 물소뿔이 기중 낫습니다."

하였더니 옆에서 듣고만 있던 학선이가 우대용이 일러주던 말을 잊지 않고서 물정을 잘 아는 듯이 말하였다.

"물소뿔과 녹용이 좋다더군."

"은자는 준비되었겠지요. 청상과 주고받는 것은 물물교환은 피차에 싫어합니다. 팔고 살 때에는 어느 쪽이나 은 외에는 받지 않습니다."

"천오백 냥이 있소이다."

학선이가 가져온 부담을 끄르고 뚜껑을 열어 보였다. 손가락만큼 한 길이의 인절미처럼 생긴 은편이 들어 있었다.

"이거면 됐습니다. 두령, 우리도 물소뿔을 들여올까요?"

"그러지, 한 이천 냥어치면 충분하겠군."

그들은 이어서 운량포에 나와 있던 대용이네 식구들의 인사를 받았다. 경강과 강화에서 우대용이 도사공 해먹던 시절부터 함께 일해왔던 사공들도 있었고 삼화로 옮긴 뒤에 새로 들어온 자들도 있었다. 이곳에는 용선은 없었으나 그 대신에 쌍돛을 올린 만장이와 야거리의 중선 두 척이 있었다. 사공은 박성대를 포함하여 모두 다섯 사람이었다. 용선은 삼화의 마지산 근거지 건너편에 있는 가도 선착장에 대어져 있었다. 일이 없을 때는 배를 끌어올리고 밑에다 통나무를 괴어놓고서 뱃바닥을 불로 그슬리고 송진과 마유를 발라두곤 하였다. 강화와 의주에서 그럴듯한 먹이가 지나간다는 기별이 전해오면 그들은 용선을 바다 위에 띄워놓고 기다렸다가 그 상선이나 조운선을 습격하였다. 박성대가 대두(隊頭)를 보는 삼금(三金)이란 자에게 일렀다.

"오늘 저녁에 마안도로 새우잡이를 나갈 것이니 준비를 해두어라."

"물건이 옵니까?"

"아니, 그냥 그물만 치고 온다."

"예, 그러면 야거리를 내겠습니다."

저녁에 우대용과 학선이 그리고 물치는 박성대를 따라서 선창으로 나갔다. 강바람이 싸늘하게 몰아치고 있었고, 진에서는 번의 교대가 이루어지는지 태평소와 북 소리가 들려왔다. 선창은 진병곶과 운량포 사이의 우묵하게 팬 만 안에 있었는데 바로 앞에는 박선섬이

가로막혀서 세찬 물결을 저절로 막아주고 있었다. 섬은 모래와 자갈로 이루어졌는데 수군의 배만이 정박하도록 되어 있었다. 선창에는 각종의 거룻배와 중선과 대선이 줄을 지어서 대어져 있었다. 박성대는 중선들 사이로 찾아가서 그들의 야거릿배에 올랐다. 삼금이가 먼저 와서 기다리고 앉았다가 고물 쪽으로 나왔다. 학선이를 제외하고는 모두가 비린내 맡고 잔뼈가 굵은 사람들이라 누가 이르지 않아도 각자 제자리를 찾아가 앉았다. 물길을 잘 아는 성대와 삼금이는 키와 돛대의 모릿줄이 있는 고물 쪽에 앉았고 우대용은 이물의 창막이 판자 위에 걸터앉았으며 학선이도 곁에 앉도록 하였고, 물치는 뱃머리의 덕판에 앉았다.

"자아, 나가볼까?"

성대가 뱃전에다 어망을 보라는 듯이 걸치면서 말하였고 물치는 시키지 않아도 덕판에 앉아 닻줄을 끌어올렸다. 삼금이가 삿대를 들고 곁에 있던 다른 배의 옆구리나 뱃머리를 찔러대니 그들의 야거리는 선창의 혼잡 속에서 빠져나왔다.

"신기를 올려라."

성대가 석판으로 나와서 물치의 앞쪽에 앉더니 키를 잡은 삼금이에게 일렀다. 삼금이는 모릿줄 옆에 달린 용총줄을 당겼고 도르래 돌아가는 소리가 끼꺽대면서 운량(運糧)이라는 글과 배의 숫자가 씌어진 황색 기가 돛대 위로 끌려올라갔다. 바람을 한껏 받은 야거리는 박선도 앞을 지나서 포구를 빠져나왔다. 주위에는 어둠이 내리고 강변마을에 불빛이 한 점 두 점 늘어나기 시작하였다. 삼금이는 한 손에 키를 잡고 다른 손에는 돛의 바람 방향을 조종하는 아딧줄을 잡고서 능숙하게 배를 몰았다. 대용이 창막이 판자에 앉아서 덕판 위의 박성대에게 말하였다.

"수군의 번선은 보이지 않는군."

"우리가 운랑포서 빠져나올 적에 이미 진병곳에서는 배의 신기를 보고 기록하여두었을 것입니다. 돌아가서 박선도에 대어놓고 수검을 받지 않으면 범금을 저지른 것으로 알게 되지요."

강폭은 차츰 넓어졌고 물살도 빠르고 물결이 거칠어졌다. 배는 끊임없이 앞뒤로 춤을 추면서 나아갔다.

"이제 나아갔다가 밀물때를 타고 흘러들어야 합니다."

뒤에서 배를 모는 삼금이가 일러주었다.

"양하(良下)여울이 가깝습니다. 모두 내려앉으시우."

건너편 청국 땅의 연안 지명이 양구인데 그 맞은편인 이쪽에 도랑강(都浪江)이 크게 입을 벌린 대총강의 어귀와 만나고 있었다. 양하의 소용돌이와 거센 물살은 뱃사람들 사이에서 임진 수로보다 더욱 위험하다고 알려져 있었다. 배가 도랑강의 입구인 양하 언덕에서 흘러나오는 지류와 압록강의 본류가 합쳐서 소용돌이를 치는 지점에 이르자 가랑잎처럼 흔들리면서 대번에 청국 연안 쪽을 향하여 미끄러져나갔다. 삼금이는 키를 틀면서 아딧줄을 왼쪽으로 팽팽히 당겼다. 배는 미끄러져나갔다가 서서히 우회하여 강심을 벗어나 조선 쪽 연안으로 가까워졌다. 바로 앞에 작은 바위섬이 보였고 그 뒤로 여섯의 산봉우리가 울타리처럼 막아서고 있는 것이 보였다. 성대가 말하였다.

"저 앞의 바위섬이 토끼섬[卯島]이고 그 뒤가 섶섬[薪島]입니다. 토끼바위가 보이지요? 저어기 두 귀처럼 쫑긋 올라왔지요. 저 바위에 수많은 배들이 부딪쳐서 깨어졌습니다."

학선이는 야거리가 물결에 비하여 너무 같잖았고 이렇듯 거칠게 흔들리니 자칫하면 뒤집힐까 겁을 먹고는 두 손으로 창막이 판자와 뱃전을 꽉 틀어쥐고 있었다. 그는 침을 꿀꺽 삼키고 나서 성대에게 물었다.

"오른쪽의 강심으로 나가서 섶섬을 돌아서 남행하면 될 터인데 어찌 이런 까다로운 물길을 타시우?"

"섶섬에는 신도진(薪島鎭)이 있습니다. 수군 병선 한 척과 사후선(伺候船) 네 척이 있습니다. 조선 배는 저기 미륵산과 토끼바위 사이의 물굽으로 빠져나가지 않으면 월경 범금에 걸립니다. 이제 보시면 알게 되지요. 섶섬 뱃머리에 번 드는 수군 사후선이 기다리고 있을 겁니다."

성대가 말하였고 뒷전에서 배를 몰던 삼금이가 외쳤다.

"신기 대신에 이제는 신등(信燈)을 달아야겠습니다."

이미 날이 어두워 바다는 거무죽죽하였고 봉우리는 새까만데 그 뒤편 하늘만이 아직도 불그레하였다.

"그래, 잊을 뻔하였구나. 번선 놈들이 어찌나 까탈이 심한지⋯⋯"

박성대는 덕판의 매 아래서 수박등을 꺼내어 초에 불을 댕겼다. 수박등에도 역시 배의 호수가 적혀 있었다. 그는 등을 돛대의 용총줄에다 나직하게 매달았으며 바람에 불린 수박등이 좌우로 흔들거렸다. 앞쪽에서 불빛이 까물거리는 것이 보이기 시작했고 삼금이가 투덜거렸다.

"사후선 앞에 배를 대야겠습니다. 준비들 하시우."

그러나 성대는 대용에게 말하였다.

"오늘은 구경 나가는 길이라 별반 문제가 없습니다."

대용과 학선이는 바지저고리에 털배자와 떨어진 누비 배자를 받쳐 입었고 머리에는 맨두건 바람이었다. 그들은 그물을 뱃전에 걸쳐두고 어부 시늉을 할 참이었다. 물치는 뒷전으로 물러나오고 박성대가 앞으로 나갔다. 그들이 가까이 가니 사후선이 저어나오면서 소라를 불었다. 그들은 돛을 내리고 기다렸다. 배는 천천히 흘러내려가고 있었다. 사후선에는 키잡이가 하나요 노꾼이 네 명인데 모두 수군 군졸들이었고 장교가 앞에 타고 있었다. 그들은 사방등으로 배를 비춰보고 있었다. 덕판에 앉았던 성대가 웃으면서 아는 체를 하였다.

"새우잡이 나갑니다."

"선원이 몇인가?"

"예, 보시는 대루 다섯이올시다."

"또 마안도로 나가는군."

"그렇지요. 거기밖에 어디 새우잡이할 데가 있습니까?"

사후선은 야거리 옆에 바짝 대어졌고 군졸들은 창막이 판자를 들춰 보고 고물간과 이물간의 고기 넣는 칸도 샅샅이 조사하였다. 이것은 피차에 무엇 하러 마안도로 나가는지 모두 짐작하는 짓이라서 서로 부드럽기가 마치 이웃 마실꾼들이 만난 양이었다. 박성대는 웃으면서 말하였다.

"오늘은 그물만 치러 가는 것이니 만선이 되어 올 제 술 한잔 내리다."

"새로들 왔나?"

"예, 어염상들이지요. 이번에 새우와 오징어를 몰이해 간답니다."

"좋아, 나가게."

장교가 지시하였고 삼금이는 용총줄을 당겨 돛을 다시 올렸다. 사후선은 노를 저어서 수직소로 되돌아갔다. 박성대의 야거릿배는 재빨리 수로를 빠져 섶섬의 왼쪽 산허리를 따라서 돌았다. 섬을 돌아가니 그 뒤에 진영과 마을의 불빛들이 보였다. 그들은 신등을 달고

서 섬을 지나서 서북방으로 나아갔다. 바다 위의 곳곳에 어선의 수박등이 보이기 시작하였다. 그들은 어둠속에서 마안도의 거뭇한 바위를 알아볼 수가 있었다. 마안도는 남서향으로 길게 뻗었는데 그 가운데에 손의 아귀처럼 생긴 좁은 만이 있었고 한 스무 평쯤의 모래사장도 있었다. 다만 그 아귀 속으로 들어가려면 거센 물결과 암초 때문에 배가 깨지는 것은 고사하고 사람이 헤엄을 칠 수가 없다. 그런 이야기를 성대가 해주니 우대용이 말하였다.

"그러면 마안도 앞에서 그냥 배끼리 만나서 서로 주고받게 되는가?"

"대개는 그렇게 합니다마는 큰물 때에는 만 안으로 들어갈 수가 있습니다. 첫번 암초 위에 장목을 박아두었는데 거기서부터 바를 매어 해안의 모래사장에다 닻을 깊숙이 박아두었지요. 줄을 잡고 따라 들어가면 아무리 캄캄한 밤에도 감쪽같이 댈 수가 있습니다."

"사후선이 오면 어쩌나?"

"그러니까 다른 배가 망을 보게 됩니다. 신도 어름만 벗어나면 슬슬 섬에서 나오더라도 늦지 않거든요. 이번에는 삼천 냥이 넘는 장사이니 아무래도 배를 대어놓고 물건을 받아야겠습니다. 청국놈들도 그걸 좋아하지요. 우리도 물소뿔인가 아닌가 일일이 물건을 살펴야겠구요."

그들은 마안도 앞에 이르렀고 고깃배들이 이리저리 흩어져 있는 것이 보였다.

"저쪽에 청선들이 모여 있수."

삼금이가 섬의 모퉁이 쪽을 가리켰고 야거리를 그쪽으로 몰아갔다. 그들은 돛을 내리고 물 위에 떠서 출렁대며 기다렸고 박성대가 수박등을 끌러서 들고는 뱃전에 서서 좌우로 여러 번 흔들어 보였다. 몇번 신호를 보내자마자 저쪽에서 한 배의 불빛이 좌우로 재빨리 오락가락하더니 천천히 다가왔다. 배가 가까이 오자 변발을 한 청인의 모습이 보였고 성대가 짤막하게 만주어로 부르짖었다. 그들은 서로 몇마디 더 하고 나서 헤어졌다. 삼금이가 말했다.

"물소뿔 삼천오백 냥어치를 준비해달라고 했습니다."

우대용이 물었다.

"날짜를 받았나?"

"예, 여기서는 보통 육로를 따져서 봉황성 왕래의 길을 사흘로 칩니다. 넉넉잡고 닷새 말미를 주었습니다. 닷새 뒤에 이곳에서 은자를 건네고 물건을 받으면 되지요."

그리고 나서 성대와 삼금이는 그물을 펴서 물에 던지기 시작하였다. 대용이 말하였다.

"아니…… 정말로 새우잡이를 하려는가."

"잡아가야 수검할 때 의심을 받지 않지요. 일단 배를 떠우고 마안도로 나오면 무엇이든 잡아서 싣고 가야 합니다. 물건을 살 적에는 저희 쌍돛 올린 만장이도 끌고 나오지요. 만장이는 물건을 싣고 야거리는 고기를 잡아서 나누어 싣거든요."

"빈틈이 없군 그래."

"이것으루 아이들 술값이라두 버는 게지요."

물치와 우대용도 익숙한 솜씨로 그물을 내려뜨렸으나 학선이는 도무지 바닷바람이 차고 끈끈하였고 끝없이 출렁이니 멀미가 나고 말았다. 성대가 그런 눈치를 다 알아차리고 학선이와 대용에게 말하였다.

"돌아가는 배를 태워드릴 것이니 먼저 돌아가 쉬십시오. 우리는 새우를 잡고 새벽에 들어가겠습니다."

삼금이 그물을 떨구면서 배를 돌리다가 근처의 배에다 대고 외쳤다.

"어이, 포구 들어가는 배 없나?"

"예 있네. 이 배가 돌아간다네."

하는 어선이 있어서 그들은 가까이 대었고 우대용과 이학선은 그 배로 옮겨탔다. 배는 이미 만선이었다. 오후부터 나와서 귀항이 늦은 배였다. 민어와 준치가 선복에 하나 가득이었다. 그들은 다시 섶섬을 돌아서 토끼바위를 지나 양하구 물길을 거슬러 박선도에 대었다. 박선도의 수직 수군들이 기다리고 있다가 배를 샅샅이 수검하고 나서 운량포로 들여보냈다. 대용과 학선이는 운량포에서 멍청하니 너른 강물이나 건너다보면서 닷새를 보낼 수는 없어서 이튿날 의주 성내로 돌아가기로 하였다.

그들은 다음날 중화를 들고 나서 밀물때를 타고 오르는 거룻배에 올라탔다. 밀물을 타면 의주는 지척이라 박선도를 지나고 원남(元楠) 추목(秋木) 다지(多智) 신(新) 마(麻) 오몰정(烏沒亭) 검동(黔同) 등의 섬과 연안 사이에 긴 샛강이 조선 측의 물길이었다. 오몰정과 마(麻)섬 앞에 있는 것이 위화도(威化島)요 검동과 난자(蘭子)섬 사이가 중강(中江)이니, 의주성의 구룡연나루에서 샛강을 건너 검동성을 지나 다시 중강을 건너고 난자도를 지나면 삼강(三江)이 나오니 곧 이곳이 구련성(九連城) 가는 사행길이었다.

두어 식경 만에 당도하여 의주 성내 객점거리 송방으로 찾아들어 가니 박대근은 푸석푸석한 얼굴로 막 잠이 깨어 일어났고 행수 최윤덕은 우거짓국을 마시며 툇마루에 앉아 있었다. 객점주 안서방과 송방주 임서방이 실실 웃었다.

"어제 두 분이 의주 호방을 내 사람 만든다고 색주가에 가서서 진을 뽑고 왔답니다."

"어이구 성님, 아주 안색이 낮에 난 도깨비 상이우. 어쩌다가 그리 되셨수."

학선이가 대근의 몰골을 보고 농을 던지니 대근은 신트림만 꺽꺽하면서 마당 건너 안서방에게 말하였다.

"나박침채 국물이 있거든 한 사발 갖다주게. 허, 의주의 화주가 이렇게 센 줄 몰랐는걸."

안서방이 대접을 들이밀며 말하였다.

"기장으로 빚은 술입지요. 거기다가 오미자를 넣었으니 들어갈 제는 남대문이요 깰 제는 수구문이올시다."

"그런 줄도 모르고 덥석덥석 받아서 윤덕이하구 나하구 도맡아 마셨으니…… 그저 평양의 계당주로만 알았거든."

"오늘은 글렀구먼요. 아침부터 벽동 신거복이가 길채비를 한다고 서성거리더니 아예 손 놓고 성내루 나갔습니다."

안서방이 일러주었다. 대근은 대용과 학선에게 물었다.

"그래, 자네들 운량포 나가서 재미 보았던가?"

"새우만 실컷 삶아먹구 왔수."

학선이 시큰둥하니 말하였고 대용이 덧붙였다.

"잠상을 쉽게 보았더니 제법 까다롭던데. 하여간 해로에서는 많이 해내지는 못하겠습디다. 다람쥐 알밤 나르듯이 바삐 드나들며 물어 날라야 연화를 조금 쌓아두겠습니다. 물소뿔을 닷새 후에 넘겨받기루 약조가 되었수."

"우두령네 식구들은 마안도에서 박물이나 약재 거래만 하오. 이제 벽동서 새 길을 트게 되면 규모가 큰 잠무역을 해낼 수 있을 테니까."

대용이 대근에게 물었다.

"그래 호방이란 자가 뭐랍디까. 성님 말씀을 들어줄 만합디까?"

"일이 잘되었소. 호방은 매 철철이로 책문에 드나드는데 청상들 중에 아는 자도 많고 관향고와 운향고의 대부은도 관장하고 있습디다. 물론 목사와 관찰사의 간섭을 받지마는 평안감영의 비장들에 비길 자리가 아니오. 강호방은 대를 물린 자리라서 워낙에 압록강 일대의 만상들에 관하여 모르는 것이 없고 봉황성의 청국 관리들과도 자별하다오. 나는 그저 환전이나 대부의 편의 정도나 볼까 하여 그를 만났던 것인데 의외로 큰 봉을 물었구려."

"무슨 좋은 의논이 있었수?"

학선이 반색을 하며 다가앉자, 대근은 그에게 말하였다.

"참, 자네가 있었으면 훨씬 쉽게 말문이 틀 것인데, 그만 과묵한 최행수와, 체면도 차리고 조심도 해야 하는 임방 좌장인 나뿐이라 애꿎게 술만 잔뜩 마시게 되었지. 나는 그 사람에게 다른 얘기는 않고 그저 인삼의 금령이 임시방편에 지나지 않는다고 얘기를 꺼냈네. 인삼이 사행이나 무역에 해로워서 금한 것이 아니라 워낙에 채삼의 물량이 한정되어서 거래를 금한 것이 아니냐 그랬다네. 강호방은 실눈을 뜨고서 내게 묻더군. 하오면 좌장께서는 채삼의 모자라는 수량을 훨씬 넘을 만큼 삼을 확보할 재간이 있으십니까. 그래서 나는 짐짓 웃으면서 말을 피하여, 앞으로 십 년 동안 지금까지의 거래삼의 수십 배에 달하는 인삼을 댈 자신이 있다구만 말했지. 그리구 덧붙여서 삼남의 대산맥에서 수만 평의 삼밭을 찾아냈노라 하였더니 호방은 믿질 않더구먼. 그래 내가 믿든지 안 믿든지 그것은 강호방의 마음이고, 오늘은 내가 송도 임방의 좌장으로서 오랜만에 사행 무역에 직접 나오게 되어, 용만의 전주(錢主)를 사귀고자 하는 자리이니 더이상 패념치 말라고 슬쩍 말을 돌렸지. 이 자가 안달이 나더구먼. 그자의 말로는 지금 인삼의 기근으로 청국에서는 청상들이 사람을 사서 조선 복색을 입히고 조선인 길잡이를 사서 월경, 채삼까지 한다는 얘기요. 만약에 우리가 삼을 내면 심양성의 모든 물화를 끌어모을 수가 있다는 게지. 그제서야 내가 한 가지 제안을 했소. 우리 상단은 차대은이나 환전의 편의를 보고자 호방과 사귀려는 것이 아니라, 송도 사람은 한식구가 되기만 하면 믿음이 지켜지는 한 죽게 되더라도 그 자손의 자손까지 관계를 끊지 않고 서로 돕는다. 그러니 우리 행수와 나와 호방이 형제지의를 맺어서 서로 이와 입술처럼 교우가 결의된다면 당신을 다른 만상이 따라올 수 없는 큰 부고로 만들어주겠다 하였지. 그자는 당장에 연비라도 할 듯이 흥분하여 팔을 부르걷고 덤비더군. 나는 윤덕이와 미리 의논한 바가 있어서 윤덕이에게 술을 따르라고 잔을 내밀었고, 윤덕이가 인삼 한 뿌리를 내어보여주더구먼."

"좌우지간 어떤 약조를 얻어냈느냐 그것만 말하시우. 이거 원 술자리 자랑으로 하루를 보낼 거요?"

학선이가 조바심을 치다 못해 불쑥 대근의 얘기를 잘랐고, 박대근은 웃었다.

"하시라도 우리가 원하면 얼마든지 은을 내어주되 국내 소용으로는 의주 운향고 어음을 쓰게 하도록 도와주겠다는 것이 첫째일세. 그리고 그 다음은 책문에 나와 있는 봉황성의 소소한 상고들이 아니라 심양의 대상들과 연줄을 대어주겠다는 것이고, 그리고 무엇보다도 우리 쇠돈을 가져오면 그것과 따져서 은자로 바꿔주겠다는 얘길세. 그뿐만 아니라 그에게서 평안감영의 여러가지 시책들이나 의주목 안의 일들을 샅샅이 얻어들을 수가 있지. 우리는 그 대신에 이윤을 나누어주고 그가 원한다면 여기서 백사나 녹각 같은 물품을 들여다가 동래로 내려보내어 거래하고 그의 이윤을 불려줄 수가 있겠지. 그래서 우리는 호형호제하며 간밤을 꼬박 새웠네. 다른 일보다도 심양의 대상과 연결되는 일은 큰 수확이고, 그 다음에 쇠돈을 은자와 환전할 수 있다는 것은 대단히 유리한 일일세. 지금 곡산 수안에서는 은이 조금 나오고 사금이 나오지만 역시 그렇게 많은 양은 아니며 쇠는 끝없이 나오게 되어 있네. 장두령네 식구들이 농기구와 솥이며 기명 따위를 북관으로 가져다 야인들에게 넘긴다지만 만약에 함석(含錫)과 섞어서 동철(銅鐵)을 내어 돈을 주조(鑄造)할 수 있게 되면 조선의 상권을 쥐고 흔들 수가 있지. 그 돈을 의주에 와서 은자로 환전하여 동래로 보낼 무역품을 사들인다면 말일세."

"사전(私錢)은 참수형을 당하는 큰 죄가 아니우?"

학선이 눈을 크게 뜨고 외우니, 대용이 콧방귀를 팽하니 날렸다.

"흥, 당상관 사칭은 관문 참수가 아닌가?"

잠시 이러쿵저러쿵 농이 오가는 참인데 안서방이 웬 떠꺼머리 하나를 데리고 왔다.

"강호방네서 하인이 왔습니다."

"예, 저희 상전께서 대인어른을 모시고 저녁을 드시겠다며 여쭙고 오라 하셨습니다."

"아주 분주하구려. 이러다간 돈 갖고 두억시니(痘疫神)를 부리겠수."

학선이가 이죽거렸고 대근은 술 먹을 걱정이 들었는지 미간을 잔뜩 찌푸렸다.

"그래, 좋은 말이다마는 내가 내일 식전부터 어디 원행할 데가 있어서 오늘은 안 되겠다. 너희 주인에게 아뢰고 내가 다녀와서 행수를 보내마고 전하여라."

"분부대로 하오리다."

하인이 물러간 뒤에 대근은 학선에게 말하였다.

"여보게, 자네는 벼슬아치를 속이는 데에는 재간이 있건마는, 어찌해서 자비령의 장두령처럼 아랫사람의 마음을 얻지 못하는가 생각해본 적이 있나?"

"나두 송도 가면 아우들이 많수."

"까짓 대처 소악패나 투전꾼들 말이냐. 우리 사또 학선이는 믿음성이 없어 탈이다. 봐라, 아무리 자기 아름에 들지 않을 사람이라도 진정으로 안아주려 마음을 먹으면 자기 사람이 되는 게야. 강호방을 나는 한번 보고 일단은 이득으로 꾀어들인 격이지만, 정말 내 아우를 만들겠다. 그렇지 않으면 아무리 어리석은 사람일지라도 곧 눈치를 알게 되는 게야."

대근의 엄숙한 말에 학선이는 표정을 고치고 답하였다.

"성님 말씀이 맞소. 제가 속은 그렇지 않으나 좀 야박한 데가 있지요. 성님 이르시는 대로 하리다."

하고는 그는 머뭇거리다가 말을 이었다.

"제가 여기 눌러앉아 길산이네 북방 행수 노릇을 하겠노라던 것은 헛말이 아니올시다. 이번에 여러가지로 생각하였지요. 송도서는 아무래두 제가 파락호로 내논 형편인지라, 더 눌러 살기가 싫수."

벽동의 신거복과 불암골에 다녀오기로 하여 박대근과 최윤덕, 그리고 학선이까지 변경을 돌아보는 데 빠질 수가 없다 하여 뒤를 따라나서서, 그들은 말을 타고 순의(順義)역에서 수구진보(水口鎭堡)를 향하여 동북으로 빠져나갔다. 말하자면 압록강의 흐름을 거슬러 강변을 따라서 올라가는 셈이었다. 학선은 이미 마음을 굳히고 있었으니, 이번 기회에 믿을 만한 아이들을 데리고 아예 송도를 떠나려는 생각이었다. 그는 대근과 길산이 사이에 의논만 정해진다면 윤덕과 함께 북변에 남아 길산네의 상단 행수 노릇을 해볼 작정이었다.

철은 입동(立冬)이라 주위는 아직도 컴컴한데 서리 앉은 흙덩이가 말굽 아래서 부석부석하며 내려앉았다. 옥강(玉江)진보를 지날 즈음하여 해가 멀리 강 건너편 만주 벌판 가운데서 둥그렇게 떠올랐고, 강물은 붉게 물들었다. 청수(靑水)까지가 의주에서는 백 리 길이었는데 가는 데마다 계곡과 개천이요 보이느니 첩첩 산이었다. 아래로는 강을 따라서 강남산맥이 연이어 달리는데 산 너머 또 그 너머로 삐죽삐죽한 연봉이 줄을 달고 서 있었다. 청수에서 중화를 들고 다시 창성(昌成)을 급히 지나쳐 오십여 리 더 가서야 벽동 군계에 들어섰다. 날씨는 낮은 구름이 깔려 을씨년스러운데 해는 벌써 자취를 감추었고, 전나무와 소나무 향나무의 빽빽한 숲 사이로 불며 지나가는 바람소리가 주위에 가득 차 있었다. 실호령(失號嶺)을 넘고 큰 재를 넘으니 이미 캄캄한 밤이었다. 사방에서 늑대의 울음소리가 들렸고 밤이 되면 말들도 더이상 행진하려 하지 않았다. 신거복이 길잡이로 섰다. 싸리묶음을 내주어 앞뒤로 불을 밝히고 일행은 달각산(達覺山) 줄기를 넘어섰다.

"저쪽 강변에 벽단진이 있습니다. 불암골은 바로 이 너머올시다."

신거복이 말하여 돌아보니 한 시오 리 되는 곳에 작은 불빛의 점들이 내다보였다. 바람소리만 들릴 뿐 인기척은 물론이요 인가도 없는 듯하였다. 그들이 달각산의 산줄기를 타고 넘을 때는 말에서 내려 관목숲 사이로 뚫린 오솔길을 따라 걸어올라갔다. 이윽고 기다란 골짜기와 시냇물 소리가 들리는데 저 아래편 어둠속에 불빛이 반짝이는 것이 보였다.

"우리 동네지요. 고생들 하셨습니다."

사람도 말도 지친데다 저녁도 아직 먹지를 못하여 모두들 신거복의 그 말에 일시에 기운이 빠져 주저앉을 것만 같았다. 그들은 가파른 비탈길을 내려갔고 이어서 짙은 전나무의 숲속으로 들어갔다. 불빛에 일렁이는 주위로는 모두 어른 서넛이 팔을 둘러야 닿을 만한 둥치의 나무들이 빽빽이 늘어서 있었다. 그들은 신거복이 만일 자취를 감춘다면 한 발짝도 떼놓을 수가 없을 것이라 생각하였다. 양쪽으로는 야산이건만 산줄기와 골짜기의 갈래가 대처의 전 골목같이 이리저리 뻗어나갔고, 또한 하늘을 볼 수 없을 정도의 거목들의 숲이라 가히 북방의 산맥이 깊고 웅장한 것을 알 만하였다.

"조금만 들어서면 이 지경이니…… 북변은 모두 녹림당의 산채감이로군."

박대근이 감탄하여 말하였다. 신거복은 익숙하게 말을 끌고 앞으로 나아갔다. 대근과 윤덕이 학선이는 오히려 고삐에 끌려가는 형국이 되었다. 드디어 통나무 셋을 엮은 다리가 나왔고, 계곡의 건너편에 제법 너른 터와 집들의 형체가 어둠 가운데 보였다. 거복의 말대로 십여 호의 집들이 옹기종기 모여앉았는데 벽은 통나무 귀틀집이요 지붕은 너와였다.

"여보게들, 내 왔네!"

거복이 질그릇 깨어지는 듯한 목소리로 외쳤다. 길 위로 하나둘씩 희끗희끗 사람들이 나타났고, 그는 가운데 있는 집 앞에 가서 세 사람에게 말하였다.

"여기가 제 집이올시다. 오늘 고생 많으셨소이다."

대근네 일행은 그 말에 맥이 죽 빠지고 어디든 들어가서 네 활개를 펴고 뺄을 심사가 되었다. 마당이 따로 없고 울도 없고 대문도 없으니 바로 한 걸음 앞이 방문이었다. 아낙네가 나와 섰다가 얼른 내외를 하며 부엌에 들어가 관솔에 불을 붙여서 거복에게 내주었고 그는 거적이 깔린 방에다 손을 대보았다.

"허, 절절 끓는군. 어서 들어가십시다."

그들이 들어가 앉고 나서 부엌에서는 새로 밥을 짓는지 나뭇가지 꺾는 소리와 연기 냄새가 전해왔다. 학선이 말하였다.

"어이구, 나는 밥두 싫구 논의도 귀찮소. 눈두덩이 시방 천 근이우."

대근과 윤덕도 아랫목에 등을 지지고 드러누웠다. 거복은 슬그머니 나가더니 건넌방에서 동네 사람들과 그간의 얘기를 나누는 모양이었다. 세 사람은 온몸이 녹적지근하고 끝없이 아래로 떨어지는 것 같더니 그대로 코를 드높게 골며 잠들어버렸다. 신거복이 박대근을 흔들고 최윤덕을 깨우는데 일어나 보니 밥상이 들어와 있었다. 밥은 수수와 기장을 섞은 것인데 찬은 또한 별미였다. 버섯과 산나물에다 멧돼지고기가 올라 있었다. 대근이 학선이를 흔들며 깨웠으나 일어나지 않았다. 그들은 수저를 잡자마자 정신없이 먹기 시작하였다.

"야, 이거 고을 수령이 부럽지 않겠구먼."

"덫에 걸린 놈입니다. 여기서야 육것이 떨어질 때가 없지요. 하지만 일 나갈 제는 절대로 입에 대질 않습니다."

쩝쩝대고 훌쩍이는 소리가 요란해지자 학선이 눈을 뜨더니 슬그머니 밥상머리에 다가앉았다.

그들은 초저녁부터 잤는지라 이튿날에는 윤덕을 선두로 새벽녘부터 깨어 일어났다. 거복은 건넌방에서 그의 가족들과 같이 잤는데 기척을 듣고는 곧 일어나 툇마루로 나왔다. 초겨울 마을 근처에는 오리나무와 박달나무 자작나무 떡갈나무의 거목들이 가지만 남아 삐죽삐죽 둘러서 있었고 안개 낀 달각산과 실호령 줄기에는 소나무와 전나무 잣나무 등속이 빽빽이 서 있었다. 아직 얼어붙지 않은 계곡의 물이 요란한 소리로 바위틈을 흘러내려갔다. 그들이 통나무 다리께에까지 나아가 바라보니 계곡이 끝없이 계속되고 있었다.

"여기서 저 입구까지 얼마나 되나?"

대근이 물으니 거복이 말하였다.

"예, 여기서 첫 번째 굽이까지 가는 데도 삼십 리를 내려가야 하고, 거기서 휘어져 두 번째 굽이까지 다시 사십여 리요, 세 번째 굽이에서 되돌아 압록강까지 또한 사십여 리올시다. 실로 백 리가 넘는 계곡입니다."

"대단하군."

"이건 아무것두 아니올시다. 벽동 군내에만도 백 리가 훨씬 넘는 내가 여럿인데 그중에 성창천(城倉川)은 백오십 리요 학천(鶴川)은 백삼십 리입니다. 초산 위원 강계에는 이백여 리나 되는 내와 하천이 많습니다. 낭림산맥을 지나면 온통 높은 산과 무인지경의 골짜기와 수백 갈래의 강과 시내입니다."

그들은 거복의 말이 아니더라도 벌써부터 북변의 산세와 수림의 규모에 놀라고 있었다. 그들의 눈앞에는 아득한 계곡의 저편 굽이는 보이지도 않았고 양쪽에는 물결처럼 오르락내리락 흐르는 연봉들이 오른쪽에 네 군데 왼쪽에 세 군데 보였다. 그 하나하나가 모두 자비령만 해 보였던 것이다.

"여기야 산두 아닙지요. 가릉령 아득령을 넘어가야 산다운 산이 나옵니다."

"벽단이 어디인가?"

"어제 우리가 왔던 길을 되밟아 달각산 줄기를 넘으면 바로 그 아래입니다. 여기서 북으로 삼십 리입니다."

"가깝구먼…… 해천(蟹川)은 어디인가?"

"실호령이 벽동과 창성의 군계를 이루고 있습니다. 실호령과 큰 재 사이에 한 시오 리 되는 개천과 뻘밭이 있는데 그곳을 게내라고 하고 압록강의 강폭도 좁습니다. 바로 저 서쪽 등성이 너머에 있습지요. 강을 건너 십여 리 가서 청인 마을이 나옵니다. 벽동서는 우리 마을이 관아와 군영에서 가장 멀고 후미진 곳이며, 해천동과는 가장 가까운 데 있는 셈이지요."

"참으로 요지에 터를 잡았군. 헌데 이 마을에 우리네 집도 한 채 마련을 해준다더니 어떻게 주선이 되었는가?"

"주선이고 뭣이고 없습니다. 이제 할 일도 없고 노는 손도 많으니 좌장께서 어디라고 짚기만 하시면 당장에 귀틀집을 지어 올리지요."

"그런데 자네들 농사는 어디다 지어 먹나?"

대근이 물으니 거북은 빙그레 웃었다.

"아까 말씀 올렸지요. 이 계곡이 백 리가 넘습니다. 아무 데나 나무를 베어넘기고 불을 질러 화전갈이를 합니다. 저희 열 집 농사로는 조금만 지어도 두어 해의 양식이 됩지요. 땅은 기름지고 물도 풍족합니다. 관차도 이곳엔 오지 않습니다."

"헌데 채삼꾼이 자네들뿐인가?"

"웬걸요, 이쪽 강남산맥 일대와 낭림산맥 묘향산 일대에 대를 지어 삽니다. 거개가 화전민입지요. 강계가 삼으로 소문이 낭자해진 것은 오래 전부터 그곳에 관의 채삼 수집소가 있었기 때문이지요. 저희 고장에서는 강계에도 가지만 의주로 내는 것이 훨씬 편하지요."

대근은 윤덕에게 가만히 말하였다.

"이 골에다 삼포를 지으면 되겠구나. 어떠냐, 네가 보기에 삼이 나겠느냐?"

"이 이상 좋은 데는 따로이 찾지 못할 것입니다. 강계로 구태여 들어갈 필요가 없겠습니다. 여기에 사또 성님 계시라 하고 저는 의주 송방과 벽동 간을 내왕하면 편리할 듯합니다."

대근이 다시 학선에게 물었다.

"어떤가? 이곳에다 우리 거처를 지으면, 자네 여기서 배길 만하겠나?"

"글쎄요, 의주라면 몰라도…… 아니면 강계에다 송도의 저희 식구를 이사시켜주실 테요? 그러신다면 아주 여기서 새로 살 자신이 있수."

"그래…… 명년 겨울 전에 윤덕이와 자네 식구를 의주와 강계로 옮기도록 해야겠네."

그들은 아침을 먹고 나서 마을 사람들과 의논하여 집터를 정하였고 신거복을 따라서 게내를 살피러 나갔다. 게내에서 모래톱이 형성되어 압록강은 폭이 좁아져 있었고 물살도 약하고 깊지 않은 듯 보였다. 또한 그곳에는 작은재 봉수대가 있을 뿐 군사는커녕 인가도 없었다. 얼어붙기만 하면 언제든지 수시로 월경을 할 수가 있었다.

"이쪽에 밧줄을 매고 떼를 타고 건너다가 줄을 당기며 되돌아오기도 합니다."

거복이 말했고 대근은 고개를 저었다.

"아닐세, 잠상은 되도록 월경 포착이 되지 않아야 오래가는 법일세. 얼음이 얼어붙는 한겨울 동안에 부지런히 나다녀도 일 년 거래량은 충분히 채우게 될 게야."

그들은 벽동 군계인 실호령서 신거복과 작별하고 창주보에 당도하여 상류에서 내려오는 뗏목에 올라탔다. 기다란 통나무가 줄줄이 엮어진 위에는 집이 지어졌고 솥과 노구도 있었다. 강의 양안으로는 끝없는 땅과 겹겹의 산줄기가 계속해서 따라왔다.

마침내 사행날이 돌아왔다. 이학선과 우대용은 운량포로 나가 있었고 워낙에 사행에 끼우는 인원이 제한되어 있어서 차인들도 반으로 줄였다. 박대근 최윤덕 그리고 의주 출신인 안서방과 차인 열둘 중에 다섯을 넣으니 모두 여덟 사람이었다. 말은 스무 마리가 넘었으나 세 마리에 타고 다섯에 짐을 실으니 나머지 십여 필은 여마(餘馬)의 소용이 될 것이었다.

사행의 관원은 대략 삼십여 명에 이르렀으니 정사(正使), 부사(副使), 서장관(書狀官), 당상관(堂上官) 둘, 상통사(上通使) 둘, 질문종사관(質問從事官) 압물종사관(押物從事官) 여덟, 압폐종사관(押幣從事官) 셋, 압미종사관(押米從事官) 둘, 청학신체아(靑學新遞兒), 의원(醫員), 사자관(寫字官), 화원(畵員), 군관(軍官) 일곱, 별차(別差), 만상군관(灣上軍官) 둘 등이었다. 그런데 정부사에 따라붙는 각종 하인 마부 등속이 스물 이상이라 합하여 마흔이며 서장관에는 여덟이 붙으며, 당상역관에서 상통사와 종사관 만상군관들에 이르면 열다섯이니, 모두 육십여 명에 이르는 셈이었다. 또한 송상과 만상이 다섯 부처의 무역별장(貿易別將) 직임을 차지하였으니, 그 아래 마부 하인 곁꾼 차인 등이 수십 인이었다.

여하튼 배가 떠날 구룡정(九龍亭) 앞에서 방물의 수검(搜檢)과 인마(人馬)의 점열(點閱)이 시작되었는데, 서장관과 평안도 도사 의주부윤이 입회하였다. 각종 말의 장식이며 안장과 비장들의 전립이며 철릭의 치장과 색깔이 요란하였다. 금문(禁門)을 표시하는 깃대 셋이 차례로 줄지어서 바람에 펄럭이고 있었다. 검수 중에 금제하는 물건이 첫 문에서 발각되면 중곤(重棍)형이요 물건은 몰수였다. 둘째 문에서는 귀양을 보내고, 셋째 문에서는 참수 효수형이 되었다. 부윤과 서장관이 장막에 앉았다지만 그들은 새벽의 어한주를 나누고 있고, 실제로는 의주 호방과 만상군관이 사람과 말을 검열하였다. 강을 건널 사람들의 용모파기와 말의 털색깔을 상세히 적고 깃대 셋을 거치면서 금제품을 뒤진다. 금제품은 금령이 내려진 인삼과 금과 초과되는 은자였고, 때에 따라 금령이 풀리거나 새로 묶이기도 하였다.

박대근네 상단에서는 애초부터 인삼을 가지고 나올 생각도 없었고, 다만 이 할 오 푼의 이자를 쳐서 빌린 송도와 호조의 차대은 도합 오만 냥과 수달피 삼백 장이 그 전부인지라 별로이 골치 썩일 일도 없었고, 호방은 더구나 그와 한통속이 되어 있었던 것이다. 무역별장을 따낸 송상의 다른 상단 행수 접장들은 각자가 줄을 댄 역관이나 군관들을 통하여 수량이 초과된 물건이나 은자를 통과시키고 있었다. 온통 강변에는 풀어헤쳐진 짐과 부담이며 침구 보따리로 난장판이 되었고, 이는 다만 강을 건너기에 앞서 사행의 체통을 세우려는 형식에 지나지 않았다.

정부사 일행은 의주부윤이 내는 다담상 앞에 둘러앉아 어한주를 마셨고, 각 상단의 무역별장으로 뽑힌 장사치들은 제각기 수검이 끝난 물품들을 정돈하느라고 정신이 없었다. 대근네는 은자 오만 냥과 수달피 삼백 장을 건성으로 수검받은 뒤에 깃대를 통과하여 강변에다 말과 짐을 챙겨두었다.

구룡정 나루터에서 배를 띄웠는데, 각 상단에서는 이미 전날에 귀중품을 빼돌려 삼강 건너편에 부려놓았으므로 범금에 걸린 물건은 하나도 보이지 않았다. 먼저 깃대의 문을 통과한 물품과 사람과 말이 건너고 정사가 탄 배에는 표문(表文)과 자문(咨文)을 싣고 역관들과 상방의 곁꾼들이며 부사와 서장관과 그 곁꾼들이 한배에 같이 탔다. 의주서 나온 관원들이 모두들 뱃머리에서 하직인사를 올렸다. 구룡정 나루에서 검동(黔同)섬을 돌아 난자(蘭子)섬을 넘어서게 되는데, 이 두 섬 사이의 샛강이 중강(中江)이요, 난자섬에서 청의 연안에 닿는 곳이 삼강(三江)나루이다. 나루에서 곧바로 구련성(九連城)으로 가는 직로가 뚫려 있었다. 멀리 강심에서 조선 쪽을 바라보면 의주성이 길게 누워 있고 그 너머로 우뚝 솟은 통군정의 누각이며 기와지붕이 주발뚜껑만 하게 보였다. 섬 주위로는 갈대가 빽빽하고 빠른 물살이 검은 진흙으로 덮인 섬의 가녘을 핥으며 내려갔다. 장백산(長白山)에서 내려오는 뗏목들이 줄을 지어서 살같이 흘러 지나갔다. 난자섬을 넘어서 삼강 어름에 이르러서야 강물이 잔잔해지고 물살도 느려졌다. 청의 연안에 있는 마이산과 송비산 사이로 흘러내려오던 애라하가 압록강과 만나는 곳이 바로 삼강이었으니, 난자를 끼고 십 리쯤 잔잔하게 내려가다가 위화도 머리에서 급해지게 되는 것이다. 삼강나루터는 봉성에서 나온 청관(淸官)이 관리하였는데 청인 일꾼들이 배의 짐과 사람과 말을 마른 땅으로 날라다주었다.

구련성까지는 끝 간 데 없는 벌판이고 소나무와 전나무의 숲이 이어져 있었다. 산세는 곱고 물은 맑았으며 아득한 벌판 가운데 마을이 간간이 나타나곤 하였다. 그러나 거의가 인적 없는 버려진 땅이었다. 일행은 이른 저녁에 구련성에 당도하여 일부는 인가에 들고 나머지는 가져온 장막을 치고 묵기로 하였다. 박대근네 상단 사람들은 의주의 만상들과 송도의 다른 상인들과 더불어 저녁 준비를 하였고, 관원들과 역관들은 그들과 따로이 인가에서 저녁을 먹었다. 상인들은 거칠 것이 없고, 또한 원로에는 잘 먹고 마시는 게 관례라 닭이며 오리를 잡고 술을 데워서 푸짐하게 저녁을 먹었다. 구련성에서 아침 일찍 출발하여 책문에 당도하니 압록강에서 백이십 리 길이건만 짐과 인원의 관리로 늦어졌던 것이다.

구련성에서 삼십리 길에 금석산이 있고 다시 삼십리 만에 총유(葱莠)에 이르며 봉황산이 보이기 시작하면서 곧 책문에 당도하게 된다. 봉황산은 모래 위에 세워둔 수석처럼 벌판 위에 우뚝 솟았으니, 손바닥에 손가락을 세워놓은 듯, 반개한 부용 꽃봉오리 같기도 하고, 하늘가의 여름 구름 같기도 하며, 빼어나고 깎아지른 듯한 기상이 있으되 청윤한 기운은 덜한 듯했다. 역시 대륙의 산이어서 그런 모양이었다.

너른 들판은 끝이 없고 개간지는 없었으나 화전터가 보였다. 양과 돼지가 방목되고 있었다. 책문은 나무로 말뚝을 세워 목책(木柵)을 지어 경계를 표시하였는데 버드나무 가지를 꺾꽂이하여 채소밭을 두르는 것과도 같았다. 책문은 이엉으로 덮었고 널판문으로 굳게 잠겨져 있었다. 주위에는 밥 짓는 연기가 가득하였고 목책 안으로 청인들이 몰려드는 것이 보였다. 상부사(上副使)와 서장관 등의 삼사가 먼저 목책 밖에 당도하여 막사를 쳤고, 상고와 곁꾼들은 짐을 부리고 뒤늦게 도착하였다. 청인들은 목책 안에서 내다보는네 모두 곰방대 물고 머리는 변발이었으며 포를 겉옷으로 걸쳤고 주머니나 담배쌈지를 주렁주렁 차고 있었다. 역관과 무역별장과 곁꾼 역으로 따라온 만상 등의 장사치들이 목책으로 다가가서 그들과 서로 안부를 주고받으며 아는 체를 하였다. 여마(餘馬)를 인솔한 강호방은 행렬의 맨 뒤에 당도하였는데 그는 곧 목책으로 다가가서 청인들과 인사를 하였다. 책문이 열리고 봉성장군(鳳城將軍)과 책문어사(柵門御史)가 수세청(收稅廳)에 좌정하였다는 전갈이 왔다. 청인 난두배(欄頭輩)가 줄 지어 책문으로 몰려나왔는데 그들은 요동과 봉황성 사이의 청부 운수업을 하고 있는 거마(車馬)꾼들이었다. 이들 요봉차호(遼鳳車戶)들은 청상과 결탁되고 청의 관리들과도 맺어져 있어서 왕래하는 봉물의 운임 따위에는 관심도 없고 오직 무역에만 눈을 돌리고 있었다. 책문 안의 집들은 모두 처마가 높다랗고 지붕은 띠로 이엉을 하였으며 용마루가 치솟고 문과 창문이 크고 가지런하였다. 거리는 죽 뻗어나갔으며 번듯번듯하고 바둑판을 가른 듯하였다. 담은 모두 벽돌이고 사람과 짐을 싣는 수레가 뻔질나게 왕래하였다. 비록 동쪽 끝의 변방인데도 이러하였다. 책문에서 몰려나온 차호 상인들은 모두들 조선 측의 짐의 규모와 무게를 살폈다. 이들에게는 운임에 해당하는 예물을 나누어주고 또한 책문의 제반 업무를 맡은 관리들에게도 일일이 예물을 주게 되어 있었다. 책문 안은 이미 청국 경계의 시작이었다. 길 오른쪽에 초청(草廳) 삼 칸이 있어서 관리들은 청국 관리들과 제반 절차를 다지러 가고 박대근이나 다른 장사치의 일행들은 그 길로 차호들의 안내를 받아 사처에 들었다.

원래가 책문의 뒷장으로 여마(餘馬)와 연복(延卜)이 성행하게 된 것은 수년래의 일이었다. 몇번이나 엄금하려 하였으나 막을 방법이 없어 의주부에서도 상인들로부터 약간의 장세에 해당하는 은냥을 받고 인원수에 제한을 두지 않고 도강을 허락하게 되었던 터이다. 장사치들은 사행의 꼬리에 붙어서 거의 공공연하게 책문을 드나들 수가 있었다. 여마는 사행의 방물과 세폐(歲幣)를 실은 말 가운데 혹시 다치거나 과중하게 되는 일이 있을까 염려하여, 말을 정수 외에 들여보내는 제도에 편승하는 방법이었다. 그리고 연복이란 사행이 돌아올 때에 책문에서 의주에 이르기까지 봉물을 맞기 위하여 들여보내는 부담마에 편승하는 방법이었다. 예전에 심양(瀋陽)에 성경부(盛京府)를 설치하고부터 압록강을 건너서 책문 봉황성 요양(遼陽)을 거쳐 십리보(十里堡)로 하여 성경에 들르게 되었고, 숙종 오 년에 청국에서 국방 관계로 우가장(牛家庄)에 설보(設堡)한 뒤로는 기밀을 지키기 위하여 우가장 통과를 금하였으므로, 성경부에서 변성(邊城) 주류하(周流河) 자기보(自旗堡) 이도정(二道井) 소흑산(小黑山) 광녕(廣寧)으로 나가도록 되었다. 심양은 청국의 발상지이며 따라서 청제의 선조들이 묻혀 있는 곳이라 하여 사행이 가져가는 공물(貢物)의 일부는 심양에 분납되었다. 우가장 통과가 금지되기까지는 사행이 우가장에 당도하여 심양에 분납할 공물을 그곳의 관부에 교부하게 되는데 이때에는 조선 측의 압물종사관과 청역이 함께 심양에 가서 호부(戶部)에 바치면 되었다. 그러나 우가장 통과금지 이후로는 사행이 직접 성경에 들러서 직접 봉물을 분납하였으니 분납품을 싣고 갔던 인마(人馬)는 도중에 귀환하게 되었고 이 중도 귀환 인마의 인솔 책임을 진 것이 곧 단련사(團練使)였다. 단련사의 등에 업혀서 심양과 책문을 오가며 거래할 특권을 갖게 된 것이 바로 무역별장이었다.

그러나 박대근의 상단에서 무역별장직을 포기해버린 것은 그것이 잠상의 형태는 되었을망정 역시 관과 결탁된 반공개적 무역이라 한계가 있다는 이유 때문이었다. 물론 한정된 은자의 액수를 넘게 거래한다거나 수달피 등속의 물량을 늘린다거나 하는 범칙은 할 수가 있었으나, 인삼과 금 등의 금지된 품목은 절대로 교역할 수가 없었던 것이다. 따라서 대근네는 다른 미미한 상고들같이 일정량의 은냥을 의주부에 세로 바치고 여마 연복에 편승하는 시늉만 냈던 터이다.

객관은 벽돌집이었는데 규모가 크고 터가 넓어서 오고 가는 장사꾼들이며 행객이 수없이 드나들고 수레가 수십 대나 건물 안 복판 마당에 대어졌고 마구간은 병영처럼 즐비하였다. 객관마다 창고가 있었고 외실(外室)을 달아 한길 쪽은 점포로 꾸며졌다. 점포의 외양은 조각한 창문과 비단을 드리운 문이며 그림 그려진 기둥, 붉게 칠한 난간, 푸른 주련(柱聯)과 금빛 현판으로 화려하였고 물건들은 모두 심양이나 북경에서 온 것들이었다. 이러한 객관이나 상인들의 집은 깨끗하고 화사하여 마치 높은 벼슬아치들의 저택이라도 되는 것처럼 보였다. 심양의 청상들은 이곳 책문에다 따로이 지점 비슷한 점포를 내어두고 조선 측 상인들과의 교역에 응하고 있었다. 그들은 심양에서 다시 북경으로 인삼이나 조선의 귀물들을 넘기는 중도 아역을 하는 셈이었다. 강호방이 박대근과 최윤덕을 데리고 청상 오탁(吳卓)의 집으로 같이 갔다. 그는 심양의 외숙과 연결하여 그의 책문 점포를 운영해주어서 거부가 된 사람이었다. 그는 심양까지 가는 사행에도 자기 수하의 수레와 수레꾼들을 수십 명 대어주고 있었다. 그의 외숙 되는 사람은 봉천장군(奉天將軍)과 친지 사이며 심양의 대상고였다.

"그에게 대이면 무슨 물건이든 구하지 못할 것이 없습니다. 더구나 인삼이라면 요새 청국에서 삼이 절품되었는 고로 반드시 만사를 제치고 달려들 것입니다."

강호방이 일렀다. 그들이 깨끗한 민가로 들어가니 가운데 연못을 파고 그 위로 반월형 다리를 만들었는데, 잎을 떨군 각종 관상수와 바위들이 보였다. 전갈을 받은 심부름하는 아이가 나와 섰다가 그들을 객실로 안내하였는데 벽돌로 된 담벽 안쪽에 역시 벽돌로 쌓은 구들이 있고 거기서 열기가 나와 온 방 안이 훈훈하였다. 탁자와 의자는 옻칠이 반들거리고 의자 위에는 비단 방석과 바닥에 융단이 깔렸다. 색색가지의 구슬을 꿴 주렴이 안쪽으로 트인 통로에 드리워져 있었다. 주인이 나오는데 비단 포를 걸치고 그 위에 수달피 배자를 입었다. 강호방과 반가이 인사를 하고 나서 그의 만주어 통역에 의하여 상담이 진행되었다.

"우선 우리는 백사 오만 냥어치를 사고자 합니다."

박대근이 말하자 청상 오대인은 머리를 갸우뚱하며 말하였다.

"송도의 좌장이시라면 으레 무역별장이 되셔서 심양으로 가시지 않고 상역을 책문에 그치려 하는 것은 무슨 까닭이오?"

대근이 강호방을 통하여 말하였다.

"우리는 인삼을 팔고 싶기 때문이오."

"인삼이오? 사실 다른 상단에서도 조금씩 내기는 하지만 한두 포를 가지고 거래라고는 할 수가 없지요. 도대체 얼마나 가지고 있기에 그러십니까?"

"우선 첫 거래로 삼백 근이외다."

그제야 오탁은 눈을 둥그렇게 떴다.

"삼백 근! 그것도 첫 거래라는 말씀이면 더 있다는 것입니까?"

박대근이 곁을 돌아보자 윤덕은 준비해온 작은 합 속에서 인삼 두 뿌리를 내어 탁자 위에 올려놓았다. 오대인은 그것을 집어들고 기뻐하였다.

"허어, 물건도 아주 상품이오. 이 정도라면 심양은 물론 북경에서도 좋은 가격에 낼 수가 있소."

그러다가 그는 다시 고개를 들고 강호방을 돌아보았다.

"그러나 당신네 조선에서는 인삼을 국외로 반출하면 참수형에 처하도록 정했을 텐데, 그 금령을 어떻게 거역하겠다는 거요?"

박대근이 강호방에게 일렀다.

"어차피 책문의 뒷장은 잠상이기는 마찬가지요. 그런데도 공인된 물품 외에는 거래할 수가 없고, 다만 거래량만 제한을 받지 않을 뿐이지요. 우리가 지정하는 장소로 우리 쪽이 원하는 물건을 대어줄 수만 있다면 인삼은 어느 때라도 얼마든지 드릴 수 있소이다."

오탁은 눈을 휘둥그레 굴리면서 물었다.

"채삼이 그렇게 많소?"

"우리 상단에서는 조선의 내륙 산간지방에서 수십 년을 캐어도 남을 삼밭을 찾아냈습니다."

"아, 괴장한 일이오. 이것이 그중의 하나란 말이지요?"

오탁은 흥분을 감추려는지 어금니를 지그시 물고 콧날개를 벌름거렸다.

"육년생에서 십년생까지 계속 나올 것입니다."

오탁이 눈을 가늘게 뜨고 인삼을 이리저리 살피다가 갑자기 손뼉을 두드렸다. 안내하던 소년이 나타났고 그가 만주어로 뭐라고 중얼거리자 소년이 읍하고 나갔다. 그는 강호방을 통하여 다시 말하였다.

"그냥 딱딱한 얘기만 할 것이 아니라 이렇게 친분을 나누게 되었으니 한잔 들면서 상담을 계속합시다."

박대근이 대답하였다.

"오늘 하루 묵고 나서 사행은 심양으로 출발할 것인즉 여마를 핑계대고 책문에 들어온 우리 상단은 사행이 되돌아올 때까지는 다시 머물지 못하오. 어서 상담을 끝내버립시다."

"좋소, 근당 얼마를 원하시오?"

"먼저 우리가 공공연히 사들일 백사의 가격부터 정하십시다. 백사 백 근을 얼마에 내시겠소?"

"은자 이십 냥이오."

박대근은 껄껄 웃었다.

"허허, 아마도 인삼값을 예상하여 백사의 값을 올리시는 듯한데, 지난봄까지 열 냥이었다는 걸 잘 알고 있소이다. 우리는 본국의 호조와 송도부에서 이 할 오 푼의 이자로 관은(官銀)을 대하(貸下)받았지요. 이미 오만 냥 차대은에서 이자를 제하고 받았으니 높은 가격에는 응할 수가 없소이다."

박대근은 탁자에 놓았던 인삼을 다시 합에 챙겨넣었다.

"만약 열 냥에 내주지 않겠다면 달리 무역별장을 맡은 우리 상단에 위임하여 같은 가격으로 그들이 이익을 취하도록 하겠소. 결국은 조선의 재화가 될 테니까요."

오대인도 만만치는 않았다.

"그 참 훌륭하신 말씀이오. 하지만, 조선의 대하은은 원금 상환에 이 년이나 기간을 주고 분납이나 잡물 대납도 받는 아주 유리한 조건임을 잘 압니다. 그뿐 아니고 비록 이곳 책문에서는 우리 백사를 그런 가격밖에 못 받지만, 당신네가 조선 남쪽에서 왜인에게 팔아넘길 때에는 두 배 이상 받을 수가 있음도 우리 청상들은 다 알지요."

"삼천리의 상거이니 중로의 수송에 드는 인마의 노자와 왜관의 세금을 제한다면 별 이익이 없지요. 어떻게 하겠소. 열 냥에 내시겠소?"

박대근이 다그치자 오탁은 벙글벙글 웃으며 손을 내저었다.

"상공은 성미가 급하시오. 내가 이렇듯 강관인의 은근한 인도를 받아 상공과 순치지간(脣齒之間)이 되었는데, 우리 청상은 누구든지 한번 손을 잡으면 대를 이어서 지킵니다."

"우리네 송상(松商)도 그러하오."

"송상이 조선에서 가장 신의 있는 상고임은 우리도 전조에서부터 수백년 동안이나 알고 있었소이다. 자, 그럼 백사의 가격을 정합시다. 상공께서 원하시는 열 냥에 우리 차호(車戶)들의 운임비로 닷 냥을 더 보태어 열닷 냥으로 하십시다."

박대근은 잠시 궁리하였다. 백사 백 근에 열닷 냥이라면 매우 좋은 가격이었다. 그가 알기로는 동래에서 내는 백사의 가격이 백 근에 은자 사십 냥이었다. 이자 천이백오십 냥은 선불되었으므로 사만 팔천칠백오십 냥으로 백사 삼십이만오천 근을 살 수 있는 셈이었다. 동래에 넘기면 이것은 십삼만 냥의 돈이 되고 원금인 송도부와 호조의 차대은 오만 냥을 물어주어도 팔만 냥이 떨어지는 셈이었다. 중간의 인마 수송비와 각종 관아의 인정전을 만 냥으로 제한다 하더라도 칠만 냥은 넉넉히 남을 수가 있었다. 그러나 차대은은 십여 년 전부터 그 제도가 이리저리 변경되면서 여러차례 폐단이 지적되었고 최근에도 우의정이 은의 다급(多給)에 대하여 논한 바 있었으므로 언제 폐지될지 알 수 없는 노릇이었다. 따라서 백사의 이익 칠만 냥은 몇년에 걸친 이윤으로 접어두어야 계산이 맞았다. 이 정도의 이윤은 무역별장직을 맡게 되면 한 번의 사행에서 올릴 수가 있었으나, 대개 두 차례 이상을 맡지 못하고 각 상단과 해서 평안 의주 송도 등지로 윤번하게 되니 기실 인삼의 꾸준한 이익을 잠상으로 쌓아올림만 같지 못하였다. 더구나 책문과 심양에서의 이윤은 삼사와 역관들에게 매여 있게 마련이라 무역권을 얻기 위해선 평소에 많은 상납전을 바쳐두어야 했던 것이다.

"열닷 냥이라면 예정했던 금액은 아니지만, 적은 돈으로 다투는 것은 예의가 아니오라 그 값에 원매하고자 합니다."

박대근이 두 손을 마주 쥐고 쳐들어 보이며 읍하였고 오탁도 강호방의 통역을 듣고 만면에 웃음을 지으며 답례하였다. 소년과 노파가 번갈아 드나들며 술과 요리를 들여왔다. 파와 마늘과 옥수수를 넣고 찐 애저가 나왔고, 기름에 튀긴 거위와 술은 백소로(白燒露)를 내왔는데 봉황산 들판의 수수로 빚은 독한 것이었다. 접시며 그릇과 술잔 술병 모두가 그림과 채색으로 장식된 도자기들이었다. 오탁은 긴 젓가락으로 요리를 접시에다 나누어주었고 소년은 돌아가며 술을 따랐다. 그들은 건배하였다.

"자아, 이제는 인삼의 얘기를 하십시다. 인삼은 종전까지 근당 은자 스물닷 냥이 공정가격이었소. 그 가격에 내놓지는 않으실 테지요?"

"대인께서도 잘 아시듯이 그 가격은 벌써 십 년 전의 것입니다. 더구나 삼금절목(蔘禁節目) 시행 이전의 값이지요. 지금 귀국에서는 그때의 세 배를 준다 해도 인삼을 구할 수가 없습니다."

"좋소 좋아, 근에 오십 냥이 어떻겠소?"

"칠십 냥 내시오. 그 대신에 다음번 거래 때에는 열 냥을 내리고 다시 세 번째의 거래 때에 오십 냥으로 해드리겠소."

"한 번에 얼마씩 파시려오?"

"글쎄요, 이번과 내년 치를 합하여 우선 육백 근을 낼 수가 있으며, 해가 갈수록 더 낼 수도 있습니다."

"칠십 냥이라…… 은자로 원하시오?"

"우리가 원하는 것으로 때마다 지불해주시오."

오탁은 얼굴이 환해졌다. 어차피 물물교환이라면 그에게도 값을 깎거나 이를 남길 기회가 많이 주어지는 셈이었다.

"좋은 조건이오. 우리 외숙은 봉천장군과 자별한 사이시고, 나는 우리나라에 있는 모든 특산물을 얼마든지 수집해 올 수가 있소. 이번에 삼백 근을 어디로 가져올 것이며, 내 쪽에서는 무슨 물건을 준비하는 것이 좋겠소?"

"함석(含錫)과 유황(硫黃)을 구해주시오."

오탁은 강호방의 전하여주는 말을 듣자 박대근을 빤히 바라보았다.

"함석은 쉽게 구해오겠으나, 유황은 금물(禁物)이라 외국으로 내가지 못합니다. 그보다는 약재와 비단이 어떻겠소?"

"그 두 가지가 아니면 거래하지 않겠소이다. 대인께서는 지금 우리와 인삼을 거래하는 첫 번째 청상이십니다."

오탁은 이리저리 궁리하더니 다시 물었다.

"어디로 가져다드릴까요?"

"임토(林土) 땅을 아십니까?"

"청교하 아래쪽 말씀이군."

"벽단진 건너편에 귀국의 마을이 있다고 들었소."

오탁은 고개를 끄덕여 보이고는 손뼉을 쳤고 소년이 들어오자 뭐라고 일렀다. 강호방이 말하였다.

"벽단진 건너쪽 마을의 이름을 책문 수세청에 가서 물어오라 일렀습니다. 바로 목책 어귀에 있으니 곧 다녀오겠지요."

그들은 이어서 함석과 유황의 시세에 관하여 타협하였고, 적정 가격이 매겨지자, 이제 백사와 인삼과 함석 유황 등의 거래에 관한 약정서를 적어서 둘로 나누었다. 곧 소년이 돌아와 임토대(林土臺)와 교하대(交河臺) 등의 마을이 있고, 초산(楚山) 위원(渭原) 등지로 이어지는 가라동(加羅洞) 장동(長洞) 파저강(婆猪江) 군토리동(君土里洞) 세동(細洞) 구랑음동(九郞吟洞) 고도수동(古道水洞) 추동(秋洞) 갈헌동(乫軒洞) 둔동(屯洞) 황제성평(皇帝城坪) 등지의 청인 이주지역에 관한 수세청의 관문을 떼어다가 주인에게 주었다.

"이것 보시오. 모두가 십 호에서 이십 호나 되는 동네들이오. 허허, 왜 우리가 여태껏 이것을 몰랐을까."

그는 다시 고개를 들고 박대근에게 물었다.

"벽단진이라 하였소? 그렇다면 여기 임토대가 적합하겠군."

"좋습니다. 임토대마을에서 거래하기로 하십시다. 그곳에 창고가 딸린 집을 잡아놓아야겠지요. 우리 쪽에서도 벽단 인근에 이미 집을 장만하였소이다."

오탁이 물었다.

"날짜는 언제로 하겠소?"

"글쎄요, 이번 사행이 돌아올 때쯤에는 동지사행(冬至使行)이 출발할 것이니 그전에 먼저 백사의 건이 결정되어야겠지요."

오탁은 연신 웃는 얼굴로 말하였다.

"그까짓 백사 삼십만 근을 가지고 그러시오? 성경이나 봉황성 인근에만 가도 뽕밭을 하루종일 걷는다 하여도 그 끝에 이르지 못할 거외다. 청국은 황제께서 계시는 천하의 중심이오. 백사는 다음 사행 때까지 기다릴 것도 없이 사흘 안에 당도할 수 있겠으나, 다만 당신들이 사행이 떠나고 나면 책문 밖으로 나가게 되어 있어서 어쩔 수가 없을 뿐이오. 단련사가 돌아올 제 말을 끌고 들어오시오. 그러면 날짜는 그때에 정합시다."

박대근이 눈짓하여 최윤덕은 다시 은자가 들어 있는 부담롱을 끌어다가 방바닥에 놓아둔 채로 뚜껑을 열어 보였다.

"은자 오만 냥이올시다. 받아두시고 보관증이나 한 문건 적어주시오."

"참 빈틈이 없으십니다."

오탁은 즉시 문건을 적어서 내주었다. 그들은 이제는 서로 이방의 풍물에 대하여 얘기를 나누며 술을 마셨다.

3

수안(遂安) 천곡방(泉谷坊)은 읍의 동북방으로 이 고장에서는 비교적 들판이 있는 곳이다. 읍으로부터 서쪽과 북쪽으로는 산줄기가 첩첩하여 험로를 이루고 있었다. 천곡방이 그래도 널찍하니 트인 것은 그 위로 언진산과 그 산맥이 굽이치며 마식령산맥과 만나는 곳이라 하천이 있고 그것들이 모여서 예성강의 상류를 이루는 때문이었다.

천곡방 사거리에는 샘골이라는 제법 큰 마을이 생겨나 있었으니, 이곳으로 곡산 방면의 길과 고성산(古城山)을 지나 평안도 삼등(三登)현과 상원(祥原)현으로 통하며, 또한 동북으로는 평안도의 양덕(陽德) 함경도의 고원(高原)에 닿는 직로가 지나고 있었던 것이다.

언진산에서 흘러내린 샘골내의 세 갈래 개천이 샘골 사거리 인근에서 합쳐져 검은돌여울로 이어지고 있는데, 이곳의 마을 이름 샘골로 천곡방이 정해졌다. 개천은 두껍게 얼어붙었고 길가의 앙상한 나뭇가지 사이로 매서운 겨울바람이 스쳐지나갔다. 나직한 마을의 초가지붕 위로 파란 연기가 오르고, 까치는 요란스레 울며 높은 가지 위에 날아 올랐다. 나다닐 철도 아니고 장사철도 아닌지라 샘골은 행객이 드문 편이었다. 곡산 방향의 민을령(民乙嶺)이나 평안도로 가는 덩굴령(蔓嶺), 그리고 양덕과 함경도로 넘어가는 동대령(東大嶺)의 중간지점 등이어서 샘골에는 세마를 놓는 집이나 객점이 대여섯 호가 되었고 봉놋방은 십여 호가 사랑을 내놓고 있었다.

구월산 산채가 옮겨지고 수안 곡산에 잠채터가 생길 적에 김선일과 강말득의 누이동생 끝춘이는 함께 부부가 되어 언진산에 들어가 있다가 다시 샘골로 나와서 여염 살림을 하면서 객점을 내었다. 이는 김기와 장길산이 일찍이 일터와 사는 터를 따로 하여 여염의 마을을 이루자는 뜻에 따른 것이었다. 그래서 언진산에 있는 식구들 가운데 여럿이 샘골에 식구들을 안돈시켰던 터이다. 샘골은 사방으로 길이 닿는 곳이고 언진산에서도 지척이라 평안 황해 함경 삼도의 물정과 소문에 자세히 접할 수가 있었다.

　끝춘이네 객점은 사거리에 남면하여 지붕 너머로 언진산의 주봉이 푸르게 펼쳐졌고 동으로는 마식령산맥과 언진산맥이 맞닿은 동대령 대각산 민을령 등의 연봉이 달리고 있었다. 아직 큰눈은 오지 않아서 산은 초로에 든 남자의 희끗한 수염같이 드문드문 눈 옷을 입고 있었다. 끝춘이네 객점에는 제법 한창 기운 쓸 삼사 년생의 북방 호마가 다섯 필이나 되었는데, 세마는 한 필만으로 충분하건만 나머지는 모두 언진산과 곡산의 은금동령(銀金洞嶺) 수철점에서 연락용으로 쓰고 있었다. 멀리 북도로 나가는 자들도 여기서 말을 내어 타고 가던 것이다. 마구간과 창고가 번듯한 객점이었다.

　"여보, 어서 일어나지 않구 뭘 꾸물거리셔요. 오늘 산에 가셔야지요?"

　끝춘이는 아이도 낳고 이제는 아낙네가 다 되었건만 처녓적의 팔팔하고 총명한 기는 가시지 않았다. 샘골의 객점에는 언진산 잠채터에서 내려보낸 총각 하나가 중노미를 보고 있었으며, 최흥복의 처 황주댁의 일가뻘 되는 노파가 부엌댁을 맡아 하였으나, 김선일은 거의 보름씩이나 언진산 잠채터에 나가 있어 끝춘이 혼자 객점을 운영하다시피 하였던 것이다. 그러나 행객의 접대며 술꾼들의 왈짜 부리는 것에도 기가 죽지 않아 인근에서 모두 여장부가 났노라 일렀다. 그러면서도 일방 아이놈을 시켜서 향소를 찾아보게 하고 아전들에게 인정도 놓치지 않고 쓰니, 오히려 무슨 일이 생기면 언진산 쪽에서 끝춘이에게 부탁을 올려야 할 판이었다. 김선일은 언진산에 올라가 있다가 샘골로 내려오면 아예 마누라 옆에 파고 살았으므로 끝춘이는 맘성으로는 흔쾌한 일이나 한편 귀찮아하였다. 도무지 법도 있게 착착 맞아 돌아가는 일상사가 제대로 되지 않는 것이다. 김선일은 부모 혈육 한 점 없이 어릴 적부터 떠돌다가, 머리 굵어서는 사내자식들끼리 복작대는 광부 골에서 밥을 먹어, 끝춘이에게 살가운 정이 들어 있어 눈만 곱게 흘겨도 자지러지는 판이었다.

"엉…… 이리 들어와봐."

아내의 쫑알대는 소리를 들으면서 김선일은 아직도 장지 옆의 깊숙한 안방에서 뒹굴뒹굴하였다.

"흥, 어리광부리면 누가 속을 줄 알고, 우리 아가는 벌써 일어나서 마당에서 싸대구 있어요. 큰 아가 소리 듣지 말구 일어나래두……"

하면서 끝춘이가 부엌에서 신 신은 채로 흙바닥인 장지 위로 올라서더니 방문을 홱 젖혔다.

"어어, 내 들어와, 문 닫어."

김선일은 머리를 이불 속으로 처박으며 중얼거렸다. 끝춘이가 이불을 들치려고 손을 넣는데 선일은 그것을 꼭 잡더니 힘껏 이끌어서 자리 위에 넘어뜨렸다. 끝춘이는 남편의 가슴패기를 때리고 어깨를 물고, 그런 법석이 없었다.

"할멈 바로 마당에 있어요. 시두때두 모르구……"

"젠장헐 산에 가기 싫어 죽겠네."

"안 돼요, 오늘은 길산 아주버님이랑 오빠가 오신댔어."

선일은 문득 손을 꼽아보더니 벌떡 일어났다.

"그렇군…… 대설(大雪)이 낼모렌가? 이젠 산에서두 별루 할 일이 없게 됐군."

끝춘이는 그러나 좀 아쉬운 표정으로 흐트러진 머리를 쓸어올리며 일어났다.

"곧 내려올 거죠?"

"응, 성님 모시구 갔다가 한 이틀 지내구 다시 올 거야. 의주엘 가신다더군."

끝춘이는 할멈을 불러 앞방에 불 넣으라 이르고 직접 선일의 밥상을 차렸다. 선일이네 객점은 안쪽에 방 둘이 잇달아 있고 바깥쪽으로도 방 둘이 이어져 있었으며 그 앞에 좁다란 툇마루가 달렸다. 방들과 부엌 사이에는 장지라는 허청이 있었고 그 아래 아궁이가 있어서 겨울철에 잔일 보기에도 아늑한 것이 그럴듯하였다. 부엌 뒤로 찬광이 딸렸으며 곁에는 마구간이 딸렸고 맞은편에 기다란 창고가 뒷담에 붙어 있었다. 마구간 사이로 좁다란 골목이 되어 뒤뜰과 앞마당으로 드나들게 되어 있었다. 널찍한 마당에는 여름 같으면 차일과 멍석으로 자리를 만들고 평상을 두어 손님도 받지만 시방은 겨울철이라 장작과 잔솔가지들을 쌓아두었다. 집을 둘러보면 장독대는 가지런하고 창문에는 구멍이 없으며 마당은 밥알이 떨어져도 주워먹을 만큼 깨끗하여 끝춘이의 살림솜씨를 알 만하였다. 바지런하고 눈치 빠르며 기세가 당당한 끝춘이에 비한다면 평안도 사내인 김선일은 그래도 어리숙하고 모질지 못한 편이었다. 제법 말다툼이라도 할 때 보면, 선일이 초장에 욱하고 나왔다가도 끝춘이가 아무 대꾸 없다가 나중에 조목조목 따져들어 들이대면 풀죽은 목소리로 잘못되었다고 하는 것은 언제나 선일이 편이었고, 끝춘이는 그 기세를 몰아서 아예 뿌리까지 뽑으려 하였다. 선일이는 아이구 저승사자야, 하고는 아예 설건드리려고 하지 않게 되었다. 선일이도 산식구들 가운데 선흥이나 홍복이나 업복이 등등이 끝춘이에게 은근히 마음 두고 있었음을 눈치채고 있었고, 강말득은 아직도 자기 매제인 선일을 마뜩찮게 여기는 눈치였다.

김선일과 끝춘이는 성혼하자마자 아이를 가져서 이제 세 살이나 먹은 아들놈이 코를 죽죽 빨며 마당에 뛰어다니고 있었다. 제 아비를 닮아서 그런지 팔과 다리가 길쭉하고 목이 껑청해서 마른 황새 꼴이었다. 게다가 장난질도 비슷하여 어디 까마귀라도 담 가에 얼씬거리면 무조건 돌을 쥐어 날리는 것이었다.

"저, 또 팔매질이야. 누가 즈이 아부지 아들 아니랄까봐. 이 녀석아, 장독 깨겠다."

끝춘이가 정이 담긴 조로 아들을 건성 나무라는데, 세수를 하던 선일이가 픽 웃었다.

"친가뿐 아니라 외가 쪽 탓두 있네. 말득 언니 자고질은 왜 안 들추나."

끝춘이가 밥상을 들여가며 깔깔 웃었다.

"저건 자고가 아니라 틀림없이 자갈돌이어요."

이렇듯 끝춘이네가 살림 재미를 붙인 것도 두 사람이 그런대로 하나는 쾌활하고 다른 하나는 엇구수하여 사대가 맞는 바가 있었던 까닭이다.

중화를 먹고도 두어 식경이 지나서야 밖에서 두런대는 소리가 들리더니 이어서 헛기침 소리와,

"김서방 집에 있나."

하는 강말득의 높은 음성이 들려왔다. 끝춘이는 벌써 마당에 나가

섰고 뒤늦게 선일이도 장지를 뛰어내렸다.

"오라버니 오셨수?"

끝춘이가 말득이를 반기다가 그 뒷전에 빙그레 웃고 섰는 길산을
보자 공손히 인사하였다.

"아주버님, 평안하십니까?"

"예, 여전히 처자 같소."

"아이, 모릅니다."

"성님 오셨습니까?"

선일이가 말득이와 길산을 싸잡아서 그들의 중간쯤 어림하여 꾸
뻑하는데 그와 동갑내기인 업복이가 뒤따라오며 말하였다.

"내게두 인사해야지."

선일이와 끝춘이는 그런 농지거리에 응답할 틈이 없어 우선 손님
들이 드는 바깥 방문을 연다, 툇마루를 훔친다 법석이었다. 길산은
보통 때 행보할 때와 마찬가지로 늘 쓰던 패랭이에 봇짐 지고 바지
저고리 위에다 토끼털 댄 누비 배자를 수수하게 걸치고 행전을 친
차림이었다. 그래서는 대처에 가면 노상 상사람 취급을 당하여 아우
들이 갓과 도포의 복색을 권하지만 길산은 그것만은 질색이었다. 성
님이 그러하니 아우들 또한 모두 맨두건 바람이나 남바위에 말득이
만 패랭이를 얹었다. 길산과 말득이는 평안도를 휘돌아 의주에 가서
박대근과 함께 강변칠읍을 둘러볼 작정이었고, 업복이는 함흥 백운
산으로, 그리고 경기도서 무진 난리 때 도망온 정대성은 일단 원산
에 들렀다가 함경도 식구들을 갈라서 회령으로 나갈 작정이었다.

그들은 툇마루 달린 바깥방에 들었고 선일이도 따라 들어갔다. 끝
춘이는 할멈과 함께 때늦은 점심 준비를 하느라고 도마질과 쌀 씻는
소리가 요란하였다.

"오늘 떠나셨습니까?"

선일이 물으니 말득이가 대꾸하였다.

"나 혼자 왔으면 벌써 언진산서 중화 치르고 누웠을 게야. 새벽에 떠나서 이제 겨우 샘골이라니."

"점심 자시고 산에 오르시렵니까?"

"그래, 오늘 중으로 들어가야지. 모두 갈 길이 먼데."

길산은 다시 선일에게 물었다.

"언진산 식구들 월동 준비는 다 끝났나, 양식두 넉넉하구?"

"예, 봉산서 실어날랐습니다. 이제 눈이 오면 일하기가 수월치 않아서 내년 해동될 때까지는 산에서 노닥거릴 테지요."

"그냥 놀면 뭘 하나. 이번에 정서방 회령 가는데 쓸 만한 아이들 데리구 함께 가보지."

"회령에 또 잠채터를 열게 되나요?"

선일이 물으니 말득이가 설명하였다.

"곡산서 나온 수철과 언진산서 나온 은을 내어서 회령에 가서 여진 사람들과 장사를 하는 게여. 자네들은 원산 객점과 함흥 백운산 산채에서 회령까지 오르내리며 기반을 다지는 일을 도와주면 되는 걸세."

"그 참 잘되었습니다. 그러잖아두 산에서 배기기가 좀이 쑤셔 죽을 지경인데, 함경도 바람 좀 쐬어봐야지."

"바람이 좀 찰걸."

선일의 신바람 내는 말에 말득이는 심통으로 한마디 하였다. 매제나 된다는 녀석이 집 비우고 돌아다닌다니 안색이 펴지는데야 미울 밖에 없었다.

"바람이야 압록강 쪽두 차지."

"아예 산채에다 처박아놓는 건데."

"아따, 언니는 누이 고생시킬까봐 안달이구려."

선일이는 말득이에게 대꾸하고서 길산에게 물었다.

"그럼 말득 언니와 큰성님 두 분이서만 평안도로 가시겠군요."

"음, 우리는 언진산에 잠깐 올라가서 식구들 얼굴도 보고 노자나 좀 얻어갈 모양이다."

그들은 끝춘이가 들여준 국밥을 게눈 감추듯 하고 나서 바로 일어섰다. 샘골서 언진산은 밥 삭힐 만한 사이에 오를 수 있는 거리라, 그대로 샘골내를 따라 자갈길을 오르면 불각사(佛覺寺)가 있고, 산굽이를 돌아서 골짜기의 신라암(新羅庵)을 지나 언진산 주봉의 깊은 골에 이르게 되는 것이다. 샘골내가 세 갈래로 갈라져서 덩굴령과 불각사와 그리고 언진산의 중심부로 닿게 되어 있는데, 계곡은 깊고 양옆의 봉우리들은 찌를 듯이 솟아올라 수림보다는 바위가 많은 편이었다. 청룡골로 빠지는 계곡을 휘돌아 오르니 곧 언진산 잠채터에 닿았다. 워낙 후미진 곳이고 골짜기가 여러 갈래라 김선일이 없었다면 가끔씩 내왕하는 말득이나 길산도 길을 잃을 뻔하였다. 풍수(風水)에서 이르는바 장풍득수(藏風得水)의 산세인데 그 맨 안쪽에 잠채터가 있었다. 풀뭇간이 따로 지어져 있었고 그들의 숙소와 잠석 골라내는 빈터가 있었으며 곳곳에 버팀목으로 세운 통나무 기둥이며 사다리 도로래 달린 녹로 등속이 작업장별로 매달려 있었다. 구멍은 여러 군데 뚫려 있었다.

우선 은줄을 잡으면 그곳으로 파고들어가는데 곡괭이로 파고 바위는 자루정과 쇠메로 깨어냈으며 천장에 언진산 소나무의 동발을 세웠다. 잠채터였지만 무뢰배들의 것이나 토호나 권세가의 것이 아니라 대동세상을 이루겠다는 길산네 활빈도들의 것이어서, 작업은 언제나 공평하게 분담되어서 힘든 일과 수월한 일을 서로 교대로 바꿔가면서 하였다. 역시 막장의 일이 가장 고되고 힘들었으니 아무리 동발을 세워도 가끔 무너지는 때도 있었다. 그러나 소출이 많은 적든 간에 그것은 모든 식구들의 것이요 일도 공평히 교대로 하는 일이니 별 불만들은 없었다. 막장 끝에서 자루정으로 암벽에 구멍을 뚫어 끌과 끌망치로 암벽을 떼어내며 원광석을 캐는 사람들이 있고, 그것들을 채롱에 짊어지고 입구까지 나르는 사람들이 있으며, 굴 밖에서 풀뭇간까지 지게에 져나르는 사람들이 있었다. 굴 안에는 횃대가 양쪽으로 줄지어 밝혀져 있었다. 광석은 잘게 쪼개고 잡석을 골라내는 사람들과 장작이며 신탄을 대는 사람들, 그리고 제련장에서 감야하는 사람들이 있었다. 풀뭇간에서 일하는 사람들은 대부분 야장의 기술을 가진 이들이라 그 일만을 하였으나 다른 사람들은 거의 차례로 나무하는 일로부터 굴 입구까지 거기서 다시 굴 안과 막장까지 한 바퀴씩 돌게 되어 있어 며칠 만에 한 번은 막장을 거치는 셈이었다.

수안 은점의 점장(店長)은 김선일이었고, 조무인과 이시흥이 번수(番首)로 있었다. 그들 두 사람은 함께 삭녕 장포서 살다가 무진 난리 때 검계와 미륵당으로 발고되어 달아나 길산네로 합대했던 터이다. 조무인은 가족들을 데리고 달아났지만 이시흥은 겨우 제 한 몸만 빠져나왔다. 시흥은 또한 시동이 만일이 등과 더불어 어영청 아병이었다. 시흥이 예전에 충청도 달내강 언저리에서 사금터에 밥 붙여먹던 경험이 있어서 잠채터 사람들에게 사금 건져먹는 방법을 가르쳐주었다. 조무인은 주로 굴 안의 작업오를 짜고 교대하는 일을 맡았으며 이시흥은 굴 밖의 작업과 풀뭇간의 일을 맡았다. 선일이가 산에 오면 그는 굴 안과 밖을 드나들며 잘못된 작업계획을 바꾸기도 하고 다른 갈래의 은줄을 찾아내기도 하였다. 역시 막장에서의 판단은 어려서부터 잠채꾼이었던 선일을 당하는 이가 없었다. 그는 흙 몇점 떠다가 밖에 가지고 나와서 햇빛에 비춰보고는 곧 그 질을 알았다.

장길산과 강말득 업복이 대성이 그리고 선일이 등이 잠채터 안에 들어서니 풀뭇간에 있던 이시흥이 다른 식구들의 귀띔에 따라서 밖으로 달려나왔다. 그들 중에서는 가장 젊어서 길산이 언제나 막내라고 불렀고 시흥이는 그런 별호를 좋아하였다.

"새 줄이 나온 것 같습니다. 굴이 서북으로 굽을 거요."

이시흥이 말하였고 김선일은 풀뭇간 밖에 골라 쌓아놓은 원광석 한 덩이를 들고 살펴보았다.

"허, 이만하면 단천은(端川銀)에 못지않겠는걸. 왜은보다두 낫습니다. 아마 제련을 하면 때깔이 뽀얗게 빛날 거예요."

풀뭇간은 두 채가 따로 지어져 있었으니 하나는 금을 제련하는 곳이고 또한 은을 제련하는 데가 따로 있었다. 잠채터의 식구는 모두 이백여 명이었는데 그중 삼분의 일의 인원은 청룡골에 있는 그들만의 여염 마을에 가서 쉬었다. 즉 이틀 일하고 하루 쉬도록 하였던 것이다. 전날은 굴 안의 일이요 뒷날은 굴 밖의 일거리였다. 하루의 소출량을 풀뭇간의 번수 이시흥이 잠채터 숙소 앞에다 써붙여 알리고 김선일이 그들 식구들의 양식이며 옷감 등속을 구입하여 마을에 대주었다. 잠채터 광부들은 가깝게는 황주 봉산 서흥 등지의 황해도 사람들도 많았으나, 평안도와 강원도 그리고 멀리는 북관 함경도에서도 내려온 사람들이 있었고, 도망해 나온 노비들, 죄를 짓고 피한 범법인들도 있었다. 어디든지 광맥이 발견되면 지방 수령은 나라에 알리고 점(店)을 내든가, 아니면 돈 있고 실력 있는 지방 유력자로 하여금 전담하게 하고 세를 받게 되어 있었다. 곡산과 수안의 잠채터 또한 군에서 모르는 바 아니었으나 만동이 천동이 형제들의 재간으로 점세를 내는 대신에 생은(生銀)을 주기적으로 관가에 헌납하였다.

"수고들 하네."

풀뭇간으로 들어서면서 길산이 십여 명의 야장들에게 인사하였고, 이시홍이 떠들었다.

"자비령 도령(徒領)께서 오셨네."

모두들 웃는 얼굴로 일하는 채로 길산을 맞았다. 잡석에서 골라낸 원광석을 퍼다가 용로(熔爐)에 까는 사람, 산의 숯막에서 직접 구워낸 숯을 넣어 불 때는 화장, 풀무의 풍구를 발로 누르는 사람, 앞에 가죽 치마를 두르고 생은을 떠내어 물에 식히는 사람 등등이 손발을 맞추어서 일하고 있었다. 용로의 밑에는 구덩이가 패었고 숯불이 벌겋게 타고 있었다. 노 안에다 납석을 깔아놓고 그 위에 은광석을 얹고서 노 바닥이 가득 차도록 숯불을 번지게 하고, 다시 그 위에다 잘 마른 소나무 장작을 켜로 얹어 열을 내면 납은 먼저 녹아서 맨 밑바닥으로 내려가게 된다. 이때 생은이 빙빙 돌면서 쿨럭거리며 죽같이 걸쭉하게 되어 납과 뒤섞이는데 은은 가운데로 용솟음쳐서 위로 뜨고 납은 재 속에 스며든다. 은을 떠내고 더욱 불을 가하면 용로 속에는 다시 납만 남아 은을 가려내는 데 재사용하는 것이었다. 생은을 판에다 부어 물을 뿌려서 식히면 은자로 사용할 은편이 되었다. 길산이 물었다.

"일은 언제 끝나는가?"

"해질 무렵에 끝냅니다."

김선일이 답하였다. 금의 풀뭇간은 야장이 모두 네 사람밖에 없었는데, 청룡골로 나가는 계곡의 냇가에서 건져내는 사금을 모아다가 녹이기 때문이었다. 사금 건지는 법은 이시홍이 청룡골의 아녀자들께 가르쳐주었다. 용로에는 풀무에 연결된 바람구멍이 있었고 흙벽돌로 줄을 지어 단을 쌓아올리며 그 위에 구들돌을 걸쳐 얹고 재와 진흙을 바르는 것이다. 가운데는 깊고 사방은 불룩하게 올라왔으니 그곳에다 신탄을 얹어두고 풀무를 밟아 열을 내면 가운데서 녹은 금물이 구멍으로 통하여 구들돌 아래로 흘러내려가 금판이 되어 식는다. 이것을 소금 섞은 황토로 싸서 모래를 뿌린 다음에 켜켜로 쌓아 불속에 파묻었다가 꺼내면 순금이 되었다. 양은 별로 많지 않아도 모아두었다가 그들은 유황을 들여오는 데 쓸 작정이었다. 청상이 금을 유독 찾으나 조선의 산물이 아니라 하여 조공의 공물에서도 제외된 품목이니 나라에서도 생산에 힘을 쓰지 않았던 것이다. 금을 주면 엄금되어 있는 유황도 위험을 무릅쓰고 내다 팔 것이 아닌가. 유황만 얻게 되면 화약을 구워서 화승총으로 모든 식구가 무장할 수 있는 것이다.

"오늘 묵어가실 테지요?"

이시흥이 김선일에게 물었다.

"응, 큰성님 말인가? 그래, 묵어갈 걸세."

길산은 다시 이곳 저곳을 돌아보고 조무인과 함께 굴 안에도 들어갔다가 나왔다. 선일이가 따로이 번수와 자신이 쓰는 집으로 자비령 식구들을 안내하였다. 식구들은 바로 재 너머 청룡골에 두고 있어 취사도 돌아가면서 사내들이 지어 먹는 까닭에 상을 따로이 보아온다든지 할 수는 없었다. 잠채꾼들의 숙소는 기다란 일자의 초가에 십여 명씩 기거할 방이 달려 있고 앞에 툇마루가 붙여진 구조였다. 그런 집이 다섯 채였는데 맨 뒤가 말하자면 밥집인 셈이었고, 그 앞에 우물이 있고, 집의 반은 갈라서 장광으로 쓰고 있었다. 문 없이 출구가 툭 터져 있고 벽의 군데군데에 창을 뚫었으나 나뭇가지로 얼기설기 살만 끼웠으며 헛간 비슷하였다. 위쪽에 부뚜막이 있고 장지 비슷한 흙바닥이 높이 올라 있으며 그 위에 거적이 깔렸다. 널판으로 짠 기다란 상이 세 줄로 연이어 있었다.

짧은 초겨울 해가 저물어 잠채꾼들이 굴에서 또는 작업장에서 돌아와 밥집 안으로 꾸역꾸역 몰려들었고 길산이 등도 그들과 함께 저녁을 먹으러 갔다. 그들은 부뚜막에 가까운 자리에 앉았다. 메조밥이 나왔고 산나물과 우거짓국과 샘골내의 은어가 구워져서 올랐다. 또한 술이 돌려지는데 빛깔이 먹물 같고 맛은 쌉쌀하며 고소하여 산에서 살아온 길산은 대번에 칡으로 담근 술인 것을 알았다. 길산은 너그럽게 말하였다.

"허, 이렇게 잘 담근 것이라면 산에서 금령을 내릴 필요도 없겠군."

"가을 칡에 알이 실하게 배었습니다. 일이 끝나고 청룡골로 돌아갈 제 술을 내오지요. 산식구들에게 술은 금지되어 있지만, 우리 언진산서는 일 끝나고 이걸 한잔 마셔야 몸이 풀립니다."

길산은 꾸짖지 않고 교대할 언진산 식구들과 칡술을 돌려 마셨다. 말득이도 매제의 역성을 들어주었다.

"언진산 정기 받고 잘 여문 칡을 캐어 술을 만들었으니, 성님께서 금령을 내리신 것은 혹시 곡식 축내어 방자하게 산살림을 할까 경계하신 게여. 칡술이야 산신이 주신 것인데 백성들에게 송구하지두 않지."

잠채꾼들 중에는 떠꺼머리에서 상투잡이 그리고 제법 나이 먹은 축도 있었고, 작은 골짜기의 길목에서 작대기 들고 호령하여 행인의 길양식을 털던 자들, 상전을 해치고 무리지어 도망 나온 노비들, 흉년과 역병으로 가족과 땅을 잃은 농민들, 이시흥이나 조무인같이 관의 포적령을 피하여 달아나온 죄인들, 포흠진 하리 등등으로 각양각색이었으나, 여기서는 다만 여염 동네에서와 같이 장유(長幼)의 구분이 있을 뿐 대개는 서로를 해라로 대하고 이름이나 별호도 기탄없이 부르며 차등 없이 지냈다. 이정이나 첨정이나 또는 생원이니 나으리니 하는 따위는 없는 것이다. 어쩌다 따져보아서 같은 고향이라거나 그 인근에서 온 것을 알게 되면, 삼촌 조카 아제 당숙으로 적당히 따져서 인척처럼 서로를 대하였다. 가끔 김기나 길산이 와서 그들과 함께 대동세상에 관한 얘기를 나누기도 하였다. 이렇듯 각처의 유민들에게 정착할 삶의 근거를 마련해나아가는 것은 해서 활빈도의 일의 방향이 바뀐 것을 의미하였다. 그들은 논의되었던 바와 같이 명화적당에서 자신의 산물을 지어내는 무리로 바뀌고 있었다. 은과 쇠를 팔고 무명과 수달피를 팔아서 살림은 예전과 달리 계획성 있게 꾸려갈 수가 있었고, 세력도 자연스럽게 불어나는 중이었다. 어느 도의 감영에서는 관찰사가 장계에서 매마행상(買馬行商) 판철역포(販鐵貿布) 가심부요(家甚富饒)라고 당대의 녹림의 무리를 표현하였으며, 소즉위(小則爲) 명화적(明火賊) 대즉위(大則爲) 모역(謀逆)이라고 이러한 변화를 보고하고 있었다.

언진산서 하룻밤 묵고 나서 장길산 강말득 정대성 이업복 그리고 이시흥 김선일은 다시 샘골로 내려오게 되었다. 길산과 말득은 의주에 가서 박대근 일행과 더불어 강변칠읍을 둘러볼 작정이라 양덕 맹산의 험로를 지나서 묘향산에 들르는 여로를 택할 것이었다. 그쪽 길이 후미지고 인적이 드문 곳이라 안전하겠기 때문이었고 어차피 묘향산에 오를 것이니 그쪽이 직로가 되는 까닭이었다. 업복이는 함경도 산채의 두령으로 나가는데 기왕에 있었던 함흥 백운산의 산채와 고원 원산의 객점을 관장하게 되었다. 이시흥은 상단을 운영할 것이며, 정대성은 회령 경성의 쌍개시에 무역로를 트기 위하여 나가는 길이었다. 그리고 김선일은 앞으로 함경도의 객점들을 관리할 것이라 그들을 따라가는 터였다.

장길산 일행은 샘골 끝춘이네 객점으로 내려와 말 네 필을 끌려냈다. 언진산에서는 은자 천 냥을 우선 내주었는데, 그것은 전(錢) 사천 냥에 해당되는 액수였다. 오백 냥은 길산네가 의주와 강변칠읍을 돌며 쓸 것이고, 고원 원산 객점과 함흥 백운산 산채의 밑천과 살림 대금으로 천오백 냥이 나가며, 나머지 이천 냥은 회령에 객점을 내는 비용으로 쓸 것이었다.

당일 저녁에 동대령을 넘어 대동강의 지류인 능성강(能成江)을 건너서 읍치에서 육십 리 떨어진 은금동령(銀金洞嶺)의 수철점에 당도하였다. 곡산은 이름 그대로 고산 심곡의 고을이었다. 지세가 삼방이 산맥으로 둘러진 고원으로 되어 있으며, 낭림산맥의 지맥이 북에서 내리뻗쳐 함경도 경계의 험준한 장벽을 이루고 마식령산맥이 강원도와 경계를 이루며, 황해도의 가운데를 가르며 달려온 멸악산맥이 이 고을의 서쪽을 막아서고 있는 것이다. 은금동령 수철점에는 천동이가 점주였으나 그는 또 봉산에 나가 있었고, 그의 번수 한 사람만이 막을 지키고 있었다. 곡산 수철점은 천동이네서 어엿하게 세를 내고 있는 곳이라, 버젓하게 농기구와 솥을 만들어내는 풀뭇간의 규모가 제법 컸다. 광부도 백여 명 되었으며 야장과 대장장이도 이십 명이 넘었다.

길산의 일행은 수철점에서 묵고 울여울의 상류를 향하여 팔십 리를 지나서 평안도 지계를 넘어 양덕에 당도하였다. 양덕에 들판은 거의 없는 편이며 모든 길이 골짜기와 골짜기를 통하여 연결되었다. 또한 길 옆에는 골짜기에 따른 수십 갈래의 개천이 지나갔다. 양덕은 곡산보다도 궁벽한 곳이었다. 또한 언진산맥과 낭림산맥이 만나는 곳이기도 하였다. 천산(千山) 한골[一谷] 안에 쓸쓸한 여덟아홉 집이라고 양덕의 산촌(山村)을 표현한 이도 있었다. 현이라야 스무 집이 될까 말까 한 마을에 관가도 여기서는 초가에 지나지 않았다. 논은 한 군데도 없었고 거의가 메조나 기장을 심어 근근이 양식을 삼았다. 그들은 현내에 있는 주막에 찾아가 봉놋방 신세를 졌다. 양덕은 적송이 온 산줄기를 뒤덮은 고장이라 겨울바람이 숲을 몰아치는 소리로 마치 만경창파가 솟음치는 큰 바다 속에 들어앉은 듯하였다. 저녁밥상이 나왔는데 밥은 날아가는 서속밥이요, 반찬은 산나물이며 더덕과 송이가 먹음직하였다. 남천서 잡아올린 쏘가리탕은 반찬보다는 안줏감이었으나 현내에 술은 없었다. 밥 먹고 나서 둘러앉아 곰방대를 물고 담배를 태우려니 주인이 들어와 말참례를 하였다.

"어디 방이 차지는 않으신가요."

"괜찮소, 절절 끓는데."

"모두들 함경도루 넘어가십니까."

"왜 그러우. 주인은 그걸 알면 밥값이라두 공짜루 해주려우?"

강말득이 퉁명스럽게 받으니 순박하게 생긴 주막 주인은 눈을 휘둥그렇게 떴다.

"어이구, 손님 무슨 말씀이신가요. 저희 집은 대처의 객줏집과는 달라서, 그저 가끔씩 북도로 오르는 이들께 길양식이나 받아 한 철 농량으로 보태먹구 지냅니다. 과객을 거저 먹여드린다는 것두 철 나름이지요."

농을 받을 줄 모르고 손을 내젓는 주인의 모양이 야박하다기보다는 고지식하게 보여서 길산은 웃으며 말하였다.

"내가 지금 내일 아침까지의 숙식대를 드리다. 우리는 공으로 먹고 나다니는 사람들이 아니오."

"저런…… 제 뜻은 그게 아니올시다. 양덕이 원래 궁벽한 고을이란 말씀입지요."

길산이 봇짐 속에서 반 냥짜리 은편 한 개를 꺼내어 주니, 이는 미곡 닷 되에 해당하는 금액이라 주인은 더욱 놀라는 것이었다.

"이건 좀 과합니다. 이틀 묵어가시지요."

대처에서라면 쓰다 달다 뒷소리도 없었을 것을 과연 한촌 인심이 순직하였다. 주인은 은편을 깨물어보고 나서 손에 쥐고 아래위로 추슬러보기도 하였다.

"금이 이만하다면 대단한 재물이겠지요?"

주인의 말에 길산도 이번에는 좀 기분이 언짢아졌고 모두들 시큰둥한 표정인데 김선일이 말하였다.

"금을 가진 사람처럼 얘기하네. 여보슈, 이런 경치 좋고 평안한 골에서 밥 세 때 놓치지 않구 사는 게 태평성대요. 가만 보니 주인은 혼 좀 나야겠소. 집 잃고 땅 잃고 구몰당해봐야 정신 바싹 차리겠는걸."

"이런 금덩이도 만져봤고, 혼찌검도 당했지요."

주인 사내는 픽 웃더니 은편을 집어넣고 다시금 사례하며 일어났다.

"말은 솔질도 해주고 마른 풀도 먹였습니다. 아주 훌륭한 말들입니다. 그럼 편히들 쉬십시오."

하고 나가려는 사내의 옷자락을 말득이가 잡고 늘어졌다.

"허, 남의 애를 태우지 말구 하던 옛말이나 마저 해보시우. 밥값두 푸짐허게 받았것다, 봉놋방 재미야 서로 돌려가며 나누는 옛말 재담 맛인데 주인장 소싯적 얘기나 들어봅시다."

시흥이나 대성이는 그거 좋겠다며 맞장구를 쳤고 길산도 팔베개를 하고 벽 쪽에 붙어 누워서도 은근히 사내가 무슨 얘기를 하려나 기다리는 심정이 되었다. 업복이가 말하였다.

"금덩이 만진 얘기 좀 해보시우."

그러나 주인 사내는 좀처럼 얘기를 꺼낼 기색이 아니었다.

"원래가 양덕 태생이 아니시오?"

말을 끌어내리고 선일이가 물었고 주인은 고개를 끄덕였다.

"예, 박천(博川) 살았지요. 진두강 아래서 농사를 지었습니다. 둔전을 부쳐서 갈아먹었습니다. 지난 계해 갑자 흉년에 땅은 모두 불볕 가뭄으로 말라버리고 양식은 없어 대처인 안주나 평양으로 가겠다고 식솔을 데리고 고향집을 떠났습니다. 뭐 가진 게 있었나요. 식기 두어 개와 옹솥과 이불 보따리 하나뿐이었지요. 더러는 얻어먹고 또는 죽소에도 찾아가고 하면서 연명을 하다가 소문을 듣게 되었습니다."

다른 이들은 잠자코 듣고 있었으나, 김선일이 그와 같이 정주(定州)에서 농사의 근거를 잃고 가족과 뿔뿔이 흩어졌던 경험이 있었는지라, 참지 못하고 끼여들었다.

"잠채꾼들이 광부 모집하러 다니지 않습디까?"

"예, 그랬습니다. 어찌 아십니까?"

"가만있어봐라. 금덩이 얘기가 나올 텐데 왜 가로막구 야단이냐."

업복이가 선일을 박아놓았고 말득이가 한마디 하였다.

"이 사람두 예전에 잠채꾼들의 사노(私奴)가 되었던 것을 우리 성님이 살려놓아서 지금은 제법 장가들고 팔자를 고친 거요."

"잠채꾼들을 따라서 운산이나 가산 영변 등지의 산골로 따라간 사람들도 있었고, 북도로 올라가는 이들도 있었습니다만 저희는 운이 좋았지요. 전에 잠채꾼을 따라다녔다는 사내가 말하기를, 성천 (成川) 비류강(沸流江)에 가서 모래를 뜨면 금이 많이 나온다는 것이 었습니다. 그래서 우리는 남부여대하여 다른 유민 가족들과 같이 성천으로 가는데 순안(順安) 자산(慈山) 강동(江東)에 이르니 소문을 듣고 천여 명이 넘는 난민들이 몰려와 있었습니다."

"성천에서 사금이 나왔다는 말은 있었소. 그리 크게 볼 것은 못 됩니다."

선일이 아는 체를 하였고 주인이 이어서 말하였다.

"하여튼 비류강 강가에는 유민들이 하얗게 몰려들어 사금을 떠내느라고 정신이 없었습니다. 그들이 가진 도구라고는 벽채나 끌 같은 쇠꼬챙이에 자루 하나, 체에 쓸 바구니나 고리뚜껑 따위였지요. 칠팔 세 되는 아이에서부터 육순 넘은 늙은이에 이르기까지 모두 강변에 달라붙어 있습디다. 먼저 바가지로 모래를 퍼서 체에 담아 강물에 담갔다가 꺼냈다 하면서 쌀을 일듯이 하노라면 모래는 물에 씻겨 아래로 흘러나가고 좀 굵은 모래알들이 남게 되지요. 그 틈에서 금알갱이를 찾아내는 것이지요. 어떤 때엔 두세 개 또 어떤 때에는 허탕을 치기도 합니다. 대개 경험이 많은 이들은 사구의 생김새만 척 살피고도 좋은 장소를 찾아내지요."

양덕 주막의 주인이 말하는 방법은 지금 길산네 언진산 청룡골의 잠채터에서 사금을 떠내는 것과 똑같은 것이었다. 이시홍과 김선일의 말에 의하면 지금 북도와 서도의 중간 경계 지점인 낭림산맥 일대와 북도의 백두산에서 시작되는 마천령산맥, 그리고 그 두 산맥 사이의 아득령 너머 허천강 장진강 부전강 일대에는 아무도 발을 디뎌보지 못한 원시림과 심심산곡이 쌨는데, 농사짓고 화전갈이할 땅이며 덫을 놓고 함정을 파는 사냥터며, 주인이 말한 것과 같은 금과 은의 잠채터가 수없이 있을 거라는 얘기였다. 이곳 일대는 실로 관의 힘이 전혀 미치지 못하는 광대무변의 새로운 고장이었다. 주인은 말을 계속하였다.

"물살이 세어서 상류의 여울이 만들어놓은 모래톱이라든가, 지류와 본류가 합치는 곳이라든가 강물이 땅의 양안을 치고 내려와 벽이 가파른 곳이라든가 그런 데가 좋은 장소입니다. 하여튼 좋은 데에 자리만 잡으면 하루에 열서너 알갱이를 떠낼 수가 있고 못해도 두어 알은 얻습니다. 어떤 사람은 두엇씩 짝을 지어 인적이 드문 상류로 올라가 한 달 사이에 줌치로 스무 개를 만들어 일시에 부자가 된 사람두 있습니다. 금 한 알갱이가 작은 것은 좁쌀알만 한 것에서 큰 것은 팥알만 한 것까지 있습니다. 한 사람이 하루에 부지런히 골라내면 두세 냥은 벌었으니 농사에 비할 바가 아니었습니다. 게다가 때는 흉년이라 밥값을 벌기가 수월찮은 일이었지요. 자연히 사방에서 무뢰배와 악소패와 노름꾼 창기 들병이들이 몰려와 그때에 성천 강동 순안 일대는 장시가 즐비하게 섰습니다. 그래서 성천부사가 점(店)을 개설하고 호패가 없는 자들은 모두 외방인이라 하여 작업하지 못하도록 막았지요. 그러나 실상은 지방 부호나 권세가가 관가의 첩문을 받아내어 모리를 하였습니다. 사람들은 뿔뿔이 흩어졌고 지금도 농한기에 한하여 그 지방 사람들에게만 채금을 허락하고 있지만, 소출이 예전과는 다르다는 것입니다. 하지만 우리는 비류강에 연한 어느 산록인가에 금이 무더기로 묻힌 곳이 있다는 짐작만을 하고 있었습니다. 우리는 다섯 사람이 작당하여 잠채를 다녔는데 저 양덕의 서쪽 끝에 성천계와 닿는 곳에 있는 개여울에서 석영(石英)의 돌 사이에 박힌 계란만 한 금덩이를 건져냈습니다. 그곳에는 온통 자갈과 물돌뿐이었지요. 어느 산의 계곡에선가 토사에 밀려 쌓인 것입니다. 우리는 성천 금점으로 가서 예전같이 미곡과 무명으로 바꾸려 하였더니, 점주라는 자가 들락거리고 번수가 살피고 하더니만 장교가 와서 덜커덕 잡아가두는 것이었습니다. 범금하였다며, 잠채한자는 본인에 한하여 삼 년간 섬에 유배당한다고 하였습니다. 그래서우리는 잠채한 것이 아니라 우연히 누치를 잡으러 강에 갔다가 주웠다고 발명을 했지요. 곤장만 맞고 풀려났으나 늘 잊지 못하여 다시개나루로 나가서 사금을 떴습니다. 씨알이 굵은 것이 많이 나왔지요. 우리는 그것을 성천으로 내가지 않고 순안에 내다가 팔아 식구들을 먹여살렸습니다. 헌데 다시 소출이 떨어지기 시작했습니다. 잠채라는 것은 사람을 버리게 합니다. 한나절 가만히 앉아서 금조각을골라내면 밥은 근근이 먹게 되니 다시는 농사지을 생각이 없어지게됩니다. 근근이 밥은 먹으나 어디 사람이 근거가 있어야지요. 더구나 잠채꾼끼리는 노름이 성하여 그날 하루 번 일당으로 골패를 노는데 재수없으면 빈털터리가 되어 굶는 날두 있습니다. 마누라가 애걸복걸하고 아이들의 정경도 가엾어서 그만 패거리와 헤어졌습니다. 한 십 년 이 골에서 남의 땅도 부쳐먹고 이렇게 행객을 받아 호구를합니다만, 어쩌다 쇳조각이라도 보게 되면 기분이 야릇해집니다. 그때에 건졌던 그 금덩이만 있었으면 저는 부자가 됐을 겁니다.”

주인은 은편을 만지작거리다가 한숨을 내쉬었다. 김선일이 물었다.

“그러면 그때에 열었다던 금점이 아직도 성천에 있소?”

“다 없어졌지요. 소출이 떨어진 모양입니다.”

“개나루라는 데가 여기서 얼마나 되오?”

“한 백삼십여 리 됩니다. 양덕 일대의 하천이 모두 한군데로 모이는 곳입니다. 비류강의 상류지요.”

"강의 상류가 어디요?"

"글쎄요, 가보진 않았습니다만 저어 낭림산맥의 오강산(吳江山)에서 시작된다고 합니다."

길산이 말하였다.

"내가 잘 알지. 병풍산(屛風山)과 운봉산(雲峯山)과 오강산이 한데 모여 있는 곳이다. 운봉산서 산 적이 있다."

"성님과 제가 처음 만난 곳입니다."

김선일이 옛날 생각이 난 듯 천장을 올려다보며 스스로 감탄하였다. 길산이 주인에게 물었다.

"만약에 새로 채금터가 생긴다면 성천이나 양덕 관아에서 또 금점을 독차지하거나 첩문을 내어 누군가에게 넘겨주겠구면."

"예, 하지만 아전을 끼고 조금씩 인정을 바치면서 해내면 됩니다. 별로 어려운 일은 아닙지요."

"그럼 주인이 한번 해보시구려."

"허허, 저희 같은 미미한 것들이 무슨 밑천이 있습니까, 일꾼들이 있습니까. 금줄을 찾았다 할지라도 불가능한 일입지요."

길산은 더이상 여러 말 하지 않았으나 주인이 물러난 뒤에 아우들에게 말하였다.

"내게 전부터 가슴에 품어온 생각이 있다. 한 해가 멀다 하고 흉년과 역병이 팔도를 휩쓸어 산골마을은 쇠락하고 비워진 곳이 한두 군데가 아니다. 백성들은 살 길을 찾아 흩어져서 길 위에서 죽거나 잔명을 보존하려 심산에서 화전이나 갈고 살며, 아직도 가는 곳마다 거지와 유민들로 길이 메워지고 있다. 호적은커녕 관가에서도 버림을 받아 어린아이들은 누구든지 밥만 먹여줄 수 있으면 그것이 누구의 자식이건 상관없이 노비로 삼을 수 있다고 정해놓을 정도이다.

우리가 만약 재화를 모으고 그것을 여러 사람을 위하여 경영할 수가 있게 된다면 곳곳에 우리들의 마을을 이루어놓을 수가 있고, 이런 마을이 퍼져나가면 우리의 힘도 커지는 것이다. 가령 금은이나 쇠나 그러한 재화를 가지고 북관에 가면 야인들과 가축은 물론이고 콩과 수수와 조와 같은 양식도 바꿔올 수가 있으며, 저어 북도의 원시림 가운데 수많은 마을을 이룰 수가 있게 된다. 지금 주인의 말을 들어보면 양덕과 성천계에 또다시 채금터가 있을 법하구나. 이런 일은 우리가 직접 나설 것이 아니라 봉산의 만동이나 송도 대근이 성님이 손을 댄다면 수월할 것이다. 먼저 다른 곳의 우리 식구들을 보내어 잠채하게 하며 찾아오는 이들을 또한 식구로 정착시켜서 재화를 모으고 북도에 살 만한 곳을 여러 곳 찾아서 기틀을 닦는 것이다. 땅도 갈아두고 집도 세워야 할 게야. 이번에 고원에 나갔다가 돌아올 제 선일이는 주인을 잘 설득하여 비류강 상류를 더듬어보아라."

"분명히 큰 금광이 있을 것입니다."

나라에서는 명과 청의 조공관계로 금에 대한 공납이 부담이어서 늘 금은 조선의 산물이 아니라고 간청하여 겨우 모면하였고, 금광산이 발견되더라도 절대로 나라 밖으로 새어나가지 않도록 조심하였으며, 군현의 수령들은 점이 설치되면 외방인이 많아져서 골치 아픈 일이 많이 생기고 인심이 각박해지며 양민들은 농사에 게을리한다 하여 있던 점도 폐쇄하는 형편이었다. 그러나 잠채는 각처에서 끊임이 없어 평안도 북부와 북관의 심산에서는 생산된 은과 금이 강을 건너 청상에게로 흘러들어갔다. 조공의 세폐(歲幣)와는 상관없이 흘러들어간 조선 금은 청인들 옷의 각종 장식과 금박, 그리고 누각의 기와에 입히는 도금에서 심지어는 변발 위에 얹는 둥근 모자의 꼭대기에도 금장식을 하였으니, 잠채된 금의 잠상은 이렇듯 변경에서 흔한 일이 되고 있었다. 금값은 한 푼중에 오십 문이 넘었다.

날이 밝자 김선일 이시흥 정대성 이업복 등은 동북방의 함경도 고원(高原)으로 가는 두류산(頭流山)으로 향하였고, 길산과 말득이는 곧장 북쪽의 맹산(孟山)으로 향하였다. 양덕서 맹산 가는 직로는 줄곧 낭림산맥의 연봉을 동쪽에 두고 따라가는 길이었다. 양덕의 경계가 동남 방향은 짧고 북서 방향은 끝 간 데를 모르고 길어서 대개 산과 지형의 세를 알 수가 있었다. 황해도 곡산군까지는 불과 이십 리요, 함경도 고원 경계까지는 삼십 리였으나, 서쪽의 성천부 경계까지는 백삼십 리, 북으로 맹산 경계까지가 백오십 리 길이었다. 길산과 말득이는 하루종일 말을 달려 맹산으로 넘어가는 오강산 아랫녘에 당도하여 토성진(兎城鎭)에서 묵었고 이어서 오강산을 넘으니 동북쪽에 이빨처럼 솟아오른 운봉산과 병풍령이 내다보였다. 이들 연봉들이 함경도와 평안도를 가르는 벽이 되었고 그 맥은 묘향산맥과 만나면서 개마고원을 이루어 백두산 일대와 압록강에까지 닿는 것이었다. 청산(靑山)창이 바로 운봉산 아랫녘이었는데 맹산에서 함경도 영흥으로 넘어가는 길목이었다. 일찍이 길산이 운봉산에서 수도할 때 병풍산과 운봉산 자작령 두무령 일대를 범과 같이 오르내려 산세와 길을 훤히 알고 있던 것이다.

"성님, 그냥 맹산 지나 덕천(德川)으로 가시려우, 아니면 청산창에서 중화 들고 운봉산 식구들 대면하고 가시겠수."

"그래, 잠깐 들러서 점심이나 먹고 가자꾸나."

말득의 물음에 길산은 그렇게 대꾸하고 나서 말을 타고 쓸쓸한 마을로 들어갔다. 두메의 십여 호 될까 말까 한 동네였는데 서쪽으로만 들판이 열려 있을 뿐이요 사방으로 산이 둘러싸였다. 원래 맹산현 자체가 양덕보다 더욱 산골인데 서북쪽에 제법 집이 많은 마을

이 몰려 있었고 낭림산맥 아래쪽은 호랑이나 늑대가 배회하는 깊은 산이었다. 함경도 영홍부에 속한 철옹성이 두무령에 있었다. 길산이 김선일을 만나고 잠채터를 습격하여 많은 광부들을 구출했던 곳이기도 하였다. 낭림산맥에는 운봉산 병풍산 일대에 녹림당 한 대가 있었고, 낭림산에 한 대, 그리고 묘향 낭림 두 줄기가 맞닿는 소백산에 또 한 패거리가 있었으며, 수는 삼백여 명이었으나 차츰 유민들과 노비들로 불어나고 있었던 것이다. 이들 가운데 운봉산 산채가 가장 컸으니, 이들은 영홍 함홍 고원 일대와 연결되고 있었다. 운봉산 진대골 예전 심메마니들의 깊숙한 마을에 산채가 있었는데, 두령은 김선일과 함께 서산이목 유복령네 잠채터에서 길산의 구원을 받았던 광부 박산돌(朴山乭)이었다. 그 수하 사람들은 다른 광부들과 채삼하던 심메마니 일부와 평안도서 도망온 노비들과 유민들이었다.

마을로 들어가니 울타리는 생솔이요 낮은 초가들인데 초겨울 햇볕이 다사롭게 마당마다 내려앉아 있었고, 그들이 들어선 집 안마당에는 닭이 병아리를 데리고 잿더미를 들쑤시고 있었다.

"주인장 계시우?"

말득이가 앞장서서 부엌 앞에 서서 외치니 사내 하나가 뒤꼍에서 돌아나왔다. 맨상투에 나이는 서른쯤 먹어 보이고 얼굴이 너부죽하였다. 그는 두 사람의 행색부터 살폈다.

"뉘시우?"

"나 모르겠수, 황해도 사는 강서방이라오."

말득이 얘기하니 그제야 사내가 웃는 낯이 되면서 머리를 숙여 보였다.

"어이구, 난 누구신가 하구…… 지난 여름에 오셨던 분인 줄도 모르고."

"산식구들은 다들 잘 있소?"

"예, 여전합니다. 지난번에 고원 함흥 쪽으로 다녀들 오셨지요. 어서 올라오십시오. 마침 우리 가장께서 집에 내려와 계십니다."

사내가 말하였고 말득이는 길산을 돌아보고 나서 그에게 말하였다.

"우리 큰성님이우. 길산 성님이라면 아실 게요."

"어이구……"

사내는 깜짝 놀라더니 아예 길산의 손을 잡아끌며 서둘렀다.

"어서 방에 들어가 앉으시지요. 인사 올리겠습니다."

사내의 뒤를 따라 방 안에 들어가 앉자 그는 길산에게 넙죽 절을 올렸다.

"선성만 익히 듣고 인사가 늦습니다. 저는 산돌 언니 아우 되는 수돌이라구 합니다. 산돌 언니가 서산이목에 있을 제 저희는 순안서 살았습지요. 온 가족이 뿔뿔이 흩어져 살다가 몇년 전에야 이 골에 모여서 삽니다. 언니가 장두령님 말씀은 늘상 해오셔서 저희뿐만 아니라 다른 아이들도 모두 알고 있지요. 제가 금방 다녀오겠습니다. 언니가 그저께 집에 다니러 오셔서 지금 댁에 계시지요."

그는 밖으로 나가서 아내를 부르고 뭔가 소곤거리며 중화 지을 일을 당부하고 부산스럽게 돌아가더니 그의 형 산돌을 부르러 나갔다.

"지난번에 선일이하구 같이 와서 운봉산에 올라가 닷새나 놀고 온 적이 있습니다."

"이번에 대근이 성님과의 약조만 없었다면 나두 오랜만에 진대골도 둘러보고 대지봉의 내가 살던 오두막 터도 가보았으면 싶은데 다음으로 미뤄야겠다. 운봉산서 사냥을 할 만할 게다."

"다녀올 때 들릅시다."

"그래, 이제는 북관에도 자주 나다니게 되었구나."

박산돌이 선일이만큼은 못 되어도, 그때에 잠채꾼들에게 잡혀서 사노의 지경에 빠졌을 적에 길산의 구원을 받아 진군과 잠채꾼들을 습격할 때 선일이와 더불어 돌팔매를 날려 공을 세웠던 터이다.

"박서방이 팔매를 잘 쳤지."

길산이 중얼거리자 말득이도 한마디 하였다.

"선일이 동무라니 어련할라구요. 도무지 서도것들은 짚 한 단 들 기운만 되어도 자갈을 날리는 재간이 있단 말이우."

"그래 눈매가 매서운 게다. 이들에게도 총포만 있다면 관군 수천 이 와도 겁날 게 없지."

밖에서 발걸음 소리가 나더니 방문이 드르륵 열리며 산돌이의 부리부리한 눈이며 광대뼈 나온 몰골이 나타났다. 그는 문턱 옆의 마루에 엎드렸다.

"성님, 산돌이 문안이우."

"그래, 박서방 잘 있었는가."

"이번 동짓달에는 자비령에 찾아가 뵈올 작정이었습니다."

"어서 들어와 앉게나."

그들은 산돌 수돌 형제와 마주 앉았다.

"선일이 잘 있지요?"

"응, 이번에 같이 나왔다가 양덕서 고원으로 나갔다. 백운산 산채 와 고원 원산 객점에 힘을 기울일 작정이다."

"제 아우를 북도로 보내주십시오."

산돌이가 말하자 수돌이는 차마 길산에게는 뭐라고 못 하고 말득 이에게 푸념하였다.

"운봉산 눈구녕이라구 뭐 청산골에다 이렇게 저희들 마을은 이루었습니다만, 갑갑해서 못 견디겠수. 순안에서는 그래두 평양 대처가 지척이라 사람 구경이라두 했는데, 들에 나가봐야 맨 노루 사슴뿐이우."

"왜 나는 운봉산이 버티구 있으니까 늘 마음이 든든하더구먼. 묘향산 서두령에게두 들러볼까 하는 참인데, 낭림산 소백산 식구들과는 서로 오삭가삭하는 모양인가?"

길산이 물었고 산돌이가 답하였다.

"그럼요, 그쪽이야 먹을 바닥이 좋지요. 상로도 있고 금점 은점이 사방에 깔렸습니다."

"후일에 낭림산맥은 대군을 묻어둘 만한 곳일세. 나두 들어올 테니까 집 지키는 셈치고 들어앉아 있게나. 그리고 산살림 하기 벅차면 언제든지 언진산 선일이에게 통기하게나. 은자나 돈을 보내줄 걸세."

"지난 가을에도 선일이가 은자를 보내어 북변에 나가서 양식을 구해다 놓았습니다."

"식구들은 얼마나 되는가?"

"산식구들만 팔십여 명이고 딸린 식구들은 백여 명이 넘지요. 이 골에도 살고 자작령 너머 횡천골에도 삽니다."

"음, 여기보다는 그곳이 마을을 이루기가 더욱 좋겠구먼. 이곳이야 맹산현에서 가깝고 노상이 아닌가."

"저희들두 그렇게 생각하구 있습니다. 횡천골은 함경도 영흥부에 속합니다. 여기서 양덕보다 조금 더 멀지요. 산과 개천이 수백 갈래가 됩니다."

"서산이목은 어떻게 되었나?"

"그때 이후로 폐광이 되어버렸습니다. 산성 진군도 요즈음은 숫자를 채우지 못하여 황폐하였지요. 말만 철옹산성일 뿐 늙은 향군 몇몇이 산전이나 갈아먹구 있습니다."

"이제는 금이 나오지 않을까?"

"글쎄요, 깊이 땅굴을 파면 나올 겁니다. 허나 그러자면 인원도 많아야 하고 산을 허물든지 해야 될 테니 차라리 사금을 건지느니만 못할 것입니다. 저희 생각으로는 상단을 이루어 함경도를 무른 메주 밟듯이 휘젓고 다니는 것이 나을 듯합니다. 그래서 수돌이를 내보내고자 하는 게지요."

"좋은 생각일세마는 내 생각으로는 수돌이가 순안서 토박이로 컸다니 봉산 만동이네 모양으로 제 바닥에 가서 난전을 휘어잡는 것이 좋을 것 같은데."

"밑천이 한 이삼천 냥 있다면…… 평양 바깥 장은 주무를 수가 있습니다."

"그렇지, 청천강 이남에서는 역시 대처는 평양이 아닌가. 함경도서 북포(北布)를 그러모아다가 평양서 값을 올려서 청천강 이북으로 올려보내는 걸세. 역시 남쪽에서는 길도 멀고, 무명이라면 길주 명천 무명과 목화가 으뜸이 아닌가. 의주의 무명값을 좌지우지할 수가 있을 게야. 순안이라면 평양 지척일 뿐 아니라 양덕 맹산을 잇는 거점도 될 수 있네. 그리고 내가 전에 알선해서 재인들이 황주와 순안 일대에두 많이 살구 있네."

"잘 알아 모시겠습니다."

산돌이와 수돌 형제는 곧 길산의 안에 머리를 숙여 응낙하였다.

"우리가 필요한 것은 첫째는 상고에도 쓰고 거병에도 쓸 수 있는 북방마요, 둘째는 총과 화약이며, 셋째는 믿을 만한 장정들일세. 벌어먹고 살려고 동서남북으로 서로 돌아다니다 보면 쉽사리 연계가

이루어질 게야. 함부로 드러내지 말고 착실하게 세를 불려나가도록
하게."

길산은 끝으로 당부하였다. 그들은 청산서 오후까지 머물다가 다
시 길을 떠나 그날 밤을 덕천(德川)서 묵었다. 덕천은 영원과 맹산의
물이 합쳐져 삼탄(三灘)을 이루고 이것이 삼월강(三月江)으로서 성천
의 비류강과 만나게 된다. 질펀한 긴 강은 외로운 성을 끌어안고 넓
고 깊숙한 골짜기는 한결같이 평평하다는, 옛글이 바로 이 강을 낀
고을의 형세를 이르는 것이다. 덕천서 묘향산까지가 사십오 리 길이
었다. 덕천 개천 영변을 잇는 동서로가 정주와 구성으로 엇갈리니,
몇해 전에 구월산 오진암 법회 때에 들렀던 풍열 큰스님의 도반 되
시던 도안(道眼)스님께서 이르시듯 이들 골짜기에는 숱한 암자와 불
사가 있어 승병이 체결됨직도 하였다. 그리고 길산은 길을 떠날 때
부터 명근(命根)스님에 대한 생각을 떨쳐버릴 수가 없었던 것이다.

길산과 말득이는 묘향산 어귀의 동창골에 이르러 말을 맡겨두고
서 향천내를 따라서 보현사(寶賢寺)로 찾아들어갔다. 내원계곡의 남
서쪽으로는 주봉인 비로봉을 비롯하여 칠성봉(七星峯) 만궁봉(挽弓
峯) 시위봉(侍衛峯) 강선봉(降仙峯) 문필봉(文筆峯) 왕모봉(王母峯) 등이
파도처럼 일어나서 오르내리며 달리고 있었고, 동북쪽으로는 원만
봉(圓滿峯) 석가봉(釋迦峯) 관음봉(觀音峯) 가섭봉(迦葉峯) 아난봉(阿難峯)
지장봉(地藏峯) 시왕봉(十王峯) 향로봉(香爐峯) 법왕봉(法王峯) 등이 불
꽃처럼 춤추며 솟아올랐다. 길산은 간간이 들리는 북소리를 듣고 보
현사가 가까워진 것을 알았고 문안과 문밖의 갈라진 사연을 묻지 말
라던 풍열스님의 꾸짖던 말씀이 생각났다. 그러나 길산은 명근스님
이란 분을 꼭 찾아 어머님이 돌아가시던 때의 얘기를 전하고 싶었
다. 사람으로 태어나 짐승처럼 따로이 팔려 혈육의 정이 끊겼던 속

세의 일을 이제 새삼 선승이 되신 분에게 알려 무엇 하겠는가마는, 그분이 끊어버리셨던 그 자리에서 길산이 생겨났고 짧은 순간만이라도 과거를 이어서 자식이 되고 싶었던 것이다. 그리고 봉세산 중턱의 돌무더기 아래 묻힌 생모처럼 지금은 전혀 다른 생을 사는 친부의 기억을 묘향산 골짜기 안에다 묻어버리고 돌아설 작정이었다.

길산과 말득이 보현사를 거쳐서 승려의 안내를 받아 윤필암(潤筆菴)을 찾으니 도안스님은 곧 길산을 알아보고 풍열이 가평에 옮긴 일이며 운부스님의 소식을 알려주었다. 길산이 안심사(安心寺)의 명근스님께 보일 것을 말하니 도안은 안내한 승려에게 길을 가르쳐주라 하고서는 말하는 것이었다.

"자네가 찾아가는 것은 세속의 도리라 말릴 생각은 없지만, 찾아가지 않느니만 같지 못할 걸세."

그러나 길산은 고개를 숙이고 아무 말도 하지 않았다.

이튿날에야 보현사 승려의 안내를 받아 안심사를 찾았다. 안심사에 당도하여 명근스님을 찾아온 분이라 이르고 승려는 상좌에게 그들을 소개하고는 돌아갔는데, 상좌는 그들을 작은 방에 들어가 기다리라고 이르더니 말하였다.

"스님께서 참선 중이시라 여쭙지 못하겠습니다. 점심공양 드시고 뵙지요."

길산과 말득이 객방에서 기다리는데 말득이는 좀이 쑤셔서 대웅전 마당을 오락가락하기도 하고 방에 들어와 눕기도 하였지만, 길산은 방 안에서 꼼짝도 않고 앉아서 상좌의 전갈이 오기만을 기다리고 있었다. 말득이도 길산의 안색이 풀어지지 않아서 뭐라고 말을 붙이거나 농도 걸지 못하였다.

저녁때가 다 되어 해가 칠성봉을 비끼며 넘어갈 무렵해서야 상좌가 다시 방문 앞에 나타나 안에다 대고 말하였다.

"스님께서 선방에서 나오셨습니다. 뵈러 가시지요."

길산은 누웠다가 벌떡 일어나 앉아서 두리번거렸다. 말득이도 따라서 일어났지만 길산에게 아무 말도 해줄 수가 없었다. 길산은 두려운 듯이 중얼거렸다.

"괜히 왔지……?"

"손님, 스님께서 부르십니다."

다시 재촉하는 상좌의 목소리가 들리자 길산은 일어나며 얼른 답하였다.

"예, 나갑니다."

그는 말득이를 돌아보았다.

"함께 가자꾸나."

"싫우, 성님 혼자 가시우."

말득이가 단호하게 잘랐고 길산은 돌아서서 방문을 열었다.

"이리로……"

앞서가는 동승의 뒤를 따라서 길산은 대웅전 오른쪽에 있는 동쪽의 방을 향하여 걸었다. 방문 앞에서 상좌가 아뢰었다.

"스님, 손님 모시구 왔습니다."

"오냐, 들어오시게 하여라."

안에서 나직한 노인의 목소리가 들려왔다. 길산은 아랫배에 힘을 주고 한번 기침을 해보고 나서 방문을 열었다. 안에 회색 장삼을 입은 노승의 자취가 보였고 길산은 얼결에 윗목에 가서 삼배를 올렸다. 노승은 마주 합장하여 예에 답하였다. 노승의 좀 자란 삭발머리는 흰빛이 가득하고 눈썹은 희고 길었다. 그러나 눈매는 가늘고 날카로우며 그 안에서 총기 있는 눈초리가 번쩍이고 있었다. 길산은 첫눈에 자기가 그 노승을 빼어내듯 닮았다는 느낌을 받았던 것이다. 노승은 길산을 무심히 대하였다.

"뉘신고?"

"예, 저…… 저는 불도를 믿으나 신심은 얕고 어리석은 장서방이란 놈입니다."

노승은 한 손에 염주를 감아쥐고 방석 위에 꼿꼿이 앉아서 길산을 건너다보았다.

"도안스님이 내게 보냈다 하던데, 이 절에는 왜 찾아오셨나. 입산하러 온 것이라면 잘못 왔소. 보현사에 가셔야지."

길산은 차츰 침착을 되찾는 중이었다. 그도 허리를 펴고 단정히 앉았다.

"저는 승려가 되려고 온 것은 아닙니다. 스님을 뵈려고 왔습니다."

노승은 그의 말을 기다리고만 있었다.

"스님께서는 원래 고향이 해서의 신계가 아니신지요?"

명근스님은 동요하는 빛 없이 되물었다.

"불가에 몸을 담은 지 하도 오래되어 이 살이 몇년 묵은 것인지, 속명이 무엇인지 따위는 모두 잊어버렸소만 장서방은 뭣 때문에 그런 것을 내게 묻는 거요?"

"저는 효종조 을미생이올시다. 모친께서는 사비(私婢)이셨습니다. 제가 태어나기 직전에 개성의 전임 부사 댁으로 팔려가셨지요. 부친께서는 따로이 장단으로 팔려가셨다 합니다. 부친은 멀리 도망가시면서 해주 수양산 망해사로 찾아오라고 당부하셨답니다. 모친은 추노하는 자들을 피하여 해서를 향해 달아나시던 노상에서 저를 낳고 돌아가셨습니다."

거기까지 얘기했을 때 길산은 저도 모르게 울컥해져서 목소리가 떨렸고, 무엇보다도 명근스님의 반응이 기다려졌던 것이다. 노승은 처음과 같은 표정이었으나 염주를 빠르게 헤아려나가고 있었다.

"저는 연안 근처의 물방앗간에서 태어났습니다. 핏덩이를 받아 내신 분은 해서 재인패이던 장충이라는 분이시고 저를 길러주신 양부이십니다. 모친은 숨이 넘어갈 때까지 망해사에 있는 역노 다니던…… 신계 사람을 말씀하셨다고, 제가 장성한 뒤에야 양부께서 일러주셨습니다. 양부께서는 제 부친 되시는 이를 찾아서 해주 수양산 망해사로 찾아갔으나, 나중에 들었습니다만 보경이라는 그 노스님께서는 수많은 노비들을 입산시킨 분으로 들었지요. 그분은 이미 속세를 떠난 끊긴 인연이라 하여 오히려 저희 양부에게 저의 양육을 당부하셨다지요."

"그만……"

노승이 조용히 길산의 계속되는 이야기를 끊고 긴 숨을 내쉬었다.

"나무관세음보살…… 내게 그런 전생이 있었구먼. 그래 모친은 어디에 모셨는가?"

길산은 명근스님의 말에 어안이 벙벙하여 뜻밖에 대답도 못 하고 그를 바라볼 뿐이었다. 명근스님이 말하였다.

"장서방 애길 들어본즉 내가 자네의 애비일세. 이제는…… 시원한가, 원통한가? 내가 중 시늉하느라고 이러는 것은 아닐세. 나 또한 모친께서 노중 객사하시고, 내가 입산할 제 같이 죽은 게야. 여기 있는 나는 그 이후 서른다섯 해 불가에서 새로 태어났으되, 자네는 저쪽 바깥에서 그 양부모님과 세상이 만들어낸 서른다섯 해가 아니었던가."

길산은 목이 꽉 막혀오르고 눈앞이 흐려지더니 뜨거운 눈물이 솟아서 볼을 타고 흘러내렸다. 그는 그대로 놔두었다. 길산이 명근스님을 바라보며 힘없이 물었다.

"스님께서는 역시 불법을 들어, 제가 찾아온 것을 탓하십니까?"

"장서방을 탓하지 않네. 제비가 강남에 따르고 구름이 바람에 따르듯, 자네와 나는 혈육일세. 허나…… 나는 이 육신을 탓하고 있구면. 이러한 과보가 있으니 저 세상의 수많은 슬픔은 어찌하려나. 그래, 서른다섯 해나 잊지 않고 있었단 말인가."

"모친의 유언이라 전해들었기에……"

길산은 그제야 고개를 떨구었다. 명근스님의 잔잔한 표정을 더는 감당할 수가 없었던 것이다.

"뭣을 해먹고 사나?"

길산은 명근의 물음에 아무 덧붙임도 없이 답하였다.

"소싯적에는 재간을 팔아 광대로 지냈고 도적놈이 되었다가 이제는 역적이 되려 합니다."

명근이 다시 물었다.

"장가는 들었는고?"

"아내와 아들 딸이 있습니다."

"육신이 또한 슬픔을 지어낼 것을, 역적은 구족을 멸하는 큰 짐인데 무엇 하러 처자녀는 또 생겼단 말인가."

길산이 말하였다.

"먼지 속의 뭇사내가 그러하듯 살고 먹고 낳고 하는 것이지 다를 바는 없습니다. 대가 끊기지는 않겠지요."

명근은 빙그레 웃음으로 길산에게 답하였다.

"나가보게나."

"예……?"

"저쪽으로, 나는 초저녁잠이 많아서 누워야겠네."

길산은 다시 고개를 숙였다.

"모친께서는 연안 봉세산 고개에 묻히셨습니다. 저는 돌무더기만을 뵈었을 뿐입니다. 묘향산에 와서…… 뵈오니…… 돌무덤을 본 것보다 더욱 가슴이 천 근이올시다."

명근스님은 그때에 혀를 쯧, 하고 차더니 염주를 손에서 놓았다.

"허, 잔망스러운 것! 묘향산에 와서 묘향산을 못 보는 놈이로다. 그런 놈이 어찌 무엇을 새로 바꾸겠단 말이냐. 네 어미가 종으로 노중에 죽은 것만 알고 네 아비가 혈육을 건사하지 못한 설움만을 보겠다는 말이냐. 네 이놈, 자기도 부지하지 못할 녀석이 무슨 역적질이냐. 어느 백성이 네 말을 믿을까. 썩 없어져라."

명근스님의 어조는 나직했지만 차갑고 날카로웠다. 길산은 고개를 숙이고 차마 얼른 일어나 나올 수가 없어 자신의 격정을 억누르려고 애를 썼다. 다시 방바닥에 물기가 떨어져서 번졌다.

"물러가겠습니다. 그전에 한 가지 청이 있습니다."

길산은 소매로 얼굴을 닦고 고개를 들었다.

"아버님이라고 한 번만 부르도록 허락해주십시오."

명근은 선선히 답하였다.

"그래라."

길산은 아에서 겉으로 소리만 냈을 뿐 버님은 고개를 떨구며 삼켜버리고 말았다. 명근스님도 눈을 지그시 감았다. 그러고는 요지부동이었다. 길산이 방문을 열고 밖으로 나가자, 노승은 그의 등뒤에다 대고 중얼거렸다.

"또 오너라."

가지 많은 고목나무 바람 잘 날 하루 없고, 자식 있는 우리 부모

속 편한 날 하루 없네. 이 산 저 산 산골짝에 우는 부엉새야 네 아무리 섧게 운들 부모 없는 날만 하랴. 산아 산아 높은 산아 눈비 잦은 묘향산아, 저기 저기 구월산에 우리 부모 누웠거늘 계신 부모 가신 부모 생각하면 무엇 하노.

길산이 묘향산 내원계곡을 돌아 내려오는데, 향산천 긴 물은 이리 굽고 저리 굽어서 폭포로 탕탕 되어 흘러내리고 때로는 탕수로 되어 용용 솟구치나니 이들 물소리가 한없이 노래하는 듯하였다. 말득이는 제 성의 감정을 아는지라 뒷전에서 코가 쑥 빠져서 고개를 숙이고 묵묵히 따르는 것이었다. 간밤에 안심사에서 하루를 더 묵었고 새벽예불 소리에 잠이 깨어 엎치락뒤치락하다가, 느닷없이 봇짐을 걸머지고 길을 나서는 길산의 뒤를 따라나온 말득이었다.

저 건너가 담장 안에 목단꽃을 심었더니 목단꽃은 아니 나고 부모꽃만 만발했네. 부모 없는 내 친구야 날 따라서 구경가자. 구경이야 가련마는 옷이 없어 못 가겠네. 길주 명천 가는베로 두루마기 지어 입지. 해진 입성 곱게 빨아 길 떠나면 되건마는, 눈물 흘러 못 가겠네 앞을 가려 못 가겠네. 명주 수건 석자 수건 요리조리 닦고 가지. 산아 산아 높은 산아 네 아무리 높다 한들 우리 부모 날 낳으신 높은 은혜 미칠쏘냐. 바다 바다 깊은 바다 네 아무리 깊다 한들 우리 부모 날 기르신 깊은 은혜 비길쏘냐. 수천만 석 바위 밑에 어버이 불러 들어가니 그 소리는 간데없고 청산이 돌아앉아 수천만 석 돌아앉아 물과 바위 대답하네.

묘향산의 산허리를 감돌고 있는 향단목(香檀木)과 사철나무들은 울울창창한데 길산이 꽉 막힌 가슴을 열어 터뜨리며 외쳐서 부르면 만산봉우리가 아우성치며 그에게로 되돌아 치달려 내려올 것만 같았다.

바람이 휘몰아치는가 했더니 눈발이 희끗희끗 날리기 시작하는데 온 산이 우는 듯한 소리가 들렸다. 길산은 바로 그때에 장충 노인과 안무당이야말로 그의 실체와 닿아 있으며, 그것은 곧 구월산 식구들에서 나아가 온 산천에 떠도는 원혼들과 백성들의 사는 일에 퍼져 있음을 깨달았다. 하지만, 서러웠다. 그의 살과 피는 이제 그의 아이들에게로 이어지고 있는 것이다.

돌이켜 부모가 낳아준 이 몸을 살피건대 시방 저 허공 속에 한 티끌을 불어올린 것과 같아 있는 둥 마는 둥 하도다. 물이 넘실대는 큰 바다에 한 물거품이 떠도는 것 같아 생기고 없어짐을 종잡을 수 없도다. 아, 인신(人身)이여, 재앙의 몸이여, 괴로움의 그릇이여.

아비의 정과 어미의 피가 모여 몸이 이루어졌거늘, 음식을 받으며 그것이 변하고 또한 수천 번 멸하여 휘돌아 모여들었다가 이내 흩어져서 담즙의 의거처로 돌아가는구나. 끈적한 물기는 더러운 것이 되었다가 익어서 바람으로 돌아가매 바람이 찌꺼기와 흐르는 성분을 갈라놓는도다. 찌꺼기는 대변, 소변, 흐르느니 피요, 피가 변하여 살을 이루고 살은 기름을 이루고 기름은 뼈를 이루고 뼈는 골수를 이루고, 골수는 정액을 이루는구나. 이들의 윤회가 몸이니 어찌 번뇌 없으랴. 인연으로 이루어진 모든 것이여 무상하다.

"성님, 어디로 가시려우?"

뒤에서 참다못한 말득이가 물었다. 길산은 얼굴에 맞부딪쳐오는 눈발을 손으로 훑어내리면서 답하였다.

"어서, 이 산에서 나가자."

길산은 묘향산이 자꾸만 자신을 둘러싸고 나를 보아라 나를, 하면서 목청을 합쳐 아우성치는 것만 같았다. 인(因)은 무엇이며 과(果)는 또한 무언가.

퉁탕거리며 흘러내리는 폭포 위로, 흰눈이 날려서 물인지 눈발인지 분간이 가질 않았고 산봉은 차츰 허공에서 지워지고 있었다. 길산은 소리를 질렀다.

"뭘 하는 거냐, 빨리 오지 않구."

"서용이한테 안 가시려우?"

"다음에 꽃 필 제 다시 오자."

그들은 향산천을 따라 묘향산 어귀로 나와서 다시 동창골에 들러 말을 찾아 타고서 길을 떠났다.

길산과 말득이가 운산 거치고 구성 들러서 의주에 당도하니 기다리던 이들이 모두 반가워하였다. 이미 학선이는 대근과 함께 벽동 불암골에서 해천동 그리고 강 건너 임토대에 이르는 잠상로를 열기 위하여 길산네의 객점주가 되었노라 자처하였다. 우대용은 학선이에게도 용암포에서의 밀상의 이득을 짭짤하게 나눠주었으며, 동지사행까지 기다릴 것도 없이 곧 벽동에서의 잠무역이 임토대 청인 마을을 거점으로 이루어졌던 것이다.

그들의 원래 계획대로 백사와 유황과 함석이 손에 들어오기 시작하였다. 그들은 연말이 될 때까지 벽동과 의주에 있다가 다시 강계에다 객점을 열어두었으며, 윤덕네는 식구를 데리고 그곳으로 이사하여 정착하기로 정해졌고, 삼밭으로 쓸 산간의 밭까지 장만하였던 것이다.

기사년은 실로 그들에게는 대전환의 시기였다. 재물이 늘어나기 시작하였고, 그들에게 필요했던 화약과 총포와 동철이 모이기 시작했으며, 여진의 서속과 수수와 콩 등의 곡물이 금은과 거래되어 들어왔다. 정대성이 회령에서 냈던 객점은 이듬해인 경오년 여름쯤에는 대단히 번창하였고, 그곳에서는 주로 무명과 쇠를 가지고 말과 거래하는 일을 맡았다. 고원은 이를테면 이들이 북관으로 나가는 관문인 셈이었다.

장길산 혈당들의 연계는 이렇게 이루어졌다. 경기도에는 송도에서 배대인의 도령(徒領)자리를 물려받은 박대근이 있었고, 강화에 우대용의 오른팔인 홍천수, 그리고 경강에는 서강의 모신이가, 파주 문산포에는 이경순이 있었다. 포천 철원을 덮는 천마산 솔부리 일대에는 복만이와 고달근이 있었으며, 살주계의 중길이 식구들은 혜음령에 은거하였다. 황해도로는 황주에 오계준과 김승운의 예전 미륵도의 잔여 유민들이 숨어 살았으며 해주 재령에도 무계원들은 남아 있었다. 봉산에 천동이 만동이네가 있고, 자비령은 그때쯤에는 비워졌다. 수안 은점에는 조무인이 점주가 되었으며 곡산 수철점은 만동이네 형제가 맡았다. 평안도는 낭림산맥 운봉산 일대를 산돌이와 수돌이가 맡았으며 낭림산과 소백산은 그 위쪽의 아득령에서부터 화전민들과 세상을 피하여 들어온 이들로 마을과 산채를 이루었다. 묘향산에는 서용이네 산채가 있었으며 의주 용암포에는 박성대가 객점을 열어두고 마안도 잠무역을 하였고 벽동 불암골 해천동 등은 이학선이, 강계에는 최윤덕이 위의 세 곳을 왕래하며 월강 잠상을 하였다. 그리고 순안과 성천에는 거사패 괴뢰배 등의 재인 광대들이 몰려와 겨울을 나는 골짜기가 수십여 리에 계속되었다. 이때에 길산네는 자비령에서 식구를 솔가하여 내려와, 처음의 뜻대로 양덕서 성천 나가는 경계에 있는 초천면에 여염 마을을 이루었던 것이다. 그곳에는 김기를 비롯하여 강선흥 최흥복 강말득 등이 포실한 초가를 짓고 오순도순 처자식들 거느리고 살았다. 함경도에는 원산 객점에 이시흥이, 고원 객점에는 수안 언진산 아랫녘 샘골에서 옮겨간 김선일 끝춘이 부부가 객점을 열었으며, 함흥 백운산 산채에는 이업복이 있었다. 그들은 단천에도 객점을 열어서 북관으로 가는 중간역 구실을 하도록 해두었고, 회령에는 정대성이 나가 있었다. 또한 그들이 은거한 지역의 사찰에 있는 각도의 승병조직과도 자연스럽게 사촌 지간이 되어갔다. 이들 승병의 뇌수라고 할 수 있는 운부를 비롯한 사승들은 강원도에 많이 몰려 있는 형편이었고, 설유징 선비나 최헌 경, 그리고 정학 정신 형제들은 각각 고성 수자리골과 강릉 간성 등지에서 때가 무르익기를 기다리고 있었다. 풍열스님은 가평 현등사에 있었고 대성법주스님은 횡성 덕고산 봉복사에 있었으며, 부근 금굴이 수철점에는 오경립 이정명 방귀선이 번수 노릇을 하고 있었다.

기사년이 지나고 경오년 그리고 신미(辛未), 즉 숙종 십칠 년에는 아직도 남인들이 집병하고 있었으며 장씨녀는 민비를 몰아내고 왕후가 되었으며, 흉년이 거듭되어 아사자의 시체가 도성에서 수도 없이 수구문으로 빠져나가는 참경이 벌어지던 세월이었다.

경오년의 흉년은 또한 극심하여 미처 기민 구제를 못 하였던 조정에서는 공명첩 이만 장을 각 지방에 분송하여, 지방 부호나 지주들로 하여금 신분을 사고 양곡을 내어 돕도록 하였을 정도였다. 그러나 길산을 위시한 활빈도들은 평안도와 함경도에서 금과 은 쇠의 교역으로 잠상을 하여 북부 산간지역에 여러 거점을 이루어놓았고, 각처의 상단으로 연결이 되었던 것이다. 특히 이들을 거미줄같이 짤수 있도록 해준 것은 무엇보다도 회령에서 들어오던 옛 여진의 북방마였다. 이들을 나라에서도 중히 여겨 각 역의 역마와 군영의 군마는 모두 무역으로 들어온 호마였고, 그중에서 종마를 골라내어 지방의 목장에 분급하였다.

처음에 영고탑(寧古塔) 오랄(烏剌) 두 곳의 사람들이 호부의 품문(禀文)을 가지고 와서 농우(農牛) 농기 소금을 무역해 갔는데, 이것이 회령개시(會寧開市)가 되었으며 그로부터 정례가 되어버렸다. 해마다 개시를 하지만 자(子) 인(寅) 진(辰) 오(午) 신(申) 술(戌)년은 단개시(單開市)라 하고, 축(丑) 묘(卯) 사(巳) 미(未) 유(酉) 해(亥)년을 쌍개시(雙開市)라 하였다. 북경 예부에서 두호(頭戶)를 파송하는 자문이 있었고, 저자를 마친 뒤에는 우리나라에서 저자를 잘 마쳤다는 자문이 있었으며, 소가 백열네 마리, 보습이 이천육백 개이며, 가마솥이 오십여 좌인데 차관(差官)이 오기를 기다려서 차사원(差使員)이 지방관과 같이 모두 객관에서 시장을 감독하였다. 그뒤에 호인이 와서 소 보습 가마솥을 경원(慶源)에서 바꾸어가니 이것이 경원개시(慶源開市)가 되어 전례가 되었던 것이다. 경원에는 한 해씩 걸러서 개시하는데 소가 오십여 마리, 보습이 마흔여섯, 가마솥이 쉰다섯 좌였다. 또한 흉년에는 각 진을 통하여 야인들의 조와 수수를 들여다가 구휼하였다. 무역하러 오는 호상(胡商)들도 처음에는 수효가 정해 있더니 차츰 범금이 해이해져서 수백 명이 한 달 이상씩 머무르기도 하고, 개시기간이 아닐 때에도 서로 강을 건너 교역하였다. 사람은 육백여 명이 드나들고 말 소 낙타가 천백사십여 마리나 되어서 꼴과 양식이 모자랄 지경이었다. 또한 경오년에 영의정 권대운이, 북로로 들어오는 청나라의 말이 비록 내구(內廐)의 소용에는 맞지 않사오나 장사(將士)들이 탈 만하오니 이것은 엄금할 필요가 없다고 아뢰었다. 임금도 이르기를 청나라 말이 교역되어 들어오는 것을 금하지 말라고 하였던 것이다. 그러므로 각 상단이나 부호들은 차인 곁꾼들을 회령 경원에 보내어 상단의 말과 소를 다투어 사들였고, 길산네 활빈도들도 말을 사들여서 각처로 보내주었다. 원산에서 고원 함흥과 단천으로 하여 회령에 이르는 먼 길에는 그들의 상단이 꼬리를 물고 왕래하였던 것이다.

경원개시 한 곳의 교역량만 따져도 무명이 수만 필이요 곡식이 만여 석에 이르는 막대한 물량이었다. 더구나 변방에 나온 장병들은 과만을 채우고 돌아갈 때까지 별문제가 없기를 바랐고 문책을 받을 상부 관청도 없었으며, 첨사나 진장 등의 무관들은 그곳이 비변에 중요한 장소이니만큼 권한은 거의 독자적이었던 것이다. 그들은 벽지 부임의 보상을 받기를 원하였으니 의주나 압록강변에 비하여 교역의 관리 감독은 훨씬 너그러운 편이었다.

길산네 혈당은 원산으로는 추가령을 넘는 계곡로를 통하여 철원을 거쳐서 포천과 한양에 이르는 상로를 확보하고 있었다. 원산 바로 위의 고원에서는 해서의 수안 곡산과 양덕 성천 평양을 잇는 상로를 연결하고 있었으며, 함흥은 함경도의 수부로서 관찰사가 거주하는 관북의 대도회라 백운산 일대의 집결지를 겸한 산채와 객주가 필요하였던 것이다. 회령에는 예정대로 정대성이 쌍개시를 위한 객점을 열었는데 워낙에 물량을 미리 확보하고 자체 상단을 구비하고 있었으므로, 기사년 겨울부터 땅을 산다 집을 짓는다 서둘러서 경오년을 넘기고부터는 교역이 활발해지고 있었다. 신미년에 들면서 대성이의 객점은 회령에 있던 다른 어느 객점보다도 야인들과의 교역의 범위가 커졌던 것이다.

회령부의 진산인 오산(鰲山) 아랫녘에 저자터가 있었고, 회령 부성의 어귀에 있는 영안(寧安)역말에 객점거리가 있었다. 정대성은 영평서 달아날 때 자비령 심원골로 데려다 살던 처자를 아예 이곳에 솔가하여다가 살았다. 그는 객점주를 맡고 수하에 다섯 사람의 차인들을 거느리고 있었다. 매달 초순에 원산 고원에서 상단이 오는데 많으면 수십 명에서 적을 때에는 네다섯이 드나들었다.

정대성네 객점은 다른 도회지의 어느 곳보다도 규모가 컸고 땅도 수천 평을 차지하였다. 집 주위로는 토담이 둘려 있는데 한 바퀴 돌아보는데도 다리가 뻐근할 만큼 둘레가 넓어서 마치 작은 성곽과도 같았다. 높직하니 초가지붕을 올린 문에는 탄탄한 판자로 짜놓은 문짝이 그럴듯하였고, 안으로 들어서면 좌우의 담을 따라서 칸막이 통나무들이 얼기설기 놓여진 마방들이 줄지어 계속되고 있었다. 그 안에는 삼십 마리의 늠름한 호마가 늘 간수되고 있었다. 문에서 정면으로는 가마솥 농기구 등속을 벌여놓은 가가채가 기다랗게 지어져 있고, 청진 등지에서 들어온 소금가마가 쌓여 있었으며 간혹 야인 땅에는 없는 수달피도 보였다. 여하튼 정대성네 객점의 주요 물목은 쇠로 다루어진 솥과 농기구가 대종을 이루었다. 다시 그 뒤편에는 상고들이 묵는 방이 줄지어 달렸고, 또 그 뒤로는 그들 식구들이 사는 임집이 있었으며, 맨 뒤의 담장에 붙여서 창고를 지어놓았다. 창고는 양곡과 무명 등속을 쌓는 곳과, 꼴과 마초 등 사료가 있는 곳과, 편자와 마구를 수리하는 간이 풀뭇간과, 교역할 비축물들을 간수하는 칸들로 나누어져 있었다. 온 집안에 말똥 냄새가 떠나질 않았으며, 일꾼들은 때를 맞추어 말죽을 끓인다 짚을 썬다 우리를 치운다 하여 눈코 뜰 새가 없었다.

북방마는 국내의 제주에서 나는 과하마(果下馬)와 달라서 하루에 천 리 길을 나는 듯이 달려도 지치지를 않고 힘이 세어 무장하고 갑옷 입은 기병을 태울 만한 것이었다. 훈련원의 무예의 한 종목인 격구(擊毬)를 하거나 마상재(馬上才)를 할 적에도 모두 북방마가 아니면 안 되었다.

상고들도 말을 사용하면 차인과 겯꾼의 수를 대폭 줄일 수 있었고, 말의 수를 오히려 늘려서 경비는 줄이는 대신 수송 물량은 몇배로 늘릴 수가 있었다. 또한 하루에 가는 거리는 사람이 걸을 때에 비하여 거의 세 배로 늘어났던 것이다. 온몸이 눈같이 흰 말은 센말, 먹빛으로 검은 말은 사류, 마른 흙 같은 말은 고라, 몸이 희고 갈기와 네 굽이 검은 것은 가리온, 고라보다 연한 색은 황부루, 고라보다 진한 것은 적부루, 짙은 밤색 말이 오류, 연한 밤색은 표절라, 진회색 말은 달가라, 진회색에 갈기와 꼬리가 흰 것이 표가라, 푸른 기 도는 연회색이 청부루, 진회색에 갈기가 검고 흰 점이 찍힌 것은 돈점총이, 연한 벽돌색이 절라, 진한 것이 부절라, 그 중간쯤을 구렁말이라고 불렀다. 초원에서 말을 달리던 몽고인이나 여진인이 모두 가벼운 가죽 옷에 가죽 방패와 창과 활로 중원의 갑주 입고 중무장한 군사를 쳐부수고 원이나 금 또는 청나라를 세운 것은, 대병력이 일시에 노도처럼 일어나 하루에 수백 리씩 동서남북 거칠 데 없이 기동하였던 때문이다. 원래 아조에서는 하천과 산과 계곡이 많아서 기병보다는 주로 진지와 성을 근거로 궁시를 쏘는 싸움을 중시하고, 더욱 왜란을 겪고부터 단병접전과 총포의 필요를 알아서 진법(陣法)과 방포술을 첨가했을 뿐, 기병(騎兵)은 그 편제가 장수 위주요 형식에 지나지 않았던 것이다.

이는 여러 사람들이 지적하였듯이 아조의 습속이 말을 잘 다루지 못하였고 목마(牧馬)의 이치를 연구하지 아니하였던 때문이다. 대체로 우리의 말 다루는 법은 매우 위태롭다. 우선 옷소매가 너무 넓고 한삼도 길어서 옆으로 타고 앉아 목을 꺾어서 앞길을 보며 채찍과 고삐를 잡고 가니 그것이 첫째 위태로움이다. 그래서 하는 수 없이 다른 사람에게 견마를 잡혀가지고 가야만 하므로 온 나라 말이 병신이 되어버렸으며 견마잡이가 항상 말의 한쪽 눈을 가려서 말은 걸음걸이가 자유롭지 못하니 이것이 둘째 위태로움이다. 말이 길에 나서면 오히려 사람보다 더 조심하는데, 사람과 말이 의사가 엇갈려서 마부는 자기 편할 대로만 발 디딜 자리를 골라 디디므로 말굽과 자꾸 엇갈리게 된다. 그래서 말이 피하려는 곳을 사람이 억지로 딛게 하고, 말이 디디려는 곳은 사람이 억지로 견제하기 때문에, 말이 부림에 따르지 않고 항상 사람에게 노여움을 품으니 이것이 셋째 위태로움이다. 말의 한쪽 눈을 가려 다른 한쪽 눈으로만 사람의 기색을 살피느라고 집중하여 길을 살펴 걷지 못하므로 말이 고꾸라지고 넘어지고 하는데, 이것은 짐승의 잘못이 아닌데도 채찍으로 마구 때리니 이것이 넷째 위태로움이다. 또 우리나라 안장과 배띠의 얼개가 너무 둔하고 무거우며 가슴걸이 밀치 등속의 끈과 띠가 몹시 번거로운데, 등에는 한 사람이 타고 있고 입에 또 한 사람이 달려 있으니 이는 말 한 마리가 두 마리의 힘을 써야 하므로 힘에 겨우니 다섯째 위태로움이 된다. 사람의 몸놀림이 왼쪽보다 오른쪽이 더 편리하여 말 역시 그러할 것인즉, 말의 오른쪽 주둥이가 사람의 당긴 재갈에 눌려 아픔을 참을 수 없으므로 할 수 없이 그쪽으로 몸을 꺾고 옆으로 걷는데, 이를 날랜 모습이라고 하지만 말의 뜻이 아니니 이것이 여섯째 위태로움이다. 말은 언제나 오른쪽으로 채찍을 맞아서 타고 있는 사람이 방심하고 무심하게 앉았을 때, 마부가 갑자기 채찍을 후려치면 말이 몸을 뒤채어서 타고 있던 사람이 땅에 떨어지나니 도리어 말을 꾸짖는데 이는 말의 뜻이 아니니 일곱 번째 위태로움이 된다. 문무관을 막론하고 고위 관리는 왼편에도 마부가 따르는데, 오른편 견마잡이도 좋지 않기를 하물며 왼편 견마잡이임에랴. 짧은 말굴레도 좋지 않거늘 긴 굴레가 좋을 까닭이 없다. 사사로운 출입에는 위의를 갖추느라 혹 그럴 수도 있을 법하나, 호종하는 신하로서 다섯 발이나 되는 긴 말굴레로 위의를 차리는 것은 옳지 못한 일이다. 문관도 옳지 못한데 무관이 싸움터에 나갈 때에는 말할 것도 없으리라. 이는 이른바 스스로 옭아매는 밧줄을 지는 격이니 이것이 여덟째 위태로움인 것이다. 무장이 입는 철릭은 군복이지만, 세상에 어찌 군복의 소매가 중의 장삼처럼 넓은가. 위 같은 위태로움은 모두 넓은 소매와 긴 한삼 탓인데, 고치려 않고 안락하게 버려둔다. 옛날에 이일(李鎰)이 상주에 진치고 있을 때, 멀리 숲속에서 연기가 일어나는 것을 바라보고 군관 한 사람에게 명하여 가보라고 하였더니, 군관은 좌우로 견마를 잡히고 거드럭거리고 가다가, 불의에 다리 아래에서 왜적 두 놈이 뛰쳐나와 칼로 말 배를 베고 군관의 머리를 잘라가버렸다. 어진 재상 서애(西厓)는 『징비록(懲毖錄)』에 이 일을 기록하고 비웃었으나 역시 그 폐단을 고치지 못하였다. 나라의 목장에 있는 말의 종자는 모두 원(元) 이래의 것들이니 사오백 년이 지나도록 종자를 갈지 아니하여 끝내는 과하(果下) 같은 작은 조랑말과 관단(款段) 따위의 느린 말로 퇴화하였던 것이다. 그러한 과하마나 관단마를 숙위장사(宿衛壯士)에게까지 주니, 고금 천하에 어느 장사가 그것을 타고 싸움터에 나가 적과 싸울 수 있는지 한심한 노릇이었다. 거마의 일을 맡은 궁중의 내구(內廐)에서 기르는 말에서 무장이 타는 말에 이르기까지 토산이 없고 모두가 요양 심양 등지에서 사오는 것으로 겨우 충당하니 둘째 한심한 노릇이요, 임금을 호종하는 백관이 대개 서로 말을 빌려 타고 또한 나귀를 타고 어가를 호종하여 그 꼴이 우졸하여 셋째로 한심한 노릇이다. 문신은 종이품(從二品) 이상은 초헌(軺軒)을 타므로 말을 탈 일이 없고, 또 말을 기르기도 어려우므로 아예 말을 버리고 그 자제들도 걷는 대신 겨우 조그마한 나귀를 기를 뿐이다. 옛날에 백리의 나라 대부(大夫)는 수레 열 대를 갖추어놓는다 하였으니, 둘레가 몇천리인 우리나라의 경상(卿相)이라면 수레를 백 대쯤 갖추어야 하거늘 몇대도 나올 수 없으니 네 번째 한심한 일이었다. 세 군영의 초관(哨官)은 군사 백 명의 우두머리 거늘 말을 갖추지 못하여, 한 달 세 번 치르는 조련에 어떤 이는 임시로 세마를 내어 탄다. 군사가 말을 세내어 타고 싸움터로 나간다는 것은 이웃 나라에 알려져서는 안 될 일이니 다섯째 한심한 노릇이다. 서울 병영의 장수가 이러할진대 팔도에 배치해놓았다는 기사(騎士)는 이름만 있고 실제로는 없을 것 뻔하니 이것이 여섯째 한심함이다. 나라 안의 역참(驛站)에는 다 토산물 중에서 좀 나은 것을 배치해두는데, 한번 사신이나 손님이 거쳐가면 그 말은 죽거나 병이 나는데 그 까닭이 무엇인가. 사신이나 손님이 앉는 쌍가마(雙轎)부터가 무거운데다, 반드시 하인 네 사람이 가마채를 잡고 좌우에서 눌러 흔들리지 않게 하므로, 말은 이미 실은 것이 무거운 위에 네 사람의 무게까지 더해지니 부득이 앞으로 빨리 달릴 수밖에 없고, 누르면 누를수록 더욱 달리는 까닭에 그 말이 죽거나 골병이 들게 되어 있다. 그러므로 갈수록 많이 죽어가고 말값은 갈수록 비싸진다. 이것이 일곱째 한심한 일이다. 말 등에 무거운 짐을 싣고 더운 죽을 먹여 힘을 쓰게 하는 고로 정강이가 약하고 말굽이 연하여 한번 교미하고 나면 뒤를 가누지 못하게 된다. 그래서 교미를 시키지 않는 것이니 말이 생겨날 까닭이 없다. 이는 다름이 아니라 말을 다루는 방법이 괴이하고, 먹여 기르는 방법이 옳지 못하여 좋은 종자를 받지 못하고, 망아지 거세(去勢)하는 법에 어둡기 때문이다. 무릇 짐승의 성품이 다 사람과 같아서, 피로하면 편안하기를 생각하고, 답답하면 유쾌하기를 생각하며, 굽으면 펴지기를 생각하고, 가려우면 긁기를 생각한다. 먹고 마시는 것을 사람이 마련해주기를 기다리지마는 때로는 스스로 구하는 것을 유쾌하게 생각하므로 반드시 때때로 그 굴레와 고삐를 풀어 물가에 놓아주어 답답함을 펴도록 해야 한다. 그것은 사물의 성품에 순응하여 그 뜻에 맞게 하는 것이다. 그런데 우리나라의 말 다루는 법은, 오직 고삐가 단단히 매어지지 않았는가를 두려워하며, 달릴 때에는 끈을 꽉 잡아당기는 괴로움이 그치지 아니하고 쉴 때에는 땅에 굴러 흙목욕하는 즐거움을 얻지 못하므로 사람과 말의 뜻이 서로 통하지 아니하여, 사람은 걸핏하면 꾸짖고 말은 항상 노여움을 품고 있다. 이것이 말 다루는 법의 괴이함인 것이다. 말을 먹여 기르는 방법이 옳지 못한 것 또한 한두 가지가 아니다. 목마를 때 물을 생각하는 것이 배고플 때 먹을 것을 생각하는 것보다 더 간절한데 아국의 말은 찬물을 먹이는 일이 없다. 말의 성질은 익힌 것 먹기를 가장 싫어하는데, 그것은 더운 것이 병이 되기 때문이다. 콩이나 여물에 소금을 뿌리는 것은 짜게 해서 물을 마시고 싶게 하려는 것이요, 물을 마시고 싶도록 하려는 것은 오줌을 잘 누게 하려는 것이고, 오줌을 잘 누게 하는 것은 몸의 열을 풀게 하려는 것이다. 그리고 찬물을 마시게 하는 것은 그 정강이를 튼튼하게 하려는 것이다. 그런데 우리나라의 말은 반드시 콩을 삶아서 먹이고 여물을 끓여서 먹이기 때문에, 하루만 달려도 저절로 열로 인한 병이 나고, 한 끼니만 죽을 걸러도 내내 허약해서 걸음이 느려지는데, 이것은 익힌 것을 먹이기 때문이다. 전마(戰馬)에 죽을 먹이는 것은 더욱 잘못된 일이다. 이것이 말을 먹여 기르는 법이 옳지 못한 점들이다. 좋은 종자를 받지 못하는 이유 또한 한두 가지가 아니다. 말은 커야 하고 작아서는 안 되며 튼튼해야 하고 약해서는 안 되며, 날랜 말을 구해야 하고 노둔한 말을 구해서는 안 된다. 무거운 짐을 실어 먼 길을 가게 하려면 토산 말은 작고 약하여 쓸데가 없다. 무비(武備)와 군용(軍容)을 소홀히 하려면 모르거니와 무비를 강구하고 군용을 세우려 한다면 토산 말은 더욱 군사의 일에 쓸 수가 없다.

이와 같은 아조의 말 다루는 목마법의 우졸함을 잘 아는 것은 장교들이나 찰방 또는 훈련대장과 같은 벼슬아치가 아니라, 일개 역의 역졸들이나, 말을 직접 먹이고 타는 훈련에 임하였던 기병들이나, 말을 끌고 먼 길을 행보하는 상고 또는 마부들이 더 잘 아는 사항이었다. 그러므로 기병 출신에다 말을 끌고 행상으로 각처를 나다녔던 영평 사람 정대성이야말로 이른바 이마학사(理馬學士)라 하여도 지나치지 않았다.

그는 회령개시에서 야인, 즉 청의 변방 유목민들과 교역할 때 말고르는 데에 있어 스스로 묘를 터득하고 있었던 것이다. 이를 보고나이를 아는 일이며 다리를 보고 힘을 아는 것, 허리를 보아 날램을판단하고, 갈기와 꼬리를 보고 종을 알고, 눈빛을 보아 사나움과 순종함을 분간하는 것이었다. 또한 그는 수말을 고를 때는 종마로서의가치로 고르되 빼어난 놈 한 마리에 암놈은 열 마리를 구하였으니,원래가 암말이 온순하고 참을성이 많아서 기마에 적합한 탓이었다.그들이 따로 목마장을 두만강 어귀의 끝에 있는 광대한 서수라(西水羅) 들녘에 두었던 것은 훨씬 뒤의 일이었지만, 여하간 정대성이 그의 기병으로서의 값어치를 길산네 혈당들을 위하여 십분 발휘했던것은 바로 관군이 말을 제대로 먹이고 기를 줄 몰랐던 데에 있었다.한 해에 거래되는 말의 수가 회령에서만 천여 마리에 이르렀으니,이는 물론 관의 역마나 군마에도 소용되었으나 거의 반 이상이 상고들의 수송에 쓰는 상단마(商團馬)로서 팔려나갔다.

그와 같은 경기도 이북의 전도에 걸친 연계가 이루어지매, 아무래도 자비령 심원골은 만약의 일에 대비하기도 취약한 곳이고 또한 해서의 중심부에 치우쳐 있어서 사통팔달한 지형의 이로움을 취할 곳이 못 되었다. 뿐만 아니라 길산이 해서에서 나온 극적이라는 장계와 일차 토포가 진행되었던 바이라, 아무래도 해서에서는 더이상 우물쭈물할 필요가 없었던 터이다. 그러한 여러가지 이유로 경오년에 비류강의 지류인 개여울(大灘) 상류에서 사금을 떠내고 그곳 금성산(金城山)에서 김선일이 금광을 찾아내고부터 언진산의 일부 식구들의 왕래가 잦아지게 되었던 것이다. 이는 물론 양덕에서 만났던 객점주의 귀띔에 의한 것이었고 선일이가 그를 잘 설득하여 두 사람이 한 달 동안이나 비류강 상류를 올라가 더듬은 끝에 찾아냈던 것이다. 그들은 금성산 채금굴을 은밀히 감추기 위하여 채금자를 대폭 줄이고, 캐어내기만 하고 야금일은 언진산으로 보내곤 하였던 것이다. 선일이는 언진산과 곡산 은금동령과 양덕 금성산을 차례로 나다니며 잠채를 관리하였고, 집에 가서 한 열흘쯤 머물렀는데 끝춘이는 언진산 아랫녘 샘골 사거리에서 고원으로 옮겨가서 객점을 열고 있었다. 즉, 모든 산물은 북관으로 가는 것은 고원을 거쳐 회령으로 올라가고, 서북으로 나가는 것은 성천으로 하여 순안을 거쳐서 다시 강계 최윤덕과 벽동의 이학선에게로 나가고 있었다.

양덕 초천(草川)은 초라하고 궁벽한 현에서 칠십 리나 더 산골로 들어간 곳에 있었다. 초천면은 비파산(比巴山)의 줄기가 삼방령(三方嶺)으로 갈린 끝에 있었으며 앞으로 초천의 세 갈래 내가 지나고 산줄기가 겹겹으로 싸인 남향받이의 작은 골이었다. 초천역말이 있던 곳은 옛적 수덕(樹德)토성이 있던 곳이며 초천면은 거기서 북으로 삼십여 리 들어가서 두 산협 안에 내를 끼고 있는 적송림이 울창한 곳이었다. 금성산 잠채터는 그곳에서 칠십여 리 떨어졌고 성천에서나 양덕 읍치에서도 백 리 가까이 떨어진 곳이라 벽지인 양덕에서도 또한 한벽한 곳이었다. 양덕 초천면에 장길산과 그의 혈당 중에서 가장 측근의 사람들만 모인 여염 마을은 다른 식구들에게는 전혀 알려두지 않았고, 오직 고원에서 언진산과 금성산과 은금동령을 오가는 김선일만이 알 뿐이었다. 대개 전갈할 일이 있으면 강말득이 나다녔고 길산은 출타할 일이 생기면 일단 그 방향을 보아 세 군데로 거점을 정하였다. 즉 북도 쪽이면 고원의 김선일 끝춘이네 객점으로, 서도 쪽이면 순안 법흥사 아랫마을로, 그리고 해서 방향이면 언진산과 봉산으로 나간 다음에 목적지로 향하였다. 그러므로 다른 식구들은 길산이 각각 다른 거점에서 오는 줄로 알고 있었다. 양덕 초천면의 마을은 그들 식구들에게는 실로 여러 해 만의 여염 살림하는 재미를 안겨주었고, 길산의 아내 봉순이나 강선흥의 아내 춘천댁, 최흥복의 아내 황주댁 등은 말득이의 안내로 평양 대처 구경도 다녀오곤 하였다. 그들 식구들은 차츰 자신들이 세상을 피하여 사는 녹림당의 가족이라고 여기지 않게 되었다. 길산은 강선흥과 최흥복 그리고 강말득을 데리고 멀리는 북도에서 가까이는 평안도 황해도 등지로, 또한 경기도의 송도나 파주에까지 나갈 적도 있었다. 그들의 혈당들은 모두 상고들로 편제가 되었고, 서로 내왕할 적에는 북관에서 들여온 호마를 이용하였다. 그렇게 나다니는 가운데 말타기에 익숙해졌으며 마상재도 벌여보라면 능히 해낼 정도였다. 파주 문산포의 이경순과 전생이네 풀뭇간에서는 총포를 만들어 산으로 보냈는데, 최흥복이 명포수가 되었던 것은 오래 전의 일이요, 선흥이 말득이 그리고 특히 길산은 방포술을 습련하였다. 벽동에서 들여오는 유황으로 화약은 언제나 질 좋고 화력이 센 것을 생산해낼 수가 있었다. 화약은 언진산에서 직접 만들었다.

화약을 얻으려면 먼저 염초(焰硝)를 조제하여야 한다. 짠맛이 없는 고운 가루흙을 채취하여 재를 섞는다. 재는 쑥이나 볏짚을 태워서 만든 것이 가장 좋으며, 잡초나 잡목을 태운 것도 쓰이지만 소나무는 안 된다. 흙과 재를 같은 열 말씩으로 비율을 균등하게 섞는다. 흙이 찰기가 많으면 재를 한 말쯤 더 섞고, 모래가 많이 섞인 흙일 때에는 재를 한 말 적게 섞는다. 거기 오줌을 섞고 나서 말똥으로 덮는다. 말똥이 마르면 불을 붙여 태우고 시루에 잿박을 받치고 물을 부어서 흘러나오는 물을 가마에 넣고 끓인다. 오줌이나 말똥 대신에 아교를 넣어 끓여도 된다. 물을 부어서 쓰고 잿박에 걸러진 건더기는 다시 모아서 쓸 수가 있었다. 이렇게 얻어진 염초로써 화약을 만들게 된다. 염초 한 근에 버드나무재 석 냥, 유황가루 세 돈쭝을 섞어서 쌀 씻은 맑은 뜨물로 반죽하여 방아에 찧어서 떡처럼 빚었다.

길산은 연환 쟁이고 화약 넣어 부시 치고 화승(火繩)에 댕기는 삼보(三步) 방포술을 익혔다. 즉 세 걸음에 한 방을 놓는 기술이다. 화승은 대나무 속을 부수어 비벼서 끈으로 만든 것이니 부시로 이 끝에 불꽃을 일으켜 약실에 대어주면 연환이 터져 날아가는 것이었다. 길산은 경순이 이십 보 밖의 간장 종지를 박살낸다는 소리를 들었고, 그만한 거리에서 조롱박을 꿰일 정도가 되었다. 특히 최흥복의 방포술이 우수하였는데, 그는 전통(箭筒) 모양으로 꿰맨 가죽통에다 두 자루의 화승총을 넣어 엇비슷이 메고 다녔다. 그는 남보다 한 방을 더 먼저 쏠 수가 있는 셈이었다. 최흥복은 손아귀에 연환을 한 줌 쥐고 그 손으로 허리끈에 매달린 쇠뿔통 끝으로 약실에 화약을 넣고는 장전하여 부시로 시척, 하며 화승에 불 댕기는 솜씨가 비상하게 빨랐다. 그에게는 이 모든 것이 이 보 방포와도 같았으니, 남보다 한 걸음 앞선 것이었다.

강선홍은 건성 총포는 들고 다녀도 엄파 쇠몽치를 휘두름만 못하여 동작도 느렸고 잘 맞히지도 못하였다. 또한 강말득은 워낙 자고를 날리던 솜씨가 있어서 눈매가 날카로운 탓도 있었지만 워낙 영민하여 금방 방포술을 배웠다. 그들이 총포의 필요함을 알게 된 것은 역시 구월산 된목이골의 어이없는 함몰에 대하여 충격을 받았던 탓이기도 하였다. 김기는 단병접전도 중요하기는 하지만 관군은 토포나 범사냥에 늘 포수들을 동원하므로, 먼 거리에서 둘러싸고 쏘고 들어오면 아무리 창이나 칼의 명인이라도 당해볼 재간이 없다는 것이었다. 그들은 늘 들기름을 칠하여 윤이 반들거리는 화승총을 누비집이나 가죽집으로 싸서 원행할 때는 다시 그 위에 보자기를 두르든가 돗자리를 둘둘 말아 메고 다녔다. 길산이나 말득이는 허리춤에 자고나 단검을 품고 또한 화승총을 둘러메는 것이었다. 특히 방포를 하려면 부시가 좋아야 하고 그중에서도 돌보다는 쇠가 좋아야 하나니 부시 쇠는 단방이 되려면 역시 청의 반달쇠가 으뜸이었다. 그 무렵에 압록강의 잠상로를 통하여 들어오는 함석은 횡성 금굴이로 보내져서 사주전(私鑄錢)을 하는 데 쓰이고 있었다. 여기서 만들어진 돈은 일부분이 덕고산 봉복사의 대성법주스님에게 보내져서 강원도와 경기도 일대의 승방에 나눠지고 있었다. 고성에서는 이 돈을 각처의 승병을 기르는 자금의 일부로 썼던 것이다. 오경립 이정명 방귀선은 검계와 미륵도의 혈당들이 죽어가던 날을 결코 잊지 않고 있었다.

전문도주(錢文盜鑄)는 살해 인명죄에 해당되는 사형이었으나, 동철(銅鐵)을 다룰 줄 아는 자들은 끊임없이 사전을 만들어냈으니, 한양의 장인들이 그러하며 또한 절이나 산곡과 같이 남의 눈에 띄지 않는 곳에서는 사주전이 성행하였다.

산간 사찰에는 도망한 공장이 출신의 관노들이 많았고 실제로 종이를 만드는 제지술은 각처의 절에 보급되어 재원이 되기도 하였던 것이다.

이들은 쉽게 도가니를 짓고 나무로 숯을 만들며 풀뭇간을 이룰 수 있었다. 뿐만 아니라, 원래가 암자나 부속 사찰에서 불사가 있게 되면 동종이나 불상을 주조하기도 하였으니, 이것이 바로 이들의 합금기술이 향상되게 한 원인이었다.

정교한 동종을 만들던 나머지의 재간으로 어찌 한 닢 엽전을 만들수가 없겠는가. 경오년에 민종도(閔宗道)는 각 아문의 주전 때에 바로주전장인(鑄錢匠人)에 의한 도주가 성행한다고 개탄하였던 것이다. 그는 아뢰었다.

근래에 들으니 공장배(工匠輩)가 주조할 때에 몰래 동철을 가지고사사로이 도주하되, 주석(朱錫)을 쓰지 않고 온전히 연철(鉛鐵)을 동과 섞어서 저자에 발매하여 때를 타서 이를 노리는 계책으로 생각하고 있는데, 비단 전품(錢品)이 매우 저열할 뿐 아니라 무게가 관전에비하여 조금 가볍다고 합니다. 이 폐단은 불가불 통혁(痛革)해야겠으나 이가 있는 것은 방지하기가 심히 어렵고 적발하기가 쉽지 않아금하여도 따르지 않으니 일이 매우 어렵습니다.

차츰 사주전이 심해지자, 조정에서는 최고의 형벌로 논단하였고부대시처참(不待時處斬)이라 하여 수종(首從)을 불문하고 교수(絞首)한다 하였으며, 전문 사주죄인이 많아져서 이를 모두 동률로 처단하기가 어려우니 수종을 구분케 해달라고 청원하는 형편이었다.

용전(用錢) 이래로 민간의 간위(奸僞)가 백출하여 폐단이 무한한데그 가운데 도적(盜賊)이 함부로 날뛰어 더욱이 용전의 폐단이라 하니참으로 우려됩니다. 그러나 지금 이미 일국에 널리 행하여져 실로정파(停罷)할 형세가 아니지만 도주현발자(盜鑄現發者)는 불가불 대상례(大徜例)에 의하여 처단해야겠습니다. 전화는 본시 큰 이인즉 금령이 비록 엄하지만 도주를 역시 방지하기가 어렵습니다. 근래에 들으니 도주현발자로 장인은 처사(處死)하고 봉족(奉足)은 정배(定配)하기 때문에 비록 장인으로 체포된 자라도 모두 봉족이라 칭하여 사형을 면하게 되어 장인과 봉족을 실로 구별할 길이 없습니다. 또 비록 봉족이라 하더라도 이미 장인과 같이 더불어 동사동리(同事同利)하였으니 어찌 형률에 차별할 이치가 있겠습니까. 지금 국용(國用)이 부족하여 바야흐로 주전을 하려 하는데 이를 빙자하여 도주자가 상상컨대 더욱 많을 것입니다. 기다림 없이 처단하며, 도주를 포고한 자에게 논상함이 없다면 도주자가 비록 무리를 지었다 하더라도 누가 신고하고 체포하겠습니까.

기사년 이래로 신미(辛未)에 이르기까지 삼 년 가뭄이 들어서 해마다 흉년이었는데 특히 경오에는 충청도 지방이 가장 극심하여 비워진 마을이 열에 칠팔이라 하는 정도였다. 근기(近畿) 일대에서는 저마다 다투어 쇠를 녹여서 동철과 섞어서 질이 나쁜 사전을 몰래 만드는 일이 성행하였던 것이다.

특히 유기(鍮器)로 유명한 안성에서는 사주전이 많이 제작되었고, 동래에서 들어오는 동철(銅鐵)이 끊기자 구리와 주석과 쇠를 섞어서 직접 동철을 만들어내기도 하였던 것이다. 안성에서 사주죄인이 잡혔을 적에도 워낙 백성들간에 흔한 범죄이고 보니 죄를 주자, 면해주자 하여 의견이 여러가지로 엇갈리는 형편이었다.

집에 세든 사람이 주전하다가 정범(正犯)이 도주하면 집주인이 무죄인데 당초에 집을 빌려 이미 범죄 사실을 알았을 것이니 어찌 죄를 면할 이치가 있겠습니까, 하여 도주자(盜鑄者)는 수종의 구별 없이 사형이라 하더니, 모두 죽일 수는 없는 일이라 다른 안이 나오게 되었다.

죄인이 스스로 하는 말을 믿을 수 없으나 그 말과 기색의 참절(慘

切함을 보매 원통함이 있다고 생각됩니다. 형조 문안(文案)을 보았더니 포도청에서 심문할 때에 비록 이미 승복하였으나, 장물 중에 이미 사주하다가 발견된 기구가 없고 단지 경철(莖鐵) 파철(破鐵)이 있을 뿐입니다. 소위 경철은 곧 유철인즉 공장(工匠)이 통용하는 물건이고 소위 파철도 역시 저자에도 혹 있으니 이로써 그 사주를 단정함은 불가합니다. 법을 집행하는 관원이 비록 특별히 다른 주장을 용납할 수 없으나 계목(啓目)의 지어(指語)에 불쌍한 생각이 없지 않고 또 한 사람은 접주인(接主人)이기 때문에 모두 수치(囚治)를 당하였는데 체포한 군관이 말하기를, 네가 사주(私鑄) 때에 땔감을 대주었다고 공초(供招)하면 너는 무죄여서 저절로 석방될 것이라 하기 때문에 그 말대로 납초(納招)하였다 합니다. 근래 공을 세우고 상 받기를 갈구하는 무리가 허위로 꾸며 무협(誣脅)하는 폐단이 없지 않습니다.

이렇듯이 사전(私錢)은 흔한 세태가 되어 있었고 근기 일대에 접경한 강원도의 두메에서는 땔감이 있고 인가가 드물어 사전꾼들이 많았으며, 단속에 지친 강원감사는 부상(富商)의 사주를 허가하고 세전을 징수하자고 제의하는 판이었다. 이는 즉각 거부되었으나 영의정까지도 당시 도주전자가 너무 많기 때문에 포도청에서 승복 후에 형조로 이송되면 번복한다고 지적하고, 비록 결당작적(結黨作賊)하여 인명을 살해한 자와는 차이가 있으나, 나라의 이병(利柄)을 도적질하고 무리를 모아 간사한 짓을 함은 극히 중대한 문제라 엄벌하기를 주장하였던 것이다.

횡성 금굴이(金掘伊)는 현 서쪽 서천(西川) 건너서 갈풍역(葛豊驛) 지나 초원(草院) 근처의 야산에 있었다. 횡성은 강릉부 경계까지 칠십 리요, 원주까지는 시오 리, 홍천까지 사십여 리 떨어져 있었다. 바로 지척에 여주와 남한강 줄기에 닿으니 배를 대어 광주 삼전나루 송파와 용산 삼개 그리고 마포와 서강에 이를 수가 있었다. 검계원이던 오경립 이정명과 시내비골의 미륵당이던 방귀선은 일찍이 무진년 난리 때에 이정명의 안내를 받아서 금화 수태사의 대성법주스님에게 의탁했던 것이다.

이정명은 여환과 황회 등이 죽을 적에 미륵당에 들었던 형 이원명과 아우 이익명을 잃었다. 더구나 그는 황회의 조카였고, 김시동의 동무였던 터이다. 형 원명은 동악상제(同惡相濟)하였던 여섯 사람 중의 하나여서 여환 황회 원향 계화 정원태 등의 주범 다섯 사람과 함께 처형되었던 것이다. 정명은 안협 상수리에 살았으므로 재빨리 철원으로 하여 금화 수태사로 달아날 수가 있었다. 그는 장포 사람들에게 대전리 집결을 알리고 돌아다녔던 터이다. 그의 친척 혈육들은 매의 장독이 올라 시름시름 앓다가 죽거나, 남정네는 거의 유배를 당한 형편이었다. 또한 연천에 살던 오경립은 주범과 동악상제와 상경동행한 중죄인 가운데서 유일하게 모면하여 달아날 수 있었던 경우였다. 그는 미륵당이었던 형 오계원이 장하(杖下)에 죽었다는 소식이며 매부 김돌손과 조카 시동 시금이 형제가 처참하게 죽은 소식에도 접하였다. 그는 조카 김시동과 같은 나이였으며, 이정명 방귀선과 비슷한 또래로 다 같은 농사꾼이었다. 오경립도 정명과 같이 수태사에 은신하였다. 그리고 시내비골에서 무기 준비를 맡았던 방귀선은 검계는 아니었으나, 친척이던 방승남을 따라 미륵도에 들었으며 시동의 가장 신임하던 마을 동무였다. 이들은 수태사에 얹혀 있다가 대성법주스님이 횡성의 덕고산(德高山)으로 옮겨오면서 그를 따라왔던 것이다. 이들은 정명을 통하여 해서 무계원들과도 연락이 되고 있었으며 당시에는 천마산서 내려와 철원에 가정을 이루고 살고 있던 고달근과도 연결이 되었다. 고달근과 복만이는 이해가 달랐으나 포천 송우점에서의 난전에는 솔부리 식구들과 더불어 함께 투자하고 있었다.

횡성 금굴이는 관에 세금을 내는 철광이었으므로 잠채가 아니었다. 따라서 소출된 만큼 파먹고 관아에 고하여 적당량의 쇠로 봉납하였다. 이들은 좋은 쇠를 가려내어서는 백 리 가까이 되는 동북방의 덕고산 깊은 골짜기로 가져갔는데 이곳에 풀뭇간이 마련되어 있었으며 상번수가 이정명이었다. 오경립과 방귀선은 일꾼 십여 명과 함께 금굴이의 움막에서 지내며 철광석을 캐어 적당량이 모이면 덕고산에 오르는 것이었다.

덕고산에는 오래된 산성이 남아 있었는데 이른바 태평성대라 하여 관장이 돌보지 않은 지 백여 년에 퇴락하였다. 곳곳에 성벽과 우물만 남아 있을 뿐 잡초만 무성하였다. 산성에서 동북쪽으로 올라가면 봉복사(奉福寺)가 있었다. 봉복사에는 대성법주와 두 사람의 젊은 승려가 있었다. 풀뭇간은 바로 산성 안에다 마련을 하였던 터이고 이정명은 번수들과 함께 초가를 짓고 그곳에서 살았다. 노비 출신의 장정들이 모두 여덟 사람이나 되었다. 그중에 직접 주전을 하는 두 사람은 진휼청과 군기시에서 공장이 역을 지고 있던 관노였다. 그들은 전생이나 마찬가지로 호조에서 주전이나 군기류를 만들어내던 솜씨 있는 자들이었다. 이들을 횡성으로 보내준 것은 서강의 장물와주 모신이었던 것이다. 그 또한 주전의 이익에서 빠지고 싶지 않은 모양이었다. 사주전은 송우점의 솔부리패들에게도 전해졌으니, 주로 추가령 넘어서 관북 쪽으로 흘러나갈 상업자금으로 쓰여졌다. 이들 사전이 흘러나가는 길은 자연스럽게 예전 검계의 조직을 통하여 가능했던 일이다. 뿐만 아니라 봉복사의 젊은 승려 하나는 예전부터 안성에서 범종이나 불상을 만들어 각 암자에 봉안하던 장인 승려와 더불어 기술을 익힌 사람이었는데, 그는 동래의 박래품인 동철이 없이도 합금해내는 비술을 알고 있었다. 그들은 다른 사주전이 동철의 합금을 제대로 처리하지 못하여 질 나쁜 파쇄로 기포가 표면에 드러나거나 자체가 선명치 않아서 발각된다는 점을 알고 있었다. 그들은 호조의 상평통보와 똑같은 사주전을 찍어내고 있었다. 경강의 모신과 송우점 난전의 고달근네 식구들은 모두 현물을 주고 횡성 덕고산의 상평통보를 사갔다. 동래의 백사값이 너무도 좋아서 처음에는 막대한 양의 왜동(倭銅)이 흘러들어왔으나, 조정은 직접 동이 산출되는 읍에 널리 알려서 소출해내기를 명하고, 왜에게 이익을 줄 수가 없으매 동철의 수입을 금지시키도록 하였던 것이다.

덕고산 산성 옛터에는 차츰 초가가 늘어나더니 어엿한 한 부락을 이루게 되었다. 이들의 살림은 사주전의 이익으로 그런 삼 년여의 흉황에도 굶주리지 않고 먹고살 수가 있었다. 궁벽한 횡성에서도 또한 백여 리쯤 들어간 깊은 산중이고 바로 산을 넘자마자 강릉부에 속한 지역이고, 오대산의 연맥이 찌를 듯이 솟아 있는 곳이라 인가라고는 그들뿐이었다. 대성법주는 여기서 나온 상평통보를 강릉을 거쳐서 고성까지 보내고는 하였다.

제3장

진인
眞人

1

고달근이 포천 송우점에 나와 있다가 철원으로 멀찍이 들어갔던 것은 그가 장가를 들었다는 데도 원인이 있었지만, 동북 방면의 상로를 매점하려는 뜻이 있었던 것이다. 그가 비록 안성 청룡사에서 잔뼈가 굵은 사당패의 모가비였고 한때는 검계에 들었으며 천마산 솔부리의 두령 노릇을 하였으나, 달근은 한 번도 자신의 이해를 떠나 위험을 자초하는 짓은 저지르지 않았다. 그는 산지니의 죽음도 곁에서 지켜보았고, 검계뿐만 아니라 미륵도가 패망하여 여환은 물론 한때는 그를 궁지에서 건져준 적도 있는 정원태와 어릴 적부터 함께 고생하며 살아온 동무 황회가 참수되는 일도 겪었다. 그런 일을 통하여 뜻을 가진 자는 더욱 분기하고 애초에 정하였던 결심을 이루는 일에 박차를 가하게 되는 것이건만 고달근의 경우는 그와 반대였다. 달근은 이들이 모두 부질없고 실리 없는 허황한 뜻으로 분수에 넘는 짓을 저질렀기 때문이라고 믿었던 것이다. 그가 솔부리에서 내려와 포천 송우점에서 복만이와 더불어 중도아를 하며 지내다가 철원으로 나간 것은 무진년 미륵도의 변이 있던 직후인 팔월쯤이었다. 그는 식구를 나누어 기중 영악하고 빠릿빠릿한 자들 서넛과 이천 냥의 자본을 떼어서 철원으로 나가 용담(龍潭)역말에 객점을 열었던 터이다. 그는 일단 황회와 정원태 등이 저지르고 간 소용돌이로부터 자신을 지키고 싶었으며, 솔부리의 패들과도 일찌감치 헤어져서 이제부터는 부상대고로서 느긋한 말년을 보내려는 생각이었다. 그는 복만이가 가평 현등사로 자주 내왕하는 것도 못마땅했으며, 무진 난리 이래로 수없는 난전꾼들이 양주 관아로 끌려가 조사를 받은 것도 아슬아슬한 노릇이라 솔부리패들에게 일단 자신은 분가한다고 뜻을 분명히 밝혔던 것이다. 송우점과 도봉산 아랫녘의 다락원 난전은 주로 동북로의 상품들을 취급하는 곳이었으니, 그중에서도 어물(魚物)과 포물(布物)이 주종을 이루었다. 다락원 난전이 주로 한양 성내의 배오개와 칠패 애오개 등의 중도아들과 연결되어 있었다면, 포천 송우점은 북관의 이른바 북상(北商)들과 연결되어 있었다. 송우점은 생산지에서 다락원으로 집결되기 전에 일단 거치는 집결처 노릇을 하였던 것이다. 포천 송우점에서 철원까지가 백삼십여리 길이요, 철원에서 다시 평강 거쳐 검불랑을 지나 분수령(分水嶺)을 넘으면, 바로 낭림산맥의 끝줄기와 언진산맥이 맞닿은 양덕으로부터 다시 황해도로 뻗어나간 마식령산맥의 남은 힘이 휘돌아서, 추가령 구조곡을 이루어 강원도와 함경도를 가르는 경계를 이루게 되는 것이다. 이 길은 옛적부터 북관으로 나가는 유일한 통로였다. 금강산 쪽에서는 회양을 거쳐서 철령을 넘으면 함경도였는데 이들 양로가 만나는 곳이 고산(高山)이요 안변 거쳐 원산 포구로 나가게 되어 있었다.

추가령을 넘어서 백 리 길을 비좁은 협곡과 심천(深川)의 좌우로 굽이치는 내를 따라서 끝없이 가게 되는데, 좌우로는 험산준령이 벽처럼 함께 흘러간다. 고달근은 철원에서 추가령의 협곡으로 통하는 북관상로의 목구멍에 버티고 앉은 셈이었다. 그는 원산의 이시흥이 나가 있는 장길산네 상단과 연결되어 있었다. 이시흥은 삭녕 장포에서 주막을 열었고 포천 송우점에도 물건을 하러 드나들던 자라 고달근이나 황회와도 잘 알던 검계원이었다. 달근이 주로 취급하던 품목은 원산 말뚝으로 유명한 북어(北魚)와 길주 명천 가는베로 알려진 북포(北布)였다. 고기철이 되면 고달근은 원산 시흥이네로 가서 직접 배떼기로 명태를 매점하여 건조장에 올 때는 이미 자기가 부리는 일꾼들을 시켜서 마른 북어로 상품화시켰다. 이것을 그는 말짐에 실어다가 철원에 모아두었고, 다시 포천 송우점으로 내었다. 송우점에서 직접 원산까지 나가는 이들도 있었으나 워낙 물량에 자신 있는 고달근에게는 미치지 못하였고, 대개의 중도아들은 올 적 갈 적의 여비와 수송 인마의 양식과 원산에서의 숙식비 등등을 감안하여 철원에서 떼어가는 것이 훨씬 손쉽고 유리하였다. 무엇보다도 고달근이 다른 상고를 앞지를 수 있었던 것은 자금의 융통이 원활한 탓이었고, 횡성의 예전 검계원 오경립 이정명 등에게서 사주전 상평통보를 차용해오던 것이었다.

숙종 십팔 년 임신(壬申) 봄에도 고달근은 차인 두 사람을 데리고 추가령을 넘어갔다. 원산포(元山浦)는 충청도의 강경포와 전라도 법성포와 같이 한 고장의 물산이 모이는 곳이라, 함경도 아득한 북변에서는 그 끝까지 내려온 셈이요 한양에서 온다 치면 북관의 동구 밖에 당도한 것과도 같았다. 덕원부(德源府)에 속하였으니, 덕원이 원래는 작은 현에 지나지 않았으나 태조의 선조가 살았던 곳이라 하여 도호부로 승격시킨 지 수백 년이 지났다. 추가령서 백 리 길을 협곡을 빠져나와 안변으로 하여 덕원부 경내의 원산포에 이르게 되는데, 포구 앞에는 큰 섬으로 죽도(竹島)와 신도(薪島)를 비롯하여 곰섬 콩섬 등의 작은 섬이 칠팔 군데에 엎드려 있었다. 아래로는 뱀골의 나직한 언덕과 위로 장덕산이 띠처럼 두른 가운데 적전내(赤田川)가 포구를 끼고 바다로 흘러나간다. 포구에는 크고 작은 어선들이 정박하여 있었고 포구 기슭으로는 여각 객주들이 바다를 바라보며 다닥다닥 붙어 있었다. 진영에서 나온 장교와 군졸이 대여섯 명 있을 뿐 부는 이십 리 밖이요 진영은 안변과의 경계에 십 리쯤 내려가서 있었다. 이시흥이 벌여둔 여각은 좌우로 장시가 서는 가가거리의 초입에 있었는데, 밖으로 트인 점포에는 각종 건어물이 줄줄이 꿰어져 걸려 있었고 뒤편에는 드넓은 명태 건조장이 있고, 창고에는 무명이 그득하였다.

원산포에서의 한 달 동안의 건어물 교역량이 사오천 냥이고, 일년간 판매고는 수만 냥에 이르렀으니 송도에서도 이를 무시하지 못할 정도였다. 이시흥네 여각은 비록 장길산의 혈당들이 내놓은 창구였으나 송도의 박대근네 상단을 위한 송방의 노릇도 겸하였다.

고달근이 철원서 말 다섯 마리에 차인들을 데리고 시흥이네 원산포 여각에 당도하니 송도의 차인들도 먼저 와 있었다. 고달근이 얼굴이 얽어 풍채는 보잘것이 없었으나 그래도 체격은 살이 붙고 배가 두툼하여 그 위에 갓과 중치막을 입으니, 의젓한 장사치의 우두머리로 보였다. 그에게서 예전 사당패 모가비의 모습은 오래 전에 사라져버렸던 것이다. 이제는 철원서 부자 소리도 듣고 밥술깨나 먹을 만하였다.

"이서방 계신가?"

점포 앞에서 부르니 시흥이네 일꾼들이 뛰어나와 인사를 올리고, 시흥이도 안채에서 불려나와 그를 반겼다.

"이번 행보는 좀 늦으셨습니다."

"때가 흥황이라 북포값이 대단하다네. 물건은 많이 모였나?"

"우리 여각에 물건 딸리는 것 보셨나요. 고대인께서두 잘 아시겠지만 우리가 누굽니까."

"그야…… 어련하겠는가. 모두들 북관의 터줏대감님인데."

그들은 점포를 지나 안으로 들어갔고 대근네 상단에서 나온 차인들이 모두 꾸벅이며 인사들을 올렸다.

"그래, 박좌장께서도 평안하신가?"

"예, 여전하십니다."

"자네들두 북포인가?"

"아닙니다, 저희는 수달피입니다."

"수달피라면 의주로 내야겠군. 누굴 기다리나?"

"예, 사람을 고원으루 보냈습니다."

고달근은 거기서 말을 그쳤다. 그는 언젠가 들은 말이 있어서였다.

"어서 들어가십시다."

이시흥이 재촉하여 그들은 안채의 시흥이네 점주 방으로 들어가 앉았다. 문갑이 즐비하였고 책상 위에는 장부와 주판이 놓였고 방 윗목에는 궤가 차곡차곡 쌓여 있어 이와 같은 대 여각의 점주의 방이 될 만하였다.

"그러니까 지난 동지 때 떨어진 것이……"

"천이백 냥이네. 천오백 쳐서 가져왔지."

"횡성 돈이지요?"

"그래…… 그것 말고 다른 돈이 있겠는가."

"은자라면 몰라도 요즈음 돈가치가 자꾸 떨어져서…… 오히려 미곡은 두 배요, 사전은 반값입니다. 실은 저희들도 사전은 해서에서 얼마든지 부어내고 있거든요."

고달근은 이시홍의 말에 성을 벌컥 냈다.

"아니, 그게 무슨 말인가? 내가 자네와 인연을 맺은 것이 어제 오늘의 일이 아니요, 검계 때부터의 구면이 아닌가. 내가 없다면 횡성에 있는 오서방이나 이서방과도 연계하기가 어려운 일이요, 내 또한 그들을 도와 사전을 직접 사다가 북관으로 내어 물건을 해가고 미미한 이윤을 남겨먹지 않는가."

"화를 내지 마십시오. 제 탓이 아닙니다. 저희는 북관에 다섯 군데의 객점이 있는데 그중 고원의 것이 가장 큽니다. 고원에는 우리 성님뻘 되는 이가 계십니다. 대인께서도 장두령에 대하여 잘 아시잖습니까?"

"길산이 말인가?"

"쉬이, 목소리가 너무 큽니다. 길산 성님께서 위에 계시니 우리네야 일사불란하게 전체 상단의 흐름을 쫓는 것이지요."

고달근도 장길산에 관하여는 귀에 못이 박히도록 들은 지가 오래되었다. 실로 천마산 솔부리 시절부터가 아니던가. 황회나 파주의 이경순은 그를 직접 만나서 여러가지 이야기도 나누었다지만, 고달근은 전에 경강서 만났던 우대용이란 뱃놈이 그의 동무라는 소리도 들었고 그의 혈당은 팔도를 덮을 만하다는 소문에만 접했을 뿐이었다.

"하면 이제부터 사전은 반값으로 뚝 자른다는 말이렷다."

"예, 맞습니다."

"그러면 나는 전의 절반의 이익밖에 못 보게 되니 정말로 먹잘 것이 없는 셈이로구먼."

"그런 셈이지요. 이제 북관으로 나가는 사전은 해서를 통하여 고원에서 풀려나갈 모양입니다. 저희 객점에서는 미곡을 중히 여기고 있습지요."

"내가 미곡을 가지고 나오면……?"

그제야 이시홍은 벙글대며 웃는 낯을 보였다.

"바로 그 애깁니다. 미곡을 가지구 내려오십시오. 그때에는 세 배의 이득을 보시게 될 겁니다."

"이 사람아, 이득을 보는 거야 요즘 같은 세월에 뻔한 이치가 아닌가. 흉황에 한양에서도 굶어죽는 사람들이 나오는 판에 어디서 좋은 값으로 곡식을 구하겠는가?"

"모르는 말씀입니다. 제가 듣기로는 전조의 큰 흉년에도 경강에는 쌀이 그득하였답니다. 경강에 쌀이 마르면 나라가 망하는 게지요. 서강의 모대인께 가서 의논하시면 다 될 일인데 무엇을 걱정하시우?"

고달근은 잠시 생각하였다. 그는 아무래도 억울해서 견딜 수가 없었다. 이래저래 미곡을 구하여 원산까지 나오려면 그 막대한 수송비는 또한 어쩔 것인가. 저희들은 가만히 앉아서 사전의 막대한 이익을 북관에서 고스란히 먹겠다는 속셈이 아닌가.

"아무래두 화가 나서 못 참겠네. 사전도 자네들이 해먹고 나더러는 번거로운 미곡을 실어나르라니, 자네들만 배불리겠다는 겐가?"

그러나 이시홍은 껄껄 웃는 것이었다.

"허허, 처음에는 손해 보시는 기분이 들 겝니다. 그러나 저희도 상리를 보아 저희 몇몇의 배나 불리자는 것은 아니지요. 아시다시피 서도와 북도지간의 산곡에는 저희 식구들이 근 천여 명이 넘습니다. 여염에 나와서 상도를 따라 돌아다니고 우리처럼 자리 잡고 사는 이들만 치더라도 수백 명이지요. 저나 경립이나 정명이나 귀선이도 모두 검계에 들던 때의 결심을 저버리지 않고 있습니다. 제가 이제 대인 소리 집어치우고 한마디 하겠습니다. 오늘 성님이 어떻게 무사할 수 있었습니까. 정대덕님이나 황회 성님이나 시동이가 입 다물고 묵묵히 죽어간 덕분입지요. 우리 계가 보통 화적당과 같았다면 벌써 오래 전에 뿌리가 뽑혔을 겝니다. 이제는 고목나무 등걸같이 되어버렸으나 뿌리만 든든하다면 곧 꽃을 피울 겝니다."

고달근이 예전부터 실속 없는 뜻에 대하여는 코웃음을 쳤으나, 그러한 연계는 자기 개인에게는 도움이 되었으므로 겉으로 드러내지는 않고 묵묵히 듣고만 있었다. 이시홍이 다시 말하였다.

"좋은 안이 있습니다. 저희는 고원에서 은을 내올 수가 있지요. 금도 있지만 북관으로는 나오지 않습니다. 은자와 쇠가 회령까지 올라갑니다. 고원에서 은자를 차용하여 경강에서 미곡을 사서 여기까지 실어오면 됩니다. 수송에 대하여도 염려 마십시오. 고원에는 북방마가 수십 필입니다. 많을 제는 삼사십 필이요 적어도 십여 마리가 넘습니다. 철원까지만 운반하시면 그뒤에는 저희가 추가령을 넘어서 오가며 말로 수송하겠습니다. 은자라면 한양에서는 못 구할 것이 없습니다."

고달근은 내심 만족하였다. 이시홍의 새로운 제안은 대단히 유리한 조건이었다. 다만 문제는 은자의 차용을 확실히 해두는 데 있었다.

"고원에서 내게 은자를 차용해주라는 언질이 있었는가."

"아직 없었습니다만……"

"그러면 우리끼리 헛물켜면 어쩔 텐가."

"좋습니다. 고원의 점주 성님이 보름에 집에 돌아오십니다. 이제 닷새 남았으니 여기서 시세나 보시며 푹 쉬시다가 저와 함께 고원으루 가십시다. 저와 같은 계원이셨고…… 경강 모대인과두 오랜 사이가 아닙니까. 윗분들도 성님이라면 신용을 해주실 겝니다."

"듣던 중 반가운 소리로구먼. 은자를 차용할 수만 있다면 내야 횡성 돈을 끊어두 별 불만은 없네."

고달근이 혼자서 따져보기에도 그것은 괜찮은 조건이었다. 다만 철원에서 추가령 목을 지키고 앉아 한양과 원산포를 연결시키는 일만으로 막대한 이를 볼 수가 있을 것이었다. 즉, 길산네 해서에서 부어내는 사전은 그들의 은자로 사들인 함석과 캐어낸 철을 합금하여 만든 것이라, 동 열 근은 은 두 냥에 해당되지만 그것으로 주전하여도 전문 다섯 냥이 나오게 되니 석 냥 남는 셈이었고, 함석값은 더욱 싸고 철은 스스로 파내니 실은 이문이 칠팔 배에 달하는 것이었다. 그러므로 주전의 이득을 횡성에만 주지 않겠다는 것이었고, 오히려 백성들에게서 싼 값으로 포물을 사들여서 관가의 조세에 돈으로 방납하도록 하려는 것이었다. 그것은 각 아문의 주전이 실상은 위와 같은 주전의 이익을 독점하고 그 피해를 백성들에게 돌리고 있는 까닭이었다. 관차배(官差輩)들은, 군포와 조세를 거둘 적에 농민들의 생산물을 돈과 바꾸어주는 한편 그 돈을 다시 세금으로 받았는데, 이들은 나라에서 정한 가치보다 높은 가치로 생산물을 사들였다. 농민들은 하는 수 없이 생산물을 팔아 이를 다시 방납하였으며 그 중간 이익은 행전 차인들이 가로챘다. 각 아문에서는 지방에 포자(鋪子)를 열어두어 돈장사를 시켰던 것이다. 길산네는 박대근의 안에 따라서 사주전으로써 이에 맞섰다. 그러므로 그들은 횡성의 돈이 더이상 북쪽으로 흘러들기보다는 강원 충청 그리고 근기에서 유통되기를 바랐던 것이다. 고달근은 또한 그의 속셈이 다른 데 있어서 이런 제의를 쾌히 받아들이기로 하였다.

어차피 목화와 곡물은 흉황이 돌아오면 품귀해진다. 지난 세 해 동안의 목화의 작황은 어느 때보다도 흉작이었으며 더구나 곡물은 더 나쁜 상태였다. 그렇다면 사람은 우선 벗고는 살아도 먹어야 사는 것이라 곡물은 날씨를 만나 수확이 나아져도, 목화는 훨씬 뒤에야 수량을 채우게 될 것이다. 그는 순순히 고원의 은자를 차용하여, 경강에서 삼남 쌀을 그대로 사다가 중도아 이문만 보고 원산포에 넘기는 뜨물 먹다 자빠진 싱거운 놈이 되기는 싫었다. 독한 화주는 못 들이켜도 하다못해 누룩 냄새라도 맡아야 할 것이 아닌가. 그는 은자를 차용해다가 직접 어느 풀뭇간에선가 유기를 녹여서 사주전을 해내는 것이다. 그리고 그 돈으로 경강의 물주들을 통하여 미곡을 사들인다. 원금을 돌려준다 할지라도 주전의 이익은 이쪽으로 떨어지며, 최소한 관차배들과 결탁한다면 곱절의 쌀은 자신의 것이 된다. 이를 원산 이시홍에게 넘기고 북포를 거둬오는 것이다. 무명은 썩지 않고 상하지 않으며 수년간 한정될 것이니 값이 오를지언정 떨어지지는 않는다. 그는 쇠를 횡성에서 사오고 유철을 안성에서 구한다 하더라도 풀뭇간이 문제라고 생각하였다. 그뿐 아니라 풀뭇간의 번수들을 믿을 수 있느냐도 문제였고, 주전의 기술을 익힌 장인을 어디서 구할 수 있느냐가 더 큰 난제였다. 그는 순간 자기 이마를 찰싹 때리면서 중얼거렸다.

"파주 이도장말고 또 누가 있을꼬."

이경순 자신이 살인 도주자요 그들 부부가 오랜 세월 고달근과 친면 있는 사이였고 경순과 군기시 관노였던 전생이는 예전부터 파주 문산포 객점에서 총포를 만들어내는 기술을 익힌 자들이 아니던가. 고달근은 따로이 유철과 쇠를 싸게 사다가 그들에게 주전을 시켜서 이를 조금 떼어준 뒤에 경강의 모신과 함께 미곡을 도매하여 원산에 내는 것이다.

여하간 은자를 융통하여 주전의 이익을 먹는 위에 쌀 귀한 북관에 미곡을 올려다가 북포를 바꾸어 내려오면, 그의 철원에서의 수문장 노릇은 경강 상인의 그것보다 훨씬 중요해진다. 따라서 고달근은 아무 군말 없이 이시흥과 함께 고원으로 올라갔던 터이다. 장길산의 활빈도는 애초의 뜻이 그러했듯이 사주전으로는 관에 타격을 주고, 은자로 삼남 양곡을 사들여 북도와 산협의 황민들이며 산간 식구들이 생계를 꾸리는 데 쓰고자 하였고, 양곡의 활빈행을 통하여 사람을 모으고 북도의 고원지대와 삼림 속에 마을을 여럿 세우려는 계획이었다. 고달근과는 뒤통수 가마에서 발뒤축의 사이처럼 전혀 상반된 뜻이었건만, 정 없는 달근이 이를 이해할 리 없었다. 그는 오직 길산네 일당이 해서의 그 어느 곳엔가 열어두었다는 은광의 잠채터가 부러울 뿐이었다.

원산서 고원까지는 백여 리 길이었지만 해안을 따라 오르는 평탄하고 곧은 길이어서 마상에 앉은 시흥과 달근은 피곤한 줄도 모르고 중화참도 제때에 찾아먹고 쉬엄쉬엄 산천경개도 구경하면서 저녁에 고원 객점에 당도하였다.

이곳의 규모는 원산포보다 더욱 컸으니, 무엇보다도 마방이 많았던 까닭이다. 그것은 회령의 정대성이 수집하여 보낸 북방마가 각 상단으로 팔려나가기 전에 모이는 중간역인 셈이었다. 각종의 농기구와 솥이나 피물 등속도 쌓여 있었다. 끝춘이는 중노미 둘에 부엌

댁도 두고 심부름하는 계집아이까지 부렸다.

"아이 어쩌나…… 우리 서방님은 한 이사날 늦어질 게라구 하던데."

"뭐 기왕에 올라왔으니 조진포(漕進浦) 나가서 놀다 들어오지요."

"예, 송도 분들은 모두 거기 나가 계시지요. 오늘밤 폭 쉬시구 낼 나가서서 이틀 밤만 놀고 오시면 애 아버지두 돌아와 계실 거예요."

조진포는 읍에서 십여 리를 서쪽으로 나가면 덕지여울이 나오는데 거기서부터 이십여 리가 운하와 같은 물살 빠른 강이었고 그 어귀에 포구가 있었다. 조진포 앞바다는 살여울에서 비롯된 문천포의 강물과 더불어 세 갈래로 흘러나와 만을 이루었으며 앞에는 덕원의 원산포와 마찬가지로 대소의 섬이 십여 개가 엎드려 있었다. 여기서는 어장의 이익이 도내에서 으뜸인 곳이었다. 북어는 물론이요 연어 광어 송어 황어 등속이 무더기로 잡혔으며 새우나 게 조개 등속은 민물이 몰려 나오는 포구의 각 어귀에서 들끓었다. 바로 이곳에 해동이 찾아오면서 수달이 강을 따라 내륙에서 몰려나오던 것이다. 수달을 잡는 곳은 조진포뿐만 아니라 오산 아랫녘의 살여울에서도 잡아냈다. 수달을 잡아올리는 것은 고원 문천 덕원 안변 등지에서 온 사냥꾼들이었고 송상과 경상들은 이들에게서 수달피를 전매하는 것이었다. 특히 겨울이 지나면 내륙의 하천에서 바다로 통한 강의 어귀를 찾아 수달의 떼가 모여들었다.

해동 무렵부터 교미기의 시작이었고 수달이 좋아하는 송어떼와 새우 등속이 얼음 풀린 강의 어귀에 몰려드는 때문이다. 이시홍의 안내로 고달근도 조진포로 따라나섰다. 객점주 김선일이 오는 것을 기다리자니 봉놋방에서 조밥이나 죽이며 앉았기도 갑갑한 노릇이고, 이 철에는 조진포의 어계방에 각지의 장정들이 모여들어 저자를 이루어 시끌덤벙하여 그곳에 가서 투전에 끼이든지 하다못해 뒷전에 앉아 오가는 재담이라도 듣는 것이 나을 것 같았다.

어계방에 당도하니 송도 차인 몇이 앉았을 뿐 한산하였다. 시흥이 그들과는 오랜 손님과 주인 사이라 허물없이 말하였다.

"이거 내 술 손님이 모두 여기 와 있으니 원산포에서 장사가 될 게 무어야."

"원산포야 명태철도 아닌데 날 샌 올빼미 격이지."

"내 자네들하고 가보잡기나 할려구 찾아왔네."

"우리는 벌써 손 털었구 엽사들한테나 끼이게."

다른 차인이 말하였다.

"지금은 대낮이라 한창 일을 하느라고 정신들이 없지만 저녁이 되어보게, 사당패가 한두 패가 아니더군. 계집들도 각양각색이야."

"일하는 데나 나가볼까."

시흥이 달근에게 말하였다.

"수달피가 북변 무역품이라 국내 상고들은 손을 대지 않지요. 한양 상고들도 물건을 해다가 궁에 약간 먹이고는 대부분 물량을 확보해두었다가 사행 갈 때 가지고 나갑니다. 우리 백성들이야 한겨울에 솜누비 배자만 걸쳐도 부가옹 소리를 듣지요."

"그래, 거기서 행수는 누가 나왔수?"

시흥이 물으니 차인들은 서로 시선을 나누더니 우물쭈물 말하였다.

"글쎄 뭐 우리네야 상단서 밥 얻어먹는 주제에……"

"북변서 한 사람이 불쑥 내려왔습디다."

이시흥이 안 체를 하였다.

"최행수가 왔습디까?"

차인들은 픽 웃었다.

"허, 꼬치꼬치 묻기는…… 직접 강구로 나가보시우. 송도서도 유명짜하던 사람이니 잘 아실 게요."

"자아, 오늘은 우리두 심심파적이라두 하려고 여기 왔으니 이따가 한판 벌입시다."

"돈이야 엽부들이 시방 흥청망청이지. 돈이 있단들 우리 돈인가."

이시흥과 고달근은 포구에서 북서쪽으로 올라갔는데 물때는 썰물이 나가고 있었으며, 질퍽질퍽한 갯바닥이 양안에 드러나고 있었다. 둑에는 이른 봄풀이 파랗게 돋아나고 있었는데 벌써 그곳에 이르기도 전에 잡다한 소리가 들려왔다. 멀리서 보기에도 인파가 꽤 많이 몰려 있는 듯싶었다.

"제철 만났군."

그들은 둑 위로 올라섰다. 덕지여울서 내려오는 물이 중간에 다른 흐름과 합쳐져 세 갈래가 되는 곳이었는데, 거룻배 두어 척은 강변에 박힌 말뚝에 길게 줄을 매어서 거센 물살에 떠내려가지 않도록 해두고는, 작고 날렵한 주낙배들이 강기슭과 복판을 바삐 오가고 있었다. 주낙배에는 두 사람이 탔는데 한 사람은 뒤에서 기다란 삿대로 얕은 강바닥을 짚어 내려왔고, 다른 하나는 뱃머리에 작살을 쥐고 물속을 노리는 것이었다. 배에 타지 않은 사람들도 많았으니 그들은 양쪽 기슭에서 허벅지까지 물속으로 들어가서 작살질을 하였다. 상류 쪽에서는 거룻배 두 척에 사람들이 여럿 타고서 작대기로 물을 치고 소리 지르며 천천히 몰아 내려왔다. 달근이 둑 위에서 내려다보자니 거뭇거뭇한 것들이 솟구쳤다가는 사라지고 하면서 갈팡질팡 몰려다니는데 온 물속이 꾸물꾸물하는 것이 수달로 꽉찬 것 같았다. 둑 아래쪽에는 뭍에 끌어올려진 수달들이 매끈한 배를 드러내고 짧은 다리를 모으고, 홍수에 밀린 쥐새끼들처럼 즐비하게 자빠져 있었다.

"자못 굉장하구먼."

달근이 감탄하자 시흥이 말하였다.

"성님, 수달 잡는 것 처음 봤수?"

"가죽은 여러 번 봤어도 처음일세."

뭍에서는 수달의 가죽을 벗겨서 씻어내고 있었다. 엽부들 중에 머리 되는 이가 있어 그가 가죽을 내어 점고하여 둑 위로 갖다놓으면 그것들을 줄로 한 묶음씩 묶었다. 그곳에는 생김새와 의관이 그럴듯한 사람이 멍석 위에 앉아 감역 노릇을 하고 있었다.

"여기 물주로 나온 이가 어디 계시우?"

시흥이 가죽을 날라다 쌓고 있는 엽부에게 물으니 그는 턱짓으로 갓 쓴 자를 가리켜 보였다.

"저이가 기요."

갓 쓰고 두루마기 입은 자가 멍석에 앉았다가 그들을 힐끗 쳐다보았다. 이시흥은 고달근 쪽을 돌아보고 나서 그에게 말하였다.

"저어…… 나는 원산포 객점 주인 이서방올시다. 북변의 송방에서 나오셨다기로 인사를 여쭙는 게요."

그는 이시흥을 빤히 들여다보더니 앉은 채로 멍석의 한쪽을 내주면서 물러났다.

"어서 앉으슈. 나두 원산 객점 얘기는 많이 들었수. 김서방 만나러 오셨나?"

갓 쓴 자는 나이도 들어 보였고 가슴에 드리운 수염이 훌륭하고 이목구비가 그럴듯하여 이런 곳에 나와 있을 장사치로는 보이질 않았다. 이시흥은 그가 작은 개다리소반 위에 생선횟감과 화주를 올려놓은 것을 보고는 마주 앉기가 황공할 정도였다. 그가 옆으로 비켜나며 다시 고달근을 바라보자 그는 시홍을 밀치고 슬며시 앞자리에 가서 앉는 것이었다.

"이거 실례가 많소이다. 철원서 객점을 하고 있는 고서방이오."

갓 쓰고 풍채가 그럴듯한 송방의 물주는 그저 웃는 낯으로 고개를 끄덕이더니 시홍에게 말하였다.

"허허, 주인과 물주가 함께 나들이를 나오셨구먼. 원산포는 명태 철이 지났을 텐데."

"예, 이제부터가 북포 모이는 시절인 셈이지요. 박좌장 어른은 송도에 계실 테지요?"

이시홍은 아까 송도 상단 차인들이 새로 나온 북변 송방의 물주에 대하여 시답잖은 태도를 보였던 것이 생각났고, 일부러 박대근과 잘 안다는 태를 보여 그의 기를 죽이려 하였다. 녀석이 송방에서 나온 차인의 우두머리에 지나지 않는 터수에 공연히 갓 쓰고 의관 차장으로 격에 맞지 않게 점잖은 척하는 것이 밸이 꼴려서였다. 그러나 송방 물주는 점잖게 받았다.

"아, 나하고는 동무간이지요. 해서 장두령도 내 손아래 사람이고 나는 강계 있는 이선달이라 하오."

거기서 이시홍은 기가 팍 죽고 말았다. 송도 사대전의 좌장이었고 지금은 전국의 상단에서 가장 실속 있는 배대인네 상단의 실질적인 운영자요 북변 무역로에서 실권을 쥐고 있다는 박대근과 동무 사이라는 데에 그랬고, 무엇보다도 그의 두령인 장길산의 윗사람이라는 것과 그가 버젓한 무과 출신이라는 것이 그러하였다.

"어이구…… 이거 몰라뵙고 그만……"

"괜찮소, 괜찮아. 까짓 한때에 말 타고 화살깨나 날려본 것이 무슨 대수요. 지금은 이렇게 채찍 들고 고달픈 상로에 나온 장사치가 아뇨?"

고달근도 산전수전에 저잣바닥에서 어르고 뺨 때리는 술잔깨나 죽여본 이력이 있어서, 이 자가 비록 의관은 그럴듯하지만 내막은 무뢰배일시 분명하다고 느끼고 있었다. 이시흥은 곧 하정배라도 드릴 기세로 골방에 주저앉은 곡식자루마냥 스르르 쭈그러졌지만, 고달근은 싱긋이 웃고 나서 저도 한마디 건네었다.

"궁귀인(宮貴人)도 담 밖에 내치면 파락호요, 똑같은 까마귀 암수 가리기가 어렵다오. 저자에서 만났으니 이서방 술이나 한잔 주오."

강계 이선달이라 자칭했던 자는 이것 봐라 하는 양으로 눈을 휘둥그레 굴리더니 대뜸 껄껄 웃으며 화주잔을 턱 내주었다.

"아따, 그럽시다. 철원 고서방이라구 했수? 자, 이서방도 한잔 받고. 까짓 거 나룻이 석자라도 먹어야 샌님인데, 귀천이 따로 있나?"

술잔을 돌리면서도 자신이 그들과는 다른 바탕임을 내세우는 것이 못내 아니꼬워서 고달근은 술을 주욱 들이켜고는 그에게로 내밀며 말하였다.

"보아하니 이리저리 둘러대는 양이 길군악 나갈 제 앞에서 깃대라도 들고 다닌 양반이로군. 해서 장두령의 성님이라면 우리 이서방을 모를 리가 없을 텐데."

이시흥이 비록 첫번 인사에는 풀이 죽었으나 생각하고 보니 달근의 말에도 일리가 있었다.

"강계 최행수 아래 있는 이가 어찌 우리 두령의 성님뻘이 되시우? 공연히 이 말 저 말 흰소리하면 봉변당하리다. 입조심을 해야지."

"허, 이 작자들이……"

상대가 당황하는 것을 보고 이시흥이 술잔을 소반 위에 딱 때려엎고는 언성을 높였다.

"우물 안에서 하늘 바라보는 격이지, 여기가 어디라구 함부로 흰소리여. 고원 김선일이네 객점 몇번 드나들었다구 우리 존장님의 함자를 함부로 나대고 다녀?"

"이거 참 난감허군. 이 사람아, 내가 바로 벽동 나가 있는 학선이여. 자네는 모르겠지만서두 말득이나 선일이나 선홍이는 모두 안다네. 그나저나 자네야 원산포 객점주이니 별 상관이 없네만, 내가 이거 입을 닫아야 되겠구면."

이시홍은 식구들의 이름이 나오는 것을 보고 그자가 패거리임에는 틀림이 없다고 느꼈다. 또한 언젠가 고원에서 수달피는 의주와 벽동으로 나간다는 말도 들어서 그곳에도 연이 닿는다는 사실을 어렴풋이 짐작했던 터이다. 이학선이 비록 벽동의 변지에서 잠상을 한다고는 하나 예전부터 송도서 내로라 하던 무뢰배요, 낯선 고장에 나와 안면을 세운답시고 길산의 성님 노릇을 하려던 것이 조금 과했다. 그는 곧 표정을 고쳐서 껄껄 웃으며 너스레를 쳤다.

"제기랄, 가어사 노릇 하던 소싯적 버릇이니 양해를 허시우. 다들한식구 아니오."

"무진년에 재가 들어 흩어졌지만 우리는 모두 한양 검계원들이우. 나두 천마산 솔부리에서 산채를 가지구 있던 사람이외다."

고달근이 말하였고 이시홍도 이어서 퉁명스럽게 내질렀다.

"처음부터 원산포 아무개라고 인사를 텄으면 우선 한식구인 줄알아야 할 게 아니오. 북변에서는 처음 오신 길이지요?"

"그렇소, 저어 강계에서 험산준령을 넘어왔지. 청상이 수달피를 원하여 채근이 심한 고로 할 수 없이 내가 예까지 온 게요. 강계에서 청천강 수로를 타고 희천으로 하여 맹산 거쳐서 왔소. 그러니 저쪽 북도 쪽에만 줄을 대고 계시니 나를 몰라봤구면. 내가 송도와 해서의 식구들은 모두 아는데."

학선은 처음보다는 많이 고분고분해졌고 시흥과 달근도 차츰 누그러졌다. 학선이 말하였다.

"김서방이 오늘 올 텐데……"

"내일 저녁이나 모레 아침에 온답디다."

"어, 그러면 장두령과 같이 오는 모양이로군."

학선이 아는 체를 하였다. 시흥이 물었다.

"큰성님께서 오신답니까?"

"아마 올 게요. 지난번에 말득이가 은자를 강계로 가지고 오게 되어 있었는데, 내가 수달피를 매점하러 고원에 온다는 소식을 전하였더니 오지 않았거든. 김서방네 집에 들르니 그 댁 아주머니가 얘기합디다. 김서방하구 장두령하구 아마 같이 올 테니까 기다리라구 하던데."

고달근은 귀가 번쩍 열리는 듯하였다. 그에게 딴마음이 있는 것은 아니었으나, 어쨌든 그는 오래 전부터 장길산의 이름을 들었으며, 저자 무뢰배로 그의 소문을 모르는 이가 없어 아마도 실물을 보았다면 모두들 혀를 찰 것이 분명하였다. 무엇보다도 고달근은 그의 북도와 서도에서의 막강한 연결과 재력에 등을 대고 싶었던 것이다. 검계 때에나 미륵도 때에나 그는 사실 득을 보았을지언정 손해를 본 적은 없었다. 흠이 있다면 관의 피촉을 받거나 위험하다는 점이었지만, 외나무다리나 수렁일지라도 발이 빠지지 않도록 조심해서 건너면 되는 것이다. 고달근이 중얼거렸다.

"이서방이나 송도 분이 여기 계시지만, 나두 장두령께 한식구로 넣어주도록 좀 밀어주시우."

학선이 두 사람을 번갈아 바라보다가 시홍에게 말하였다.

"그야 자네들끼리 서로 잘 알지 않나. 검계 난리라면 나두 잘 아네. 우리 식구들 중에도 검계 때 도망온 사람들이 많이 들었다던데……"

그러나 시홍은 고개를 숙이고 우물쭈물하였다.

"그런 일은 저는 잘 모릅니다. 기왕에 이렇게 되었으니 직접 말씀 올려보십시오."

그들의 얘기는 물에 젖은 수달피를 날라온 엽부들 때문에 잠시 끊겼다. 그가 내려가자 이시홍이 뒤늦게 주의를 주었다.

"여기서 이렇게 내놓고 떠들다가 누가 들으면 재미가 적겠소이다. 우리가 무슨 녹림의 활빈행을 벌이고 있는 것두 아니구, 시방 장사하러 왔으니……"

"딴은 그렇구먼. 일도 곧 끝날 테니 어계방에 내려가서 한잔 더하지."

학선도 자신이 많이 떠벌렸음을 깨달았는지 새삼스레 주위를 두리번거렸다. 사실 고달근으로서는 은자의 융통이라는 자기 잇속이 있어서 시홍을 따라나섰던 것이지만, 그들 사이에 오가는 얘기를 듣고는 꼭 길산과 만나야겠다는 생각이 굳어졌다. 그에 기대지 않고서 어찌 서도와 북도의 좋은 이권을 얻을 수 있으랴 하는 생각이 들었다. 그날 저녁에 조진포 어계방에서 이시홍 이학선 등과 함께 자면서 고달근은 더욱 많은 사실을 알게 되었다. 그것은 해서에 은광과 철광은 물론 양덕의 어딘가에도 금의 잠채터를 갖고 있으며, 산간의 골짜기에는 그들의 마을들이 여러 곳이라는 것과 북방마가 각처에 있어서 서로 그물코처럼 연결되어 있다는 것들이었다. 고달근은 북어와 북포를 포천의 송우점 밖에서 매점하여 쌓아두기만 한다면 한양에서의 두 가지 물종의 가격을 마음대로 쥐락펴락할 수 있다고 판단하였다. 그러자면 그는 이시흥이나 이곳 고원의 객점처럼 길산네 패거리와 줄을 대어 그들의 객점이 되면 유리하리라 생각하였던 것이다.

그들이 다시 고원 끝춘이네 객점으로 나왔을 때 학선이도 서북변으로 나가는 은자도 받을 겸 오랜만에 장길산도 만날 겸 하여 함께 따라왔다. 이시흥이 앞장서서 끝춘이네 객점에 들어서니 북도 쪽에서 내려온 사람들로 방마다 떠들썩하였고, 말똥 냄새가 온 집안에 가득하였다. 먼 길을 내려온 말들은 안장과 굴레를 벗고 기다란 마방 안에서 건초를 맛나게 먹는 참이었다.

"주인장은 아직 안 오셨수?"

시흥이 물으니 부엌에서 요란하게 도마질을 하던 끝춘이가 내다보며 말하였다.

"오늘 밤중에라도 오실 거예요."

"그걸 어찌 아시우?"

"거기서 먼저 떠난 이가 어젯밤에 여기서 묵었지요."

"우리가 묵을 방은 남았수?"

"아이 그르믄요. 주인의 사랑방은 아무에게도 내주지 않는답니다. 어서들 들어가 계셔요. 곧 저녁 올릴게요."

그들은 김선일이 집에 있을 적에 쓰는 사랑에 들었다. 널찍한 방은 깨끗하니 콩기름 먹인 장판이고, 윗목에는 이불이 두어 채 놓였는데, 장지로 된 벽장에는 두툼한 자물통이 매달려 있었다. 방 안에는 온기가 있었으나 아무런 가구나 장식도 없어서 어쩐지 휑뎅그렁한 느낌이었다.

그들은 목침을 베고 눕기도 하고 방 안에서 담배도 태우고 하다가 끝춘이가 정성스럽게 차려온 저녁밥을 먹었다. 고장이 어염이 풍부한 곳이어서 젓갈 등속과 생선이 올랐으니 철원의 푸성귀 산나물과는 또한 다른 맛이라 고달근은 고봉의 조밥을 단숨에 먹어치웠다. 그러고는 식곤증이 들어 깊이 잠이 들었더니 귓가에서 두런대는 소리가 들리고 다른 두 사람이 벌떡 일어나는 모양이었다. 달근은 어쩐지 그냥 누워서 그들의 속내나 두고 보자는 마음이 들었다. 그것은 순간적인 기지였으나, 그들의 반응을 자세히 알아두어야 자신이 앞으로 그들의 혈당으로 받아들여지는 데 유리하겠기 때문이었다. 문이 열리고 누군가의 목소리가 들렸다.

"어, 이서방 왔나? 헌데 이분들은 누구시던가……"

"조진포 나갔다가 큰성님 뵌다구 오셨다길래…… 저어 강계에서 오신 이선달이라면 아신답니다. 그리구 이 사람은 철원서 내왕하는 우리 중도아인데……"

시흥의 우물쭈물하는 목소리가 들리고 학선이 나서면서 말하였다.

"장대인 어디 계슈. 나 강변 나가 있는 이학선이외다."

"아 예, 나는 주인이오. 강계 최행수나 이선달 말씀은 들었지요."

"저기 자는 모양인데 깨울까요?"

"믿을 만한가?"

주인의 물음에 시흥이 답하였다.

"염려 놓으십시오. 저하구 같은 검계원이었지요."

"음, 그렇다면 뭐……"

신 끄는 소리가 나더니 이윽고 방문이 다시 열렸다.

"성님, 어서 들어오십시오. 원산포 이서방과 서북변의 이선달이……"

"아이구, 장대인, 나 이학선이우."

그들은 방 안으로 들어와 앉았다.

"먼 데서 오시느라구 고생이 많겠소."

하는 새로운 목소리가 들렸다. 고달근은 그가 바로 장길산이라는 것을 대뜸 알아차릴 수 있었다. 그는 등이 근질거리고 침이 넘어갔으나 갑자기 일어나 앉을 수도 없어 그대로 벽을 향하여 돌아누운 채로 온 신경을 귓바퀴에 모으고 있었다.

"저 사람이 철원서 왔다고?"

길산이 말하였고 주인 김선일이 시홍에게 또 물었다.

"자네 계원들이 무진년 미륵도 난리 때에 모두 어육이 되거나 산지 사방으로 흩어졌다더니, 저 사람은 어찌 무사하게 중도아 노릇까지 하구 있나?"

"예, 대성이나 무인이 귀선이 경립이 등등은 이미 국문할 제 이름이 오르내렸고, 저 사람은 일찍부터 경기도 천마산 솔부리에서 녹림당을 엮고 있었지요. 실은 검계에서는 돌아가신 황거사님이나 정대덕님과 함께 우두머리였습지요."

길산이 다시 물었다.

"여염에 있을 제 무슨 업을 하였나?"

"예, 제가 상번병으로 한양 출입을 할 제 같은 어영아병 역을 지던 동무가 있었는데 무진 난리에 죽었지요. 그 사람하구 오래 전에는 재주 팔고 다닌 적두 있답니다."

"깨울까요?"

김선일이 말하자 길산이 응하였는지 곧 이시홍이 고달근의 어깨를 흔들었다.

"성님, 달근이 성님, 일어나우."

고달근은 흠칫 놀라는 척하고 나서 하품을 하면서 어리둥절한 표정으로 일어나 앉았다. 그때에 달근은 그를 바라보고 있는 날카로운 눈매의 사내와 시선이 마주쳤다. 사내는 긴 누비 저고리 걸치고 머리에는 패랭이를 얹었으며 팔짱을 끼고 허리를 꼿꼿이 편 채로 그를 바라보았다.

"인사 올리슈. 우리 식구들 가장이시오."

이시홍이 나직하게 고달근에게 권하였다. 그러나 장길산은 부드럽게 말하였다.

"원로에 곤하실 텐데 단잠을 깨워 죄송합니다. 자, 서로 뵈일까요."

길산이 먼저 방바닥을 짚으며 머리를 조아리자 달근도 얼른 머리를 조아렸다. 길산의 패랭이와 달근의 갓이 서로 엇갈렸다.

"철원 사는 고달근이올시다."

"녹림에 묻혀 사는 장서방이오."

"함자는 우레와 같이 들어 이렇게 직접 뵙게 되니 몸둘 바를 모르겠습니다."

달근의 말은 진심이었다. 길산이 웃으면서 받았다.

"천만의 말씀입니다. 비루한 것이 숨어 살며 백성들의 노고를 훔쳐 삼시 세 때를 메우고 있습니다. 헌데 재간을 파셨다니 어느 동무이셨는지?"

"안성 청룡사에서 모가비질로 연명하던 시절이 있었지요."

"허어, 그렇다면 문화 재인말도 아시겠구려."

"아다마다요. 제가 기억하기로는 큰돌이라구 저희 또래가 있었지요. 해주 관시놀이에두 우리 대가 몇번 참예를 했습니다."

길산은 달근의 손을 덥석 잡았다.

"이거 아저씨뻘이 되는 분을 만났습니다. 큰돌 성님은 연전에 작고하셨습니다. 관군에게 참수당했지요."

고달근은 그것이 구월산 토포 때에 일어난 일임을 잘 알았다. 그때 해서의 광대 패거리가 거의 어육이 되었다는 소문을 들었고, 여환에게서 길산의 소식을 여러 번 들어왔던 터이다.

"여환당, 정원태, 황회, 정겨운 동무들도 모두 갔습니다. 나두 이렇게 오십줄에 접어들어 팔자에 없는 장사치 노릇을 하구 있습니다만……"

하면서 고달근은 고개를 떨구었다.

"아재의 마음을 모르는 바 아니오. 다 시기가 맞지 않아 그리된 것을 하늘의 뜻이라 알고 애써 준비하십시다. 언젠가는 그들뿐만 아니라, 온 조선 백성들의 포한이 풀리는 날이 오겠지요."

길산이 추연히 고개를 들며 말하였고 시흥이나 선일이나 학선이마저도 침통한 낯빛으로 묵묵히 앉아 있었다. 달근이 길산의 손을 잡아흔들면서 말하였다.

"장두령, 나를 활빈도의 혈당에 넣어주오. 진작에 검계 난리 이후 미륵도의 난리 때에도 천행으로 살아남았으나 이제는 먼저 간 이들께 부끄러워 잠들면 언제나 가위눌리고 허망한 꿈에 시달린다오."

"아재는 비록 우리와 직접 상면하지는 않았을지언정, 오래 전부터 우리의 식구임을 추호도 의심치 않소이다."

길산으로서는 그가 안성 청룡사 사당패의 모가비에서 시작하여 천마산 솔부리패의 두령으로 그리고 검계원으로, 다시 미륵도의 중핵으로 살아남아온 사실이 무엇보다도 눈물겹도록 반가운 일이었고, 재인말에서 함께 잔뼈가 굵었던 큰돌의 동무라는 데서는 콧날이 찡하였다. 길산은 달근의 잡은 손을 두 손으로 어루만지며 말하였다.

"철원서 중도아를 보신다니 어려움이 있으시면 말씀하시오. 저희가 힘껏 도우리다."

이시홍이 곁에서 끼었다.

"사실은 그 일 때문에 선일이 성님과 의논하려고 함께 모시구 왔습니다. 두령께서 지난번에 사주전은 군포와 세곡에 대납하는 곳에만 소용이라 하셨고, 강원도와 경기도의 주전은 금하라 하셨사오나 고대인은 횡성 사주전으로 지난해의 북어를 매점하여 가셨지요."

"그래, 백성들에게서 포물과 어물을 사주전으로 사들이면 우리에게는 큰 이익이 되나 저들은 손해를 보는 셈이 되지. 이와 같은 흉년에는 마땅히 곡물이 간절히 필요한즉 물물교환으로 이가 돌아가야 하고, 빈민의 구휼도 양곡이 있어야 하겠네."

"예, 분부를 받잡고 저희가 은자를 융통하여주면 고대인은 그것으로 경강에 나가 삼남의 양곡을 구매하여 철원까지 가져오고, 저희 원산포에서 말짐으로 수송하여 곳간에 쌓아두고자 하였습니다. 저희의 뜻에도 부합할 뿐 아니라 고대인의 상리도 해치지 않을 것입니다. 그래서 선일이 성님과 만나서 은자를 융통해줍시사 부탁해보시라고 제가 그만 위에 알리지도 못하고 우선 모셨습지요."

"음, 훌륭한 생각이군. 어떻소, 아재, 사주전의 이익보다는 못하겠으나 중도아로서 우리 식구가 되어 함께 일하는 뜻으로 보아서는 별 손해가 없으시겠지요?"

"여부가 있겠습니까. 물량을 제 날짜에 차질이 없도록 대어드리겠습니다. 또한 이제부터 근기 일대에 남아 있는 검계원들이며 한양 인근의 난전꾼들은 모두 두령의 수하가 될 것입니다."

"아니…… 아직은 그럴 필요가 없소이다. 횡성 봉복사 주승은 내 소싯적의 동무인데, 그가 예전 검계원들을 거두어 숨겨주었다는 말을 들었소."

"예, 오경립 이정명 방귀선이가 그 사람들입니다."

이시홍이 옆에서 거들었다. 길산은 이어서 말하였다.

"우리는 아재와 줄을 대고 있겠소. 서로 위급할 제는 끊고 맺기가 수월하겠지요."

"북변에 나갈 은자는 어떻게 되었소이까?"

학선이 자기 차례를 놓칠까 하여 침을 꿀꺽 삼키면서 길산에게 물었다. 길산은 대수롭지 않은 듯이 딴전을 보이며 답하였다.

"아, 그 얘기는 내일 하십시다. 일에는 모두 구분이 있으니까……"

길산이 시홍에게 물었다.

"얼마나 융통하면 되겠는가?"

"글쎄요…… 삼천 냥 정도라면……"

고달근이 말하였다.

"은자의 융통도 좋지만, 제가 취급하는 품목이 북포와 북어인데, 가을과 봄으로 나누어 번갈아 구매하게 되지요. 제 생각으로는 은자로 경강의 삼남 곡물을 사서 원산포에 대는 일도 긴요하고, 그 중도아의 이익으로는 애초에 해왔던 북포와 북어의 구매를 했으면 싶습니다."

길산은 빙그레 웃었다.

"아재는 염려 마시오. 그쪽의 식구도 많을 테고 철원은 한양 도성의 뒤통수를 넘겨다보는 요지라 근거가 단단해야 할 게요. 곡물을 사다가 원산포에서 쌓아둔 북포와 북어를 바꿔 가시구려. 이자는 천천히 갚아나가도 좋소. 우리가 재물을 모아두려는 것은 그것으로 이밥에 고루거각에 살며 공명첩이나 사서 사복을 채우려는 것이 아니니, 아재의 물력이 커지는 것은 곧 우리 힘이 커지는 것이지요."

"제 마지막 신명을 다하여 두령의 뜻을 따르겠소이다."

고달근은 그때에는 감격하여 진심으로 돌아가 있었다. 달근이 워낙에 저자로 돌아다닌 사당패로 남에게 천대받고 제 눈 똑바로 뜨지 않으면 밥 한 사발 얻어가지기도 어렵던 시절을 보낸 자라서, 의심 많고 정 없고 이해에 빠르기로는 한양 구리개의 약장수나 종루의 시정배나 중인배에 뒤지지 않았다. 아무도 그를 속일 수 없었으며, 그 누구도 달근의 차가운 가슴을 녹일 수 없었을 것이다. 그러나 달근의 굳어진 마음을 풀어주는 이상스런 힘이 길산에게 있었으니, 그것은 성심으로부터 나오는 떳떳한 도량이었다.

고달근이 길산네 혈당들의 철원 중도아로 받아들여진 것은 너무나 당연한 일이었고, 그는 은자 삼천 냥을 융자받았다.

달근은 그 길로 횡성으로 내려가 금굴이 철광을 찾아갔다. 채취는 기계나 도구도 별반 없고 일손도 많지 않아서 그리 많은 양의 철광을 캐내지는 못하였으나, 워낙에 산세와 입지적 조건이 좋고 광석의 질이 좋아서 꾸준히 캐내고 있었다.

구멍은 두 군데였으며, 한 군데서 파고 나면 반수는 그곳에 들어가 좋은 광석을 골라내고 다른 반수는 다시 한쪽 구멍을 파고 하는 식이었다. 풀뭇간은 덕고산 산성 안에 은밀히 숨겨져 있었으니 여기서는 쇠를 제련하거나 물건을 만드는 일은 하지 않았다.

고달근이 그들이 기거하는 움막으로 찾아가니 질 좋은 철광석이 무더기로 쌓여 있는데 오경립이 다른 일꾼 두 사람을 데리고 그것들을 쇠메로 잘게 부스러뜨리고 있었다.

"수고들 많네."

"아이구, 거사님 웬일이시우. 겨우내 소식이 없어 우리는 또 무슨 탈이 나셨나 하여 사람을 철원으로 보내려던 참이었지요."

경립이 부스러뜨린 광석 조각을 채롱에 쓸어담고 일어났다. 달근이 그를 눈짓하여 불러서는 움막 안으로 데리고 들어갔다.

"방서방은 어디 갔나?"

"굴에 들어갔지요. 일손두 모자라는 터에 이제는 해동이 되었으니 사고가 나면 어쩝니까. 동발을 많이 세워야 변을 미리 막게 됩니다. 이제부터는 더욱 눈코 뜰 새가 없습니다."

"덕고산에서는 여전들 한가? 사주전도 계속하겠지?"

"예, 별 뾰족한 수가 없지요. 저희들두 이제는 제법 돈이 모였습니다."

"주전의 이익이야 손가락으로 꼽을 필요두 없이 착착 맞아떨어지는 일 아닌가."

오경립이 자랑하는 것이었다.

"우리는 안성과 경강에 우리 돈을 먹이구 있습니다. 덕고산에다 이제는 여염 마을을 이루어 식구들도 데려다 안돈을 시키고 버젓이 살아갈 작정이우. 대성법주스님께서는 아예 강릉이나 고성 근처로 나가라 하시지만, 그래두 경강이 지척이라 여기처럼 좋은 고장이 없지요."

"그래, 맨땅에서 날마다 돈을 캐내구 있으니 그야말로 돈농사가 아닌가. 내가 이번에 북관에 갔다가 낭패를 만났네그려. 이제 거기서는 이쪽의 사주전은 안 받겠다는 걸세."

달근이 말하자 경립은 그리 놀라지 않았다.

"그렇겠지요. 그쪽에야 쇠뿐입니까. 금에 은에 벼라별 쇠가 나오는 산이 한두 군데가 아닌데 뭣 허러 현물을 마다하고 돈을 쓰겠습니까."

"그러니 어쩌겠는가, 사주전은 안 되겠고…… 나는 자네들의 쇠를 사다가 농기구나 기맹 따위라두 만들어서 북관에 내어야지."

달근이 속셈을 감추고 말하였다. 경립이 물었다.

"하오면 현물로 사시렵니까?"

"그것보다 더 좋은 것이 있다네. 내가 은자를 준비해왔지."

현물은 언제든 자신이 확보하지 않으면 안 되었고, 은자의 값은 변동이 적은 편이었으나 포물이나 미곡은 철에 따라 등락의 차가 심한지라, 달근과 같은 중도아의 이는 쌀 때 매점하였다가 품귀하여 비쌀 적에 내는 데 있었던 것이다. 은자라는 말에 오경립은 입이 벌어졌다.

"허허, 은과 쇠를 바꾼단 말인가요?"

"하는 수 없지. 그 대신에 나두 이는 보아야겠으니 시세의 세 배는 쳐주어야지. 이것 보게, 농기구나 기맹은 야인들이 찾는 물건이라 우선 공장이들 품값 쳐줘야지, 회령 경원까지 실어날라야지, 보통 힘이 들겠는가?"

"우리가 거사님께 쇠를 내지 않고 직접 주전하여 내면 이득이 얼마인지 잘 아시지 않습니까?"

고달근은 말하였다.

"이보게, 우리 검계가 지금은 세 불리하여 각지로 뿔뿔이 흩어져서 딴전을 피우고 있네마는 우리두 언젠가는 힘을 모아서 갑자년과 무진년의 원한을 갚아야 할 게 아닌가. 나두 이번에 원산포서 고원까지 나갔다가 해서의 장길산 두령을 만났다네."

"예? 장길산을 만났어요? 어떻습디까. 키가 구척에 범과 같이 날래고 힘이 천하장사라던데……"

"듣기보다는 그냥 보통 사람이더구먼. 하긴 사람 됨됨이가 점잖더군. 그만한 힘과 식솔을 거느리구 있는 사람이 대단히 겸손하데."

"저희 스님과는 어릴 적부터 가장 친한 동무랍디다. 가끔씩 거기서 보낸 이가 봉복사에 들렀다 가곤 하지요."

오경립도 은근히 기죽지 않으려는 듯이 말하였다. 달근이 물었다.

"허어, 그건 또 처음 듣는 말이로군. 내가 자네들과 시흥이 무인이가 한식구들이라 통하는 줄 알았더니……"

"그야 그렇지요. 거사님과는 안 그렇습니까?"

"그것 보게. 이것이 다 식구들간의 일이니 내 은자를 세 배로 쳐서 쇠를 좀 주게나."

달근이 말꼬리를 잡고 늘어졌으며 경립도 하는 수 없이 말하였다.

"까짓 거 그럽시다. 하지만 방서방이나 덕고산 정명이하구 논의를 해서 결정을 보겠습니다. 쇠야 굴속에서 계속 나오는 것이고…… 아무튼지 그 장두령 얘기나 더 해보시우."

"사람이 나보다 연배는 좀 아래인 것 같던데 들은 바와는 달리 부드럽고 조용하더구먼. 지금 서른여섯 먹었다던가 나보다두 열두 살이나 아래여. 뭐 미주알고주알 따지는 것두 없이 식구가 되어달라구 하데. 그래 내가 횡성 있는 자네들 얘기두 했지."

"우리두 검계나 살주계의 동무들을 다시 모아서 세를 이루어야 합니다. 그리고 한편으로는 해서와 강원도의 근기 접경지역에서 장두령 식구들과 체결하여 도성으로 밀구 들어가야지요."

고달근은 퍼뜩 제정신이 들었는지 말을 돌렸다.

"하여튼지 여주서 배에다 싣고 나갈 것이니 내일부터라두 쇠를 내주게."

"내일이오? 어디 곁꾼이나 주인가라도 정하셨수?"

"주인가란 따로 없고 포천 송우점의 복만이네 객점으로 보내주어."

"우리가 무슨 수로 거기까지 운반을 한단 말이우?"

"허 그 참, 운송비나 곁꾼들 밥값이야 내가 주어야지. 여주서 사공을 사서 송파까지만 보내주면 되는 게야. 송파 화초방 벌여두던 삼촌네 생각나나?"

"난 모르우. 그 동네가 어딘지…… 송파 삼전나루는 고거사님이나 옛적 황거사 놀던 데가 아니우. 어느 집이라고만 얘길 해주오. 그리로 보내줄 터이니."

경립이 말하였고, 달근은 다래목 깍정이패 꼭지이던 까마귀네를 떠올렸다. 그는 정원태가 옮겨갈 때 다시 돌아가서 제 놀던 터에 자리를 잡고 보행 객줏집을 차려두고 밥 끼니나 놓치지 않으며 살고 있었다. 산지니의 죽음 이래로 고달근은 광주 송파나 삼전나루를 두어 번 들른 적은 있어도 자주 발길이 가지 않던 터였다.

"그래, 까마귀네 집이라구 해여."

"까마구? 거 무슨 이름이 그러우. 그렇게 말하면 압니까?"

"송파서 까마귀 모르면 장꾼이나 왈짜를 폐업해야지. 내가 가는 길에 들러서 맺어두고 갈 터이니 그리루 보내주게."

"은자는?"

"아따, 내가 쇠 가져가구 안 물어낼까봐 안달이여. 사흘거리로 보내주기만 해라. 값은 그믐에 가서 계산하여 줄 테니."

"월말마다 여기 오실라우?"

"그래야 핑곗김에 횡성 와서 자네들 얼굴이라두 보구 북관 소식두 전해주고 할 게 아닌가."

"우리 스님 언제 한번 인사라두 하구 댕기슈. 반가워할 겝니다."

"그건 그래. 아마 장두령두 반가워할 테지. 자, 그럼 방서방한테두 안부 전하게. 해 있을 제 가야지."

고달근은 횡성 금굴서 나와 여주 죽산 거쳐서 안성으로 행로를 정하였다. 안성은 실로 그에게는 고향이나 다름없는 곳이었다.

고달근은 안성 들러서 청룡사에는 얼씬도 하지 않았다. 배고프던 시절의 자기 모양을 그대로 만날 것 같아서였다. 그는 유기장에만 들러 대충 시세와 물량을 알아보고는 송파에 있는 깍정이 꼭지네 객점엘 들렀다. 달근이 번듯한 객점에 들어서니 까마귀는 중노미까지 두고 마루에 한가히 앉아 곰방대를 물고서 의젓하게 턱짓으로 이리저리 시켜먹는 팔자였다. 그의 차인들로는 다래목에서의 상번수 중에 똑똑한 자들로 셋을 가려 데리고 있었다. 고달근이 마당에 들어서자 중노미가 잽싸게 달려나왔고, 까마귀는 마루에서 건너다보기만 하였다.

"어, 까마귀 잘 있었는가?"

그는 화들짝 놀라더니 마루에서 얼른 내려왔다.

"아니…… 이게 누, 누구여. 달근이 성님 아닌가."

"왜 죽었는 줄 알았지? 제법 발등에 기름이 올랐겠구먼."

"어서 올라오시우."

까마귀는 달근의 소매를 잡고 대청으로 끌어올렸다.

"무진년 이래로 소문은 여러 군데서 들었수. 정대덕님이나 황거사 성님이 비명에 가신 것두 들었고…… 산지니는 지금도 여기 아이들이 화초방에서 얘기가 나오면 모두들 혀를 차고 탄식을 합니다. 그래 어찌 죽지 않구 살아계슈."

"이 사람아, 그런 소리 말게나. 아무나 잡혀죽는가."

"그건 그렇구 지금 어디 계슈?"

"철원 사네. 거기서 중도아로 밥 먹구 살지."

"포천 송우점에서는 복만이 성님과 헤어졌수?"

"그래, 나두 이젠 좀 조용히 들앉아 여염 살림을 해볼 작정이다.

네까짓 깍정이도 발 씻고 이렇듯 어엿하게 객점주 노릇을 하는 터에……"

까마귀가 마당에 오락가락하는 중노미에게 들릴 것이 염려되는지 볼멘소리로 중얼거렸다.

"흥, 성님두 그러시는 게 아닙니다. 까마귀 까마귀 하지 마슈, 나두 성이 이가요."

고달근도 껄껄 웃으며 대꾸하였다.

"허어, 그랬던가. 자네 이가라면 혹시 궁에서 내친 핏덩이가 아닌가. 그러다가 공명첩이라두 얻어가지면 이제는 내가 하정배를 올려야겠구면."

"에이, 농담 마시우. 그나저나 뭣 땜에 낮도깨비 마실 돌듯이 불쑥 내 집엘 찾아왔소?"

"이보게, 손님이 객점에 온 것은 술밥에 잠자리를 구하고 장사할 물건을 위탁하러 왔지."

까마귀는 잔뜩 눈을 부라리며 말하였다.

"이젠 장물은 안 되우. 송우점에서라면 몰라두 내 집에선 그런 짓 안 허우."

"이봐, 강산두 변하고 인걸두 다 가버리고 이제는 깍정이패의 까마귀두 이서방으로 둔갑을 하는 판에 내가 오십 평생이 넘도록 좀도둑의 장물이나 넘기고 다니겠나? 주인가를 정하는데 자네 집뿐만이 아니여."

고달근이 점잖게 말하자 까마귀도 얼른 안색을 바꾸었다.

"무슨 물건이우?"

"응, 뭐 간단하다네. 내가 강원도 가서 쇠를 모아가지고 올 것인즉 여주에서 배로 실어 송파에 대일 걸세. 그것을 자네는 우리가 가지러 올 때까지 여기 맡아두고 모아두었다가 내주기만 하면 되는 게야."

"지불은……"

"그야, 매달 그믐마다 한 번씩 하든지."

"까짓 구전이야 몇푼이 되겠수."

"아니…… 그럴 게 아니라 내가 안성에서 시세를 대충 보고 오는 길인데, 자네가 차인들을 풀어서 유기나 좀 모아오도록 해주게."

고달근의 말이 여기까지 진행되자 까마귀는 역시 송파 장터에서 장바닥 먼지 먹고 자라난 각정이 출신이라 눈치가 비상하여 쇠와 유기가 어떤 물건인가를 대번에 알아차렸다.

"그래 우리보고는 쇠나 맡아달라고, 유기나 모아오라니…… 성님은 어디서 풀뭇간 곁에 불이나 쬐고 앉았다가 큰 이익을 보자는 모양이오. 나두 눈치는 멀쩡한 놈이라 그렇게는 안 되겠소. 그래두 옛적에 함께 고생한 의리가 있는 게지. 자아, 몇백몇천 냥이나 부어낼라우?"

고달근은 하는 수 없이 빙긋이 웃고 나서 말하였다.

"그래 좋다. 너두 네 몫으로 쇠와 유기 값을 내면 쟁인들 품삯과 신탄값을 따져서 떼고 네 몫을 주도록 하지. 그럼 되겠냐?"

"말해 무엇 하우. 나두 그 돈 좀 만져봅시다."

"그러면 당장 안성으로 사람을 보내어 유기를 모아오도록 허게. 징도 좋고 바라도 좋고 기명도 좋네."

고달근이 까마귀에게 이르고는 다시 내쳐서 일단 경강으로 나갔다가 모신이네 집으로 찾아들어갔다. 모신이네 살림집은 강변의 그의 객점에서 좀 떨어져서 뒤편에 번듯한 기와집 지어두고 창고도 장대히 지어놓고 살았다. 모신의 곁꾼들은 서강 애오개 만리재 일대에서 놀던 난전꾼들이었고, 이제는 삼개나 마포 동막의 대를 물려온 여각주들도 모신이의 시장을 한손에 쥐고 물가를 쥐락펴락하는 수완에는 당하지 못하였다. 고달근이 대문간에 가서 하인을 부르니 뛰어나왔던 하인이 대뜸 그를 알아보고는 얼른 안으로 들이며 외쳤다.

"어르신네…… 포천 고대인 오셨습니다."

모신이가 선상(船商)들과 방 안에 앉아 얘기하고 있다가 사랑방의 미닫이를 빠끔히 열고 밖을 내다보았다. 고달근이 신방돌 아래에서 서성대고 있었으며 그의 등뒤에는 아무도 없었다. 모신이는 돈피 배자에 탕건 쓰고 이제는 제법 서강의 가장 큰 물상객주답게 희끗희끗해진 수염을 길게 드리웠다. 그는 어흠 하고 헛기침을 하면서 마루에 나섰다.

"어서 오시게. 고서방이 서강 출입은 또 웬일인가."

"원 별말씀을 다 허시우. 장어가 제 살던 물로 돌아오는 일이야 다 자연 조화요, 고달근이가 경강에 오는 것이야 모대인을 뵈오러 오는 게지 뭡니까. 중도아가 대 객점에 찾아온 것이 아니라, 범이 제 골에 돌아온 거올시다."

고달근이 모가비 출신 아니랄까 봐서 이리저리 둘러대어 너스레를 떠는 것을 기다려주다가 모신은 그의 소매를 잡았다.

"어찌…… 철원서 산다는 말은 진작에 들었고, 장가든 살림 재미가 어떻소?"

"늘마에 이런 망신이 없소이다. 딸년 하나를 보았습죠."

"저런…… 전생에 예쁜 사당아이들 치맛자락 뒤치레를 하러 다닌 까닭이지. 자아, 어서 올라오시게."

고달근이 안을 기웃하며 말하였다.

"우리가 이래봬도 장님 판수는 아니오만 독경할 제 잡인은 일체

금하는 성미라서……"

"알았네, 어서 저 건넌방으루 들어가시게."

그들은 사랑채의 작은방으로 들어가 앉았다. 모신이 물었다.

"시방 어디서 오시는 길인가?"

"횡성 거쳐 송파로 하여 이리루 왔지요."

"음, 예전 계원들은 모두들 무사하겠지?"

"그럭저럭 다들 제 재간껏 먹구살아갑니다. 지난달에는 관북에 올라가 장두령 패거리에 들어 있는 식구들도 만났습니다."

"장두령이라면…… 해서 활빈도의 장길산이 말인가?"

"그렇지요. 북도와 서도의 산간에는 그의 혈당이 수천이고 마을들이 수십 군데가 된답니다. 세가 대단 장합니다."

모신은 허, 하면서 입을 벌려 감탄하였다.

"내가 문산포 이도장에게서 얼핏 얘기는 들었지마는, 북변의 이익은 송도의 박좌장이 모두 휩쓸었다더군. 그가 보낸 곁꾼 차인들이 문산포 거쳐서 이리로 내려오지. 그 사람들 길산이 얼굴 보았다는 이가 없더니, 고서방이 직접 만나봤단 말이지."

"실물을 만났고, 하룻밤 꼬박 새도록 여러가지 얘기도 나누었소."

"그래, 장두령은 인물이 과연 어떻던가?"

"글쎄 그것이…… 저는 놀랐습니다. 나이는 서른예닐곱 되었나 본데 명화적질 댕긴 사람치고는 몸집도 그저 보통이고 생김새도 곱상합니다. 무슨 다른 재간이 있는가 하였더니, 얘기를 나누는 중에 이상스럽게 가슴이 울렁거리고 콧날이 시큰하고 거 참 사람의 마음을 사로잡더란 말이지요."

"그 많은 사람들의 가장 노릇을 하노라면 자연히 그리되겠지. 그래 장두령은 장차 어찌하겠다던가?"

고달근은 잠깐 생각하였다. 모신은 서강뿐 아니라 칠패와 배오개 애오개 등지의 난전꾼들 사이에서도 가장 으뜸의 재산을 가진 자이고 오랫동안 검계의 모사 놀음을 해온 사람인지라 그저 시정 장사치의 타산으로 얘기를 붙이면 퉁겨나갈 것이 분명하였다. 그러므로 그에게는 살주계 검계 이래로 염원이 되어왔던 도성번복과 역성혁명에의 본뜻을 들어서 접근을 해야만 마음을 잡을 수 있을 듯하였다. 고달근이 잔뜩 목소리를 낮추어 그의 뺨에다 입김을 불며 속삭였다.

"산간에다 병마를 숨겨온 지 오래인 듯합디다. 말과 양식도 쌓아두었고 금과 은과 쇠의 잠채로 재물도 풍부하여 그들의 활빈행도 이제는 예전처럼 지방 토호나 수령들의 창고를 들이치고 기민을 구휼하는 방법은 피하는 모양입디다. 앞으로 몇년 안에 전국에 혈당의 연계가 철통같이 짜여지면, 성님도 아다시피 향군 수백이 상번하여 지키는 이따위 도성쯤이야 한 식경 사이에 점령할 수가 있지요."

"정진인 말씀은 없으시던가?"

"그런 얘기는 아직……"

"지금 해서와 충청도 지방에서는 정진인이 이미 나오셔서 왕조를 넘겨받으려고 때를 기다리고 있다는 소문이 파다하다네. 나야, 강변에 앉았으니 물길 타고 전해지는 팔도의 소문을 들을 수가 있지."

"모르지요…… 저두 이번에 그 식구가 되었는데, 자세한 내막은 모두 얘기를 피합디다. 그런 분을 심장하여두고 보호할 세력이 장두령네 활빈도말고 어디에 있겠수?"

"아니…… 미륵도를 실행하시는 산간 승려들이 있었지 않나. 진작부터 우리와 장두령네 식구와 산간 승려들이 무진년 이전부터 연계되어가고 있었지."

"그러면 여환당이 맺어주었겠군요."

모신이가 고개를 끄덕였다.

"살주계 아이들은 지금 거의 남은 힘이 없고…… 검계의 나머지 계원들도 이제는 뿔뿔이 흩어져버렸지. 내 생각으로는 우리 같은 중인들이나 아니면 식자깨나 든 선비들이 있어야 되겠데. 그래야만 조정의 내막이며 돌아가는 사정도 정확히 알게 되고, 무엇보다도 저희끼리 싸우는 틈을 탈 수가 있게 되는 게여."

"좋은 생각입니다. 바로 그래서 제가 횡성 등지와 철원 안협 등지를 중시하는 까닭이 거기에 있습죠. 그곳은 근기의 문턱에 있어 한양을 기웃이 넘겨다보는 곳입니다. 이곳에 튼튼한 연결처가 있어야만 강력한 외응이 생겨나지요. 성님은 다시 혈당을 모아나가십시오. 그러려면 재물이 기중 으뜸입니다."

"허어, 고서방이 많이 변했구먼."

모신은 검계 난리와 무진년 난리를 겪어보아서, 달근의 건성건성 넘기는 척하면서도 앞뒤 재어가는 타산 빠른 행동거지를 잘 알고 있었다.

"나도 내 친동기간 같은 아우들과 동무들을 잃었는데, 그냥 숨어서 장사치로 여생을 끝낼 수는 없소이다. 나도 이젠 오십줄에 초로의 나이요."

"늦깎이가 먼저 득도한다 하였으니, 겪은 것이 많은 이가 오히려 일을 잘해내는 법이라네. 그래, 자네가 할 일은 뭔가?"

"성님과 나는 양곡을 좀 모아야겠소이다. 지금 북도와 서도에서는 삼남의 양곡이 필요하답니다. 여러 해 군량을 비축해야 하거든요."

"음, 철원에 운송하면 쉽게 가겠구먼. 포물로 사려는가?"

"아니오, 돈이올시다."

"돈이라면 호조 것이나 오위영 훈련도감 것은 아니겠고…… 사주전인가? 횡성 것은 기포가 많고 쇠가 거칠어서 우리두 안 쓰구 있네. 상고들도 현물을 원하여 돈 받기를 싫어한다네."

"그렇지만 관가에서는 군포세와 세곡 대신에 반반씩 돈으로 대납을 원하구 있습니다. 삼남에서 돌아다닐 것이니 무에 걱정할 것이 있소?"

모신은 방바닥에다 손가락으로 글씨 쓰는 시늉을 하면서 곰곰 생각하였다. 달근이 말하였다.

"사주의 죄가 역률과 동죄로 참수형에 처해질까 걱정하시는 겁니까? 하면 계를 다시 짜는 일이며 장두령과의 연계는 역률이 아닙니까? 주전의 이익보다 큰 이가 없습니다. 쟁인들이 자본이 없고 돈 있는 자는 목숨을 귀히 여기며, 설사 주전을 찍어낸다 하더라도 진전(眞錢)과 달리 조야한 것이라 대번에 포도청에 적간이 되어서 엄두를 못 내는 것입지요. 좋습니다, 내가 상평통보와 꼭 같은 돈을 가져올 것이니 비교하여보시고 물량을 구해주겠수?"

모신은 그제야 얼굴이 풀렸다.

"우리가 이런 일을 하자는 것이 모두 좋은 세상을 보자는 것이지, 칼 물고 외나무다리에서 외발춤 추자는 말이 아닐세. 만약에 우리 서기 아이가 돈을 보아 의심 없이 처리를 하게 된다면 그 돈을 쓰겠네. 진전과 꼭 같이…… 그래두 내게는 거간 이익이 떨어지는 셈이니까."

"자, 이제야 독경이 모두 끝났군."

"그래, 내 귀가 쇠귀는 아니었지?"

파주 문산포의 이경순네 여각은 무진년 미륵도의 파란 이래로 잠시 침체하는 듯하더니, 경오년부터 차츰 그 세가 늘어나고 신미년에 들어서는 전보다 더욱 활기를 띠어가고 있었다. 이는 교하와 강화의 우대용네 식솔들과 연계하여 멀리는 의주의 용암포에서 거래한 잡무역품의 당화가 줄기차게 들어오던 까닭이며, 위로 지척인 송도의 박대근네 상단이 이경순의 문산포 여각을 한양으로 들어가는 중간 거점으로 사용한 때문이었다. 또한 여각의 뒤란에 마련한 풀뭇간에서는 전생이를 숙수로 하여 조역 세 사람이 날마다 쇠를 다루어 화승총을 제련해냈으니, 이는 화포등록을 머릿속에 환히 외워둔 전생이의 솜씨 탓이기도 했고, 또한 강하고 잡티가 없는 총열을 달구어내는 일은 군기시의 장인들도 못 따라올 솜씨였다. 길산네서는 한 달에도 십여 정의 화승총을 주문하여 전생이는 이경순과 더불어 눈코 뜰 새가 없었다. 일거리가 많아져서 조역들을 이제는 숙수로 올리고, 해서의 언진산에서 일하던 자들 넷을 조역으로 데려왔다. 무엇보다도 이들을 시키는 것이 유리했던 것은 남에게 알리지 않고 은밀히 해낼 수가 있는 점이며, 그들은 처음부터 길산이나 이들 숨어 사는 자들의 사정에 대하여 길게 설명할 필요가 없는 때문이었다.

묘옥은 예전과 다름없이 여문이를 키우고 장쇠와 전생이 이경순과 한식구로 살아갔다. 여문이는 포구에서 시오 리 떨어진 대산골의 서당에 천자문을 배우러 다녔다. 장쇠가 업고 갔다가 데려오고는 하였는데 장쇠도 이제는 훤칠한 장부로 자라났다. 묘옥도 어언간에 서른을 넘긴 나이가 되었으나, 머릿결도 여전하고 몸매며 살결도 젊은 처자와 같이 보였다. 다만, 사당시절의 열에 들뜬 듯한 활기가 사라졌으며 눈빛에 보이던 깊은 슬픔의 그늘이 없어졌다. 여문이는 어린아이였지만 숙성해서 말수가 적고 글을 깨쳐가는 진도도 빨라서 서당 훈장은 장사치의 아들임을 탄식할 정도였다. 묘옥은 몇차례 이경순에게 상고의 출입이 번다한 문산포를 떠나서 연안이나 배천 근방으로 이사 가서 농토 장만하여 살자고 졸랐지만, 경순은 별로 대꾸가 없었다.

고달근이 찾아간 날은 마침 여문이가 천자문을 떼고 책씻이를 하던 날이라, 묘옥은 떡을 해서 장쇠와 함께 대산골 훈장 댁에 다녀오던 참이었다.

"안녕하시오, 오랜만이외다."

달근이 장쇠와 여문이를 앞세워서 시루를 이고 오던 묘옥을 만나자 거침없이 노상에서 인사를 던졌다. 묘옥이 쪽에서도 밉다 곱다 하기 전에 고달근은 가장 참담했던 시절의 고난을 함께 겪은 옛적의 모가비인지라, 마치 친정오라비를 대하는 양 반가웠다.

"에구머니, 거사님이 웬일이십니까. 철원 사신단 얘기는 들었어요."

"예, 포천에는 가끔 댕기러 나오는데 지척지간에 이거 인사가 아니외다."

고달근이 인사치레를 하면서 말하였다.

"이도장 계시지요?"

"늘상 계시지요. 잘 나다니지 않으셔요. 송도에도 몇달에 한 번 갔다오셔요."

그들이 여각에 들어서니 벽이 없이 기둥에다 초가만 올린 헛간에는 여봐란 듯이 건어와 소금짐이 쌓여 있었고 집 왼편의 창고에만 자물쇠가 걸려 있었다. 즉 여각은 명목에 지나지 않아서 귀중한 당화나 박래품은 감추어져 있는 셈이었다. 가끔씩 종루나 배오개의 믿을 만한 박물 거간이 오면 시세에 따라 조금 내어주는 것이었다.

"여보, 거사님 오셨어요."

묘옥이 사랑 앞에 가서 일러주자 이경순은 미닫이를 열며 밖을 내다보았다.

"허허, 오래 살자니 개골산 신선을 만난다고 고서방이 우리집에 올 때가 다 있군."

"평안하셨습니까. 한번 온다온다 하면서도 벌써 삼 년이 지났소이다."

고달근도 서슴없이 일가 친척 집에라도 온 듯이 사랑에 들어가 앉았고, 잠시 후에 소식을 들은 전생이도 와서 얼굴을 비쳤다.

"오랜만에 뵙겠습니다. 솔부리 동무들 모두 잘 있겠지요?"

"그래 그래, 흉황에 굶지 않고들 그럭저럭 살아간다네."

전생이가 물러가고 이경순이 말하였다.

"자네를 보니 남의 일 같지 않구먼."

"뭐가요?"

이경순은 접대용의 곰방대를 내주며 쓸쓸하게 말하였다.

"자네두 제법 늙었네그려. 백발이 많이 늘었는걸."

"하하하, 저야 새치고, 도장 성님이 늙었소."

"뭐 같은 오십줄에…… 헌데 자네 장가들었다면서?"

고달근은 쑥스러운지 코를 만지작거렸다.

"공연히 케케묵은 얘길 꺼내서 날 골탕 먹이시려우? 이 나이에 장가가 아니라 그냥 오다가다 만나서 등 대고 사는 겁지요."

그러나 이경순은 놀리는 투가 아니었다.

"잘했네. 그렇게 한 가지씩 자리를 잡아가야지. 하루를 살다 가더라두 남들처럼 일가를 이루어 살아봐야지. 어떻든가, 가장 노릇 하기가 쉽지는 않지?"

"글쎄 아직 잘 모르겠수. 전생이도 그렇고 이제는 저 장쇠 녀석두 장가 보낼 때가 지났지요?"

이경순은 침통하게 고개를 끄덕였다.

"그러게 말일세. 장쇠는 아직 여유가 있다 하나, 전생이는 낼모레 마흔줄일세. 솔가하여 내 곁에 살더라도 장가는 가야 할 터인데……"

방문이 열리면서 묘옥이 개다리소반에 북어 찢은 것이며 장국에 탁주를 걸러서 얹어 들여왔다.

"화주는 아니지만 맛 좀 보십시오. 객점에서는 팔지 않지요."

묘옥이 말하였고 고달근은 먼저 이경순에게 한잔 쳐주었다.

"아따, 지금이 어느 세월이라구 그런 말씀이우. 팔도 주막에 술 떨어진 지 오래요. 사대부가에서도 화주는 못 쓰게 되어 있으니 이나마 탁주맛도 오랜만에 보는 겁니다."

"고거사, 이제 다 늙마에야 자네가 발붙이고 사는 꼴을 보는구면."

"허허, 제가 모가비 시절에 사당아이들 여럿 길러냈지요. 지금 어디서 다들 무엇 하고 사는지. 길에다 묻어준 것들도 있구, 아기를 받아낸 것두 있습죠. 아마 다 늙었겠지. 내가 일가를 이루어 살아보니 새삼 떠오르는 아이들이 있습니다. 백선이 소화 그리구 홍련이……"

묘옥이 잔기침을 하고 나서 말하였다.

"그만두셔요. 다 지난 일인데."

"아니우. 내가 여문이 엄마 여기 있다구 하는 말이 아닙니다. 고생은 많이 겪었으나 안성 청룡사 시절에는 그래두 떠들썩하구 사는 재미가 있었지요. 박거사두 지금 포천에 자리를 잡았지만 홍련이 얘기만 나오면 닭똥 같은 눈물을 뚝뚝 흘립니다."

"박거사 죄가 많아요."

묘옥이 말하였다. 경순이 술잔을 내려놓더니 묘옥에게 말하였다.

"당신은 나가보오."

묘옥이 나간 뒤에 경순은 달근에게 물었다.

"자아, 이제 옛말은 그만두고…… 자네가 내 집에 그냥 마실 온 것은 아닐 테지. 무슨 일이 있는가?"

"예…… 제가 그만 옛적 생각이 나서…… 실은 도장 성님께서 꼭 해주셔야 할 일이 있습니다. 어제 모서방네 서강 여각에 들러서 이리루 오는 길입니다만, 성님두 계원이셨지요?"

이경순은 긴장하여 잔주름 많은 긴 눈꼬리를 빳빳하게 곤두세웠다.

"그래서……"

"사실 모서방이나 도장 성님이나 그리구 저나 죽은 동무들께 빚이 많습니다. 우리는 동무들이 입을 다물어주었기 때문에 지금 이같이 편안한 여염 살림을 살 수 있습지요. 이 댁의 전생도 잘 알겠지만 산지니가 종루저자에서 참수당하는 것도 제 두 눈으로 똑똑히 보았습니다."

"그것두 옛날이네. 산지니뿐이 아니야. 아내와 나는 여환당의 죽음 때문에 한 달포 가까이 밥이 넘어가지 않데. 급히 송도 박좌장께로 난을 피하여 의탁했으니 다행히 아무 일이 없었던 게야."

"그러니까…… 그들의 포한을 풀어주고 저승에서나마 원이 없도록 우리가 남은 뜻을 실행해야 안 되겠습니까?"

"암, 그래야지. 자네는 아직 모르는 일이 많겠으나…… 매달 초에 해서에서 장두령이 보낸 사람들이 상고를 짜서 한양 출입도 하고 송도에도 들른다네. 우리 여각에서 꼭 묵어가지."

"아직도 풀뭇간은 여전하겠지요?"

"눈코 뜰 새가 없지."

"화승총을 내십니까?"

"많이는 못 내지만 전보다 훨씬 좋아졌지. 가마가 두 구멍이고, 쇠두 요새는 합금술이 청국서 많이 들어와서 가볍고 단단한 걸 제련할수 있다네. 장두령의 독촉이 닿는 말에 채찍질하기라 전생이는 노상가마 곁에 붙어 살지."

"제가 여기 온 것은 도장 성님께 뭘 좀 만들어달라구……"

"총포는 안 되네. 그 일은 장두령의 것 외에는 내지 않을 작정일세. 자네들 솔부리 식구들이야 총포를 쓸 일이 없을 게야. 근기 일대에서야 아무리 작당한다 할지라도 창과 환도 몇자루면 능히 군졸들을 제압할 수 있지 않은가."

고달근은 모신에게 들이댔던 그대로 이야기의 틀을 잡아나갔다.

"제가 원하는 것은 사주전이올시다."

"사주전?"

이경순은 완강하게 고개를 내저었다.

"내가 장두령네 총포를 내지 않는다면 또 모르거니와 사주전은절대루 안 되네. 돈 몇푼으로 큰일을 망칠 수는 없네."

"저두 이번에 관북 원산포에 들렀다가 고원까지 가서 장두령을뵈었소. 우리가 중도아로 밥을 먹지마는 아까두 말씀드렸듯이 예전먼저 죽은 동무들의 원한을 풀어줘야 합니다. 제가 돈을 만들어서보내면 관북에서 펼치는 일들이 훨씬 수월할 겝니다. 조세의 대봉도그렇고, 군량과 군기도 준비를 해야지요. 저는 거기서 나오는 약간의 이를 헐어서 모서방과 함께 검계를 예전보다 더 강고하게 되살려놓을 작정이우."

"장두령이 그렇게 당부하던가?"

"예, 제게 그런 풀뭇간을 찾아보라 일렀으나 맞춤한 곳이 성님네 집 말고 어디 있겠습니까. 쇠와 유기는 제가 물량이 달리지 않도록 충분히 대어드리지요."

"얼마나 필요한가."

"글쎄요, 한 만 냥어치는 되어야겠지요."

"전생이와 의논해보겠네. 그리고…… 신탄값이나 대게. 나는 별루 이를 보고 싶지는 않으니까."

"아닙니다. 성님두 맨입으로 숙수 조역들 뒤나 대어줄 수는 없겠지요. 제가 약간의 곡물로 대납을 해드리겠습니다."

"그렇다면 더이상 고마울 데가 없겠구먼."

달근이 정작 사주전에 착수하여 돈이 나오고 그것으로 경강서 삼남의 양곡를 그러모아서 철원까지 운송하기 시작한 것은 그로부터 두 달이나 지나서였다. 신미년이 저물 무렵에는 고달근은 이미 북포와 북어로 그리고 주전의 이익으로 큰돈을 벌었다.

철원의 고달근네 창고에는 매점한 어물과 포물과 곡물이 그득히 쌓여 포천을 경유한 난전꾼들이 줄지어 드나들었다. 그러나 사람이 많으면 입도 많은 법이고 귀도 여럿이게 마련이었다. 무진년에 오계준과 원향이가 함께 짜두었던 해서 무계(巫契)의 계원들 가운데 해주 사는 차(車)박수와 재령의 조(曺)박수와 서흥 무계원 등이 잡혔는데, 그들은 한양이 장차 망하고 존읍(尊邑)이 흥한다거나 정진인(鄭眞人)이 해도(海島) 가운데서 나타난다는 등의 변설을 퍼뜨린 죄로 참수당하였다.

그러한 흉언 흉서는 무진년 이래로 널리 퍼져서 이미 일반 백성들도 잘 아는 이야기들이었다. 그것은 일찍이 미륵도나 검계의 신서로 은밀하게 읽히고 복사되던 것이다. 그들을 심문할 때 해서에는 아직도 장길산의 도당들이 곳곳에 퍼져 있다는 소문이 재삼 확인되었다. 포청에서도 어렴풋이 그들과 같은 수상한 호적 누락자들이 산간에서 잠채하여 판철역포(販鐵易布)한다는 사실을 눈치채게 되었던 것이다.

조정은 그즈음에 내외가 동요하고 있었다. 기사년에 정국이 바뀌고 나서 한 해도 풍년 든 해가 없었고, 청국에서는 내란이 일어나 총포를 수천 자루나 조공으로 바치라 하였으며 조정에서도 그 여파를 두려워하여 강화도의 축성을 서둘렀다. 또한 청에 갔던 사신이 돌아와 저들의 동향을 아뢰었다.

장차 저들이 호황(胡皇)의 명을 가탁하여 이자(移咨)를 보내왔는데 이르기를 장차 오사(五使)를 파견하여 의주로부터 아경(我境)을 지나 백두산을 가서 보고 그려 오는데, 우리나라의 지형을 잘 아는 지방민으로 그 길을 인도하게 할 것이며 반드시 정월 전에 회자(回咨)하라는 것입니다. 혹 이르기를 일통지(一統志)를 만드는데 산천 형세를 두루 살피려고 한다 하지만 그 뜻을 예측할 수가 없습니다.

조정에서는 그런 설에 충격을 받고 난리가 일어나면 임금이 있을 곳을 삼고자 북한산성을 개축하려 하였다. 왕이 이를 묘당(廟堂)에 이르니 인심이 크게 소란해지고 소문은 흉흉하여 대번에 난리가 나는 듯하였다. 임신(壬申) 정월에 숙종은 비망기를 내렸다.

나라 습속이 가볍고 민지(民志)가 굳세지 못하여 한번 허튼 말을 들으면 문득 들뜨게 되며, 서울의 사대부가 헛소문에 움직여서 모두 집안 식구들을 몰고 하향하는 자들로 길이 메워지고 이로써 시골 마을도 소연해졌다 하니, 무식한 우민은 깊이 죄줄 필요가 없으나 사대부의 몸으로 분수를 아는 자들이 마땅히 효유하여 진정시키는 데 겨를이 없어야 하거늘, 움직여서는 안 될 소문에 움직여서 먼저 각자의 보신(保身)할 생각만 하니 만약 난리가 있게 되면 어찌 그런 자들이 임금을 위하여 앞장서게 됨을 바랄 수 있으리요.

그렇게 하여 서둘게 된 강화도 성역(城役)은 오월에 가서야 완공을 보게 되었고, 남의 오랑캐와 서북에 유경(有警)하니 어찌 무기를 게을리할 수가 있겠는가 하면서 임금은 습련 열병에도 몸소 나서서 한강 백사지에서의 습진(習陣)을 지켜보곤 하였다. 장길산 일당들에 대한 의논이 시작되었던 것은 대략 팔월에서 구월로 접어드는 가을 무렵이었다.

좌포청의 기찰에 의하면 그 무렵에 사주전의 횡행이 부쩍 늘어나 전천(錢賤)의 폐단이 자심해지고 있는데, 이는 유기장이가 많이 살고 있는 안성 등지와 근기 일대의 쇠가 나오는 곳을 은밀히 내사하여야 된다는 공론이 돌았던 것이다.

2

좌포청 포도부장 박완식은 예전에 등산곶 만호로서 해서 관찰사 신엽의 부름을 받아 구월산 토포에 나섰던 전종사관 최형기의 오른팔 노릇을 하던 장교였다. 그는 우포청의 부장 백섭과 더불어 구월산 기찰조의 임무를 훌륭하게 수행하였던 것이다. 박완식이 포졸 두 사람을 데리고 안성에 내려간 것은 우선 소소한 사전꾼들을 잡아내려는 것이 아니었다. 도대체 어디서 그렇게 진전과 거의 다름없는 막대한 양의 사전이 나오는가 그 원류를 파내려는 것이었다. 선혜청 한 곳의 주전도 한 해에 이만 냥이 될까 말까 한 형편이었는데 한양 인근의 난전과 경강에서 지방으로 풀려나간 돈은 그 몇배나 되는 것처럼 보였다. 나라에서는 전문의 가치와 품위를 지키기 위하여 돈의 배자(背字)를 바꾼 지 겨우 일 년이었다. 종전에는 전문배자는 상단에 주전아문(鑄錢衙門)의 명칭 한 자를 새기고 아래편에 중량을 표시하는 숫자를 새겼으나 상단의 배자는 그대로 두고 하단의 숫자를 없애고 그 대신에 주전야소(鑄錢冶所)의 자호(字號)를 새기기로 되었었다. 주전야소는 천자문의 차례로 천지현황(天地玄黃) 등의 자호를 붙여서 가령 선혜청의 야소(冶所)가 서른 군데이면 천자문 서른자를 각 야소에 배정하여 붙이고, 선혜청은 자호별로 각 야소의 장인(匠人) 성명을 열서(列書)하여 성책(成冊)으로 보관하게 되었다. 따라서 전문의 상단 배자를 보면 어떤 아문의 어떤 풀뭇간의 주조인가 알게 되었고 또 장인성책(匠人成冊)을 보면 어떤 장인이 주조하였는가도 알게 되어 있었다. 뿐만 아니라 각 지방과 각 아문의 주전을 삭수(朔數)와 노수(爐數)를 제한하여 시행하였으므로 사주전의 탐지는 보다 세밀하게 이루어지고 있었다. 임신년 초부터 정교한 사주전이 한양 성내에서 발견되었는데, 그것은 거의 진전과 다름없었다. 다만 그 달에 주조하지 않거나 폐해버린 곳의 배자가 찍혀 있어 조회 결과, 장인성책에서 짚어낸 풀뭇간의 장인은 자기의 것이 아님을 밝혔던 것이다.

박완식에게 기찰의 명이 떨어졌고, 그는 배자를 바꾸지 않은 같은 종류의 사주전이 계속 흘러나오고 있는 것을 발견하였으며, 송파라는 설도 있었고 경강이라고도 하였으며 송우점이라거니 배오개라거니 소문은 종잡을 수가 없었다. 그는 막연하게 동철이 모이던 곳은 유기로 알려진 안성이었고 유기의 생산은 주전 이래로 금지되었다고는 하나, 부잣집이나 사대부가에서 뒤로 맞추어 간다는 사실도 알고 있었으므로 안성으로 짚어내려온 것이었다.

　박완식은 주인가를 정하고 포졸을 시켜 장거리로 나다니면서 유기가 어찌 새어나가는가를 살피게 하거나 전에 동철을 무역하던 상인들의 뒤를 캐었으나, 워낙에 금령 무서운 줄을 알아서 좀처럼 꼬리를 잡을 수가 없었다. 한 보름이나 지나서 박완식은 실로 귀중한 밀보에 접하였다. 송파에 옛적 유기를 그러모으는 객점이 있다는데 그곳에서는 기맹과 농기구를 만든다며 쇠까지 모으고 있다는 소문이었다. 박완식은 소문을 듣자마자 송파로 옮겨갔고, 까마귀네 객점을 쉽게 찍어낼 수가 있었다. 박완식은 까마귀네 객점이 마주 바라보이는 곳에다 거처를 정해두고 참빗이며 부채며 자질구레한 장신구들을 목판에 담아 장거리에 나가 좌고 시늉을 하며 기찰하였다. 그는 물론 까마귀네 집이 중간에 물량을 모아두는 가주접주인(家主接主人)에 지나지 않으며 정범(正犯)이나 지정매사자(知情賣使者)를 잡아야 뿌리를 캐게 되리라 생각하였다.

　어느날 박완식은 아이들을 행상에 내보내고 늦잠을 자고 있었다. 전날 밤에 화초방에서 장사치들과 주사위를 노느라고 새벽녘에야 돌아왔던 탓이다. 그는 종종 화초방에서 여러가지 흘러나오는 소문들을 얻어들을 수가 있었다. 그는 수년 전에 이곳에서 검계의 흉적들이 날뛰었다는 얘기도 들었으며 산지니라는 자에 대하여도 화초방의 주인에게서 자세히 들었다. 박완식은 검계의 잔당들과 사주전이 무슨 관계가 있으리라는 심증을 굳히게 되었던 터이다.

　"부장, 얼른 나와보십시오."

　부하가 방 안에 뛰어들어와 박완식을 흔들어 깨웠고 그는 펀뜻 눈을 떴다.

"까마귀라는 자의 객점에 짐이 들어가는 중입니다."

"어디서 오더냐?"

"물론 나루터에서지요. 거기 지금 배가 대어져 있습니다."

박완식은 얼른 일어나 밖으로 나왔다. 까마귀네 객점 앞에 수레가 대어져 있었고, 차인 둘과 까마귀와 중노미까지 달려들어 섬으로 싼 육중한 것을 내려서 안으로 운반하는 중이었다. 박완식이 포졸에게 말하였다.

"너는 슬그머니 끼어서 짐짓 거들어주어보아라."

박완식은 그 길로 바삐 송파나루터로 달렸다. 저들이 되돌아오기 전에 사공에게 말을 시켜볼 작정이었던 것이다.

박포교는 송파나루로 달려갔고, 까마귀네 객점의 곁꾼이 사공과 더불어 섬을 뭍으로 끌어올리는 것을 쉽게 찾아낼 수가 있었다. 그는 가까이 다가가지는 않고서 나루터의 길을 따라 좌우로 늘어선 들병이들 앞에 가서 멍석자리 위에 끼여앉았다.

"뭘 드실라우?"

떡이며 팥죽이며를 팔고 있던 아낙네가 물었다.

"내 잠깐 누굴 기다리는데 다리쉬임 좀 하려고 그러우. 중화는 이미 먹어놔서……"

박포교의 말에 아낙네가 다시 나직하게 말하였다.

"탁주가 있는데 한잔 안 하시려우."

벌써 저자에서의 주류판매가 범금된 지 세 해가 넘었던 것이다. 세상에서는 기사년 남인 집병 이래로 술지게미 바닥난 지가 석삼 년이라는 농이 오고갔다. 삼남에 유민이 창궐하고 지난 신미 가을에야 겨우 미곡이 나돌기 시작하였으나 새해 경오에 접어들어서도 삼년 동안의 흉황의 여파는 가시지 않고 있었던 것이다. 박포교가 성내

기찰 같았으면 대번에 포졸들 시켜서 잡아 형장이라도 때렸을 것이로되, 모른 척하며 말하였다.

"허어, 과연 듣던 대로 송파가 으뜸이로구먼. 시방 종루시전에서도 썩은 물 없어진 지 오래거늘."

아낙네는 한술 더 뜨는 것이었다.

"밥은 바빠서 못 먹어도 술은 술술 넘어간답디다. 조밥 피밥이야 목구멍에 걸리지만 이것이야 탈탈 털어넣으면 대번에 아수라 천지가 서방 정토가 안 됩니까."

"에라, 한잔 주오."

아낙네가 얼른 좌우를 살피더니 좌판 아래에서 통통한 귀때병을 꺼내어 한잔을 쳐주었다. 안주는 따로 없이 퍼런 배추절이 몇가닥이다. 박완식이 수염을 소매로 닦고 앉았는데 까마귀 등과 곁꾼이 지나갔고 손수레에 섬을 싣고는 다시 지나갔다. 틈을 놓칠세라 얼른 나루터에 내려가니 눈여겨두었던 사공은 배를 뭍에다 바짝 끌어올리고 노를 뽑아두고 닻을 모래 위에 박아 움직이지 않도록 해두는 참이었다. 박포교는 뒷짐을 지고 섰다가 한마디 던져보았다.

"이 배 올라가지 않을 거요?"

"경강 배가 아니외다."

강의 상하류로 말하는 것이 아니라 용산 삼개 마포 동막 서강 등지가 선상들의 중심지라 모두들 그곳에 이르는 것을 오른다 함이었다. 박포교가 얼른 제 말이 잘못되었음을 깨닫고 한마디 더 하였다.

"내가 실언하였소. 실은 여주로 내갈 물건이 있는데……"

"글쎄요, 오늘 해거름에나 내려갈 작정이우. 뭘 실을 거요?"

"미역과 북어요."

"물건이 좋군. 내 배가 여주 배요."

박완식은 여주 사공과 나란히 저자로 오르다가 아까 앉았던 들병이 좌판 앞에 다시 이르렀다.

"예서 잠깐 나허구 얘기 좀 하구 갑시다."

사공은 그의 아래위를 다시 훑어보더니,

"물건이 얼마가 되었든 한 배 값이우. 그건 고치지 못하니 알아서 하슈."

하고 잘라 말하였다.

"자아, 나두 여주 이천 안성 등지에 주인가가 있는 사람이우. 여태 껏 도사공으루 정해두었던 이가 노를 놓고 동막에 주저앉는 바람에 새 사공을 찾던 중이외다."

사공은 박포교를 따라서 엉거주춤 앉았다. 박포교가 아낙네에게 술 두 잔을 시켰는데 사공은 저자 술을 많이 먹었던지 상을 찡그렸다.

"이건 술이 아니라 아예 초가 다 되었군. 아무리 세월이 깍정이 같다지만 쉰 술을 판단 말요."

"흥, 송파 윗머리 장이니까 썩은 물이 있지, 조선 팔도를 다 찾아봐요."

사공은 입맛을 다셨다.

"모르는 말 하지 마우. 도깨비탕은 원래가 경강서 멀수록 진국이 나오는 법이우. 이천 밀주도가에 가보아. 게서는 지금 팔팔 뛰는 화주가 오뉴월 냉천에 샘솟듯이 나온다오."

박완식이 두 사람의 술타령이 오래되려는 것을 자르고 다시 말을 꺼냈다.

"한 배에 얼마나 받으려오?"

"글쎄요, 내 배는 한 달로 계산을 합니다. 세 번씩 열흘마다 내왕을 하는데 미곡과 포만 받습니다."

"포목과 곡식은 관부에서도 전문대봉을 시행하구 있는데 어찌 댁네는 돈을 받지 않는 게요?"

박포교가 물으니 사공은 코방귀를 힝하니 날리는 것이었다.

"지금 전가가 날로 떨어지고 있습니다. 아마 겨울이 오면 곡가와 포가는 천정부지로 솟고 돈은 천해질 게요. 나두 물정은 훤히 아는 사람이우. 주인께서도 화물의 값은 반드시 곡식이나 면포로 받아두시우."

"그건 무슨 이유요?"

사공은 목소리를 낮추어 말하였다.

"내 다 아는 바가 있어서 하는 말이외다."

"그럼 한 배의 선가가 얼마요?"

"쌀로 하여 닷 말, 포로는 반 필, 돈으로는 석 냥을 쳐주시우. 왕복일 때에 그러하니 그냥 한 번 갈 제에는 그 반으로 줄게 되지요."

"예끼, 여보슈. 흥황의 시세라 하여도 포목 한 필 값이 한 냥 반인 터에 그 반을 내라면서 돈으로 석 냥은 또 무슨 말이우. 홍정이 아니로군."

"내 이르는 대루 하시우. 멀지 않아 돈가치가 형편없게 될 터이니…… 내가 몇마디 일러주면 주인은 내게 큰 술 한턱 내게 되리다."

"그게 무슨 말이우?"

사공은 더이상 얘기를 계속하지 않고서 박포교에게 말하였다.

"나중에 내가 찬찬히 일러줄 테요. 좌우지간 배를 쓰겠소 말겠소?"

박포교는 얼른 대답하였다.

"까짓 거, 한 달에 세 번 왕래하는 것으로 쳐서 면포 세 필을 내겠수."

사공은 만족했는지 검은 얼굴을 일그리며 웃었고 박포교가 그에다 더 보탰다.

"내가 주로 해물과 어염만을 다루는 것이 아니라, 콩과 잡곡 등속을 강원도에서 내올 터이니 그때마다 현물로 지불하고 또한 인정으로 한 달에 열 냥을 얹어주리다. 도사공이 그쪽 물주가 되어 모아두었다가 내가 가면 실어주오. 구전으로 그만하면 되겠소?"

"거 시원시원하기가 자못 대인이시오. 이래야 나두 주인을 정할 맛이 나지요. 아무튼 나와 잘 만났소."

사공이 박포교의 가슴을 탁 치면서 너스레를 떨었으며 박완식은 서둘러 일어나며 말하였다.

"자아, 말 나온 김에 뚝딱 해치웁시다. 날 따라오시오. 뱃삯을 내리다."

사공은 어리벙벙한 몰골이었다. 그러다가 이제는 아예 자신만만한 자세로 말하였다.

"어찌 그렇게 이쪽 물정을 훤히 꿰고 계시우."

사공이 보기에 주인을 자청한 자는 반들거리는 얼굴이며 만만찮은 눈꼬리로는 제법 한양 시전바닥에서 갖은 먼지 뒤집어쓰고 굴러먹은 양이었으나, 겉보기와는 달리 장사에는 영 쑥맥인 모양이라고 여겼던 것이다. 원래가 배를 세내는 자들은 먼저 물건을 남기거나 지불을 뒤로 미루어 이쪽의 덜미를 쥐거나, 아니면 어음으로 떼어서 잘해야 두어 달 만에 그것도 절반쯤만 갚아나가게 마련이었다. 녀석이 제 쪽에서 설쳐대는 꼴이 이쪽의 입장에서 보면 꼭 길쌈도 잘하는 첩이 아닌가.

"저어기 내가 정한 사처에 가서 슬슬 계산도 하고 술도 한잔 먹읍시다."

박완식은 사공을 꼬드겨서 까마귀네 건너편의 객점으로 데리고 가는데 혹시나 그 집 곁꾼들이나 까마귀와 마주칠까봐 샛길로 빙 돌아서 골목으로 하여 객점에 이르렀다. 그는 방문을 열면서 포졸에게 호기 있게 일러두었다.

　"그 짐 속에 포목을 꺼내어 오너라. 면포 세 필이니라."

　"예에?"

　영문을 알 리 없는 포졸이 입을 딱 벌렸다.

　"돈은 있으나 포목은 귀하기가 거북털에 토끼뿔이우."

　"그래, 이번 장삿길에는 돈 가지구 나왔다가 낭패 보는구나. 돈으로 손해를 보더라도 도사공을 잡았으니 나가서 포물로 바꿔오너라."

　포졸이 나간 뒤에 박포교는 다시 집주인에게 일러 점심상과 귀한 화주 들이라 하여, 도사공에게 술잔을 연신 쳐주었다. 도사공은 한껏 기분이 올라서 허풍을 떨기 시작하였다.

　"내가 남한강 아랫녘에서 비린내나 맡고 사는 처지요만, 이래봬두 경강 선상들보다 벌이가 낫지요. 내가 싣고 오는 것이 사실은 쇠요, 쇠. 그뿐이우? 안성서 모아오는 유기도 싣고 오지요."

　"허어, 안성 유기야 맞춤 아니오? 그것을 매점할 수도 없을 테고."

　"이런 답답하기는, 주인께서 잘 알아두시우. 내가 아까 말을 하려다가 꿀꺽 삼켰지만 시방 팔도 곳곳에서 돈이 나오고 있수."

　박포교는 일부러 딴청을 부렸다.

　"그야 각 군영 아문마다 풀뭇간이 있겠지요."

　"아따, 또 먼 산 보기는…… 사전 말이우. 돈을 부어낸다 그거요."

　"가만있자, 쇠와 유기라면 거 돈이 되겠구먼. 많이 남겠어. 그 참 이가 크겠는걸."

하다가 박포교는 손으로 목을 자르는 시늉을 하면서 말하였다.

"와주는 물론 종범까지 이렇게 되고, 집을 내준 자나 정을 알고도 발고하지 않은 자도 유배형이 아니우."

"지금 사방에 나도는 것이 사주전이거늘 어느 야소에서 나온 것인지 누가 알겠소? 또 눈치를 보니까, 그 돈을 한양 인근에서 쓰는 게 아니라 지방 화주들에게 지불하는 모양입디다. 큰 놈 작은 놈 얽은 놈 반반한 놈 하드키 몰골이 있는 사람두 아니요, 맨 상평통보에 그게 그놈으로 콱 찍어 내놓은 쇠를 언놈이 잡아내겠소?"

박완식은 이제는 꼬리가 보였다 싶어서 막무가내로 잡아당기기 시작하였다.

"도사공, 나두 강화에 여각 있고 교하에도 전답이 있소이다. 밥술깨나 먹을 만하지요. 도사공과 내가 손을 잡아 그 쇠와 유기를 모아서 해물을 구해오면 한양서는 포물과 곡물로 팔아서 이를 볼 수가 있겠소. 해물이라면 강화뿐 아니라 남양과 당진에도 선주들과 내가 신용이 있지요. 어떠우? 그 쇠와 유기를 내 몫으로도 챙겨주오. 반반씩 어떻겠소?"

"글쎄…… 쇠만 구한다구 되는 것이 아니라오."

사공의 말에 박완식은 귀가 번쩍하였으나 일부러 틈을 두었다.

"풀뭇간이야 쇠 다루는 데가 한두 군데요?"

"허허, 모르시는 말쏨이우. 쟁인 솜씨가 아무 데나 같은 줄 아시우. 내가 듣기로는 쇠와 동철도 중요하지만 풀뭇간이 기중 중요하다구 그럽디다. 누가 보더라도 관문의 돈이라야 값을 쳐주는 게요."

"그러면 그런 풀뭇간도 아시우?"

방문이 열리며 포졸이 고개를 내밀었다.

"어이구, 포목값이 어찌나 비싼지 겨우 구해왔습니다. 자아, 세 필이오."

"그래, 수고하였다."

하고는 박완식이 면포를 획 펼쳐보고 나서 사공에게 내주었다.

"상목이로군. 옜소."

사공은 얼른 둘둘 말아 제 옆에다 챙겨두었고, 박완식이 말하였다.

"흥정은 빠를수록 좋고, 신용은 길수록 좋다구 합디다. 도사공과 내가 손발을 맞추어 한 가락이 되었으니 그 풀뭇간 정하는 일부터 끝냅시다."

도사공이 겪다보니 녀석의 하는 일이 시퍼런 작두로 수수깡 자르 듯 데꺽뚝딱 하는 것과 덤벙대는 꼴이 굿발 만난 처녀무당 격이었 다. 이제는 상목도 세 필이나 받아놓았것다, 매달에 열 냥씩을 구전 으로 주겠다 하였고 이에 돈까지 만들어 함께 나누자 하였으니, 쇠 와 유기를 기왕에 실어내는 중에 잠깐씩 덜어내었다가 이쪽으로 돌 릴 만한 일이었다. 사주전이 칼 물고 뜀 뛰는 일이라 하나, 물량을 대 어주고 풀뭇간을 알려주면 저희끼리 할 일이요, 사공 쪽에서야 별 위험이 없을 듯하였다. 그는 까마귀네 곁꾼들과 횡성 금굴이에서 나 오는 번수만을 알 뿐이었으나 물주가 철원 산다는 것은 얼핏 들어서 알고 있었다. 풀뭇간이 어디에 있는가는 그쪽에서도 정확하게 알지 못하였다. 그러나 그는 알아내기로 작심하면 쉽게 해낼 것 같았다.

"풀뭇간은 내가 잘 아오. 철원에 있다구 그럽디다."

사공이 자신 있게 얘기를 꺼냈다. 그의 말이 끝나자마자 박완식은 픽 웃고 나서 포졸을 돌아다보았다.

"이놈 모양을 내어라."

포졸이 획 일어나 허리춤에서 주홍빛 오라를 꺼낼 때까지 사공은 그 말을 알아듣지 못하였다. 포졸이 그의 팔을 뒤로 꺾자, 그제야 그는 일어나려고 힘을 쓰며 외쳤다.

"아, 왜 이러는 거요."

"잔소리 말아."

사공이 뿌리치며 일어나려는 것을 박완식은 주먹을 고권으로 뭉쳐서 그의 관자놀이께를 질러주었다. 사공이 눈앞이 아찔하여 맥없이 푹 쓰러지자 박완식은 그의 상투를 잡아서 일으켰고, 포졸이 얼른 오라를 지웠다. 사공의 상투를 놓으니 그는 그대로 팔을 뒤로 돌린 채 옆으로 넘어졌다.

"어찌할까요?"

"그냥 두었다가 어두워지면 섬에 싸서 배에 싣고 삼개로 올라간다."

"도적들이 먼저 알면 어쩝니까?"

"괜찮다. 사공이 쇠를 실어오는 날짜는 아직 멀었으니까 그전에 모조리 잡을 수가 있겠지. 저 자를 문초하여 풀뭇간을 덮치는 게야."

박완식은 여주 사공을 잡아서 좌포청으로 은밀히 압송하였고, 까마귀네 객점은 포졸들을 시켜서 계속 정탐 기찰하게 하였다. 포청에 압송된 사공은 그의 장담과는 달리 사주전을 하고 있는 장소를 자세히 알지 못하였다. 다만, 쇠와 유철의 물주가 철원 사람이란 것이며 그가 송파에 와서 물건을 거두어간다는 얘기만을 들었다는 것이다. 쇠는 횡성에서 사온다는데 철광에서 나온 번수가 직접 여주에까지 수레로 운반해온다는 것이었다. 횡성이나 송파를 쑤신다면 철원 물주를 체포하는 것은 용이한 일이었다. 그러나 잘못 건드렸다가 저쪽에서 관의 움직임을 알고 미리 방비하거나 달아나게 되면 안 되는 일이라, 우선은 사공의 다음 운반이 있기 전에 송파와 횡성에 포교를 보내어 살피게 하였다.

송파에서 밀보가 들어오는데 까마귀는 일찍이 갑자년 검계 난리 때에 수괴로 잡혀죽은 산지니의 동무였고, 미륵도를 숭신한 형적이 있다는 것이었다. 검계 살주계의 흉모는 좌포청의 기민한 기찰과 활약으로 타진된 바 있었고, 이는 좌포청의 자랑거리가 되어왔다. 무진년에 여환의 난리 때에도 의금부에서는 좌포청의 장계와 밀보에 힘입은 것이 한두 가지가 아니었다. 좌포청에서는 검계와 살주계가 그 움직임의 근저에 미륵도를 받들고 있음을 눈치채고 있었다. 연전의 해서 무계가 잡혀 올라왔을 적에도 그들은 정진인과 미륵의 설을 자백하였다. 좌포청 대장 신여철은 검계와 살주계를 토포할 때 공을 세웠고 이런 유의 기찰에는 아무도 따를 자가 없다는 최형기의 도움이 필요하리라고 생각하였다.

최형기는 병인년 겨울의 구월산 토포 이후로 이듬해까지 해서에 머물렀다가 정묘년 말에 황해도 관찰사로 신엽이 갈리고 김구가 부임할 때 옷 벗고 군문을 떠났다. 그에게 무장으로 출세할 기회는 다시 오지 않았고, 기사환국 때 그의 전정을 막고 있던 광남군 김익훈도 장하에 죽었다. 그러나 정국은 바뀌었어도 미미한 무관에 지나지 않던 최형기를 기억하는 벼슬아치는 한 사람도 없었다. 장길산에 관한 소문이 일어나기 시작하자 뒤늦게야 그를 토포하려고 구월산을 에워쌌던 감사 신엽과 토포장 최형기의 일들이 포청 무관들 사이에 오고갔을 뿐이었다. 이제 사주전의 와주를 찾아내려는 즈음에 송파 기찰의 옛적 검계에 관한 밀보는 새삼 그의 이름을 들먹이게 하는 계기가 되었다.

최형기는 아직도 배오개에 살고 있었다. 그는 갑자년 이래로 포청을 물러나와 다시 잠깐 황해도 관찰사 신엽의 막하에 머물렀던 기간을 빼고는 종루 배오개의 점포에서 당화를 거간해주거나 직접 의주로부터 박물을 빼어다가 많은 돈을 벌었다. 그즈음에는 최형기는 아예 벼슬길에 뜻이 없는 것처럼 보였다.

박완식이 최형기를 찾아간 것은 좌포청의 결정은 아니었다. 다만 신여철 대장이 갑자년의 검계 살주계 난리 적에 다루었던 전례를 상고하기를 명하고, 최형기의 유능함을 지적했을 때에 박포교는 그의 도움이 필요하리라 여겼던 것이다. 박완식은 최형기의 직속 부하 장교였으며 때때로 그의 가가로 찾아가 시정 얘기도 나누고 점심도 함께 먹고 하였던 것이다. 박완식이 최형기를 만난 것은 거의 일 년 가까이 되고 있었다. 박포교가 꺼린 것이 아니라 최형기 쪽에서 은근히 그의 출입을 달가워하지 않았던 때문이다. 최형기는 포도청이라든가 무관들의 기억에서 자신이 말짱하게 잊혀지기를 원하였다. 그것은 갑자년에 상관들의 당색으로 하여 피혐의 해를 입어 옷을 벗었던 일이며, 해서의 토포 뒤에 가서야 자신이 신엽의 일시적인 이용을 당했던 사실을 알았던 까닭이다. 그러나 최형기는 다만 한 가지 포한이 가슴에 깊이 남아 있었으니 그것은 장길산을 체포하지 못했다는 사실이었다. 그는 구월산 아랫녘에서 길산의 부하에 지나지 않았던 마감동과 겨루었던 한판 승부를 못내 잊을 수가 없었다. 그는 바로 그 자리에서 더이상 자신의 환로가 계속되지 못할 것을 깨달았고, 포도관으로서 팔도에 낭자한 소문을 남기고 있는 장길산을 체포하지 못하였다는 자책이 가시지를 않았던 것이다.

박완식이 최형기를 찾아갔을 때 그는 여느 때처럼 한량들과 바둑을 두고 있었다. 가게는 전보다 더욱 늘었고 삼종이를 비롯한 차인들도 다섯이나 되었다. 최형기는 시정의 중인들 사이에서 매우 중요한 사람이 되어 있었다. 특히 역관들은 그를 신뢰하여 모든 청국 물화는 그에게 거간을 당부하는 형편이었다.

"만호 계시오?"

박완식이 가게로 들어서니 최형기가 심드렁하게 내다보았다.

"자네가 웬일인가? 우리 점포에 무슨 범금된 물건이라두 있던 가."

"어이구, 별말씀을 다 하십니다. 제가 이 댁에 오며 가며 들른 것이 한두 해가 아니옵고, 제딴에는 기간 발길이 뜸하여 사과차 오는 길이어늘 문턱을 밟기도 전에 내치려 하십니까?"

최형기는 날카로운 눈으로 박완식을 빤히 올려다보았다.

"신대장 여전하신가?"

"예, 실은 저 혼자 그냥 뵈러 온 것입니다. 너무 따지지 마십시오. 점심이나 내시지요."

"허허, 그냥 연유 없이 점심 대접을 받으면 바로 그게 민폐가 되네. 부장포교가 남의 장사하는 집에 와서 점심을 내라 하면 내가 무슨 구린 거래라두 저지른 줄 알겠는걸."

"아따, 그러면 내기 바둑이 어떤가요. 한판 두십시다."

그러나 최형기는 삼종이를 불렀다.

"이거 너무 인색하단 소리를 듣겠군. 내가 박포교와 밥 먹으러 갈 터이니 집에 알리고 오너라."

누렁다리 못 미쳐서 있던 최형기네 집은 그전의 기와집 자리에다 다시 다른 두 채를 사들여 헐고 그곳에 너른 창고를 지었고, 사랑채를 따로 두었다. 가게는 삼종이가 아예 머무르며 운영하였고 최형기네 집에는 노비들도 셋이나 붙어났다. 그가 무반으로 출세는 못 하였다 할지라도 한양 사람으로서는 살림도 남부럽지 않은 셈이었고, 배오개 최만호라고 제법 사대부가의 권속들도 드나들었다. 하기는 당화의 매매를 위하여 드나드는 것이었지만 다른 장사치들로서는 어림도 없는 노릇이었다.

"자아, 집에 가세. 오랜만에 우리집 계당주도 한잔 하고."

최형기는 박포교를 데리고 아예 집으로 들어갔다. 이인하가 내쳐지고 신여철이 비록 남인의 눈치를 보며 붙어 있으되 좌상 목내선으로부터는 신임을 받고 있는 처지임을 잘 아는 최형기였다. 아니 그런 모든 형편을 떠나서 박완식은 그가 가장 믿어오던 오른팔의 포도부장이었던 것이다. 그들이 사랑에 들어가 앉자 최형기는 은근하게 물었다.

"요즈음 무슨 일을 하구 다니나?"

"사주전 기찰로 바빴습니다."

"나두 들었네."

최형기는 저자에 나와 앉아 있으되 포청의 돌아가는 사정에 관하여는 누구보다도 소상히 알고 있었다. 오히려 포도청 쪽보다도 그는 한양 저자에서 어떤 일이 일어나고 있는가를 훤히 알고 지냈다.

"사주전이라면 강변에 나가보아야 할 걸세. 도성 안에서야 빤하니까."

"실은 그 일 때문에 의논드릴 겸 하여 찾아뵈었습니다."

"신대장께서 이르시던가."

"찾아가라 이르신 적은 없으나, 예전에 갑자년 난민 다스릴 적의 일을 상고하여 주도면밀히 기찰하라 하였습니다. 제가 혼자서 찾아뵙기로 정하고 그동안 적조하였삽기에 그냥 만호와 정담이라도 나누려고 왔지요."

최형기는 고개를 끄덕였다.

"갑자년 난리라면 검계 얘기가 아닌가? 그 일은 내게 묻지 말게."

"만호께서 그 일을 책임지지 않으셨소?"

최형기는 짜증이 나서 혀를 차고는 말하였다.

"원래가 도적을 잡는다거나 변방을 수비하는 일에는 조정의 정변이 영향을 주어서는 안 되는 법일세. 제아무리 소신껏 소임을 감당한다 할지라도 벼슬아치들의 간섭이 심하면 중도에 그치게 되는 게야. 내가 일찍이 검계 살주계의 난리가 있었을 제 조금만 더 기간을 끌었더라면 혈당들을 모조리 잡아냈을 걸세."

"잡아내지 않으셨습니까?"

"중도에 그쳤지. 내가 옷을 벗게 된 것이 적당들의 농간에 의한 것이라는 사실은 뒤늦게 알았네만, 구월산 토포 때에도 상부의 눈치만 보느라고 그 뿌리를 캐내지 못하고 말았네."

박완식은 주저하다가 말을 꺼냈다.

"제가 며칠 전에 사주전에 쓰는 쇠와 유기를 송파에 대어주던 사공을 잡았습니다. 여주 사는 자인데 쇠는 횡성서 보내고 유기는 안성서 모아오는 모양이지요. 그것을 송파의 객점에다 맡겨두었다가, 철원 사는 물주가 한양 인근의 어딘가에 있는 풀뭇간으로 가져가서 주전을 하는 게 분명합니다. 기찰을 맡았던 포교에게서 밀보가 들어왔는데, 송파의 객점주가 아무래도 그 뿌리가 깊은 듯합니다. 예전에 송파장에서 깍정이 꼭지 노릇을 하였다는데, 그자는 예전에 송파에서 살인 도주하였다가 나중에 검계의 수괴로 잡혀죽은 석산진의 절친한 동무랍니다. 그자가 미륵도를 믿었다는 소문도 있구요. 제가 만호를 찾아뵙게 된 것은…… 어쩌면 검계와 살주계의 잔당을 토포하게 될지 모르기 때문입니다. 또한 이들은 확실히 알 수 없으나 무진년의 미륵도 난리 때에도 그늘에 가리워 있었던 것 같습니다."

최형기는 팔짱을 끼고 혼자 중얼거렸다.

"석산진? 그가 누구였던가……"

"분명히 만호께서 그들을 잡았지요."

최형기의 눈이 빛났다.

"돌곳이에서 잡았지. 적당들의 간계에 놀아나지만 않았다면 나는 그들을 모조리 잡아냈을 게야."

"지금도 늦지는 않았습니다."

박완식이 힘주어 말하였으나 최형기는 스스로 꼿꼿한 눈초리를 풀어버리며 픽 웃었다.

"그런 일은 이젠 나하고는 상관이 없네. 여보게, 내가 시정배로 주저앉은 지 어언 다섯 해가 넘었네. 장사치란 것이 무엔가. 더구나 내일은 박물의 거간일세. 장사란 구린 짓도 해야 되고 남의 이목도 가려야 되는 법이야. 내가 포청의 기찰을 돕고 있다는 소문이라도 나보게. 배오개에서 나는 손 털고 일어나야지. 누가 내게 오겠는가."

최형기는 어림도 없다는 듯이 껄껄 웃었다.

"나 같으면 경강으로 나가보겠네. 내가 전부터 난전꾼들을 통하여 그쯤은 듣고 있지. 사주전이 풀려나갈 곳은 한양 인근에선 거기뿐이야. 철원이라면 추가령으로 통할 것이고 위로는 포천 송우점에 닿겠지. 아마 삼남의 곡물과 북포를 교역시키는 중도아가 아닐까. 대번에 물주가 되었든 사주전의 와주가 되었든 잡아낼 수가 있을 게야."

박완식은 초조했는지 입술을 물어 적시고 나서 간곡하게 말하였다.

"조정의 정쟁과는 아무 상관도 없는 일이올시다. 제가 포장께 말씀 올리겠습니다. 이번 한 번만 모셔야겠습니다. 민심은 흉흉하고 사주전은 끊이질 않으며 위에서는 독촉이 추상 같습니다. 더구나 검계에 관한 밀보 때문에 포장께서는 병판에 알리지도 못하고 저희들만 들볶지요."

퇴창 밖에서 아뢰는 소리가 들리더니 하녀 둘이 밥상을 들고 들어왔다. 상 위에는 이러한 때에도 옥 같은 쌀밥이요 비린 자반이 올라 있고 밑반찬이 깔렸다. 한양 중인들의 음식치레가 원래 사대부가를 넘보는 양인지라 박완식은 최형기가 어째서 포교들의 가게 출입을 꺼려하는가 알 만하였다. 최형기의 아내가 따라 들어왔고 박포교는 얼른 일어나는 체하였다.

"부인, 그간 평안하셨습니까."

"에구, 박부장 뵙기가 누년이 지난 듯하구려. 황교와 파자교가 길 하나 사이인데……"

최형기의 아내는 얼른 탕기의 뚜껑이며 주발뚜껑들을 벗겨내며 말을 이었다.

"참 섭섭합니다. 주인께서 전복을 벗고 나오시자마자 같은 종사님들은 물론이요 포교들도 발길을 딱 끊습디다. 전에 종사 하시던 분들 모두 승급하셨겠지요?"

"예, 선전관도 되시고 외직에도 나가고 북변으로 병수사 나간 분들도 있습니다."

박완식은 일부러 장황하게 늘어놓았다. 최형기가 눈살을 약간 찌푸리더니 헛기침을 하였다.

"당신은 나가보구려. 점심 먹세."

부인은 못내 아쉬운지 뒤를 돌아보며 나가는데 박완식의 방문이 궁금해 못 견디겠다는 기색이었다. 사실 살림도 요족하고 남부러울 것이 없겠건만 관직은 그래도 좋은 자리가 분명하였다. 한양서 포도 종사관이라면 당상관급의 벼슬아치네 옥당이네 청직이네 하여 높고 귀한 벼슬아치의 집이 많아서 미관말직이라고 하겠지만, 실제

세도란 것은 부리는 자리가 따로 있게 마련이었다. 즉 시정 사람들이 누구를 두려워하고 어려워하느냐 하는 점이었으니, 가장 가까이서 부딪치고 눈구멍을 마주 대어 부라리고 하는 것이 포청 군관들이었다.

사모관대에 권마성 높이 외치며 평교자 타고 출퇴청하시는 점잖은 대감님네들이야 얼른 읍하여 하정배를 드리는 것으로 관계가 끝나지만, 포청 군관은 바로 코앞에서 시정배들과 으르딱딱거리는 사이라 먼 산의 범보다 앞집 개가 더 무서운 격이었다. 명절 때나 경기 좋을 때 또는 사소한 형옥 쟁송 등등의 일로 포도청 종사관의 집은 각종 부담과 봉물이 일봉 서신과 더불어 쌓이던 것이다. 종사관의 울긋불긋한 철릭과 구슬상모며 말 치레며 옆구리에 지른 환도 따위의 행색은 남아 대장부의 늠름한 모습으로 창기들은 물론 여염 아낙들도 눈부신 듯 구경하게 마련이었다. 박포교는 형기의 아내가 아직도 포도청 윗자리에 대한 미련을 버리지 못하고 있음을 눈치챘다. 박완식은 슬쩍 말을 걸었다.

"만호, 화승총을 어찌 생각하시우?"

최형기는 무슨 뚱딴지 같은 수작인가 하여 그를 멀뚱히 바라보았다.

"요즈음 산간의 도적들이 화승총을 방포하며 출몰한다는 소문이 있습니다."

최형기는 겉으로는 자꾸 관심이 없는 척하다가도 반평생을 밥 먹은 데가 포청이라, 자기도 모르게 수저를 놓고 목소리를 낮추었다.

"어느 지방에서 말인가?"

"해서와 서북 지방입니다. 벌써 잊으셨습니까. 저와 함께 구월산에 가서 허탕을 쳤지요."

최형기는 으음, 하는 신음소리를 내더니 우물쭈물하다가 우선 물 그릇을 당겨 꿀꺽이며 물을 마셨다. 박완식이 연이어 말하였다.

"만호, 어느 쪽에서 집병을 하는 나라는 있는 것이오. 그와 같이 소문이 낭자하여 국본을 흔들고 관군을 조롱하는 자를 버려둔 채 이 무슨 시정의 장사치 시늉이시우."

최형기는 젓가락을 집어 상 위에 땅 하고 박았다.

"치우게. 내가 만약 다시 포청 일을 하게 된다면 그것은 꼭 한 가지 때문이야. 장길산, 그자만 잡게 된다면 나는 그 길로 양주 고향으로 내려가 세상일 잊고 살 것이다. 장적의 토포에 관한 얘기가 아니라면 다시는 내 앞에서 시시껄절한 기찰 얘기는 꺼내지 말라!"

최형기로서는 명치에 맺혔던 멍울을 그대로 드러낸 셈이었다. 그가 마감동을 군졸의 도움으로 가까스로 베고 나서 느꼈던 이상야릇한 굴욕감과 두려움은 지금도 그의 마음속에 깊은 흔적을 남기고 있었다. 도대체 이러한 자들은 어디서 무엇 때문에 생겨나는 것일까. 그들을 이렇게 단단하게 결속시키고 떳떳한 안색으로 토포장을 꾸짖게 하는 힘은 누구로부터 나오는 것일까. 스스로 물었던 질문은 지금까지도 대답이 없는 채로 문득문득 의심으로 되어 그를 괴롭히고 있었다. 구월산 이전에는 그의 괴로움은 전정이 막혀서 더이상 무관으로서 환로를 헤쳐나갈 수 없는 자신의 입장에서 오는 것이었다. 그러나 토포의 실패 이후 신엽의 이임과 더불어 스스로 옷 벗고 나와서는 장길산이라는 녹림 두령의 이름이 그를 끊임없이 괴롭혀왔다. 탑고개에서의 주민들의 사금파리 저항이며 마을 총대 노인의 의연한 최후, 그리고 길산의 양아버지라는 노인의 여유 있는 부드러운 눈길 등등은 길산의 우람한 그림자를 떠올리게 하였다. 또한 큰 샘골에서의 마지막 결판 때에 마감동의 검은 그를 뛰어넘었고 그가 꾸짖었던 말도 생생하게 기억하고 있었다. 그대가 몇품 벼슬을 지내는가? 고작해야 병수사자리라도 기다리고 있는가? 그 칼을 뽑아 너를 보낸 자들에게로 돌려라. 네 등뒤에는 이 땅에서 살다 죽어간 수도 없는 백성들의 원혼이 있다. 자, 나와 함께 먼저 해서감영을 들이치자.

최형기는 왠지 오한이 들어 어깨를 부르르 떨었다. 우람한 길산의 그림자 위에 절명한 마감동의 부릅뜬 눈동자가 박혀서 떠올랐고, 그 영상은 수년래 그의 뇌리에 박힌 모습이었다.

"장적은 해서에서 관북과 서북지방을 넘나들며 활동 중이라는 각도 군영의 비관(祕關)이 있습니다. 아마도 가까운 시일 안에 그들 일당에 관한 논의가 비국(備局) 당상(堂上)에서 있을 것입니다. 전에 우리가 토포할 때와 같이 숨은 곳을 알아내어 일시에 덮쳐야 하겠으나, 지금 장적의 혈당들은 예전과는 다르겠지요. 최근에 서북지방에서 방포하며 준동하는 도적들이 아마도 그들 이외에는 없을 것으로 압니다."

박포교의 말을 들으며 최형기는 마음을 가라앉혔다.

"이젠 그런 얘긴 내 앞에서 더이상 꺼내지 말게."

"포장께서 만호를 부르실지도 모릅니다. 저희는 먼저 송파의 이가인가 까마귀인가 하는 객점주를 잡아들여 문초할 생각입니다. 검계의 얘기가 나온다면 만호께서 꼭 좀 저희를 도와주십시오."

최형기는 단호하게 말하였다.

"포청에 다시 들를 일은 없을 걸세. 장적의 토포군이 편성된다면 그때에는 내가 앞장설 생각은 있네. 검계 살주계의 일이라면 나 아니어도 얼마든지 유능한 군관들이 많이 있을 게야."

박포교가 처음에는 함께 점심이나 먹고 그런 식으로 말이나 붙여

보고 돌아갔으나 까마귀를 잡아들이고 새로운 사실이 알려지게 되었다.

여주 사공이 잡힌 지 열흘이 채 못 되어 좌포청에서는 기찰하던 포졸과 박포교로 하여금 객점주 이가를 잡아들이도록 명이 내려졌다. 그들은 이른 아침에 까마귀네 객점 마당 안으로 쏟아져들어갔고 흉적들의 저항이 심할지도 모르는 일이어서 광주 관아 군졸들의 도움을 받기로 하였다. 우선 주인 까마귀는 물론이요 곁꾼으로 있는 자들까지 모조리 결박하여 끌어냈다. 창고에는 쇠와 유기가 가득 쌓여 있었으니 사주전의 혐의는 분명한 사실이 되어버렸다. 그날로 좌포청으로 압송하여 심문이 시작되었는데 포장의 지시는 너무 심히 다루지 말고 그의 연루자를 불도록 살살 꾀어내라는 것이었다. 까마귀는 예전과는 달랐다. 송파에서 깍정이로 밥이나 얻어먹던 그가 이제는 장가도 들었고 객점주로 재산도 조금 생겼으니 악착스럽게 버틸 까닭이 없었다. 그리고 애초부터 그는 장물 와주로 돈을 모았을 뿐이요, 무슨 신이 굳게 내려서 미륵도를 믿고 정원태와 황회를 따르던 것이 아닌 때문이었다. 까마귀는 포청에서 도적들을 잡도록 해주면 그들의 재물은 물론이요 지금까지의 죄도 모두 사면해준다는 설명을 듣자 맨 처음에는 횡성의 얘기부터 시작하였고, 고달근이 처음부터 그를 믿고 많은 얘기를 해주었던 만큼 얘깃거리가 많았던 것이다.

"횡성 금굴이에 철광이 있사온데 그곳 번수들은 모두가 무진년 미륵도 난리 적에 양주서 달아난 검계원들입니다. 물주 고달근이는 갑자년 검계의 소요가 있을 적부터 소인과 같이 계에 들었고, 처음부터 계를 짜던 두령들 중의 하나입니다. 무진년에 죽은 황회 정원태 등과는 가장 절친한 동무였지요. 고달근이가 횡성의 예전 혈당들에게서 쇠를 모으고 안성에서 유기를 모아서 어느 곳으로 가져가는 지는 모릅니다. 그자가 직접 올 적도 있고 그의 심복인 박거사라는 자가 가지러 올 때도 있었습니다. 고달근이는 철원에 사는데 그가 지나가는 말로 이르기를 자신은 해서 극적 장길산의 동류가 되었다 고 그랬습니다. 횡성의 일당들도 장길산과 관련되어 있는 것이 분명합니다."

까마귀의 이와 같은 실토는 포도청을 발칵 뒤집어놓았고, 포장은 깜짝 놀라서 이런 사실을 병판에게 아뢰었다. 좌의정 목내선은 일찍이 살주계의 일로 집안이 시끄러웠던 적이 있었고, 아직도 그 일만 생각하면 간담이 서늘할 지경이었다. 그가 특명을 내려서 우선 횡성을 밀탐하여 그들을 잡아들이고 철원의 고달근은 포도청에서 잡도록 하였다. 횡성 금굴이는 횡성현감 정익수(丁益壽)로 하여금 덮치도록 하였다.

현감 정익수는 군병을 삼십여 명 조발하여 친히 영솔하고 현의 서쪽 서내를 건너서 초원 근처의 야산에 있는 금굴이로 나아갔다. 장교가 정탐하고 돌아와 아뢰었다.

"지금 반은 굴에 들어가 있고 나머지는 밖에 나와서 철광을 깨고 있습니다. 번수로 있는 오가와 방가는 지금 같이 있습니다. 저들의 식솔이며 다른 혈당들은 덕고산에 있습니다."

"우선 저들을 일망타진하고 나서 덕고산으로 나간다."

그들은 일시에 철광 앞의 움막이 늘어선 빈터로 들어갔다. 인부들은 저항하지 않았으나 방귀선이 굴 안으로 달아났고, 오경립은 미처 도망가지 못하고 움막 안에서 잡혔다. 오경립이 부르짖으며 항의하였다.

"이 광산은 잠채터가 아니오. 버젓이 세를 내고 하는 수철점이거늘 무슨 까탈을 잡으려고 이러시우. 우리가 무슨 죄가 있소?"

"시끄럽다. 너희를 사주전 죄로 잡아들이라는 명령이시다."

군졸들은 이곳 저곳에 둘러앉아 광석을 잘게 부수던 광부들을 잡아서 모두 묶었다. 현감 정익수가 장교에게 물었다.

"모두 잡았느냐?"

"예, 방가라는 자가 굴 안으로 달아났습니다."

"혹시 뒤로 빠지는 구멍은 없다던가?"

"예, 저기 나란히 뚫린 구멍은 모두 그 끝이 쇠의 맥이 닿는 곳이라 막다른 굴이올시다."

"지체 없이 쫓아들어가 잡아내어라. 생포해야지 상하게 하지 말라."

장교 두 사람이 철광에서 쓰던 관솔 횃불에 불을 붙여서 들고 군사 둘과 더불어 왼편 굴로 들어갔다. 굴은 직선으로 가다가 백여 보쯤 들어가서 좌우로 나뉘었다. 장교들은 환도를 가졌고 두 군사는 창과 육모방망이를 들었는데 그들은 먼저 두 사람이 갈림길을 지켜 서고 다른 장교 하나와 군졸이 오른쪽으로 돌아가서 그 끝까지 들어 갔다가 되돌아왔다.

"저쪽에는 없는데, 굴도 짧고."

"그러면 이쪽이 틀림없네."

그들은 다시 횃불을 쳐들고 왼편 굴로 들어갔다. 굴은 오른편으로 휘돌고 있었으며 군데군데 버팀목을 받쳐둔 것이 꼭 사람 모양이라 군졸들은 멈칫 서기가 여러 번이었다.

방귀선은 광석을 캐는 정과 망치를 손에 잡히는 대로 쥐고서 막 장을 향하며 안으로 깊숙이 들어가 박혔다. 멀리 횃불빛이 일렁이며 다가오고 있었다. 그는 굴이 오른편으로 다시 구부러지는 곳에 있는 너른 너구리굴에서 호흡을 가다듬고 있었다. 막장에서 일하다가 나와서 휴식을 취하거나 물도 마시고 샛것도 먹는 곳이었다. 그는 거기서 최초의 공격을 하려는 것이었다. 맨 앞에서 횃불을 들고 들어오는 자를 망치로 때려넘기고 안으로 달아날 작정이었다. 방귀선은 무진년에 달아난 양주 미륵도의 잔당으로서 잡히면 처참하게 국문을 받다가 참수당하리라는 사실을 잘 알고 있었다. 시내비골의 정다운 사람들의 얼굴이 지나갔다. 그간 잘도 목숨을 부지해왔던 것이다. 횃불이 가까워오면서 그 아래로 장교를 선두로 하여 거뭇거뭇한 군졸들의 더그레 자락이 보였다. 그들은 어둠이 눈에 익지 않고 굴의 지형을 알지 못하여 서투르고 주뼛거리는 걸음걸이였다. 앞섰던 장교가 굴이 구부러진 곳에 이르러 전방을 살피려고 횃불을 쳐들었다. 그는 왼편에 우묵하게 뚫린 공터를 보지 못하고 몇걸음 내디뎠고 방귀선은 뛰쳐나가면서 망치로 장교의 등 한복판을 내리쳤다. 장교가 외마디 소리를 지르며 넘어졌고 횃불이 땅에 굴러떨어졌다. 뒷전에 섰던 장교와 군졸들은 미처 달려들지 못하고 뒤로 성큼 물러났으며 방귀선은 횃불을 발로 짓밟아 껐다. 굴 안은 다시 캄캄해졌다. 어둠속에서 방귀선은 악에 찬 소리로 씹어뱉었다.

"누구든 한 놈이라도 들어오면 모조리 쳐죽이겠다. 이 안에 굴이 수십 갈래다. 죽고 싶으면 들어오너라."

그들은 더이상 앞으로 나가지 못하고 더듬더듬 쓰러진 장교를 일으켜서 떠메고 이리저리 버팀목에 부딪치고 발을 헛디뎌서 넘어지며 가까스로 밖에까지 나올 수가 있었다.

현감 정익수는 장교가 혼절하고 나머지 세 관졸들이 초주검이 되어서 기어나오는 꼴을 보자 화가 머리끝까지 치밀었다. 즉시 처형할 기세로 일꾼들 몇을 잡아내어 문초하니 굴이 막다른 구멍이라는 사실이 밝혀졌다. 정익수는 굴 입구에 생솔나무를 잔뜩 쌓아 불을 질러서 매운 연기를 굴 안으로 들여보내도록 하였다. 이는 오소리나 곰을 잡을 적에 시골 초동들이 하는 장난과 같아서 짐승도 견디지 못하고 밖으로 뛰쳐나오게 되어 있었다. 군사들이 인근 야산에서 생솔나무와 삭정이 등을 긁어다 쌓았고, 불길이 일어났다. 굴 안쪽에 구멍이 메어지도록 쌓은 생솔나무가 타자 매캐한 연기가 안으로 꾸역꾸역 몰려들어갔다.

방귀선은 곧 연기 속에 둘러싸였다. 그는 연신 기침을 터뜨리면서 막장 끝까지 기어들어갔다. 연기는 점점 가득 차고 있었다. 눈에서는 눈물이 나왔고 숨을 쉴 수가 없었다. 그는 두 소매로 눈과 얼굴을 막고 자세를 낮추고 버티었다. 그러나 연기는 더욱 가득 차고 있었다. 가슴이 터질 것처럼 쓰리고 아팠다. 귀선은 나중에는 연기가 그를 잡으려는 사람인 듯 여겨져서 두 팔을 휘저어 물리치려고 허공을 뿌리치며 허우적거렸다. 그는 버팀목을 끌어안았다. 머릿속이 몽롱해지고 그것은 그의 삶을 가로막고 짓눌러오던 그림자가 되어 방귀선을 구멍의 속끝까지 밀어붙이려는 듯 보였다. 그의 눈앞으로는 대전리에 가득 찬 사람들의 기나긴 행렬이 지나갔다. 그들은 작대기와 환도와 쇠스랑을 치켜들고 환호하고 있었다. 드디어 그 행렬은 양주 관아를 향하여 터진 봇물처럼 밀려갔다. 와아, 하는 함성소리가 귓가에 가득하였다. 귀선은 그들의 선두에 섰다. 관아의 대문은 굳게 잠겨 있었다. 자, 양주목의 양곡은 미륵 군병의 군량이다. 대문을 부숴라. 그는 온 힘을 다하여 문을 밀어냈다. 머리 위에서 흙덩이가 떨어지기 시작하였고 갱목이 넘어졌다. 흙과 돌멩이가 일시에 무너져내리면서 방귀선은 그 아래 깔렸다. 굴이 구부러지는 곳에서 막장까지 천장이 무너져내렸다.

한 식경이나 지나서 다시 장교와 군졸들이 다 타버린 생솔가지의 잔해를 밟고 들어가서야 그들은 굴이 무너진 것을 알았다. 현감 정익수도 방모라는 자가 그 안에서 살아나올 수 없음을 알았다.

"우선, 덕고산으로 간다. 뒤에 와서 시신을 파내야 할 것이다. 관문에 그의 이름이 명시되어 있으니 의금부에서는 시신을 확인코자 할 것이다."

그들은 대를 나누어 오경립과 광부들을 횡성 관아의 옥으로 압송하고, 정익수는 친히 군병 이십을 영솔하여 덕고산으로 향하였다.

초원서 현이 있는 읍내까지가 이십여 리 길이요 금굴이의 소탕으로 이미 중화 때가 넘어 있었다. 횡성 군병은 북창에서 주먹밥을 먹고 향군을 재촉하여 갑천(甲川)을 따라서 올라갔다. 칠십여 리의 덕고산 갑천계곡을 따라 오르는 중에 중내에서 이미 해가 기울었다. 덕고산성은 태기산(泰岐山)과 덕고산의 연봉에 끼여 있었으니 돌로 쌓았는데 그 둘레가 삼천육백오십여 척이었다. 군창이 있고 우물과 집터가 있었으나 오랜 세월을 버려두어 퇴락해 있었다.

그들은 캄캄한 밤중에야 덕고산성에 당도하였고, 싸릿대로 횃불을 만들어 밝혀들고서 일시에 산성터의 숨겨진 마을로 짓쳐들어갔다.

이정명은 풀뭇간 옆의 초가에서 숙수 조역 일꾼들과 자다가 몽둥이 한번 휘둘러보지 못하고 붙들렸다. 군병들은 산성 안에 있는 여덟 채의 민가를 샅샅이 뒤져내어 모든 남녀노소를 끌어냈다. 또한 풀뭇간에서는 요사이 부어냈던 상평통보 수백 냥도 발견이 되었고, 진흙으로 떠두었던 주전판도 수십 종이 나왔다. 그들이 산성 사람들을 잡아두고 새벽 동이 트기를 기다릴 때, 아낙네 하나가 몰래 빠져 달아나 봉복사에 이르렀다. 봉복사에는 대성법주가 다른 승려 두 사람과 더불어 있었고, 그들은 산성에서 주전된 돈을 강원도의 설유징과 정학에게로 보내주던 터였다.

"관군이 금굴이와 산성을 급습하여 모두 잡혔습니다."

이르니 대성법주는 다른 중들을 급히 깨워 봇짐을 싸짊어지고는 위로 가평을 향하여 도망길에 올랐다.

이튿날 포청에서 장교와 군사들이 와서 횡성서 잡힌 사람들을 가려냈으니 기중에 압송된 자는 오경립 이정명과 그들의 광부 또는 숙수들로 도합 여덟이었다.

문초가 시작되면서 더욱 새로운 사실들이 드러나기 시작하였으니 갑자년의 검계는 잡히지 않은 채로 무진년에까지 그 혈당들을 늘려왔고 무진년 여환의 난리 때에도 검계원들은 깊숙이 관련되어 있었으며, 해서의 장길산 일당들과도 체결이 있었던 흔적을 찾아냈다. 좌상 남구만이 직접 병판과 좌우 포장을 불러서 장길산의 필포를 엄명하였고, 좌포장 신여철은 그제야 최형기의 구월산 토벌이며 갑자년 검계 난리 때에 그의 민첩한 토포의 공적에 관하여 아뢰었다.

"그런 자가 있다는 것을 어째서 지금에야 아뢰는가. 전 좌변 포도 종사관 최형기에게 전직을 그대로 내리고 국적을 토포하도록 하명하라."

좌상의 명이 떨어지자 최형기에게 포청으로 현신하라는 영이 내렸고, 형기는 별수 없이 구슬상모에 철릭을 떨쳐입고 포장께 현신하였다.

"전 포도 종사관 최형기 현신이오."

아뢰니, 포장 신여철이 호상에서 내려와 그를 위로 이끌어올렸다.

"내가 자네를 본 지가 여러 해가 되었네. 지금 장적이 북관에서 준동하여 민심이 소요한데 아직도 그의 동당이 각처에서 번성하여 조정에서는 그를 잡아들이라는 분부가 추상 같고, 주상 전하께서도 이번에는 무슨 일이 있더라도 필포하라 하셨네. 자네를 다시 종사로 쓰는 것은 임시변통에 지나지 않고 곧 흉적을 잡게 되면 그 공으로 병사는 쉬이 오를 것이니 너무 염려 말게."

포장의 말에 최형기는 머리를 조아리고 나서 분명히 말하였다.

"대장의 하명을 받잡고 거역치 못하여 등청하였으나, 소인은 실로 이 같은 막중한 소임을 감당치 못하겠습니다. 제가 한때 이인하 대장을 모시고 한양 인근의 난민을 잡아 다스리는 작은 공을 쌓았다 하나, 곧 해서에서 장적을 토포할 제 그의 수족만 베었을 뿐 머리는 놓치고 말아서 오히려 나라에는 죄를 저지르고 상관에게도 누를 끼친 결과가 되었습니다. 소인이 포장의 직을 떠난 지 여러 해에 이미 시정배로 나가 앉아 장사를 업으로 연명하였으므로 전과 같이 수하 장교들을 부릴 수 있을까 염려되옵니다."

신여철은 미간을 찌푸리며 단호하게 말하였다.

"그래서 토포장의 직임을 사양하겠다는 말인가? 만약에 사사로운 이해로써 국명을 어긴다면 적절한 조처가 있을 것이다. 좌포청에서는 그대가 어찌 거간업을 벌이고 있고 누구와 거래를 하였는지 소상히 알고 있다. 만약에 상명을 받들지 않겠다면 자네도 시정에서 더이상 장사할 수 없음을 잘 알 테지."

"상명을 받잡지 않겠다는 말씀이 아니올시다. 제가 토포장의 병부를 받들기 전에 몇가지 포장께서 약조를 해주신다면 몸이 가루가 될지언정 힘껏 직무를 맡아보겠습니다."

"어떤 약조인가?"

"예, 첫째로 소인이 이 직무를 맡게 되면 관직의 고하를 막론하고 토포가 모두 끝날 때까지 참견하거나 막지 못하도록 당상비국에서 보장하여주십시오. 다음에 제가 토포하러 외방으로 나가면 그곳 군현의 수령은 어떤 경우에도 토포장에게 군사를 내주도록 허락해주십시오. 또한 토포지역의 백성에 관하여 그곳 수령의 방해나 까탈을 받지 않도록 관문을 적어주십시오. 그리고 끝으로 제가 일개 무사로 직무를 맡는 것이오며 관직을 제수받는 바가 아님을 아시옵고, 제게 명화율의 논공행상에 따라 토포의 혜택을 베풀 수 있도록 약조하소서. 이상의 약조만 이루어진다면 소인이 힘껏 해보겠습니다."

신여철은 잠깐 생각해보고 나서 응낙하였다.

"좋다. 처음과 마지막의 두 가지는 내가 허락할 것이요, 각 군현의 군사 거병권이며 토포지역에서의 치민에 관한 권한에 대하여는 당상께 아뢰어보리라."

횡성서 잡혀 올라온 이정명과 오경립은 방귀선이 굴속에서 스스로 죽었듯이 살 길을 포기하고 입을 굳게 다물었으며, 다른 숙수와 조역꾼들이 서로 죄를 덜고자 하여 한 마디 두 마디씩 흘려내기 시작하였다. 그들의 실토에 따라서 예전 검계의 새로운 조직이 무진년 이래로 장길산의 동류들과 체결되어 있었음이 밝혀졌고, 횡성 봉복사에서 주조된 사전이 강원도 쪽으로 풀려나갔음도 알려졌던 것이다.

포청에서는 철원의 고달근을 급히 체포하라고 성화가 불 같았으나 최형기는 의견이 달랐다. 그는 예전과 같이 기찰에 힘을 기울이는 데서 나아가 달근을 자기 사람으로 만드는 것이 중요하다고 역설하였다. 그만큼 깊이 관여된 자의 마음을 사로잡으려면 무엇보다도 포청의 상부인 형조나 의금부 쪽의 보장이 있어야 할 것이었다. 고달근에게는 명화율에 따라서 도둑들의 재물을 주고 가자를 내려야 하고 그로 하여금 스스로 도적을 잡는 일에 앞장서도록 만들어야 할 것이었다. 그런 결정이 정하여지기 전에 최형기는 포청에 출두하지 않고 박완식 포도부장을 통하여 은근히 고달근의 체포를 미루도록 하였다.

최형기는 구월산 때와 같이 혼자서 토포의 모든 책임을 지는 어리석은 짓은 하고 싶지가 않았다. 드디어 상부의 결정이 내려졌고 고달근의 처신 여하에 따라서 그를 죽이고 살리는 권한을 최형기에게 일임한다는 하명이 떨어졌다. 그는 날씨가 쌀쌀해진 시월 말이 되어서야 철원을 향하여 떠났다. 최형기는 토포 군사나 포교의 동행을 허락하지 않았다. 그는 선달의 공명첩과, 포장이 명화율에 의거하여 도적의 모든 재물은 체포 여하에 따라 고자에게 준다는 증서를 지니고 단신으로 길을 나섰다. 최형기는 도포 입고 갓을 쓰고 말을 탔는데 어느 외임에 있는 수령을 벗으로 둔 선비의 나들이처럼 한유하게 보였던 것이다.

그는 일단 포천까지 가서 하루를 묵었다. 고달근이 포천의 난전꾼들과 긴밀하게 연결되어 있음을 잘 알았으나 그들에게는 손가락 하나 까딱 않고 고달근의 신변 변화에 대한 어떤 기미도 주지 않을 작정이었다. 고달근이 끝까지 이쪽으로 기울지 않게 되면 일단 철원 관아에 잡아들였다가 그를 급히 서울로 압송하고 그의 체포를 알게 되는 가족은 물론 친지들까지도 남김없이 관아의 옥에 가두어놓을 작정이었다.

최형기는 짜른 예도 한 자루를 도포 안자락 속에다 지녔으니, 그것도 고달근을 공격하거나 도적을 상해하는 데 쓰려는 것이 아니라, 그가 말을 듣지 않을 때 위협하기 위한 것이었다.

최형기는 철원 관아에 들러서 아전으로부터 철원의 원산포 중도아 고달근에 관하여 물었다. 최형기는 우선 고달근의 의심을 사면

안 되는 일이라 아전을 앞세워 그의 집을 방문하려는 것이었다. 철원 관아에는 고달근이나 장길산 일당들에 관한 어떠한 귀띔도 해주지 않았다. 아전은 흔쾌히 한양서 내려온 포도 종사관을 고달근의 집으로 안내하였다.

고달근은 원산포에 갔다가 돌아온 지 사나흘밖에 안되었고 이제 하루이틀 쉬고 나서 박거사와 함께 송파 거쳐서 파주 문산포에 나갈 참이었다. 그의 집은 좀 널찍했달 뿐, 초가였고 뒤란에 큼직한 광이 있었으며 마당에는 호마가 네 필이나 있었다.

"주인 계시오?"

이방이 앞서서 들어가며 불러보는데 달근의 아낙이 빠끔히 내다보고는 얼른 내외하며 하녀를 찾았다. 부엌에서 하녀가 나와 어디서 오신 뉘시냐고 물었다. 이방이 이 고을 수리 아무개가 왔다고 전하라 하니 얼른 따로 지어진 사랑채로 그들을 안내하였다.

고달근은 박거사와 함께 그간 들고 나간 물품들의 내역을 장부에 적어나가던 중이었다. 역시 곡물은 북도에 나가서 높은 가격을 받을 수가 있었으며 무명은 아직 내지는 않았으나 세밑이 되면 한양에서는 가장 좋은 시세가 될 것이었다. 그는 고원 객점에서 빌린 은자 천 냥을 반년 이내에 갚아낼 자신이 있었다. 하녀의 목소리에 그는 얼른 장부를 덮고 박거사에게 흘깃 눈짓을 보내고는 미닫이를 열었다.

"어이구, 이방어른이 여기까지 웬일이시오?"

"잠깐 뵙자는 분이 계셔서……"

고달근은 아전의 뒤에 서 있는 사내를 넘겨다보았다. 그는 첫눈에 사내가 포청밥 먹는 자임을 알아차렸다. 눈매가 그러하고 탄탄한 어깨며 기골이 그러하였다. 또한 고달근이 길에서 사당 거사질로 반평생을 보낸 사람이라 기찰포교 나부랭이들은 시끄러운 장터에서 만나더라도 마치 콩 가운데 팥 골라내는 일처럼 수월한 노릇이었다.

"들어오시지요. 이거 원 방 안이 어수선해서, 이렇게 살구 있습니다."

고달근은 그들이 앉기를 기다려서 예를 차렸다.

"인사 여쭙겠습니다. 고달근이라구 헙니다."

이방은 최형기가 이른 대로 그의 관직을 얘기하지 않고서 한마디 하였다.

"자아, 나는 두 분이서 이렇게 서로 뵙게 되었으니 편히 말씀 나누도록 자리를 비워야겠소이다."

"어어, 무슨 말씀이십니까? 지금 막 주안상이 들어올 판이올시다."

그때 최형기는 점잖게 그러나 위압적으로 말하였다.

"자네는 나가 있게. 그리고 고서방…… 내가 무슨 눈치 살피러 당신을 찾아온 것이 아니오."

최형기는 고달근의 눈속을 파고들 것처럼 노려보았다.

"명화율(明火律)을 아시는가?"

"무슨…… 말씀이……"

고달근은 입속으로 중얼거리며 얼른 뒤로 물러나 일어설 기세로 상반신을 젖혔다. 최형기가 나직하게 말하였다.

"그대로 앉으시지. 내가 누구라는 것을 알려드릴까."

"도대체 뉘시우?"

"최형기라는 이름을 들어보셨는지?"

"최, 최형……"

고달근은 되뇌면서 방 안을 잽싸게 둘러보았다. 환도라도 찾는 시늉이었으나 어찌된 일인지 꼼짝달싹도 할 수가 없었다. 그렇다, 최형기라는 이름을 그가 잊을 리가 없었던 것이다. 갑자년 이래로 그것은 살주계와 검계원들에게는 악몽과 같은 이름이었고 더욱 구월산 토포의 얘기는 최형기가 얼음같이 차고 당초처럼 매서운 사나이라는 전설을 무뢰배 사이에 심어놓았던 터이다. 길산의 행적이 구름처럼 부풀어올라 떠도는 그만큼 최형기에 관하여도 별의별 소문이 황당하게 만들어졌던 것이다. 둔갑술을 부린다든가 몸이 날래어 벼랑에서 고공으로 획획 날아다닌다든가 검술로는 중원에 내놓아도 그를 당할 자가 없다든가 이런 이야기들이 봉놋방과 난전을 중심으로 하여 퍼져나갔다. 고달근은 침을 꿀꺽 삼키고 나서 우물쭈물 대꾸하였다.

"나는 그저 포천 원산포 어간의 중도아로 밥술이나 먹구 지내는 사람이우. 댁이 최가인지 김가인지 모르겠소만 내 집에는 뭣 허러 오셨소?"

"시치미 떼지 말게. 나는 고서방이 갑자년 이래로 검계원이었다는 것두 잘 알고 있고, 황회 정원태 그리고 이미 잡혀죽은 석산진이와도 동무 사이임을 알구 있네. 내 이름을 자네가 모를 리가 있나. 자네 꿈속에도 여러 번 나타났을 텐데……"

"여하튼 나는 무슨 말씀을 하시는지 도통 알아먹지 못하겠소."

최형기는 빙긋이 웃었다. 그러고는 안주머니에서 사주전 한 닢을 꺼내어 방바닥에 툭 던졌다. 동전은 뱅그르르 돌더니 방바닥에 엎어졌다.

"이게 뉘 것인가? 방귀선 오경립 이정명이를 함께 가서 만나봐야겠나."

고달근은 동전을 들어서 들여다보는 척하였다.

"상평통보 아닙니까. 나허구 이것이 무슨 상관이우?"

"고달근, 자꾸 허위적거리지 마라. 네가 내 손아귀에 들어온 이상 나는 자네를 놓아보내지 않을 게야. 꽉 쥐어짤 테니까. 자네가 안성서 유기를 모으고 횡성에서 쇠를 사다가 송파 까마귀네 객점에 모아 사전 풀뭇간으로 가져가는 것도 다 알고 있으며, 해서 장적과의 체결도 알구 있다. 나는 포장의 명을 받은 게 아니라, 당상비국의 특명을 제수받고 온 사람이다. 지금이라도 자네를 잡아다가 형틀에 달아매고 내가 몸소 국문한다면 그 돈 따위는 물론이요 장길산의 장처까지 다 불게 될 게야. 그뿐이 아닐세……"

하면서 최형기는 도포자락 안에서 예도를 뽑았다. 시르릉 하는 칼날 소리와 함께 칼끝이 고달근의 면상을 향하여 겨누어졌다. 최형기가 몸을 한 뼘만 내밀면 예리한 칼끝은 고달근의 눈속으로 찔러들어갈 판이었다. 고달근은 얽은 얼굴을 일그리고 벽에 바짝 기대며 물러나 앉았고 최형기는 성큼 한 무릎을 짚고 상반신을 일으키며 다가들었다. 최형기는 한 손으로는 구서랍 책상을 짚고서 칼끝을 고달근에게 들이대어 그의 수염을 좌우로 슬슬 건드려주었다.

"고서방, 네 목숨은 내가 좌지우지하구 있다. 네 따위는 내가 이 칼로 대번에 목을 쳐낸다 하여도 어느 누구 하나 말참견할 사람이 없지. 너의 생살여탈권은 벌써 조정의 모든 당상께서 내게 내려주셨다. 네 처자의 목숨 또한 마찬가지야. 재산도 모두 압수하여 토포군의 거병금으로 쓸 수가 있다. 그뿐이 아니야. 네가 모든 것을 실토할 때까지 너의 육신을 찢고 굽고 가르고 베어내며 처자식도 함께 다룰 수가 있다."

최형기는 거기까지 으르대고 나서 칼을 싹 거두어 책상 위에 가만히 놓았다.

"이제는 내 말귀가 조금 통하겠지. 자네를 잡아 말 몇마디 불게 하는 일은 이같이 대수롭지 않은 일이며, 고서방이 별로 쓰임새가 없어 여기서 베어죽이자면 그 또한 내 손짓 한번이면 된다는 뜻일세. 허나 내게는 한 가지 소원이 있네. 이것만 이루어진다면 나는 달리 원하는 바가 없네. 자네가 나를 도와 나의 이 어렵잖은 원을 이루도록 해준다면, 내가 자네의 생명은 물론이요 일세의 부귀를 다 얻을 수 있도록 도와주지.”

고달근은 눈을 멀뚱히 뜨고 최형기의 움직이는 입을 들여다보고 있었다. 달근은 이제까지 최형기가 늘어놓은 말은 모두 가능한 노릇이라고 확신하였다. 개구리가 뱀을 만난 경우처럼 달근은 평생에 두려워하던 포청의 저승사자 형기에게 덜미를 잡히고 만 것이다. 이제 그가 쌓아놓은 재물과 철원에서 누리게 된 말년이며 포근한 가정은 모두 물거품이 되어버릴 참이었다.

“어떤가, 나를 돕겠나?”

최형기가 이번에는 눈썹을 곤두세우며 날카롭게 내뱉었고, 고달근은 얼떨결에 손을 내저으며 말하였다.

“그, 그러면…… 나으리의 원이 무엇이우?”

최형기는 짧게 끊어서 말하였다.

“장길산의 모가지!”

고달근은 자기도 모르게 방 안을 휘둘러보았다.

“나는 그자를 모르오.”

“거짓말 마라. 이미 횡성 적도들의 입에서도 나왔고 송파 까마귀에게서도 밝혀진 일이다.”

최형기는 다시 어조를 바꾸어 그를 달래기 시작하였다.

“사주전 와주의 죄로도 자네는 참수 효수감이다. 그러나 장적의 혈당들과 그를 잡게만 해주면 그대는 나라에 큰 공을 세우게 된다.

또한 검계에 관하여도 더이상 죄를 묻지 않으리라. 여보게, 내가 자네를 바라고 철원으로 올 제 이와 같이 포도 군관 하나도 데려오지 않고 홀로 미행하여 온 것은, 애초부터 자네를 내 사람으로 만들려는 계책이 있었기 때문일세. 자네를 잡아 죄를 주자면야 내가 한양서 철원까지 먼 길을 번거롭게 내왕할 까닭이 있겠는가. 포도청의 비관 한 장이면 이곳 군교가 군졸 몇명 데리고 와서 잡아 압송하였겠지."

최형기는 그때쯤 가서야 품안에서 포장이 날인한 증서를 꺼내어 책상 위에 펼쳤다.

"이것은 포장이 자네의 논공행상에 관하여 보장한 증서일세. 이것이 좌변 포도대장의 직인이고…… 또한 이것은 선달을 내릴 공명첩이라네. 자네는 대명률 대전의 예를 모르겠지만 내가 일러주지. 만약에 자네가 토포장인 나를 도와서 도적들을 잡게 되면 명화율에 나와 있는 대로 상을 받을 걸세. 즉 명화적 다섯 이상을 잡으면 면역 가자(加資)하고, 극적(劇賊)에 대하여는 한 사람이 강도 다섯에 해당하며, 적의 동당이 자신과 상대자를 발고하여 자수하고 굴복하는 경우에는 면죄하고 은자를 상금으로 내리며, 칠팔 구 이상이면 가자하며 은자를 내리고, 포도논상(捕盜論賞) 때에는 도적의 장물을 급여한다고 되어 있네. 만약에 장길산과 혈당들을 잡게 된다면 자네는 일시에 선달이 되고 그들이 가지고 있던 모든 재물을 분급받게 되어 있다네."

고달근이 물끄러미 증서를 들여다보다가 집으려고 할 때, 최형기는 그것을 날렵하게 잡아챘다.

"아직은 안 돼. 우선 적당이 한 놈이라도 잡힐 적에 이것을 내주겠네."

고달근은 자신이 빠져나갈 수 없음을 깨달았고, 더구나 눈앞에 있는 공명첩과 포도논상에 관한 보증서는 그의 마음을 송두리째 바꿔놓았던 것이다. 고달근은 머리를 숙이고 한참이나 앉았더니 드디어 한숨을 푹 내쉬며 말을 꺼냈다.

　"나으리께는 어쩔 도리가 없습니다. 오십 평생에 겨우 요만한 터전이나마 마련하여 장차 노후를 준비할까 하였더니, 관장께서 소인의 팔자를 바꾸려 하시는구려. 그렇게 저를 긴요히 쓰려 하시는데 어찌 제 스스로 묘혈을 파겠습니까. 소인도 장길산이 딱히 어느 골에 숨어 있는가는 잘 모릅니다. 또한 그들의 소굴도 알지 못합니다. 하오나 소인은 수년내 그들과 내왕한 자들은 몇몇 알고 있지요. 또한 최근에 장길산을 만난 적이 있사온데 그곳을 덮쳐서 추달한다면 그의 장처를 적발해낼 수 있을 것입니다. 관장께서 진실로 이 천것을 거두시려면 한 가지 약조를 해주셔야겠습니다."

　최형기는 스스로 끓어오르는 흥분을 지그시 눌러 감추고 지리한 듯이 물었다.

　"증서 이외에 또 무슨 약조가 필요한가? 이것은 다른 자에게로 넘어갈 수도 있네."

　"까짓 것…… 지금 당장이라도 검계 살주계의 잔당과 장적과 결탁된 자들을 잡아낼 수가 있습니다. 소인은 은자의 상금은 원하지 않고 그 재물의 반분을 원합니다."

　"허락하겠네."

　"관장께서 즉시 써주십시오."

　고달근이 재촉하였다. 최형기는 책상 위에 놓았던 예도를 접어서 도포 안의 겨드랑이에 꽂아넣었다.

　"첫 번째 혈당을 잡을 제, 증서는 물론 모든 문건을 적어주겠다.

그대신에 내가 원하는 것은 검계든 살주계든 간에 장적의 굴혈로 막바로 들어갈 지름길이다. 공연히 다른 쪽은 들쑤시지 말고 그와 직결된 자들만 골라내어 감쪽같이 토포할 일이다."

달근은 그제야 이마에 송골송골 맺혔던 식은땀을 소매로 쓱 훔쳤다.

"파주 문산포에 그의 혈당이 한 놈 있습니다. 그자는 소인의 사주전을 직접 대행하였지요. 제가 물주인 셈입니다. 그자의 집에는 풀뭇간이 있사온데 한양 인근에서 가장 솜씨 좋은 타철 숙수들이 있습니다. 돈은 물론이요, 그들은 화승총을 만들어냅니다."

최형기는 긴장하였다.

"화승총이라니…… 그러면 요사이 관북 서북 지방의 도적들이 총포를 들고 날뛴다더니 그곳에서 만들어진 것이란 말인가?"

"물론입지요. 한 달에 총포를 많이 만들지는 못한답니다. 총열의 쇠를 제련하기가 가장 어렵다고 합디다. 가끔씩 녹림에서 총포를 가지러 오는 자들이 있는데 이들은 대개 북쪽의 은자나 박물을 가지고 오는 모양입디다. 장적의 일당들이 틀림없지요."

고달근은 자신의 근거지라 할 만한 포천 송우점의 복만이네 패라든가 솔부리 일당들에 관하여는 입을 떼지 않았다. 또한 서강 모신이에 대하여도 침묵을 지켰으니 그와는 따로이 타협하여 이익을 거둘 바가 많은 때문이었다. 고달근이 파주 문산포의 이경순을 점찍은 이유는 다른 무엇보다도 그와는 사주전 외에 직접 관련이 없고, 그가 여러 녹림당과의 연계로 장물을 취판하여 파주 일대의 부상이 되어 있던 까닭이었다. 최형기가 말하였다.

"내 오늘은 예서 자고 내일 새벽에 자네와 같이 한양으로 올라가야겠네."

"알겠습니다. 지금 당장 파주로 가서 들이닥쳤다가는 낭패합니다. 우선 제가 사주전을 하러 오가면서 도적들이 당도하는 날짜가 언제인가 정확하게 알아내얍지요. 관장께서는 그때를 놓치지 마십시오. 파주에 이어서 곧 원산포와 고원의 객점을 들이치셔야 할 겝니다."

고달근이 이제는 변심한 고자가 되어서 진언하였고, 최형기도 흡족히 생각하였다.

고달근이 최형기를 따라서 한양에 올라가 포장께 현신하였으며, 달근에게 문산포 기찰의 하명이 내렸다. 그에게는 기찰포교와 같은 권한과 직첩이 내려졌다. 그는 좌포청의 민완 포교 박완식과 함께 송파서 빼앗겼던 쇠와 유기를 말에 싣고 사주전을 하러 가는 양 이경순을 찾아갔던 것이다.

이경순의 집에서 고달근은 마치 묘옥의 친정오라비와 다름없는 대접을 받고 있어서, 여문이도 잘 따랐다. 전생이는 그를 아저씨라고 불렀으며 장쇠는 달근의 방에 와서 곧잘 내기 장기를 두곤 하였다. 박완식은 달근의 철원 객점에 새로 온 차인이라고 소개하여 아무도 의심하지 않았던 것이다.

경순네 뒷마당의 풀뭇간에서는 밤낮으로 쇠와 동철을 제련하고 상평통보를 주전해냈다. 전생이가 숙수들에게 지시하고 쇠의 질을 살폈고 우선 견본을 뽑아서 모양의 우수함을 판단하여 잘못된 점이 있으면 고치도록 하였다. 제련은 전생이만 알고 있는 비법이 있어 그가 직접 쇠와 동철을 섞었다. 그는 그냥 눈대중으로 어림잡아서 섞었지만 거의 틀림이 없었다. 달근이 풀뭇간에 들어가 전생이의 등 뒤에 섰다가 가만히 물었다.

"화승총 한 댓 자루 만들어줄 수 없겠나?"

"언제까지요?"

"글쎄, 이번 달 안에 안 되겠어?"

"이 일 때문에 정신이 하나두 없어요. 아저씨 일이 끝나면 곧장 다른 일거리가 있습니다. 설 지나구 나서 보십시다."

"이봐, 나는 뭐 같은 식구가 아닌가. 해서 동무들이나 우리나 급하기는 매일반이여. 솔부리 아이들두 총포가 있어야 마음을 놓지."

"그럼 사주전 일은 그만두시우. 하지만 화승총은 총열을 뽑아내는 일이 보통 힘든 게 아닙니다. 달구고 식히는 일을 적어도 열 차례 가까이 해줘야지요. 그렇게 하지 않으면 두어 방 놓다 말고 총구가 찢어집니다."

"그래, 해서 사람들은 언제까지 총포를 만들어달라던가?"

"새달 보름께까지입니다."

전생이는 자기도 모르는 새에 산식구들이 당도하는 날짜를 발설하였던 것이다.

"그러면 그 일이 끝난 다음에 해주면 되지 않나?"

전생이는 의아한 얼굴로 달근을 올려다보았다.

"아니…… 그러면 곧 세밑인데 경강의 동절 경기가 가장 좋은 철이 아닙니까. 명년 해동까지는 다시 호시절은 없을 터인데 그 철을 놓치고 화승총을 만들다니요?"

딴은 맞는 말이었다. 고달근이 참말 총포 제작을 당부하려던 게 아니라, 해서의 장길산 일당들이 문산포에 나오는 날짜를 알아보기 위함인지라 곧 말을 바꾸었다.

"어이쿠, 내 정신 좀 보게. 자네 말이 맞군 그래."

"이번에는 배면의 숫자와 글자를 바꿔야겠습니다. 며칠 전에 한양서 들여온 쇠푼을 보니 동활인서에서 주전을 했던 모양인데 그걸 박아야겠어요. 우리두 자꾸 바꿔야 꼬리를 잡히지 않겠지요."

"그거야 자네 따라갈 쟁인이 어디 있겠는가? 나는 자네만 믿네."

달근은 건성으로 그렇게 대답하였다. 그는 새삼스럽게 이경순네 여각의 널찍한 집터와 집채와 즐비한 창고 마방들을 둘러보았다. 그뿐 아니라 배내 근처에서 은산 아랫녘에 이르기까지 이경순의 전장은 백여 마지기에 달하는 모양이었다. 이것만 하여도 시골 부자로는 제법 포실한 재산이었다. 한양에서라면 몰라도 파주 양주 인근에서는 고을 수령의 잔치상 근처에 함께 올라앉을 만하였다.

고달근과 박완식이 돌아와서 십일월 보름께에 도적들이 문산포 이경순네 여각에 오게 되었음을 고하였다. 최형기는 처음부터 포도 군사를 수십 명 발동하여 법석을 떠는 것은 어리석은 짓이라고 여겼다. 그는 발고자 고달근 외에 경군 다섯만으로 충분하다고 생각하였다. 즉, 그와 박완식이 인솔한 포청의 혈기왕성한 포졸 두 쌍이었다. 최형기와 박완식은 오랫동안 무예에 단련된 포도관이었고 두 쌍의 포졸도 모두 단병접전에 능한 자들이었다. 또한 그들은 방포술에도 능하였으며 환도와 쇠몽치를 지닌 것은 물론이요 화승총을 지녔다. 열나흗날, 그들은 상고의 차림으로 말 두 마리에 봇짐을 하나씩 짊어지고 도성을 나섰다. 그들은 고양을 거쳐서 곧장 파주읍으로 들어갔는데 한양서 팔십 리 길이라 짧은 초겨울 해가 우두산 저편으로 기울어지고 있었다. 그들은 우선 사처를 정하였고 최형기 혼자 파주목 관아로 들어갔다. 그가 수리에게 명자를 넣고 기다렸다가 목사와 만나자 당상비국의 비관과 병부를 내보여서 토포에 필요한 군사의 조발을 요구하였다. 목사는 매우 당황하여 토포에 차질이 없도록 병방을 불러 문산포의 지형과 수로를 그려두고 논의하였던 것이다.

"적당들이 어느 방향에서 오기로 되어 있습니까?"

병방이 물었고 최형기가 말하였다.

"해서의 적당들은 고자의 말에 의하면 상고 차림으로 각처를 내왕한다고 하니, 무턱대고 나루를 건너오는 자들을 일일이 잡아 검색하기도 곤란한 일일세. 아마도 송도에서 직로를 따라 임진강을 건너겠지."

파주 목사가 말하였다.

"정자포(亭子浦)를 건너오겠지. 토포장은 이가의 객점 근처에 매복하여 기다리실 계획이오?"

최형기는 병방 비장에게 물었다.

"문산포에 여각이 몇집이나 되는가?"

"예, 꼭 여섯 집이 있습니다. 배를 가진 선주들도 있지요. 그러나 그들을 믿을 수는 없겠지요."

최형기가 목사에게 말하였다.

"안전께서는 심려 마시지요. 병방과 저희 경군이 오를 나누어 진을 치겠습니다. 정자포에는 정탐군 한 쌍만 내보내고 돼지포 쪽에도 둘을 내보냅니다. 그렇게 한다면 문산포를 향하여 강을 건너거나 오가는 자들은 빠짐없이 살필 수가 있겠지요. 이가의 여각 안쪽에는 임진강으로 굽돌아나가는 샛강이라 도망치지 못할 것이며 장산 쪽의 야산에는 병방이 파주 군병을 묻어두고 기다렸다가 연락을 받으면 이가의 여각을 에워쌉니다. 소장은 경군 다섯 사람을 데리고 인근 객점에서 기다렸다가 도적들을 남김없이 체포할 것입니다."

최형기가 내밀어 보인 비관에는 그가 토포의 모든 권한을 가진다는 것이며 현지의 군현 수령들은 그에게 복명하라는 내용이 당상비국의 명으로 밝혀져 있었고, 그의 병부에는 그가 필요로 하는 만큼의 군사조발에 협조하라 되어 있었다. 목사는 포도 종사관보다 상관이었으나, 포적의 임무에 관한 한 최형기는 비국의 특명을 받은 상관인 셈이었다. 더구나 그의 관할지에서의 일이라 잘못되어 놓치기라도 한다면 지방 수령으로서 책임을 모면할 수가 없는 노릇이었다. 이튿날 미명에 병방은 파주목의 군관과 군졸 이십여 명을 차출하여 일반 백성들의 눈에 띄지 않게 대산 봉수를 돌아 배내를 건너서 장산의 끄트머리 소나무 숲속에 틀어박혔다. 그곳 언덕에서는 문산포의 마을과 샛강이 한눈에 내려다보였다.

고달근과 좌포청 포교 박완식이 먼저 문산포 이경순네 집으로 떠났고, 최형기는 조금 늦춰서 포졸 넷을 데리고 말을 끌고 발정하였다. 그들은 모두가 패랭이에 긴 저고리 차림으로 봇짐을 말등에 얹어 상고의 시늉을 내었던 것이다. 고달근과 박완식은 지난번에 쇠와 유기를 맡겼으니 맞춰놓은 사주전을 찾으러 가는 셈이었다. 그들은 전생이에게서 해서 식구들이 오는 날짜가 보름날이라고 들었으므로, 그 날짜에 맞추기 위하여 사나흘 늦추었던 것이다.

날씨는 화창하였다. 임진강에서 밀었던 물이 찰랑거리면서 샛강 수로를 따라 썰고 있었고 마른 갈대들은 바람에 휘청거렸다. 물때를 타고 강화로 돌아나가 북쪽과 경강으로 갈리는 배들이 강심을 타고 나갈 시각이었다. 여각에서는 벌써 이른 아침을 지어 먹고 한탄강을 타고 와서 묵었던 배들이 샛강으로 빠져나가고 있었다. 상류에서 떠내려온 얼음이 이리저리 부딪치며 석벽의 사이로 흘러갔다. 얼음은 아침햇빛에 반짝였다. 아래로 육십여 리 흘러가면 예성강과 임진강이 만나서 교동과 강화로 나뉘는 십자 수로에 이르게 되었다. 이경순네 여각에서는 숙박하는 뱃사람이나 선주들을 받지 않았고 송도와 해서로부터 또는 우대용에게서 오는 물건들을 위탁하였다가 경강 쪽으로 넘기고는 하였으므로 교하의 홍천수네 여각과는 달랐다.

홍천수는 경강과도 일반 상품 거래를 하였으나, 경순은 아는 사람들의 물건 외에는 거두지 않았다. 그러므로 그의 물건은 해물이나 어염 등속이라기보다는 강변칠읍에서 잠상으로 거래된 청국의 당화들과 잠채된 은자 등속이었다.

그는 요즈음 들어서는 풀뭇간의 일이 더욱 바빠지고 있었다. 묘옥과 부엌댁이 밥상을 보고 있을 적에 고달근과 박완식이 들어섰다. 묘옥은 달근을 보자 반가운 얼굴로 말하였다.

"참 제때에 오시네. 닭 잡았어요. 어서 올라가셔요."

"우린 벌써 먹었는걸. 어쩨 집안이 조용하오. 도장어른 계시오?"

"그럼요, 오늘 손님들이 오실 날인데."

집 뒤에서 벌써 망치소리가 들리고 있으니 풀뭇간의 작업이 시작된 모양이었다. 달근은 박완식에게 눈짓하고 나서 사랑으로 다가갔다.

"도장 성님 계십니까?"

"천동이 왔는가?"

하면서 내다보던 이경순은 달근이 섰는 걸 보자 웃으면서 말하였다.

"자네 요즈음 아주 발바닥에 곰의 기름이라두 오른 모양일세. 느지막하게 나타나는 걸 보니."

고달근은 방 안으로 들어섰다.

"말씀 마슈. 요즈음 철이 어느 철입니까. 원산 말뚝이 제철 만났지요. 명란도 내어야죠, 창젓도 내야죠, 지금부터 소금 먹은 바닷바람에 말려야 합니다. 철원서 추가령 넘나들기가 추수철 만난 서생원 팔자올시다."

"그렇겠군. 아마 이틀 전에 주전이 모두 나왔지. 내 물건도 좀 해다 주게."

"여부가 있겠습니까. 양곡으로 떠억 실어다드리지요. 선편으로 닿을 겝니다. 서강서 물건 올려두고 이리 오는 길입니다."

"허어, 괴이하군. 내 집을 두고 간밤에 어디서 자고 이 시각에 오는가."

"말씀 마시우. 혜음령서 중길이를 만나가지고 분수원에서 함께 술 먹구 자버렸지요. 제가 오후 물때에는 경강으로 나가야겠기에 이렇게 서둘러서 당도하는 길입니다. 지금은 벌써 늦었지요?"

고달근은 잘도 둘러댔다. 이경순이 말하였다.

"늦었지. 벌써 배들이 강심에 들어섰겠는걸. 자네 우리 물건 좀 보려나."

하더니 이경순이 일어나 한 팔 길이의 화승총을 꺼냈다. 거위의 모가지처럼 굽은 개머리판은 참나무요 그 위에 박은 총열은 화승을 박을 구멍과 약실로 나뉘어 있었다.

"호오, 이게 화승총이군요."

"그렇다네. 군기시에서도 이렇게 쇠를 다루지는 못할 걸세. 전생이만 한 쟁인이 한양에 있을까. 자네가 화승총을 만들겠다는데 철원서 무엇에 쓰려는가. 자네야 녹림당도 아니고."

"저두 한식구죠. 허나 많이는 필요 없습니다. 원산포를 오고갈 제 아이들께 들려서 보내면 안심이 될까 해서지요."

고달근이 화승총 가지러 오는 날짜를 알아보려고 말을 냈던 것이라 얼버무렸다.

"걱정 말게. 자네 신표가 있잖은가. 만약에 추가령이나 안변 일대에서 화적을 만나게 되면 장두령이 그냥 내버려두겠는가. 그리고 한양 인근에서는 총포를 들고 다닐 수가 없을 게야."

"하여튼 이것이 활보다 멀리 나간다니 믿을 수가 없습니다."

"활 따위야 비교할 것두 없다네. 대강 표적을 어림잡아 맞히는 게 아니라 눈이면 눈, 콧잔등이면 코 바로 한복판, 이마빡 어디든 겨냥한 대로 날아가 들어맞지. 철환이라 바람을 타겠는가, 빠르기가 번갯불이니 피할 도리도 없지. 화승총으로 무장한 군사는 예전의 진법으로는 깨뜨릴 수가 없다네."

"아까 들으니 손님이 오기루 되어 있다면서요?"

"응, 오늘이 보름이 아닌가? 해서 몇사람 오기루 되어 있네. 송도 들러서 올 것이니 중화참에 당도할 게야."

이경순네 집이 바라보이는 사거리의 북로 쪽에 배를 내는 선주의 집이 있었는데 상고 다섯 사람이 찾아들었다. 이들은 최형기와 포졸들이었다. 그들은 말 등에 짐을 가득 싣고 있었다. 곁꾼이 나와서 물었다.

"무슨 일루 오셨습니까?"

"실은 우리는 포천 송우점에서 점포를 내고 있는데, 해주로 가는 물품을 탁송할까 하여 찾아오는 길이오."

"염려 마십시오. 오늘밤에 저희 배가 해주 거쳐서 남포로 하여 평양까지 오르게 되는데 날짜를 꼭 대어 오셨습니다. 자아, 짐을 부릴까요?"

그들은 화물을 선편에 탁송한다는 핑계를 대고 저녁때까지 그 집에 머물게 되었던 것이다. 최형기는 방 안에 들어가 앉았고 포졸들은 각자 자기 직무를 수행하러 밖으로 나갔다. 박완식은 마당에 섰다가 샛강에 물이라도 보러 나온 듯이 집 앞으로 나가서 서 있었다. 아침햇살이 가녘의 살얼음 위에서 부서지고 있었다. 그는 왼쪽 길모퉁이에서 자기의 부하 포졸이 나타난 것을 보았다. 그들은 각각 헤어져서 하나는 정자포 쪽으로 다른 하나는 돼지포나루 쪽으로 걸어갔다. 박완식은 최형기가 이미 당도하여 있다는 걸 알고는 이경순네 여각으로 들어갔다. 포졸들은 각기 양쪽 나루에 파주목 군사 중에서 뽑힌 정탐꾼이 나갔는가를 확인하러 가는 길이었고, 돼지포나루에 가는 자는 도중에 장산 언덕에 올라 병방 비장에게도 알릴 모양이었다. 정자포가 오 리 길 돼지포가 십 리 길이었다.

최형기가 새벽잠을 설치고 여각의 따뜻한 아랫목을 지고 누웠던 참이라 가물가물하다가 깜빡 단잠에 빠졌다. 잠깐 졸았다고 생각했는데 방문의 칸살이 엇비슷하지 않고 똑바로 비추니 해가 정남에 당도한 것 같았다. 방문이 열렸다.

"관장어른, 다녀왔습니다."

"음, 지금 얼마쯤이나 되었느냐?"

"글쎄요, 정오는 아직 안 되었을 겝니다. 사시(巳時) 무렵이나 될까요?"

"나루터에는 아직 별일이 없더냐?"

"정탐 군사가 이미 나루터에 나가 있었는데 송도 쪽에서는 행객이 아직 건너지 않았답니다."

"수고하였다."

돼지포나루에 나갔던 포졸이 돌아와서 아뢰었다.

"장단 쪽에서 몇사람 건넜으나 도적들 같지는 않았고 거의가 시골 사람들입니다. 장산 언덕에는 파주목 진영 군사들이 와 있습니다. 여기서 잠깐이면 뛰어갔다 올 수 있습니다."

이와 같이 함정을 파고 그 밖으로 촘촘한 명주의 새그물 같은 매복을 둘러쳐놓고 최형기는 기다렸다.

오후가 되어서야 정자포 쪽의 길에 일단의 상고들이 나타났다. 삽짝 사이로 내다보던 포졸이 최형기에게 들어와 그들이 온다고 속삭였다. 최형기는 밖으로 나가서 길 쪽을 내다보았다. 그는 직감으로 그들이 도적들이란 것을 느꼈다. 머릿수는 모두 여덟이었고 한결같이 말에 올라앉아 있었다. 그들의 행렬 가운데에는 빈 말 두 마리가 부담롱을 얹고 끌려왔다. 맨 앞에서 오는 자는 중치막에 갓을 썼는데 옷자락을 허리 위로 질끈 동였다. 다른 자들은 모두 배자 걸치고 행전을 친 날렵한 차림새였다. 최형기는 그들이 이가의 여각 앞에서 말에서 내려 안으로 들어가는 것을 확인하였다. 떠들썩하고 왁자지껄하면서 그들은 말짐도 내리고 말도 끌고 들어갔다. 최형기는 계획대로 고달근과 박완식이 빠져나오기 전까지는 여각을 덮치지 않을 작정이었다. 포구의 네거리는 사방이 훤히 트인 들판이고 갑자기 군사 수십 인이 몰려들면 도적들은 미리 눈치를 채게 될 것이다.

최형기가 염려하는 것은 바로 저들의 총포였다. 그들이 어떤 무기를 갖고 있었는지는 모르나 이가의 여각이 화승총을 만들 수 있었다면 분명히 쏠 수도 있으리라는 것이다. 툭 트인 들판으로 몰려들어가는 군사들을 향하여 방포해온다면 울타리에 닿기도 전에 많은 수가 살상될 터였다. 그는 도적들이 용무를 마치고 돌아가는 길목을 노리기로 하였다. 돼지포나루 쪽이라면 장산 솔숲이 그대로 좋겠고 정자포 쪽이라면 나루터에 몰아넣을 작정이었다. 파주 군영의 군사들 가운데는 활을 가진 살수가 한 오 있으므로 너른 데서 화살을 날리면 여덟 명 가운데 절반은 첫 시위로 쓰러뜨릴 수가 있을 것이었다. 최형기와 포졸 넷이 한꺼번에 앞마당의 싸리 울타리 가에 서성대니 여각 주인과 곁꾼은 자못 수상했든지 고개를 갸우뚱거리다가 물었다.

"도대체 왜들 그러시우? 배를 기다리려면 저녁이 되어야만 합니다."

최형기는 귀찮아서 힐끗 돌아보고 나서 포졸에게 말하였다.

"우리가 누구라고 말해주어라. 딴짓 못 하도록 단단히 일러두고."

포졸이 그들에게로 가더니 마루 위의 여각 주인에게 말을 걸었다.

"댁네가 주인장이슈?"

부릅뜬 눈매며 말본새가 곱질 않아 주인은 아니꼬워서 퉁명스럽게 답하였다.

"그러우, 까짓 봉물짐 둘 가지구 와서 이 여각 당신네가 샀소? 왜들 남의 마당에서 수군대고 서성거리는 게야. 딴 손님 오면 어쩌려구."

포졸은 털배자를 좌우로 젖혀 보였다. 안의 허리춤에 주홍빛 오랏줄과 쇠몽치가 보였다. 그는 다시 배자자락을 여미고 말하였다.

"우리가 여기 놀러 와 있는 게 아니야. 동절에 무슨 꽃놀이 나온 줄 아나. 도적을 잡으러 나왔으니 주인장도 조력을 해주어야지 만약에 무슨 차질이라도 있게 되면 온 식구가 목에 칼 쓰고 한양 서린방 전옥서로 압송 갈 줄 알아. 일이 다 끝날 때까지 방구석에 이불 쓰고 엎드려 있어. 알았으면 얼른 들어가게나."

주인과 곁꾼은 눈을 휘둥그레 뜨고 포졸의 말을 듣더니 그가 손짓을 하자마자 불에 덴 것처럼 화들짝 놀라서 방 안으로 뛰어들어갔다.

해서로부터 온 길산의 식구들이란 봉산 천동이 일행이었다.

천동이와 언진산 잠채터에서 나온 조무인 등이 각각 차인 구실을 하는 부하를 데리고 길을 떠났던 것이다. 천동이 형제들은 전부터 봉산서 해주나 송도까지 내왕한 적이 많았고 한양 출입도 하였으므로 길도 잘 알고 지방 상인들과도 안면이 넓었다. 그들이 서북과 관북 쪽으로 화승총을 날라가는 일을 맡았는데, 일단 수량이 차면 언진산으로 옮겨가고 각처의 녹림당들은 산에 와서 가지고 갔다.

고달근과 박완식은 건너편의 봉놋방 툇마루에 걸터앉아 있었으며, 그들은 말을 끌어다가 너른 마당의 기둥에 매어둔다, 마구를 끌어내린다, 건초를 갖다준다, 법석이었다.

"송도서 나오는가?"

이경순이 천동이에게 물었고 천동이는 스스로 부담을 들어다가 사랑 마루에 옮겨놓았다.

"어제 거기서 잤지요. 아침 먹고 느긋하게 출발해서 지금 오는 길입니다."

"박좌장 계시던가?"

"용만인가 강계인가 가셨다는데 한 열흘 되었답니다."

"그렇군, 결빙철이 아닌가."

"예, 잠상하기 좋은 철이 왔지요. 곧 사행도 있고. 돌아올 때가 되었구면."

"자아, 들어가세."

천동이가 조무인을 불러서 사랑으로 데리고 들어갔다. 그들이 들어간 뒤에 고달근은 뒤꼍의 전생이에게로 가서 사주전 꿰미를 받아내고 말하였다.

"한식구라지만 인사하면 서로간에 번거로우니 우린 그만 가야겠다. 성님께는 나중에 말씀드려라."

"허긴 지척에 계시니 나중에 한가할 제 또 오시우."

전생이는 별생각 없이 말하였다. 고달근과 박완식은 말 등에 돈꿰미를 싣고 슬그머니 이경순네 여각을 빠져나와 사거리로 내려왔다. 그들은 뒤를 돌아보고 누가 내다보지 않는가 살핀 뒤에 얼른 최형기가 기다리는 집으로 들어섰다. 밖을 내다보던 포졸이 재빨리 삽짝을 열어주었다. 최형기는 팔짱을 끼고 마루에 걸터앉았다가 벌떡 일어났다.

"아는 자들이던가?"

최형기가 물었고 고달근이 말하였다.

"전혀 처음 보는 것들입니다. 아마도 졸개들인 모양입니다. 해서에서 온 장적의 혈당은 분명합디다. 은자를 부담에 넣어서 총포의 대금으로 가져왔겠지요."

최형기는 박포교에게 물었다.

"병장기는 가졌던가?"

"모릅니다. 아마 옷속에 감췄겠지요. 고작해야 쇠몽치나 환도 등속일 겝니다. 또한 화승총을 가졌다 할지라도 일정한 장소에 매복하였다가 에워싸면 미처 부시를 붙일 여유도 없게 됩니다. 어쩌시렵니까?"

"저들이 떠날 때까지 기다린다."

고달근이 혀를 차면서 고개를 흔들었다. 최형기 앞에서는 제법 흉허물 없는 태도를 보였던 것이다.

"관장께서는 매우 중요한 사실을 잊고 계십니다."

"무슨 뜻인가?"

"저들이 타고 온 것이 무엇입니까? 북방마입니다. 여진의 말은 파발마로 삼백여 리를 지치지 않고 달린다구 하지요. 만약에 한꺼번에 잡지 못하면 필시 그중에는 탈주에 성공하는 자들도 있을 게요. 놓치면 우리의 목표인 장길산이는 아무도 모르는 곳에 꼭꼭 숨어버리겠지요."

최형기는 고달근의 말이 이치에 닿는다고 생각하였다.

"저들이 묵게 된다면 밤이 이슥하여 들이치겠지만 금방 떠나버리면 낭패로다."

박완식이 의견을 말하였다.

"글쎄요, 이러면 어떨지요?"

하고 나서 그는 고달근을 힐끗 돌아보았다.

"위험하긴 합니다마는 고서방이 도적들에게로 돌아가 관군들이 정자포에 하얗게 깔리고 파주 읍내에서도 군사들이 몰려오고 있다고 알려줍니다. 그러면 적당은 영락없이 돼지포나루 쪽으로 달아나게 되겠지요. 장산 솔숲의 양쪽에 매복하여 있던 파주 군사들이 그들을 급습하면 됩니다."

고달근은 혀를 찼다.

"허허, 저렇게 준마들을 타고 내닫는 무리를 어찌 가로막는단 말이오?"

최형기는 방바닥에 시선을 떨구고 한참이나 말없이 앉았더니 드디어 고개를 들었다.

"그 방법밖엔 없겠군. 도적들은 총포와 호마를 가지고 있다. 함정을 파지 않으면 우리 쪽이 많이 상하거나 놓치기가 쉽다."

고달근이 말하였다.

"나는 못 하겠소이다. 만약 저들이 나를 의심하여 찔러죽이기라두 하면 어쩝니까?"

최형기는 냉소를 가득 담고 그를 노려보았다.

"여기서 물러나면 자네는 적당들과 동죄가 되지 않겠나? 공이 없는 혈당을 어찌 사면하며 재물 분급에 공명첩을 내리겠는가."

"예? 아니 그럼…… 제가 예까지 모셔온 것은 공이 아니란 말씀입니까?"

"내가 생각하기 나름이지. 이 여각을 알아낸 것은 박포교의 기찰의 공으로 돌릴 수도 있겠지. 자네는 아직 논상의 보증서를 받지 않앴어. 이번 일이 끝나야 모든 문건을 내주겠다."

최형기는 여전히 싸늘하게 웃는 얼굴이었고 고달근은 초조해졌는지 박포교와 최형기를 번갈아 돌아보며 입술을 핥았다.

"허, 이거 소인이 산 미끼올시다. 아무리 토포가 중요하단들 이럴 수가 있습니까? 좋소이다, 내 지금 당장 찾아가서 관군이 둘러쌌다고 얘기를 해주지요."

고달근은 얽은 얼굴을 잔뜩 일그리더니 씨근거리며 벌떡 일어났다. 최형기가 조용히 말하였다.

"잠깐 앉아."

"당장 가서 알리라면서요."

"알려야지. 그래야 자네가 공을 세우게 되지. 허나 일에는 순서가 있느니라. 내가 지금 아이 하나를 데리고 장산 고갯마루로 가서 살진을 치고 기다릴 터이니, 박포교는 군졸이 돌아오면 고서방을 여각으로 보낸다."

"이가와 그들 가족들은 어찌합니까?"

박포교가 물었다.

"저들이 집밖으로 못 나오도록 둘러싸고 있다가 먼저 이가의 처자식을 잡아 위협하면 쉽사리 생포하게 될 것이다."

"잘 알아 거행하겠습니다."

최형기가 방에서 나가며 고달근을 보고 나서 박포교에게 주의를 주었다.

"그러나 누구든지 달아나려 하거나 순순히 말을 듣지 않으면, 베어버려도 상관없다. 고서방, 나는 자네만 믿네."

최형기는 포졸을 데리고 그들의 여각에서 나와 네거리에서 돼지포 나루로 가는 길로 올라갔다. 그들은 오 리도 못 가서 장산의 언덕에 당도하였고, 들판으로 걸어가던 두 사람을 관찰하고 있던 병방 비장이 솔숲에서 나와 길 가운데로 나섰다.

"어찌되었습니까. 아이들이 끼니도 놓쳤고 오한이 들어서 불평이 자자합니다."

"도적들이 방금 왔네. 조금 있으면 곧 끝날 게야. 그보다는 자네 오들 가운데 살수가 몇명이나 되는가?"

"예, 한 오입니다. 다섯을 뽑아왔지요."

"솜씨는 어떠한가?"

"조련에 좋은 점을 따낸 군졸들입니다."

"이십 보 밖에서 말을 맞힐 수가 있겠지?"

"물론입죠. 첫 살에 말의 가슴팍을 꿰일 겁니다. 아니, 사람의 눈알에도 꽂을 수 있는 거리인데 까짓 집채만 한 말 몸뚱이를 못 맞히겠습니까?"

최형기는 그제야 조금 마음이 놓였다.

"실점하느니 그쪽이 훨씬 낫지. 이쪽 언덕에 살수 한 오와 군사 한 오를 묻어둔다. 말에서 떨어지는 자를 잡되 활은 세 시위 놓는다. 혹시 말에서 떨어지지 않고 달려내려가는 자들을 잡아야 한다. 고개 아래쪽에 나무 말뚝 사이에다 오라를 줄줄이 묶어서 말이 지나지 못하도록 해야지. 게서 또한 열 명이 지켰다가 나머지 도적들을 잡고 곧 고개 위의 동료들과 합대한다. 잘 알겠느냐?"

병방 비장이 두 손을 모아쥐며 군례 올려 답하였다.

"어김없이 봉행하오리다."

"나는 여기서 살진을 칠 터이니 자네는 내려가서 난항(亂杭)을 쳐두어라."

병방 비장이 숲속에 있던 군사들을 나누어 아래로 내려갔고, 최형기는 열 사람의 군사를 앞에 늘어세우고 병장기를 검열하였다. 그는 먼저 살수들을 두어 걸음 나서게 하여 그들의 활과 화살을 살폈다. 그는 절피를 쥐고 시위를 당겨서 강궁인가를 알아보고 전통에서 유엽전(柳葉箭)을 내어 깃과 촉이 튼튼하고 날카로운가, 하리 화살대는 굽지 않았는가를 살폈다. 그는 그들에게 도적들이 오게 되면 화살 세 대를 쏘게 됨을 알렸고, 그것을 줌통을 쥔 손의 깍지 안에 움켜쥐었다가 쏘고 나서 재빨리 화살을 손아귀에서 빼어 연달아 쏘는 습련을 시켰다.

고갯마루에 군사의 매복이 끝났고 아래쪽에서는 파주 병방이 한 줌 굵기의 나무를 쳐내어 토막을 쳐서 말뚝을 만들었다. 군사들은 길 위에다 뾰족히 깎은 말뚝들을 엇갈려서 박고는 그 위에 오랏줄을 이리저리 그물 엮듯 묶어두었다. 말이 뛰어넘지 못하도록 높낮이와 넓이를 불규칙하게 해두었으니 난항은 원래가 기병을 방해하기 위한 장애물이라 습진할 때 전방에 치는 것이다. 고개 위와 아래의 매복이 끝나자 최형기는 연락하려고 데려왔던 포졸을 박완식에게로 보냈다.

포졸은 달려가 박포교에게 알렸고 그가 고달근에게 말하였다.

"자아, 가서 알리게. 토포장께서 하신 말씀 명심하였겠지."

"저들이 의심하면 나는 죽소."

"그럴 겨를이 없을 걸세. 철원의 자네 식구들이야 무사하겠지. 잘 판단해서 공을 세워야지."

고달근은 끙 하고 일어나 삽짝 앞으로 가서 길 건너쪽을 살피다가 다시 말을 끌고 사거리 쪽으로 올라갔다. 이경순네 여각에서는 아무도 내다보는 자가 없었다. 고달근은 준비하였던 얘기를 입속으로 몇 번이나 되뇌면서 중얼거려보았다. 그가 경순네 여각으로 들어섰으나, 때가 마침 중화참이라 아무도 그에게 주의를 돌리는 이가 없었다. 이경순의 사랑에는 천동이와 조무인이 함께 밥을 먹었고 다른 사람들은 봉놋방에서 떠들썩하며 식사 중이었다. 전생이와 장쇠와 두 사람의 풀뭇간 숙수들은 안채의 건넌방에서 식사하고 있었다. 고달근은 직접 자기가 발설하느니 전생이를 통하여 말을 건네기로 작정하였다. 그가 안채 쪽으로 가서 방문을 열어젖히는데 그제야 묘옥이 여문이를 업고 부엌 앞에 섰다가 의아한 표정으로 바라보았다. 고달근은 밥을 먹고 있는 전생이에게 재빨리 늘어놓았다.

"이 사람들아, 큰탈 났네. 관군이 몰려오구 있네. 내가 파주 읍내로 나가다가 대산 봉수 앞길에서 무장한 군사들을 만났는데 마산역의 역졸들이 이르기를 문산포에 해서 녹림당이 왔다는 적경이 송도에서 왔다네. 그러니 지금 빨리 피해야지."

전생이와 장쇠는 멍하니 바라보다가 후닥닥 일어났다. 전생이가 몇 마디 더 계속하려는 고달근을 밀치고 뛰쳐나갔고 고달근이 따랐으며 묘옥과 장쇠는 달근이 발설한 말을 되씹어 속삭였다. 장쇠가 사랑방 문을 열고 말하였다.

"성님, 관군이 몰려오구 있답니다. 송도에서 적경을 받고 파주 관군이 문산포로 오는 것을 고서방이 봤답니다."

"아니, 그게 무슨 소리야. 고서방, 다시 말해보게."

이경순이 장쇠의 뒷전에 섰던 고달근을 발견하고 그에게 되물었다.

"예, 내가 말을 몰아 대산 봉수대 앞을 지나자니 장교가 수십 명의 군졸을 이끌고 오는데 창검이 번득이고 살기가 등등합디다. 조금 더 내려오자니 곧 마산역인데 어쩐지 께름칙하여 역졸을 가만히 불러서 웬 군사가 출동하느냐고 물으니, 군사들이 주고받는 말 중에 송도에서 적경이 오기를 해서의 도적들이 문산포 객점거리에 취회 중이라 하였답니다. 그래서 정자포와 마산역 양쪽에서 문산포로 발병하였다구 그랬습니다. 내가 그 말을 듣고 마음이 급하여 말을 달려 되돌아오는데 저들은 보행으로 행군 중이라 대번에 앞질렀지요. 지금 오 리 밖에 오고 있습니다."

"우물쭈물할 시간이 없군."

수저를 놓으면서 천동이와 무인이 일어났다. 이경순이 고달근에게 말하였다.

"그러면 돼지포나루 쪽에는 군사가 없던가?"

"글쎄요, 그건 모르지요."

전생이가 뒷전에서 말하였다.

"여기서는 그쪽밖에 없습니다. 송도에서 적경이 왔다면 이미 강 건너에 군사들이 지키고 있을 테지요. 여기서 장단을 향하여 돼지포로 오르다가 여차직하면 장산을 돌아 종성으로 하여 마전으로 빠지든가 곧장 삭녕으로 빠질 수가 있습니다."

천동이가 이경순에게 물었다.

"어쩌시겠수? 우리는 지금 출발하렵니다. 뭐 별로 걱정하지는 않습니다. 우리 말은 한번 굽을 모아 뛰면 수백 리를 쉬지 않고 달립니다."

이경순은 잠시 생각하였다.

"글쎄…… 자네들이 떠나고 나면 무슨 증거가 있을까. 우리 여각이야 뭇사람들이 줄지어 들락거리는 곳이라 화적당의 표시가 난다던가, 양민이 따루 있다던가. 괜찮네, 자네들 달아난 방향이나 알려줄 테니 부지런히 달아빼게나."

조무인과 천동이는 더이상 우물쭈물하지 않고 화승총을 묶은 거적짐을 빈 말 등에 꽁꽁 동여매고 부하들을 재촉하여 말을 끌고 밖으로 나갔다. 천동이가 마상에서 외쳤다.

"자아, 별일 없으면 산에서 만납시다. 여기도 이제는 더이상 장사 해먹기 글렀으니 산으루 들어오시우."

"글쎄…… 우리두 송도에나 나가야겠네."

그들 여덟 명은 말을 타고 짐 지운 말 두 마리를 끌고 서둘러서 돼지포나루를 향하여 출발하였다. 이경순은 장쇠에게 말하였다.

"풀뭇간에 뭐 치울 물건이 있으면 어서 치워둬라. 나도 벽장 속의 총포를 다른 데 감춰야겠다."

"풀뭇간에 사주전판이며 동철이며가 있고 총열 몇개가 남아 있습니다. 총포를 내주시우. 제가 한꺼번에 감춰두지요."

그들이 이렇듯 우왕좌왕하는 중인데 장쇠가 집안으로 들어선 장사치 차림의 사내를 발견하였다. 패랭이에 긴 저고리 입고 행전을 친 모습이 장사치는 분명하였으되 짐을 가지고 있지 않았고, 그 사내 뒤로 또 한 사람이 삽짝 안으로 들어서는 것이었다. 장쇠가 앞으로 나서면서 그들에게 말하였다.

"오늘 장사 안 합니다. 손님을 받지 않우."

그러나 먼저 들어선 사내는 여각에 들어와 장사를 안 한다는데도 어리둥절한 기색이 없이 슬슬 주위를 둘러보며 마당 안으로 들어왔다.

"여기서 일행과 만나기로 하였으니 잠시 다리쉬임이나 하십시다."

먼저 들어선 자는 사랑채 앞에서 안채와 봉놋방 사이의 마당 가녘으로 돌고 다른 자는 그냥 사랑채 앞에 섰다. 그러지 않아도 관군이 온다 하여 집안이 술렁이던 판이라 전생이가 외팔에 작대기를 집어

들었고 장쇠도 문앞의 사내에게로 다가섰다.

"장사 않는다는데 왜 함부로 들어오는 게야."

장쇠가 팔을 부르걷고 문앞의 사내를 밀쳐내려 하니 사내는 다짜고짜로 발을 들어 장쇠의 아랫배를 차올렸다. 대번에 장쇠가 어이쿠, 소리 지르며 주저앉아버렸다. 전생이가 작대기를 들어 휘두르면서 봉놋방 툇마루 쪽의 사내에게로 달려드는데 곁에 섰던 고달근이 슬쩍 발을 내밀어 딴죽을 걸었다. 전생이가 넘어질 때 워낙 한 팔이라 두 손으로 땅바닥을 짚을 수가 없어 보기 좋게 땅재주를 넘으며 나뒹굴었다.

"이놈들, 꿈쩍 마라!"

사랑채의 방문턱에 한 발을 내놓고 화승총을 겨누고서 이경순이 외쳤다. 그는 건너편 봉놋방 앞에 섰는 사내를 겨누고 있었다. 개머리를 쥔 손에는 부시가 끼워져 있고, 곧 화승에 시척, 하며 불을 댕길 자세였다. 삼 보 방포라 하나 장약과 연환이 재어져 있을 터이니 이 보에 불과할 것이다. 박포교와 포졸이 떨어진 거리는 제각기 십여 보가 넘었다.

"발을 조금이라도 떼면 이마빡에 구멍난다. 너희놈들 관에서 나온 놈들이지?"

박포교는 얼어붙은 듯이 제자리에 섰고 포졸은 여차직하면 다시 삽짝 밖으로 뛰쳐나갈 자세로 연신 곁눈질이었으며, 고달근은 이제 자신이 배신한 것이 다 드러나게 되어 안채의 두벌대 위에서 하얗게 질려 엉거주춤하고 섰다. 이경순은 총을 겨눈 채로 장쇠에게 일렀다.

"장쇠야, 어서 일어나거라. 그리고 그놈을 묶어라."

장쇠는 아랫배를 채고는 숨이 콱 질려서 허리를 펴지 못하고 입을

벌리고 주저앉았다가 헐떡이며 일어났고, 전생이는 팔꿈치가 벗겨
졌으되 맞은 데는 없어 툭툭 털며 일어났다. 그때에 안채와 장광 사
이에서 환도를 빼어든 포졸이 뛰어나왔고 사랑채와 안채 사잇길로
는 쇠몽치를 든 포졸이 나섰다.

"섰거라, 한 놈이라도 움직이면 네놈은 죽는다."

경순은 곁눈질을 하지 않고 맞은편 봉놋방 앞에 서 있는 자만을
겨누고 있었다.

포졸은 박포교의 눈치만 보면서 병장기를 들고 움찔거렸다. 박완
식은 손을 나직하게 들어서 서 있으라는 시늉을 조심스럽게 보였다.

묘옥은 밥어멈과 함께 부엌 앞에서 여문이를 업고 떨고 서 있었
다. 이경순이 그쪽을 건너다보고 나서 전생이에게 일렀다.

"전생아, 너는 형수와 여문이 데리고 먼저 샛강으로 나가거라. 내
장쇠하구 곧 뒤따라가마."

전생이가 얼른 부엌 쪽으로 가서 묘옥의 팔을 끌고는 좌우로 눈을
돌리며 안채 마당을 지났다.

"성님, 얼른 따라오슈."

이경순은 처다보지도 않고 장쇠를 재촉하였다.

"장쇠야, 그놈을 저쪽 툇마루에다 앉혀라. 너두 앉아……"

장쇠가 숨을 돌리고는 일어나서 포졸의 등을 밀었다. 박포교와 포
졸이 봉놋방의 툇마루에 앉았고, 그 다음에는 각각 떨어져 있는 고
달근과 포졸 그리고 또다른 포졸 하나를 그 옆에 앉혀야 되었다. 이
경순은 대번에 그가 노린 자가 오의 장임을 알아보았고, 포교를 겨
누고 있는 한 다른 자들이 감히 덤벼들지 못할 것을 눈치챘다.

"장쇠는 비켜나라. 네놈이 동무들께 말해라. 나란히 앉도록 해. 딴
짓 하지 마라. 마당을 건너오는 동안에 세 방은 쏠 수 있으니까."

그러나 뒷담을 넘어서 들어온 포졸은 모두 세 사람이었다. 그들은 먼저 풀뭇간에 들어가서 숙수 둘을 묶어놓고 삽짝으로 박포교와 포졸이 들어선 다음에 앞마당으로 뛰어들었던 터이다. 그러나 사랑채의 옆에 바짝 붙어섰던 포졸 하나는 이경순이 화승총을 겨누고 있음을 알고는 꼼짝 않고 붙어서서 틈이 보이기를 기다리고 있었다.

이경순은 그들을 모두 모아다 뒷마루에 앉혀둔 다음에 장쇠를 시켜서 차례로 결박하고 나서 빠져나갈 셈이었다. 포졸들과 고달근이 마당을 건너오고 있을 때 사랑채 옆에 숨었던 포졸이 환도를 휘두르며 이경순의 오른쪽으로 달려들었다. 경순은 얼결에 화승에 불을 댕겨 바로 지척에서 환도를 치켜든 포졸의 가슴팍을 꿰뚫었다. 포졸이 마루 위에 칼을 꽂으며 쓰러졌고 마당에 섰던 포교와 두 포졸은 그대로 사랑채로 달려갔다. 경순은 미처 장약을 잴 틈도 없이 총대를 휘둘러댔다. 그 앞을 가로막아 서려던 장쇠는 포졸의 쇠몽치에 머리를 얻어맞고 그 자리에서 절명하였다. 박완식은 예도를 빼어들고 마루로 뛰어오르고 다른 포졸은 쇠몽치를 휘두르며 이경순의 정면으로 달려들어갔고 고달근과 함께 섰던 포졸들도 그 뒤를 따랐다. 이경순은 빈 화승총을 휘두르며 마당으로 뛰어내렸다. 박완식이 포졸들에게 외쳤다.

"생포해라."

박포교는 예도를 이경순에게로 곧장 가리키며 말하였다.

"우리는 한양 포청에서 나온 포도군이다. 항복하여 우리를 도우면 죄를 모면하고 상까지 받게 된다. 그 자리에 꿇어 포승을 받으라."

그러나 이경순은 마음이 급하여 총대로 앞에 섰던 포졸을 후려치며 달려들었고 쇠몽치를 든 포졸은 옆으로 슬쩍 비껴났다. 이경순이 그대로 그의 몸을 돌려서 사립문을 향하여 몇발짝 뛰었을 때 포졸은 뒤에서 쫓아가며 쇠몽치로 이경순의 어깨를 내리쳤다. 이경순이 기우뚱하더니 그 자리에 무너져내렸다. 아마도 어깨뼈가 부러졌을 터였다. 박완식과 다른 포졸들이 하늘을 향하여 누워 있는 이경순의 몸 위에 병장기를 들이댔다.

"몸을 묶어라."

이경순은 얼굴을 찌푸리고 그들을 올려다보았다. 경순은 흘긋 저만큼 죽어넘어진 장쇠의 시체를 보았다. 그리고 이맘때쯤에는 묘옥과 여문이가 무사히 샛강에 배를 띄웠을 것이라고 생각했다. 경순은 다른 여러가지 생각을 떠올릴 겨를이 없었다. 박포교가 부하들에게 지시하는 중이었다.

"얼른 밖으로 달아난 자들을 쫓아라. 이 집에서 한 놈이라도 놓치면 안 된다."

포졸들이 칼을 경순에게서 거두어 돌아설 때 경순은 어디서 그런 힘이 솟았는지 성한 쪽 손으로 포졸 한 놈의 멱살을 잡아 끌어당기면서 일어나 그 면상을 들이받았다. 다른 포졸이 제결에 놀라 가지고 있던 환도를 이경순의 옆구리에 찔러넣었다. 경순이 쥐었던 손을 스르르 풀고는 그대로 넘어졌다. 박완식이 발을 굴렀다.

"이런 못난 것들…… 다 잡아놓고 죽이다니."

경순은 희미해진 시선으로 그들을 올려다보았다. 포졸이 그를 살펴보며 말하였다.

"아직 살았습니다."

"글렀다, 어서 달아난 자들을 쫓아라."

그들은 시체를 마당에 버려두고 밖으로 우르르 몰려나갔다.

묘옥과 전생이는 처음에는 문산포의 네거리에서 어디로 달아나야 할까 두리번거렸다. 그러다가 고달근의 말을 떠올렸고 묘옥이 천동이 일행이 달아난 돼지포나루 쪽으로 뛰려고 할 때 전생이가 그녀의 팔을 잡아 이끌었다.

"그쪽이 아닙니다. 배를 탑시다."

전생이와 묘옥은 집 앞의 네거리를 가로질러서 그대로 곧장 강둑 아래로 갔다.

"배를…… 배를 찾아야 합니다."

"저기 주낙배가 있어요."

때마침 물때를 따라서 중선이나 큰 배들은 모두 포구를 나간 뒤였고, 각 여각에서 반찬거리라도 낚느라고 매어둔 주낙배 세 척이 줄에 매어져 풀밭 위에 끌어올려진 것이 보였다. 그들은 아래로 내려갔다. 전생이가 배 한 척을 물 위로 끌어내리고 묘옥에게 일렀다.

"어서 타십시오."

묘옥이 여문이를 업고 배에 올랐고, 전생이는 큰 돌을 집어서 다른 배의 바닥을 부쉈다. 곧 판자가 뚫어졌다. 그때 여각 쪽에서 총포 소리가 들렸다.

"여문이 아부지……"

묘옥이 배에서 내리려 하며 울부짖었다. 전생이는 묘옥의 가슴을 몸으로 막고는 배를 물 가운데로 밀어냈다. 배가 앞으로 미끄러져 나갔고 전생이가 고물의 뱃전에 허리를 걸친 채로 딸려나갔다. 그는 간신히 배 위에 올라앉아 노를 끼우고 바삐 젓기 시작했다. 그들이 샛강의 강심을 타고 큰 강 어귀로 나갈 때 묘옥은 길로 쏟아져나오는 포졸들을 바라보았다. 묘옥의 눈에서는 눈물이 흘러내리고 있었다.

"여보……"

전생이는 뒤를 돌아보지 않고 노를 저었다. 그는 쏘는 듯한 눈으로 묘옥을 바라보며 말하였다.

"뱃전을 꼭 잡고 계십시오. 여문이가 있잖습니까."

묘옥은 여문이를 가슴에 꼭 끌어안고 있었다. 여문이는 놀랐는지 어미에게 안겨서 꼼짝도 않고 있었지만 강물과 주위를 이리저리 둘러보았다.

포졸들은 배를 찾았으나 모두 바닥의 판자가 뚫어져 있는 것을 보았다. 도적의 식구가 탄 배는 점점 멀어져가고 있었다. 포졸이 말하였다.

"여기서 말을 달려 정자포나루까지 가서 배를 내어 뒤를 쫓을까요?"

박완식은 이미 그런 일이 부질없는 짓임을 알고는 있었으나 하는 수 없이 말하였다.

"좋다, 나루까지 어서 달려가라."

그러나 나루터는 문산포에서 샛강의 가녘과는 동북방으로 갈라져서 그가 닿기 전에 주낙배는 벌써 샛강을 벗어나 임진강 본류로 들어설 것이었고, 그 인근에는 무인지경에 배를 댈 곳이 한두 군데가 아니었다. 그들은 할 수 없이 이경순네 여각으로 돌아가 경순과 장쇠의 시신을 수습해두고 집뒤짐을 시작하였다.

천동이와 조무인은 여섯 명의 부하들과 함께 나는 듯이 말을 몰아서 돼지포나루를 향하였다. 준마들은 대번에 장산 언덕을 뛰어넘고 있는 참이었다. 솔숲 사이에 숨어 있던 파주 군병은 최형기의 지시대로 그들이 거의 언덕 위에 올라섰을 때를 겨냥하고 있었다. 최형기는 살수들을 거느리고 언덕의 오른편에 비죽이 솟은 바위 뒤에서 기다렸다. 말발굽 소리가 가까워졌다. 최형기가 내다보다가 갓을 쓴 천동이가 가늠해두었던 소나무 아래로 지나자 손을 들었다. 화살 두 대를 손에 거머쥐고 한 대는 시위에 먹인 살수들이 일렬로 늘어섰다. 최형기가 손을 내렸고 유엽전이 날아가서 천동이의 말과 몸에 박혔다. 다시 두 번째의 화살이 날아가 조무인의 말과 사람 몸에 박혔다. 천동이의 말은 울부짖으며 앞굽을 번쩍 들더니 모로 넘겨졌고 천동이는 허벅지에 살을 맞은 채로 말 위에서 내동댕이쳐졌다. 조무인은 말타기에 익숙지 않은 터였는데 어깨와 옆구리에 화살을 맞고 목덜미와 허리에 세 대의 화살을 맞은 말이 그대로 고꾸라지자 안장에 앉은 채로 한쪽 다리가 말에 깔리며 넘겨졌다. 아직 공격받지 않은 부하들이 언덕 정상을 넘어 비탈로 내려설 때 살수들은 뒤로 돌아서 마지막 화살을 일시에 쏘아보냈다. 두 사람이 말에서 떨어졌고 나머지 넷은 정신없이 언덕 아래로 달려갔다. 그러나 평지에 당도하기도 전에 말뚝 사이에 쳐놓은 난항줄에 말발굽이 걸려 말과 사람이 모두 엉겨버리고 말았다.

싸우고 자시고 할 것도 없었다. 숲에서 장창 들고 매복하여 있던 군사들이 할 일이란 우하니 몰려나와 부상을 입은 천동이와 무인을 일으켜 포박하는 일이었고, 짐 지고 왔던 말 두 마리를 끌어 잡아다 매어놓는 일뿐이었다. 언덕 아래에서도 역시 마찬가지라 난항줄에 얽혀서 허우적거리던 천동이의 부하들을 뒷덜미도 잡아채고 칼로 위협도 하여 끌어내는 것이 고작 할 일이었다. 그들은 이리저리 날뛰는 말들을 차례로 수습하였으나 말 두 마리는 부상하여 못쓰게 되었으니 파주 진영 군사들의 술 안줏감이 생긴 셈이었다.

최형기는 병방 비장이 여섯 명의 도적들을 포박하여 끌고 올라오는 모습을 보고 안심하였다. 한 놈도 남김없이 여덟 명의 도적들을 포득했던 것이다. 최형기가 바라보니 허벅지를 맞은 자는 별로 상처가 심하지 않았으나, 옆구리를 맞은 자는 쉴새없이 어여, 하는 신음소리를 내고 있었으며 등뒤를 정통으로 꿰인 자는 방금 절명하였고 다른 하나는 어깨에 화살이 박힌 채로 끌려왔다. 다른 넷은 까진 데하나 없이 말짱하였다. 최형기는 일렬로 꿇어앉혀진 도적들을 휘둘러보고는 아무 말도 시키지 않았다. 최형기가 병방에게 말하였다.

"모두들 이가의 여각을 들러서 관아로 돌아간다. 우선 도적들의 물건을 빠짐없이 챙겨서 말에 실어 관아로 보내두어라."

"부상자는 어찌할까요?"

병방이 조무인과 다른 부하 하나를 가리키며 물었다. 최형기는 조무인의 옆구리를 살펴보고 상투를 잡아 머리를 뒤로 젖혀서 희미해진 눈빛을 들여다보았다. 화살이 박힌 옆구리에서는 피와 내장이 비죽이 빠져나온 게 보였다. 최형기가 상투를 놓아주자 조무인은 신음소리도 없이 널브러졌다.

"이 자는 곧 죽겠군. 걸을 수 없는 자는 머리와 다리를 들고 운반해라. 시체도 그와 같이 하고."

최형기가 다시 천동이를 돌아보았다. 그는 병방에게 천동이를 손가락으로 지시하여 말하였다.

"이 사람은 말에 태워서 관아로 데려가라. 하옥하지 말고 우선 의원을 불러다 화살을 뽑고 잘 치료해주어라. 내가 가서 직접 문초할 것이니 누구를 막론하고 접근시켜서는 안 된다."

최형기가 군졸 다섯을 취하여 이가의 여각으로 내려갔고, 병방은 도적들과 말과 시신을 추려서 대산 봉수대 쪽으로 질러서 관아로 향하였다.

최형기가 이가의 여각에 이르니 박포교는 시무룩한 얼굴로 섰다가 군례를 올리며 전적을 보고하였다.

"아뢰오, 이가는 저항이 심하여 혼전 중에 죽고 종노미 하나가 죽었습니다. 집뒤짐을 해보니 화승총이 세 자루가 나왔으며, 풀뭇간에서 사주전 백여 냥과 주전판을 찾아냈습니다. 숙수 두 명은 잡아 포박하였으며 이가의 처자식과 하인 되는 놈은 도주하였습니다."

최형기가 눈썹을 꿈틀하더니 크게 꾸짖었다.

"이런 못난 놈, 내가 그렇게 일렀거늘 도대체 우리가 얻은 것이 무어란 말인가. 도적들의 장물 와주 노릇과 총포를 만들어 대었다면 필시 북쪽의 곳곳에 있는 적당들의 굴혈을 소상히 아는 자가 틀림없을 것이다. 박포교 네놈이 죽더라도 이가는 살려서 잡아야만 했다. 그리고…… 아직 장길산의 은신처도 모르는데 이가의 처와 하인을 놓쳤다면 그들은 필시 조심하여 꽁꽁 숨어버릴 것이 분명하다. 군율은 잘 알렷다?"

"죽여주십시오……"

구석에서 질린 채로 고개를 숙이고 섰던 고달근이 허리를 굽히며 말하였다.

"이가가 워낙 포악하여 총을 놓으며 저항하였으므로 그 틈에 처자가 달아난 게올시다. 하오나, 제가 잘 아는 바로는 계집은 장적이 어디에 숨어 있는지도 모르고 또한 그의 혈당들과도 깊은 연계는 없었사옵니다."

최형기는 못 들은 척하고 달근에게는 눈길도 주지 않고 그의 시체 옆에 가서 얼굴을 내려다보았다.

"이 자에 대하여 인근 여각에서 샅샅이 알아오라. 그리고 파주 군사 두 사람은 남아 이 집을 지킨다. 아무도 안으로 들이거나 물건이 없어져서도 안 될 것이다."

파주 관아에 들어선 최형기는 다른 자들은 버려두고 천동이를 뒤뜰로 끌어내어 박완식과 단둘이서만 심문하였다. 천동이는 화살을 뽑아 고약을 발라주고 포승으로 묶거나 의관을 벗기지도 않고 형틀에 매달지도 않았다. 최형기가 말하였다.

"보아하니 자네가 소두령인 모양인데 내가 알고 싶은 얘기를 해준다면 목숨도 살려주려니와 오히려 부귀를 누리게 될 것이다. 대답하겠는가?"

천동이는 고개를 떨구고 아무런 대답이 없었다. 박완식이 물었다.

"어디 사는 누구인가?"

천동이는 역시 고개를 들지 않고 땅바닥만 내려다보았다.

"네 졸개들에게 한나절만 캐어보면 다 나오게 될 것이고 네게는 나중에 확인을 받으면 되겠지. 지금은 그냥 하룻밤을 넘기기가 무엇하여 건성 묻는 것이지만, 내일 포청에 닿는 대로 나는 손을 뗄 게야. 포청에 가면 사람을 길들이기에 이골이 난 형리들이 여럿 있다. 자네가 내게 실토할 뜻만 비친다면 나는 자네를 포청으로 데리고 들어가지 않고서 저 고서방처럼 토포군의 기찰로 일을 시킬 작정이다."

최형기가 부드럽지만 위엄 있게 말하자 박완식이 곁에서 으르렁거렸다.

"어디 사는 누구냐고 물었을 텐데. 너희들 해서에서 왔지?"

천동이가 고개를 들었다.

"봉산 가서 천동이를 물으면 다 압니다. 자그마한 풀뭇간으로 먹고 살지요."

"너희 혈당들이 은거한 곳이 어디인가?"

박완식의 물음에도 천동이는 별로 놀라지 않고서 되물었다.

"혈당이라뇨?"

"네가 해서 도적의 혈당이란 것을 잘 알구 있어."

천동이가 갑자기 땅을 치면서 울부짖었다.

"제가 은자 약간을 잠채하여 그것 때문에 잡혀온 줄로 알았더니, 도적이란 말씀은 천만뜻밖이올시다. 봉산 관아에 파발을 띄워서 알아보십시오. 저는 어엿이 수철점을 내고 있는 광주올시다. 이번에 새로이 은줄을 잡았기로 관에 신고하여 세를 물어야 하는데도, 이를 보고 욕심이 생겨서 잠상하려던 것입니다. 저 아이들은 모두 우리 광산의 광부들이구요."

최형기는 천동이의 둘러대는 말을 듣고는 껄껄 웃었다.

"그렇겠지, 광주가 무슨 죄가 있겠는가. 이가에게서 은자를 주고 샀던 총포는 아마 꿩사냥에라도 쓰려던 모양이군."

하고 나서 최형기가 박완식에게 일렀다.

"비국의 명이다. 어서 봉산에 파발을 띄워 이 자의 가산을 적몰케 하고 관군을 보내어 모조리 토포하도록 일러라."

박완식이 돌아서서 뒤뜰로 나서려고 하자 천동이가 갑자기 그의 바짓가랑이를 거머쥐는 것이었다.

"어이구, 잠깐만 기다려주오."

최형기가 눈짓을 하여 박완식은 멈추어 서서 천동이에게 물었다.

"적굴이 어디 있느냐?"

"예, 소인이 그저 잠채로 밥 먹고 산다던 얘기는 거짓이 아니올시다. 다만 산간에서 그러한 재물을 다루다 보면 자연히 무뢰배나 녹림패가 넘보는 터이라, 어느 쪽이든 세에 기대지 않고서는 이러한 업을 해먹을 수가 없습니다. 저희 수철점은 곡산 은금동령에 있는데 버젓이 세금 내고 관가의 허가를 받고 있는 굴이올시다. 다만, 수안 언진산의 은점은 허가를 내지 않은 잠채굴입지요. 저희 두 군데 광산에 광부들이 한 오십 됩니다만 그들의 전력이 어떠하였는지는 묻지 않지요. 개중에는 나라에 중죄를 저지른 자들도 있을 테고 살인 도주한 자가 있을지도 모릅니다. 하지만 그런 일을 시시콜콜히 따졌다가는 아무도 그런 외지고 험한 산중에서 땅 파먹는 짓은 하려 들지 않습니다. 고향이 어딘지 성자가 무엇인지도 모르지요. 호적의 누락자가 대부분이지요. 그런 사정은 곡산이나 봉산의 수령들이 더 잘 압니다. 저희가 화승총을 구하려던 것은 스스로 자위하기 위해서입니다. 가끔 은자를 노린 화적들이 노상에 나타날 적도 있고 또 언제 광산을 들이치게 될지 모릅니다. 은금동령의 수철점에는 저희 가형이 나가 있고, 언진산 은점에는 아까 중상을 입었던 조서방이 나가 있었는데 저는 봉산서 작은 객점과 풀뭇간을 열고 있었습니다. 저희 식솔들 가운데 도적이 있다 하면 저도 그러려니 여기려니와, 제가 도적의 혈당이라 함은 당치 않소이다."

천동이가 그대로 줄줄 풀어서 이야기하는데 최형기는 초조해하거나 동요하는 낯빛을 드러내지 않았다. 최형기는 턱수염을 만지면서 일부러 딴전을 피우고 있다가 그의 얘기가 끝나자마자 물었다.

"해서에 있는 장길산은 언제 만났나?"

"장길산이라뇨? 그자가 구월산에서 잡혀죽었다는 소문만 들었습니다."

참다못한 박포도부장이 천동이의 부상당한 허벅지에 목화 신은 발을 얹고서 힘껏 내리눌렀고, 천동이가 드높게 비명을 내질렀다. 최형기가 손을 내저어 그만두라는 시늉을 보였다. 박완식은 발을 떼었다.

"자꾸 거짓말을 하면 더이상 묻지는 않겠다. 그러나 포청에 들어가면 너는 꿈에서 본 것까지 실토하게 될 게야. 고달근이란 자를 아는가?"

"모릅니다. 이경순의 여각에서 처음 보았소."

최형기는 고달근이 아직은 장적의 굴혈에 닿는 관계가 아님을 알고 있었다. 최형기는 파주 관아에서 천동이에게 이런 식으로 묻다가는 한 달이 가도 아무 소리도 얻어듣지 못할 것 같았다. 저녁때가 되어서야 이가의 식솔을 추적하려던 군사가 돌아와 이경순의 처자와 하인이 타고 달아난 주낙배만 발견되었다고 아뢰었다. 주낙배는 숯포의 벼랑 아래 바위틈에 엎어져 있더라는 것이었다. 경군은 일단 생포된 도적들만 추려서 바삐 한양으로 돌아왔고, 그날부터 국문이 밤새껏 있었는데 새벽이 되기도 전에 수안 광부들과 천동이의 대질로써 그들이 장길산과 연계되었음이 드러났다. 천동이는 압슬형을 받아 두 다리가 못쓰게 되어버렸으니 정강이는 사금파리로 모두 찢겼고 무릎뼈가 부서졌다. 그는 장길산이 전에는 자비령의 심원골에 마을을 이루어 살다가 몇년 전에 해서 지경에서 모두 옮겨갔는데 그곳이 강원도인지 함경도인지 아니면 평안도인지 잘 모른다는 얘기였다.

그런 말은 부하들과도 앞뒤가 맞아서 거짓말은 아닌 것 같았다. 다만 그는 장적과 연루된 자로서 그가 기억할 만한 자들의 이름과 그가 사는 고장을 댔다. 물론 죽은 이경순을 비롯하여 소굴이 평안도 어딘가의 해변가에 있다는 수적 우대용과 낭림산맥 일대의 녹림당, 함경도 산간 일대의 녹림당, 그에 덧붙여서 송도 거부 박대근이며 경강의 모신이 이름까지 나왔다. 그러나 천동이의 자백은 언진산과 곡산 수철점의 얘기 외에는 별로 뚜렷하게 아는 바가 없어 쓸데가 없었다. 최형기는 박대근이나 우대용이나 모신에 관하여는 상부에 보고하지 않았다. 만약에 위에서 마음이 급하여 우선 그자들부터 잡아들이라고 한다면 명을 거역할 수가 없고 그들을 건드리게 된다면 장길산은 더욱 깊숙하고 먼 곳에 틀어박혀 나오지 않을 것이었다.

길산을 얻은 뒤에 동조자들을 잡는 것이 바른 순서일 듯하였다. 최형기는 그의 기찰첩에 모신 박대근 우대용의 이름을 적어두었다. 최형기는 다시 포도대장에게 아뢰어 당상비국에서 허락을 하신다면 그믐께에 함경도로 나아가 장적과 직결된 자들을 잡아내어 굴혈을 소탕하겠노라 진언하였다. 비국에서 답이 내려오기를 경군은 역시 움직일 수 없으며, 최형기에게 내린 각 지방 군영에서의 발병권과 지휘권이며 생살여탈을 마음대로 하고, 지방 수령은 무조건 그에 협조하라던 비관은 이번에도 유효하다고 알려왔다.

최형기로서도 그것은 다행한 일이었다. 그는 이번에도 살주계 때부터 그의 가장 믿을 만한 오른팔이었고 구월산 토포 때에는 칼날 같은 기찰꾼이었던 박완식 포도부장을 대동할 작정이었고, 포청 포교들 가운데 둘은 무예에 능한 자로 그리고 다른 둘은 방포술에 능한 자를 뽑을 셈이었다. 고달근이 이제는 장적을 잡을 수 있는 유일한 미끼였다.

3

최형기가 당상비국(堂上備局)의 비관(祕關)을 가지고 고달근을 안내인으로 삼아서, 박완식 부장교 등의 경군(京軍) 일개 오(伍)를 거느리고 한양을 출발한 것은, 숙종 십팔 년인 임신(壬申) 십일월 말쯤이었다. 최형기는 이미 고달근에게 논공행상의 보증서와 파주 이경순 여각의 재산 반분에 관한 문건을 써주었고, 도적들이 토포될 때마다 그 재산의 반분을 해주겠다고 약속한 뒤였다.

최형기는 장길산을 잡기 전에는 어떠한 다른 혈당들도 건드리지 않을 작정이었다. 그를 잡기만 한다면 다른 자들은 저절로 흩어져버리거나 자멸하게 될 것이다.

고달근은 원산포 객점의 이시흥과 연이어서 고원 객점주를 잡게 되면 장길산의 은신처는 저절로 알게 될 것이라고 큰소리를 쳤다. 최형기 일행은 한때 고달근의 거점이 되었던 포천길을 피하여 대탄나루를 건너서 연천으로 하여 철원까지 나아갔다.

철원에 이르자 고달근은 가족은 물론이요 그의 차인 행수인 박거사에게도 발설하지 않고 최형기와 박포교의 경군을 경강 장사꾼이라고만 해두었다. 달근은 보통때와 같이 말을 내어 추가령으로 하여 원산포에 물건을 하러 간다고 식솔들에게 말하였다.

철원서 평강 거쳐서 분수령 마루턱에 닿기까지가 백십 리 길이요, 거기서부터 추가령 구조곡의 꼬불꼬불한 계곡을 비집고 나가는 길이 백여 리요, 그곳을 나서야만 겨우 골짜기 초입의 용지원(龍池院)에 당도하게 된다. 용지원에서 안변(安邊)까지가 다시 오십 리 길이었다.

그들이 분수령을 넘은 것이 십이월 초사흘이었다. 평강을 지날 때부터 하늘이 잔뜩 찌푸려 있더니 분수령을 넘어 삼방점(三防店)에 이르자 함박눈이 펑펑 쏟아져 내려왔다. 최형기는 두툼하게 털을 댄 남바위를 쓰고 솜누비 두루마기를 입었고, 고달근은 아예 남바위 쓰고 털배자를 걸쳤으며 경군들은 패랭이에 누비 긴 저고리를 입었다. 말은 훈련원의 준마와 달근네서 내어온 호마였으나 눈에 말의 정강이까지 깊숙이 빠지는 판이라 더이상 앞으로 나갈 수가 없었다.

그들은 날이 개기를 기다리며 삼방점의 작은 마을에서 이틀을 허비하였다. 폭풍이 멎자 그들은 부옇게 동트기 시작할 때 떠나서 중방 하방을 지나 풍류산 어름에 가니 벌써 겨울 골짜기의 짧은 해는 산 너머로 기울어져버렸다. 인근의 화전민 귀틀집에서 하룻밤을 지새우고 다시 새벽에 떠나 용지원에 이르니 또한 캄캄한 밤이었다.

그들이 추가령 구조곡을 빠져나오는데 무려 나흘이 걸린 셈이었다. 최형기 일행은 용지원서부터 평탄한 길을 힘껏 달려서 덕원(德源) 고을에 하루 만에 당도하였다. 최형기는 파주에서처럼 우선 다른 사람들은 주막에 남겨두고 박포교만을 데리고 관아로 찾아갔다. 덕원은 도호부(都護府)라 부사가 있었는데 그는 퇴청하여 잠을 자다가 병방의 안내를 받은 최형기를 맞았다. 최형기가 마루 아래서 군례를 드리고 비관을 올리니 부사는 그제야 최형기가 방으로 들어가는 것을 허락하였다.

"도대체 무슨 일이오?"

부사는 비관에 적힌 것으로 미루어 앞에 있는 사내가 토포장이라 여겼고, 당상비국에서는 그에게 모든 거병의 지휘 책임을 맡기라고 되어 있어 선전관이나 첨사쯤에 버금가는 무인으로 여기는 눈치였다. 최형기는 공손히 말하였다.

"소인은 전 포도청 종사관이었고 전 해서 등산곶 만호였으며, 지금은 비국의 명에 따라 응모한 토포장 최형기라고 합니다. 달포 전부터 묵적 장길산의 토포가 시작되어 이미 근기지방에서 그의 수하 혈당들을 잡아냈습니다. 지금 덕원부의 원산포에 또한 장적의 혈당들이 열어둔 객점이 있어 안전께 아뢰고 그들을 포득하려 함입니다."

"그러신가…… 내가 부임한 지 두 해나 되었으나 도적이 있단 말은 못 듣고, 다만 원산포에 어염의 이를 다투는 객상과 점주들이 들끓는다고만 알았더니, 토포장은 어디서 그러한 기찰을 얻었소?"

부사가 자못 떨떠름하여 미간을 찌푸리며 아까보다는 위압적으로 최형기에게 물었다. 최형기는 그의 두 눈을 똑바로 들여다보며 천천히 말하였다.

"사또께서는 비국의 비관을 보셨겠지요. 토포에 관한 것은 모두 저의 책임이고 군병을 발병하고 지휘하는 일까지 모두 제게 일임하시면 됩니다. 기찰이 어떠한지 그가 어찌어찌 장적과 연루되었는지 앞으로 어떻게 할지는 사또께서 아실 필요가 없소이다. 장적 포득에 대한 일은 모두 비변의 기밀이올시다. 관찰사께도 장길산이 잡힌 연후에 장계를 올리라는 하명이오."

부사는 최형기에게 비관을 돌려주었다.

"내가 어찌하면 좋겠소?"

"변복 장교 다섯을 내어 원산포의 객점주와 그 가족 및 곁꾼들을 체포하도록 해주십시오."

"내일 등청하자마자 잡아들이면 어떻겠소?"

부사의 어정쩡한 답변에 최형기는 더이상 대꾸하지 않고 윗목에 꿇어앉은 병방을 향하여 말하였다.

"병방은 듣거라. 지금 당장 내가 이른 대로 군관을 거느리고 나아가 날이 새기 전에 잡아들이도록 하라."

병방은 안절부절못하면서 부사를 바라보았고 덕원부사도 하는 수 없이 말하였다.

"어서 시행하라."

"안전께서는 소장의 방자함을 꾸짖지 마소서. 군령이 지엄한즉 만에 하나라도 포적에 실수가 있을까 걱정이올시다. 이만 물러가겠습니다."

최형기는 병방으로 하여금 곧 장교들을 모아 그들의 뒤를 따르도록 하였다.

　최형기는 고달근의 말을 들어서 이시홍의 원산포 객점에는 북관이나 송도로부터 온 상고와 차인배들이 들끓는다는 것을 알고 있었다. 조심스럽게 해치우지 못하면 오히려 개미굴을 쑤시는 결과가 될 것이다. 우선 모두 잡아들여 장적의 토포가 벌어지는 날까지 가두어둘 필요가 있었다. 그러자면 절대로 소문을 내서는 안 될 것이었다. 최형기는 이시홍을 체포하는 죄목을 사주전의 거래에 관한 건으로 해두고 싶었다. 그러고는 심문이고 무엇이고 기다리지 않고서 고원의 객점을 점거하여 길산의 굴혈을 향하여 곧바로 쑤시고 들어갈 작정이었다. 최형기는 또한 이시홍이 무진년 미륵도의 난리 때에 삭녕 장포에서 도망친 검계원이었음을 고달근에게 들어서 알고 있었다. 그는 김시동과 더불어 어영청 아병이었으며 당시의 그의 소임은 장포인들을 인솔하여 양주 관아를 급습하는 일이었다. 횡성서 잡힌 오경립 이정명 등이 이미 그들이 도망한 뒤에 조무인 이시홍 등과 오락가락하며 다시 연계하였음을 실토한 터였다. 살주계와 검계와 그리고 무진년의 미륵도와 장길산의 혈당들이 수년 동안에 자연스럽게 어울리고 있음을 최형기는 수년 전부터 알아채고 있었다. 그러나 그가 한낱 포도 종사관으로서 조정의 파쟁과 인맥에 휩쓸리지 않기 위하여는 공연히 숨어 있는 종기를 건드려서 짜낼 필요가 없을 뿐이었다. 최형기는 전과 같이 국본을 받치고 나라의 안위를 튼튼히 하겠다는 어리숙한 소명감에 불타는 풋내기 무장이 아니었다. 그는 갑자년에 미묘한 조정 대신들간의 힘의 균형에 의하여 희생되었던 경험이 있었다. 그는 다만 장길산을 잡아내고 싶었다. 팔도에 떠들썩한 그의 이름이 최형기의 토포에 의하여 사라져버리게 될 것이다.

그는 자신의 검에다 대고 장길산을 언젠가는 꼭 잡아내겠다며 몇번이나 맹세하였던 것이다. 최형기는 무엇보다도 길산의 아우이며 구월산 두령이던 마감동과 한판을 겨루었던 터이다. 아무리 그 스스로 신명을 바쳐서 지키고 있는 조정에 대한 충심이 있다 할지라도 마감동과 같은 자의 죽음은 어쩐지 그의 마음을 썰렁하게 하는 데가 있었다. 그는 웬일인지 마감동을 베던 자신의 마지막 칼날이 잊혀지지 않았고 부끄럽기까지 했다. 최형기로서는 그때가 자신의 환로를 열어 출세를 하게 될 유일한 기회였고 이제는 다 사라졌음을 알았다. 이제 와서 병수사에 오르는 길은 그의 신분으로는 한계가 있는 일이었으며, 그는 어린애가 아니었다. 더구나 그에게는 평생 씻지 못할 광남의 문하였다는 오점이 남아 있지 않은가. 그러나 최형기에게는 거의 반평생을 포도관으로 살아온 만큼의 집념이 있었다. 그 집념이란 마치 큰 산맥의 산주로 군림하여 무적의 왕이 되어 있는 호랑이를 잡으려는 사냥꾼의 심정과도 같은 것이었다. 범의 고기는 맛도 없고 대금이 되지도 않아서 사냥꾼에게 직접 돌아오는 무슨 큰 이득이 있는 바도 아니지만, 그는 언제나 짐승의 미간에 탄환 구멍을 내어 그것을 쓰러뜨리고 드디어는 무력해진 짐승에게서 가죽을 벗겨내는 것이 원일 뿐이다. 최형기의 바라는 바로는 장길산은 그에게 잡혀서 짧은 칼을 목에 걸치고 형기의 말 궁둥이께에 매달려 압송되는 일뿐이다. 그런 연후에야 최형기는 마감동에게 날렸던 스스로의 비겁한 칼날을 잊을 수가 있을 것 같았다.

병방이 장교 한 명을 포함한 덕원부의 군사 다섯을 거느리고 왔으며, 최형기는 고달근을 앞세우고 박완식 및 경군 다섯을 데리고 함께 원산포로 나아갔다. 그들은 하루종일 용지원에서부터 말 타고 달려왔고 이제는 늦은 밤이라 자시가 가까워 온몸이 물에 젖은 솜처럼 피곤하였다. 그러나 도적들이 기미를 알아채기 전에 포도의 기선을 잡아야 했으므로 이제 밤을 넘길 수가 없는 노릇이었다. 최형기의 계획으로는 그들을 우선 잡아다 놓고 새벽녘에 잠시 눈을 붙이고 나서 곧장 고원으로 달려가 고원 객점을 도모할 생각이었다. 하루도 빈틈을 줄 여유가 없었다.

포구는 어둠에 덮여 있었고 밤 밀물 소리가 규칙적으로 들려왔다. 바다 위에 고깃배의 불빛들이 점점이 찍혀 있었으며 명태를 말리는 비린내가 풍겨왔다.

"모두 자구 있을 겁니다. 제가 이가의 방으로 안내할 터이니 우선 그놈부터 잡아야 합니다."

고달근이 적전내를 건너면서 최형기에게 말하였다.

그들은 객점거리의 초입에 있는 이시홍네 건어물 여각 앞에 당도하였다. 주위는 쥐 죽은 듯이 고요했고 불을 켠 집도 보이지 않았다. 바닷바람이 스산하게 불어와 길 가운데를 휩쓸며 지나가고 있었다.

"각 방 앞에마다 두 명씩 가서 지켜라. 박포교는 이 집의 차인배들을 잡아내고 병방은 묵고 있는 자들을 잡아낸다. 이가는 고서방과 내가 맡을 것이다."

최형기가 속삭였다. 그들은 점포의 곁에 달린 삽짝문을 열고 발소리를 죽여서 여각 마당 안으로 몰려들어갔다.

"저기가 봉놋방이고, 저쪽이 차인들이 기거하는 방입니다. 관장께서는 저를 따라오시지요."

그들은 제각기 맡은 장소를 찾아 흩어졌으며 최형기는 고달근을 따라서 안채의 점주의 방 앞에 가서 섰다. 최형기가 미닫이를 열었다. 안에서는 높다랗게 코 고는 소리가 들렸다. 최형기는 눈짐작으로 주인이 아랫목에서 혼자 자고 있는 것을 알고는 나직하게 말하였다.

"주인장, 일어나슈."

최형기는 자고 있는 자에게로 다가들어 발로 머리를 툭툭 건드리며 다시 말하였다.

"일어나오, 좀 봅시다."

"어어……"

선잠을 깬 이시흥이 눈을 뜨다가 어둠속에 우뚝 섰는 두 사람의 자취를 보자 벌떡 일어나 앉으며 부르짖었다.

"누, 누구요……"

시흥의 목에 와서 닿는 것이 싸늘하고 뾰족한데 들리는 음성은 더욱 차가웠다.

"모가지를 도려내기 전에 잠자코 앉아 있거라."

이시흥은 그래도 용력이 있는 사내였고 젊은 혈기로는 시동이나 산지니에 못지않던 사람이었다. 그는 얼결에 시방 여각 안에 명화적이 들었다고 생각하였던 것이다. 그는 처음에는 놀랐지만 다시 침착해져서 말하였다.

"칼은 거두고…… 돈이나 포를 내라면 다 내주겠네. 어느 곳 식구들인가?"

최형기는 대꾸 않고 달근에게 일렀다.

"불을 켜라."

달근이 쌈지를 내어 부시를 시척하더니 등잔의 불을 켰다. 방 안이 어슴푸레하게 밝아지자 이시흥은 불을 켜던 사내가 철원의 고달근임을 알아보았다.

"아니…… 고대인이……"

달근은 멀뚱한 시선으로 시흥을 건너다보았다. 최형기가 칼을 시흥의 뒷덜미에 갖다댄 채로 허리춤에서 오라를 내어 달근에게 던졌다.

"단단히 포승을 지우고 입에다 재갈을 물려라."

달근은 포승을 집어다 시흥의 팔을 뒤로 꺾어서 묶기 시작하였고, 시흥은 그제야 뒤에서 칼을 겨누었던 자를 올려다보았다. 시흥이 최형기에게 물었다.

"한양서 왔군. 관군인가?"

"그래, 너희 장길산 혈당들은 모조리 잡혔다. 고서방은 관군의 길잡이가 되어 큰 공을 세웠으니 너도 투항해서 공을 세우라."

시흥이 눈을 모로 떠서 달근을 흘기며 씹어뱉었다.

"더러운 놈, 네가 이런 짓을 하고도 고이 살아남을 줄 아느냐. 이제 철원의 너희 식솔들은 젓을 담게 될 것이다."

최형기가 손을 날렵하게 내밀더니 이시흥의 목을 슬쩍 움켜쥐었다. 그는 엄지와 검지 사이에 그의 울대 급소를 쥐고 지그시 힘을 주어 눌렀다. 시흥은 숨이 꽉 막히고 눈앞이 캄캄해지면서 온 삭신에서 힘이 빠져나갔다. 최형기가 조용히 말하였다.

"이봐라, 우리는 더이상 밀고자가 필요 없다. 두령은 모르거니와 네 따위 하수는 잡히는 대로 쥐도 새도 모르게 죽여버린다. 어떤가, 원산포 앞바다의 명태밥이 되어 한양 부자들의 밥상에 오르고 싶은가."

최형기가 이시흥의 목에서 손을 떼자 시흥은 숨을 가쁘게 몰아쉬며 긴 숨을 토해냈다. 고달근이 그의 입에 재갈을 물리려고 시흥의 옷가지를 찢어 뭉치자 최형기가 손을 들어 제지하고 다시 물었다.

"이 집에 네 혈당들이 몇이나 묵고 있는가?"

"일하는 아이들과 송도 장사치들밖엔 없소."

"장사치들은 몇 명인가?"

"예, 송방 차인 두 사람이오."

"네 식구들은?"

"차인 셋과 아이들 둘입니다."

최형기가 고개를 끄덕이자 고달근은 이시흥의 입에 뭉친 헝겊을 틀어넣고 엇갈려서 목 뒤에다 묶었다. 그들이 잠시 앉았더니 미닫이가 열리면서 박완식이 말하였다.

"모두 일곱 놈입니다. 결박을 지어두었습니다."

"음, 이 방의 장부와 재물 등속을 모두 뒤짐하고 나서 부의 장교와 군사를 남겨두고 물러간다."

그들은 문갑을 부수고 그 안에 있던 장부와 궤 속의 은자며 돈을 모두 뒤져냈다. 고달근은 집뒤짐에 가장 열심이어서 관솔불을 밝혀서 광 속까지 샅샅이 뒤졌다. 문건에 의하면 모든 혈당들의 재물의 반은 그의 차지요, 반은 토포금이 되는 까닭이었다.

덕원부 관아에 돌아와서 다른 자들은 모두 하옥시키고 이시흥은 결박을 지은 채로 경군이 잡아둔 객사의 사처 방에 함께 데리고 갔다. 뒤늦게 병방이 차려서 갖다준 다담상이 나와서 그들은 오랜만에 화주로 속풀이를 하였다.

다음날 느지막이 일어나서 최형기는 이시흥을 간단히 심문하였다. 시흥은 길산의 은신처를 아는 자는 고원 객점주 김선일이라고 대답하였다. 선일이 한 달에 달포쯤은 장길산에게 가서 있다가 돌아온다는 것이었고, 길산이 두어 달에 한 번씩 고원과 원산포를 둘러본다는 얘기였다. 고달근의 진술과도 부합되는 얘기라 최형기는 이제 장길산의 발치에 다가서고 있다는 흥분으로 가슴이 뛰었다. 이미 범의 굴에 가까워서 노린내가 진하게 풍겨오고 있었다. 최형기는 또한 이시흥의 진술 끝마디에서 중요한 단서를 잡아낼 수가 있었다.

"봉산 천동이 형제를 아는가?"

"광주이기 때문에 잘 압니다."

"그들도 잡혔다. 천동이가 말하기를 장적이 자비령 심원골에서도 도계를 넘었다던데 언진산을 넘으면 양덕(陽德)밖에는 갈 곳이 없다. 길산이 지금 양덕에 은신하고 있다면서?"

"아니오, 그럴 리가 없소!"

이시흥이 완강하게 고개를 저으며 부정했는데, 그의 얼굴에는 아직도 뜨거운 물을 삼킨 것 같은 충격의 빛이 역연하였다. 최형기는 더 이상 추궁하지 않았으나 자신이 적굴에 가까이 왔다는 짐작을 굳히게 되었던 것이다.

최형기 일행은 점심을 먹고 나서 덕원부를 출발하였다. 그는 부사에게 잡혀 있는 도적들은 추후에 장적의 토포가 끝나면 모두 압송할 것이라 알리고 토포가 성공적으로 끝나기까지 절대로 밖으로 어떠한 풍문이 나돌아서도 안 된다는 다짐을 두었다. 최형기는 마치 바람을 받은 겨울날 야산의 불길처럼 걷잡을 수 없이 길산을 향하여 죄어들어가는 중이었다.

고원의 끝춘이네 객점에서는 그즈음에 회령개시를 겪은 뒤판이라 한 달포 동안 정신들이 없었다. 호마가 수십 마리씩 회령에서 왔고 솥과 농기구 등속을 모았다가 꾸려보내야 하였다. 며칠 전에는 정대성이 직접 수하 차인들로 상단을 이루어 다녀갔다. 김선일은 그 일 때문에 양덕에 돌아가지 못하고 객점에 붙어 있어야만 하였다. 그러나 이틀 전에 언진산 은점에서 온 차인은 천동이와 조무인이 한양 가서 돌아올 날짜가 여러 날 되었는데도 소식이 없다며 걱정을 하고 있었다. 김선일은 오늘은 무슨 일이 있어도 양덕에 나아가 식구들에게 그 일을 알릴 작정이었고 언진산을 들러 봉산에도 나가볼 참이었다. 그러나 김선일도 바로 지척에 있는 원산포의 이시흥네 여각이 결딴이 나버린 사실은 꿈에도 생각 못 하고 있었던 것이다. 김선일이 저녁을 먹으면서 아내 끝춘이에게 말하였다.

"내일은 식전에 일어나서 양덕으로 가봐야겠어. 도무지 일이 어찌 돌아가는지 알 수가 있어야지."

끝춘이는 마른자반을 찢어서 접시 위에 늘어놓으면서 말하였다.

"이제 곧 세밑인데, 별일이 있겠어요. 또 산에 가시면 멧돼지사냥이다 술추렴이다 노는 일밖에 없는데, 그저 당신은 집에서 열흘만 계시면 좀이 쑤셔서 못 견디는 성미이니."

"아니야, 성님이 아시는가 모르겠지만 천동이하구 무인이 아저씨하구 한양엘 갔는데 벌써 보름이 넘도록 돌아오지 않는다는 게야. 사람을 보내어 알아보든지 하여튼 성님과 의논을 해봐야지."

"아니, 언진산에도 장정이 수십이고 만동이 즈이 성두 있는데 어련히 알아서 아주버님께 기별도 드리고 수소문을 하실라구요. 그냥 집에서 쉬셔요."

"아니야, 초천의 우리 식구 마을은 일반 잠채꾼들이나 천동이 만동이 형제들두 잘 모르거든. 내가 닿지 않으면 언진산과 은금동령에서는 연락을 못 하지. 말득이 언니가 가끔 다녀가시지만, 내게 아무 소식이 없는 걸 보면 아직 양덕서는 모르고 있는 게 분명하오."

"뭐 별일이야 있겠어요. 천동이란 사람이 갔다면 그이야 봉산 제일 부자요 은자도 있것다, 장사일로 경강에 나가 눌러 있거나 하여튼 뭐 좋은 일이겠지요."

저녁 나절에 김선일 끝춘이 부부 사이에는 이런 식으로 걱정의 소리가 오갔는데, 끝춘이는 서방을 설까지 집에 붙어 있게 하느라고 달래다 못해 어쨌든 길 떠날 채비를 차려두지 않을 수가 없었고, 그가 타고 갈 호마도 손질을 하고 말굽도 살펴두곤 했던 것이다.

그들이 저녁을 먹고 안방에서 아들을 가운데 두고 누웠는데 밖에서 중노미 총각이 누구요, 하는 소리가 들렸다. 이어서 굵직하게 사내의 목소리가 받았다.

"예, 하룻밤 유숙하려고 그럽니다."

"여긴 여각이지 보행 객주가 아니오. 물주 외에는 안 재워요."

"여보, 우리도 물주요. 상목을 해가지고 오는 길이오."

건네고 받는 소리를 듣고는 끝춘이가 선일에게 말하였다.

"좀 나가보셔요. 상목은 우리 물건은 아니지만, 밤도 늦었는데 그냥 손님으로 받읍시다."

"에 귀찮아. 봉노에 불이나 넣었나."

"아이들에게 시키시우."

김선일이 투덜대며 나오니 아직도 중노미는 문을 걸어잠근 채로 건성 대답이고 이어서 다른 목소리가 들렸다.

"나다, 철원의 고서방 왔다고 느이 주인께 알려드려라."

김선일이 철원의 고달근이라 하여 더이상 묻지 않고 대문을 여는데 상고 차림의 사람들이 일시에 밀고 들어오며 눈앞에 불이 번쩍하였다. 최형기는 경군과 함께 고원 관아의 군사들 다섯을 더 보태어 잠깐 동안에 방뒤짐을 하고 나서 대문을 꼭꼭 걸어잠그고는 몽치에 맞아 혼절한 김선일을 끌고 안방으로 들어갔다. 끝춘이가 비록 잽싸고 영리한 서녀라 하나 많은 수의 장정들을 감당할 길이 없고 무엇보다도 서방과 자식 때문에 옴치고 뛰지도 못하고 이부자리 위에서 오라를 받았다.

"중노미 두 놈과 밥어멈 하나가 식구의 전부입니다. 집 안에는 식구들밖에 아무도 없습니다."

박부장포교가 뒤짐을 끝내고 들어와서 최형기에게 보고하였다. 끝춘이는 묶인 채로 그들의 행동거지를 지켜보다가 비로소 변복한 관군인 것을 알아차렸다. 고달근은 박완식과 더불어 부지런히 광과 곳간을 살피고 다녔고, 최형기 혼자 묶여 있는 끝춘이와 혼절한 김선일 앞에 앉아 있었다.

"여보, 여보……"

끝춘이가 용기를 내어 애타게 부르자 선일은 몸을 움직이기 시작하더니 머리를 몇번 흔들어보고는 고개를 번쩍 쳐들었다. 최형기가 말하였다.

"김선일, 이제 정신이 들었는가?"

"너는 누구냐?"

"글쎄…… 나를 알는지 모르겠다마는 전 좌변 포도 종사관 최형기라는 사람이다. 들어본 적이 있는가?"

최형기는 자신이 누구임을 밝히고 나서 말하였다.

"내 일찍이 구월산을 토포할 적에 장길산을 잡지 못하여 전정을 그르친 사람이다. 강원 해서 일대의 너희들 패거리는 모두 내 수중에 들어와 있다. 원산포의 이시홍이도 진작에 잡혔고, 너희 식구들도 이렇게 되었으니 더이상 버티지 말고 장적이 숨은 곳만 안내해주면 목숨은 물론이려니와 그가 가졌던 재물도 모두 네 것이 되고, 가자도 받게 되느니라. 김선일, 네 처자를 생각하여 우리의 토포하는 일을 돕는 게 어떤가?"

김선일은 아내 끝춘이와 나란히 묶여서 여러가지로 모면할 길을 생각해보았으나, 이제는 이미 손을 쓸 수 없게 된 판국이 분명하였다. 저들은 선일을 안내자로 세우기 전에 끝춘이와 아이를 볼모로 잡아둘 것이며, 저 혼자 몸을 빼쳐 달아난다 할지라도 처자식을 구할 방도가 없을 터였다. 선일이 끝춘이를 돌아보고 나서 최형기에게 청하였다.

"기왕에 나는 당신에게 잡힌 몸이고 내가 관군을 돕든지 그러지 않게 되든지는 차후의 문제요. 우선 나와 얘기하기를 원한다면 이 사람을 풀어주고 아이와 함께 내보내시오."

최형기가 방문을 열더니 밖에 섰던 고달근과 박완식을 불렀다. 박완식이 앞장서서 들어왔고, 고달근이 들어서자 김선일은 그제야 그를 알아보고는 씹어뱉는 것이었다.

"더러운 놈, 네놈이 이런 짓을 저지르고도 살아남을 줄 아느냐?"

최형기가 껄껄 웃으면서 김선일을 놀리는 투로 한마디 하였다.

"허허, 살아남는 것이 아니라 이분은 조정 당상에서 내린 선달직을 받으신 어른이라네. 반상의 구별이 엄정한데 그렇게 험하게 욕을 하면 쓰는가."

고달근도 최형기의 곁에 앉으면서 말하였다.

"자네야 장길산의 의제 되는 사람이니 의리도 지켜야 하고 더구나 고원에서 이렇게 번듯한 객점을 열어 호의호식하고 있으니 길산이란 자의 은혜를 입은 바가 많겠지만, 내야 무슨 덕 본 것이 있었는가. 자아, 여러 말 하지 말고 장적이 은거하고 있는 동네로 우리를 안내하시게나. 나는 다 알구 있네. 자네가 한 달에 달포는 곡산 수안을 둘러보고 양덕 어느 어름에 있는 자네들 형제의 마을에서 보내다 온다는 것을 다 알아. 천동이는 잡혔고 조무인이는 저항하다 죽었지. 곡산 수안은 벌써 함몰이 되었어. 남은 것은 장길산과 자네들 같은 혈맹을 맺은 형제들뿐이야. 온 조선 팔도에 관군과 향군이 벌떼처럼 발병하여 곳곳의 굴혈을 탕진시키고 있으니 무슨 수로 모면할 길을

얻겠는가. 자네두 그만큼 고생하였다니 장적을 넘겨주고 언진산 은
광의 점주가 되어서 편안하게 살아갈 생각이나 하게."

김선일은 더이상 쓰다 달다 말이 없었고, 최형기가 박부장포교에
게 일렀다.

"아낙과 아이를 빈방에 모셔다두고 별명이 있을 때까지 지키고
있거라."

박포교가 끝춘이의 결박을 풀어주고 팔을 잡아일으키려 하자, 끝
춘이는 선일의 어깨를 끌어안으며 울음을 터뜨렸다.

"여보, 말하시면 안 돼요. 우리가 어육이 되더라도 절대로……"

최형기가 잽싸게 무릎걸음으로 다가들더니 끝춘이의 머리채를
휘어잡아 비틀어올렸다. 선일은 묶인 채로 최형기의 가슴팍을 향하
여 몸을 던지는데 박포교가 섰다가 사정없이 그의 명치를 발끝으로
내질렀다. 선일은 숨이 콱 질려서 벽에 머리를 부딪고 뒤로 넘어졌
는데 박포교는 이어서 그의 가슴팍을 발로 딛고 눌러버렸다. 최형기
는 끝춘이의 머리를 잡아당겨서 팔 안에다 끼워넣고는 한마디 덧붙
였다.

"네 이년! 우리가 관헌이라고 인정 사정 두는 사람들로 여겼다간
큰코 다칠 줄 알아라. 네 서방이 입다물고 우리 일을 훼방놓으면 이
집에서 송장이 되어 나가는 게야. 그러면 너두 서방 따라서 편안하
게 죽여줄 것으로 아느냐. 흥, 어림두 없지. 화적당의 가족은 남녀노
소를 불문하고 관노비로 끌려간다. 이년, 군사들에게 내주어 객고를
달래게 하고 나서 이리저리 끌려다니다가 천 리 길도 넘는 궁벽한
진영으로 끌려가 급수비 노릇이나 하겠느냐. 네 새끼도 또한 사대부
가의 씨종으로 팔려가게 되느니라. 점잖게 대해주면 서로 체모를 생
각하여 제 보신할 생각을 해야지."

최형기는 끝춘이의 머리채를 놓아주고 나서 다시 태도를 표변하여 부드럽게 말하였다.

"다시는 그런 섭섭한 얘길랑 하질 마시오. 남편이 우리를 돕게 될 때까지 한 달 일 년이 걸리더라도 우리는 이 집에서 안 떠날 것이오. 아기가 너무 우니 저러다 숨이 막히면 어쩌겠소."

끝춘이는 그제야 정신이 들어 방바닥에서 네 활개를 펴고 울부짖는 아이를 끌어안았다.

"자아, 내일 날이 밝으면 다시 남편과 만나서 상의하도록 하시고 방에서 나가기 전에 한 가지 부탁할 것이 있소. 서방님께 우리를 돕는 것이 가족들이 살아날 길이라고 얘기해주오."

박포교가 김선일의 등덜미를 잡아일으켜 앉혔고, 선일은 두 번이나 급소를 맞아 온 얼굴에 땀을 흘리고 있었다. 끝춘이는 아이를 안고서 뺨으로 흐르는 눈물을 그대로 둔 채 남편의 처참한 모습을 내려다보았다. 끝춘이는 잠시 그 자리에서 망연히 섰다가 결심한 듯 말하였다.

"우리를 살리시려면 초천(草川)에 이분들을 안내하셔요."

"아가리를 찢어놓기 전에…… 얼른 나가."

김선일이 울부짖으며 고개를 떨구었다. 박포교가 끝춘이의 등을 밀어 그들은 밖으로 나갔다. 방 안에는 잔뜩 주눅이 들어버린 고달근과 최형기와 김선일만 앉아 있었다. 최형기가 말하였다.

"자아, 이러다가는 새벽닭이 울겠는걸. 길산이와 네 형제들이 양덕 초천에 있다는 얘기까지 나왔다. 어찌할 텐가, 네가 말을 않겠다면 너의 계집을 쥐어짜서 대번에 알아낼 수 있다."

김선일이 한숨을 푹 내쉬고 나서 입을 열었다.

"물 좀 먹게 해주오."

"그래, 목이 탈 테지……"

최형기가 고달근에게 눈짓하였고 달근은 미닫이를 열고 밖에 지키고 섰던 포도청 군사에게 일렀다. 바가지에 퍼온 물을 최형기가 가져다 김선일의 입에 대주었고 선일은 개처럼 물을 정신없이 마셨다. 최형기는 다시 아까와 같은 자세로 마주 앉아서 선일이 먼저 입을 떼기를 기다렸다. 선일은 물을 마시고 나서 몇번이나 입술을 핥으며 망설이다가 말을 꺼냈다.

"내가 장길산 두령을 잡게 해주면 가족들은 무사하겠지요."

"관은 허랑한 말을 하지 않는다. 포도논상은 국법에 명시되어 있을 뿐만 아니라, 엄연한 전례이다. 나라에서 거짓말을 하게 되면 어느 백성이 따르겠는가. 네 자식은 참봉이나 선달 직첩을 받은 어엿한 양반의 자식으로서 과거에 응시할 수도 있게 된다."

"장두령은 두류산에 계십니다. 두류산 사봉 가운데 화여령 골짜기의 남면한 곳에 마을을 이루고 있습니다."

"네 아내는 초천이라 하지 않았더냐. 또한 양덕 은거설도 이미 나왔으니 초천이라는 것이 가합하다. 만약 우리를 잠깐 속여서 기일을 끌자고 한다면 너희 식구들의 고초만 늘어나게 되는 게야. 또한 기일을 끌어서 우리의 토포를 실패하게 만들면…… 내가 다짐하여두겠다. 아까도 말을 하였듯이 아이는 너희 부부가 보는 앞에서 교살시킬 것이고, 네 아내는 군사들의 놀이갯감이 되었다가 관비로 끌려가게 될 것이다."

고달근이 곁에서 말하였다.

"김서방, 다 자네를 위해서 하는 말이네만, 최종사를 속일 생각은 아예 말게. 장길산이 아무리 세가 크고 옹호하는 무리가 많다 하나 각 군현에 깔린 관군의 토포를 벗어날 수는 없네. 최종사는 이미 구월산에서도 자네들 혈당들을 구몰시키지 않았던가. 이제 장길산의 코앞에 당도하였고 은신처가 발설되었으니, 자네가 입을 닫고 국법에 의하여 처형된다 할지라도 아무 쓸모가 없구먼. 어떤가, 속시원하게 나처럼 털어놓고 국은을 비는 것이 합당한 일일세."

"초천면에는 그의 식솔들이 있달 뿐 장두령은 두류산에 계시오. 저처럼 집과 산채를 왕래하며 사시지요."

끝춘이는 안채의 건너편 사랑채에 아이를 데리고 들어가 있었으며 방문 앞에는 경군 둘이 지키고 서 있었다. 끝춘이는 아이를 잠재우고 어둠 가운데 망연하게 앉아 있었다. 남편의 곤경을 보다 못하여 묻는 대로 이르라고 당부는 하였건만, 어릴 때부터 오빠 말득이와 더불어 온갖 짓으로 살아왔던 끝춘이는 이러한 배신으로 목숨을 부지한다는 일이 얼마나 욕스러울 것인지를 잘 알고 있었다. 더구나자기 스스로 초천이라는 말이 앞서 나와버렸으니, 토포장은 그 말을 놓치지 않을 것이었다. 끝춘이는 길산이며 홍복이 선홍이 그리고 김기 말득이 오빠 등등의 정다운 얼굴들을 떠올렸다. 끝춘이는 김선일이 이제 다시는 관군의 손에서 놓여나지 못하리라는 것을 알았다. 선일이 놓여나는 길은 다만 한 가지 관군에 협조하는 방법 외에는 없었다. 끝춘이는 고개를 번쩍 들었다. 그렇다, 우리 식구는 기왕에 죽는 목숨이고 산채 식구들을 살려야만 한다. 오빠와 길산에게 먼저 알려야만 한다. 끝춘이는 어떤 방법으로든지 이 집에서 달아나 관군이 닿기 전에 초천에 먼저 토포를 알려야만 하는 것이다. 그녀는 살그머니 방문 앞으로 다가앉아 창호에 구멍을 내어 밖을 내다보았다. 두 장정이 툇마루 앞에 지켜서 있었고, 왼편의 봉놋방 앞에도 군사들이 보였다. 끝춘이는 결심하고 나서 아이의 궁둥이를 힘껏 꼬집었다. 아이는 놀라서 깨어 울기 시작하였고, 끝춘이는 아이를 달래는 듯 안고 어르면서 방을 나설 때 또 한번 꼬집었다. 아이가 더욱 자지러지게 울음을 터뜨렸다.

"뭐야, 왜 나오는 거요?"

한양 포졸이 물었고 끝춘이는 발을 동동거리며 말하였다.

"속이 안 좋아서 뒤가 마려워 그럽니다."

"뭐, 뒤가?"

그들은 서로 마주 보았다가 한 녀석이 거칠게 물었다.

"딴수작 부릴려고 그러는 게 아니겠지?"

"제 아이가 여기 있는데 어찌 딴전을 피우겠습니까."

딴은 그럴듯한 말이고 아무리 도적의 아낙이라 하지만 인정상 어쩔 수가 없어 다른 포졸이 조금 누그러진 목소리로 말하였다.

"좋아, 얼른 다녀와."

끝춘이는 일부러 아이를 더욱 꼭 껴안고 빠른 걸음으로 마당을 질러갔고, 두 포졸 중의 하나가 두어 발짝 뒤에서 따라왔다. 그즈음에 박포교는 봉노에 들어가서 잠깐 눈을 붙이는 중이었고, 최형기는 고달근과 함께 김선일을 심문하고 있었다. 마당에는 고원 군사 다섯이서 차마 방에 들어가 쉬지는 못하고 장작을 쌓아 모닥불을 피워두고 둘러서서 잡담을 하는 중이었다. 끝춘이의 뒤에는 한양서 내려온 평복의 포도 군관이 따라가고 있어서 어느 누구도 눈길을 돌리지 않았다. 끝춘이는 뒷간의 흙벽이 허술하다는 것을 잘 알고 있었으며 그곳으로 빠져나가 그대로 운림(雲林) 쪽으로 달아날 작정이었다. 끝춘이가 아무리 여염 아낙으로 들어앉아 아이 낳고 남편 섬기기 여러 해가 되었건만, 멸악산 아랫녘에서 오공랑 강말득과 더불어 서녀라는 별호를 사방에 퍼지게 하였던 때가 있었다. 끝춘이는 일부러 뒷간 앞에 가서 아이의 다리를 또 한번 꼬집어주고 나서 포졸에게 불쑥 내밀어주었다.

"잠깐만……"

포졸은 어이가 없고 쑥스럽기도 하여 허허, 건성 웃음을 웃으며 드높게 악을 쓰며 울어대는 아이를 받아 안았다. 끝춘이는 뒷간으로 들어서자마자 뒷벽을 발로 찼다. 두어 번 차니까 흙이 부스스 떨어지며 수수깡이 드러났고, 그녀는 손으로 더듬더듬 다 삭은 수수깡들을 뜯어냈다. 구멍을 내놓고는 일부러 밭은기침을 여러 번 하였다. 뒷간 앞에 걸쳐둔 거적을 들치고 밖을 내다보니 포졸은 바로 아낙이 일보는 앞에 섰기도 민망했는지 저쯤 떨어져서 아이를 안고 서성대고 있었다. 끝춘이는 이를 악물었다.

만약에 산채에 알려야 할 일만 없었더라면 끝춘이는 그 방 안에서 아이를 먼저 죽였을 것이다. 김선일이 참수되고 끝춘이 자신은 여비로 팔려가고 아이는 또 다른 지방의 관노로서 살아가게 될 것이기 때문이었다. 차라리 그보다는 죽는 것이 나았다. 자, 지금 나서지 않으면 모든 일은 허사가 되고 만다. 끝춘이는 아직도 어미를 찾으며 울어대는 자식의 목소리를 등뒤로 돌리고 뒷간의 뚫어진 벽 사이로 빠져나갔다. 그녀는 방 안에서 생각해두었던 방향을 잡아서 밭고랑을 건너고 얼어붙은 개천을 넘어서 뛰었다. 미끄러져 넘어지기도 하고 비탈에서 구르기도 하였다.

포졸은 아이를 안고 서성이는데 아무래도 시간이 오랜 것 같아서 직접 뒷간에다 대고 뭐라고 말도 시키지 못하고 헛기침만 여러 번 하며 오락가락하였다. 그러다가 못내 궁금하여 엇비슷이 고개 돌려 혼잣말처럼 한다는 소리가 이러하였다.

"안에 있으면 기침이라두 할 것이지, 무에 그리 오래 걸려."

그러나 쥐 죽은 듯하였다. 포졸은 의심이 더럭 생겨서 거적을 흔들며 말하였다.

"어, 빨리 나와. 관장께서 아시면 곤장감이여."

그래도 아무 기척이 없었다. 포졸은 얼른 거적을 들치고 안을 들여다보았다. 캄캄한데 인적이 없었다. 그는 당황하여 손을 뒷간의 사방에다 휘저어보고는 얼른 돌아서서 아이를 안고 봉놋방 쪽으로 달려갔다. 그러나 그는 명색이 경군이었다. 그는 호들갑스럽게 외치거나 소란을 피우지 않고서 얼른 달려가 아이를 마당 가운데 남겨두고 방 안으로 뛰어들었다. 포졸이 박부장포교를 흔들어 깨웠고 그는 눈을 퍼뜩 뜨더니 무슨 일이 생긴 눈치를 알고는 벌떡 일어났다.

"뭐냐, 무슨 일인가."

"계집이 달아났습니다."

박부장포교는 추궁하지 않고 가장 중요한 사실을 물었다.

"언제?"

"바로 방금입니다. 아기를 맡겨두고 뒷간에 가겠다고 하여 마음을 놓았더니⋯⋯"

박완식이 벌떡 일어났다. 그들은 밖으로 나왔고 박포교는 모닥불가에 모인 고원 군사들과 경군 넷을 모두 불렀다. 그는 최형기에게는 알리지 않고 집안에 군사 두 사람만을 남겨두어 일꾼들을 가둔 곳을 지키게 하고는 밖으로 나왔다. 고원 객점거리는 쥐 죽은 듯이 고요했고 불도 모두 꺼져 있었다. 바람소리만이 들렸다.

"너희는 저쪽, 그리고 너희는 나를 따르라."

박완식은 한눈에 얼른 서남쪽 길을 손짓해주고 나서 남은 군사들을 데리고 뒷간 쪽의 뚫어진 구멍 쪽으로 가서 섰다. 그러고는 계집이 달아날 만한 방향을 가늠하였다.

"횃불을 준비할까요?"

"그만두어라."

박완식은 이미 계집을 잡을 수가 없다고 생각하게 되었다. 사방에 솔숲이요 길도 없는 들판이 넓게 펼쳐져 있었고 사방은 칠흑 같은 어둠이 내려덮여 있었다. 그는 군사들에게 흔적을 찾으라고 다시 방향을 눈짐작하여 일러주고는 객점으로 돌아왔다. 박포교는 안방 앞에 가서 말하였다.

"아뢸 말씀이 있습니다."

"게 누구냐?"

"박부장올시다."

최형기가 얼른 낌새를 채고 마루로 나왔다. 박완식은 속삭였다.

"계집이 달아났습니다. 아이는 버려둔 채 뒷간 벽을 뚫고 달아났답니다."

"저런 밥쇠 같은 놈들을 봤나. 틀림없이 도적에게 알리러 갔을 터이다."

"하오나 아직 시간은 있습니다. 우리는 말을 타고 갈 것이며 계집은 걸어서 가야만 하지요."

"우리는 아직 장적의 굴혈이 딱히 어느 곳인가를 모른다. 김가는 아직도 횡설수설하여 그의 진술은 믿을 바가 못 된다."

최형기가 애가 달아서 발을 구르며 말하였고, 박완식은 역시 나직하게 속삭였다.

"김가를 제게 맡기십시오. 한 식경도 못 되어 다 털어내도록 만들겠습니다."

최형기는 고개를 절레절레 흔들었다.

"안 된다, 자기 혈육을 버리고 달아나기까지 하는 것들이니 굴혈을 숨기고 시간을 벌기 위하여 온갖 잔꾀를 다 써서 우리를 속이려들 것이다. 저들은 자기네가 죽을 것을 잘 아니까. 그보다는 우리가 김가를 속여야겠다."

고원서 양덕까지만 하여도 백오십 리 길이요 양덕 읍치에서 초천 면까지가 또한 백 리 길이었다. 끝춘이는 무턱대고 캄캄한 들판을 향하여 뛰었으나 어떻게 해야 좋을지를 알지 못하였다.

그녀는 송어못내를 따라서 운림 쪽으로 나아가 구곡령 너머 평안 도계로 넘어가는 길은 알고 있었지만, 밤새껏 뛴다 하여도 운림에 겨우 당도하면 날이 새어버릴 것이며, 관군들은 그 사이에 말을 몰아서 이미 그맘때쯤에는 양덕현에 당도할 것이다.

끝춘이는 길양식도 돈도 없었고 더구나 매서운 추위를 감당할 누비옷이나 털배자도 준비하지 못하였다. 아마도 노중에서 얼어죽게 될지도 몰랐다. 끝춘이는 여하튼 남쪽을 바라고 구녕포 쪽으로 뛰었다. 그러다가 비룡산 언덕 아래에 이르러서야 조진포(漕進浦)의 어계방 생각이 났다. 수달피 수집을 위하여 송방 차인들과 거래를 해온 곳이며 계방의 점주는 남편 김선일과는 너니 나니 하는 사이였다. 끝춘이는 덕지여울을 따라서 이십여 리 떨어진 조진포로 방향을 돌렸다. 끝춘이가 닭 울 녘이 되어서야 어계방 앞에 도착하였고, 굳게 잠긴 판자문을 두드리며 부르니 어둠 가운데 점주 사내의 목소리가 들려왔다.

"게 뉘슈?"

"문 좀 열어요. 저 고원 김선일이 아내입니다."

"옛? 아니…… 이게 어쩐 일이슈."

점주가 황급히 문을 열어주었고 끝춘이는 그제야 몸에 한기가 들고 다리가 떨려서 기둥을 부여잡았다.

"아주머니, 무슨 변이 났습니까."

"관군이 몰려와서······ 남편이 잡혀 있어요. 저두 간신히 몸을 빼어 어린것을 볼모로 잡히고 달아나온 참입니다. 부탁이 있어 왔습니다. 주인께서두 우린 객점이 활빈도와 연루된 곳인 줄 다 아시지요?"

"아다뿐이오? 장두령도 먼발치서 보았고 송도 박좌장네 차인들이 철마다 와서 일 보고 가는데."

끝춘이는 점주의 옷깃을 잡아흔들며 애타게 말하였다.

"어서 알려야만 합니다. 저들은 한양에서 장두령님을 잡으러 나온 토포군입니다."

"지금 그분이 어디 계시우?"

"양덕 초천에 산채가 있어요. 초천역이 아니구요, 역에서 수덕말의 산등성이를 돌아 골짜기로 시오 리쯤 들어가면 동네가 나오지요. 거기 가서서 알려주시면 사례를 해주실 겁니다. 제발 부탁입니다."

주인은 어두운 얼굴로 한참이나 말이 없다가 그의 아내를 불러 말하였다.

"이 아주머니 선일네 아낙이여. 어서 옷 갈아입도록 하고 안방에서 함께 지내게. 자아, 그러면 나는 길 떠날 채비를 해야지."

조진포 어계방 주인이 말을 빌리고 대충 준비를 갖추어 덕지여울을 건넌 것은 이미 아침 동이 트고 난 뒤였다. 그는 다시 삼십여 리를 돌아나와 해가 번듯이 떴을 무렵에야 지난밤에 끝춘이가 방향을 못 잡아 갈팡질팡하던 반룡산 언덕에 당도하였다.

그 무렵에 최형기의 토포군은 벌써 덕평을 지나 거문재 사거리에 당도하여 화여령을 눈앞에 두고 있었다. 끝춘이가 달아났기 때문에 최형기는 양덕현으로 파발을 먼저 띄웠고, 잠시 한숨 붙이고 나서 인시(寅時) 무렵에 선일이네 집에서 출발하였던 것이다. 파발의 내용은 비국의 관문과 더불어 장적을 토포하는 데 쓸 포수와 군병의 동원에 관한 것이었다. 하룻밤 사이에 백여 명의 군사를 발병하라 일렀으나 최형기는 다만 도주로를 끊으려는 생각이라 향군 모집이 안 되면 현내의 장정들을 불러모을 생각이었다. 최형기는 김선일을 인질로 삼아 뒤로 결박 지어서 말에 태워 데리고 갔다. 김선일은 아직도 끝춘이가 몸을 빼쳐 달아난 사실을 모르고 있었다. 최형기는 그의 두류산 은거에 관한 횡설수설하는 말을 믿지 않았다. 그는 장길산이 초천 어딘가의 골짜기에 숨어 있을 것임을 믿어 의심치 않았다. 그 이유는 명백하였다. 두류산이라면 동북에 너무 치우쳐 있어서 양덕 현내에 은거하여 있다는 말과 틀리고, 해서의 경계인 언진산맥과도 먼 거리였다. 초천이야말로 양덕현의 복판에 있으면서 바로 지척에 해서가 있는 셈이었다. 이를테면 평안도의 동쪽 끝이요 해서의 북쪽 끝과 닿고 곧 함경도 도계와 마주 닿게 되는 곳이다. 북변을 활동의 마당으로 삼는 장길산이 택할 만한 장소가 아닌가.

김선일은 말 위에 앉아 그들이 이끄는 대로 따라올 뿐 입을 굳게 다물고 있었다. 관군은 경군 다섯과 고원서 연락차 따라나온 장교가 둘, 그리고 최형기와 고달근을 합하여 모두 아홉이었다. 김선일까지 열인데 선일이네 북방마가 워낙 군세고 날랜 놈이라 한달음에 화여령에 당도하였다. 그들은 준비해온 주먹밥을 마상에서 움켜 먹으며 영을 넘었다. 정오가 지나고 중화참이 지났을 즈음하여 최형기 일행은 양덕현에 당도하였다. 그들이 관아로 들어가니 양덕현감 안신(安紳)이 안절부절못하며 기다리고 있었다. 그들은 동헌에서 군례를 나누었다.

"극적 장길산을 토포하러 나온 전 포도 종사관 전 등산곶 만호 최형기라 하오."

"양덕현감 안신이올시다. 토포장의 비관을 받고 군병 조발을 명하여 이제 겨우 포수 이십여 명을 포함한 향군 일 초(哨)를 그러모았습니다. 중화 드신 뒤에 같이 점렬하십시다."

최형기가 현감에게 말하였다.

"지금 그럴 여유가 없습니다. 어쩌면 도적은 지금쯤 관군의 동향을 탐지하고 있는지두 모릅니다. 그보다는 병방과 현의 장교를 불러주시오."

최형기는 동헌에서 양덕현감 안신과 더불어 병방과 수교를 불러들여 논의를 하였다. 현감 안신이 최형기에게 말하였다.

"토성진(兎城鎭)에도 파발을 보내어 첨사가 진군을 이끌고 오도록 하였소."

최형기는 병방이 가져온 양덕현의 경계도를 펼쳐두고 들여다보다가 병방에게 물었다.

"초천마을에 누가 가본 사람이 있는가?"

"글쎄요, 워낙 멀리 떨어진 골이라서…… 초천역에는 여러 번 다녀보았으나 게서 또한 삼십 리를 산속으로 들어가고, 큰길에서 샛길로 빠져든 곳이라 사람의 행적이 저절로 끊기게 되어 있습니다. 마을이 있다는 얘기는 들었지요."

병방이 말하였고 수교가 뒤를 이었다.

"개나루에서 금성산에 이르는 비류강 상류에는 사금이 나는 곳이 많다는 소문입니다. 성천계에서 시작하여 그 일대에는 수년 전부터 채금하는 잠채꾼들이 모여들었지요."

"개나루에서 초천마을까지는 얼마나 되는가?"

"예, 한 오십여 리 되지만, 초천마을에서는 산등성이 한 고개 넘으면 곧바로 금성산 아랫녘의 강이 나옵니다."

"가만있자…… 우리 고을 수리에게 물을 것이 있소."

현감 안신은 무슨 생각이 났는지 수교에게 이방의 현신을 일렀다. 이방이 즉시 달려들어왔다. 현감은 여럿이 있는 자리에서 그에게 물었다.

"내가 지난번에 얼핏 흘려듣고 더 묻지는 않았네만, 우리 현내에 번듯한 주막이 있다던데…… 호마를 타고 오는 상고들이 여럿 묵어 간다면서……"

"예, 박천서 살다 온 자인데…… 잠채꾼들과 내왕이 있다는 눈치는 채고 있습니다. 들리는 소문에 의하면 그자가 예전에 비류강에서 사금을 떠내어 먹고살았다지요. 우리 현내에서 별 말썽이 없기로 그냥 내버려두고 있습니다만……"

이방은 그에게서 철들이로 인정도 받고 함경도의 어물도 받아먹은 적이 있어서 혹시나 무슨 말썽이 생겼는가 하여 우물쭈물 말하였고, 최형기는 잠자코 앉았다가 호마를 끌고 오는 상단 운운하는 말에 귀가 번쩍 트이는 듯하였다.

"이 궁벽한 곳에 말을 가진 상단이 드나든다는 것은 잠채한 금을 나르는 일 외에 또 무엇이 있겠소. 필시 적당과 내통한 자가 틀림없으니 어서 잡아들여 물읍시다."

안신이 고개를 끄덕였다.

"그자가 지금 집에 있더냐?"

"있을 겁니다. 대개 가을철에는 그의 아낙과 자식들만 보이더니 겨울이 되면서 집에 눌러앉아 있는 것 같습디다."

"겨울에 잠채가 없기 때문이오. 수교는 얼른 가서 잡아들여오라."

담배 한 죽 태울 사이에 현내로 나갔던 장교가 주막 주인을 끌고 왔다. 동헌 아래 꿇린 주막 주인을 최형기가 직접 심문하였다.

"네 이놈, 모가지 하나로는 감당치 못할 큰 죄를 저질렀으니 이실직고하렷다. 지금 장길산이 초천마을에 숨어 있다니 바른대로 일러라."

"예? 소인은 지금 아무 영문도 모릅니다. 그저 주막집이나 열어두어 오가는 행객들이 떨구는 길양식이나 얻어먹구 살고 있을 뿐입니다."

"비류강에서 잠채를 하지 않는가?"

"그건 벌써 예전에 유민으로 떠돌아다닐 적의 얘기올시다. 소인은 아무 죄가 없습니다."

최형기는 시간이 없음을 잘 알고 있었으며 그냥 윽박지르기보다는 그가 스스로 관군을 돕게 하는 것이 유리하리라 여겨서 태도를 바꾸었다.

"네 죄를 묻는 것이 아니다. 우리는 다만 도적 장길산의 혈당을 잡으려고 한양에서 온 토포군이다. 내 들으니 너희 객점에 말을 가진 상고들이 드나든다기로 묻는 것이며, 도적들이 초천마을에 있다는 사실도 알고 있다. 거기 간 적이 있었는가?"

"초천에 갔던 적은 없습니다. 다만 저희 주막에 상고가 드나드는 것은 사실이옵고, 고원 산다는 여각 주인 김서방이 자주 내왕하였고 그 사람과 금성산에 갔던 적은 여러 번이올시다."

"거기 잠채터가 있는가?"

주막 주인은 잠시 망설였다. 곁에 섰던 수교가 발로 옆구리를 내지르며 재촉하였다.

"어서 바른대로 아뢰지 못하겠느냐. 생사가 갈리는 판이다."

최형기가 손을 들어 수교에게 때리지 말라 이르고 다시 물었고, 주막 주인은 말하였다.

"저는 다만 김서방이 잠채하는 일을 도와 제가 떠내는 금만 가졌을 뿐입니다. 점주는 제가 아닙니다."

최형기가 말하였다.

"김서방이란 자는 김선일이라고 하지 않던가?"

"예, 선일이란 말은 들었습니다."

현감이 말하였다.

"김선일이는 고원서 압송되어 여기에 하옥되어 있다. 네가 할 일은 초천마을의 형편과 지형을 샅샅이 알려주면 모든 죄는 묻지 않겠다. 또한 도적들을 모조리 토포하게 되면 잠채터를 버젓한 금점으로 개설할 허가를 해주겠다. 어떤가, 아는 대로 자세히 일러보아라."

주막 주인은 수없이 머리를 조아리며 말하였다.

"제가 도적의 혈당이 아닌 바에 애를 태울 일이 있겠습니까? 초천마을에는 들어가보지 않았으나, 정확하게 어느 어름이란 것도 알고 있으며 그 안에 장정들과 그 식구들이 산다는 것두 알고 있습니다. 그들이 도적들이라면 제가 열 번도 길라잡이를 서겠습니다."

"좋다, 자네가 길라잡이를 서준다면 금성산의 금전권을 허가해주겠다."

최형기가 말하면서 현감 안신을 돌아다보았으며 안신은 속으로 적이 불쾌하였으나 겉으로 드러내지는 않았다. 양덕현감 안신이 비록 궁벽한 고을의 수령으로 관아도 초옥에 지나지 않고 현의 소출도 보잘것이 없어 배소에 내려온 귀양객과 마찬가지라 하겠지만, 자신은 과거를 치른 어엿한 종육품의 관직을 가진 문관이었다. 어디서 보도 듣도 못하던 최형기라는 자가 토포장이라고 나타나 자기 고을의 조발 군병의 권한이며 행정에 대하여 마구 휘두르니 기분이 좋을 까닭이 없었다. 최모가 종사관이었다면 이는 종팔품에 참봉이나 비길 자리요 그자가 한미한 무사 출신인 것이 분명하였다. 현감 안신은 최형기와 만나 서로 인사를 드릴 적부터 속으로 아니꼽게 생각하였다. 아무리 토포가 급박하다 할지라도 발병이며 지휘권에 관한 비관을 보일 적에는 토포장이 해당 고을에 와서 몸소 수령께 현신하여 군기와 시행할 일 전체를 털어놓고 논의하는 예의가 있어야 할 것이었다. 고을의 주인에게는 아무 허락도 없이 파발로 당상비국의 명을 들어 향군과 포수를 발동시키도록 해놓고 멋대로 수리와 병방 수교들을 불러 앞장서서 지시하며 부리니 현감은 아랫것들 앞에서 체모가 서질 않았던 것이다. 뿐만 아니라 최형기가 자신의 전 직임을 밝히면서 만호라고 하였으니 이는 현감보다 두 품계나 높은 자리였고, 흔히 문관은 아무리 아래 직급에 있더라도 첨사나 병수사를 대수롭지 않게 여기던 것이다. 언제 한양으로 올라 옥당이나 조정 요직에 앉아 그들의 자리를 요리하게 될지 모르는 일이었다. 하여튼 안신은 그의 향소 군인 백여 명에다 포수 이십여 명을 조발하여두고 이제 자신의 고을에서 장길산을 잡으려 하니 초조하지 않을 수가 없었다. 모든 공은 토포장에게로 돌아가게 될 것이고 자신에게는 잘해봤자 중앙으로부터의 문책이 없으면 다행한 일이었다.

"자아, 그러면 이렇게 하십시다. 위로 토성진에서 내려오는 진장의 병력은 비파산에서 우회하여 초천마을 뒷산 허리를 끊고, 현감께서는 초천내가 두 갈래로 나뉘는 월명산(月明山) 앞에서 군사를 묻어두고, 나는 포수와 향군을 반으로 나누어 초천마을로 은밀히 숨어들어가 일시에 에워싸고 도적들을 잡겠소이다."

그러나 안신은 그와는 정반대의 생각을 가지고 있었다. 무엇보다도 조정에까지 알려진 장길산을 잡지 못하면 잉어는 놓치고 송사리만 주워담게 되는 판이라 그의 경내에서 최모에게만 좋은 일을 시켜주는 셈이었다.

"토포장께서 아직 이곳의 지리를 잘 알지 못하시니…… 내 의견과는 다른 듯합니다."

"무슨 묘책이 있으시면 말씀하시지요."

최형기도 다만 길산을 잡는 것이 목적이라 그렇게 말하였고, 안신은 주막 주인에게 물었다.

"마을에는 장정들이 많더냐?"

"잘은 모르겠습니다마는 한 십여 명에서 스무 명 안쪽일 것입니다."

"게다가 놈들은 처자식까지 함께 살고 있겠지?"

"여염 동네와 같지요."

안신이 최형기를 바라보며 말하였다.

"우리 경내에서는 어디엘 가든지 적송이 빽빽하여 낮에도 하늘을 보기가 어려운 곳이오. 산세가 험하고 송림이 울창하니 대낮에도 범이 출몰하지요. 급습하여 다행히 사로잡게 되면 모르거니와 일단 한 놈이라도 놓치면 그 종적을 찾기란 짚단 속에서 바늘 찾기와도 같지요. 토포장 말씀대로 멀찍이 매복을 할 수는 없습니다. 토성진 군사들을 비파산을 넘어 진을 치게 하는 것보다는 직접 초천마을의 배후로 짓쳐들어가도록 해야 합니다. 그러면 마을 앞쪽은 주머니처럼 움푹 팬 이십여 리의 골짜기라 도적들이 필시 입구로 몰려나올 것이오. 골짜기 어귀의 양쪽 산등성이에서 토포장과 내가 좌우로 대를 나누어 지켰다가 사로잡자는 말씀이오."

최형기는 구월산 토포 때의 경험도 있었으므로 무엇보다도 된목이골을 급습하듯이 자신이 직접 산채로 짓쳐들어가야 안심이 될 것 같았다.

"하오면 이렇게 합시다. 내가 길라잡이를 데리고 초천말 뒷산에서 기다렸다가 토성진장과 더불어 마을의 배후를 급습하여 들어갈 것이니, 사또께서는 골짜기 좌우를 막아 지키고 있으시오."

현감은 빙긋 웃었다.

"그렇다면 우리 향소 군사들은 필요 없으시겠군. 토성진군도 일초가 넘습니다. 아무래도 범을 잡으려면 범의 굴혈에 들어가야 할 터이니 단병접전이 되겠구려."

"현의 수교와 저자는 내가 데려가겠소이다."

최형기가 토성진장과의 합력문제도 있고 하여 고을 장교를 지목하고 이어서 주막 주인을 길라잡이로 택하였다. 현감은 쾌히 응낙하더니 물었다.

"언제 발병하는 게 좋겠소?"

"지금 당장 나서야 합니다."

현감은 참을성이 많다는 듯 부드럽게 웃으면서 말하였다.

"허허, 토포장께서는 혼자서 도적을 잡으시려오? 여기서 초천역까지가 칠십 리요, 초천말은 게서 또한 삼십 리이니 백 리 길이오. 시방 미시(未時)가 지났거늘 준마를 타고 혼자 달리신다 하여도 유시께가 될 터인즉 이미 사방이 어두워질 거요. 밤에 도적을 잡으실 작정이오?"

최형기는 단호하게 말하였다.

"지금 발정(發程)해야만 포위망을 칠 수가 있소. 철통같이 둘러싸 놓고 내일 미명을 기다려야 합니다. 밤새 번을 내세워서 초천말 입구를 지켜야 할 것이오. 우리도 마을 뒷산에서 정탐을 늦추지 않을 작정입니다."

현감 안신도 다른 반대할 말이 없었다. 그들은 즉시로 다시 파발을 토성진에 보내어 진군이 비파산을 넘어 초천말 뒷산까지 진군하여 오도록 청하였다. 최형기는 박완식과 경군들만 거느리고 말을 타고 출발하였다. 그는 장길산의 얼굴을 모르고 있어서 고달근을 데리고 가서 그에게 확인을 시킬 셈이었다. 김선일은 나중에 도적들이나 그 식솔들이 압송되어 오면 일일이 가려낼 수 있도록 양덕 관아에 하옥시켜두었던 것이다. 최형기는 점점 초조해지고 있었다. 생각 같아서는 포수 이십 명만 거느리고 자기네들 경군 다섯이서라도 마을로 곧장 쳐들어가고 싶었다. 그러나 야습은 어둠속에서 놓칠 위험이 많았다. 그뿐 아니라 최형기는 마감동을 잊지 않았다. 아무리 십여 명밖에 안 된다지만 저들도 훈련원 군사나 포청의 정예에 비길 만큼 무예 조련이 되어 있을 터였다. 마감동의 두령이 될 만한 인물인 장길산과 한판을 겨루는 상상도 해보았으나, 최형기는 김식과 같은 풋내기는 아니었다. 그는 남의 집 마당에 들어가서 믿을 곳 하나 없이 장길산 같은 자와 맞서는 짓은 어리석은 일이며 호랑이 앞에 돌팔매를 맞히려는 것과도 같다고 생각했다. 인성(人城)을 에워싸고 생포해야 할 것이다. 최형기는 밤새워 기다리는 일이 무엇보다도 걱정이었다. 달아난 김선일의 계집이 종내 마음에 걸렸다. 물론 박완식은 이쪽이 날랜 말을 타고 행군하는 데 비하여 계집은 연약한 몸으로 겨울의 험산준령을 넘게 될 것이니 염려할 바 없다고 말하였으나, 최형기는 그렇게만 여기지는 않았다. 고원에 그만한 터전을 마련해두었다면 틀림없이 두호하는 무리가 있을 것이다. 계집 대신에 장정이 호마를 내어 달려온다면 이쪽에서 밤을 지새우는 사이에 도적에게 관군의 토포를 미리 알려줄 수가 있을 것이다. 내일 날이 밝기 전까지 초천말 상공을 떠도는 참새새끼 한 마리라도 살펴야 할 것이었다. 최형기의 포도청 부하들은 며칠 동안을 번개같이 출몰하여 이놈

저놈 잡아채며 강행군을 거듭하여오느라고, 모두들 쉴 새가 없어 피로 때문에 눈이 벌겋게 충혈되어 있었다. 박완식은 말 위에서 졸았고 최형기 자신도 이제는 예전의 팔팔하던 종사관 시절과도 달라서 객사의 절절 끓는 토방 구들장에다 등을 지지며 한 사나흘 죽은 듯이 잠들고 싶었다. 그러나 오늘 하룻밤만 넘기면 끝이다. 이번만 고생을 참고 견디면 그는 조선 팔도에서 가장 유명한 포도관이 된다. 환로가 열리든 출세를 하든 그런 따위는 차후에 생각할 문제요, 김식에 이어서 자신이 구월산에서 받았던 치욕을 씻고 포도관으로서의 평생의 한이 될 뻔했던 장길산의 전설을 깨부숴야만 하는 것이다. 대적 장길산의 참수 효시와 더불어 최형기는 국가의 위엄을 되찾아 세울 것이었다. 그는 모두 변복 차림인 경군을 데리고 온정원(溫井院)을 지나면서 허리춤에 지른 단검의 칼자루를 마상에서 몇번이나 움켜쥐었다.

현감 안신은 최형기가 먼저 발정한 뒤에 병방과 함께 포수와 향소의 군사를 점렬하였다. 군사들은 모두가 장창을 가졌고 기패관은 환도를 찼다. 포수들은 거의가 방포에 능하였으니 보통때에는 함경도와의 경계인 두류산 가사산 재령산 그리고 오라발산 등지에서 사냥을 하던 엽사들이었다. 그들은 화승총을 메고 털토시에 털행전을 치고 두꺼운 털배자를 입고 머리에는 개잘량을 썼다. 포수들은 아마도 호랑이사냥을 떠나게 되리라고 짐작을 하고서, 향군들과 다른 열에서서 자네들이 산 넘고 숲을 헤쳐 뛰어다니며 범을 몰아오면 우리가 가만히 쉬고 있다가 방포 한 방에 잡게 되리라고 장담을 하며 농을 건네고 있었다. 안신은 병방에게 이르되 군사들에게는 자하산(紫霞山) 기슭에 칡범이 떼로 모여 있어 사냥하러 나간다고 짐짓 속이도록 하였다. 자하산 맞은편이 곧 초천역이라 지척에 가서야 장길산의 토포를 알릴 셈이던 것이다. 양덕현 포수와 향군들이 자하산을 향하여 출발할 때 읍내의 아낙네들과 아이들은 저희 가장이 대열에 섞여 있어 범사냥을 나간다고 공연히 구경하며 행렬의 뒤를 따르기도 하였다. 군사의 행렬은 온정원에 이르면서부터 뜀박질로 바뀌었으니 현감이 앞에서 말을 바삐 몰았고 병방은 후미에서 군사들을 계속 재촉하였던 것이다. 현감 안신이 거느린 군사들은 자하산 방향으로 남진하지 않고 그대로 초천역까지 나아갔다. 부근에는 서창(西倉)이 있었고 역졸 다섯이 서너 마리의 역마를 관리하고 있었다. 역이라 해봤자 쓸쓸하기가 작은 암자와도 같은 곳이었다. 역의 뒤편에는 칠팔호 남짓의 수덕(樹德)말이 있었는데 옛 토성 자리가 남아 있는 곳이다. 안신은 일단 군사들을 거기서 쉬게 하였다. 군사들은 그제야 자기들이 자하산의 범을 잡으러 가는 게 아니라는 사실을 알았다. 때는 이미 해가 저물어 자하산이 문자 그대로 자줏빛 놀에 물들 무렵이 되었다. 현감이 병방에게 일렀다.

"마을 사람 중에 장정 두엇을 뽑아 데리고 가서 초천말을 정탐하도록 하고, 또한 초천내 건너편 등성이와 이쪽 등성이에 군사 한 오씩을 올려보내어 번을 들게 하며, 교대하는 차례에 실수가 없도록 하라."

수덕말의 산모퉁이를 돌아 초천내 건너편의 골짜기를 바라보니 몇 점씩 실오라기처럼 오르는 연기가 그 근처에 인가가 있음을 알려주었다. 병방의 명을 받은 기패관이 정탐의 오를 짜서 골짜기로 들어갔고 번 드는 오들은 뽑혀서 양편 산의 등성이로 올랐다.

최형기는 온정원에서 말을 몰아 말등내를 따라 올라 노풍산(露楓山) 고개를 넘어갔다. 그곳이 바로 초천내의 지류인데 초천말과는 산을 사이에 둔 바로 이웃 골짜기였다. 왼편 산등성이를 올라 산줄기를 타고 서남으로 조금 내려가면 초천말의 뒷산이 되는 셈이었다.

"여깁니다. 비파산에서 삼방(三方)고개를 넘어 곧장 내려오면 저쪽 계곡의 상류가 되지요. 토성진군은 저리 내려올 것입니다."

수교가 손가락으로 계곡의 오른편 숲을 가리켰다. 길잡이로 나선 주막 주인은 최형기의 명을 따라서 그와 박완식을 이끌고 왼편 산등성이로 올랐다. 그들은 말을 타고 전원이 달렸으므로 아직은 해가 제법 산 끝 두어 뼘 위에 솟아 있을 무렵이었다. 등성이에 올라서니 위로 북에서 비파산과 삼방령의 줄기가 만나 그 남은 맥이 삐쳐내려오면서 지금 그들이 섰는 곳에서 다시 두 갈래로 갈라져 두 줄기의 골짜기를 이루고 있었다. 한 오 리쯤 되는 곳에 두 개의 산봉우리가 젖무덤처럼 봉곳한 데가 보였다. 길라잡이가 말하였다.

"저 밑이 초천말입니다."

최형기는 눈짐작으로 미루어 뒷산에서부터 밀고 내려간다면 도적들이 달아날 곳은 골짜기의 어귀나 아니면 그들이 서 있는 바로 이 자리라고 생각하였다. 산줄기가 합쳐진 이곳은 골짜기의 모가지나 다름없었다. 숨통을 꽉 죄어두는 것이다. 이곳에 매복을 시켜두고 다시 마을을 이중 삼중으로 둘러싸고 나서 마을 가녘의 집에서부터 덮쳐나갈 작정이었다. 혹시 새어나가는 자가 있게 될지라도 그들은 일단 마을 둘레에 쳐둔 그물을 빠져나가야 할 테고 그러고는 골짜기 어귀와 이쪽 산줄기의 목을 통과하지 않으면 안 된다.

최형기는 다시 아래로 내려왔다. 그들은 낙엽을 그러모아 구덩이에 두껍게 깔고 또한 몸 위로 수북하게 덮고는 추위를 견디었다. 응달진 북편 골짜기요 바람길이라서 날이 저물어갈수록 매섭게 추워지고 있었다. 그들은 현에서 가져온 떡으로 요기를 하였다. 사방이 어두컴컴하였는데 인기척이 들리며 군사들이 행군해오는 게 보였다. 토성진 진영장이 군사 오십여 명을 인솔하고 당도하였다. 그는 파발 군사를 통하여 자세히 듣고 있어서 가까이 오자마자 두 손을 모으고 공손히 물었다.

"어느 분이 토포장이십니까?"

최형기는 같은 무관이라 거리낌없이 말하였다.

"날세. 군사는 모두 몇 명인가?"

"토성진 진장, 명을 받들어 거병했사옵니다. 모두 십 오가 넘습니다."

"그래, 토성 첨사께서도 무고하신가?"

"예, 비관을 뵙고 소장의 막중한 책무를 신신당부하셨소이다. 포수 이십 명에 진군 사십 명을 조발하였습니다."

"음, 진군들은 습진조련에 능숙하겠지."

"육화진법을 익힌 군사 다섯 오와 궁수 세 오를 인솔하였습니다."

최형기는 만족하여 진장의 뒷전에 섰는 체격이 고른 진군들을 둘러보았다.

끝춘이의 부탁을 받았던 조진포 어계방 점주는 그 무렵에 화여령을 넘어 양덕현 밖 삼십 리 어름에 당도하여 있었다. 그가 닭 울 녘에 훨씬 먼저 출발하였던 최형기의 일행을 이만큼이라도 따라잡은 것은 워낙 원행의 장삿길에 이력이 났던 송방 차인 출신이고, 단신으로 급히 말을 몰아온 때문이었다. 날씨는 추웠지만 말과 사람은 둘 다 땀으로 젖었다. 어계방 점주 사내는 김선일과는 자별한 동무 지간이요 마음속 깊이 장두령과 송도 박좌장을 흠모하는 바가 있었다. 또한 다른 무엇보다도 선일이가 이미 관군에게 잡혔으며 양덕 산채의 운명이 경각에 달하였으니 북관과 연결된 상로는 끊기게 될 것이며, 모처럼 차인으로부터 수달피를 전매하는 점주로 올라선 자신의 생활터전이 몽땅 없어지게 될 판이었다. 물론 그는 어계방에 위험이 닥치는 것은 훨씬 뒤가 될 거라고 알았으나, 바로 지척이 함흥 백운산이요 그 두령 업복이에게 의탁하면 후환은 그리 염려할 것이 없었다. 그들 식구들은 단천 회령 등지에도 있었고 압록강의 강변칠읍에도 있었으니 그가 갈 곳은 많았다. 조진포 점주는 이번에 자신이 맡은 일이 박대근에게도 얼마나 중요한 일인가를 잘 알고 있었다. 그가 혼자 말을 달려 양덕 현내로 들어간 것은 이미 한밤중이 되어서였다.

하루종일 말을 달려와 거문재에서 잠시 요기를 때우고 이제 자시 무렵에야 현에 이르렀으니 말과 사람이 녹초가 되어 있었다. 그에게는 양덕 행보가 초행길이라 끝춘이에게서 들었던 양덕 초천말이 어느 곳에 있는지 알 수가 없었다. 양덕현은 워낙 궁벽한 고장이요 객점이나 저자도 없는 곳이라 그는 이 집 저 집을 기웃거리다가 길가에 삽짝이 나 있고 그 안쪽 방의 창호에 불이 밝혀진 집을 보자 무조건 말에서 내려 쫓아들어갔다.

"주인 계시오?"

그가 조심스럽게 부르니 방문이 밖으로 밀려지면서 한 사내가 고개를 내밀었다.

"게 뉘슈?"

"예, 저 성천에 가는 길이온데 그만 날이 저물어 잠시 요기나 하고 갈까 하여 찾았습니다. 상목이 있으니 밥이나 좀 얻어먹읍시다."

"허허, 여기는 객점이 아니오마는, 객점은 좀더 내려가야 하는데……"

"이 밤중에 다른 곳을 찾기도 어려우니 잠시만 신세 지도록 해주오. 날이 새자마자 곧 떠날 게요."

"누추하지만 들어오시지요."

주인도 마지못한 듯이 툇마루로 나와 서면서 일렀다. 조진포 사내는 말고삐를 쥔 채로 말하였다.

"하온데…… 제가 다 값을 쳐드릴 것이오니 말죽이라도 쑤어주셨으면 하오."

"염려 마시우. 말은 그 나무 밑둥에 매어두시구려."

조진포 사내는 주인의 방에 들어가 앉았다. 윗목에 이불 한 채와 선반이 있었고 관솔불이 조는 듯이 까물대고 있었다. 밖에서 우왕좌왕하던 주인이 그의 내자가 차려준 밥상을 들고 들어왔다.

"자, 드시구려. 촌이라 반찬이 없어서."

조진포 점주는 두말할 것 없이 얼른 밥상을 당기고 앉아 조밥 한 그릇을 뚝딱 해치우는데 집주인이 물었다.

"도대체 이 밤중에 어디서 오시는 길이오?"

"예? 고원서 오는 길입니다."

"성천까지는 이백 리가 되는 길인데 내일 하룻길로는 좀 벅찰 게요. 보아하니 말도 지친 것 같던데."

"초천이 어디쯤 됩니까?"

"성천 가는 꼭 중간 어름에 있소. 역말이라고는 하여도 마땅한 객점은 없으니 차라리 길양식 가지고 가서 역에 가서 밥을 붙여먹는 게 나을 거요. 헌데 지금 우리 고을에는 소동이 일어났지요."

조진포 사내는 짚이는 데가 있어서 고개를 쳐들고 주인을 바라보았다. 주인이 목소리를 낮추어 말하였다.

"우리 경내에 대적이 있답니다. 혹시 장길산이라고 모르슈?"

"글쎄요…… 들은 적이 없소."

"모두들 수군거리는데 한양에서 토포장이 내려와 군을 휘동하여 장길산을 잡으려 한답니다. 장길산이라면 어린아이들도 다 아는 해서 활빈도의 두령이지요. 아까 오후에 양덕현의 향군 포수들이 이미 발정했습니다. 저희들 깐에는 호환으로 범사냥을 나간다지만 모두들 도적을 잡으러 나갔다고 쑤군거려서 저두 알았지요. 그래 제가 이르는 말씀은 아예 느긋하게 마음 잡숫고 내일 이 고을 사정을 보아 점심때쯤에나 떠나시라 그런 말씀이우. 또 혹시 압니까. 낯선 고장에서 나다니다가 토포군에 피촉되어 곤경을 치르게 될지."

조진포 사내는 이미 관군의 토포가 시작된 것을 알았다.

"고맙소. 하여튼 이걸 받아두시우."

한 끼니 값으로는 좀 과하다 싶게 무명 끝동을 내어주고 나서 조진포 사내는 잠시 구들장을 지고 쉬었다. 그는 피로와 식곤증으로 까무룩하게 잠들었으나 얼결에 돌아누우면서 눈이 번쩍 뜨였다. 얼마나 되었을지 알 수가 없었다. 기왕에 백여 리를 달려왔으니 자신이 맡은 일은 해내야만 한다고 다짐하고서 그는 벌떡 일어났다. 그러고는 마당에 나가 말을 끌고 어둠속으로 헤집고 나섰다. 그는 서쪽으로 나 있는 길을 바라고 다시 말 위에 올라 고삐를 당겼다. 그는 초천역을 바라고 달렸던 것이다. 동녘이 부옇게 트고 있는 가운데 그는 노풍산 고개를 넘었고 고갯마루에서 아래편의 초천역을 내려다보게 되었다. 집이 몇채 있었고 기다란 역사의 지붕들이 내려다보였다.

어계방 점주 사내는 이제 초천역이라 그 산마루를 돌아서 내를 따라 골짜기로 오르면 길산네 산채가 있다는 것을 알았다. 드디어 당도한 것이다. 그는 말의 배를 가볍게 발로 차면서 노풍산의 언덕 아래로 달려갔다. 그가 창고와 역사가 있는 역 앞에 이르렀을 때 갑자기 길 위로 장창을 든 군졸 한 쌍이 뛰어나와 길 양쪽에 막아섰다.

"게 섰거라!"

군졸 중의 하나가 장창을 앞으로 내질러 겨누면서 외쳤다. 아뿔싸, 관군이 먼저 와서 길목을 지키고 있구나 하면서도 조진포 점주는 말을 멈출 생각은 전혀 하지 않았다. 그는 오히려 말고삐를 왼쪽으로 당기면서 배를 더욱 힘껏 찼다. 말은 길에서 벗어나 역말의 밭두렁 사이를 돌아서 뛰고 있었다. 역말이 대번에 그의 등뒤로 멀어졌다. 산에서 깔리기 시작한 새벽안개가 숲 사이에 가득하였다. 그는 곧 두 갈래의 내가 합치는 곳에 이르렀는데 말발굽 아래에서 살얼음이 으깨지는 소리가 들렸다.

그때에 골짜기를 울리면서 방포 일성이 일어났다. 연환이 바람을 가르는 소리가 길게 여운을 끌며 지나갔다. 산의 양쪽에 매복하여 있던 기패관의 어느 오에서 잘못 방포한 것이었다. 뒤이어 내키지 않는 듯이 또 한 방이 터졌다. 어계방 점주는 몸을 바싹 구부리고 말을 몰아 달려 지나갔다. 그는 골짜기 속으로 계속 달려들어갔다.

이 총소리는 초천 인근의 모든 사람이 들었다. 먼저 초천역말의 역사에서 자고 있던 현감 안신이 벌떡 일어나, 그대로 전립 입고 자던 차림대로 신만 꿰며 달려나왔고, 군사를 정돈하고 현감을 깨우려던 병방이 급히 아뢰었다.

"방금 웬놈이 말을 몰아서 번군 앞을 지났는데, 아마도 복처에서 쏜 모양입니다."

"뭐라구…… 그놈이 도적들에게 관군의 급습을 알리려는 놈일 텐데 잡지 못했단 말이냐? 왜 나를 깨우지 않았느냐?"

"예, 곤히 주무시기로…… 지금 깨우려는 참이었습니다."

안신은 앞뒤를 돌아볼 경황이 없었다. 이제 다 지어논 잿밥에 콧물 빠뜨린 격이었다. 자칫하면 공을 빼앗기게 될지도 몰랐다.

"자아, 모두 나서라. 도적의 굴혈로 짓쳐들어간다."

병방이 말을 끌고 오자 그들은 말 위에 올랐으며 일 초의 향군들은 정렬을 하고서 그들의 뒤를 따랐다. 골짜기의 어귀에서 매복하여 있던 두 오의 군사들이 기패관의 인솔에 따라 뛰어내려왔다. 현감 안신은 화가 나서 기패관의 얼굴을 채찍으로 사정없이 후려쳤다.

"빈틈없이 짜두었던 그물을 네놈이 찢고 말았다. 만약에 장길산을 놓치면 살아남지 못할 것이다."

초천말에는 길산네 식구와 강선흥 최흥복 강말득 김기 그리고 구월산 분가 때에서부터 자비령 시절에 이르기까지 충직하게 그들을 따라왔던 활빈도의 식구들 하여 장정이 열다섯이요 아녀자가 이십여 명쯤 되었다. 마을은 여느 산골마을과 차이가 없었는데 다만 마필이 많고 창고가 두 군데나 있는 것이 다른 점이었다. 몇집에서는 일찍 일어나 아침 지을 준비를 하는 데도 있었지만 역시 아직은 이른 시각이었다. 길산이네도 안방에 길산과 아내 봉순과 수복이와 구월이가 나란히 누워 잠들었다. 길산은 미닫이문 쪽으로 돌아누워 있었는데 창호가 훤하여 눈을 감은 채로 어설프게 깨어 있었다. 그때 총소리가 들렸다. 먼 곳이기는 하였으나 길게 끌리는 여운이 총소리가 틀림없었다. 그는 눈을 번쩍 떴다. 그러고는 두리번거리는데 다시 또 한번 총성이 들려왔다. 길산은 반사적으로 일어나 앉았다.

"왜 그러셔요?"

봉순이가 따라 일어나며 물었다. 길산은 이불을 젖히고는 바지저고리 위에다 털배자를 걸치고 마루 끝에 나가서 섰다. 바로 이웃집이 선흥이네 집이요 그 뒤가 흥복이 그리고 좀 떨어져서 강말득과 김기가 다른 식구의 집에 방 한 칸씩 차지하고 살았다. 길산이 옆집

의 담 너머로 오락가락하는 선홍의 아내 춘천댁을 보고는 말을 건
넸다.

"계수씨, 선홍이 일어났습니까?"

춘천댁은 겸연쩍게 웃으며 말하였다.

"새벽잠 못 참는 거야 온 동네가 다 알지요."

"어서 깨우시오."

길산의 보통때와 다른 정색한 얼굴을 대하자 춘천댁은 금방 자라
목이 되어가지고 방으로 뛰쳐들어갔다. 이제는 봉순이도 깨어난 수
복이와 구월이를 데리고 그의 뒷전에 서 있었다.

"여보, 총소리였지요?"

"아이들 옷 입히구려."

길산은 그렇게만 대꾸하였고, 놋쇠방울이 떨렁하더니 삽짝이 열
리면서 강말득이 들어섰다.

"성님, 들으셨지요?"

"그래…… 식구들 몇 데리구 나가서 둘러보아라."

그들이 긴장한 데는 까닭이 있었다. 초천말 가까이 포수가 방포할
만한 산이라곤 없는 셈이었다. 초천말 인근은 모두 나지막한 야산이
었고 포수들도 언진산맥의 줄기나 낭림산맥의 연봉을 찾아가게 되
어 있었다. 이런 곳에서는 꿩이나 토끼 덫을 놓는 게 고작이었으며,
인가라고는 초천말 외에는 사방 삼사십 리에 마을이 없었다. 가장
가까이 있다는 초천역말까지도 삼십여 리요 그곳도 네댓 호나 될까
말까 한 궁벽한 곳이었다. 또한 지금은 방포할 시각이 아니었다. 길
산이 깨어나 서성대는데 그런 기분은 곧 온 마을에 옮아갔다.

"성님, 아침부터 웬일이우?"

담 너머로 강선홍의 우락부락한 얼굴이 쑥 내밀어졌고, 길산이 말

하였다.

"식구들 모두 병장기 가지고 모이도록 해라."

"왜요, 사냥 가실라우?"

길산은 웃는 낯으로 받았다.

"그래, 동절이라 아랫목만 지키고 있으면 마음이 해이하여 안 되겠다. 습련 겸하여 사냥이나 나가자."

"에이, 아침이나 먹구 합시다."

길산은 그제야 좀 짜증이 났다.

"어서 옷 두툼히 입고 나서서 식구들 모으라니까."

"알겠수."

"김선비님 오시라구 하여라."

하는데 벌써 김기가 의관을 단정히 하고서 길산네 마당으로 들어서고 있었다.

"두령도 들었지요?"

"예, 그래 좀 이상하여 강서방에게 나가보라구 했습니다."

김기는 길산이처럼 팽팽하게 긴장하여 있었다.

"뭐 별일이야 있겠소마는 잡인이 접근하는 것도 또한 불리한 일이니, 타지의 포수라면 마땅히 골짜기 밖으로 내보내야겠지요."

마을이 웅성거리기 시작하고 최흥복도 들어왔다.

"말득이가 아이들 데리고 다리를 건너갔습니다."

초천말은 자루처럼 구부러진 골짜기의 안쪽이라서 먼 곳을 내다보려면 마을 앞으로 휘돌아들어온 초천내를 건너서 나가보아야 하는 것이다. 무릎 깊이쯤의 내 위에는 마을에서 놓은 통나무로 엮은 다리가 걸려 있었다. 보다 더욱 멀리 드넓게 살피려면 역시 젖무덤처럼 봉곳이 솟아오른 쌍봉으로 올라가서 내려다보면 남쪽으로 곧장 자하산까지 보이고 양덕 성천 간의 길이 까마득하게 보였다. 그리고 뒤로는 성천을 돌아서 양덕 경계의 개나루를 지나 금성산에 닿는 비류강이 보였다. 쌍봉 파수는 처음에 이곳에 와서는 언제나 두 사람씩 올려보냈지만 인원도 충분치 않았고 공연히 부녀자들의 기분만 건드리게 될까 염려되어 곧 폐하고 말았던 것이다.

잠시 후에 말득이가 온몸이 흙투성이로 더럽혀지고 눈알이 충혈된 사람과 말을 뒤에 이끌고 왔다. 그의 뒤로는 또한 강선흥이 모아 온 식구들이 대충 병장기를 챙겨서 몰려들어왔다. 길산은 곧 그 사내를 알아보았다.

"자네가 웬일인가?"

어계방 점주는 마른 입술을 핥으면서 그 자리에 풀썩 주저앉았고, 말득이가 먼저 말하였다.

"성님, 토포군이 온답니다. 이미 골짜기로 들어온 모양입니다."

길산은 놀라지 않고서 어계방의 점주 사내에게 물었다.

"어찌된 일인가?"

"원산포의 이시흥이도 잡혔고, 고원 선일이도 잡혔습니다. 그 댁 아주머니가 간신히 빠져나와 저희 어계방에 와서 알려주어서……"

계속되려는 조진포 사내의 말을 막으면서 길산이 말하였다.

"자, 우물쭈물할 틈이 없다. 식구들을 둘로 나눈다. 먼저 한쪽이 관군을 막아 싸우는 동안에 다른 식구들은 쌍봉을 올라 삼방령과 비파산을 넘어 오라발산으로 빠져나간다. 일단 오라발산에서 헤어졌던 식구들이 합하여 낭림산맥의 북맥을 타고 운봉산으로 갈 것이다."

김기가 말하였다.

"두령, 그 길은 관군들도 예상을 할 것이오. 또한 토성진이 있으니 진군들이 우리의 퇴로를 끊고 기다릴지도 모릅니다. 한 치라도 멀리 양덕계에서 벗어나야 합니다. 쌍봉을 넘어 곧장 비류강을 건너면 성천계올시다. 박달령에서 모이는 것이 어떨는지요."

길산은 김기의 말을 옳게 받아들여 퇴로를 다시 정하고는 곧 식구들에게 일렀다.

"아녀자들은 약간의 길양식과 옷가지를 챙겨서 길 떠날 준비를 하고 집에 있는 세간은 모두 버리시오. 말득이가 식구들의 길안내를 맡는다. 삼촌도 이들을 따라가시고, 도중에 뒤처지면 부축하고 업고 갈 사람이 둘쯤 더 필요하겠군. 선흥이와 홍복이 그리고 남은 사람들은 나를 따라 관군을 막으러 간다."

누구도 다른 말을 꺼내는 이가 없었다. 말득이는 사람들에게 어서 봇짐 꾸려 나오라고 외쳤다. 봉순이도 수복이와 구월이를 데리고 아녀자들 틈에 섰는데 길산은 선흥이와 홍복이를 비롯한 장정 열 사람을 이끌고 동구 쪽으로 달려가버렸다. 봉순이는 그들이 골짜기 저편의 적송숲 사이로 사라지는 것만 눈바라기했을 뿐이었다.

최형기는 전날 밤에 쌍봉의 줄기가 비파산 줄기와 만나는 지점에 토성진의 궁수 한 오와 두 오의 진군을 묻어두고, 내처 행군하여 쌍봉의 골짜기에서 진을 쳤다. 그들은 땅을 파고 낙엽을 깔고 위에는 생솔나무로 덮어 하룻밤 숙영할 움막을 지은 터였다. 십이월 산속의 추위와 냉기는 혹독하였고 모닥불을 피우지 못하게 하였으니 모두들 얼어죽지 않으려고 밤새 잠들지 못하였다. 번이 두 사람씩 교대로 위에 올라 초천말을 망보았고 최형기는 박완식과 더불어 한 움막에 들어 몸 위에 낙엽을 잔뜩 덮고 누워 있었다. 그들은 피로가 극심하여 서로 말을 나눌 사이도 없이 깊은 잠이 들었던 것이다. 새벽이 되었는데 수교가 와서 급히 찾았다.

"토포장, 일어나십시오."

"어…… 날이 샜나?"

"방포소리를 들으셨습니까?"

수교의 말에 눈을 가물거리며 누웠던 최형기는 낙엽을 좌우로 헤치고 일어났다.

"방포소리라니……"

최형기가 되물으며 뛰쳐나오고 곁에 누웠던 박완식도 움막에서 엉금엉금 기어나왔다. 토성진 진영장과 양덕현 수교가 나란히 움막 앞에 서 있었다.

"방금 번 들던 아이들이 내려와 멀리 골짜기 아래쪽에서 총 놓는 소리가 들렸다고 고하였습니다."

진영장이 말하였고 수교가 덧붙였다.

"소인도 마침 깨어 있었기에 그 소리를 들었습니다."

최형기는 그들에게 따라오라고 손짓하고는 얼른 고갯마루로 올라갔다. 짙은 송림 아래로 초천말 쪽은 고요해 보였다. 나무 틈 사이로 노란 초가지붕이 몇점 틀어박혀 있는 것이 보였다.

"짓쳐내려가지요."

박완식이 최형기에게 속삭였다. 최형기는 숨이 막힌 듯 눈을 크게 부릅뜨고서 적송숲을 내려다보았다.

"선수를 빼앗겼다!"

세 사람은 최형기의 말을 얼른 알아듣지 못하고 서로 시선만 주고받았다. 최형기가 분노를 겉으로 드러내지 않으려는 듯이 입을 꾹 다물고 숨을 길게 내쉬었다.

"작전의 약조란 목숨보다 더 중요하거늘 안모가 공명심 때문에 나를 배신하는구나. 그자가 공을 탐내어 먼저 산채를 공략하는 것이 틀림없다. 우리가 이제 여기서 몰고 내려간다면 도적들은 필시 좌우로 빠져 달아나거나 거개가 현감의 향군들에게 잡힐 것이 분명하다."

진영장이 물었다.

"하오면 어찌하시렵니까?"

"어찌하겠나, 자네 같으면……"

최형기는 일어났다. 그러고는 앞장서서 군사들이 모여 있는 고개 아래로 갔다. 박완식이 뒤따라가며 물었다.

"다 지어놓은 밥을 남에게 밥상째로 내주시렵니까?"

"현감 안신이 선공하여 들어간다면 그자는 제 꾀에 넘어가는 격이다. 우리는 여기서 도적들의 퇴로를 끊고 기다린다. 이 골짜기에서 큰 산의 연맥을 타는 길은 바로 이곳뿐이다. 살진을 벌여두고 입 속에 먹이가 들어오기를 기다린다."

그들은 곧 토포장의 뜻을 이해하였고 최형기의 명에 따라서 군사의 오를 나누기 시작하였다. 쌍봉의 동북 줄기에 다른 매복 군사를 남겼으니, 이제 여기에는 포수 이십과 진군 다섯 오를 합하여 마흔 다섯이 있었다. 진군 다섯 오 가운데서 궁수가 열이요 열다섯이 장창 가진 군사들이었다. 먼저 이십 명의 포수는 최형기가 지휘하기로 하였으며 궁수 열 명은 진영장이, 단병접전 할 군사들과 경군 다섯은 박완식이 맡기로 하였다. 그들은 양쪽의 산중턱에 포수들을 배치하고 다시 고갯마루에 궁수들을, 또한 고개 아래쪽 좌우 숲에 장창 수며 환도 가진 진군 스물을 깔아두었다.

길산과 선흥이 흥복이와 산채 장정들 열 사람은 동구 밖의 초천내에 걸린 다리를 건너서 골짜기가 내다보이는 곳까지 달려나갔다. 그들은 골짜기 아래쪽에서 행군하여 오고 있는 관군들의 거뭇거뭇한 더그레 군복들을 볼 수가 있었다. 길산은 관군을 이곳에서 막아내며 식솔들이 쌍봉고개를 무사히 빠져나갈 때까지 시간을 벌어둔 다음에 오른편 등성이의 울창한 적송숲으로 몸을 감추어 그대로 야산의 산줄기를 타고 개나루까지 나아갈 참이었다. 그는 밤에 비류강을 건너고 곧장 가고지령(加古之嶺)을 따라서 박달산 돌장승이에 당도할 생각이었다. 관군을 막아내다가 일시에 물이 빠지듯 퇴각하려면 골짜기 양편으로 갈라서는 것보다는 골짜기를 막고 있다가 숲으로 한꺼번에 잠입하는 것이 유리할 듯하였다. 산채 식구들은 모두 화승총을 가지고 있었고 짜른 칼이나 쇠몽치 같은 단병의 병장기도 허리춤에 차고 있었다. 그들의 허리춤에는 단방 부시며 화약 연환 등속이 듬뿍이었고 특히 최흥복은 왜포 자웅 한 쌍을 가죽집에 넣어서 메고 있었다. 방포술에는 최흥복뿐만 아니라 장길산이나 다른 식구들도 수년 전부터 숙달되어 있었다. 방포에는 서툴던 강선홍도 이제는 제법 솜씨가 늘어서 조롱박을 꿰지는 못하였지만 대독을 박살낼 정도는 되었다. 길산이 일행은 계곡에 이리 비쭉 저리로 우뚝, 솟고 내려 앉고 굴러 있는 바위를 의지하여 각자의 자리를 잡았다. 맨 앞에는 털벙거지에 구군복 입은 병방이 환도 빼어들고 달려왔고 향군들은 장창을 두 손에 치켜들고 구보로 행군하고 있었는데 뒷줄에는 총을 든 포수들이 뛰었으며 현감은 맨 뒤에서 행렬을 몰고 있었다.

길산의 바로 곁에 최흥복이 엎드렸고 그 뒤에 강선홍이 엎드렸다. 다시 좌우로 구월산 때부터의 식구들 여덟 명이 총에 연환을 재고 부시를 붙일 자세를 취하고 있었다. 행렬은 차츰 다가왔다. 백 보, 오십 보, 그들의 턱에 닿는 숨소리가 바로 코앞에 들렸을까 싶을 적에 최흥복이 끊어서 짧게 내뱉었다.

"방포."

시척, 불이 댕겨지고 귀청을 찢을 듯한 총소리가 여러 방 불규칙하게 터졌다. 앞장섰던 병방이 말 위에서 떨어지고 행군하여 오던 군사의 전열이 무너지며 나자빠졌다. 조련을 잘 받은 군사들이었다면 그 자리에 엎드렸다가 연환을 피하며 산개 포복하여 들어오거나, 아니면 그대로 기세를 몰아 장창을 겨누고 돌격하여 들어올 터이지만 그들은 급한 대로 향리에서 하룻밤새 그러모은 향소 군사들이었다. 무엇보다도 갑자기 천둥처럼 터지는 총소리에 놀랐고 사람이 죽어 나뒹구는 꼴을 보자 그만 정나미가 떨어져버렸던 것이다. 그들은 뒤죽박죽 엉겨서 방향을 모르고 사방으로 뛰었다. 현감 안신은 마상에서 환도를 빼어들고 휘두르며 흩어지는 군사들을 정돈하려고 외치고 다녔다.

"앞으로 나가라. 병장기를 버리지 말라!"

그러나 그 소리가 향군들의 귀에 들어갈 리 만무하였으니, 다시 한 차례의 총성이 일어나며 대여섯 명이 쓰러졌고 현감 자신도 총에 맞아 울부짖고 쓰러지는 말 위에서 내동댕이쳐졌다. 그는 몸을 낮게 숙이고 뒤로 뛰면서 소리를 질렀다.

"포수들은 오와 열을 갖추라."

기패관이 포수들을 바위 사이사이로 배치하였고 단병접전에 나설 향군들은 그 뒤에 안신과 더불어 엎드렸다. 안신이 무릎걸음으로 기패관의 곁에 가서 엎드렸다.

"도적들이 얼마나 되는가?"

현감의 물음에 기패관은 헐떡거리며 답하였다.

"글쎄요, 화력으로 보아 한 이십여 명은 넘는 것 같소이다."

현감은 분통이 터져서 제 무릎을 두드리며 탄하였다.

"아무리 오합지졸이라 하나 일 초나 되는 군사가 도적들 이십여 명에 가로막혀 이 지경이 된단 말인가."

"사또, 여기서 포수들을 독려하여 일변 총을 쏘면서 적들을 묶어두십시오. 그 사이에 저는 군사들 다섯 오를 이끌고 저들의 왼쪽 측면으로 기어들어갈 것입니다. 저희들이 찌르며 돌입하면 나머지 군사들을 앞으로 내몰아주소서."

기패관이 그래도 급료군이라 현감보다는 응변에 대한 재조가 있어 그럴듯하게 안을 내었다.

"병방은 어찌되었느냐?"

"예, 저 앞에 쓰러져 있는데 적탄에 맞아 급사한 것 같습니다."

"네가 오늘의 전공을 독차지하겠고나. 나는 너만 믿는다."

현감 안신은 뒤로 빠지는 기패관의 모습을 살피고 나서 포수들에게 명하였다.

"쏘아라."

포수들은 머뭇거리며 총을 쏘지 않았고 안신이 다시 호통을 쳤다.

"도적들에게 쏘란 말이야."

포수들 중의 누군가가 말하였다.

"사또, 표적 없는 방포란 이치에 닿질 않습니다. 도적들은 모두 바위 뒤에 숨어 있습니다."

현감은 문신이요 습련 훈련마저 해보지 않은 처지라 용병을 어떻게 해야 될지 감감하였다. 드디어 공격의 오를 짠 기패관이 향군 스물댓 명을 이끌고 몸을 낮추어 계곡의 가녘으로 접근하여갔고 총격은 그쪽으로 가해졌다. 두엇이 총에 맞아 다쳤으나 그들은 꾸준히 기어서 접근하였다. 길산의 쪽에서도 이쯤은 처음부터 예상하였던 일이라 당황하지 않고서 잽싸게 이동을 시작하였다. 즉 일방으로 다가드는 자들에게 사격하며 계곡의 야산 등성이로 뒷걸음질쳤던 것이다.

쌍봉의 고갯마루를 끊고 기다리던 최형기의 토성진군들은 산 아래쪽에서 어지럽게 터지고 있는 총소리를 들었다.

"토포장, 도적들이 올라옵니다."

포수들의 오장이 최형기에게 알렸다. 최형기가 고개를 내려다보니 마을 뒤로 보퉁이를 메거나 말을 이끌고 아이들을 업고 걸리고 하면서 초천말 사람들이 하얗게 몰려올라오는 중이었다. 그들이 차츰 가까워지자 최형기는 발을 구르며 애타게 중얼거렸다.

"도적들이 어디로 갔는가. 저것은 그들의 식솔들뿐이 아닌가."

그러나 때는 이미 돌이킬 수가 없었다. 이제 군사의 오를 다시 편성하고 이동하고 할 겨를이 없었다. 초천말 사람들의 행렬은 고개 중턱에 오르는 중이었다. 일단 그들을 덮치고 나서야 군사의 이동이 가능할 것이었다. 다시 총성이 아래쪽 골짜기에서 어지럽게 일어났으며 최형기는 장길산이 그곳에 있다고 믿어 의심치 않았다. 저들은 식솔들을 빼돌리고 관군을 가로막아 퇴로가 안전하도록 사이를 벌자는 것이다. 현감 안신의 용병으로는 노련한 장길산의 혈당을 잡을 수가 없을 게 분명하였다. 충분한 시간을 벌고 나서 길산의 혈당들은 나는 듯이 골짜기를 빠져나갈 터였다.

하나 저들 가운데는…… 하다가 최형기는 숨을 크게 들이마셨다. 그렇다, 틀림없이 장길산의 가족이 섞여 있을 것이며 그들은 어느 곳에서인가 만나기로 약조가 되어 있을 것이었다. 좋다, 장길산의 가족을 우선 잡아두고서 길산의 행적을 끝까지 추적한다. 실패한다면 또한 그들 가족을 미끼로 장길산을 끌어들일 수가 있을 것이다. 최형기는 바람 속에서 다가오는 행렬의 말의 콧김소리며 서로 부르고 찾는 소리를 들으며 눈을 지그시 감고 있었다. 최형기는 눈을 떴고 초천말 식솔들의 인상이며 옷차림을 분명히 알아볼 수 있는 거리에까지 가까이 다가온 것을 보았다. 맨 앞에 화승총을 멘 자가 올라왔고 중간에 견마를 잡은 자가 둘이었으며 갓 쓰고 두루마기 입은 자도 보였다. 그러니까 남자가 모두 네 사람이요 나머지 여자와 아이들 합쳐서 스무 명 남짓 되어 보였다. 최형기가 포수의 오장에게 일렀다.

"모두 쏠 필요는 없다. 사내들만 쏘되, 죽지 않도록 사지를 겨누어라."

초천말 사람들이 빠져나갈 틈이라곤 하늘 위로 나를밖에 다른 활로가 없었다. 포수와 궁수, 그리고 매복 군사들이 세 겹으로 그들의 전후좌우를 둘러싸고 있었다. 이는 말하자면 현감의 향군이 고기를 몰듯이 초천말을 휩쓸고 나오면 그들이 물속에 잠기게 두었다가 떠낼 그물을 쳐둔 셈이었다. 설사 길산의 범 같은 용맹으로도 최형기의 포위망은 뚫지 못하였을 것이다. 총성이 터졌다. 부녀자들의 비명과 아이들의 울음소리가 뒤를 따랐다.

강말득은 멈칫, 하였다가 좌우를 둘러보고는 자세를 낮추었다. 김기가 말에서 굴러떨어졌던 것이다. 말은 사방으로 뛰고 봇짐은 흐트러졌다. 말득이가 김기를 잡아일으켰다.

"삼촌, 삼촌……"

"강서방……"

김기는 가슴에 총을 맞았는지 옷 위로 피가 번져가고 있었다.

"내게 업히시우."

그러나 김기는 희미하게 웃었다.

"글렀어. 나두 집사람 곁으루 가야지. 두령께 전해주게……"

말득이는 김기를 끌어안아 등 위에 업고는 사람들 틈을 비집었다.

그러나 몇발짝 가지 못하여 그의 팔이 축 늘어지더니 말득의 어깨를 넘어 떨어졌다. 말득이는 어깨를 기울여 김기의 상반신을 끌어안으며 앞으로 무릎을 꿇었다. 다시 총성이 들리고 고개 아래로 뛰던 여자들 두엇이 쓰러졌다. 숲속에서 찌렁찌렁한 목소리로 토포장 최형기가 외치고 있었다.

"도적들은 듣거라. 저항하면 누구든 살려두지 않겠다. 살고 싶으면 그 자리에 엎드려라."

아래쪽에서 매복하여 있던 진군들이 길을 가로막고 장창을 겨누며 올라왔다.

길산의 아내 봉순은 첫번 방포가 있었을 때 아이들과 함께 놀란 말에서 떨어졌다. 견마를 잡았던 장정은 이마를 정통으로 맞아 숨져 있었고, 구월이가 떨어지며 머리를 부딪쳐서 얼굴이 새파랗게 되어 울었다. 봉순이는 우는 구월이를 꼭 껴안고 수복이의 등을 한 팔로 감싸고서 땅 위에 머리를 처박고 있었던 것이다.

강말득은 오른편 산등성이에서 총을 겨눈 채로 모습을 드러낸 군사들의 모습을 보았고, 그 가운데 남바위를 쓰고 허리에 짜른 환도를 지른 사내가 팔짱을 끼고 서 있는 것을 보았다. 틀림없이 그가 토포장일 것이었다.

말득이는 왼쪽의 포수들을 보았으며 그들이 방금 지나온 길 위에 화살을 메겨서 겨누고 섰는 궁수들과 장교를 보았다. 토포장이 외친 대로 그들은 아무 데도 빠져나갈 데가 없었다. 말득이는 김기의 시체 옆에 웅크리고 있다가 가슴에 손을 넣었다. 바로 옆에는 그가 메었던 화승총이 있었으나 불을 댕기기 전에 그는 화살에 꿰일 것이었다. 말득이는 허리춤에서 자신의 단병 무기인 자고 두 대를 꺼내어 손바닥 안에 넣었다. 말득이는 앞으로 그들에게 남은 길은 관군에게 잡혀서 온갖 초달을 받다가 압송되어 참수 효시형을 받는 것뿐임을 잘 알고 있었다.

그의 등덜미에는 김기의 가슴팍에서 흘러나온 피가 벌겋게 묻어 있었다. 말득이는 김기의 희끗한 수염이 바람에 간들거리고 있는 모양을 내려다보며 한 손으로 그의 얼굴을 쓰다듬어 눈을 감겼다. 그러고는 손아귀에 넣은 자고를 움켜쥐고 벌떡 일어나 언덕으로 몸을 돌렸다. 말득이가 언덕으로 뛰어오른 것은 토포장을 죽이겠다는 생각보다는 오히려 자신을 표적으로 내세워 관군의 총에 맞아 죽겠다는 뜻이기도 하였다. 그는 자고를 날려서 예전의 솜씨대로 포수 하나를 쓰러뜨렸고 다시 자고 쥔 손을 위로 치켜올리면서 뛰어올라갔다. 포수들은 좌우로 물러나며 제각기 방포하였다. 서너 발을 한 몸에 맞은 강말득은 언덕에서 뒤로 넘어져 데굴데굴 굴러떨어졌다. 최형기는 높은 곳에서 내려오지 않고 고스란히 잡힌 도적의 식솔들을 내려다보았다.

"박부장은 나를 따르라. 그리고 포수 오장은 한 오만 거느리고 나서라."

최형기가 잡힌 아녀자들은 거들떠보지도 않고서 명하였고 박완식과 진군의 포수 한 오가 올라갔다. 경군 다섯과 토성진 포수 다섯을 거느리고 최형기는 고개를 넘어 초천말로 내려갔다. 벌써 집뒤짐이 시작되어 포와 곡물자루를 어깨에 주렁주렁 걸어멘 양덕현의 향군들이 집집마다 들락거리고 있었다. 최형기는 부담롱을 들고 나오던 자의 멱살을 틀어쥐며 물었다.

"너희 안전은 어디 있느냐. 도적들은 어찌되었느냐?"

"모…… 모르오."

"끼놈들, 누구 명으로 함부로 뒤짐을 하는가. 모두 나를 따르라.

어기는 놈들은 군율로 다스린다."

향군들은 근 이십 명쯤이었는데 아마도 마을 사람들을 잡으러 나섰다가 위에서 진군들의 방포소리를 듣고 마을을 약탈하기로 한 모양이었다. 그들은 모두들 통나무다리를 건너 동네의 어귀로 빠져나왔고 거기서 흩어진 시신이며 부상자들을 수습 중인 양덕현감을 보았다.

최형기가 거칠게 물었다.

"장길산은 어디 있소?"

현감 안신은 산등성이의 짙은 적송 숲속을 손가락질하였다.

"그가 거기 죽어 있단 말이오?"

"놓쳤소이다."

안신은 최형기의 이글이글 타는 것 같은 눈길을 피하여 땅을 내려다보며 중얼거렸다.

"어찌나 방포술이 귀신 같은지…… 산 위로 오르다가 여럿이 죽고 다쳤소."

최형기가 한 손으로 단검의 칼자루를 꽉 움켜쥐고 다른 손가락으로 곧장 안신의 얼굴을 겨누듯 가리켰다.

"용병작전의 약조를 어긴 것이 누구요. 진군이 마을로 쳐들어가면 사또는 골짜기의 어귀를 지키기로 했지 않소."

"도적들에게 알리는 자가 초천역을 뚫고 들어왔으니, 어쩔 수가 없었소."

최형기는 안신과는 더이상 대꾸를 하고 싶지가 않았다. 당장에 그의 목을 날리고 싶었다. 최형기는 군사들에게 돌아서며 말하였다.

"병방과 기패관은 앞으로 나서라."

온몸이 흙투성이로 더럽혀진 기패관이 한 걸음 앞으로 나왔다.

"병방은 도적들의 총에 전사했소이다."

"너희 목을 차례로 베기 전에 이르겠다. 지금부터 장적의 뒤를 쫓는다. 도적의 총포가 두려워 처지거나 앞으로 나서지 않으면 이제부터 내가 몸소 참하리라. 자, 모두 산으로 올라가라."

골짜기의 오른편 가파른 등성이로 오르니 끝 간 데 없는 수해(樹海)였다. 아름드리 적송과 전나무며 잣나무 등속이 북록의 희끗희끗한 눈과 더불어 수없이 오르내리며 뻗어갔다. 박완식이 말하였다.

"도적들은 이 등성이를 타고 나아갔을 것입니다."

최형기가 기패관에게 물었다.

"이 산줄기가 어디까지 뻗어 있는가?"

"예, 성천계인 개나루에 가서 그칩니다. 산길 오십 리가 넘지요."

최형기는 산등성이 저편에 주춤 일어나 봉곳한 산봉우리들을 네 군데로 모으고 있는 곳에 눈을 주었다. 돌아보면 노풍산, 옆으로 보면 자하산이요, 마주 보니 마증산이었다.

"저 산이 무슨 산이냐?"

"마증산올시다."

"큰 산이로군."

최형기는 눈앞이 캄캄하였다. 이미 길산을 잡을 가망이 없었다. 이 길로 뒤를 추적하여 한편으로 비류강 일대를 막고 또 한편으로는 마증산을 이 잡듯이 뒤져내야 할 것이었다. 그런 일은 양덕현의 이백여 향군으로는 어림도 없었다. 연맥이 없던 구월산에서도 인근 사읍의 향군이 총동원되어 인성(人城)을 둘렀던 터이다. 최형기가 조용히 말하였다.

"박부장은 도적들의 뒤를 쫓아라. 나는 먼저 가서 개나루를 지킬 것이다."

박완식이 경군들과 진군 포수 향소 군사들을 기패관과 함께 이끌고 산등성이를 타고 숲 사이로 사라졌고, 최형기는 한꺼번에 몰려온 피로감으로 그 자리에 잠시 쭈그리고 앉았다. 또 놓쳐버렸다! 겨우 길산의 은신처를 알아내어 턱밑에 당도하였건만, 당상비국에서 내준 막강한 비관에 의하여 군사 조발권에서 지휘에 이르기까지 토포장으로서의 가장 큰 지원을 받았건만, 토포는 다시 실패였다. 그의 혈당 몇 명을 죽이고 사로잡았을 뿐이다. 그러나 최형기는 구월산에서처럼 모든 그의 장래가 발밑에서부터 무너져가는 듯 절망하지는 않았다. 이제 심문하여보면 알 일이나 저들 마을의 식솔들 가운데는 장길산의 혈육들이 틀림없이 끼어 있을 터였다. 최형기의 안타까움과 분노에 값할 만큼 길산에게도 쓰린 심사를 안기게 되는 것이다. 최형기는 어느 쪽이 실리에 가까운가를 따졌다. 토포는 실패한 것이 아니라 이제 시작일 뿐이다. 자신이 조정 당상들께 나아가 그 사실을 애써 알릴 작정이었다.

　장길산과 선홍이 홍복이 등의 열 사람은 오른편 야산으로 퇴각하다가 쌍봉 쪽에서 들리는 총성에 놀라 그 자리에 멈추었다.

　"쌍봉 쪽이 아니냐."

　길산이 등뒤를 돌아보았고 홍복이 말하였다.

　"관군입니다. 우리는 앞뒤로 둘러싸여 있었어요."

　"성님…… 식구들이……"

　선홍이 부르짖으며 돌아서서 뛰려 할 때 홍복이 가로막고 섰다.

　"지금 가봐야 늦었수. 우리가 거기 가봤자 관군에게 죽거나 잡히는 길뿐이우."

　탄환이 몇 방 날아왔다. 골짜기 어귀를 공격했던 향군 포수들이 뒤를 쫓는 중이었다.

"우선 급한 것은 저들을 멀찍이 떼어놓는 일이우."

그들은 응사하면서 산등성이를 타고 서북쪽으로 퇴각하였다. 선홍이가 몇번이나 돌아섰지만 흥복이 가로막았고 길산이도 이제는 앞장서서 묵묵히 걷고 있었다. 그들은 해가 높직이 떴을 적에 마중산의 연봉을 타고 올랐다. 추적하던 관군은 보이지 않았다. 길산은 시종 침울한 얼굴로 저만치 떨어져서 앉아 있었고 선홍이가 말하였다.

"나는 이 길루 돌아갈란다. 식구들은 모두 관군에게 잡혔을 거야."

흥복이 소매로 두 눈을 쓱 닦고 나서 길산이 쪽을 흘깃 돌아보았다.

"돌아가서 어쩔 테유. 혼자서 엄파 쇠몽치를 휘두르다가 포승에 얽히는 게 고작이오. 다행히 빠져나오면 박달령으루 올 것이고……"

다른 식구들도 모두 침통한 얼굴로 말이 없었다. 길산이 말하였다.

"모두 돌아갈 필요는 없다. 너희들은 여기서 내가 돌아올 때까지 기다려라. 가족들이 어찌되었나 살피고 와야겠다."

"나두 가겠수."

선홍이도 나섰고 흥복이 목소리를 높였다.

"선홍이 언니, 정말 어린아이처럼 그럴 거야? 저들은 온 고을의 향군과 포수를 휘동하여 초천말을 휩쓸었소. 하루아침에 우리 산채를 알아냈을 리가 없어요. 저들이 노리는 것은 바로 길산이 성님이우. 길산이 성님은 북관과 서도와 해서에 흩어져 있는 활빈도의 가장이시우. 절대로 관군에게 머리카락 한 오라기 내주어서도 안 됩니다. 지금 가족들을 생각할 때가 아니오. 성님은 못 가십니다. 차라리 나를 베고 가시우. 관군들은 성님을 놓친 것을 알고 해산되지 않고 끝까지 뒤를 쫓을 겁니다. 우리는 한시바삐 운봉산으로 들어가야 합니다. 사정을 살피는 것은 그뒤에라도 늦지 않고, 지금 가본다 하여도 별 뾰족한 수가 없습니다. 각처의 식구들에게 관부를 들이치게 하여 우리를 알릴 수도 있지 않습니까."

홍복의 눈은 젖어서 붉게 충혈되어 있었다. 선흥이는 입술을 핥으면서 홍복이에게서 길산에게로 고개를 돌리고는 하였다. 길산이 말하였다.

"그래, 홍복이 말이 옳다. 우리가 식구들을 생각하여 여염 마을을 이루려던 것이 잘못이었다. 운봉산으로 가야지. 그러나 식구들의 안위를 알기 전에는 이곳을 떠날 수가 없구나."

"좋습니다. 어두워지면 제가 한 사람 데리고 양덕에 나가보지요. 성님은 오늘밤에 박달산까지 빠져나가셔야 합니다."

박완식 포도부장은 군사를 이끌고 길산의 일행이 달아난 마증산 방면의 산등성이를 타고 있었으며, 최형기는 한길을 따라 개나루로 나가기 전에 토성 진영장이 몰고 내려오는 도적들의 식구를 살피고 심문하기로 하였다. 쌍봉고개에서는 여자 하나가 죽었으며 하나는 부상당하였고 도적 둘이 또한 죽고 다른 둘은 그 자리에 엎드려 있었으므로 생포되었다. 현감 안신은 오히려 도적들을 놓치고 병방 이하 군사들만 죽고 다친 셈이 되었다. 그는 날카롭게 곤두선 토포장 최형기의 시선을 자꾸 피하였다. 권한만 있다면 군율을 어긴 죄로 그자의 목을 치고 싶은 최형기였다. 최형기는 양덕현감을 이제 다시는 믿지 않았다. 아무려나 보장은 토포의 직접 책임자인 형기가 쓰게 되어 있었다. 그는 이 수십 명의 죄수들을 허술한 양덕 고을에 남겨둘 생각은 전혀 없었다. 될 수 있는 한 빨리 평안도 감영 옥으로 압송하여야 안심이 될 것 같았다. 그러고 나서 대로를 따라 한양까지 압송을 할 작정이었다. 최형기는 죄인들이 웅크리고 앉은 마을 앞의 공터로 걸어갔다. 둘레에는 토성진군들이 감시하고 있었는데 진영장이 군례를 올렸다.

"하나도 빠짐없이 데리고 내려왔습니다. 저것은 죽은 자들이고 이들은 다친 데 하나 없이 말짱합니다."

최형기는 갓 쓴 자와 자고를 던지며 발악하던 자의 시체를 힐끔 바라보았다. 그는 다시 진장 옆에 포박되어 무릎 꿇고 앉은 덩치가 커다란 두 사내를 바라보았다.

"저쪽 놈을 데려오라."

"저 두건 쓴 자 말이오이까?"

최형기가 고개를 끄덕였고 진영장이 그자의 덜미를 잡아일으켜 최형기의 발 아래로 밀어냈다.

"나는 토포장이다. 네 두령 장길산이 이 마을에서 살았는가?"

"그렇소, 아마 멀리 달아났을 게요."

사내는 기가 죽기는커녕 즐겁다는 듯이 빙긋이 웃으며 대꾸하였다. 최형기는 그냥 내버려두었다.

"저기 죽은 자들은 누군가?"

"하나는 산채의 모사이신 김선비고 다른 하나는 두령의 아우 강말득이우."

"흠, 아깝게도 죽어버렸구먼…… 너는 누구냐?"

사내가 껄껄 웃었다.

"예전부터 팔도에 이름을 날리던 해서 장길산 활빈도의 군사요."

최형기도 따라 웃을밖에 없었다.

"허, 그놈 과연 묵적(默賊)의 졸개답구나. 애야, 내가 너에게 끝으로 몇가지 묻겠다. 대답을 하면 압송하여 삼천리 유배형을 받게 하여 목숨을 살려주려니와 공연히 객기를 부려서 관군의 애를 먹이면 지금 당장 본보기로 네 목을 참하여 노중의 객고나 면하게 해주련다. 저것들 사이에 어떤 것이 장길산의 혈육인가?"

젊은 산채 식구는 안색이 변하고 긴장하는 표정이 되면서 입을 꾹 다물었다. 최형기는 언제나 손아귀에 넣고 다니는 가죽끈 달린 등채의 끝으로 사내의 턱을 치켜올렸다.

"자아, 너하구 입씨름할 틈이 없다. 말하겠느냐?"

그러나 젊은이는 턱을 뿌리치며 고개를 완강하게 흔들었다.

"두령의 식구는 여기에 없다."

"아, 그런가? 어디……"

하면서 최형기가 몸소 그의 뒷덜미를 잡아일으켜 아녀자들이 군사들에 둘러싸여 웅크리며 앉아 있는 곳까지 그를 밀어내며 나아갔다. 그러고는 그를 사람들의 면전에 다시 꿇어앉히고는 말하였다.

"나는 토포장이다. 너희들 가운데 장길산의 가족이 있음을 잘 알고 있다. 지금은 말하지 않는다 할지라도 감영에 가서 차례로 국문하면 어차피 알게 될 일이다. 내가 잠깐의 여유를 주겠다. 아무도 반응이 없으면 이 사내를 참한다."

최형기가 허리에 찬 왜단검을 천천히 뽑았고 서슬 푸른 칼날이 아침햇살에 번쩍였다. 최형기가 장교 한 사람을 불러내어 그에게 칼을 주었다.

"내가 수를 열까지 헤아릴 동안 기다렸다가 손을 들면 그자의 목을 베어라."

최형기는 스물 남짓 되어 보이는 아이들과 부녀자들을 죽 둘러보았다. 그러고는 천천히 끊어가며 수를 헤아리기 시작하였다.

"일곱 여덟 아홉……"

최형기의 손이 천천히 올라갔고 장교의 칼 잡은 팔도 위로 치켜졌다. 그때에 좌중에서 조용한 목소리가 들렸다.

"그만두어요."

최형기는 천천히 손을 내리고는 소리가 들린 쪽으로 고개를 돌렸다. 그는 눈매가 가늘고 호리호리한 부녀자가 사내아이와 계집아이를 양쪽에 껴안고 그를 똑바로 노려보고 있는 것과 마주쳤다.

"댁네가……"

"그래요, 나는 장길산이란 사람의 내자여요."

봉순은 또렷하게 말하였다. 구월이는 어미의 옆구리에 고개를 파묻고 있었지만 수복이는 제 어미와 함께 고개를 쳐들고 최형기를 똑바로 올려다보았다. 최형기는 염두에 두고 있었지만 토포가 실패했다고 일단 낙망이 되었던만큼 놀라서 뭐라고 말을 잇지 못하였다.

"이제 당신의 원대로 우리를 잡았으니 더이상 사람을 해치지 말아요."

최형기는 등채를 뒷짐진 손 안에서 계속 두드리며 그들의 앞에 서 있었다.

"네 아버지가 누구냐?"

최형기는 그를 겁내지 않고 똑바로 노려보고 있는 소년에게 부드럽게 물었다. 수복이는 침을 꿀걱 삼키더니 제 어미를 한번 올려다보고는 말하였다.

"활빈도의 두령 장길산이우."

"네 이름은?"

"장수복이우."

"그애는 네 누이동생이냐?"

"그렇소, 애는 구월이요."

최형기가 잠시 침묵을 지키며 그들을 내려다보았다. 최형기가 수복이에게 다시 말하였다.

"내가 네 어머니와 잠시 의논을 하련다. 네 어머니와 의논 안 되면 너하구 하겠다. 괜찮겠느냐?"

수복이는 과연 산채의 거친 장정들 틈에서 자랐는지라 당당하게 말하였다.

"나는 관군이 겁나지 않우."

최형기가 돌아서서 장교에게 말하였다.

"저 여자를 데려오라."

그는 사람들에게서 떨어져서 저만큼 걸어갔고 장교가 봉순을 데리고 따랐다. 수복이는 어미와 떨어져서 우는 구월이를 달랬다. 봉순은 문화 재인말에서부터 안무당의 신딸이 되어 자라나면서 세상에서 벗어나 사는 길이 어떠한 길인가를 겪어서 알고 있었다. 그녀는 길산의 아내가 되어 남편이 종적이 간데없이 이리저리로 문득 사라졌다가, 온다 간다 말이 없이 몇년에서 수개월씩 집을 비울 적에도 여염의 생활을 부러워한 적은 없었다. 어찌 보면 이곳 양덕 초천말에서의 지난 몇년이야말로 정 있는 사람들끼리의 버젓한 살림살이였고 간혹 수복이와 구월이가 이제는 길산이나 자신과 같은 삶을 다시는 겪게 되지 않을 것이란 확신이 들기도 한 터였다. 봉순은 명화적 두령의 아내가 장차 어떻게 될 것인가를 알았다. 그것은 잠자리에서 길산의 팔을 베고 누워 그가 울적해지면 꺼내던 말이었다. 녹림처사의 식솔은 그의 가장과 같은 운명에 놓이게 되고, 잡히면 오직 식구들과 더불어 스스로 목숨을 끊는 길뿐이라던 말을 여러차례 들었고, 구월산에서의 김기의 가족들이나 다른 마을 사람들의 뒷소식에서도 봉순은 그런 얘기를 실감하였다. 봉순이 눈앞에서 김기와 강말득이 총탄에 맞아 죽어갈 때에도 스스로 목숨을 끊지 못하였던 것은 수복이와 구월이를 보호해야 된다는 일념 때문이었다. 최형기는 앞장서서 마을의 공터 앞에 있는 집으로 들어가 마루에 앉았고 장교가 마루 밑에 봉순을 꿇어앉히려 하였다. 최형기가 말하였다.

"올라오게 하여라."

그러나 봉순은 땅바닥에 쪼그리고 앉았다.

"관장은 거기서 물으시오. 아이들이 어미를 찾을 것이니 속히 하소서."

최형기는 여자가 아무리 나라에 대적한 무리의 괴수 아내라 할지라도, 길산은 바로 자신의 목표였고 당상비국이 그를 보낼 만큼의 큰 화적 두령이었으니 예를 갖추어 심문하기로 정하였던 것이다.

"비록 부부 일심동체라 하나 안팎이 같은 생각으로 나라에 오늘과 같은 큰 죄를 지게 되었다고는 믿고 싶지 않소. 남편 되는 장길산으로 이르면 예전에 이미 살인죄로 대시수로 있다가 탈옥을 하여 도당을 모아 각처의 재물을 탈취하고, 관부와 국본을 받치는 조세창을 습격하였으며, 나아가 활빈도라 자처하며 유민을 끌어모아 나라에 등을 돌리게 하고, 이제는 모역을 꾀하기까지 하고 있으니 그가 있고서는 팔도의 백성이 발을 뻗고 잠들지 못하고 국가 조정은 늘 불안에 흔들리게 되었소. 그러나 한편 생각하면 범도 그 맹수의 성미를 바로잡아 감분하게 하면 의기를 지키듯이, 국가에서는 장길산이나 그의 수하 도적들이 개심하여 착한 백성으로 돌아가게 하자는 간곡하고 깊은 뜻이 있는 셈이라 토포는 권도의 일이요, 실로 조정의 재상 대신들께서 원하시는 바는 장길산이 그의 모든 패거리와 도당을 모아 관부의 다스림에 순응하여 이 나라의 백성으로 순치되는 길이오. 죄와 벌을 따지는 것은 대전의 법에 준거할 일이나 그중에 인재가 있으면 국가의 동량으로 중용할 것이오."

거기까지 최형기가 말하였을 때 봉순은 고개를 들고 물었다.

"관장께서 제게 묻고자 하는 바가 무엇인지요?"

"기왕에 이렇게 처자식이 관군의 수중에 떨어졌으니…… 댁네 남편으로 하여금 관군에 투항 자수하도록 하는 방도가…… 없겠는가 그런 말이오. 짐작하건대 남편과 댁네가 이 부근 어느 산에선가 만나기로 하였을 터인즉……"

봉순은 동요하지 않았다. 무당인 봉순의 눈에는 서릿발 같은 차가움이 번뜩였고 그 눈으로 최형기의 피로한 얼굴을 정시하였다.

"무지하고 천한 것이라 관장과 같이 조리 있게 말하지는 못하겠으나, 가장의 뜻이 천한 백성을 어질지 못한 관부의 핍박에서 구해 내고자 하는 데 있음을 보고 들어 알고 있습니다. 비록 나라를 등진 도적이라 하오나 뒤집어보면 관장 또한 백성들의 살 길을 저버린 벼슬아치들의 수족이라 어찌 제 주인이 능멸을 당해야 하겠습니까. 그분은 팔도 활빈도의 장수이니 일개 잡적(雜賊)이 아닙니다. 저희 가장께서 관장을 사로잡으셨다면 이렇게 욕을 보이지는 않으시리다. 주인의 뜻을 알고 그에 따르는 아녀자가 어떻게 그 뜻을 배반할 수가 있으며 감히 혈당을 팔아 더러운 부귀를 탐하라고 권할 수가 있겠습니까. 제가 관군에 잡혔다 하나 아직 죽지 못한 것은 어린 자식들 때문이라 다만 관장께서 받드는 법에 따라 처분되기를 기다릴 뿐이오."

"이런…… 고이헌……"

최형기는 소리를 버럭 내지르려다가 눈을 감았다. 그리고 그는 자신이 이들을 너무 가벼이 알아온 것이 아닌가 의심하기 시작하였다. 마감동의 최후에서도 그는 그런 느낌을 받았으나 그때에는 구월산 토포가 실패했으며 그의 전정이 그르쳐졌다는 초조감으로 분한 마음이 더욱 승하였다. 이제 그는 나이도 들었고 실직을 제수받은 것도 아니요 토포에 응모한 한 무인에 지나지 않았던 것이다. 최형기는 등채를 쥐었던 손을 부르르 떨고는 다시 다른 손바닥을 찰싹이며 두드렸다.

"내가 그댈 욕보이려고 말한 것은 아니오. 허나 명화율에 의하면 본인은 때를 기다리지 않고 참형(斬刑)에 처하고 그 처자식에 대하여는 절도(絶島) 잔읍(殘邑)의 노비로 삼게 되어 있소. 그뿐 아니라 장길산은 모역 연루자이며 그 수괴 중의 하나이니 역률에 따라서 댁네 아들은 살아남지 못할 것이오. 자아, 주인과 어느 곳에서 다시 만나기로 하였소?"

봉순은 흘러 솟구치는 눈물을 그대로 닦지도 않아서 가무잡잡한 뺨을 타고 흘러내려 저고리의 앞섶을 적셨다. 봉순은 얼른 고개를 숙여서 눈물을 보이지 않으려는 듯 어깻죽지를 치켜올려 뺨과 눈두덩을 비볐다. 최형기가 드디어 참지 못하고 등채로 마루청을 두드리며 재촉하였다.

"어서 대답을 못 하겠는가?"

봉순은 입을 조금 벌리고 하, 짧은 한숨을 토해냈다. 그녀는 젖은 눈을 들어 하늘을 한번 올려다보았다. 십이월의 겨울하늘이 얼어붙은 깊은 강물처럼 차갑고 투명하게 펼쳐져 있었다. 봉순은 혼잣말하듯 나직하게 중얼거렸다.

"그렇습니다, 우리는 이 세상에서 남편이며 아버지인 그이를 다시 만나지 못할 것이지만…… 관장께서는 저희 주인을 꼭 만나게 되겠지요."

"어디서 말이오?"

봉순은 더이상 대꾸하지 않았다. 다시 눈앞이 흐려져서 봉순은 눈을 분명하게 뜨려고 눈꺼풀을 힘껏 열고 땅바닥을 내려다보았다. 최형기는 저도 모르게 등채를 두 손에 쥐고 힘껏 휘어서 꺾어버렸던 것이다.

최형기는 서둘렀다. 우선 장교와 군사 몇 명을 보내어 양덕현에 갇힌 김선일을 압송하라 이르고 성천에 파발을 보내어 개나루로 마중 나올 군사를 보내도록 해두었다. 초천에서 그대로 성천까지 도적들의 식구를 압송하여 평양감영에서 관찰사의 일차 국문을 치르게 해야 되는 것이다. 그리고 초천말의 집뒤짐에서 나온 포목 양곡 등은 장물이라 하여 토포의 비용에 충당하도록 압류되었다. 성천을 향하여 초천말의 부녀자들이 끌려갈 때 최형기는 가장 적은 선심으로 구월이와 수복이를 진장과 자신의 말 안장에 태워주었다.

오후 늦게서야 압송 일행은 개나루에 당도하였고 성천에서 병방이 장교 두 사람과 군사 다섯 오를 데리고 당도하여 있었다. 병방이 최형기에게 와서 군례를 올렸다.

"파발을 받고 급히 달려왔습니다. 성천에 죄인들을 하옥시켜두면 감영 군사들이 명일에 당도하기로 되어 있습니다."

"노약자들이 많고 공연히 노중에서 지체하여 적당이 넘볼까 염려된다. 아직 토포가 끝나지 않았으니 우리는 마중산을 둘러싸고 수색을 벌일 예정이다. 겨우 두 오의 군사로 압송할 수 있겠는가."

"관장께서는 염려 마십시오. 저희가 선발로 오느라고 남은 향군들을 뒤에 떨구었습니다. 그들이 지금은 발정하여 한 이십여 리 지역에 왔을 것입니다. 저희가 이들을 끌고 돌아가노라면 중로에서 만나게 될 듯합니다."

최형기가 인원 점검을 마치고 나서 죄수들에게 먹을 것을 주도록 하였다. 개나루의 앞이 바로 별창(別倉) 부근이요 별창에서 멀리 바라보이는 개천은 비류강으로 흘러드는 지류인 셈인데 이곳을 건너면 바로 성천계였던 것이다. 창에서 그대로 한솥밥을 얼른 지어 소금물에 간 맞춰서 뭉친 주먹밥이 요깃거리였다. 봉순은 구월이와 수복이에게 주먹밥을 주었고 자신도 꼭꼭 씹어먹었다. 구월이가 반쯤 먹다가 내미는 것을 다시 입에 대어주면서 봉순은 중얼거렸다.

"구월아, 오늘부터 무엇을 주든지 꼭꼭 씹어서 남기지 말고 다 먹어야 한다. 죽으면 아버지도 못 만나고 어머니나 오빠도 못 만나게 된다. 어서 먹어야 해."

하고는 봉순은 다시 수복이에게 일렀다.

"수복아, 너는 이제 다 컸으니 에미 말을 잘 알아듣겠지. 관가에서는 네 아버지를 큰 죄를 지은 역적으로 알구 있다. 우리는 역적의 식솔들이야. 이제 어디까지 끌려갈지 모르지만 아마 한양에 가고 그보다 더 먼 곳으로 가게 될지두 몰라. 아니면 에미나 네 누이하고도 헤어지게 될지 모른다. 어느 곳에 가 있든지 네가 장길산이란 분의 아들임을 잊지 말고 조금만 더 커서 먼 길을 떠날 수 있게 되면…… 운봉산으로 가거라. 아니면 가평 현등사에 가서 풍열스님을 찾아라."

봉순은 침착하게 한마디씩 다짐하듯 아들에게 얘기하였고 수복이는 어른스런 얼굴로 고개를 끄덕였다.

"이런 얘기는 머릿속에만 새겨두고 절대로 입 밖에 내어서는 안된다. 관군은 아버지를 잡으려고 우리 식구를 초달할 게야. 그리구 또 한 가지 나중에라두 찾을 수 있도록 구월이가 어디로 가는지를 알아두어야 하고, 너는 네 누이를 꼭 찾아내어 아버지께 함께 가야 한다."

"알겠어요, 어머니."

수복이는 주먹밥의 밥알을 입가에 붙인 채로 고개를 끄덕였고 봉순은 아들을 다시 한번 가슴에 꼭 껴안아보았다.

요기를 얼른 끝내고 성천 병방이 인수한 양덕 죄인들은 별창을 떠나 개천을 건너 성천계로 넘어갔다.

최형기는 개나루에서부터 시작하여 마증산의 서북 산록 일대와 회암산(檜岩山)에서 금성산(金城山)에 이르는 비류강 일대의 들판을 수색하기 시작하였다. 그는 일단 본진을 나루터에 정하였고 이제는 강변에 모닥불을 피우도록 하였다. 진장과 마증산에서 도적들의 종적을 잃어버렸던 박완식 포도부장이 기패관의 향군들과 대를 나누어 이십여 리에 걸친 강변을 막았다. 그들은 밤늦게까지 말을 타고 오르내리면서 번 드는 군사들을 둘러보았다. 그러나 역시 도적들이 강을 건넌 흔적은 보이지 않았다.

장길산과 강선홍 등의 초천말 식구들은 마증산 깊숙이 틀어박혀 토포군이 물러가기를 기다렸고 최홍복과 조진포 점주는 연봉을 타고 양덕현 가까이 스며들어 잡힌 사람들이 이미 성천으로 압송되어 간 것이며 그들 중에 김기와 강말득이 죽은 사실들을 알아낼 수가 있었다. 길산은 밤마다 강변에서 드문드문 빛나고 있는 불빛들을 보았고 그것이 관군들의 초소에서 피워올리는 모닥불임을 알았다. 이틀째에 더욱 증원된 관군과 향군들이 마증산의 등성이를 타고 정상의 네 봉우리를 모두 밟고 지나갔으나 열 명뿐인 길산의 혈당은 깊은 바위투성이의 계곡에 깊숙이 틀어박혀 생쌀을 씹으면서 견디었다. 사흘이 지나고 나서 관군은 철수하였다. 날씨는 더욱 차갑게 얼어붙었고 함박눈이 오고 나서 살을 에는 듯한 북풍이 몰아쳐왔다. 그들은 한밤중에 강을 건너 그 이튿날에 박달산 돌장승이고개를 넘었다. 거기서부터는 맹산(孟山)계였으며 운봉산이 지척이었다. 모두들 내색은 하지 않았으나 가족들이 지금쯤은 평양의 감영 옥에 있을 것을 짐작하고 있었다. 맹산의 외창(外倉)에 이르러 멀리 동쪽에 운봉산이 보이기 시작했을 때 선흥이가 벌겋게 충혈된 눈으로 길산에게 물었다.

"성님…… 이렇게 우리만 산속에 무사히 틀어박힐 작정이우?"

길산은 자신의 처자식뿐 아니라 선흥의 아내 춘천댁과 흥복의 아내 황주댁이 함께 끌려간 것이며 다른 사람들의 가족들도 잡힌 것을 모르는 바가 아니었다. 길산은 김기와 말득이가 죽었다는 소식에 접하고도 묵묵부답하여 발치만 내려다보았을 뿐이다. 길산은 선흥이의 넓적한 등판을 한 손으로 쓸어내리면서 말하였다.

"선흥아, 혈육과 헤어져 만나지 못하는 백성이 어찌 우리뿐이겠느냐. 관군이 구월산과 이곳 양덕에서도 우리를 잡지 못하였으니 이미 우리가 저들을 이긴 것이다. 애간장이 끊어지는 슬픔이 있다 하여도 식구들은 우리가 무슨 일을 어찌해야 할지 잘 알고 있지 않으냐. 우선 급한 일은 다른 식구들이 우리와 같은 일을 당하지 않도록 재빨리 통문을 돌려서 방비하는 일이고 그 다음에는 우리도 저들을 반격하여 이쪽에서도 힘을 보여줄 때가 되었다는 것이다. 도처에서 수많은 백성들이 유리하여 떠돌고 있다. 선흥아, 네가 춘천댁을 흉황에 버려진 흥복이의 고향에서 건져내었고 이제 관군에게 빼앗겼으나 좋은 날에 되찾아오면 될 게 아니냐. 그간에 우리는 너무 편안히 숨어 살아왔다. 다른 힘없는 이들이 겪은 대로 함께 뼈저린 세월을 견디는 게야. 들판의 잡풀을 뽑아 던져보아도 바로 그 자리에서 말라죽지 않고 더욱 많은 씨를 풍겨 이듬해에는 꿋꿋이 무리로 되살아나지 않더냐. 우리 활빈도는 절대로 관군에 토포되지 않을 터이다. 우리가 살아남았다가 어느 산골짜기 돌틈에 다리 오므리고 죽어 썩어질지언정 조정의 벼슬아치들이 보낸 어떤 군사에게도 잡혀죽어서는 안 된다. 저기 봐라, 저 늠름하게 섰는 산봉우리들의 연봉을 보아라. 우뚝우뚝 마치 옛말처럼 서서 우리에게 이야기하는구나. 바람이 몰아쳐오면 저 수많은 산봉우리의 나무들이 일제히 몸부림쳐서 화답하듯 우리의 살아 있음과 스러짐도 그 한 목소리인 게야. 우리는 절대로 없어지지 않는다. 우리는 백성의 군사이기 때문이야."

길산은 가슴속에서부터 쿨럭이며 말이 피처럼 솟아오르는 것 같았다. 선홍이는 눈을 질끈 감더니 길산의 어깨 위에 얼굴을 묻었고 흥복과 다른 장정들도 나란히 서서 저녁놀에 물들어가고 있는 운봉산을 내다보았다. 길산은 이 말을 자기 자신에게도 그리고 무엇보다도 그의 아들 수복이에게 해주고 싶었다. 수복아, 구월아, 네 애비가 길에서 태어난 것과 세상으로부터 내쫓긴 연유를 아느냐. 그것을 알아 너희 힘으로 다시 일어나 아버지가 걸어간 길로 되밟아오너라.

양덕에서 잡힌 죄인들은 평안감영에 하옥되어 한양으로 압송되기 전에 문초를 받았다. 숙종 십팔 년 임신 십이월 십삼 일에 좌의정 목내선(睦來善)은 감영의 장계를 받고 비국당상(備局堂上)을 대표하여 상께 아뢰었다. 승정원의 일기에 기록하였으니 다음과 같았다.

도적 두목 장길산을 잡으려고 비국에서는 여러가지로 애를 써오던 중에, 이에 평안감사의 보장(報狀)을 보니 좌변 포도 종사관이던 무사 최형기가 응모하여 포도부장과 포교 다섯을 거느리고 길산의 도당 가운데 철원에 살던 고발자를 데리고 북도의 고원지방에서 평안도 양덕 초천면에 이르기까지 적당의 숨은 곳을 탐지하였다 합니다. 최형기가 양덕현감 안신(安紳)으로 하여금 향군과 포수 백여 명을 조발(調發)케 하여 바야흐로 잡을 찰나에 길산이 탈신상산(脫身上山)하여 산 위에서 군사들에게 발포하였으므로 군관들은 길산을 놓치고 말았습니다. 다만 그의 처자녀(妻子女)와 그의 동당(同黨) 김선일(金先一)을 잡았는데 양덕현에서는 죄수를 잡아 감영에 압송하였습니다. 감사는 도적을 놓친 것을 통탄하고 황해도와 함경도가 꼭 잡을 수 있는 땅이니 각별히 힘써 잡으라고 관문을 돌렸다고 아뢰어왔습니다. 황해 강원 양도의 여러 읍에서 잡은 일당들이 이르기를, 그의 소굴이 탕진되어 그 처자녀도 잡히고 형세가 궁하고 다급하게 되었다 하니, 각 도에서 착실하게 노력하면 잡는 것은 별로 어렵지 않을 것입니다. 요즈음에 영장(營將) 수령(守令)들은 관명을 수행하는데 태만합니다. 횡성에서 장길산의 도당들을 잡을 때의 일을 들으니 현감 정익수가 친히 군사를 거느리고 칠십여 리의 궁벽한 곳에 진입하여 도적 일곱 명을 잡았으나, 이번에 양덕현감 안신은 도적 괴수가 경내에 숨어 있음을 기왕에 알았으면서도 군사를 거느리고 친히 나갔다가 적괴는 놓치고 적괴의 처자녀와 동당 한 명만을 사로잡았습니다. 적괴가 총을 쏘고 도주하였으니 조정을 넘보는 것이 매우 통탄스럽다고 하겠습니다. 양덕현감 안신을 잡아다가 죄를 주어 다른 읍의 수령들께 경고함이 어떠하겠습니까.

상께서 이르시기를, 안신의 일은 참으로 놀랍고 통탄스럽다. 우선 도적들을 문초하며 정죄하고, 비록 잡지는 못하였으나 이미 깊은 굴혈에서 빠져나갔다니 궁지에 몰렸을 것이라 이제부터 착실하게 잡는다면 기대할 수 있는 일이니 각별히 힘써 행할 것이니라.

곧 의금부에서 나장을 파견하여 안신을 잡아오도록 하였고 죄인들은 서울로 압송되었다. 토포는 계속되었으나 길산의 종적이 간데없으니 사실상 경군은 움직이지 않았고 최형기도 곧 체직되었다. 잡힌 자들에 의하여 언진산과 곡산 은금동령 부근에서 사흘 동안의 탐색이 있었으나 관군은 텅 비워진 잠채굴과 헛간만을 발견하였다. 뒤늦게 송도 임방의 박대근과 서강의 상인 모신의 이름도 나와서 해당 관아의 장교들이 가보았으나, 박모는 식구들과 더불어 북변으로 이사를 갔다는 것이었다. 모신이란 자는 원행 장삿길에 나가서 오랫동안 집에 돌아오지 않았다는 것이다. 여하튼 그들이 도적들과 거래하였는지는 자세히 밝혀지지 않았으나 도적의 일당과 직접 연관된 자들은 아니라 금부에서는 곧 손을 떼고 말았다. 그리고 박모는 송도부에 처결을 위임하였으며 송도부에서는 박대근의 직분이며 임방에서의 그의 위치로 보아 함부로 할 수가 없었으며, 그의 상단 임방은 아직도 송도에서 큰 영향력을 행사하고 있었다. 그들에 대한 혐의는 곧 흐지부지되고 말았다.

군복 기마하여 관문에서 변을 일으킨 경우에는 때를 기다리지 않고 참형(斬刑)에 처하고 그 처자는 노비로 한다는 역옥(逆獄)의 사례와, 당(黨)을 모아서 인명을 살상하는 경우에는 때를 기다리지 않고 참형에 처하며 그 처자는 노예로 하며 주종범(主從犯)은 명화율(明火律)에 의하여 참형과 절도(絶島)의 영속(永屬) 노예로 한다는 데에 준거하여, 양덕 초천말서 잡힌 사람들 가운데 장정은 모두 참형, 절도 유배되고 아녀자들은 삼남지방의 관노비로 박혀서 차례로 끌려갔다. 그들은 각자 하나둘씩 따로 분리되어 여러 지방으로 흩어져갔던 것이다.

4

기사년의 남인들의 환국 이래로 왕은 왕비를 바꾸었고 노론 소론들은 밀려나 기회를 엿보고 있었다. 당색간의 차별과 분쟁은 엎치락 뒤치락하는 가운데 피를 흘리는 싸움이 되어 그 번복이 거듭되면서는 뼈에 사무친 원수지간으로 되어갔던 것이다.

대개 붕당(朋黨)은 선조 이래로 하나가 갈려 둘이 되고, 둘이 갈려서 넷이 되고, 넷이 갈려 또한 여덟이 되었으며, 대대로 이어져 구름처럼 불어났다. 원수가 되어서 혹 죽이기도 하고 함께 조정에 나아가 벼슬길에 오르며 이웃 동네에서 나란히 살면서도 늙어죽을 때까지 서로 왕래가 없었다. 때문에 혼인이나 상사(喪事)에 상조하면 다른 당파의 사람과 내통이 있다고 수군수군 비방하고 혼인을 서로 통하게 되면 무리지어 모여서 배척 공박하였다. 심지어 언동(言動)과 의복까지도 서로 다르기 때문에 길에서 만나더라도 지적하여 구별할 수 있으니 서로 다른 나라 사람이며 서로 다른 풍속에 사는 것이라고 뜻있는 이들은 이렇듯 한탄하였다. 그러므로 명분에 의한 정쟁의 단계에서 벗어나 정병(政柄)을 장악하기 위한 음모와 온갖 수단이 동원되었으며, 경신 대출척은 노론의 당권적 기세가 왕위를 위협하는 것에 반발한 군왕 자신이 정병을 번복한 것이었다. 왕권의 안정은 일정하게 자라나고 있는 여러 신분 계층의 세력들을 골고루 장악해나가는 데에 달려 있게 되었던 것이다. 그러므로 희빈 장씨가 왕비가 된 것이며 왕자 정호가 이루어진 일이며 기사환국에서의 남인의 집권이 가능하였던 터이다.

갑술년(甲戌年)에 이르니 남인이 집병한 지 다섯 해가 되었고 숙종 이십 년이었다. 이 다섯 해 동안 전국에 흉년이 들지 않은 해가 없었으니 이미 길산이 양덕에서 토포될 즈음에는 유민이 창궐하고 산골 마을들이 비워지고 있던 무렵이었다. 삼월 이십 일에 소론과 노론이 각기 환국을 도모한다는 고변 내용을 우의정 민암(閔黯)이 밀계로서 왕께 아뢰었다. 친한 백성 함이완(咸以完)이란 자가 고변한 바에 의하면 소론 쪽에서 중인들을 시켜서 동래 상인과 시전 상인 등의 장사치들에게서 자금을 받아서 무인(武人) 등이 중심이 되어 환관과 총융사 등을 움직여 정국을 바꾸도록 한다는 것이었다. 또한 노론 쪽에서는 상인 및 무인들과 결탁하여 환국을 도모한다는데, 소론 측에는 주로 관직에서 물러난 자들이 중심이라는 것이었다. 계유년에 새문밖에 사는 유생 한중혁(韓重爀)과 영남의 무인 이시회(李時檜)가 죽전골 그의 이웃에 사는 최격(崔格)의 집에 와서, 은화를 많이 모아주면 환국을 도모할 수가 있다면서 최격과 그에게는 일이 성사된 뒤에 좋은 벼슬을 준다고 하여 그 말을 믿고 당에 들어서 자금을 모으는 일에 협력하였다는 것이다.

은을 모은 자들이란 대개 교련관이나 동래 상인 시전 상인과 역관들 같은 중인들이었다. 갑술 삼월 말에 함이완이란 자가 민암을 찾아와 김춘택(金春澤) 등의 음모를 고발하여 민암은 국청을 열고 김춘택 한중혁 강만태 최격 이시도 등 수십 인을 체포, 국문하여 그들이 왕비의 복위와 정국의 환국을 꾀한 사실을 밝혀내고 형을 집행하려 하였다. 그날 밤 사월 초하루 이경(二更)에 임금은 갑자기 정국을 변동시켜서 대신 이하를 삭탈관작하고 귀양 극형에 처하고 이미 죽은 남인들의 관작을 추탈하였던 것이다. 김춘택 등의 음모를 고발한 함이완은 오히려 엄형을 주고 나서 귀양 보내고 음모를 자백하였던 수십 인 가운데 한중혁 등의 네 사람만 귀양을 보내고 김춘택을 비롯한 수십 인은 방송하였다. 거의 여드레에 걸친 국문에서 한중혁 이시도 최격 강만태 이시회와 고발자 함이완이 전모를 밝혔으며 자금을 준 자와 그 무리들이 드러났던 터이다. 강만태는 이렇게 실토하였다.

저는 의술을 좀 알고 한구(韓構)의 아들 중혁과 서로 친한 터인데, 지난해 십이월에 한구가 비인(庇仁)에 있으면서 질병이 있다 칭하고 인마(人馬)를 보내 저를 데려가 간병(看病)할 것을 청하므로, 제가 한구의 집에 내려가니 그는 병을 앓지 않으므로 머물러 수작할 때에, 한구가 말하기를 임대(任臺)의 말 가운데, 기(氣)를 보니 해도(海島) 중에 정성진인(鄭姓眞人)이 있다고 하니 우리가 장차 가서 맞으려 하나 적수공권으로 일을 처리하기 곤란하다. 내가 바야흐로 재화를 모으려 하니 그대도 역시 내라 하므로, 제가 답하기를 본래 심히 빈한하니 어떻게 재물을 내겠습니까 하니, 한구가 말하기를 그대는 가난하니까 재물을 낼 필요가 없고 다만 임대를 가서 보라 하므로 그의 말대로 가서 보니, 탄식하며 말하기를 시운이 이미 다하였다, 정성진인이 이미 해도 중에 나타났으니 갑을 양년에 나라가 반드시 어지러울 것이다, 이때는 진인이 반드시 출중할 것이니 우리가 마땅히 가서 맞아야 한다, 그런데 반드시 무리가 많아야 하고 재물도 없을 수가 없다, 하고 또 말하기를 먼저 재물을 모아 뇌물을 써서 환국한즉 이것은 노루를 쫓다가 토끼를 얻는 계책이라 하였습니다. 금년 정월에 한구와 임대가 같이 올라와서 모사(謀事)하였으며 은을 낸 사람들은 심속(沈涑)이 칠팔백 냥, 박은식(朴恩食)이 이십 냥, 김만령(金萬玲)이 칠십 냥, 제가 사십 냥, 함이완 최격 이동심 이기정 김보명 등이며 변학령은 김춘택에게 은을 냈다 합니다. 용은처(用銀處)는 이시회로 하여금 총융사에게 쓰고, 신식(申栻)으로 하여금 동평군(東平君)에게 쓰고, 이담(李譚)으로 하여금 관인배에게 써서 이 세 길로 환국을 도모하였다고 하며, 환국 시에 우상(右相) 호판(戶判) 훈장(訓將)이 모역한 양으로 상변하여 제거하려 한다는 이야기를 이시도에게서 들었습니다. 한중혁이 저희에게 말하기를, 밀지(密旨)가 남(南)정승과 김석연에 내려졌다, 하였으며 또 말하기를, 환국 후에 노론은 중전을 폐하고 폐비를 복위시킨다고 하고, 소론은 폐비를 별궁에 옮긴다고 하였습니다. 대저 중혁의 무리는 지난날 김정열(金廷說) 김경함(金景

威) 등이 한 바를 따르고, 저는 최격과 친하기 때문에 무리에 들게 되었는데 일이 이루어지면 뒤에 좋은 벼슬을 준다 하여 돈을 내고 동참하였습니다.

은을 모은 것은 사실은 환국보다도 해도 중의 정진인(鄭眞人)을 맞기 위한 것이었고, 이를 가능하게 하기 위하여 일차적으로 환국을 도모한다는 것이었으니, 토끼를 잡는 일이 환국이요 노루를 잡는 일이 정진인을 맞는 일이 되었던 셈이다. 실세하여 벼슬자리에서 물러난 자들과 의생 훈장 등과 서얼 무인 중인 따위의 사람들이 은자를 모으고 서로 연결되어가고 있었던 것이다. 그만큼 조정에 대한 불신과 원한은 한양 도성에까지 깊숙이 번져 있었다. 추안(推案)은 계속되고 있었다.

이시도(李時棹), 그대는 총융사 동평군과 상친(相親)하여 환국을 도모하였다고 하며 세 대장이 사주하고 우상(右相) 호판(戶判) 훈장(訓將) 등이 밤에 장만춘의 집에 머무르는 일을 동평군에게 상의해서 상변(上變)하려 하였으며 정월에 환국하면 나는 병사(兵使)가 되고 너는 좋은 벼슬을 한다고 함이완 최격에게 분명히 이야기하였으니 너는 발뺌할 수가 없으며, 한구와 그의 아들 한중혁 종제 계(堦)와 임대가 함께 앉아 말하기를 많은 서인(西人)이 각각 노자(奴子)를 내면 가히 대사를 도모할 수 있다고 하였는바 이 말은 누구의 입에서 먼저 나왔으며 수작한 자가 누구인지 대사 도모 절차를 일일이 직고하라.

금년 정월에 한구가 사람을 보내 저를 데려가거늘 곧 가서 보니 한구 부자와 임대가 모여앉아 있었습니다. 한구가 말하기를 우리가 바야흐로 대사를 도모하는데 노소(老少)의 당이 각자 하기 때문에 아직도 이루어지지 않으니 매우 한심하다. 대개 노당(老黨)은 김춘택이 주장하는데 공주가와 최호와 인연하여 도모하고 소당(少黨)은 우리가 경영하는 바가 있다. 그런데 장의동에 사는 서얼 이담(李譚)이 소환(小宦) 등의 학장(學長)이 되어 여러 환관들과 체결이 많고 또 최호의 사촌매부인 환자 강우주와 친하기 때문에 이담으로 하여금 도모케 하여 일이 이루어지면 재상 이하를 마땅히 모두 제거하게 되는데 다만 춘택 등등에 이미 상언하여 일을 청할 수 없을 것이 극히 걱정된다. 만약 일이 혹 이루어지지 않으면 오히려 한 가지 계책이 있다. 전에 송시열이 죽은 뒤에 우수대(雨水臺)에서 모여 곡할 적에 참례한 사람들이 거의 수천을 넘었으니 만약 이들이 노자 오륙 명을 내었더면 그 무리들을 가히 쓸 수가 있고 또 은자를 많이 내놓아 군졸에게 주어 모으면 가히 일을 이룰 수가 있을 것이다.

그러나 왕으로서는 이미 남인의 집병에 싫증을 내고 있었으며 그 간 환국할 마음을 굳히고 있던 터였다. 특히 김춘택의 환국 기도는 임금의 뜻에 부합되는 바가 많았다. 김춘택은 숙종의 전비 김씨의 친정 종손이고 광성부원군 김만기의 손자요 김진구의 아들이었다. 숙종의 유모 봉보부인(奉保夫人)이 김씨의 집과 친밀한 때문에 이번 환국에는 사람들이 말하기를, 김춘택이 봉보부인을 통하여 숙빈 최씨와 연락을 취하여 남인의 나쁜 것을 숙종에게 자세히 알려 이번의 환국이 이루어졌다고 하였다. 숙빈(淑嬪) 최씨는 장희빈이 왕비가 되던 기사년 후에 숙종의 픰을 받았으나 장씨에게 시샘을 당하여 목숨을 보존키 어려웠다는 것이다. 임금은 사월 초이틀 밤에 전교하였다.

지난날 빈청일차(賓廳日次)는 국기(國忌)일이었는데도 급급히 와서 모이기에 생각하기를 국경에서 온 급보가 아니면 필시 시끄러운 사단을 일으키는 일이 있을 것으로 짐작하였더니, 입시(入侍)하기를 청하고는 우의정 민암이 과연 함이완의 일을, 금부로 하여금 잡아가

두어 문초하여 죄줄 자는 죄주고 방송할 자는 방송합시다, 하고 청하기에 내가 그대로 윤허는 하였으나 속으로는 민암이 홀로 함이완을 위해 수작한 바를 의아하게 여겼다. 겨우 하루가 지나니 금부당상(禁府堂上)이 돌연 청대(請對)하여 옥사를 확대하여 전일에 보통으로 문초하던 자를 이제 도리어 국문하고, 전에 죄를 정한 자는 도리어 극형하여 하루이틀 동안에 항쇄족쇄(項鎖足鎖) 한 죄수가 금오의 금부에 충만되어 서로 연루자라고 끌어대니 항상 면질을 시켜야 한다고 청탁하고 거의 전원을 형벌하기를 청하니, 전후에 끌어대인 사람까지도 장차 차례로 그물에 걸려들 것이므로 그렇게 되면 공주의 집과 한편인 사람들은 그 고문과 죽음의 구덩이를 면하는 자가 드물 것이다. 그들이 군부(君父)를 우롱하고 조관을 도륙하려는 형상이 극히 마음 아프고 개탄스럽다. 참국한 대신 이하의 모든 관작을 삭탈하고 성문 밖으로 출송(黜送)할 것이며 민암과 금부당상은 모두 절도안치(絶島安置)하라.

한편으로는 한중혁을 중심으로 은을 모아 조정을 엎으려던 자들의 모의가 있었으니 이는 그 뜻이 군왕까지도 번복의 대상이 되어 있어 춘택 등의 환국 의사와는 거리가 있는 것이었다. 그들은 공초에 이렇게 진술하였다.

중혁이 시도를 향하여 말하였다.

번국(藩局)의 일은 네가 어찌 나에게 말하지 않았다고 하느냐. 너는 늘상 총융사의 집에 왕래하여 교계(交契)가 은밀하며 근래 조정 벼슬아치가 총융사를 박대하므로 총융사가 자못 온의(慍意)가 있어 오히려 향시지인(向時之人)을 생각하니 이 기회를 타서 총융사의 마음을 격동하고 너의 누이를 총융사에게 준다고 약속하면 번국은 가히 도모할 수 있다고 하였는데 다만 나는 네 말을 들었을 뿐이다.

시도가 중혁의 말을 듣고 발연히 소리 높여 말하였다.

내가 이 일을 먼저 고발하려 해도 이미 믿을 만한 문서를 얻을 수 없고 또 장만춘이 말려서 그만두고 있었는데 이에 이르러 오히려 함이완의 먼저 농(弄)한 바가 되어 알면서도 불고지한 죄를 입게 되었으니 나는 이제 죽는다. 이제 너희들이 한 바를 모두 아뢰어라.

한구와 그의 아들 한중혁, 종제 계와 임대가 동좌하여 말하기를 임대가 천상(天象)을 바라보며 화성(火星)은 남(南)에 속하고 색(色)이 변하였으며, 금성(金星)은 서(西)에 속하고 광채가 나니 이는 남인이 반드시 패하고 서인이 반드시 들어설 징조이다. 또 갑술(甲戌)은 남인이 불리하고 너의 상(象)은 지극히 좋고 또 용력도 있으니 가히 일을 맡길 수 있다. 서인은 그 수가 심히 많고 결당(結黨)도 또한 굳으나 남인은 오합지인(烏合之人)과 같으니 족히 두려울 바가 없다. 서인 한 사람의 집에서 노자(奴子) 네다섯을 내더라도 그 수가 심히 많으니 가히 대사를 도모할 수가 있다고 운운하였다.

시도가 말하였다.

함이완의 말 가운데 삼대장(三大將) 호판(戶判)이 남문 밖에서 종적이 수상하므로 이로 상변(上變)하러 간다고 하였고, 중혁의 말 가운데 동평군이 인빈(仁嬪)의 봉사를 하게 되었기 때문에 의원군이 놓여 돌아와 봉사(奉祀)를 다시 빼앗을까 염려하여 의원군을 가장 질시하니 우리 무리가 만약 남인과 의원군이 모역(謀逆)한다 한즉 동평(東平)이 좋아할 것이고, 또한 의원(義原)이 경신옥사로 서인에게 감정이 많아 반드시 그 원수를 무겁게 갚으려 할 것이다. 의원이 만약 들어가면 서인은 반드시 살아남을 사람이 없을 것이다. 동평군이 위인이 심히 좋고 또 서인의 외손이니 우리들이 동평과 일을 한즉 남인을 처없앨 수 있을 것이다.

중혁이 다시 말하였다.

내가 어찌 이런 말을 하였겠는가, 네 말이 무상하다. 네가 늘 나에게 말하기를 근래 우상 호판 훈장이 밤에 장만춘가(張萬春家)에 모이는데 일이 극히 수상하다. 내가 일변으로는 총융사(摠戎使)를 유설(誘說)하여 상께 몰래 전달하고 내가 이로써 상변하면 상께서 반드시 움직일 것이니 번국을 가히 판득할 수 있다 하였는데 이것이 네 말이 아니냐.

시도가 말하였다.

네가 나를 음해하려 하니 내가 어찌 네 부자(父子)의 일을 전부 고하지 않겠는가. 네가 내게 말하기를 구일이 이미 늙었으니 이빈은 가히 대장이 될 수 있고 유태기는 비록 허겁하나 역시 대장이 될 수 있다. 이 말은 네가 하지 않았느냐. 함이완이 또 내게 말하기를 대전 행수별감(大展行首別監) 한 사람이 전에 김석주에게 왕래하여 내가 서로 친해서 가히 내통할 수 있다, 운운하였으니 이완이 또 내게 이르기를 훈장이 군졸에게 명하여 자루 삼백을 만들게 하였는데 그 일도 극히 수상하니 족히 고변할 만하다고 운운하였다.

한중혁과 그의 부친 한구 등이 환국을 하려고 한편으로는 서인의 종들을 주병력으로 동원할 계획을 세웠으며, 다른 쪽에서는 동평군과 총융사와 결탁하여 환국을 꾀하고 있었던 것이다. 이들 가운데 은을 모은 중인과 상인들, 그리고 무사들과 더불어 밑에서 사람을 끌어모아가던 자들은 서얼들이었다.

이들은 단순히 남인의 재상들을 처치하고 조정을 뒤바꾸는 계획에서 한걸음 더 나아가 노비들을 끌어모으고 군병들은 재물로 동원하여 해도 중의 진인을 맞아 임금까지도 없애려는 계획을 하던 중이었다. 이 계획은 바로 사대부가 아닌 중인 장사치 서류들과 같은 세상의 바닥에서부터 올라온 새로운 힘이었다. 숙종의 왕권 강화를 위한 환국이 이루어지고 수세에 몰렸던 서인들이 집권을 하게 되자 임금까지도 거부하였던 해도진인의 설은 이제는 자신들의 집권의 안정을 위해서 철저히 봉쇄하여야만 되었다. 남구만 등의 소론 조정은 환국이 일어난 사월 초부터 기사년 중전 모해의 사실을 규명하면서 남인들에 대한 보복 숙청을 시작하였다. 그러고 나서 환국기도의 새로운 흐름이었던 남해진인의 건을 엄중히 다루어 자신들의 파당적 연계를 끊어버리려는 것이었다. 남구만이 소를 올려서 이번의 환국과 모역은 구별되어야 한다는 주장을 하였다.

기사년 변경 후에 이르러 그때 남인이 정찰한 것은 전 집권자들의 극죄(極罪)로 삼아 독한 형벌과 가혹한 법을 가한 것은 이루 다 기록할 수 없었사온데, 이제 민암에 미쳐서는 함이완을 달래고 위협하여 고변케 하여 일을 확대 만연시켜 장차 세상의 반쪽 사람 서인(西人)을 모두 그들의 덫 속으로 몰아넣으려던 것을 다행히 전하의 하늘 같은 밝으심에 의해 사대부를 도륙하려는 그들의 계책이 실행을 얻지 못하고 스스로 큰 죄에 빠지고 말았던 것입니다. 그러하오나 이 길을 한번 열어놓은 뒤에는 나쁜 폐단이 잇달아 뒤를 이어 곧 풍습을 이룰 것이니 만약 이 풍습을 통절히 막아 종전의 버릇을 일변하지 않을 것 같으면 나라는 반드시 멸망할 것이니, 오늘날에 있어 첫째 대사가 이 부정한 길을 일소해버리는 데에 있고, 그것을 일소해버리는 길은 다만 함이완을 엄하게 다스리는 데 있을 뿐만 아니라, 강만태 최격 이시회 한중혁의 죄에 대하여도 또한 마땅히 명백히 처리하여 일국의 사람으로 하여금 모두 그 범죄의 경중을 밝게 알게 한 연후라야 앞으로 많은 사람의 마음을 쾌하게 할 수 있을 것입니다. 왜냐하면 당초 이완이 고변한 여러 죄수 중에 자복을 받은 자는 곧, 만태 격 시회 세 명이온데 모두 중궁 복위를 도모했다는 것으로 결안을 했사오니, 이것이 어떤 일이라고 저희들이 감히 도모한다는 것입니까. 그 도모한다고 한 것은 장차 어디에다 도모한다는 말입니까. 조그마한 무뢰의 천한 선비로서 감히 이런 일을 생심했으니 주장의 여하를 막론하고 그 죄를 어찌 용서하겠습니까. 인심과 세도가 이 지경에 이르렀으니 국세(國勢)가 어찌 비하하지 않을 수가 있으며 민정이 어찌 물결처럼 일렁거리는 데에 이르지 않을 수 있겠습니까. 비록 그러하오나 이는 오히려 저희들이 스스로 대의(大義)를 칭탁하였지마는 만태 등의 결안 가운데 이른바 임대 한구가 해상의 진인을 맞기로 의논했다라는 말에 이르러서는 문목을 국문할 때에 물은 바도 아닌데 제가 스스로 답하였으니 만약 그 일이 사실이라면 만태 등을 임, 한과 아울러 대역(大逆)으로 논해야 할 것이요, 이를 그냥 둔다면 나라가 어찌 나라꼴이 되며 사람이 어찌 사람 노릇을 하오리까. 비록 옥관(獄官)은 전후에 변동이 있었으나 조정은 본래 한 조정인데 죄범이 이와 같은데도 귀양 가는 데에 그치고 만다면 국민의 의혹이 어찌 더욱 심하지 않겠습니까. 또 생각하오니 전하의 오늘 거조는 천고에 없는 바로서 억조의 신민이 기뻐하고 날뛰는 까닭은 다만 중궁의 복위를 경사와 다행으로 알 뿐만 아니라 전하의 행동이 광명하고 결단함이 일식 월식과 같이 털끝만큼의 가리움도 없었음을 더 큰 다행으로 삼는 바입니다. 만약 과연 만태 등 여러 사람의 말과 같음이 있다면 이는 중궁의 복위가 만태 등에게서 일분의 도움을 얻었음이 없지 않은 것이니, 전하의 수치스럽고 누됨이 과연 어떠하겠습니까. 민암이 만태 등을 죽이려는 것은 중궁의 복위됨이 저희들에게 해로운 까닭이요, 이제 조정에서 만태 등을 죽이려는 것은 중궁의 복위를 저희들이 도모했던 바라고 하는 것이 욕이 국가에 미치고, 전하의 몸에 무함이 되기 때문입니다. 전후의 죄명이 비록 서로 같은 것 같사오나, 법을 쓰는 뜻은 실로 천양지차가 있으니, 어찌 앞사람 민암의 소위를 답습한다는 것으로 의심하오리까. 중혁 등을 다스려 그 허실을 국문하여 쾌히 죄를 줄 것을 청하옴은 전하에 대한 일반의 의혹을 풀기 위함이요, 중궁을 위하여 복위의 정대함을 밝히고 사대부의 천고의 수욕을 씻기 위함이니, 이것은 이른바 조정을 일월 위로 높이는 것이옵니다.

환국의 일로 다시 문제를 삼지 않으려는 왕과 자신들의 명분을 왕권과 직결시키기 위한 서인들의 상소가 엇갈리고 있었다. 윤지완이 우의정에 임명되자마자 경연에 나가 다시 강만태 최격 한중혁의 엄벌을 주장하였다. 남구만은 다시 차자를 올렸다.

신이 여름 사이에 국옥을 문초하였사온데, 강만태 최격 이시도 한중혁 등의 공사(供辭) 및 서찰을 보오니, 만태의 해상진인의 말이 극히 놀랍고 참혹하였습니다. 다른 범죄는 막론하더라도 다만 이 일절만은 불가불 엄중히 처단해야 하오며, 최격이 한중혁 이시도 등과 더불어 은화를 모아서 중궁의 복위를 도모하고, 조정의 번복을 꾀한 것과, 이시회가 한중혁 및 그의 형 시도 등과 더불어 서로 결탁하고, 뇌물을 바쳐 정국 번복을 모의했다는 설에 이르러서는 모두 이미 자복하여 결안하였으니 통분을 금할 수가 없습니다. 한중혁은 비록 자복하지는 않았사오나, 그 발각된 서찰이 석 장 있사온데 시회를 대필하여 그 형 시도에게 부쳐온 편지에는 "비인(庇人) 승지 댁에 두 차례 사람을 보내어 맞아왔으므로 방금 서울에 와서 총융사의 본댁 문 앞에 주인하고 있는데 총융사가 극히 친절하게 대접하고, 또 한생원과 더불어 상의한 일이 많았는데 허다한 묘리가 있으니 이 사이의 희행(喜幸)한 일을 어찌 다 상달하겠습니까. 자세히 한생원의 말을 들으니 이번에는 조금도 염려할 것이 없습니다" 하였고, 시도의 답서에는 "한생원이 은자 백 냥을 단단히 봉해서 내려보내면 동으로 서로 주선할 계획이다. 옛말에 이르기를, 비록 진평과 같은 큰 계책으로도 천금을 흩어서 일이 순히 되었다 하였으니, 하물며 필부의 일이랴. 내 생각에는 한생원과 같이 이 편지를 본 연후에 한구 영감께 고해서 다시 통지하는 것이 옳다" 하였고, 중혁이 시도에게 부쳐 온 편지에는 "영감께서 이와 같이 오랫동안 귀양살이에 있음은 우리들의 불행이요, 모두가 천운이니 다만 탄식할 뿐입니다. 올해 가을부터 한 가지 묘리를 얻었으나 영감께서 안 계시어 상의할 길이 없어 부득이 영감의 계씨를 두 번이나 사람을 보내어 청해와서 방금 나와 더불어 같이 서울에 와서 총융사를 만나보았는데, 본 뒤에는 이미 여러가지로 친절한 대접을 받았으며 그 길을 통해 기묘한 좋은 소식이 있으니 다만 영감의 석방이 멀지 않을 뿐만 아니라 우리들도 또한 오래지 않아 조정에 들어갈 수 있으니 우리의 희행함이 어떠하겠습니까. 이번에는 전일같이 맹랑하지는 않을 것이오니 영감께서는 염려 마십시오" 하였습니다. 이 석 장의 서찰을 보면 그 은자를 모으고 모의한 곡절이 모두 드러나 그의 자백을 기다리지 않고도 가히 알 것이니 이로써 죄를 처단하더라도 저희들이 할 말이 없을 것이므로 신이 요전날에 짤막한 차자를 소매 속에서 내어 바쳐 만태를 국문하여 그 흉한 말을 캐어내어 쾌히 국법을 시행함을 청하였사온대 격, 시회도 또한 임금을 속인 죄를 다스려야 하오며, 중혁에 대하여는 그 수찰(手札)을 가지고 단연코 그 죄를 정해야만 하옵니다. 이와 같이 한 연후에야 조정의 처사가 비로소 명백정대하고 부정한 옆길로 중궁이 복위되었다는 의혹도 영영 없어질 것입니다. 만태는 이미 자백하여 처단되었사오니 격, 시회는 의금부에서 바야흐로 초사

(招辭)를 번복하고 있어 소위가 괘씸하오니 벌을 써서 문초해야 할 것은 다시 말할 것이 없사오며, 오직 중혁의 일에 대하여는 신의 어리석은 소견으로도 말이 있사옵니다. 중혁이 은을 모아서 샛길을 통하여 모의하고 청촉한 형적이 모두 석 장의 편지 속에 있사온대 이번 금부에서 신문할 때에 그 편지 속에 있는 좋은 묘리라는 말은 방축하는 것이라 돌리고, 기기한 좋은 소식은 시도의 귀양살이의 석방 운동이라 돌리고, 우리들이 오래지 않아서 조정에 들어갈 수 있다고 한 말은 시도들을 위로한 것이라고 돌렸습니다. 은화를 거두어 모았다는 것은 천만 무근한 낭설로 돌리니 그 허탄한 말로 한사코 잡아떼는 정상이 소연히 나타나 가리기가 어렵게 되었습니다. 대개 죄인을 심문하여 실정을 토로하지 않으면 마땅히 고문을 청하는 법인데, 금부에서 갑자기 전하의 결재를 청한 것은 이미 법례가 아니요 그 율을 정하는 데는 주변에 원찬을 청하였으니, 그뒤에 죄는 중한데 율이 경하다 하여 다시 절도정배를 청하였사오나, 그자의 허망한 진술에 좇아 지레 먼저 율을 정한 것은 옥사에 있어 실로 부당한 바 있습니다. 오늘에 중혁 등의 치죄를 청한 것은 본래 성명전하를 위하여 일반의 의혹을 풀고 중궁을 위하여 복위의 정대함을 밝히고 조정의 사대부를 위하여 천고의 수욕을 씻고자 함입니다. 지금까지 치죄(治罪)한 것이 이에 그치고 만다면 의혹을 풀지 못할 것이요, 도리어 의심을 일으켜 애당초 다스리지 않은 것만 같지 못할 것을 깊이 두려워하옵니다. 비옵건대 다시 의금부로 하여금 중혁의 교묘하게 꾸미며 숨기고 회피하는 정상을 심문하여 실정을 캐내어 처치케 하시옵소서. 또 생각하오니, 중혁은 젖내 나는 철없는 것으로 진실로 말할 것도 못 되오나, 한구에 이르러서는 나이도 이미 늙었고 벼슬도 또한 낮지 않사온데, 이제 시도가 그 아우의 편지에 답한 것으로 보오

면 주모자는 실상 한구에게 있사옵니다. 아, 진실로 이 무슨 심사이옵니까. 중궁께서 사제(私第)로 물러나 계실 때를 당하여 무릇 신자된 자로서 어느 누가 가슴을 치며 눈물을 삼키지 않았으리요마는 이일은 다만 전하의 일조의 각성만을 기다릴 따름이지 어찌 감히 은화를 모아 샛길을 뚫을 계획을 하오리까. 오늘날 논의하는 자가 혹은 말하기를, 중혁의 마음이 중궁의 복위에 있었으니 이는 대의의 소재이므로 다른 과실은 깊이 죄줄 수 없다고 하오니, 만약 중혁의 일을 의거로 삼는다면 참으로 복위에 유공한 것이 되는 것입니다. 그러면 복위는 진실로 좋은 일인데 장차 전하를 어느 땅에 두게 되겠습니까. 논의하는 이가 또 말하기를, 중혁은 민암이 죽이려던 자이니 지금에 와서 암을 위하여 분을 풀어줄 수는 없다고 하나 암이 죄를 받은 것은 그가 이 일을 빙자하여 서인을 도륙하려는 데에 있고 중혁의 죄는 인심을 의혹케 하여 욕이 전하에게 미치게 한 데 있으니 정상은 비록 같지 않으나 법으로는 마땅히 구별할 수 없을 것이니 어찌 저쪽은 낮추고 이쪽을 높이며, 왼편은 추방하고 오른편을 들일수 있겠습니까.

조정의 논의와 쟁점이 분명해졌고 해도진인을 맞아 조정을 번복한다는 중인과 서얼 장사치들은, 감형 방송의 혜택을 입지 못하고고문에 죽거나 참형당하거나 중형을 받았다. 갑술 구월 중순께에 강만태의 처형을 끝으로 옥사는 결안(結案)되었다. 이러한 정세의 변화를 일반 백성들도 이미 알고 있었으며, 초야에 묻힌 뜻있는 선비들과 산간의 승려들도 지켜보고 있었던 것이다.

철원의 고달근은 읍내의 한복판에서 드넓은 땅을 차지하여 날아갈 듯한 기와집 수십 칸에 행랑채가 즐비했고 높다랗게 누각을 올리고 양반이 되어 살아가고 있었다. 물론 공명첩 양반이라지만, 그는 무과 급제한 자나 다름없는 선달이 되어 있었다. 그가 선달이 된 것이며 겨우 이 년 만에 거부가 될 수 있었던 것은 물론 장길산 일당의 토포를 돕고 처음으로 발고한 공 때문이었다. 도적의 재물을 발고자에게 상으로 분급하는 일은 명화율에 의한 것이었다. 고달근은 관으로부터 약조받은 대로 이경순의 파주에 있던 전장과 재물, 그리고 봉산 천동이 만동이 형제의 가산과 철광 은광의 이익이며, 원산포와 고원 객점의 재물 가운데서 일부를 형조를 통하여 분급받았다. 그뿐 아니라 고달근은 파주 이경순네 객점을 그대로 물려받았고 원산포의 객점까지 차지하였던 것이다. 고달근은 한편으로는 포천 일대에 전장을 마련하였으며 그가 처음부터 원했던 대로 원산포와 철원과 한양을 잇는 상로의 주도권을 장악할 수 있었으며 파주를 통하여는 송도의 임방과 통할 수가 있었다. 고달근은 이제 철원뿐만 아니라 인근 금화 삭녕 포천 등지의 관장 수령이나 향반들과도 사귀며 수만금을 가진 부호와 양반으로서 떵떵거리며 살았다. 집은 마치 정승의 집 같았고 하인들도 십여 명이나 되었으며, 그전에 살던 중도아의 객점은 따로이 넓혀서 상단을 머무르게 하였다. 그곳에는 박거사가 행수로 나가 살았다. 고달근은 늦장가를 갔지만 아들도 둘이나 보았고 소실은 한양 어느 서리의 딸로 젊고 아리따웠다. 달근은 일자무식이라 경서도 읽지 못하였고 양반의 법도를 깊이 헤아리는 바 없었으나 그간에 갈려가는 수령과 아전붙이들에게서 배운 눈치로 제법 풍채와 말씨가 그럴듯하였다. 그는 집 안에 따로이 광 옆에다 사옥까지 두고서 인근 양민들이 그의 뜻에 거슬리면 잡아다가 곤장도 때리고 해결될 동안 가두어두기까지 하였다. 그러나 그는 언제나 장길산이 관군에게 잡히지 않고 달아난 사실을 잊지 않고 있어서 늘 그를 두려워하였다. 고달근이 사랑채 건너편에 무사 두 사람을 식객으로 머무르게 하였던 것도 그런 까닭이었고 읍내에 낯선 사람이 오거나 원행 상단이 오면 그들을 은밀히 기찰하게 하고 떠날 때까지 집안을 단속하고 경계하였다. 그는 되도록이면 멀리 나다니지 않았으며 한양에 갈 일이 있으면 상단이 떠날 때 그를 지키는 무사 두 사람을 데리고 함께 따라나서곤 하였다. 그는 장길산이 죽거나 세력을 잃지도 않았을뿐더러 지금도 평안도와 함경도의 북쪽에서 활동하고 있다는 소문을 자세히 듣고 있었다. 아니 정확하게는 낭림산맥 깊은 골 어딘가에 그의 혈당들이 모여 있다는 소문이 돌았다. 달근은 그때는 훈련원의 선전관으로 올라가 있는 최형기에게 봉물과 사람을 보내어 똑똑하고 야무진 장교를 한 사람 자신에게 보내달라고 청했을 정도로 불안에 빠져 있었다.

고달근은 철원이 주거지로서는 매우 불안하였지만 북관과 한양을 연결하는 중요 접점인 이곳을 떠날 수가 없었다. 철원은 추가령의 병목과도 같은 곳이라 특히 북포와 북어의 물량과 가격을 마음대로 조정하는 요지였다. 포천의 그전 솔부리 패거리들 중에 거의가 그의 수중으로 들어왔고 복만이는 송도를 거쳐서 서북으로 나갔다는 후문이 들릴 뿐 종적이 없었던 것이다. 여하튼 최형기는 위에 아뢰어, 한양 인근 난전 무뢰배들이 나라를 등지는 무리로 떨어지지 않도록 고달근에게서 시시콜콜히 얻어들은 저자의 물정을 능숙하게 활용하였다. 즉 매우 위험한 자나 갑자년 천민들이 술렁거리던 때 이래로 제법 관계가 있던 자들은 전비를 묻지 않고 일단 포청에서 다짐을 주고 나서 포청의 기찰비나 인정을 흠뻑 받아내고 나서 방송하거나 순순히 토로하지 않는 자들은 문초할 것도 없이 내주었다가 뒤로 그럴듯한 핑계를 대어 거래에 피해를 주거나 장사를 못 하도록 해버렸다. 모신이나 박대근의 경우에도 그들이 길산 일당이나 또다른 녹림 역적들과 깊은 관련을 가졌다고 보지는 않았지만, 포청에서는 최소한 그런 부상대고들이 녹림당과 적당히 타협하고 있으며 그들의 장물을 취급했으리라는 추측은 하고 있었다. 모신의 경우에는 많은 인정을 썼고 서강에서 장사를 폐하고 수원으로 내려가버렸고, 박대근은 임방에서 물러나 용만으로 나간다고 한 일년 자리를 비웠다가 다시 돌아와서 집에서 바둑이나 두며 놀고 지냈다. 박대근의 경우는 모신이와는 달라서 나중에 송도 관아에 출두하여 이경순과 장물의 거래를 몇차례 가졌던 사실을 털어놓았고 배대인은 수천 냥을 내놓았다는 후문이 있었다. 일이 흐지부지되고 나서 박대근은 장사에서 손을 뗀다며 식구들을 솔가하여 송도를 떠났던 것이다.

이제 최형기와 고달근은 서로에게 이해가 걸려 있는 상대가 되었다. 도성 북쪽 근기지방의 동향이며 북관에서 일어난 일들이 재빨리 고달근의 상단을 통하여 최형기에게 전달되었다. 최형기는 포청에서 나와 훈련원으로 옮겼으니 한양 수비와 비변의 일에 대하여 관심이 많아졌다. 최형기는 아무래도 장길산의 활빈도가 함경도와 평안도 일대에서 계속 출몰하고 있다는 지방 관아의 장계가 마음에 걸렸고 조정에서는 당상대신이 임금의 탄식과 질책을 듣고 무장들을 들볶는 형편이었다.

객사거리에 있던 고달근의 객점에는 상단 사람들 몇명만이 남았고 다른 장사치들의 내왕은 한산한 편이었다. 어느날 한 자그마한 사내가 노새에 짐을 싣고 나타났다. 다른 상단에서도 못 보았던 낯선 얼굴이었다. 객점의 주인 노릇 하는 자가 곧 상단의 행수인 박거사에게 가서 알렸고 박거사는 일단 캐어보고 다시 알리라고 말하였다.

"손님, 오늘 예서 묵어가시렵니까?"

주인 노릇 하는 자가 목로에 앉은 낯선 장사꾼에게 가서 물었다.

"추가령을 넘어가야 하는데 때가 이러하니 하룻밤 묵어가야지요. 방이나 하나 치워주슈."

"어디까지 가십니까?"

"글쎄…… 함흥으루 나가볼까 하오."

키 작은 장사꾼은 반짝이는 눈을 들어 주인 사내를 빤히 올려다보더니 오히려 자기 쪽에서 먼저 물었다.

"혹시 믿을 만한 중도아가 없겠소? 내가 본시 장사치는 아니라오. 다만 함흥에 가는 것도 나와 안면 있던 자가 함흥 거부의 행랑에서 서기질을 한다기로 혹시나 하여 가보는 것뿐이오. 그러니 먼 길 가서 헛걸음치는 일보다는 이 고장에서 물건을 넘기고 돌아설까 하지요."

주인 노릇 하는 자가 대수롭지 않게 물었다.

"무슨 물건이우?"

그는 사내가 옆구리에 바싹 붙여놓은 보퉁이며 부담을 손으로 눌러 보았는데 장사꾼은 얼른 그의 손을 뿌리치며 말하였다.

"허어, 이러지 마우. 중도아를 데려오면 내가 주인께 식대나 후히 낼지언정 상관없이 나서지 마시우."

주인은 겸연쩍기도 하고 사내의 고지식한 모양이 우습기도 하였으나 내심 몹시 궁금하였던 것이다. 그는 얼른 안으로 들어가 행수 박거사에게 그런 사실을 알렸고 둘은 다시 술청으로 나왔다.

"이분이 바루 철원 중도아 행수이시우. 찾기는 참 잘 찾아오셨소. 여기가 어디냐 하면 원산포와 포천 송우점을 잇는 철원의 대 중도아 상단이 있는 객점이라오."

주인이 너스레를 떨었고 박거사가 예전 같지 않은 점잖은 투로 말하였다.

"무슨 물건인지 알아나 보고 원매자를 구하든지 가격을 흥정하든지 해야 할 거 아니오?"

장사꾼 차림의 사내는 아직 보퉁이를 끼고 앉아 대꾸하였다.

"내가 본시 삭녕 사는 양민으로 손바닥만 한 땅뙈기나 파먹구 사는데 나무를 하러 갔다가 삼밭을 보았지요. 북편 골짜기로 내려가니 켜켜로 낙엽이 쌓이고 썩어 기름진 땅인데 아, 거기가 모두 삼밭입디다. 삼이 좍 깔렸는데 거기서 대충 열 뿌리만 뽑아다가 이렇게 가지구 나선 길이오. 내가 모두 뽑아서 한꺼번에 갖다가 넘길 수도 있겠으나 잘못 건드렸다가 썩어지면 수만 냥이 물거품이 되는 판이라, 잘 아는 심메마니들과 의논하고 싶지만 믿을 수가 있어야지요. 하는 수 없이 이렇게 몇뿌리 내어 가격도 알아보고 그 삼밭을 알려주는 댓가만 받는 것이 유리할 듯하여 나섰지요. 나서긴 하였으나 막상 철원까지 당도하고 보니 북관에까지 오를 일이 아득하여 말을 내어 본 것이우."

박거사는 흥분을 감추지 못하고 얼른 사내의 보퉁이에 손을 댔고 사내는 다시 그 손을 뿌리치고는 조심조심 보퉁이를 끌렀다. 보퉁이 안에는 엄지손가락의 두어 배가 넘어 보이도록 굵은 인삼 열 뿌리가 들어 있었다.

"이것을 캐냈단 말이오? 그 산에 밭이 되어 있더란 말이지…… 예년 같으면야 장사하는 이들이 눈독을 들이겠지만 이걸 올 같은 천재에 누가 사겠수. 인삼이 아니라 날알도 없는 형편인데."

박거사가 장사꾼의 기를 죽여 흥정의 기선을 잡으려고 그런 말을

하였으나, 그해에는 사실 크게 가물고 찬바람이 불고 냉해에 서리가
겹쳐서 밀 보리는 싹을 내지 못하고 씨를 뿌리지 못하여 전국이 수
확을 거두지 못하였다. 나라에서도 현종 때의 신해(辛亥) 흉년의 곱
절에 이르는 재해라고 의논이 되었다. 가을의 쌀 한 말 값은 오십 푼
에서 이백 푼으로 올랐던 것이다. 박거사의 시큰둥한 말을 듣더니
예상대로 사내는 금방 풀이 죽었다.

"그러니…… 자신이 없어 차라리 예서 이것을 보이고 선불을 받
고 삼밭을 가르쳐주고 나서 모두 받기로 하고 한몫에 쳐서 양곡 열
섬이나 벌어갈까 하구 있지요."

박거사는 사내의 어깨를 두드려주었다.

"내가 한번 알아는 보리다. 하나 시절이 시절인만큼 열 섬은 어림
도 없을 게요. 여하튼 여기서 오늘 묵으시우."

주인이 그제야 제법 널찍한 봉놋방으로 사내를 안내하였는데 행
객이 없어 큰 방 안이 휑뎅그렁하고 썰렁해 보였다. 박거사는 얼른
고달근의 본가로 찾아가 그에게 삭녕 산다는 사내의 일을 말하였고
달근은 흥미를 보였다.

"어, 그것 굴러들어온 떡이로구나. 시골놈이 시세는 더욱 알 리가
없으니 좁쌀 두어 섬 내주면 삼밭을 알려줄 게다. 장소를 알고 나서
모른 척하면 임자 없는 산에 묻힌 초목을 캐냈다 하여 관가에 하소
를 하겠느냐, 우리에게 행역질을 하겠느냐."

"선다님, 열 뿌리만으로도 두만강을 건너면 호인의 콩과 수수를
수십 섬 들여올 수가 있습니다."

"그래, 네가 아이들 두엇 데리고 다녀오너라. 놈이 거짓말을 하는
것 같지는 않으니 좁쌀 삼십 섬을 준다 하고 두 섬은 미리 주도록 해
라."

의논이 되어서 박거사는 사내에게 흥정을 하였고 사내는 그나마도 얻게 된 것이 기쁜 모양이었다. 이튿날 사내는 노새에 짐을 싣고 다시 상단의 말 등에도 좁쌀을 나누어 싣고서 박거사와 결꾼 두 사람이 길을 떠났다.

"삭녕으로 가는 것은 알지만 어느 산인가는 알려주어야 하지 않겠나?"

사내가 입을 굳게 다물고 대답을 않으니 박거사가 다시 꼬드겼다.

"허허, 이런 꼭 막힌 사람 봤나. 우리가 지금 그리루 가서 알게 될 게 아니우. 그뿐이우? 그 너른 산의 어느 골이 삼밭인지 어찌 알겠수?"

사내는 뚱한 얼굴로 박거사를 돌아보더니 툭 던지듯이 말하였다.

"흥성산이우……"

"음, 그럼 지척이로군."

안심한 박거사가 고개를 끄덕였는데 흥성산이라면 철원에서는 사십 리 길이었던 것이다. 그들이 서창을 지나서 갈마재(渴馬峴)를 넘는데 온 산은 가을색으로 가득하여 울긋불긋하였다. 고개 중턱에 이르러 삭녕 사내가 갑자기 노새의 고삐를 박거사에게 내밀며 말하였다.

"아이구, 배야…… 피죽만 먹다가 그 댁 밥을 많이 먹구 나왔더니 배탈이 난 모양이우. 잠깐만 기다려주오."

박거사와 다른 결꾼들은 하는 수 없이 기다리게 되었고 사내는 바지 허리를 연신 만지작거리면서 숲으로 들어갔다. 그가 숲으로 들어가고 잠시 후에 길게 휘파람 부는 소리가 들리더니 장정들이 우르르 뛰쳐나왔다. 박거사가 놀랄 겨를도 없이 고개를 들어보니 장정들은 저마다 환도며 병장기를 들었다. 그들은 삽시에 박거사 일행을 에워쌌고 박거사는 전후좌우에 달아날 길이 없어 그 자리에 엎드리며 애원하였다.

"제발 덕분에 목숨만은……"

장정들은 철원 상단의 세 사람이 순순히 무릎을 꿇자 아무 말 없이 그들을 뒷결박 지어서 일으켜세웠다. 뒤가 마렵다고 숲으로 들어갔던 키 작은 사내가 장정들을 이끌었던 눈 크고 허우대가 건장한 자에게 말하였다.

"선흥이 성님, 혼자만 왔수?"

"아니…… 모두들 말응산에 있다. 어서 그리루 가자."

열 사람쯤 되는 장정들은 복색들이 상단 사람들 같았으나 그들은 모두가 길산네 활빈도들이었다. 키 작은 장사꾼 사내란 기실은 최홍복이었던 것이다. 그 무렵에 길산은 낭림산맥의 운봉산을 근거지로 하여 예전보다 더욱 강고하고 넓은 활빈도의 연계를 짜두었던 터이다. 해서의 수안 곡산의 잠채터는 관군에게 쑥밭이 되었으나 미리 피하게 하여 마식령산맥의 입암산에 근거한 일대가 되었다. 낭림산맥에만 하여도 운봉산 낭림산 소백산의 세 군데에 산채가 나뉘어 있었고 묘향산에는 서용의 식구가 장길산 활빈도의 깃발 아래 들어왔다. 박대근은 강계로 이사 가서 있었으며 그들의 잠상 통로는 벽동 해천동과 불암골이 근거지였다.

함경도에서 원산 고원 객점이 관군에게 발각되었다 하나 함흥 백운산의 업복이는 여전히 건재하였으며 회령 서수라 등지는 정대성이 관장하였다. 봉산의 만동이 천동이 형제는 가산이 구몰되고 절도 유배형을 받았으나 다른 잠채꾼들과 해서 무계원들은 입암산으로 모여들었던 것이다. 그들은 을해년 봄부터 계속 사방에 출몰하여 관군들을 괴롭혔으며 멀리는 경기도에까지 진출하기도 하였다. 그들은 철원의 배신자 고달근을 처단하고 그의 정탐의 눈을 멀게 할 작정이었다. 달근이 철원을 떠나 가산을 정리하여 삼남으로 내려갔다 하더라도 그는 무사하지 못하였을 것이다.

강선흥과 최흥복은 달근네 박거사와 곁꾼 둘을 잡아가지고 곧장 북으로 달려 말응산 연맥을 타고 평강계까지 나아갔다. 이는 마식령 산맥의 끝줄기였는데 황해도와 강원도와 경기도가 서로 만나는 지점이었다. 말응산에서 동남쪽으로 오십 리 내려가면 곧 철원에 닿았다. 선흥이 흥복이 일행이 수청산을 지나 말응산의 동쪽 첫 번째 골짜기로 들어가니 숲 가운데 노랗게 물든 은행나무 아래 장막을 치고 삼사십 명의 장정들이 모였는데 말은 아래편 시냇가에서 풀을 뜯고 있었다. 길산은 예전처럼 긴 저고리에 띠를 매고 패랭이 차림이었으며 운봉산의 박산돌이 곁에 지키고 서 있었다. 흥복이 달근네 사람들을 끌어다가 길산의 면전에 꿇렸다.

"이놈이 고가의 행수 되는 놈입니다."

길산은 그에게 물었다.

"고달근이가 네 주인이냐?"

"예."

"네 주인이 오늘과 같은 부귀영화를 어찌 얻게 되었는지 알고 있겠지."

"명화적 토포의 길라잡이가 되었다고 들었소."

길산은 잠깐 눈을 감았다가 같은 어조로 물었다.

"우리는 백성들을 위하여 관북 서북 해서 관동 등지에서 모여든 활빈도다. 네 주인은 안성 청룡 거사패의 모가비였다고 알고 있는데, 그대도 창우 출신인가?"

"예, 전에 그 밑의 거사였습니다."

"그러면 내가 누구인지 알겠구먼. 나도 해서 광대였던 장길산이란 사람이다."

박거사는 그제야 자기가 잡혀온 연유를 눈치채고 놀란 눈을 들어 그를 올려다보았다.

"어이구, 함자는 오래 전부터 들어 모시고 있사오나……"

"고가는 일찍이 우리와 같은 동류로서 신의를 어기고 같은 처지의 동무들을 관군에 팔아넘겼다. 너도 나와 같은 사람이라면 그를 살려둘 수가 있겠느냐."

"저는…… 그저 그의 수하로서 평생을 밥 얻어먹고 살았습니다."

길산은 그의 뒷전에 앉은 다른 곁꾼들을 넘겨다보았다.

"내가 자네들을 해치겠는가. 다만, 천한 것이 자기 동류를 감싸고 돕지는 못할망정 오히려 잡아먹고 해를 주어서야 언제 우리가 사람답게 사는 날이 오겠는가. 우리가 그를 징치하여 먼저 죽거나 행방이 끊긴 이들의 포한을 풀고 아직도 천민들의 기개가 팔도에 살아 있음을 천하에 알리며, 또한 스스로를 경계하여 앞날의 대사를 다지자는 뜻이니 자네들은 우리를 도우라. 그 대신에 고가의 재물은 모두 탈취하여 그대들에게 줄 것이니 후환 염려 말고 솔가하여 다른 고장으로 떠나면 되겠지."

박거사가 주변머리는 없어도 길산의 나직한 말이며 그 정대함에 기가 죽어서 고개를 숙이고 듣다가 기어들어가는 목소리로 대꾸하였다.

"어떻게 도와드리면 되겠습니까?"

홍복이 옆에 섰다가 그의 곁에 쭈그리고 앉으면서 말하였다.

"몇가지만 알려주면 되오. 그리고 우리가 부탁하는 대로 해준다면, 아주 손쉬운 일이오."

박거사는 홍복의 말을 기다렸다.

"우리는 이미 철원 읍내의 정탐을 오래 전에 끝냈소."

홍복이 말하였다.

"읍내의 군사가 모두 몇이나 되오?"

"글쎄요, 병방 이하 장교가 셋이고 군사는 일 초가 채 못 되는데 실은 십 오가 될까 말까 합니다. 향군은 끌어모은다면 이삼백이 되겠으나 습진 조련은 해본 지도 오래 전 일입니다. 대개 군포나 모으는 구실일 뿐입니다."

"고달근의 집에는 장정이 몇이나 있소?"

"하인들 칠팔 인에 서기가 하나 있는데 그중에 네다섯은 나이가 들었습니다. 그보다는 호종 드는 칼잽이를 고용했는데 고선달의 사랑채에 함께 기거합니다. 또한 한양 훈련원에서 장교 하나가 오기루 되어 있습니다."

묵묵히 듣고 있던 장길산이 물었다.

"고가는 아직도 한양의 최형기와 왕래가 있다던가?"

"왕래가 있는 정도가 아닙니다. 수시로 사람을 보내어 문후하고 외방 소문을 알려주기도 합니다. 최형기가 훈련원 선전관임을 아십니까?"

"다 알구 있네."

최홍복이 다시 말을 꺼냈다.

"우리를 도와주는 일은 다른 게 아니라 부내에 있는 관군을 꾀어, 아까 당신들이 우리에게 당하였던 갈마재로 끌어낼 수가 있겠는가 하는 것이오. 우리는 관가는 내버려두고 고달근의 집을 들이칠 작정이오. 그의 가산을 적몰할 터이니 행수는 이 사람들과 함께 상단의 재물과 고가의 재산을 나누어가지고 도계를 넘어 다른 고장으로 떠나면 되오."

"도와드리겠습니다."

"저희들도 고선달이 인색하여 불만이 한두 가지가 아니었습니다. 송우점 시절부터 상단에서 일했으나 아직도 저희는 적수공권이올시다."

곁꾼들이 번갈아 말하자 박거사는 질세라 한술 더 떴다.

"장사들께서 그런 포한이 계시듯 저도 내심 고선달에게 앙갚음할 일이 많습니다. 제가 사실은 안성 시절부터 고가와 행중의 동무로 온갖 고생을 함께 치르며 살았고, 특히 무진년 미륵도 난리 때에 죽은 황거사와는 친동기간처럼 지냈지요. 이 자가 그때까지는 검계에도 들어 피눈물 나는 세월을 같이 고생하며 지내더니 이제 와서 선달 직첩은 또 무엇이며 언제부터 저와 내가 반상의 유별을 따졌답니까. 속으로 아니꼽고 더럽지만 저는 중도아의 행수요 집은커녕 식구도 없지요. 최모라는 무인이 줄을 대어 훈련대장 신여철이 그의 뒤를 보아준다는데 철철이 봉물이 한양으로 올라갑니다. 장사들께서 오히려 저를 도와 고가가 망하는 꼴을 보도록 해주십시오."

박거사는 눈은 부릅뜨고 입에 거품을 무는 것은, 다른 무엇보다도 고달근의 갑작스런 영달에 대한 선망과 그의 재산을 바라는 욕심 때문임을 알 수 있었다. 길산의 사람들은 그런 모양을 물속 들여다보듯 알고 있었다. 박거사 또한 기회가 있었다면 달근과 같은 길라잡이를 자청하였을 터이다.

"좋소, 그렇다면 세 사람은 지금 부내로 돌아가서 관가에 적경을 알리시오. 갈마재에서 도적을 만나 짐과 말을 빼앗겼는데 홍성산 부근에 유민들의 집결처를 뒤를 밟아 알아두었다고 이르면 필시 부사는 군사를 내어 도적들을 잡으라고 할 게요."

"그야 손바닥 뒤집기지요. 관가에서는 우리 얘기를 믿을 뿐만 아니라 고선달의 말이라면 부사도 듣지 않을 수가 없을 테지요."

최흥복이 일어났고 장길산이 박거사에게 말하였다.

"우리는 명일 정오에 읍내로 쳐들어갈 작정일세. 관군이 오전에 떠나면 인명도 별로 다치지 않고 쉽게 볼일을 보고 떠날 수가 있을 걸세. 자네가 돌아가 오히려 관군을 도와주게 된다 하여도 우리는 별로 두려울 것이 없네. 읍 안에는 우리 쪽에 기미를 모두 알려주는 사람이 있으니까 며칠 미루었다가 지척에 있는 여러 녹림의 무리를 모아서 쳐들어갈 게야. 그때에는 자네들도 살아남지 못하겠지."

"명심하겠습니다. 저희들께 유익한 일을 어찌 미리 망치겠습니까?"

최흥복이 말하였다.

"자아, 어서 돌아가야지요. 관가에 삼현육각이 울려서 퇴청하기 전에 적경을 고하시우. 그러고 나서 고선달에게 하소하면 그자는 분기하여 부사에게 가서 발병할 것을 요구할 게요."

그들이 일어나자 최흥복은 자기가 미끼로 썼던 인삼을 박거사에게 네 뿌리, 곁꾼들에게는 세 뿌리씩 나누어주었다.

"공연히 다리품 팔게 하고 우격다짐으로 예까지 끌고 왔으니 미안해서 인사를 차리는 게요. 일이 성사가 되면 고가의 재산은 모두 댁네들 차지가 되겠지요."

"예서 철원 읍내까지 걸어가면 당도하기도 전에 해가 저물어버립니다."

박거사가 말하자 장정들 가운데 젊은이 둘이 나섰고 최흥복이 말하였다.

"이 사람들이 당신들과 같이 갈 거요. 우선 마룡못까지 함께 갔다가 한 사람은 말을 거두어 돌아올 것이오. 그리고 이 사람은 댁네들과 함께 돌아가 객점에 묵으면서 동정을 살피다가 군사가 발정하면 돌아올 게요. 우리는 그뒤에 읍내로 짓쳐들어가게 되오. 물론 댁네들을 믿지마는 사람의 일은 마음대로 되는 것이 아니니까."

빈틈없는 홍복의 말에 박거사는 질린 듯이 섰다가 운봉산 장정들의 뒤를 따라서 말에 올랐다. 그들은 여러가지 생각이 엇갈려서 아무 말도 없이 마룽못까지 달려내려왔고, 장정 중의 하나가 그들을 말에서 내리도록 하고는 안장에 고삐를 일일이 잡아매어 몰고 돌아갔다. 박거사 일행은 소이산 언덕을 넘어 읍내로 들어섰다. 박거사가 두 곁꾼들과 활빈도의 장정에게 가만히 일렀다.

"내가 얼른 관가에 들러 병방에게 적경을 알릴 터이니 자네들은 객점에 돌아가서 기다리게."

장정은 박거사를 쏘아보며 다짐을 주었다.

"딴짓하지 마우. 식구들이 지척에 있고 언제든 이 고을에 다시 올 수 있으니까……"

"허, 입에 맞는 떡인데 내가 마다하겠소. 좌우지간에 내가 다 손을 쓸 테니까 두고만 보구려."

박거사가 큰소리를 치더니 곁꾼들에게 다시 말하였다.

"자, 말을 맞추세. 우리가 적환을 당한 게 어디지?"

"그야 갈마재 아니우?"

"도적들로 보이는 유민들이 어느 골에 모였다구 그랬나?"

"흥성산이라구 했수."

"그럼 되었네. 자네들이 먼저 객점에 가면 떠들어두게. 내가 곧 가서 선달을 만나 다시 자세히 이를 테니."

그들을 보내놓고 박거사는 삼문 안으로 들어가 병방을 만나서 일렀고, 병방은 문서를 적기 전에 먼저 철원부사 황진문(黃震文)에게 구두로 아뢰었다.

"고선달의 중도아 상단 행수로 있는 박생이란 자가 곡물을 가지고 말 등에 실어 갈마재를 넘다가 도적을 만났다고 합니다. 도적들은 몽둥이와 환도를 가졌는데 모두 칠팔 명이 된다고 하였지요. 말과 곡물을 모두 빼앗기고 달아난 도적들의 뒤를 밟아 삭녕과 경계에 있는 흥성산 골짜기에 이르니 유민들의 움집이 여러 채인데 그들이 대개 노상에서 행인을 노리는 도적들인 모양입디다. 군교를 내어 저들을 잡아달라고 하오니 어찌하시렵니까."

부사는 한가하게 앉아 먹을 갈아 글씨를 쓰고 있다가 미간을 찌푸리고 말하였다.

"지금 같은 심한 재해에 팔도에 넘쳐나는 것이 굶주린 황민들인데 어디 흥성산뿐이겠느냐. 한두 놈 잡아올 수도 있겠으나 그리되면 그 식솔과 혈족들이 모두 우리 고을로 몰려올 것이라 구황죽이라도 쑤어 먹이게 되면 귀찮을 뿐이다. 원래 실물을 하면 잃은 자의 탓이 더욱 크니 공연히 덧들이지 말고 그대로 두어라."

그러나 병방은 선달인 고달근에게는 평소부터 후의를 입었고 그가 한양에 나다닐 때 훈련대장과도 막역하다 하였으니 그대로 물러설 수가 없었다.

"하오나 고선달은 본 부내의 부호요 유지입니다. 고선달이 한양 출입도 잦고 사대부들 가운데 연줄이 있어 그냥 모른 척하기는 곤란합니다. 아이들 데리고 나갔다가 못 잡는 한이 있더라도 시늉은 해주어야 되겠지요."

황진문은 그 말에 입맛을 쩝쩝 다셨다.

"에, 귀찮다…… 고선달이 명화적의 발고로 논상에 들어 선달 직첩을 받더니 평생 그 재미를 놓을 줄 모르는고나. 군영에는 몇사람이나 있느냐?"

"군노 사령배 합하여 서른쯤 되옵고 더 필요하면 향군을 동원해야 합니다만 유민지배 따위야 아이들 스무 명쯤 데리고 가서 움집들을 뒤지면 될 겝니다."

"하여튼 나중에 삭녕군수에게는 따로이 알리기로 하고…… 내일 아침에 얼른 해치우고 오너라."

병방이 부사에게 물었다.

"사또, 헌데 아이들 데리고 다녀오려면 아무래도 하루가 꼬빡 걸릴 터이니 군량은 어찌할까요?"

"군량은 따로이 낼 것이 없고, 자네가 가만히 선달에게 찾아가서 출병할 것을 알리고 군량은 거기서 내도록 말해보아라. 토포의 군량은 다른 고을에서도 모두 관례가 되어 있느니라."

병방이 박거사에게 나와서 부사의 허락이 떨어졌음을 알리고 그들은 함께 고달근네 집으로 갔다. 달근은 아직 박거사 일행이 도적을 만난 사실을 모르고 있다가 병방이 함께 당도하니 의아하여 물었다.

"아니, 박행수는 어찌 벌써 돌아오고 병방은 뭣 허러 우리집에 오는가?"

"제가 선다님 뵈온 지도 달포가 넘었는데 찾아뵙지 않을 수가 있겠습니까. 그저 소인이야 선다님 일이라면 심신을 다하여 뛰어다닐 준비가 다 되어 있사오나 어디 기회가 돌아와야지요."

고달근은 영리한 사람이라 박거사가 잔뜩 풀이 죽어서 윗목에 고개를 숙이고 앉은 꼴이며 병방이 공연히 와자하게 사설을 늘어놓는 모양을 보고 대강 알아차렸다.

"노상에서 무슨 일이 있었군."

"뚝하면 울밑에 조롱박이라고 다 아십니다."

병방의 말은 못 들은 체하고서 고달근이 박거사를 재촉하였다.

"어디서 도적을 만났던가."

"면목 없습니다."

"어디냐니까."

박거사는 기어들어가는 목소리로 대꾸하였다.

"저어 갈마재에서 고개를 넘는데 몽둥이와 칼 가진 놈들 일곱 명이 우르르 몰려나와서……"

고달근은 보료 위의 장침에 비스듬히 기대앉아 눈을 가늘게 뜨고 중얼거렸다.

"그래, 어쩐지 삼밭이 어쩌고 하는 것이 너무 어수룩하더라니. 그자들 활빈도가 아닐까……"

박거사는 속으로 흠칫하였지만 목전에 이익이 있는지라 침을 꿀꺽 삼키고 말하였다.

"저희들두 당하구 나서 하도 억울하고 은근히 부아가 나서 숲속에 쪼그리고 있다가 놈들의 뒤를 밟았습니다. 비록 몽둥이나 칼을 가졌다뿐이지 제대로 휘두를 줄도 모르는 유민들이 틀림없었지요. 홍성산에 그것들이 움을 파고 모여 사는 곳까지 보고 돌아오는 길입니다."

고달근은 안심이 되는지 담배를 담아서 소리가 나도록 빨았다. 병방이 말을 꺼냈다.

"바로 그래서 소인이 온 것입니다. 사또께서 군사들을 내어 도적들을 잡으라고 명을 내리셨지요. 내일 아침에 그 동네로 가서 집뒤짐을 하여 한 놈도 빠짐없이 잡아오렵니다. 하온데……"

병방이 사이를 두자 고달근은 담배를 빨면서 생각에 잠겼다가 불쑥 말하였다.

"딴은 싹이 자라기 전에 뽑아버리는 것이 상책이지. 그놈들이 거기 모여서 한두 번 재미를 보다가는 더욱 큰 무리로 작당하여 무슨 일을 저지를지 모르지 않는가. 유민들이라야 장정 여남은 명에 딸린 식구 합하여 스물이 될까 말까 할 것이니, 가만있자, 작당하여 강도 짓을 저지른 자의 식솔은 모두 노비가 돼야 하지."

"바로 그렇습니다. 기민이 버린 아이들도 누구든 데려다 밥만 먹여주면 노비로 부릴 수가 있지요."

"자네가 여기 온 것은…… 그러니까 양곡을 달라는 것이고 토포할 인정전을 달라고 왔겠구먼."

"바로 그렇습니다."

"좋아, 내 군량을 내지. 그리고 그놈들을 잡아오면 일 구당 닷 냥씩 상을 주겠네."

"저는 길안내를 할 작정입니다."

고달근은 박거사의 말은 건성으로 흘리면서 병방에게 다시 일렀다.

"갈 때에 우리 사랑채 아이들도 데리구 가게. 남녀노유를 불문하고 모조리 잡아 일단은 내 앞으로 데리구 와야 하네."

"물론입지요. 그런 것들이야 목숨을 부지하고 살아 있는 것만도 다행이요, 여기 와서 혹시 행랑에라도 들게 되면 오복을 차지하는 셈이지요."

병방과 박거사가 물러나오려 하니 고달근은 박거사에게 일침을 주었다.

"다음부터는 객점의 일은 내가 직접 안을 내어 하는 일 외에는 다시 저지를 생각을 말아. 그리고 요사이 별로 할 일두 없을 테니 송우점에나 나가 있든지……"

박거사에게 말하는 품이 어쩌나 쌀쌀맞든지 병방도 자라목이 될 지경이었고 고달근은 궤에서 따로 두어 냥 꺼내어 병방에게 휙 던져 주었다.

"오늘 저녁에 군교들 데리구 탁배기라두 먹게."

온갖 세상 풍파를 다 겪은 고달근도 자신이 그랬던 것처럼 수십 년래의 수하 사람인 박거사에게 뒤통수를 맞을 줄은 몰랐다. 이는 그가 재물맛을 들이면서부터 전보다 더욱 정 없이 사람을 대한 때문이었고, 특히 박거사의 경우는 팔도를 무른 메주 밟듯 하면서 나돌아다닐 적부터의 왼팔이었음에도 그가 발신한 뒤에 아무 덕을 입힌 것이 없었던 까닭이다. 이름이 좋아 행수지 사실은 청지기에 지나지 않았으며 고달근은 선달이 되고부터 그의 본출신을 아는 박거사를 귀찮게 여겼다. 다만 그가 그래도 기중 믿을 만했고 충직했기 때문에 내치지 못하고 수하에 거두고 있었으나 제 집에는 데리고 있지 않았으며 객점주의 자리도 철원 토박이에게 맡겨두고 있었던 것이다.

말응산 골짜기에서 기다리던 활빈도의 장정들은 정오 무렵을 가늠하여 모두들 말에 올라 천천히 수청산을 휘돌아 마롱연까지 나왔다. 말은 모두 북방 호마였고 장길산은 칠흑 같은 사류마를 타고 머리에 패랭이 쓰고 긴 저고리 돌띠에다 단검을 지르고 한 손에는 장약이 재어진 화승총을 쥐었다. 곁에는 박산돌이 황색 깃발을 치켜들었는데 사명기 모양으로 붉은 술이 달렸고 붉은 글씨로 활빈도(活貧徒)라고 뚜렷하게 씌어 있었다. 다시 그 뒤 양쪽에 다른 장정 둘이 장창 끝에 청홍의 수기를 달고 따랐다. 그들은 이미 그해 봄부터 곳곳에 출몰할 때 말 타고 깃발을 세워 자신들이 어디에나 있음을 세상에 널리 알려온 터였다. 북도 쪽은 장길산의 활빈도가 휩쓸고 있었으며, 전국 팔도에 대략 여덟 개 파의 명화적당이 알려져 있었다. 한양 북쪽은 장길산을 중심으로 한 운봉산 활빈도가 핵심세력이 되어 활빈도의 깃발 아래 그들을 모아 서로 강력하게 연계한 터였다. 그들은 일 대를 대략 삼십여 명으로 나누었으며, 작은 군읍으로 들어갈 때는 일 대를 쓰고 어떤 때에는 삼사 대를 합하여 동시에 출몰하기도 하였다. 그러므로 그들이 땅에서 솟았는지 하늘에서 내려왔는지 분간할 수가 없어서 향군을 동원하여 토포하려 하여도 모두들 억지로 군역에 응하거나 도피하는 형편이었다. 당시 조정에서는 도적이 전국에 들끓고 심지어는 백주에 도회 대처에까지 출몰한다 하여 어찌 수습할 바를 모르고 임금이 비망기를 내려서 호소할 지경이었다.

오호라! 일이 이미 이 지경에 이르렀으니 어찌할 수 없도다. 내가 바야흐로 묘당의 여러 신하들과 밤낮으로 생각하고 헤아려보아서 여러 비용을 줄이고 절약하여 제활(濟活)의 계책을 강구하려 하니, 절실히 바라건대 너희들은 주림을 참고 추위를 참아서 처자를 보호하고 혹시나 이산하지 말고 혹은 도적이 되지 말라.

하면서 좌의정 유상운의 계청(啓請)에 따라 더 많은 토포사를 배치하였던 것이 꼭 한 달 전이었다.

마룡연에 당도하자 활빈도는 대를 나누어 한쪽은 박산돌과 최홍복이 이끌고 배이산 쪽으로 돌아 철원읍의 서북로를 끊고 들어가며, 다른 한쪽은 장길산과 강선흥이 인솔하여 그대로 철원의 북로를 따라 몰려들어갈 작정이었다. 기마부대는 거기서부터 말을 달려 빠른 속도로 진군하였다. 읍내가 바로 턱밑에 보이는 언덕 위에서 그들은 말을 멈추고 잠시 기다렸다. 전날 박거사를 따라나섰던 장정이 뛰어올라와 길산에게 보고하였다.

"관병은 아침에 곁꾼의 안내를 받아 홍성산으로 떠났으니 지금쯤에야 당도했을 것이고, 제가 행군하는 모양을 살피니 군기도 형편없고 고작 장창과 환도 등속의 보잘것없는 병장기들이었습니다. 저들이 돌아온다 할지라도 총포를 몇방 방포하면 모두 흩어져버릴 오합지졸입니다."

장길산은 오른쪽의 배이산 언덕을 내다보고 있다가 드디어 수기가 흔들리는 모양을 보자 화승총을 허공에 대고 방포하였다. 그들은 일제히 말을 몰아 내려갔다.

철원이 대처라고는 하여도 산간의 읍이라 작은 고을에 지나지 않았다. 읍내의 백성들은 깃발을 펄럭이며 총을 쏘고 몰려들어오는 활빈도를 보자 모두들 혼비백산하여 집안으로 숨어버렸고, 대개는 울타리 안에서 소문만 듣던 활빈도를 조심스럽게 살펴볼 뿐이었다. 사십 명의 부대였으나 모두들 건장한 말 위에 타고 있었으며 화승총을 가졌고 깃발이 펄럭여서 관군은 그에 비하면 오히려 잔약해 보일 지경이었다. 그들은 먼저 관가 앞에서 합대하여 강선흥과 박산돌이 말을 탄 채로 동헌으로 들어가 마당을 한 바퀴 돌고 나왔다. 이를테면 관부를 제압하려는 행동이었다. 이때에 육방 관속들은 모두들 마루 밑이나 뒷간이나 광 속에 숨었고 부사 황진문은 문고리를 꼭 걸어 잠그고서 내다보지도 못하였다. 그들은 관가의 세곡 세포 재물 따위는 거들떠보지도 않고 처음부터 노렸던 곳인 고달근의 집으로 몰려갔다. 고달근은 점심상을 받고 반주를 들던 참이었다. 요란한 말발굽 소리와 총소리를 듣고 놀랐던 그는 밥상을 뛰어넘어 장지문을 열고 다락 위로 기어올라갔다. 고달근은 말발굽 소리가 지척에서 멈추자 그들이 바로 장길산의 무리임을 직감하였다. 그는 지난 몇년 동안 길산의 무리가 몰려오는 악몽에 시달렸고 한양의 최형기에게 여러 번 호소했을 정도였다. 십여 명의 하인이 있다 하나 대문을 간단히 박살내고 들어서는 활빈도를 어찌해볼 도리가 없었다. 행랑채는 텅 비고 남녀 하인들은 마루 밑과 광에 처박혔다가 장정들에게 하나 둘씩 끌려나왔다. 길산은 아우들과 함께 사랑채로 들어갔다. 집뒤짐을 하자마자 고달근이 다락에서 끌려내려왔고 대번에 선홍이의 우악스런 팔에 의하여 마당에 동댕이쳐졌다. 길산은 사랑채 마루에 올라앉았다. 박산돌이 들어와 알렸다.

"안채의 식구들도 모두 끌어내어 행랑채 앞에다 모아두었습니다."

길산이 고개를 끄덕였다. 강선홍과 최홍복은 이글이글 타는 눈으로 댓돌 아래 꿇린 고달근을 노려보았다. 특히 선홍은 길산의 명이 내려지면 그 자리에서 박살을 내려는 기세로 엄파 쇠몽치를 들고 불불 떨고 있었다. 길산은 여느 때와 똑같은 어조로 간단히 말하였다.

"정자관을 벗겨라."

선달 시늉으로 머리에 얹은 정자관을 최홍복이 뜯어냈다.

"얼굴 좀 보자."

강선홍이 고달근의 상투를 잡아 뒤로 젖혔다. 달근은 얽은 얼굴을 일그리고 길산을 올려다보았다.

"너 하나를 징치하려고 수백 리를 달려내려왔다. 네가 무엇보다도 괘씸한 바는 본색이 우리와 같은 천것으로 동류를 배신한 점이다. 너는 기왕에 죽을 몸이다. 양덕에서 압송된 우리 가족들이 어디로 끌려갔는지 알고 있느냐?"

길산의 물음이 떨어지자마자 그때에 아내 춘천댁과 자식을 잃었던 강선홍이며 황주댁을 잃은 최흥복의 눈이 벌겋게 충혈되었고, 강선홍은 달근의 멱살을 움켜쥐고 위로 바짝 치켜들었다.

"네 이눔, 너희 식구들은 무사할 줄 아느냐?"

강선홍은 엄파 쇠몽치를 치켜들었다가,

"말하게 하여라."

하는 길산의 목소리에 마지못해 손을 탁 놓아버렸다. 고달근은 다시 고개를 떨구었다.

"저는 평안감영에까지만 토포군과 함께 갔다가 돌아왔으므로 잡힌 사람들이 어디로 갔는지는 모릅니다."

"최형기는 알고 있느냐?"

"그 사람은 알고 있을 것입니다."

"최형기가 훈련원에 있다는 것이 사실인가?"

"그러하오."

길산은 잔뜩 움츠린 고달근을 물끄러미 내려다보았다.

"이제 네 목을 베려 한다. 너를 죽이는 것은 사사로운 원한을 갚고자 함이 아니라, 피붙이와 동기간을 저버리고 신의를 팔아 부귀를 얻은 씻지 못할 죄를 만백성의 이름으로 징치하려는 것이다. 너는 특히 우리와 같은 천민으로 한때에는 검계에 들어 형제들의 죽음을 목격하였고 산에 올라가 녹림당이 되기도 하였다. 그래서 너는 다른 누구보다도 우리와 같은 사람들이 무엇 때문에 모였으며 우리가 피로써 맺어져 있었음을 잘 알 터이다. 네가 토포군의 앞잡이가 되고 나서 목숨이나 부지하여 참회하며 살아남았다면 우리는 너를 다시는 찾지 않았으리라. 너는 동료들을 구몰시켜 재물을 빼앗아 차지하고 그 위에 선달 직첩까지 받아 예전에는 자기와 똑같던 백성들을 억누르고 괴롭히고 있으니 살려둘 가치가 티끌만큼도 없는 놈이다.”

장길산은 허리에서 단검을 뽑아들고 댓돌로 내려섰다. 그는 반팔
길이의 단검을 눈앞에 쳐들어 푸른 칼날을 겨누어보았다.

“마지막으로 할 말이 있느냐?”

고달근이 갑자기 상반신을 벌떡 일으키더니 두 손을 모아쥐고 애
걸하기 시작하였다.

“두령, 살려주오. 저는 그저 목숨을 구해보려고 최형기에게 귀띔
만 했을 뿐이우. 두령의 식구들이 양덕에 있음도 제가 발설한 게 아
닙니다. 김선일이 잘못이오. 이 집 재산도 모두 드리고 시키는 대로
다 할 테요. 최형기를 잡아죽이려면 제 도움이 필요합니다. 두령, 다
시 한번 생각하십시오.”

길산은 낯을 잠깐 찌푸리고 섰더니 고달근의 말이 끝나자마자 두
걸음 내디디며 위에서 아래로 칼날을 날렸다. 달근의 몸이 무릎 꿇
은 자세대로 땅에 가서 쿡 처박히는데 이어서 끊긴 목이 어깨 근처
로 굴러떨어졌다.

“목을 관가 삼문 앞에 효시한다.”

길산은 중얼거리고 나서 칼을 죽어자빠진 달근의 허리께에 대고
훑어서 칼집에 넣었다.

“가족들도 모두 도륙을 할 테유.”

강선홍이 말하였고 길산은 돌아서서 나가며 일렀다.

“그냥 놔두어라. 죄지은 놈만 벌을 준다. 그 대신에 재물은 모두
끌어내어 고을 양민들에게 나누어주어라.”

행랑채 앞으로 나오니 달근의 가족들과 하인들이 한데 몰려서 꿇
어 앉아 있었다. 최흥복이 말하였다.

“재물은 모두 끌어내어 집 밖에 내다두고 고을 사람들에게 알려

가져가도록 해라."

벌써 박산돌과 장정들이 집뒤짐을 하여 물건들을 끌어내는 중이었고 장정 십여 명은 다시 고달근의 객점으로 나가 창고의 물건들을 모조리 끌어냈던 것이다. 먼저 객점에 불을 질러 철원의 좁다란 읍내 위에 매캐한 연기가 가득 찼다. 박거사가 최홍복에게 달려와서 하소하였다.

"선달의 재물은 모두 저희에게 내주시기로 약조하고 이게 무슨 일입니까. 저것은 모두 저와 다른 두 사람 것이니 아무도 손댈 수 없습니다."

최홍복이 껄껄 웃으며 대꾸하였다.

"누가 가져가지 말라고 했던가. 다만, 다른 사람들과 나누어서 가져가면 나중에 관부에서 추궁하더라도 우리와 내통한 사실을 발뺌할 수 있잖은가. 어디 멀리 달아난다 하여도 찾지도 않을 테고."

박거사는 그 말을 듣자 어이가 없는지 아무 말도 없더니 그제야 산더미처럼 쌓인 짐 가운데 뛰어들어 값진 물건을 찾기 시작하였다. 홍복은 무릎 꿇고 앉은 하인들에게로 가서 일러주었다.

"너희들도 이제는 이 집의 종이 아니다. 속량이 다 되었으니 얼른 노자나 마련하여 멀리 가거라."

하인들은 하나둘씩 일어나 짐 속에 파묻힌 박거사와 합세하였다. 뒤늦게 달려온 백성들은 삼삼오오 패를 만들어 곡물도 날라가고 무명도 지고 갔으며 차츰 사람들이 많아졌다.

길산이 말에 올라 지시하였다.

"서둘러서 떠나자. 이 집은 형제를 팔아서 이루어진 허깨비의 집이니 없애버린다."

장정들 몇이 달려들어가 집의 사방에 맞불을 놓았고 이쪽 저쪽에서 연기와 불길이 치솟았다. 그들은 말에 올라 깃발을 세우고 천천히 읍내의 한길로 달려나갔다. 강선홍이 한 손에 고달근의 머리를 꽂은 장창을 들고 가더니 말을 돌려 관가 쪽으로 달려갔다. 강선홍은 관가의 삼문 앞에 이르러 장창을 땅에다 꽂았고 달근의 머리에는 찢겨진 정자관이 씌워져 있었다.

아무도 말에 오른 사십여 명의 활빈도를 가로막는 자가 없었다. 그들은 두 줄로 열을 지어 먼지를 일으키며 철원읍의 북동쪽으로 달려나갔다. 그들은 마식령산맥을 따라서 위로 올라 해서 녹림당의 근거지인 입암산에 당도할 작정이었다.

5

이보다 앞서 계유(癸酉)년인 숙종 십구 년에 운부(雲浮)스님은 금강산 백운사의 옥정암에 머물고 있었는데, 길산의 혈당이 최형기로부터 토포당하여 양덕을 탈출한 이듬해였다. 옥정암에서는 예전 금화 천불산에서의 법회 때와는 달리 수개월 동안의 법회가 열렸으니 참가한 승려는 운부를 비롯하여 옥여(玉如), 일여(一如), 묘정(卯定), 대성법주(大聖法主), 풍열(楓悅) 등의 스님들이었다. 여환스님의 미륵도 난이 실패로 돌아간 뒤로 그들은 하안거(夏安居)와 동안거(冬安居)를 모임의 기간으로 삼아 각처에서 모여드는 장정들을 수습하고, 한양에의 근거를 마련해두기 위하여 애를 쓰는 한편, 민심에 부합될 만한 진인(眞人)을 찾기 위하여 각처에 사람을 보냈다. 이는 백여 년 이상이나 민간에 떠돌고 있는 정진인 설에 부응하려는 뜻이었고, 실제로 새로운 나라를 세우려면 온 백성이 그럴듯하게 여길 중심인물을 세

위야만 보다 많은 계층의 사람들에게서 호응을 받으리라 여긴 까닭이었다. 운부는 옥정암의 모임에서 그간의 승려 세력들의 취합과 체결의 사정을 자세히 듣고 나서 말하였다.

"이제 우리는 더이상 산간에 은둔하여 불경이나 외우고 세속을 외면하여 스스로 도를 이루었다고 자족할 때가 지났소. 왜란 이후로 명이 망하고 나서 의리는 땅에 떨어지고 중원은 오랑캐의 땅이 되어버렸으나, 우리는 아국 백성의 명이 경각에 이르러 전 국토에 황민과 아사자와 병사자가 수십만에 이르는 참화를 겪으면서도 오히려 벼슬아치들에 시달리는 백성들마저 저버린 지 오래였소. 이 나라를 새롭게 이룩하고 또한 북변의 옛 땅을 되찾아 중원에까지 우리들의 뜻을 세우지 못한다면 우리는 차라리 압록강변에 해골을 묻는 편이 나을 것이오."

다시 풍열이 말하였다.

"우리나라는 본래 군사가 강하다고 알려져왔습니다. 억지로 끌려나온 관군이 아니라 스스로 일어난 민병은 왜란 때에도 각처에서 빛나는 승리를 거두었소. 이러한 강한 기세로 일어난 군사를 얻을 수만 있다면 능히 중원으로 쳐들어가 나라를 세울 수가 있소이다. 다만 그것은 먼저 아국이 평정되어 백성들이 환희작약하는 나라를 세운 뒤에야 가능하고 민심을 얻는 것이 우선입니다. 여러분 화상들이 팔도 승려들의 마음을 함께 모아두었으니 아국 평정의 길은 쉬울 것이나, 중원을 공략하는 것은 실로 어려울 것이오. 먼저 정성(鄭姓) 진인을 얻고 최성(崔姓)을 얻어야 합니다. 이것이 민심에 부응하는 길이오."

옥여가 풍열의 말에 응답하였다.

"그렇습니다. 아조를 뒤엎어버리겠다는 사류들이나 불평객들은 언제든 나라를 세운 이성계를 질타하고 있으며 북선에서는 돼지비계를 성계육(成桂肉)으로 일컬어온 지 오래되었습니다. 특히 백성들은 전조 고려의 충신이던 정포은(鄭圃隱)의 환생을 참서에 의탁하여 열렬히 소망하고 있습니다. 그러므로 그 후손을 반드시 찾아내어 아국의 주(主)로 삼아야 하며, 또한 중원에 세울 나라의 주인도 찾아야 할 것입니다. 많은 백성들은 아직도 전조의 충신으로 중원으로 처들어가 고구려의 고토를 회복하려는 큰 뜻을 보였던 최영 장군을 잊지 않고 있습니다. 그래서 조선조의 건국을 헛것이라고 여겨왔지요. 최장군이 언젠가는 신장(神將)이 되어 나타나 백성들의 묵은 포한을 갚아주리라 믿는 자가 한둘이 아니올시다. 송도 덕물산뿐만 아니라 북선지역의 군장신이나 산신은 모두 최장군으로 받들고 있습니다. 저희는 우선 정포은의 후손을 찾아헤매다가 철원 삭녕지간에서 그 십삼대 손을 만나게 되었습니다. 대성법주와 제가 그를 데려다가 고성(高城)에 숨겨두었으니 나이는 금년 아홉 살입니다. 두 귀가 커서 귓바퀴가 마치 부침개와 같고 미간에 검은 사마귀가 있는데 별처럼 보였습니다. 지금 각처의 승군들이 규합되고 있는데 진인을 얻은 일은 바로 때를 만난 것이라 하겠습니다."

대성법주도 말하였다.

"운부스님께서도 잘 아시는 고성 수자리골의 정학 형제는 가산도 유족하고 용맹과 힘이 있어서 진인의 보호를 당부하였습니다."

그러나 그 뒤로 여염에 그를 숨겨두는 일이 위험하다 하여 내원통 뒷골의 오석골(五石洞)에 숨겨두고 최헌경과 설유징으로 하여금 왕래하며 보살피게 하였고, 계유년 팔월에 운부를 비롯한 승려들의 중심세력이 모두 오석골에 가서 진인을 보게 되었다. 그들은 확신을 갖고 구월에 각자가 맡은 역할을 해내기 위하여 각처로 흩어져갔던 것이다. 정진인을 받들어 모시게 되었다는 소식은 운봉산의 장길산에게도 전해졌고 옥여와 대성법주는 여러 번 강원도와 함경도와 평안도를 오르내렸다. 위에서는 묘향산의 도안(道眼) 해안(海眼)의 서북 승병으로부터 낭림산맥과 마식령산맥 일대의 길산의 활빈도와 태백산맥 일대의 산사의 승병 조직, 그리고 승병의 장수감으로 소제(昭霽) 취양(翠陽) 법징(法澄)을 얻었던 것이다. 운부 풍열 옥여 일여 묘정 대성법주 외에도 도안 해안 소제 취양 법징 스님과 함께 각처의 혈기 있는 승려들이 모여들었다. 이들은 대략 무변(無邊) 현성(玄聖) 일안(一鷹) 도강(渡江) 월강(越江) 세일(世一) 도운(道雲) 도영(道英) 계탄(戒坦) 성주(聖珠) 명근(命根) 금벽(金碧) 실징(實澄) 능흡(能洽) 세운(世雲) 원정(元井) 헌일(憲日) 죽무(竹茂) 지평(地平) 천수(天水) 은상(銀象) 초룡(草龍) 직수(直守) 흑수(黑守) 희담(希淡) 황헌(黃憲) 장계(藏季) 운극(雲極) 한무(漢茂) 설제(雪霽) 신원(新元) 개혜(開惠) 자징(字澄) 등이었으니 모두 마흔넷의 승려들이었다. 이들은 다시 갑술년 팔월에 금강산 옥정암에 돌아와 운부를 차례로 뵈었고 진인은 다시 부령(富寧)으로 옮기게 되어 정진인에 대한 예언인 삼변(三變)의 실현에 맞아떨어졌고, 이로부터 진인을 삼변이라 일컫게 되었다.

을해년에서부터 그후 여섯 해 동안 계속된 흉황과 역질의 참변으로 백사십만에 달하는 백성들이 죽었고 마을과 읍이 텅 비워진 곳도 많았다. 이때의 기근은 당시에 가장 심했다는 전왕 현종조 신해년의 흉황에 거의 곱절에 이른다는 정도였다. 심지어는 한양 도성 안에서도 아사자의 시체를 일일이 보고하기가 번거로울 지경이었다. 버린 아이를 종으로 삼는다든가 송엽을 구황의 먹을 것으로 정한다든가 죽소를 설치한다든가 하는 미미한 일 외에 나라에서는 어찌 손쓸 바를 몰랐다. 진휼청에서는 죽소를 마련했지만 죽을 나누어주는 일보다는 가마솥 앞에까지 기어와서 죽어가는 아사자를 묻는 일에 더 신경을 쓰는 판이었다.

특히 함경도와 평안도에서는 역질까지 극성하여 참화가 더욱 심하였다. 인육을 먹기도 하고 또한 먹기 위하여 맹수처럼 서로를 상해하였다. 천륜이 이미 끊긴 천지가 되고 말았다. 팔도에 군도가 번성한다고 장계마다 보고되고 있었으나 백성들은 누구 하나 발고하는 자가 없었다. 심지어는 영상 남구만이 도적을 막기 위한 구포절목(購捕節目)을 제정하여 도적을 발고하는 자에 대한 가자(加資)와 은급(銀給)의 논상(論賞)을 밝혔으나, 오히려 사방에서 토포관이 살해되었다. 그러므로 승정원에서는 전국의 군 읍에서 도적들의 겁탈에 관한 장계가 날마다 쌓여서 거의 처리할 경황이 없다고 한탄할 정도였다. 조정에서는 그저 오가작통(五家作統)으로 도적을 막아보자는 소극적인 의논이나 할 뿐이었다.

병자년에 이르러 장길산의 북선 활빈도는 이 같은 백성들의 참화 속에서 더욱 활빈행을 사방에서 벌여 세가 곱절로 불어났다. 그의 군사는 마식령산맥의 입암산, 낭림산맥의 운봉산, 묘향산맥의 묘향산과 낭림산 그리고 함흥의 백운산 등지에 각 대의 은거지를 갖고 있었다. 길산의 각 대들은 대두를 비롯하여 군사에 이르기까지 노상에서 양식이나 탈취하는 좀도적이 아니라 스스로 활빈도라는 백성의 군사임을 잊지 않았다. 그들은 활빈도의 깃발을 앞세우고 말을 타고 화승총을 쏘면서 각처에 출몰하였다가 일시에 사라졌다. 모두가 장길산의 이름을 각 대의 깃발과 함께 내세웠으므로 장길산은 하루에도 수백 리 떨어진 고장에 동시에 출몰하거나 아니면 여러 명씩 나타나는 것으로 보였다.

그즈음에 훈련대장에서 병조판서가 되어 있던 신여철은 최형기를 불러들여 장길산 토포의 건을 은밀히 논의하게 되었다. 신여철은 특히 주상의 근심이 대단하니 이것은 비변의 가장 중대한 문제라 이르고 길산의 소문이 가장 낭자한 곳은 평안도 일대이며 특히 청천강 이북의 북변에서 활빈도가 빈번히 출몰하였음을 지적하였다.

"그래서 자네를 운산(雲山)군수로 내보내니 그곳은 은광이 있는 곳이라 무뢰지배를 기찰하기가 쉽고, 또한 묘향산의 출구를 막아선 곳이요 위로는 의주와 강변칠읍의 동향을 살필 수 있는 곳이다. 즉시 임지로 나가되 훈련원에서 쓸 만한 장교들을 뽑아 데리고 가게. 지난번처럼 토포를 은밀히 진행하여 장적의 목만 얻어낸다면 자네의 공은 조정에 으뜸이며 이제까지 한미한 직에서 참고 견딘 보람이 있게 될 걸세."

"명심하겠습니다. 지금 도성의 아이들까지도 입에 올리는 장길산을 잡게 된다면 오늘과 같이 팔도에 도적이 번성한 시국에 나라의 엄정한 법도를 세우는 일이 될 것입니다. 어찌 소장의 작은 공 따위에 견줄 일이겠습니까."

최형기는 병자 정월에 도목에 올라 운산군수가 되어 부임지로 떠나갔던 것이다.

이월 말께가 되어 얼음이 풀리고 초목에 새싹이 돋을 무렵하여 길산은 최흥복과 함께 운봉산 진대골의 은거지를 떠나 경기도 쪽으로 향하였다. 길산은 가평 현등사에 있는 풍열스님과 옥여를 만나기로 되어 있었던 것이다. 그는 사람을 보내어 그 무렵에 수원에 내려가 있던 모신을 통하여 양덕 토포 때에 관군에 끌려갔던 가족의 행방을 찾고 있었다. 흥복과 길산은 말을 타고 수많은 마을과 군을 지나면서 아무렇게나 뒹굴고 있는 시체와 까마귀떼를 보았다. 어떤 곳에는 수십 구가 있었는데 그나마 해어진 옷마저도 누군가가 벗겨가버렸는지 모두 벌거숭이였다. 길산은 그런 모양을 보며 말없이 소매를 들어 눈시울을 닦고는 하였다.

그들이 화악산 줄기에 있는 현등사에 당도한 것은 포천서 굴치를 넘어 저녁때가 다 되어서였다. 현등사는 큰 절이었고 승려도 여남은 명이 있었다. 그들이 절문 밖에다 말을 매어두고 마당으로 들어서니 상좌가 곧 그들을 풍열스님에게로 안내하였다.

"어서 오너라."

풍열스님은 마루 끝에 올라선 길산에게로 다가와 손을 마주 잡았다. 풍열의 삭발한 머리는 하얗게 바위 위에 서리가 앉은 듯하였으며 눈 위로 길게 늘어진 눈썹도 갈꽃처럼 보였다. 길산과 흥복은 풍열에게 우선 큰절을 올렸다.

"그래…… 천재가 휩쓸고 있는데 어찌 살아가느냐."

풍열이 물었고 길산은 침통하게 말하였다.

"때를 기다리기도 이젠 지쳤습니다. 도대체 사승들께서는 언제나 거병의 하명을 내릴 작정입니까?"

"올해부터 시작이니라. 위로는 이미 삼변의 징험을 보이신 진인을 받들었고, 세상은 바야흐로 말법(末法)의 시대이다. 산천을 보더라도 국맥(國脈)이 이미 진하였다. 옥여는 강원도에 나갔으니 곧 네게도 들를 것이니라."

"저희 활빈도의 군사가 도성을 쳐들어갈 제 선봉에 서겠습니다. 저희 기병은 모두가 일당 백입니다."

"거병은 아직 확정되지 않았다. 지금은 우리 승병들을 모으고 통문을 돌려 대중의 마음을 합하는 중이다."

"혹시 모신이란 사람이 오지 않았습니까?"

"음, 그 사람은 오지 않았고 서기라는 이를 보냈더군. 지금 객방에서 기다리고 있다. 그러나 너무 기대를 하지 말거라. 일반 백성들도 저렇듯이 죽어가고 어미와 자식이 서로 버리고 버림을 당하는 아수라의 지옥이 되었으니, 관노로 끌려간 사람들이 온전하리라고 요행을 바랄 수는 없는 노릇이다. 살아남은 이들이 다시는 이러한 세상이 안 되도록 죽을 때까지 애를 쓸 뿐이니라. 앞으로 백성들의 나라가 바로 서게 되면 우리는 모두 여길 떠나야 할 게다. 나는 더욱 깊은 산으로 들어가 열반할 것이며 너도 네 무리를 이끌고 변방으로 나가 인적 없는 곳의 빈 땅을 일구고 산을 개간하여 양식을 얻어서 참한 백성이 되어야 할 것이다."

"스님, 밤에 곁에 모시고 많은 말씀 올리겠습니다."

길산이 무릎걸음으로 풍열의 면전을 물러나와 객방에 오니 모신이 보낸 자가 무료하게 기다리고 있었다. 그들이 들어서자 테 좁은 갓을 쓴 사내는 꾸벅하며 인사를 올렸다.

"저는 모대인 댁 서기로 있습니다. 주인께서 직접 오시려 하였으나 때가 좋지 않다고 하여 그간에 당신이 알아본 일들을 낱낱이 아뢰라고 하였습니다. 그리고 인삼은 잘 받아 비용으로 썼다고 감사를 올리라 하셨습니다."

"임신년에 양덕에서 끌려간 죄인들의 행방에 대하여 알아보아달라고 하였는데……"

"예, 잠깐만 기다리십시오."

그는 소매 속에서 종이 한 장을 꺼내어 펼쳐들고 다시 말하였다.

"그때에 부녀자가 아홉, 아이들이 열두 명이었습니다. 그리고 도적이라 하여 남자 세 사람이 잡혀왔습니다. 김선일이란 이는 전에 파주와 횡성 원산포 등지에서 잡힌 사람들과 함께 참수되었습니다."

"선일이가……"

최흥복은 고개를 돌려 물기로 번진 얼굴을 감추었고 길산은 묵묵히 앉아 있었다. 사내는 다시 말하였다.

"형조의 기록에는 확실히 나타나지 않았고 당시에 처결하였던 서리의 말로는 삼남에 찢어 나누어 부임하는 지방 수령들이 신연맞이 아전들 앞으로 붙여 내려보냈다고 합니다. 경상도로 간 사람들도 있고 전라도로 내려보낸 사람도 있어 종잡을 수가 없었습니다. 간신히 장두령의 가족을 알아보았는데 계유년 정월에 신구 수령이 갈릴 제 부인과 아들 딸이 함께 전라도의 나주목으로 끌려갔다 합니다."

"그러면 생사는 모르오?"

"알 수 없지요. 나주목에 갔다고는 하여도 원래가 대전에 의하면 절도의 노비로 박는다 하였으니 나주목 관할의 어느 섬이 될 것인가는 직접 나주 관아에 가서 알아보아야 합니다."

길산의 눈앞에는 아내 봉순이가 수복이와 구월이를 옆에 끼고 부임 사또의 말꼬리 뒤로 비틀거리며 쫓아가는 모습이 떠올랐다. 무엇보다도 수복이와 구월이의 울음소리가 귓전에 쟁쟁하여 길산은 벌떡 일어나 문을 박차고 밖으로 나섰다. 길산은 먼 들판이 내다보이는 바위 끝에까지 나아가 털썩 주저앉았다. 앙상한 나뭇가지와 바위틈 사이로 파릇파릇한 초봄의 풀들이 돋아나고 있었다. 들판의 저쪽 끝으로는 겹겹의 산들이 나직하게 또는 높게 연이어졌고 먼 산은 허공에 우뚝 솟았는데 그 위로 남쪽 하늘이 펼쳐져 있었다. 길산은 그 산들이 차츰 흐려지다가 산과 산 사이가 겹쳐지는 듯함을 느꼈다. 두 어린것을 양쪽에 껴안고 웅크린 봉순의 얄팍한 어깨가 산그늘 사이에 나타났다. 수복이 엄마, 하고 입속으로 중얼거리면서 길산은 그 짙은 산그늘 속에 나타난 정경을 손에 잡을 듯이 두 손으로 그러쥐며 바위에서 일어났다. 영상은 사라졌고 길산의 광대뼈 위로 축축한 물기가 흘러내렸다. 그는 입을 벌리고 머리를 하늘로 쳐들어 긴 숨을 토해냈다. 가슴을 짓눌렀던 슬픔이 숨에 섞여 밖으로 조금은 몰려나간 것 같았다. 바람이 골짜기를 스치며 마주쳐 불어왔고 길산은 옷이 펄럭이는 듯한 인기척에 고개를 돌렸다. 길산은 다시 손을 내밀었다.

"여보……"

흰 무명 치마를 바람에 날리며 봉순이 어린것의 손을 잡고 서 있었다. 그것은 헛것이 아니었다. 길산은 나무 아래 서 있는 봉순에게로 달려갔다. 그러나 그는 열 발짝쯤 앞에서 멈칫하고는 잠시 서 있었다.

"그간 무고하셨는지요……"

어찌 그 눈과 목소리를 잊을 수가 있었으랴. 여자는 묘옥이었다. 길산은 서서히 아내의 잔영 속에서 깨어나는 중이었다. 길산은 파주의 이경순네 객점이 고달근의 배신에 의하여 가장 먼저 구몰되었던 것을 진작에 들어서 알고 있던 터였다. 그는 가끔 묘옥의 안위에 대한 생각을 떠올렸으나, 오히려 그의 목전에서 관군들에게 끌려간 처자녀의 생생한 모습들 때문에 뒷전으로 침몰해버리곤 했다. 그는 묘옥의 전신을 한눈에 넣었다. 묘옥은 예전의 모습 그대로였고 눈가의 그늘은 더욱 짙어져 있었다. 길산은 그제야 묘옥에게로 천천히 다가섰다.

"주인어른에 대한 소식은 들어서 알고 있소. 그동안 여기에 와 있었구려."

길산이 말하자 묘옥은 발끝으로 땅을 공연히 휘적이면서 고개를 숙였다.

"저두 그 댁이 변을 당하셨다는 얘기를 옥여스님에게서 들었어요."

길산은 허리를 굽혀 묘옥의 아들 여문이의 머리와 볼을 쓰다듬었다.

"얼마나 고생이 많았소?"

묘옥은 어린것의 손목을 놓았고 아이는 혼자서 이리저리 뛰어다녔다. 묘옥은 나뭇등걸 위에 쪼그리고 앉았다.

"저것이 없었다면…… 저두 차라리 죽었을 거예요."

길산은 나무를 짚고 묘옥의 머리 위쪽에 서서 빈터를 뛰어다니는 여문이를 내려다보았다. 멧새들이 나무 위에서 무심하게 조잘대는 소리가 들려왔다. 묘옥은 땅바닥으로 시선을 떨군 채로 말하였다.

"여문이 아버지는 훌륭한 분이셨어요. 저희를 무사히 달아나게 하려고 그분은 돌아가셨지요. 그날 숯포로 해서 양주 거쳐서 포천까지 달아났었어요. 전생이 삼춘이 없었으면 저 혼자서는 어찌할 바를 몰랐을 거예요. 가평 현등사에 풍열스님이 와 계시다며 저희 주인을 잘 아시는 스님들이라구 그래서 여기 왔어요. 저는 풍파가 드센 계집이라 주인을 모실 수가 없나 봐요. 재인말에서두 그랬지요. 당신은 저를 알자마자 참형수가 되셨구요, 여문이 아버지의 여주 집안이 관에 적몰되었어요. 그분의 전 부인께서 비명에 돌아가셨구요. 그러고는 끝내 저희 모자를 지키시려다 자신까지 목숨을 끊으셨어요. 저는 여문이만 훌륭하게 키워줄 사람만 있다면 세간에 다시 내려가지 않겠어요. 그냥 삭발하여 비구니가 되어 이 모진 풍파를 잠재우고 싶어요."

묘옥이 경사가 완만한 계곡을 천천히 흘러가는 냇물같이 잔잔한 어조로 말을 이었으니, 이제는 모든 격정이 가슴 깊은 곳에 침잠되어 다시는 겉으로 드러나지 않는 듯하였다. 길산은 묘옥의 곁에 서서 묵묵히 듣기만 하였으며 오히려 그쪽에서는 재인말 시절의 아득한 옛일들이 어제처럼 생생하여, 꺼내고픈 사연이 많아서 그 수많은 말 가운데 어떤 것을 골라내야 할지 망설이다가 꿀꺽 삼키는 중이었다. 세상사에 대한 이 깊은 슬픔은 아내와 수복이 구월이에 연유된 것과 묘옥에 관한 회한이 겹쳐져서, 진눈깨비같이 되어 아무 말도 꺼내지 못하게 하는 것이었다. 눈이라고도 비라고도 표현할 수 없는 침묵이었다.

"말씀 좀 해보셔요."

묘옥이 고개를 돌려 눈이 부신 듯 눈을 가늘게 뜨고 길산을 올려다보았다.

"저는 당신이 해주에서 참수당하신 줄 알고 해주의 바다에서 죽으려고 했었어요. 지금 그이도 세상에 계시지 않네요. 여환스님께서 저를 살리시고 재를 올려주셨지요. 그뒤에 저는 안성 청룡으로 사당이 되려고 멀리 떠났어요. 처음엔 재인말에서의 당신을 잊을 수가 없었어요. 그렇지만 여문이 아버지는 저 때문에 모든 것을 잃으셨어요. 당신이 제 가슴에 넣어주신 연비 자욱은 아직도 지워지지 않고 있어요. 그런데 저는 여문이를 낳을 제 당신이 살아계심을 알았지만, 이미 당신은 내 가슴속에서 영원히 죽었다고 믿었지요. 미륵도 난리 적에 당신이 우리집에 오셔서 우리를 송도로 안내하셨을 제 연비와 당신은 다시 살아나기 시작했어요. 아, 아니에요, 그건 주인이 돌아가시기 전이지요. 이젠 아무것도 되살아나지 않을 테니까요."

여문이는 나뭇가지를 주워들고 뭐라고 흥얼거리면서 뛰어다니고 있었다. 새소리와 여문이의 흥얼거림이 어우러져 주위는 한가하고 평화로워 보였다. 길산은 팔짱을 끼고 마른 나뭇등걸처럼 서 있었다.

"미안하구려."

그는 문득 그렇게 중얼거렸다. 그것은 묘옥에 대해서만 하는 말이 아니었고, 그가 이 세상에 나누어왔던 모든 정을 들어서 내놓은 말이었다. 그를 낳다가 길에서 죽은 어머니, 탑고개에서 관군에 당하신 장충 노인, 안무당, 봉순, 수복이, 구월이, 그리고 마감동을 비롯한 구월산 식구들이며 여환의 미륵도와 살주계 검계의 동무들, 양덕 초천면에서 작별한 혈당들과 그 가족들, 흉황과 역질에 죽어간 수없는 백성들, 그리고 이제야 멀고 먼 여정을 돌아서 그의 앞에 다시 혼자 와 있는 묘옥이, 이러한 인연들 앞에서 길산은 티끌처럼 작고 풀꽃처럼 무력하였다.

"그렇지 않겠지요."

묘옥은 길산의 말을 어떻게 들었는지 희미하게 고개를 저었고 다음 말을 꺼내기까지 그런 동작을 계속하였다.

"사내들은 큰뜻이 있어서 대수롭지 않은 일이겠지요. 당신의 아내는 저 어느 깊은 골에 들어가 당신하고만 둘이서 화전을 갈며 세상사를 잊고 살아가고 싶었겠지요."

묘옥은 일어서며 고개를 세게 흔들었다.

"아니어요, 제가 잘못했어요. 당신들은 그렇게 살지 못해요."

묘옥은 쓰러지듯 길산의 가슴에 머리를 묻었다. 길산은 묘옥의 어깨를 한 팔로 감싸안고 딱딱하게 서 있을 뿐이었다. 묘옥은 길산의 가슴 안에서 잠시 진정하려는 듯 기대고 있던 머리를 살그머니 떼어냈다.

"당신과 나는 이제 모두 잃어버렸지요. 당신과 내가 혈육들을 잃은 것처럼 우리도 속에 남아 있는 것들을 아무 흔적도 없게 지워버려야지요. 그러고 나면 노인같이 평온해질까요."

묘옥은 뒤로 물러섰고 길산은 팔을 툭 떨구었다. 묘옥이 길산을 정면으로 응시하며 말하였다.

"다시는 당신을 만나지 못할 거예요. 그전에 부탁이 있어요. 여문이를 맡아 길러줄 사람을 찾아주셔요. 당신들 같은 녹림당이 아니라 예전의 여문이 아버지처럼 제 집을 잘 정돈하여 살아갈 양민이면 되어요. 그런 분이 있으면 여길 떠나실 제 여문이를 데려가셔요. 들어줄 수 있겠지요?"

길산은 묘옥의 시선을 피하였다.

"당신은 아들 없이 살아가지 못할 거요. 그게 이도장이 바라던 바도 아닐 테고."

"제 앞에는 세간에서 살아갈 두 가지 길이 남았을 뿐이어요. 하나는 개가하여 저 아이의 성을 가는 길이요, 다른 하나는 도방 대처로 나아가 여인 혼자서 살 길을 찾아야 해요. 저는 자신을 잘 알아요. 제가 생계를 꾸리는 것과 여문이를 잘 기르는 것은 정반대쪽이어요. 그리고 저는 이제 개가할 수 없어요. 저는 이미 이곳 현등사에서 삼 년을 보내는 동안 다시는 세속에 내려가지 못하도록 되었어요. 당신이 여기 오신 것은 모두 미륵님의 뜻이어요. 여문이를 데려가셔야 해요."

길산은 묘옥의 시선을 더이상 피하지 못하였다.

"나는…… 내일 새벽에…… 떠날 거요."

"알겠어요."

묘옥은 말을 마치자마자 여문이에게로 달려가 손목을 잡아 길산의 앞으로 끌고 왔다. 아이는 그제야 총명한 눈으로 길산을 살폈다.

"여문아, 인사 올려라. 이분은 너희 아버님 동무란다. 내일 너를 아버지한테 데려가주신단다."

아이는 꾸벅 절하고 나서 묘옥에게 물었다.

"어머니는 같이 안 가나요?"

"같이 가지. 자, 이젠 가서 놀아라."

아이가 어리둥절해하고 두 사람을 번갈아 쳐다보다가 묘옥의 재촉하는 말을 듣고야 생각났다는 듯이 다시 빈터로 쪼르르 내려갔다.

"제 부탁을 들어주실 줄 알았어요."

길산은 묘옥을 꼭 끌어안아 가슴속에서 으스러뜨리고 싶은 격정이 일어났다. 그러나 그는 나무 밑을 떠나 발을 옮겼다.

"살아 계신 분은 꼭 찾으셔야 해요."

"고맙소."

길산은 묘옥의 어깨 옆을 지나쳐서 곧장 절 마당 쪽으로 들어섰다. 그쯤 걸어와 간신히 돌아보니 바깥은 담으로 가려져 있었다. 그들이 묵기로 하였던 객방에 돌아가니 홍복이 기다리고 있다가 말하였다.

"어쩌면 가족들의 행방을 분명히 알게 될지두 모릅니다. 최형기를 잡을 수 있게 되었습니다."

"최형기는 훈련원에 있다던데……"

"아니우, 아까 그 사람이 성님 나가시구 나서 모대인이 꼭 알려주랬다면서 말을 전합디다. 최형기는 지난 정초의 조보에 오르기를 운산 사또로 발령이 났답니다. 지금 운산에서 평안도 일대와 압록강변 일대를 기찰하면서 우리 활빈도의 토포계획을 세우고 있을 겁니다. 운산이라면 묘향산맥 인근과 낭림산맥의 북쪽을 들여다볼 수가 있지요."

길산은 눈썹을 모았다.

"좋다, 돌아가자마자 그자를 도모한다."

"두령, 사로잡아야 합니다."

밤에 다시 풍열에게 찾아가서 미리 새벽의 작별인사를 올리니 풍열은 단단히 일렀다.

"옥여가 운봉산에 곧 갈 것이니 운부스님의 뜻에 꼭 따르도록 하여라."

"명심하겠습니다."

이튿날 동틀 무렵에 흥복이 먼저 깨어 길산을 깨웠고 그들은 등잔을 켜고 행장을 수습하였다. 길산이 방문을 여니 먼저 깨어 방문 앞에서 서성이던 묘옥이 초췌한 얼굴로 그를 기다리고 있었다.

"잠깐 기다리셔요. 아이를 깨워 오겠어요."

길산이 기다리는 사이에 뒤에 섰던 흥복은 궁금하여 물었다.

"저 여인이 누굽니까?"

길산은 사이를 두지 않고 답하였다.

"지난 임신 토포 때에 문산포에서 죽은 이경순이란 이의 아내다."

묘옥은 졸린 눈을 비비고 있는 아이의 손목을 이끌고 길산의 앞으로 다가왔다. 그녀는 한 손에 작은 보퉁이를 들고 있었다. 아이가 불안했는지 제 어미를 올려다보며 물었다.

"어머니, 정말 같이 가시는 거예요?"

"그래…… 저어 산문 밖에 나가자."

"전생이 삼촌은 함께 안 가나요?"

"삼촌은 나중에 뒤따라오실 게다. 포천에 장 보러 가셨으니 늦게 올 거야."

길산과 흥복은 그들 모자가 주고받는 말을 듣다가 길산이 눈짓을 하여 먼저 앞서서 걷기 시작하였다. 묘옥은 뭐라고 종알대는 아이에게 다정한 목소리로 대꾸하여주면서 길산의 뒤를 따랐다. 현등사의 산문 밖으로는 굴치 쪽이 내다보였고 앞으로 개천이 흘러내려가는데 조그만 돌다리가 걸려 있었다. 돌다리 못 미쳐서 오른편에 적목치 쪽으로 오르는 산길과 연골 나가는 길이 갈려 있었다.

꼬부라진 길, 비탈길, 굽이굽이 영을 넘는 높다랗게 먼 길, 바람이 세차게 몰아치는 벌판길, 숲길, 산길, 수천 갈래의 길을 그는 휘적휘적 걸어간다. 그의 등이, 괴나리봇짐이, 행전을 친 다리가, 미투리가 멀어져간다. 그리고 먼 곳을 스쳐지나가는 바람소리처럼 광대들의 풍악이 희미하게 들려온다. 지는 해를 향하여 걷는 나그네의 그림자와 같이 이 사람의 자태는 쫓으면 쫓을수록 멀어져간다. 아, 이 사람은 저 물과 같은 사람이다. 저리도 밤새껏 잠을 깨워놓고 두런두런 도란도란 하염없이 흘러내려가는 까막내의 물소리처럼 문득, 가버릴 사람이다. 물아, 흐르거라, 흘러가거라. 두런두런 도란도란, 두런두런 도란도란.

언제였을까. 묘옥은 그 등을 돌린 사람이 장길산 혼자가 아니라 그녀가 애타게 주어왔던 모든 사랑이었다는 사실을 깨달았다. 야산의 모조리 불태워진 잿더미 가운데서 봄이 오면 씀바귀와 냉이꽃이 기적같이 피어오르듯 묘옥이 겪어온 세월은 새로 살아나고 지옥에서 다시 태어나는 거듭남의 기간이었던 것이다. 그러나 묘옥은 이제는 다시 봄 풀이 돋지 않게 정적의 겨울 속으로 찾아들어가 얼음 속에 깊은 구멍을 파고 그 속에 스스로를 가두어둘 것이다. 그들은 다리 앞에 와서 멈추었다. 장길산이 묘옥에게 말하였다.

"우리는 영평 쪽으로 나갈 참이오."

묘옥은 아이의 키만큼 무릎을 굽히고 가슴속에 자식을 꼭 껴안았다.

"아저씨를 따라가서 기다리고 있거라. 내가 전생이 삼촌이랑 곧 뒤따라갈 테니⋯⋯"

아이는 본능적으로 제 어미와의 이별을 직감하고 저고리 앞섶을 잡으며 울어댔다.

"싫어요, 싫어⋯⋯"

"어서 데려가셔요."

길산은 어찌할 바를 모르다가 홍복에게 일렀다.

"홍복아, 아이를 업고 먼저 가거라."

발을 구르며 뒤로 넘어지는 아이를 최홍복이 일으켜세워서는 억지로 등에 업었다.

"어머니⋯⋯ 함께 갈 테요."

아이는 홍복의 깍지 낀 손아귀 안에서 벗어나지 못하고 그의 등에 붙어서 고개를 돌리며 울부짖었다. 홍복은 뒤도 돌아보지 않고 성큼성큼 산길을 걸어갔다. 묘옥이 큰 소리로 여문이에게 일러주었다.

"여문아, 아저씨 말씀 잘 듣고 아버지 성함을 잊어버리면 안 된다. 이, 경, 순, 네 아버지 성함이다. 여문아! 이담에 대장부가 되어야 한다."

길산은 묘옥을 바라보며 뒷걸음질로 발을 떼었다.

"평안하시오⋯⋯"

"자, 잠깐만."

묘옥은 팔과 어깨와 머리를 허공에 간신히 붙들어매고 잠시 후에는 연기처럼 흩어져버릴 것 같은 자세였다. 무엇인가 매달아둔 끈을 끊으면 묘옥은 빈 자루처럼 무너져내릴 듯하였다. 그녀의 표정 없는 창백한 얼굴 위로 눈물이 줄지어 흘러내려 턱에 맺혀 있었다.

"안아주셔요. 우리는⋯⋯ 이승에서는 이제 마지막이어요."

길산은 천천히 다가들어 곧 쓰러지려는 묘옥의 겨드랑이에 팔을 넣어 가볍게 안았다. 그러고는 격정적으로 가슴속에 넣으려는 것처럼 꼭 껴안았다. 그들의 귓전에서 그제야 돌다리 아래를 흘러내려가는 시냇물 소리가 들리기 시작하였다. 묘옥의 빗질도 않은 헝클어진 머릿결이 소슬바람에 일어나 나부꼈으며 길산은 손을 들어 그것들을 재워주었다. 묘옥이 길산의 가슴속에서 얼굴을 들고 두 손으로 그를 살그머니 밀어냈다.

"됐어요, 가서요."

길산은 제자리에 섰고 묘옥이 얼른 뒤로 몇걸음 물러났다. 멀어져간 여문이의 칭얼대는 울음소리가 끊겼다가 이어지고는 하였다. 길산은 멈칫거리다가 무력하게 돌아섰다. 그는 산길을 향하여 걸어갔다. 뒤를 돌아보고 싶었으나 다시는 걸음을 뗄 수가 없을 듯하여 앞으로 내밀어지는 짚신 끝만 보고 걸었다. 묘옥을 데려가야 한다. 그래서 그들 모자를 아늑한 마을에서 살도록 보살펴주어야만 한다. 길산은 다시 묘옥에게로 돌아가기 위해 산길 모퉁이에서 돌아섰다. 그러나 돌다리 앞은 텅 비어 있었다. 묘옥은 그가 등을 돌리자마자 서둘러 길 위에서 떠났던 것이다. 길산은 묘옥을 찾아서 현등사로 다시 오를 수도 있었다. 그러나 이만큼 멀어지고 또 그 자리가 비워진 것과 마찬가지로, 시냇물이 다시는 돌아오지 못함과 같게도 묘옥과 자기의 사이에는 이경순과 봉순의 처절한 그림자가 드리워져 있었다.

길산이 흥복에게로 쫓아가니 그는 말 위에 아이를 태우고 기다리고 있었다. 길산은 말에 올랐다.

"그 아이를 내게 태워다오."

최흥복이 아이를 번쩍 들어서 길산의 앞에 태웠고 아이는 아직도 슬픔이 가시지 않아 딸꾹질을 하고 있었다. 길산이 고삐를 당기며 말하였다.

"울지 마라. 사내는 자주 울면 못쓴다."

그들은 천천히 적목치로 향하였다.

바로 그해 병자년 삼월에서 오월에 이르기까지 숙종의 명을 받고 황해도 암행어사가 되어 민정을 살핀 박만정(朴萬鼎)은 그의 해서암행일기(海西暗行日記)에서 흉황의 참상을 이렇게 적었다.

내가 돌아본 황해도의 굶주리는 백성들이 그나마 목숨을 보존하고 있는 것은 조정에서 특별히 간수해온 곡식을 풀어 나눠주고 혹은 징수하는 것을 감해주는 등 진구(賑救)의 은택 때문이라 할 것이다. 그러나 지금 보리가 여물지도 않았으니 하물며 추수기까지는 너무도 요원하다. 만약 관아에서 베푸는 진곡마저 떨어졌을 때 종맥(種麥)이라도 가지고 있는 사람은 구차하나마 살아날 수 있을 것이다. 하지만 빌어먹으며 다니는 유민들은 도저히 얻어먹을 도리가 없지 않겠는가. 보리도 떨어지고 햇곡도 나오기 전에 관수미(官需米)마저 동이 나버려 백성들이 입에 풀칠할 아무것도 없다면 과연 어찌하겠는가. 그때는 농토를 아무리 가지고 있다 한들 소용없는 것이 될 것이며 백성들은 길고 긴 여름해를 넘기지 못할 것이다. 이 지경에 이르러서는 전날에 나라에서 베푼 진구의 공도 끝내 허사가 되니 어찌 슬픈 일이 아니겠는가. 각 고을에는 모두 민간의 사사로운 대동계(大同契)가 있다. 또 그런 조직이 없는 고을이라도 자수청(刺需廳)이 있어 아주 위급한 때에 대처하기 위해 전곡(錢穀)을 비축하고 있다. 그러므로 감사로 하여금 각 고을 수령들에게 분부하여 현재 간수하고 있는 전곡을 요령껏 출급(出給)하게 함으로써 굶주린 백성들의 삶의 길을 보장하는 데 최선을 다하도록 해야 할 것이다. 어디를 가든지 밭과 들이 쓸쓸하고 촌락은 비어 있었다. 제 고장을 등진 사람들의 떠도는 모습은 차마 볼 수 없고 백성들은 불안에 떨고 있었다. 길거리마다 걸인 유민들이 들끓는데 늙은이와 어린아이들이 무리를 지어 돌아다녔다. 갓난아기를 길가에 버리는가 하면 어미와 자식이 서로 길을 잃어 울고불고하는 광경이 비일비재하였다. 그들의 용모는 굶주림에 여위어서 흡사 귀신 형용이었다. 아침 저녁으로 우리가 주막에서 음식을 먹으려면 걸인들이 구름같이 모여들어 둘러싸고 한술만 달라고 사면에서 아우성이다. 눈뜨고 차마 볼 수 없으며 밥이 어찌 목구멍으로 넘어가리요. 만약 그들에게 남은 밥을 주면 그들은 형제간이건 부부간이건 서로 조금도 사양함이 없이 다투어 한술이라도 더 먹으려고 싸움 반죽이었다. 이런 형편에 염치나 인륜 같은 것은 도저히 찾아볼 수 없었다. 힘이 센 자는 구걸하다가 얻지 못하면 주인에게 원한을 품고 불을 싸지르니, 집 가지고 사는 백성들조차 피해가 막심하였다. 실상 걸인들에게 줄 것이 없지만 또 안 주자니 보복이 두렵다. 걸인들은 소 말 닭 등 아무 가축이나 닥치는 대로 잡아가며 명화적의 기습 때문에 새벽에 길 떠나는 것을 모두 삼가고 있었다. 어느 마을이든 외모가 번듯한 집이 있어 안에 들어가보면 밥을 해먹은 지 오래되었음을 알 수 있었다. 지금이 농사철임에도 종자마저 다 먹어치워 사실상 폐농상태의 농가가 태반이다. 나물을 뜯는 사람들로 산야가 뒤덮여 있으며 겨를 구하여다가 나물과 죽을 쑤어 배를 채웠다. 사람들은 부기(浮氣)가 들었으며 사람의 사는 즐거움을 잃은 지 오래였다. 이런 백성들에게 부역과 과세는 마땅히 감해줘야 할 것이다. 해서는 해마다 흉황을 당한데다 특히 작년의 큰 흉년은 팔도에서 가장 참혹하여 산협에 사는 백성과 해변에서 어업에 종사하는 부류들은 모두 유산(流散)되어 열 집이면 아홉이 비어 있는 형편이다. 지금 남아 있는 사람은 약간의 전토를 가진 사람이거나 조정의 진휼 은덕을 입어 굶주림을 참고 농사를 짓는 사람들이다. 그런데 금년의 보리나 밀이 잘되지도 않았고 산협의 기장이나 조는 작년보다는 낫다고 하나 평야지대의 전답은 씨를 뿌리지 못한 데가 태반이요, 또한 뿌렸다 할지라도 모가 제대로 자라지 않아 올 가을의 수확도 예측하기 어렵다. 설사 추수 결과 풍작이라 할지라도 조정에서는 반드시 황세(荒歲)로 취급하여 여러가지 부역을 감봉치 않고서는 남은 백성들의 살 길을 열지 못할 것이다.

이렇듯이 조정의 벼슬아치가 근심을 하였으나 실상은 이보다 더욱 혹심하였으며 재난의 시초에 지나지 않았다.

길산이 경기도에 다녀온 뒤에 운산 기습의 계획은 바삐 진행되었다. 그는 묘옥의 아이를 강계에 보내어 윤덕이 부부가 기르도록 당부하였다. 장길산은 자신의 이름으로 북선 활빈도의 각 대에 통문을 보내어 운산 기습의 준비를 해두도록 알렸다. 특히 길산은 묘향산의 서용에게 운산 정탐을 일러두고, 운봉산에서 강선홍 최홍복 박산돌과 기병 이백여 명을 이끌고 출발하였다. 때는 마침 신록이 앞을 다투는 철이라 산에 은거한 자들에게는 맞춤한 계절이 돌아온 셈이었다. 해서의 입암산 식구들은 동원하지 않았고, 낭림산의 식구들이나 함경도의 식구들에게는 정한 날짜의 달포 전부터 평안 함경 양도의 경계와 산협지방에 활빈도의 깃발을 날리면서 자주 출몰하라고 당부해두었다.

장길산과 운봉산의 일 대는 낭림산맥 연맥을 따라 올라 맹산과 영원 사이를 빠져서 덕천 북방으로 말을 달렸다. 산간의 백성들은 누구나 이들이 장길산의 활빈도임을 알아볼 수가 있었으나 어느 곳에서도 관군과의 충돌은 없었다. 그들은 일시에 묘향산의 동북 골짜기에 들어가 수십 리를 달려서 향산천이 시원하는 곳에 이르렀다. 골짜기는 좁고 양쪽의 암벽이 칼날처럼 가파른데 그들을 발견하였다는 군호인지 태평소를 부는 소리가 골짜기 안에 길게 이어졌다. 운봉산 일 대는 말을 멈추었고 골짜기의 저편 끝에 수기를 든 자와 또다른 자가 나타났다. 그들이 가까이 다가드니 두건을 머리에 매고장창을 가진 자가 앞으로 나서며 인사하였다.

"대두령, 어서 오십시오. 산주께서 기다리신 지 오래되었습니다."

번소의 우두머리 장정이 그들을 골짜기로 안내하였는데 안으로 들어서서 한참 들어가니 어느 만큼에 가서 암벽이 차츰 넓어지며 너른 못이 나오고 숲과 빈터가 펼쳐 있는데 비탈에는 귀틀집들이 큰마을을 이루고 옹기종기 모여 있었다. 그들이 숲으로 나아가는데 사방에서 장정들이 몰려나와 병장기를 흔들어 보였고, 마을 가운데의빈터에 서용을 비롯한 그의 소두령들이 철릭을 입고 환도를 차고 나와 서 있었다. 길산과 최흥복 강선홍 박산돌이 말에서 내려 그들에게 걸어갔다. 서용은 길산이 가까이 가자 두 손을 모아올려 군례를드렸다.

"그간 별고 없으셨습니까."

"그래, 자네 식구들도 다들 무고한가."

대충 예가 나누어지고 나서 그들은 서용의 거처로 들어갔다. 귀틀집이라고는 하여도 탁자와 통나무 의자가 있고, 화덕이 구석에 있었다. 마치 엽사들의 산막과 같았다. 방은 좌우에 둘씩 붙어 있었는데바닥도 나무판자에 마른 잎을 깔고 그 위에 거적을 덮은 것이었다. 그들은 산속에서 담근 술을 나누어 마시며 운산에서 기찰하였던 여러가지 일을 얘기하였다.

"최형기는 부임 이래로 각 진과 참에서 포수들을 조발하여 향군들과 함께 습진 조련 중입니다."

서용이 말하였다. 그는 어릴 적부터 잠채 광부로 자라나 뼈대가 굵고 살결은 거칠었으며 턱과 목덜미가 참나무처럼 단단해 보였다. 그는 계속해서 말하였다.

"우리 객점이 안주와 영변에 있고 토막은 개천에 있음을 다 아시지요. 영변 아이들이 운산 은광에도 줄을 대고 읍내에도 정탐꾼을 사서 살펴본즉, 최형기는 우리 활빈도의 토포 때문에 부임한 것이 틀림없습니다. 그자는 묘향산 일대에 기찰 군사 둘씩 묶어서 세 패를 나누어 희천, 개평역, 어천역 등에 기찰소를 열어두고 있습니다."

"기찰소가 있는 집을 아는가?"

길산이 물었고 서용이 답하였다.

"아다뿐입니까. 인근에 아이들을 보내어 오늘은 무엇을 하였는지 또 내일은 어디로 돌아다닐지 모두 알아내어 우리 경내인 동창골에 알려줍니다. 우리는 여기 앉아서도 관군의 움직임을 훤히 보고 있습니다."

"수고하였네. 화승총은 몇자루나 있으며 마필은 얼마나 되는가?"

"예, 지난번에 보내주신 총포가 오십 자루 있고 마필은 함흥에서 이업복 두령이 여러차례에 나누어서 보내어 삼십여 마리 됩니다."

"그만하면 우리와 같이 운산을 휩쓸어버릴 수가 있네. 거병 날짜는 사흘 뒤가 되겠군. 아마도 달포 전부터 각처에서 활빈도가 출몰을 했을 게야."

"아니, 그러면 최형기는 미리 겁을 내어 방비를 해둘 게 아닙니까?"

"그 반대일세. 낭림산 식구들은 희천의 동북에 있는 유원(柔院)을 휩쓸고 봉단성 앞에서 수성 향군들을 건드리다 물러가게 되어 있었으며, 함흥 백운산 식구들은 영흥과 고원을 휩쓸 것이다. 해서의 입암산 식구들은 신계로 나아가기로 되어 있네."

길산이 말하자 서용도 고개를 끄덕였다.

"예, 저희도 희천 북방에 낭림산 활빈도가 출몰하였다는 설을 들었습니다. 아마도 최형기는 미간을 곤두세우고 있을 텐데요."

"최형기는 우리의 근거지를 막연하게 평안 함경 양도의 경계 어름에 있다고 짐작하고 기찰조를 내보내고 있을 테지. 그러나 작은 군의 수령인 그가 이와 같은 흉년에 향군을 수백 명 동원할 수도 없을 테고, 그는 아마도 정예 포수와 단병접전에 능한 훈련원 무사들만을 정병으로 가려뽑아 은밀하게 산으로 스며들려는 계획일 것이다."

최흥복이 서용에게 물었다.

"영변도호부의 부사가 병마첨사를 겸하니 병력이 많을 게 아니오?"

"물론 속읍으로 영변 개천 운산 희천이 있고, 위곡진(委曲鎭) 유원진(柔院鎭) 금성진(金城鎭) 등이 있는데 모두 그러모으면 원래는 일천 육십 명이 되어야 합니다만, 지금이 어느 세월입니까. 지금 산협의 백성은 모두 집과 마을을 버리고 떠나서 대처를 찾아가 삼문 앞의 죽이라도 먹고자 하는 판입니다."

"그들 유민들에게 밥을 주고 병장기를 쥐여주면 누구나 백성의 군사가 될 것이다."

장길산이 말하였다.

"우리 활빈도의 천여 기병이 중심이 되고 유민들이 사방에서 호응한다면 우리는 곳곳에서 수천의 군사를 얻을 수가 있다."

서용이 말하였다.

"우리가 운산에 들어가면 최형기가 간신히 그러모은 백여 명의 포수와 관가의 군노 사령배 이십여 명, 그리고 향군들은 문도 열어 보지 않을 것입니다. 또한 달려나오려 하여도 기운이 없어서 사립문 앞에서 쓰러질 지경입니다. 그러나 동헌에 함께 있는 다섯 사람의 경군(京軍) 장교들은 주의를 해야 될 것입니다."

"그 점은 염려 말게. 강두령과 나와 구월산에서부터 자비령 그리고 초천말과 운봉산에 이르도록 무예를 갈고 닦은 우리 식구들이 있네. 이들 십여 명의 두령들은 훈련원의 어느 무사보다도 뛰어나다네."

"대두령께서는 어떤 방법으로 운산을 취하시렵니까?"

장길산은 어금니를 꼭 물었다가 빙긋 웃으며 말하였다.

"마른 하늘에 번개치듯이 일시에 짓쳐들어간다. 목표는 단 하나, 운산 관아로 곧장 달려들어갈 것이다. 시각은 새벽 계명시(鷄鳴時), 기병과 보병이 어둠을 타고 동천 앞에서 기다리다가 닭이 울자마자 기병이 먼저 읍내로 진격하고 보병은 읍을 둘러싼다. 그리고 잠든 최형기를 사로잡아 강변으로 끌고 오는 것이다."

서용이 말하였다.

"좋은 안이십니다. 그러나 어려운 점이 있기는 합니다. 우리가 운산으로 가려면 청천강 상류인 월림강(月林江)을 건너야만 합니다. 까짓 동천(東川)이야 가물었으니 발목에나 찰까 말까 하겠지만, 월림강은 제법 수심이 깊고 물살이 빠릅니다. 강을 건너면서 우물쭈물하면 반드시 운산 관아에 적경이 미리 들어갈 것입니다."

"희천 북방은 어떠한가?"

"예, 동강(東江)은 쉽게 건널 만하지요. 그러나 운산까지는 칠십여 리 돌아가는 셈입니다."

"자네들 산식구가 기병 삼십을 빼고 얼마나 되는가?"

"예, 모두 이백 명 가까이 되지만, 산채를 지켜야 하니 백여 명쯤은 낼 수 있습니다."

"주로 밤에만 행군을 시켜서 운산 희천 사이의 마유령에 묻어두었다가 기병과 합대하도록 하지."

"대를 나누는 것이 합당한 안이올시다."

이렇게 운산 기습의 안이 정해졌다. 이튿날은 병력을 모두 쉬게 하고 저녁때에야 발병을 하는데 묘향산의 동북 산협을 빠져나가 북상하여 자정 무렵에 희천 북방의 동강을 건널 셈이었다. 서용은 길라잡이로 자기 식구 중의 소두령을 내주었고, 그는 보군을 이끌고 곧장 향산천을 따라 내려가 행정원(杏亭院) 앞에서 강을 건너 마유령에 당도할 셈이었다. 개평역과 어천역 등의 기찰소는 운산으로 쳐들어갈 때 십여 명을 뽑아보내어 물고를 내버릴 작정이었다. 장길산 강선홍 최흥복이 이끄는 이백 명이 넘는 활빈도는 모두가 날랜 북방 마를 타고서 인적이 끊긴 산협을 달려나갔다. 그들은 각종의 깃발을 안장에 세우고 어깨에는 화승총을 메고 허리에는 환도를 질렀다. 기마대는 문두사(文頭寺)의 어귀를 빠져나가 동강에 이르렀고 칠성은 아직도 중천에 비스듬히 걸려 있었다. 이백여의 말발굽이 자갈을 차면서 강을 건너는 소리가 요란하였다. 활빈도의 기병은 희천 북방을 돌아서 청량재를 넘은 다음에 한길로 접어들어 두 줄로 질서정연하게 달려나갔다.

서용이 이끈 향산 활빈도의 보병은 행정원 앞의 월림강에서 작은 나룻배를 끌어다가 칠팔 명씩 강을 오르내리며 건너는데 시간이 많이 걸렸다. 보군들은 야산에 웅기중기 엎드려서 잡담을 제하고 뒤에 처진 대가 모두 건너기를 기다렸다. 보군들이 모두 점검을 하고 나서 마유령에 당도하니 기병은 이미 먼저 와서 그들을 기다리고 있었으며 캄캄하던 하늘은 부옇게 날이 새어 산에서는 안개가 밀려내려오는 중이었다. 길산이 서용에게 일렀다.

"이곳은 아무래도 행객의 눈에 뜨일 위험이 많으니 오늘 한나절을 은거하여 보낼 곳을 찾아야 한다."

"대두령께서는 염려 마십시오. 여기는 영변부의 최북단 벽지올시다. 영의 줄기를 죽 따라 올라가면 운대산(雲坮山) 깊은 골이 수십 군데나 있습니다."

그들은 골짜기를 따라 이십여 리를 올라가 숲 사이에 들어갔다. 그들은 말을 한곳에 매어두고 길양식으로 가져온 콩과 보리 간 것을 물에 타서 마셨다. 길산이 잠을 이루지 못하고 나무 그늘에 누워 뒤척이는데 선흥이 따라와 곁에 누웠다.

"성님…… 자우?"

"아니."

"나 청이 한 가지 있수. 들어주시겠수?"

길산은 이마에 얹었던 팔을 내리고 얼굴을 돌려 그를 바라보았다.

"뭘 말이냐?"

"최형기 말이우. 그놈을 잡으면 내가 그놈 목을 치도록 해주시우."

길산은 다시 고개를 돌리고는 바람에 낱낱이 떨고 있는 신록의 나뭇잎들을 올려다보았다.

"춘천댁의 원수를 갚겠단 말이로구나."

선흥은 대꾸하지 않고 팔베개를 하고 그의 곁에 벌렁 누워 있었다.

"감동이가 그놈 칼에 죽었수. 만석이도 그렇고…… 김선비도, 말득이도……"

"그만 해두어라. 그냥 곱게 여럿의 힘으로 잡아다가 목이나 치지는 않으련다. 놈에게도 기회를 줄 생각이다."

"모두들 그러지 않습디까? 놈은 우리하구 같은 천생이라 우리를 너무 잘 알아 무서운 상대라구요. 최형기는 활빈도의 가장 첫 번째 적이우."

"놈에게 칼을 주겠다. 그리고 한 수를 겨루어 그를 패배시킨 뒤에…… 네가 목을 베렴."

"범이 죽은 고기를 어찌 먹우. 내가 최형기와 일전을 겨룰 테요."

"그건 안 된다."

길산은 상반신을 일으켰다.

"너도 이제 그만하면 엄파를 쓰는 데는 어느 장수도 당하지 못할 것이다. 감동이는 일찍이 무예의 고수였던 교련관 임태룡에게서 검을 배워 산간에 숨어 혼자 연습하여 일가를 이루었다. 최형기는 어쨌든 감동이를 베었던 솜씨를 갖고 있다. 네가 위험하게 되면 필시 흥복이가 가만있지 않을 것이며 나 또한 그러하니 공정하지 못하지."

"그따위 독사 같은 놈에게 공정이 다 무에요."

"이쪽이 공정해야만 그자를 완전히 패배시킬 수가 있는 게야. 최형기는 나를 잡기 위해 운산군수를 자원하였고, 공명심으로 온몸이 활활 타고 있다. 조정에서도 그자가 내 손에 죽었음을 알게 되고 전국에 널리 퍼지면 감히 우리를 토포하겠다고 응모하거나 나서는 자가 없게 될 것이다."

"하여튼 그자의 목은 내가 베겠소."

"그래…… 네 몫은 남겨주마."

길산과 선홍이는 다시 나란히 누웠다. 길산은 최형기의 얼굴도 몰 랐고 아직은 이름마저 생소하였으나, 그가 어렸을 때 재인말에서 무 동으로 출행을 나가면 공연히 쫓아나와 놀려대고 주먹다짐을 하던 양반가의 어린 하인들의 모습과 최형기가 겹쳐서 떠올랐다.

최형기는 부임하여 온 지 석 달 남짓 되는 사이에 간신히 방포를 제법 할 수 있는 화포군 백여 명을 조련시켰을 뿐이다. 조련이 늦어 진 것은 무엇보다도 향소 군사를 동원할 수가 없었으며 군역에 들 어 있는 장정들은 갖은 핑계로 빠졌고 겨우 응소하였어도 끼니를 때 우지 못하여 열도 바르게 서지 못하는 형편이었다. 그는 비축된 진 곡을 군량으로 쓰기로 하였으나 향군들은 게걸스레 먹어댔다. 아무 리 장적의 토포가 중하다고 하지만 군량을 얻기 위하여 고을 부자들 에게서 걷어내기도 곤란한 시절이었다. 최형기는 하는 수 없이 사흘 에 한 번으로 조련 습진의 날짜를 줄이고, 관가의 군노 사령배와 한 양서 데려온 경군 장교들로 기찰조를 편성하였던 것이다. 사방에 방 을 붙여서 도적들의 소굴이나 혈당들에 관하여 발고하는 자에게 양 곡과 은자를 내린다고 광포하였지만, 어느 누구도 알려오는 자가 없 었다. 최형기는 기찰조의 보고와 각 군현에 내려진 관찰사의 비관에 접하여, 희천의 유원진에 말 타고 화승총을 가진 활빈도가 나타나서 진장과 군졸 수십 명을 살해하고 봉단성 앞에서 관군과 한나절 동안 교전했던 사실을 알고 있었다. 그뿐 아니라 함경도에서도 기마부대 가 백주에 군현을 휩쓸고 다닌다는 사실과 해서에서는 내륙 산간지 방에 아예 관군은 들어가지도 못한다는 말도 들었다. 최형기는 이들 이 모두 장길산의 활빈도를 자처하지만 길산이 직접 곳곳마다 나타 나는 것은 아니며 어딘가에 그의 지휘소가 있음이 분명하다고 믿었 다. 최형기는 장길산의 지휘소는 틀림없이 묘향산이나 낭림산에 있을 것이라고 짐작하였다. 지네는 다리를 끊어서는 안 되고 대가리를 찍어눌러야 하는 법이다. 북선의 벌떼같이 일어난 명화적들을 잠재우는 길은 장길산의 목을 떼어 대처의 저잣거리에 효수하는 길밖에 없을 듯하였다. 최형기는 경군 셋을 가려뽑아 강변의 역에서 기찰소를 운영하게 하였으며, 묘향산에 서모라는 도적 두령이 있다는 것과 낭림산 소백산 사이에 수백 명이 있는데 모두 수백 필의 북방마를 타고 다닌다는 것이며 함경도 쪽에는 더욱 세가 강고하다는 소문을 들을 수 있었다. 또한 장길산은 함경도와 평안도를 이웃집 드나들듯 넘나들며 이들을 통솔한다는 것이었다. 최형기는 일 년 전에 장길산의 기마부대가 철원을 급습하여 양덕 토포 때의 밀고자였던 고달근을 잡아죽인 일을 잊지 않고 있었다. 최근에 각처에서 도적을 잡았던 토포사 출신의 무인들이 죽음을 당하였고 어느 포도관은 가족들이 참변을 당하기도 하였던 것이다. 최형기는 장길산이 언젠가는 자기에게 찾아오게 되리라고 믿었다. 그런 정도의 대적이라면 구월산 이래의 철천지 원한을 품고서 자신을 제거하기 위하여 꼭 찾아올 듯하였다. 유원진에 활빈도의 기마부대가 쳐들어왔다는 급보를 듣고 최형기는 향군 포수 백여 명과 관내의 군사를 동원하여 운산읍 주변에 살진을 쳐두고 장적이 나타나기를 기다렸다.

그러나 사흘 나흘이 지나고 열흘이 넘도록 각처에 발호하는 기마 도적의 소문만이 낭자할 뿐 운산 근처에는 쥐새끼 한 마리 나타나질 않았다. 기찰조들은 유원진과 봉단성에 나타났던 활빈도가 산으로 들어간 것이 분명하다고 알려왔으며, 최형기는 그 많은 병력의 군량 때문에라도 한시바삐 진을 풀 수밖에 없었다. 그렇다고 그의 직속 상부인 영변부사 겸 첨사에게 병력 동원이나 군량의 지원을 해달라고 아뢸 처지도 아니었다. 영변부사는 이러한 흉황에 그가 황민의 구휼에 힘쓰기는커녕 공연히 백성들을 동원하여 조련을 시키는 등 각박하게 다스리는 것을 못마땅하게 여기는 눈치였다. 그가 아무리 병판의 명을 받고 부임했다 하여도 병력동원의 허락은 부사에게서 받아야 하는데도 처음에는 아무런 장계도 올리지 않아 영변부사는 그를 본영으로 소환하여 군율로써 문초했던 터이다. 그제야 최형기는 병판의 밀명과 비국당상의 토포 안을 알렸으니 영변부사는 진노한 가운데 그를 돌려보냈다. 최형기는 그보다도 더욱 불리한 점이 있었으니 백성들은 그의 편이 아니었다. 백성들 쪽에서 보자면 활빈도는 각처에 나타나 관부와 향반가를 습격하고 창고를 열고 대문을 부수어 기민들에게 모두 나누어주었고, 관은 조세 감면은커녕 흉황을 이용하여 비축미와 구휼미를 착복하고 겨우 죽술이나 두어 개 문 앞에 벌여놓는 시늉을 하였던 것이다. 운산군수는 부임하던 날부터 굶주린 백성의 활인과 구제는커녕, 조밭갈이라도 겨우 해낼 기운이 남은 장정들을 뽑아다가 군사 조련을 맹렬히 시켜왔다. 유원진에 활빈도가 나타나자 운산군의 읍 주변에 철통같이 쳐두었던 진은 열흘이 못 가서 해산시킬 수밖에 없었다. 향군들의 불만이 높아가자 그들의 술렁대는 분위기로는 곧 총포를 진의 안쪽으로 돌릴 것만 같았다. 향소 군사들은 장교들의 말을 듣지 않았다. 최형기는 백성들의 분위기가 그 정도라는 것은 모르고, 다만 먹고살기가 곤핍하여 사기가 보통때보다 떨어져 있다고만 여겼다. 어쨌든 그는 열흘 동안의 살진을 풀고 당분간은 활빈도가 자신의 경내에 출몰하지 않으리라 믿고 있었다. 그러나 길산은 바로 그의 발치에 와서 기다리고 있던 것이다.

하루 낮밤 동안 운대산 골짜기에서 쉬며 기다리던 장길산의 활빈도는 그대로 산줄기를 타고 넘어 구봉산을 돌아서 새벽녘에 동천에 이르렀다. 서용은 보군 중에서 날랜 자들을 이십여 명 뽑아서 개평역과 어천역에 보내어 기찰소를 덮치도록 일렀다.

먼 데서 새벽닭이 홰를 치며 우는 소리가 들렸다. 앞장섰던 장길산은 단검을 뽑아 위로 치켜들며 말의 배를 두 발로 내질렀다. 기병은 정연하게 열을 지어 동천을 건너갔고 서용이 이끈 보병들은 외곽의 길을 끊기 위하여 읍의 남쪽으로 달려나갔다. 기병들이 먼저 읍내의 초입에 들어서자 관솔 횃불을 붙여 들었으며 그들은 더욱 속력을 내어서 곧장 운산 관가로 짓쳐들어갔다. 이백여 명이 넘는 기마부대였으나 각자가 맡은 대로 오를 나누며 잽싸게 행동하고 있었다. 그들은 관가로 나아가면서 관가에 통한 샛길에마다 한 오씩 지키고, 일 대는 먼저 관가 옆의 영으로 달려가 불을 질렀다. 자다가 뛰어나오는 관군 이십여 명은 장교든 군졸이든 모두 사로잡혔다. 관가 앞에 당도하자마자 칼을 빼어든 장정들이 말 위에서 담장으로 훌쩍 뛰어넘어가 대문을 열었고 반쯤은 밖을 포위하고 나머지는 말에서 나는 듯이 뛰어내려 관가 안으로 쏟아져들어가 각기 맡은 처소로 달려갔다. 장길산은 좌우에 강선홍과 최흥복을 거느리고 다른 운봉산 식구들과 더불어 동헌으로 뛰어들어갔다. 때마침 최형기의 호종으로 남은 경군 장교 둘이 병장기를 들고 마당으로 뛰어내리는데 흥복은 가차 없이 방포하여 하나를 쓰러뜨렸고, 장창으로 찌르며 자신의 앞으로 다가든 자를 길산은 슬쩍 비켜나면서 한 손으로 창대를 잡고서 왼발을 들어 옆구리를 내질렀다. 맨손으로 땅에 엎어지는 자를 뒤에서 쏟아져들어오던 누구인가가 베어버렸다.

"웬놈들이냐?"

외치는 소리가 들리는데 모두 바라보니 동헌 마루 위에 속등거리 바람의 최형기가 칼을 빼어들고 나와 섰다. 그는 자다가 일어났는지 맨상투에 발도 맨발이었다.

"그대가 운산군수 최형기인가?"

무리 속에서 길산이 물었다. 마당 안에는 장정들이 쳐든 횃불빛이 휘황하여 최형기는 얼굴을 잔뜩 찌푸리고 있었다. 마당을 꽉 채운 사람들의 어깨 위로 번쩍이는 칼날과 총포의 숲이 내려다보였다.

"내가 최형기다마는 너희들은 누구냐?"

그의 말이 떨어지자마자 장길산은 무리 가운데서 두어 걸음 앞으로 나갔다.

"누구라구 생각하느냐."

최형기는 패랭이를 쓰고 허리에 돌띠를 질끈 매고 단검을 차고 섰는 길산을 바라보며 잠깐 침묵하고 있었다. 몸에서 수평으로 쳐들고 있던 칼을 똑바로 길산의 앞쪽으로 겨누면서 최형기가 부르짖었다.

"장길산인가?"

"그렇다."

길산은 아직도 맨손으로 서서 대꾸하였다.

"그대를 잡으러 수백 리 길을 달려왔다. 칼을 버리고 무릎을 꿇으라."

최형기는 칼을 한번 허공에서 흩뿌려보더니 껄껄 웃었다.

"내가 아무리 한미한 고을의 수령으로 있다 하나 국록을 먹은 관리다. 차라리 너희들에게 죽을지언정 도적에게 포박을 당하겠는가?"

길산은 담담하게 말하였다.

"과연 옳은 말이다. 밥을 준 주인을 잊어서는 안 되겠지. 일단 칼을 버리라는 말은 그대에게 예를 차리게 하려는 뜻이다. 먼저 그대는 관복을 입고 위의를 갖추라. 다음에 동천 사장에 내려가서 그대에게 한 수 배우고자 한다. 그대는 일찍이 내 아우 마감동에게도 그러한 예의를 지키지 않았던가."

최형기는 마당 안에 빈틈없이 들어선 장정들과 횃불빛에 번쩍이는 칼이며 화승총 등을 둘러보았다. 활빈도가 이곳 고을을 완전히 장악한 이상 자신을 살려두지 않을 것은 뻔한 이치였다. 이들은 최형기 자기를 바라고 쳐들어온 것이다. 최형기는 검에는 누구보다도 자신이 있었으며 더욱 상대가 장길산이라면 결국 승패는 반반인 셈이었다. 최소한 비긴다 할지라도 그를 죽이고 함께 죽거나 사지를 잘라 병신을 만들어준다 하여도 공은 자신의 것이 아닌가. 최형기는 쳐들었던 왜도를 천천히 내리고는 마루 위에 콱 꽂으면서 말하였다.

"고맙군. 나도 수년 전부터 그대와 한번 겨루어보기를 기다려왔다. 내가 옷을 입고 나올 동안 기다려달라."

최형기가 방 안으로 들어가자 선홍이와 홍복이가 마루로 올라가려는 것을 길산이 손을 들어 막았다. 잠시 후에 구군복에 상모를 쓴 최형기가 마루에 나타났고, 그가 꽂아두었던 칼은 강선홍이 뽑아들고 있었다.

"칼은 모래밭에 가서 주겠다."

강선홍이 퉁명스럽게 말하였고 최형기는 픽 웃었다.

"내 칼이 무서운 줄은 너희들도 아는 모양이구나."

길산이 선홍이에게 말하였다.

"칼을 돌려주어라. 관장이 어찌 비겁한 짓을 저지르고 달아나겠느냐?"

선홍이가 칼을 최형기의 목줄기에 겨누었다가 휙 돌려서 칼자루를 내밀자, 최형기는 칼을 잡아서 그를 한번 힐끗 보고는 허리에 찼던 빈 칼집에 넣었다. 동헌 마당을 지나는데 이미 관가를 점령한 활빈도들이 창검과 기치를 세우고 늘어섰고 광의 문마다 활짝 열어젖혀져 있었는데, 최형기가 화포군 편성을 위하여 마련해두었던 화승총과 장창들이 마당 위에 질서 있게 세워져 있었다. 그들이 중문을 나서자 서용이 다가와서 물었다.

"양곡과 무명이 많이 비축되어 있었습니다. 어찌할까요?"

"말꽁무니에 매어서 운산 고을 곳곳에다 뿌려두어라. 백성들이 흔적도 남기지 않고 모두 쓸어갈 것이다."

하고 나서 길산은 곁에 나란히 걷고 있는 최형기에게 말을 걸었다.

"사또, 그렇지 아니한가. 그대는 살아남더라도 고을을 점령당한 죄로 조정에서 파직 처분을 받게 되겠지. 우리를 토포하려고 준비한 군량은 모두 주인들에게 돌려주겠다."

최형기는 눈꼬리가 빳빳해진 채로 거들떠보지도 않고 똑바로 걸어갔다. 두 사람의 좌우에는 말에 올라탄 강선홍과 최흥복 그리고 이십여 기의 운봉산 장정들이 열을 지어 천천히 따라갔다. 읍의 외곽에는 병장기를 든 보병들이 곳곳을 막아서고 있다가 길을 터주었다. 그들은 고을 밖으로 한참이나 내려와 동천 가의 모래밭에 당도하였다. 길산이 말에 탄 식구들에게 말하였다.

"원진을 만들어라."

최형기는 마감동과 싸우던 때가 생각나서 얼른 하늘부터 보았다. 부옇게 날이 새고 있었다. 그 모양을 눈치채고 장길산이 빙긋 웃었다.

"땅바닥은 어디나 똑같은 모래밭이요, 때는 동트는 아침이다. 나는 자리를 가리지 않는 사람이니 해를 받건 등지건 그대가 하고 싶은 대루 하여라."

최형기는 천천히 칼을 뽑아서 발 아래로 몇번 내리쳐보더니 봉두

(鳳頭)의 자세로 평범하게 칼을 세워서 몸 앞에 내밀고 섰다. 장길산은 단검을 빼어 그냥 팔을 내려뜨리고 섰는데, 팔을 내리면서 자연스럽게 역으로 쥐었다. 길산의 단검은 그가 광대시절부터 지니고 다니던 박달나무 봉에 반 팔 길이의 날을 박은 것이요, 최형기의 칼은 갑자년 이래로 그가 아껴온 동래의 왜검이었다. 왜검이 본시 두 손으로 휘두르는 장검이지만, 쌍검을 쓸 때 다른 손에 쥐는 짜른 칼이니 최형기의 칼이 길산의 것보다는 두어 뼘 길었고 환도보다는 한 뼘쯤 짧았다. 그들은 칼자루를 두 손으로 잡지 않았으니 대저 단검을 쓰는 자는 다른 한 손을 자유로이 놓여나게 함으로써 무기의 방향도 바꾸고자 하는 것이다. 최형기는 길산이 팔을 내려뜨리고 섰는데 칼이 보이지 않아서 그가 역으로 쥐어 팔꿈치 뒤로 칼날이 숨어 있는 것을 알게 되었다. 마감동처럼 비도(非刀)인가 하면 그렇지도 않았다. 즉 범아재비가 자신의 접었던 팔을 먹이에게로 불시에 내뻗는 것과 고양이가 쥐에게 뛰어오르면서 감추었던 발톱을 죽 내미는 것과도 같이 그것은 음험한 공격의 자세이기도 하였다.

그들의 주위에는 말에 탄 장길산의 식구들이 둥글게 원진을 만들어 둘러싸고 있었다. 말들이 가끔씩 콧김을 내뿜는 소리가 들려왔다. 최형기는 강변의 남쪽에 장길산은 북쪽에 섰는데, 최형기가 봉두의 자세 그대로 길산의 왼쪽인 동으로 서서히 걸음을 떼었다. 한 발, 두 발, 세 발, 떼었을 때에야 길산은 몸을 약간 돌렸다. 그러고는 자신은 한 발 앞으로 나아갔다. 최형기는 다시 몇발짝 더 움직였고 길산은 또 두어 발 나아가서 원진의 중심부분에 가서 섰다. 최형기는 동쪽에서 뜨는 해를 자신의 등에 짊어지는 지점에 이르렀는데 길산은 처음의 자세를 고치지 않은 채로 고개만 옆으로 돌려서 시선을 모래밭 위에 떨구었다.

최형기는 그가 분명히 마감동보다는 고수라는 것을 알 수 있었다. 마감동과 맞섰을 때에는 팽팽한 긴장감과 함께 그의 속임수가 어떠한가에 대한 끊임없는 의심이 일어났다. 그러나 지금은 장길산이 이쪽의 태세에 방심하지 않고, 있는 그대로 일일이 응대하여오는 것이었다. 최형기는 봉두의 자세에서 요략(撩掠)으로 바꾸어 칼을 옆으로 비스듬히 내리면서 말을 건넸다.

　"내 목을 원하거든 어서 달려들어 취해보라. 갑자기 오금이 저리느냐."

　"나는 그대가 토포를 즐겨하기로 사양하려 하였더니, 공격을 원치 않는다면 내가 먼저 시작하겠다. 그대신 삼 합 동안은 그대를 먼저 베지 않을 것이다."

　병서에, 명장은 이로움을 보고 잃지 아니하며 시기를 만나면 의심치 않는다 하였다. 이로움을 잃고 시기를 놓치는 자는 도리어 재앙을 받는 셈이며, 지혜가 있는 자는 기회가 오면 놓치지 않고, 싸움에 교묘한 자는 일각을 머뭇거리지 않는다. 그러므로 돌연히 치는 벼락소리에 귀를 막을 사이가 없으며, 번갯불에 눈을 감을 여유를 주지 아니하며, 적진으로 달려드는 것이 깜짝 놀란 광인과 같이 빠르고 속하게 타격을 주어 이러한 예봉을 미처 막아낼 틈을 주지 않는다고 하였다.

　길산이 먼저 공격하겠다는 말을 마치자마자 발을 구르면서 최형기에게로 달려드는데 최형기는 위로 솟구쳐오르는 길산의 상반신을 바라고 은망(銀蟒)으로 칼을 수평으로 휘둘러 치면서 몸을 돌렸다. 구렁이가 몸을 틀어 상대편의 허리를 감듯 하는 자세였다. 그러나 챙그렁하는 소리와 함께 칼이 퉁겨져나오면서 눈앞에 불이 번쩍하면서 최형기는 앞으로 고꾸라질 뻔하였다. 최형기는 비틀거리며 간신히 서자마자 다시 허공을 내리그으며 돌아섰고 그 동작은 등을 보이고 나서 얼결에 방어의 몸짓으로 덮어놓고 해본 것이었다. 길산은 처음에 달려들었던 바로 그만큼의 거리에 위치만 바꾼 채로 서 있었다. 그것은 최형기가 대련 때에 잘 쓰던 기격(奇擊)의 일종이었으나 또한 연결된 동작이나 변화하는 검술의 동작과는 판이하게 다른 것이었다. 최형기는 길산이 일찍이 광대였고 특히 택견과 살판을 어릴 적부터 놀이판에서 익혀왔음을 알지 못하던 터였다. 길산의 역으로 쥔 단검은 그러므로 결정적인 찰나 외에는 공격 무기가 아니었다. 오히려 그의 단검은 상대방의 칼날을 같은 칼날로서 막아내거나 걷어내는 데 쓰고 있었다. 처음에 길산이 상반신을 솟구쳤을 때의 동작은 땅재주의 번개곤두였다. 길산은 최형기와 그의 팔 끝에 뻗쳐진 칼의 기장을 가늠하여 그것을 그만 한 길이의 줄로 생각하였다. 길산은 번개곤두를 한 번 회전하는 것이 아니라 겹곤두로 할 수가 있었고, 한 번 솟구쳐 돌며 남은 힘으로 퉁겨져 최형기의 머리 위로 지나면서 오른손으로는 단검을 들어 최형기가 힘껏 휘두른 칼을 퉁겨주고 땅으로 내려서기 전에 모둠발을 엇갈려서 현각(懸脚)으로 뛰어 뒤차기를 하였던 것이다. 길산의 발뒤꿈치는 최형기의 꼭뒤 급소를 타격하였다. 길산은 땅으로 내려서면서 그 자세대로 역으로 쥐었던 단검을 뒤로 찔렀으면 최형기의 등판을 꿰었을 테지만 그대로 서너 발짝 나가서 돌아섰고, 머리를 흔들고 난 최형기가 그제야 비틀거리며 돌아서서 헛손질을 하였던 셈이다.

길산은 처음 자세대로 역으로 쥔 칼을 팔뒤꿈치에 대고 두 손을 늘어뜨린 채로 섰다. 최형기는 거추장스럽다는 듯이 구슬상모를 벗어서 모래 위로 던져버렸다. 최형기 쪽에서 볼 때 장길산은 검법을 쓰는 자가 아니었고, 검술을 고르는 상대가 아니었다. 그는 이미 그런 단계를 지나 있었다.

최형기는 차츰 자신을 잃었다. 마감동의 검에서 끊임없이 어떤 수상쩍은 냄새가 났지만, 이번의 검은 있는 그대로였다. 마치 바람과 수면이라고나 할까. 바람이 불어오는 방향과 강약에 따라서 연못의 물결과 그림자는 응변한다. 그때마다 상대방의 검과 동작과 힘에 대응하여 천변만화하는 동작이 나오는 것이다.

최형기가 이번에는 먼저 발을 떼었다. 그의 기격이 선공으로 들어가는 셈이었으며, 길산이 서 있는 위치에서 응해준다면 그를 부상시킬 자신이 있는 형이 떠올랐던 것이다. 그는 백사농풍(白蛇弄風)으로 칼을 곧추 찌르며 달려들어갔다. 최형기는 길산의 오른편으로 돌면서 금강보운(金剛步雲)으로 칼을 휙 쳐들어 자신의 하반신에 허점을 보이면서 고권을 뭉쳐 오화전신(五花纏身)으로 길산의 안면을 강타하였다. 칼이 부딪는 소리도 들리지 않았고 그의 주먹도 허공에서 바람소리를 내었다. 최형기는 동작을 거두어들이는 순간 무릎이 콱 꺾이며 한 손으로는 모래를 짚고 다른 손은 칼을 모래에 박고 구부러졌다.

장길산은 그가 칼을 곧추 찌르며 달려들 때 그와 똑같은 속도로 뒤로 물러났으며, 최형기가 일부러 하반신을 드러낼 때 옆구리로 파고들어가는 자세만 해 보이고는 그의 고권이 뻗쳐지자 숭어뜀으로 뒤로 넘어갔다가, 최형기의 몸이 빠지는 순간 무릎 뒤의 관절을 꺾어차며 다시 뛰어올랐던 것이다. 길산은 칼날을 옆으로 돌려서 최형기의 등판을 호되게 찰싹 내려치고는 뒤로 사뿐 물러났다.

최형기는 숨을 헐떡이고 있었다. 그의 이마에 굵은 땀방울이 맺혀서 눈썹에 번졌으며 그는 연신 눈을 껌벅이며 소매로 닦아냈다. 원진을 만든 기수들은 가끔씩 말을 뒤로 물리기도 하고 앞으로 몰아

진을 좁혀주기도 하면서 숨을 죽이고 두 사람의 싸움을 지켜보았다.

검이다, 검으로만 상대를 쓰러뜨릴 수 있다. 최형기는 최소한 장길산과 비기려면 자신의 목숨을 걸거나 함께 부상을 당해야 한다고 생각하였다. 그에게서 권과 검을 분리시킬 수가 없을까. 이번에는 기다리자. 그에게서 맞거나 또는 자상을 당하면서 그를 찌르든지 사지의 하나라도 베어야만 한다. 최형기는 긴 숨을 천천히 토해내며 조급해지려는 마음을 진정시키고 요략세로 칼을 옆으로 비스듬히 늘어뜨리고 길산의 공격을 기다렸다.

길산은 잠시 최형기의 발끝을 바라보다가 천천히 걸음을 떼어 그에게 다가섰다. 그러고는 전우(前羽)의 자세로 새가 양쪽 날개를 편 듯이 두 팔을 앞으로 벌리고, 역으로 쥔 단검은 팔 앞에 수평으로 붙인 채 뛰어들었다. 최형기가 본 것은 칼날이 붙지 않은 길산의 왼팔이었다. 그곳을 내려치고 다시 응변이 시작되기 전에 오른편 허리를 벨 작정이었다. 최형기는 으악, 소리를 내지르며 전일격(前一擊)하면서 마주 달려들어갔다. 길산이 팔이 잘렸는가 느낌을 되새길 사이도 없이 칼을 왼편으로 크게 휘두르며 상반신을 꾸부린 최형기는 요격(腰擊)으로 상대의 허리를 깊숙이 베었다. 챙그렁 하더니 끼걱, 하는 날과 날의 맞비비는 소리가 들렸다. 이어서 길산은 칼날로 그를 밀어내며 성큼 물러섰다. 최형기의 칼이 위에서 내려올 때 길산은 옆시금으로 옆으로 넘어져 한 바퀴 돌아섰고 이어서 허리로 날아드는 칼날을 단검으로 받아 밀어낸 터였다. 이번 공격은 실로 날카롭고 빈틈이 없어서 길산의 살판 재주가 아니었다면 거의 피하지 못할 솜씨였다. 길산은 아직도 숨을 고르게 쉬고 있었다. 방금 피했던 칼날 덕분에 그의 콧등에는 구슬땀이 송송 맺혀 있을 뿐이었다.

"과연 훈련원의 교련관답다. 그대의 검은 삼 합까지 배운다고 말했다. 이제 단 한 번으로 내 것을 가르쳐줄 테니 잘 배워두어라."

길산은 칼을 바로잡았다. 그러고는 긴 원을 그리며 모둘뺴기를 넘는데, 놀이판에서 갓 쓴 열두 사람을 세워놓고 넘으면서 공중에 떠서 몸을 옆으로 뒤로 앞으로 틀어 방향을 자유자재하며 바꾸는 동작이었다. 중간에 잰 발을 땅에 대었다가 다시 몸을 두 배로 띄우기도 하는 것이다. 최형기가 무조건 칼을 쳐들어 유성(流星)으로 그어대는데 길산이 몸이 퉁겨지는 것만 보일 뿐 칼은 간혹 햇빛에 반사되어 번쩍일 뿐이며 허공을 가르는 바람소리와 맞부딪는 쇳소리가 들려왔다. 길산이 최형기의 몸을 뛰어넘어 아까와는 반대편 그만큼의 자리에 가서 떨어져 섰다. 최형기는 자신을 둘러보았다. 그의 구군복의 검은 전복이 좌우로 길게 찢어졌고 허리에 두른 전대가 잘려서 땅에 끌리고 있었다. 최형기는 말라붙은 입술을 핥았다. 그는 칼을 내려뜨리며 부르짖었다.

"욕보이지 말고…… 얼른 나를 죽여라. 내 구천에 가더라도 혼백으로 돌아와 다른 토포장의 몸에 붙어 너를 꼭 참수하고야 말리라."

길산은 눈이 날카로워지면서 모래밭으로부터 시선을 떼어 최형기의 미간을 찌를 듯이 노려보았다.

"어리석은 놈, 일찍이 관가의 통인으로 자라나 약한 백성의 온갖 수모를 모두 겪고 보았으면서 오히려 양반 사대부보다 더욱 우리 같은 천민을 미워한 자, 자신의 하찮은 출세를 위하여 이름 없는 양민의 목숨을 벌레같이 알았고, 활빈도를 토포한다는 핑계로 병장기도 없는 아녀자들을 살해한 죄는 천추에 씻지 못할 것이다. 내가 장길산으로 허명이 있다 하나 이것은 조선 팔도 방방곡곡의 백성들이 역병과 굶주림에 죽고 싸우며 이룬 이름이지 내 이름이 아니다. 비록 이 작은 육신이 네게 죽어 썩어져버린다 한들 너는 장차 수없이 생겨날 장길산과 활빈도를 어찌할 터인가. 너의 공명심으로는 저자의 왈짜배에게 칼질이나 할 터인즉, 개심하여 집에 돌아가면 유순한 가장으로 여생을 살아가거라, 그 대신에……"

길산은 거침없이 성큼성큼 다가들었고, 최형기가 틈이라도 엿보려고 내려뜨렸던 칼을 재빨리 쳐드는 것을 툭 쳐내면서 연이어 전혀 다른 힘차고 살기 있는 동작으로 바꾸면서 아래로 내리쳤다. 으아, 하는 신음이 길게 들려왔다. 최형기는 한쪽 손으로 잘린 손목을 틀어쥐고 이빨을 악물며 고통을 삼켰다. 그의 잘린 손은 아직도 칼을 쥔 채 모랫바닥에 떨어져서 꿈틀거렸다. 그의 손목에서 피가 솟구쳐 떨어졌다. 최형기는 입을 벌리고 무릎을 꿇었다. 길산은 칼을 넣고 돌아섰다.

"자……장……길산."

길산은 그 자리에 멈추었다. 최형기가 이빨 사이로 말을 한마디씩 잘라서 토해냈다.

"네게…… 알려줄…… 것이 있다. 가족의 후문을…… 듣고 싶겠지……"

"말해보아라."

최형기가 고함을 버럭 질렀다.

"도…… 돌아서라. 얼굴을 보여라, 얼굴을……"

장길산은 천천히 돌아서서 무표정하게 그를 내려다보았다.

"네놈의 처와 아들과 딸이 있었지. 내가 형조까지 압송했다. 그것들은 전라도의 관노비로 끌려갔다."

최형기는 흐려진 눈으로 그를 바라보며 쓰디쓰게 웃었다.

"명화율이다. 명화적의 혈족은 절도의 노비로 박는 게야. 나주목으로 끌려갔다. 장길산…… 잘 들어둬라. 내가 받은 관문에 의하면…… 네 아들놈이 먼저 남도의 먼 섬으로 끌려갔다. 그 이튿날 네 처는 딸자식을 품에 안고…… 관가의 우물에 몸을 던졌다."

길산의 눈까풀이 가늘게 떨리고 있었다. 최형기가 다시 되뇌었다.

"살았으면 군사들에게 욕을 보았겠지. 다행이 아닌가. 네 아들놈 이 지옥보다 먼 섬으로 끌려갔단 말이다."

총성이 울렸다. 최형기가 멍청한 얼굴이 되더니 모래 위에 쿡 처 박혔다. 길산은 고개를 돌렸다. 최홍복이 총을 겨눈 채 꼼짝 않고 있 다가 길산과 시선이 마주치자 천천히 총구를 내렸다. 마상의 장정들 은 모두 침묵하고 있었다. 길산이 주위를 둘러보니 강선홍이 길산의 시커먼 사류마의 고삐를 잡고 있었다. 길산은 말 위에 올랐다. 모두 들 강변을 떠났고 길산은 말을 돌리기 전에 모래 위에 엎어진 적의 시신을 내려다보았다. 갈가리 찢겨진 전복자락이 바람에 부풀어 펄 럭이고 있었다.

그들은 읍내로 달려가서 병력을 다시 모아 점검하고 관가의 수레 를 내어 운산의 군기(軍器)를 모두 실었다. 이 무기로 새로운 유민들 의 일단을 무장시키려는 것이다. 양곡과 포목이 읍내의 길바닥 곳곳 에 너저분하게 널려 있었는데 사방에서 몰려나온 양민들이 바가지 며 함지 광우리 등을 들고 나와 흙이고 잡곡이고 가릴 것 없이 쓸어 담으며 희희낙락하였다. 운산에서 죽은 자는 꼭 세 사람뿐이었으니, 부임한 지 석 달밖에 안 된 운산군수와 경군 장교 두 사람이었다.

귀면
鬼面

묘정과 옥여스님은 전국 각처를 다니며 산간 승려들을 체결하였고, 운부 큰스님은 선비들을 통하여 세속의 인재들을 묶어나가고 있었다. 묘정 옥여 대성법주 등은 서너 차례나 서북과 북관을 오르내리면서 특히 장길산 활빈도의 도움을 많이 받았고, 강계에서는 박대근과 최윤덕을 통하여 자금과 군기에 소용되는 물건들을 묘향산과 금강산 등지에 반입하고 있었다. 칠월에 옥여는 거사 기일이 확정되어 강계로 오르는 길에 운봉산으로 장길산을 만나러 갔다. 청산말에서부터 안내인이 따라나와 장평령을 타고 넘어 운봉산 진대골로 들어갔다. 그들의 산채는 운봉산에 세 군데의 마을을 이루고 있었다. 마장이 따로 있어 평소에는 안장과 굴레를 벗겨서 목책 안에서 자유로이 풀을 뜯게 하였다. 사흘마다 한 번씩 북선의 여러 산채를 내왕하는 파발이 내려가고 올라오고 하여 연락부절이었다. 옥여가 마을 한가운데 있는 길산의 처소에 가니 흙바닥에 자리를 깔았고 벽에는 단검과 총포만이 덩그러니 걸려 있을 뿐이었다. 점심상이 들어오는데 조밥과 산나물이 전부였다. 옥여는 상이 나가자 오랜만에 장길산과 여러가지 이야기를 나누게 되었다.

"장두령이 운산 군기를 겁탈한 소문은 한양에까지 파다합니다. 최형기가 살해된 사실은 조정에서도 쉬쉬한다고 그러던데."

길산은 그 얘기는 대수롭지 않게 흘리고 옥여에게 물었다.

"처음에는 거사 일자가 삼월 이십일 일이라더니 어찌 또 종무소식이 되어버렸소?"

"운부 큰스님께서 반대를 하셨지요. 삼월이라면 농번기이니 백성들이 흉황을 모면하고자 씨 뿌리고 밭 가는 시절이라 불가하다시며 십일월이 군사의 행군 내왕에도 좋다고 하십디다."

"원방에 있는 우리 기병이 얼어붙은 강과 시내를 건너기는 좋겠지만 시일을 끌게 되면 오히려 관군에 유리하오."

옥여는 웃음을 지었다.

"한양이 문제요. 도성만 점령하고 진인을 옥좌에 앉히면 변방의 평정은 시일이 걸리더라도 별 문제가 없소."

옥여의 설명에 의하면 승려들 외에 세간에서도 많은 인사들이 거사 계획에 동참하게 되었다는 것이다. 강계부사 신건(申鍵) 첨사 신일(申鎰) 형제와, 금화 사는 부자 지대호(池大豪) 엄준길(嚴俊吉) 진계종(秦戒宗), 함경도 사는 술사(術士) 주비(朱斐), 용인 역사(力士) 한이태(韓以泰), 용인 사는 선비 조종석(趙宗碩), 부사 홍하신(洪夏臣), 양한석(楊漢奭), 금성 사는 충의(忠義) 안석명(安碩明) 등 삼형제, 전 군수 임동정(林東靖) 수원 군기감관(軍器監官) 임필흥(林弼興) 등이 일차의 삼월 계획에 동의했다.

"나는 묘향산의 도안 해안 스님과 함께 전국에서 가장 강고한 관서 승병을 이끌고 평안도에서 기병할 제, 벽동에 있는 이학선과 그의 식구를 가짜 금부도사 모양을 시켜서 감사와 병사를 잡아다가 중도에서 처단할 뜻이었소. 박대인이나 측근 인사로 감사를 삼고 또 한 사람은 의주부윤이 되어서 병을 이끌고 양철(良鐵)벌에 이르고 우대용 두령 등이 이끈 일 대가 먼저 강화도에 상륙하여 강화유수를 목 베고 대첩기(大捷旗)를 마니산에 세우면 한양 성내가 반드시 들끓어 난리법석을 할 것이라, 양철벌의 대병이 그 틈을 타서 성중으로 짓쳐들어오면 장두령과 대성법주는 북로와 강원 승병을 수습하여 진인을 받들고 입경한다는 계획이오. 왜서(倭書)로 방을 써서 숭례문과 흥인문에다 걸고, 밤에는 남산에 봉화를 올리면 민심이 흉흉하여 한양의 내로라 하는 양반가와 사대부들이 피난을 하고 조정의 행정은 마비가 될 것이오."

"좋습니다. 저희 활빈도는 선봉이 되어 근기 일대로 일시에 쏟아져 들어갈 것입니다."

"세상에 소문이 돌기로는 장두령의 활빈도가 기병 오천에 보병 천여 명의 병력이라고 떠들썩한데 실상 얼마나 되겠소?"

"묘향 낭림 운봉의 병력과 함경도와 해서의 병력을 합하면 아마도 기마병이 천여 명은 되겠지요. 활빈도가 북선에서 도처에 출몰하였다가 일시에 잠적하곤 하여 관군들은 그렇게 알고 있습니다. 그뿐 아니라 지방 수령 관장들이 중앙의 문책을 두려워하여 우리의 병력을 과장하여 장계를 올리기 때문이지요. 그렇지만 보병은 사실상 천여 명이 넘을 수도 있습니다. 지금 전토와 고향마을을 잃고 대처나 군읍에 떠도는 유민들이 수만 명이라 이들에게 병장기를 들려주면 모두가 성난 물결처럼 관아로 밀려갈 것입니다."

"딴은 맞는 말이오. 철원과 운산에서 활빈도가 출몰하였을 제 경기도 일대에서는 수천의 기마병이 고을을 휩쓸어 관북 관서는 무인지경이 되었다고 소문이 돌아서 밥술깨나 먹는 부자들과 양반들이 삼남지방으로 피난을 간다고 법석이었으니까."

장길산은 옥여에게 물었다.

"운부 큰스님께서 선비들을 통하여 한양 성내에 내응세력을 심었다고 하는 말씀은 무엇이오이까?"

"나도 꼭 한 번 본 적밖에는 없소만 이영창(李榮昌)이란 지사(地師)가 있소. 그가 한양 내의 불평객들을 하나씩 그러모으는 중이오."

이영창이 거사를 위하여 한양에서 남인들과 접촉을 시작했던 것은 이미 삼 년 전부터의 일이라 하였다. 운부스님이 안성 청룡사에 있을 때 이영창은 열세 살이었고 공부를 하러 들어갔다가 그에게서 지술(地術)을 배우게 되었다. 운부스님은 이리저리 절을 옮겨다니면서도 이영창의 재주를 아껴서 설유징의 연락을 통하여 그가 계속 산사에 드나들도록 허용하였다. 여환의 미륵도의 난이 실패로 끝난 뒤에 운부는 이영창에게 용화세상을 이루는 일에 대하여 발설하였고 한양으로 갈 것을 권유하였던 것이다. 운부는 이영창에게 당부하였다는 것이다.

세상은 이미 말세이다. 산천을 보더라도 국맥(國脈)이 이미 진하였다. 그대는 재상가에 가지 말고 마땅히 서류(庶流) 중에서 의기가 있고 재능이 많은 자와 맺어 심복으로 삼는 것이 좋겠다.

이영창은 처음에 남인들과 접촉하였으나 갑술환국 이후로 은을 모아 정권을 뒤엎으려다 환로에 나가지도 못하고 이용만 당하여 귀양에서 풀려오거나 낙백의 세월을 보내고 있는 서인, 서얼, 중인 출신들과 더욱 가깝게 되었다는 것이다.

"그 사람들이 이번 거사에 무슨 도움이 되겠습니까?"

길산은 옥여의 말을 들으며 별로 흥겹지 않게 말하였다. 그는 미륵도 이래로 말 많은 선비나 대처 한량들을 미더워하지 않았다.

"큰스님께서는 반드시 조정의 실정과 벼슬아치들의 동향에 대해서 잘 아는 자들이 필요하다는 생각이신 모양이오. 또한 그 사람들을 통하여 진인이 궁궐에 좌정한 뒤에 우리와 손을 맞잡을 조정 대신들의 명부도 만들고 있소. 주상의 동정과 재상의 어질고 모자란 점이며 시사(時事)의 득실을 상세히 탐문하여 한양 성내에 서얼, 노비, 중인 들의 힘을 규합하는 일이 그들의 소임이오."

"저는 돌아가신 김기 삼촌 외에는 글줄이나 아는 자들을 믿지 않습니다."

장길산은 고개를 저으며 말하였다.

"우선 저들은 먹을 것이 있고 면전에서 굶주려 죽어가는 혈족을 본 적도 없습니다. 저들이 노리는 것이란 정병을 장악하는 일이요 정사에 참섭하는 자리입니다. 어제는 동편에 붙어 환국을 도모하고 날이 새면 다시 서편에 붙어 어제의 동류를 저버립니다. 정병을 다투는 자들은 용화세상과는 아무 상관이 없습니다. 운부 큰스님께서 방편을 취하시어 집정의 방도로 세상을 바꾸려 하시지만 저희는 생각이 다릅니다."

"어떻게 다르오?"

"재물과 신분의 구별이 없는 대동세상은 가장 천한 것에서 찾지 않으면 안 됩니다. 도대체 진인이란 무엇입니까? 진인은 따로이 있는 게 아니라 역병에 쓰러져가는 팔도의 백성들이 다시 살아 환호하며 춤추는 세상에서 서로 정을 주고받으며 살아가는 모든 이가 진인이지요. 차라리 왕후장상의 씨를 새로이 만들 바에는 북관의 곳곳마다 널려 있는 무인지경으로 들어가 우리끼리 용화세상을 이루어 살아가는 것이 낫겠지요."

옥여는 염주를 헤아리며 생각에 잠겼다가 침울하게 되물었다.

"그러면 장두령은 거사에 동참하지 않겠다는 말이오?"

"저는 큰스님들로 하여 겨우 지각을 차린 자가 될 수 있었지요. 하지만 산에서 경문과 참선만 겪다 보면 먹고 훌쩍이고 살려고 기를 쓰는 여염의 삶을 먼 데서만 볼 수도 있습니다. 저희 활빈도는 참활빈하려면 땅을 모두 빼앗아 갈아먹는 이에게 고루 나누어주어야만 합니다. 그 일이 근본이요, 겨우 양곡이나 재물 등속을 빼앗아 나누어주고 지방 수령들이나 징치하는 것은 지엽말단이올시다. 근본이 서지 않는다면 집정은 어느 쪽이든 마찬가지입니다. 저는 세상이 바뀌지 않더라도 저희 활빈도가 백성의 군사임을 알고, 참용화세상을 이루는 일을 끊임없이 벌이고 다닐 것입니다."

길산은 두 눈을 지그시 감았다. 그는 이 세상에서 더이상 잃어버릴 아무것도 남아 있지 않았던 것이다. 옥여가 말하였다.

"그러한 뜻은 대성법주나 소승과도 같소이다. 우리의 목숨이 끝날 때까지 한 번으로 안 되면 몇번이든 다시…… 어느 진인이 거듭 나타난다 하여도 세상이 비뚤어지면 쓸어없애야 하오."

길산은 그의 단검을 허리에서 끌러 옥여에게 내밀었다.

"이것은 제가 어린 무동 광대 시절부터 지녀왔던 물건입니다. 저는 이 칼로 저를 지키고 이것으로 저희를 둘러싼 양반들의 세상을 막아내려 하였지요. 또한 이 칼은 북선 활빈도는 물론이요 팔도의 녹림당을 움직일 수 있는 신표이기도 합니다. 저희 활빈도는 이번 일이 어긋나더라도 실패로 여기지는 않을 것입니다. 뒤를 이어서 계속될 테니까요. 제가 이 칼을 스님께 드리는 것에는 두 가지 뜻이 있습니다. 하나는 이 칼을 신표로 삼아 전국의 녹림당을 규합하라는 것이요, 또 한 가지는 이제 장길산이라는 이름을 버리고 팔도 활빈도라는 수많은 무리들만 남기려는 뜻입니다."

옥여는 길산의 단검을 받았다. 그는 강계로 가서 인삼을 받아 돈으로 바꾸어 군복 군기 등물을 준비할 작정이었다. 유황과 동철을 다량으로 준비하고 화승총과 창검을 만들어 금강산과 간성의 대성법주에게 장닉해둘 것이었다.

"한양에서 십일월 중에 거사할 날짜가 정해지면 곧 파발을 보낼 터이니 대성법주의 강원도 병력과 철원에서 합대하여주오."

"명심하겠습니다. 하오나……"

길산은 진대골에 들어앉은 포실한 마을을 둘러보더니 옥여에게 말하였다.

"저희들은 서수라와 백두산 인근 일대에 광활한 무인지경을 보아두었습니다. 일이 성사가 안 되더라도 저희는 각처의 유민들과 더불어 그곳에 가서 다시 시작하렵니다."

한 달 뒤인 팔월에 옥여는 묘향산에 다시 들렀고, 묘향산과 낭림산 일대의 병력이 길산네 운봉산 병력과 합대하여 북관을 휩쓸었다는 소문에 접하였다. 병자년의 거사계획은 동지가 다 지나도록 미루어지다가 해를 넘겨서 숙종 이십삼 년 정월 초열흘에 고변(告變)이 먼저 터지게 되었다. 한양의 일을 맡았던 선비들 사이에서 배신이 있었던 것이다. 이튿날인 열하루부터 추국청이 열려 한양의 관련자들이 하나둘씩 체포당하였다.

그것은 장길산이 우려하던 대로 정병(政柄)에 대하여 집착하는 무리의 성격을 드러내는 것이었다. 조정은 발칵 뒤집혔고 반대파는 이를 이용하려 하였다. 금부도사와 토포 군사가 사방으로 풀려나갔으나 그들은 죄인의 문초에 나온 동참자들을 거의 포득하지 못하였다.

한양에서는 너무나 먼 산과 골짜기에 산사들이 흩어져 있고, 승려들은 거의가 호적과 군역에서 빠진 자들이었기 때문이다. 활빈도는 그동안에도 끊임없이 활동을 계속하였다. 그들은 양주 포천 여주 안성 등지의 경기도에까지 출몰하였으며 군관과 수령들이 난민들에 의해 살해당하였다. 흉황은 그로부터 삼 년 동안이나 더욱 극심해져서 수만 명이 굶어죽거나 역병에 걸려 쓰러져갔다. 임금은 장길산의 활동이 끊이지 않음을 알게 되자 스스로 탄식하며 비망기를 내렸을 정도였다.

극악한 도적 장길산은 날래고 표한함이 비할 자가 없어 여러 도를 왕래한다는데 종적을 헤아릴 수가 없으며, 그의 도당(徒黨)이 이같이 번성하여 일 년 이 년 십 년이 이미 지났어도 아직도 잡지 못하고 있도다. 양덕에서 군사를 풀어 포위하였으나 끝내 잡지 못하였으니 역시 그 음흉한 행적을 알 수가 있구나. 죄인들의 초사(招辭)를 보면 더욱 극히 원통하도다. 비록 그 말을 믿기는 어려우나 이 도적이 나타나기 전에는 내 걱정 근심이 풀리지 않을 것이라, 반드시 여러 도에 비밀히 지시하여 소재를 상세히 탐지하고 따로이 군대를 풀어서 소탕하여 후환을 없게 하라.

그러나 장길산 활빈도는 날랜 북방마와 황색 바탕의 깃발로써 일반 백성들은 누구든지 알아볼 수가 있었지만, 오히려 마을을 지날 때면 백성들 쪽에서 관군의 동향을 알려주는 것이었다. 기찰에 나선 경군 장교들도 감히 그들이 은거하여 있다는 소문이 낭자한 곳에는 들어가지도 못하였으니, 먼저 가서 돌아오지 않은 자가 여럿이었던 까닭이다. 세상의 소문에는 장길산이 압록강변의 벽동 수백 리의 골짜기 안에 깊이 숨었다고도 하고, 또는 두만강의 하류 서수라의 광활한 숲과 호수 사이에 대부락을 이루어 살고 있다 하였지만, 아무도 확인하지는 못하였다. 그러나 활빈도의 깃발은 여전히 사라지지 않았다.

계유년에 시작되었던 흉황은 기묘년까지 계속되어 여섯 해 동안에 이십오만삼천여 호가 줄고 백사십일만육천여 명이 호적에서 사라졌다. 죽은 이도 많았으나 스스로 조세와 군역에서 빠지고 여염 세상을 등진 자들도 적지 않았으며, 나라에서는 이들을 백성으로 재편성하기 위하여 애를 썼다. 조정에서는 무엇보다도 장길산의 이름이 사라지지 않는 점에 골치를 앓았다. 사방에서 장길산을 자처하는 자들이 나타났고 활빈도를 흉내내는 무리들이 삼남에서도 벌떼처럼 늘어가고 있었다. 병조판서 이세화(李世華)는 밀령을 내리기를, 장적의 소문이 가장 번성하고 민심이 가라앉지 않는 지역에서 장적을 자처하는 자가 되었거나 그에 관한 유언을 퍼뜨리는 자들을 본보기로 극형에 처하라고 지시하였다.

평안도와 황해도 지방의 소문이 가장 번성하였으니 그의 출몰이 잦았던 곳이요, 구월산과 자비령 일대에는 그가 지척에 다시 돌아왔다는 풍문이 떠돌고 있었다. 평안도에서는 평양 외곽의 순안 장터에서 그리고 해서에서는 자비령 인근의 봉산에서 중인 환시 가운데 본보기의 극형을 치를 필요가 있게 되었다.

봉산 은파(銀波)장은 대동강의 지류인 월당강이 흘러 재령의 나무리벌을 이루고 강이 세 갈래로 갈라진 어구에 있으니 강과 평야를 낀 수륙교통이 편리한 곳이다. 단오장은 해서에서도 가장 큰 장이라, 서흥 기린 재령 신천 안악 황주는 물론이요 평양과 해주에서까지 상인들이 모여들었다. 새벽부터 들판에는 장 보러 나오는 사람들의 행렬로 흰 점들이 줄지어 움직인다. 검수역말과 봉황대 앞길은 남녀노소의 장꾼들로 메워지고 밤곶이 나루에는 돛을 올린 중선들과 먼젱이 야거리 등의 배가 밀물을 타고 떠들어온다. 재령의 장꾼들은 당나루를 건너서 오는데 나무리벌과 어루리벌의 풍부한 물산은 모두 당나루를 건너서 오는 것이었다. 이러한 대목에 어찌 광대놀음이 없으랴. 물주가 나서서 미리 행상 거간꾼 상단 사람들에게서 계 추렴을 하여 양곡과 돈을 모아 황주 은율 등지에서 재인들이며 탈놀이꾼들을 맞춰오는 것이다. 재인들이야 땅재주나 덜미도 놓고 하는 것이 천생의 팔자로 타고난 재간이지만, 탈춤은 웬만한 눈썰미로 배워서 내용을 아는 이들은 저절로 탈판에 끼여들기 마련이었다.

해서감영에서는 바로 그 대목 장을 바라고 다섯 사람의 장교를 뽑아 보냈다. 그들은 모두가 감영에서 기골이 장대하고 병장기를 쓰는 재간이 뛰어나 뽑힌 자들이었고 자신들이 무엇을 해야 하는가를 잘 알았다. 그들은 장사치로 변복하고 품안에는 쇠몽치와 도리깨 등속의 무기를 숨겼다. 대목 장날 전날 저녁에 봉산 관아의 동헌에 현신한 기찰장교들은 군수에게 뜻을 아뢰고, 수리(首吏)를 시켜서 장길산 체포에 관한 글과 용모파기를 적어서 장터의 곳곳에 방을 내붙이도록 하였다. 예전과 다름없이 낮 동안은 씨름판과 그네뛰기, 재인들의 줄타기며 땅재주판이 벌어졌고, 어스름하게 땅거미가 내릴 무렵하여 장터 한복판에 장작불이 피워지고 길놀이가 시작되었다. 장꾼들은 집에 돌아가지 않고 장터의 곳곳에서 술도 마시고 농도 나누면서 기다렸는데 아이들은 떼를 지어 길놀이를 도는 잽이들과 놀이패들의 뒤를 따라다녔다. 장교들은 놀이판 주위에서 서성거렸고, 오장되는 장교는 길놀이의 행렬을 줄곧 따라다니며 맞춤한 상대를 골랐다. 그날 따라 장터에 방이 여러 군데 나붙어 사람들은 잊고 있던 장길산 활빈도의 얘기로 저마다 아는 척하며 지껄였다. 오장이 제 패거리들에게로 돌아와 한 탈광대를 지목하였는데 과연 허우대가 크고 어깨가 딱 벌어졌으며 낯바닥이 거무튀튀한 몰골이 먹이로서는 그럴듯하였다.

아이들 틈에는 봉산 아전의 아들도 끼여 있었다. 아전은 좌고에게서 면포 한 필, 상단에서는 각 사람마다 미곡 두 되, 그리고 공쟁이들에게서는 돈 한 냥의 장세를 거두는 일로 일 년 중의 가장 바쁜 철이었다. 그는 아침부터 졸라대던 아이를 데리고 은파장에 나와서 떡전에도 데려가고 엿도 사주고 하였으며 아이는 온갖 진기한 구경으로 하루 해가 어찌 저무는지도 몰랐다. 태평소가 간드러지게 울어대고 깽쇠는 귀청이 떨어지라고 두들겨패는데 아이들은 개복청 언저리로 몰려가 춤꾼들의 울긋불긋한 옷과 탈박들을 구경하고 만져보다가 머리에 알밤을 맞고 쫓겨오기도 하였다.

드디어 사방이 어두컴컴해지고 장작불은 키가 넘게 타올라 사람들의 얼굴에 불콰하게 번진 취기를 어루만져줄 즈음에 탈춤이 시작되었다. 사람들은 목청을 합쳐 장단도 맞추고 자기들이 아는 대사도 미리 앞질러 떠들고 하면서 신명이 위로 자꾸만 솟았다. 취발이가 나오는 대목에서부터 관중들의 폭소가 터지고 타령 장단의 춤이 시작되어 소무와의 농탕이 벌어지려는 판이었다. 취발이의 허리에서는 놋쇠방울이 떨그덩거리고 푸른 버들가지는 낭창거리며 궁둥이에서 장단을 따라 흐느적거린다. 울긋불긋한 탈박 위에 모닥불빛이 어른어른하여 광대의 몸짓에 따라 표정이 바뀌었다. 낙양동천 유하정……

"죽여라, 장길산이 죽여라!"

외마디소리가 터져나오면서 구경꾼들 틈에 끼여섰던 해서감영의 장교들이 놀이마당으로 뛰어들었다. 그들은 손에 손마다 쇠몽치와 쇠도리깨를 꺼내어 들고 취발이 춤이 절정에 오른 광대의 몸 위로 덮쳤다. 쇠몽치가 광대의 뒤통수로 날아들었고 뒤이어 어깨 등판 할 것 없이 내려찍었다. 탈놀이판은 아수라판이 되어 소무 역을 하던 자와 다른 광대들은 사방으로 달아났고, 구경꾼들은 서로 밀치고 밀리며 밟히고 넘어지고 그런 야단이 없었다. 장교가 죽어 넘어진 광대의 목에 오라를 걸고 땅바닥에 질질 끌고 나가며 다시 외쳤다.

"보아라, 장적을 잡았다. 장길산을 죽였다!"

그들은 서로 같은 소리를 되풀이하여 외치며 텅 비어버린 은파장 큰길을 질러갔다. 포구에서 기다리던 봉산의 군사 십여 명이 검은 더그레에 털벙거지를 쓰고 장창을 빗겨들고 달려와 장터를 포위하였다. 그러고는 날이 밝기 전에 행자나 두둑이 주어서 다른 지방으로 쫓아보내기 위하여 재인 광대들을 모조리 잡아 포박하였다.

구경꾼들은 숨을 죽이고 가가의 문 뒤에 또는 좌판 밑에 인가 삽짝 안에 숨어서 인적이 끊긴 놀이판을 내다보고 있었다. 모닥불은 이제 불길을 만나 활활 타올랐고 깨끗이 비워진 땅 위에는 취발이가 썼던 탈만이 두 눈알 부릅뜨고 내던져져 있었다. 옆으로는 광대가 흘린 피가 엎질러진 술의 흔적과도 같이 번져 있었다. 좌판 밑에서 아이 한 녀석이 바르작거리며 기어나왔다. 아이는 침을 꿀꺽 삼키고는 놀이판을 향하여 뽀르르 달려갔다. 그의 애를 태운 물건이었던 탈을 주워들자 아이는 뒤도 돌아보지 않고 좌판 아래로 기어들었다. 아이의 눈이 빛났고 입가에 만족한 웃음이 번졌다. 그러다가 그는 손을 쳐들어 들여다보고는 얼른 탈을 내던졌다. 죽은 사람의 피가 손에 묻은 것이다. 한참이나 아이는 아쉬운 듯이 탈을 바라보다가 손을 땅에다 자꾸 문질렀다. 다음에는 곧 아무렇지도 않게 되어 탈을 다시 집어올려 이번에는 바지에다 쓱쓱 문질러 닦았다. 아이는 봉산 아전의 아들 아무개였다고 하는데 그는 탈과 함께 장길산이란 이름도 잊지 않았다. 그가 장성하여 가업인 아전의 소임을 물려받은 뒤에 나라에 죄를 지어 전라도의 섬으로 귀양 갔던 적이 있었고, 돌아와서는 탈을 새로 만들고 재담을 정리했다고 전하여온다.

운주 미륵

호남 전도는 토지가 비옥하고 바다를 끼고 있어 해산이 풍부한 고장이다. 특히 남해안에는 수백의 섬이 있어 예로부터 극변의 유배지로 널리 알려졌다. 전라도는 평야가 광대하고 관개가 훌륭하여 이곳에 풍년이 들면 팔도를 먹인다 하였으나, 예로부터 중앙에서 멀고 현달한 이가 적어 부임하는 수령들은 마음 놓고 조세를 과하여 부역과 작료가 가혹하였으며 지방 서리배들의 농간은 극심한 고장이라 민란이 잦았던 곳이다.

청천 하늘엔 잔별도 많고
우리네 살림엔 수심도 많다
아리 아리랑 스리 스리랑
아라리가 났네 아리랑 응응응
아라리가 났네

문경새재는 웬 고개인고
굽이야 굽이야 눈물이 난다
서산에 지는 해는 지고 싶어 지느냐
날 두고 가신 님은 가고 싶어 가느냐
말은 가자고 네 굽을 치는데
님은 붙들고 아니를 놓네
산천이 좋아서 내 여기 왔냐
님 사는 곳이라고 내 여기 왔지
칠산바다에 어선이 뜨고
월출산봉에 달이 솟아온다
오늘 갈지 내일 갈지 모르는 세상
내가 심는 호박넝쿨 담장을 넘네
물을 쓰면 돌만 남고
님은 가면 나 혼자 남는다
낼 날 좋으면 홍어잡이를 갈란다
높은 산 올라가서 어둡도록 보아라
왜 왔던고 왜 왔던고
울고 올 길을 왜 왔던고

노래는 끝이 없고 정은 샘처럼 깊다. 남도로 가는 들판 가운데 영산강과 월출산이 있으니, 영산강은 담양 추월산에서 시작하여 장성 백암산 능주 여함산 장성 황룡강 담양의 관방천 화순의 지석강이 합수하여 나주벌을 거느리고 서남해로 흘러나가는데, 영암 월출산은 들판의 끝에 기이하고 아리따운 봉우리를 불꽃처럼 쳐들고 국토의 마지막 수문장처럼 서 있다. 영조조 삼 년에는 변산반도와 월출산을 근거로 하여 유민들이 난을 일으켰고, 이어서 육 년 뒤에는 전라도 인근 해역의 섬들과 진도 나주 일대에서 노비들이 들고일어났다. 절도의 노비들이야말로 역률에 따라 내쳐진 죄인들 중의 생존자들이었으니 그들이 어찌 새세상에 대한 희망을 저버렸을 것인가. 인근의 능주 땅에는 후백제가 망할 무렵부터 전해내려오는 전설과 기묘한 석불들이 있었는데 대개 이러하였다.

능주는 야산과 산줄기가 겹쳐서 오불꼬불한 비산비야(非山非野)를 이루어 들판 가에 쑥 빠져 물러난 곳이라 예전부터 의외로 귀 빠진 골이다. 화순 남방에서 시작된 산줄기가 울타리처럼 싸고 흘러 보성 유치에까지 닿는다. 또 한 맥은 남평 동남방에서 뻗어내려 능주와 두 겹의 산줄기를 이루어 곰재에서 만나고 장흥 쪽으로 빠진다. 두 겹의 산줄기 안에 천불산(千佛山) 협곡이 있으니 옛글에 나오는 대로 엄택곡부(掩澤曲部)가 분명하다.

월출산을 근거로 하여 관군에 맞서 싸워오던 후백제의 유민들은 들판 가운데 우뚝 솟은 바위산에서 포위된 채로 굶주리며 죽어가다가 가까스로 살아남은 자들이 천불산 계곡으로 빠져 스며들었다. 그들은 손바닥만 한 야산과 야산 사이의 황토에 밭을 일구어 보리와 조를 심고 숨어 살면서 때를 기다렸다. 그들은 자신의 고향이 어디인지 부모형제가 어떤 이들인지도 알지 못하였다. 다만 기억하는 것은 나라에 대적한 죄를 지은 혈족의 잘못으로 남해의 섬 가운데서 천민으로 태어났다는 것뿐이었다. 그들은 어머니나 누이가 일에 지쳐 돌아와 거적 위에 쓰러져 잠들기 전에 속삭이며 해주던 이야기로 어렴풋이 알게 되었다.

너는 네 아버지처럼 삼촌같이 다시 일어나 해방되어야 한다. 네가 못 하면 네 자식에게 또 그 자식에게 이 말을 전해야 한다.

그들은 협곡 속에 숨어 살면서 미륵님의 계시를 들었다. 이 골짜기 안에 천불천탑(千佛千塔)을 하룻밤 사이에 세우면 수도가 이곳으로 옮겨온다는 것이었다. 도읍지가 바뀌는 새로운 세상, 그들이 나라의 중심이 되는 세상이 하룻밤 사이에 이루어진다는 것이었다. 유민들은 새벽에 깨어 일어나 보성만에서 떠오르는 아침해를 보았다.

우리는 이곳에 서울을 세우리라고 미륵님께 서원합니다. 여기가 염부제가 되리라고 믿습니다.

그들은 황토뿐인 야산에서 바위를 찾으려고 산등성이를 넘어가고 들판을 달리고 강을 건넜다. 바위를 굴려오고 끌어오고 떠메고 오면서 그들은 북을 두드렸다. 집채만 한 북을 골짜기 어귀에 걸어 두고 산천이 떠나가라고 두드리면서 미륵상과 탑을 쪼아 세우는 노고를 온 세상에 알렸다.

세상의 모든 천민이여 모여라. 모여서 천불천탑을 세우자.

그들은 보리밭 밭고랑에 돌을 뉘어놓고 새기기도 하고, 산비탈에서 쪼기도 하고 암벽 중간에 매달려서 정과 망치를 두드리기도 하였다. 고수는 망치소리를 모두 뒤덮을 만큼 우렁차게 북을 때리고 또 때렸다.

천불천탑을 모시고 새로운 세상을 이루는 부처님을 좌정시키려면 새 절도 세워야만 한다.

늙은 유민이 일러서 계곡이 끝나는 곳에 새 절을 세웠으니 운주사(運舟寺)라 하였다. 젊은 유민이 물었다.

할아버지, 절이름이 어째서 운주사요?

배를 부린다는 뜻이란다. 배가 물에 떠서 움직이게 된다는 뜻이니라.

젊은이는 더욱 궁금해졌다.

이 깊은 산골에서 배는 무엇이고 물은 또 무어요. 우리가 이제는 다시 죽지 못해 살던 섬으로 쫓겨간다는 뜻이우?

늙은이는 햇볕에 그을린 주름살 많은 눈을 감을 듯이 가늘게 뜨고 웃으면서 말하였다.

그게 아니란다, 애야. 새로운 우리 세상이 바로 배가 되는 게야. 미륵님 세상이 배가 된다. 배는 물이 없으면 뜰 수가 없지 않으냐?

그럼 물은 또 무엇이우?

물은 우리 같은 천것들이고 만백성이란다. 우리 중생이 물이 되어 고이면 배가 떠서 나아가게 되는 게야. 이제야 배가 되어 움직이는 절의 의미를 알겠느냐.

유민들은 다시 정신없이 돌을 쪼아 미륵상을 세웠다.

미륵님이 어떻게 생기셨는지 본 적이 있어야지. 몸집이 얼마나 큰지 작은지, 잘생겼는지 못생겼는지 어찌 알고 미륵님을 감히 새긴단 말인고.

석수질을 하던 사람들은 거기에 생각이 닿자 모두 낙망하여 일손을 멈추고 주저앉았다. 늙은이가 다시 나서서 그들에게 말하였다.

여보게, 미륵님을 못 보았다고? 이런 어리석은 사람 같으니 미륵님이란 자네 아닌가. 자네 모양과 똑같은 이가 미륵님일세.

어이구, 그런 말씀 마시우. 저는 어릴 제 관차배에게 매를 맞아 콧대가 부러져서 이렇게 납작합니다. 다리는 절름발이구요.

저는 못 먹고 살아 그런지 키가 안 커요. 보시우, 항아리처럼 작달막하지요.

늙은이가 껄껄 웃었다.

하룻밤 사이에 천도되고 거기에 오시는 미륵님이란 모두 자네들 모습일세. 안심하고 꼭 그렇게 새겨드리게.

일손을 놓았던 유민들은 다시 용기가 나서 이번에는 자기 모습대로 각기 미륵님의 모양을 만들어나갔다. 골짜기 안에는 자기네처럼 성도 없고 이름도 없는 제멋대로 생긴 백성들이 꽉 들어차고 있었다. 고수는 다시 힘차게 북을 두드렸다. 황혼녘이 되자 이 소문을 들은 월출산, 해남 대둔산, 완도, 진도, 흑산 추자도의 바위들까지도 모두들 스스로 미륵상이 되기 위하여 우뚝우뚝 서서 골짜기를 바라고 몰려오기 시작하였다.

온 산의 바위가 밀려온다!

북소리는 더욱 우렁차게 곳곳에 울려퍼졌다. 그들은 캄캄한 밤이 되었어도 횃불을 밝히고 일을 계속하였다. 구백구십구의 미륵상과 탑을 세웠다.

마지막 미륵님을 만들자.

유민들은 새로운 세상을 눈앞에 그리면서 산정으로 올라갔다. 산정에는 남도의 어느 곳에서 달려왔는지 집채보다 더 큰 바위가 땀을 뻘뻘 흘리며 누워 있었다. 바위는 비탈에 누워 있어서 비스듬히 기울어져 있었다.

상수하족(上首下足)일세. 비탈 위에 미륵님 머리를 새겨두고 아래쪽에 다리를 새겨야지.

하루종일 가장 열심히 일하였던 사람이 아는 척하였다.

아닐세, 그렇지 않아.

늙은이가 또 나서서 일러주었다.

우리가 세상의 밑바닥에 처박힌 것처럼 미륵님도 처박혀 있는 게야. 세상이 거꾸로 되었으니 상수하족은커녕 상족하수(上足下首)가 맞네. 그래야만 우리가 힘을 합쳐 바로 일으켜세울 것이 아닌가.

모두들 그 말에 따라서 머리와 다리를 정하고 와불(臥佛)을 새겨나갔다. 어떤 사람은 머리를 코를 눈을 또 어떤 사람은 몸을 배를 어떤 이는 팔다리를 새겼다. 미륵님의 형상이 이루어졌다.

자, 이 미륵님만 일으켜세워드리면 세상이 바뀐다네.

그들은 머리와 어깨와 몸에 달라붙어 힘을 썼다. 북은 그들의 힘 쓰는 앞소리와 뒷소리에 장단을 맞추었다. 미륵의 몸이 움직이기 시작하였다. 조금만 조금만 더, 하다가 미륵은 다시 넘어졌다. 사람들은 지칠 줄 모르고 미륵님을 밀어올렸다. 그때 도저히 이 캄캄한 밤의 노고를 참지 못한 사람 하나이 있어, 손을 떼고 혼자 떨어져나가며 거짓말로 외쳐버렸다.

닭이 울었다!

고수는 그 말을 듣고 깜짝 놀라서 북채를 내던졌다. 미륵을 밀어올리던 사람들도 힘을 잃고 주저앉아버렸다. 미륵상은 비탈 저 밑에 처박혀서 다시는 움직이지 않았다. 서로 미륵상이 되기 위하여 우뚝 우뚝 새까맣게 몰려오던 사방의 바위들도 소문을 듣고는 그 자리에 넘어져버렸다. 그렇지만 넘어지면서도 머리는 계곡 쪽을 향하였으니 먼 훗날에라도 와불이 바로 일어서면 다시 미륵이 되기 위해서였다. 바위들은 민병의 쓰러진 시체처럼 들판과 야산의 곳곳에 넘어져서 오랜 비바람에 씻겼다. 그뒤부터 이상한 일이 있었으니 운주사의 대문을 여닫을 적마다 서울 장안에서 우지끈대는 우렛소리가 그치지 않았다. 서울이 옮겨지지 않은 것을 한하여 그런 소리가 들린 것이다. 그래서 대문을 떼어서 영산강으로 떠나보냈다. 운주사는 그뒤로부터 운주사(雲住寺)가 되고 말았으며 이는 물이 차오르지 않아 세상이 머물러버렸던 까닭이라 하였다. 중생의 물이 차올라 세상인 배를 띄울 때까지 와불은 구렁에 처박힌 채 기다림의 장소에 머물게 되었다.

마을과 마을의 닭소리가 서로 접하여 있으며, 아름답지 않은 꽃과 과실의 나무는 말라서 없어지고 추하고 악한 것이 스스로 소멸하고, 기후는 화창하고 사시의 계절이 순조로우며 질병이 사라진 세상. 탐하는 마음과 성내는 마음, 어리석은 마음이 커지지 아니하고 은근하며 사람마다 평등하여 모두 한가지 뜻으로 서로를 보게 되매 기쁘고 즐거워하며, 착한 말로 서로 오가는 뜻이 똑같아서 차별함이 없게 되는 사람들. 서로 싸우고 죽이며 잡혀가고 옥에 갇히고 무수한 고통을 가져왔던 부귀가 이제는 버려진 돌조각처럼 아끼고 탐내지 않게 된 그러한 곳은, 어느 숲속이든 산속이든 아니면 바다의 안개 속에 가려진 섬이든 실재하지 않았다.

　대동세상이 이루어진다는 확신을 가진 사람들의 목숨 가운데서 문득 빛나던 것이 있었으니, 스스로의 가슴속에 이미 저러한 세계의 실상이 생생하게 담겨졌다는 깨달음이었다.

　역(易)에 이르기를 미제(未濟)의 뜻이 해가 바닷속에 잠겨 있으므로 장차 밝게 떠오를 것을 안다 하였으매, 티끌처럼 수많은 생령(生靈)들의 뜻이 어찌 이루어지지 않으랴.

―― 대단원

장길산 4
특별합본호

초판 1쇄 발행 • 2020년 12월 21일
초판 2쇄 발행 • 2022년 11월 24일

지은이 / 황석영
펴낸이 / 강일우
펴낸곳 / (주)창비
등록 / 1986년 8월 5일 제85호
주소 / 10881 경기도 파주시 회동길 184
전화 / 031-955-3333
팩시밀리 / 영업 031-955-3399·편집 031-955-3400
홈페이지 / www.changbi.com
전자우편 / lit@changbi.com